PARIS-NEW YORK ET RETOUR

Marc Fumaroli,
de l'Académie française

Paris-New York et retour

Voyage dans les arts et les images

Journal 2007-2008

Fayard

ISBN : 978-2-213-62483-9

« Torniamo all'antico, sarà un progresso. »

Giuseppe VERDI.

Le désir d'étonner et d'être étonné est très légitime. It is a happiness to wonder, *« c'est un bonheur d'être étonné » ; mais aussi,* it is a happiness to dream, *« c'est un bonheur de rêver ». Toute la question, si vous exigez que je vous confère le titre d'artiste ou d'amateur des Beaux-Arts, est donc de savoir par quels procédés vous voulez créer ou sentir l'étonnement. Parce que le Beau est* toujours *étonnant, il serait absurde de supposer que ce qui est étonnant est* toujours *beau. Or notre public, qui est singulièrement impuissant à sentir le bonheur de la rêverie ou de l'admiration (signe des petites âmes), veut être étonné par des moyens étrangers à l'art, et ses artistes obéissants se conforment à son goût ; ils veulent le frapper, le surprendre, le stupéfier par des stratagèmes indignes, parce qu'ils le savent incapable de s'extasier devant la tactique naturelle de l'art véritable.*

Dans ces jours déplorables, une industrie nouvelle se produisit, qui ne contribua pas peu à confirmer la sottise dans sa foi et à ruiner ce qui pouvait rester de divin dans l'esprit français. Cette foule idolâtre postulait un idéal digne d'elle et approprié à sa nature, cela est bien entendu. En matière de peinture et de statuaire, le Credo *actuel des gens du monde, surtout en France (et je ne crois pas que qui que ce soit ose affirmer le contraire), est celui-ci : « Je crois à la nature et je ne crois qu'à la nature (il y a de bonnes raisons pour cela). Je crois que l'art est et ne peut être que la reproduction exacte de la nature (une secte timide et dissidente veut que les objets de nature répugnante soient écartés, ainsi un pot de chambre ou un squelette). Ainsi l'industrie qui nous donnerait un résultat identique à la nature serait l'art absolu. »*

Un Dieu vengeur a exaucé les vœux de cette multitude. Daguerre fut son messie. Et alors elle se dit : « Puisque la photographie nous donne toutes les garanties désirables d'exactitude (ils croient cela, les insensés !), l'art, c'est la photographie. » À partir de ce moment, la société immonde se rua, comme un seul Narcisse, pour contempler sa triviale image sur le métal. Une folie, un fanatisme extraordinaire s'empara de tous ces nouveaux adorateurs du soleil.

D'étranges abominations se produisirent. En associant et en groupant des drôles et des drôlesses, attifés comme les bouchers et les blanchisseuses dans le carnaval, en priant ces héros *de vouloir bien continuer, pour le temps nécessaire à l'opération, leur grimace de circonstance, on se flatta de rendre les scènes, tragiques ou gracieuses, de l'histoire ancienne.*

Quelque écrivain démocrate a dû voir là le moyen, à bon marché, de répandre dans le peuple le dégoût de l'histoire et de la peinture, commettant ainsi un double sacrilège et insultant à la fois la divine peinture et l'art sublime du comédien. [...]

Comme l'industrie photographique était le refuge de tous les peintres manqués, trop mal doués ou trop paresseux pour achever leurs études, cet universel engouement portait non seulement le caractère de l'aveuglement et de l'imbécillité, mais avait aussi la couleur d'une vengeance. Qu'une si stupide conspiration, dans laquelle on trouve, comme dans toutes les autres, les méchants et les dupes, puisse réussir d'une manière absolue, je ne le crois pas, ou du moins je ne veux pas le croire ; mais je suis convaincu que les progrès mal appliqués de la photographie ont beaucoup contribué, comme d'ailleurs tous les progrès purement matériels, à l'appauvrissement du génie artistique français, déjà si rare.

La Fatuité moderne aura beau rugir, éructer tous les borborygmes de sa ronde personnalité, vomir tous les sophismes indigestes dont une philosophie récente l'a bourrée à gueule-que-veux-tu, cela tombe sous le sens que l'industrie, faisant irruption dans l'art, en devient la plus mortelle ennemie, et que la confusion des fonctions empêche qu'aucune soit bien remplie. La poésie et le progrès sont deux ambitieux qui se haïssent d'une haine instinctive, et, quand ils se rencontrent dans le même chemin, il faut que l'un des deux serve l'autre. S'il est permis à la photographie de suppléer l'art dans quelques-unes de ses fonctions, elle l'aura bientôt supplanté ou corrompu tout à fait, grâce à l'alliance naturelle qu'elle trouvera dans la sottise de la multitude.

Il faut donc qu'elle rentre dans son véritable devoir, qui est d'être la servante des sciences et des arts, mais la très humble servante, comme l'imprimerie et la sténographie, qui n'ont ni créé ni suppléé la littérature. Qu'elle enrichisse rapidement l'album du voyageur et rende à ses yeux la précision qui manquerait à sa mémoire, qu'elle orne la bibliothèque du naturaliste, exagère les animaux microscopiques, fortifie même de quelques renseignements les hypothèses de l'astronome ; qu'elle soit enfin le secrétaire et le garde-note de quiconque a besoin dans sa profession d'une absolue exactitude matérielle, jusque-là rien de mieux. Qu'elle sauve de l'oubli les ruines pendantes, les livres, les estampes et les manuscrits que le temps dévore, les choses précieuses dont la forme va disparaître et qui demandent une place dans les archives de notre mémoire, elle sera remerciée et applaudie. Mais s'il lui est permis d'empiéter sur le domaine de l'impalpable et de l'imaginaire, sur tout ce qui ne vaut que par ce que l'homme y ajoute de son âme, alors malheur à nous !

Je sais bien que plusieurs me diront : « La maladie que vous venez d'expliquer est celle des imbéciles. Quel homme, digne du nom d'artiste, et quel amateur véritable a jamais confondu l'art avec l'industrie ? » Je le sais, et cependant je leur demanderai à mon tour s'ils croient à la contagion du bien et du mal, à l'action des foules sur les individus et à l'obéissance involontaire, forcée, de l'individu à la foule. Que l'artiste agisse sur le public, et que le public réagisse sur l'artiste, c'est une loi incontestable et irrésistible ; d'ailleurs les faits, terribles témoins, sont faciles à étudier ; on peut constater le désastre. De jour en jour l'art diminue le respect de lui-même, se prosterne devant la réalité extérieure, et le peintre devient de plus en plus enclin à peindre, non pas ce qu'il rêve, mais ce qu'il voit. Cependant c'est un bonheur de rêver, *et c'était une gloire d'exprimer ce qu'on rêvait ; mais, que dis-je ! connaît-il encore ce bonheur ?*

L'observateur de bonne foi affirmera-t-il que l'invasion de la photographie et la grande folie industrielle sont tout à fait étrangères à ce résultat déplorable ? Est-il permis de supposer qu'un peuple dont les yeux s'accoutument à considérer les résultats d'une science matérielle comme les produits du beau n'a pas singulièrement, au bout d'un certain temps, diminué la faculté de juger et de sentir ce qu'il y a de plus éthéré et de plus immatériel ?

BAUDELAIRE, *Curiosités esthétiques, Salon de 1859.*

Je chasse les étoiles avec la main
Mouches nocturnes ne vous abattez pas sur mon cœur
Vous pouvez toujours crier Fixe
Capitaines de l'habitude et de la nuit
Je m'échappe indéfiniment sous le chapeau de l'infini
Qu'on ne m'attende jamais à mes rendez-vous illusoires.

ARAGON, *Le Mouvement perpétuel* (1924).

PREMIÈRE PARTIE

Une saison à New York

CHAPITRE PREMIER

Affiches, écrans, clones et tableaux de musée

1. Des Crystal Palace gratuits, à la portée de tous

L'art de lire à loisir, à l'écart, savamment et distinctement, qui jadis répondait à la peine et au zèle de l'écrivain par une patience de même qualité, se perd, il est perdu.

Paul VALÉRY.

Longtemps, j'ai attendu le 63 à Paris dans les abribus Decaux sans remarquer qu'ils ne se contentaient pas de protéger de la pluie. Peu avant de gagner New York, un beau matin de septembre 2007, soudain je les ai *vus* pour ce qu'ils étaient vraiment. Minuscule conversion du regard. Ce fut le début du voyage. Prototypes en réduction à l'image desquels les anciens musées devront se réformer ou les nouveaux se concevoir, ces abribus sont les vraies Expositions universelles de notre temps, des Crystal Palace en miniature. Leur version expansée, à très grande échelle, dans les mêmes murs de verre, pour voyageurs aériens ou pour piétons de mégapoles, se multiplie en tous les points du monde en ce moment. Je retrouverai les mêmes abribus à la Decaux dans les rues de New York et de Chicago, et leurs versions expansées au débarqué de l'avion et dans le centre ville. Avec l'aéroport, dont la NASA est l'archétype, le mall-supermarché et le musée, auxquels il ressemble en modèle réduit, l'abribus est le genre canonique de l'architecture absente du XXIe siècle. La vie quotidienne est scandée par des lieux microscopiques ou macroscopiques, sur lesquels la vue naturelle n'accommode que rarement et avec difficulté, tant ils renvoient à des modèles encore moins à sa portée, car formatés par des logiciels. Ces échangeurs minuscules ou gigantesques ont remplacé les « Passages » parisiens qui plurent tant à Baudelaire, à Aragon, à Benjamin, au Céline de *Mort à crédit*, et dont les replis, le grouillement d'humanité et les obscurités ne laissaient rien à désirer à ces flâneurs experts et à leur regard éveillé.

Métalliques et légers, hygiéniques et inodores, cages d'ascenseur immobiles et ouvertes à tous vents, d'accès gratuit, de plain-pied avec le passant, exempts de ces seuils solennels et de ces proportions intimidantes qui perpétuèrent longtemps l'idée de Temple, ces reposoirs vitrés qui jalonnent les trajets du bus parisiens font tout ce qu'il faut pour ne pas s'imposer à la vue, avec un effacement égalitaire qui surpasse de loin l'usine Beaubourg étalant ses tripes Krupp ou les opaques sculptures « ouvertes » des Guggenheim Museums de New York et de Bilbao.

Leur transparence, leur intention d'invisibilité, comparable à celle des écrans si complaisants, serviables et dociles en apparence, des ordinateurs fixes ou portables, est un leurre. Ils ne vous dispensent de seuil que pour mieux vous prendre au piège d'un écran. Ils ne se dérobent à la vue que pour mieux s'en emparer. Ils se saisissent de vous par surprise, dans les moments vacants d'attente, troués dans une journée affairée, où votre regard lui aussi cherche le repos. Et ils s'en emparent. Ils le fixent et le collent sur l'une de leurs cimaises de verre, où est enfermée une image qui le happe, avant même qu'il ait pu s'en distraire. Vous voilà pris et dégluti dans l'exposition universelle, à jet illimité et continu, des dernières attractions visuelles de l'art des arts contemporains, le *marketing*, catoblépas prodigieusement envahissant qui se dévore au fur et à mesure qu'il s'engendre, conquérant *soft* brandissant le *label*, l'image de marque et sécrétant le *bluff* qui la fait valoir. C'est là, sur le trottoir du boulevard Saint-Germain colonisé par l'industrie des images, que se fait maintenant à répétition notre éducation esthétique.

Plusieurs mois plus tard, revenu à Paris, sur les panneaux d'affichage, un matin de mars 2008, je suis invité au sublime par les dosettes de café Lavazza, sous l'invocation d'une Vierge noire étoilée de paillettes d'or. Il n'en fallait pas moins à ces hosties italiennes pour vider leur récente querelle d'hyperboles avec les dosettes rivales, qui ont fait un tabac; quelques semaines plus tôt, dans les mêmes abribus, avec une campagne publicitaire montrant l'acteur de cinéma américain George Clooney, hilare, s'écriant « Nespresso ? Quoi d'autre ? », au-dessus d'une tasse de café fumante.

Dans son roman d'amour fou, *Nadja* (1928), André Breton, grand prophète du hasard objectif et de ses pouvoirs oraculaires, écrivait déjà : « Je n'ai pu voir sans trouble cligner l'affiche lumineuse Mazda sur les grands boulevards. » Ce récit de désir frustré pour un objet d'autant plus attirant qu'il est insaisissable, est une allégorie prémonitoire de l'insatisfaction permanente et latente où la panique à grande échelle de la publicité contemporaine plonge nos désirs étourdis. Aragon, lui aussi, dans *Le Paysan de Paris*, faisait grand état des réclames qui firent des « Passages » du quartier de l'Opéra un empire de signes séducteurs. Ils promettaient, mais ils tenaient. Imprudents, les surréalistes pouvaient s'émerveiller de voir et de pouvoir chanter, les premiers, ces images et inscriptions publicitaires modernes qui mêlaient les « mystères de Paris » d'Eugène Sue aux mystères d'alcôve d'Alexandre Dumas fils. Nous ne sommes plus si bien servis. Nous subissons passivement le siège en règle auquel nous exposent les affichistes de la grande industrie du *marketing*. Le clin d'œil en passant a fait place à un tir de barrage ciblé au radar, et qui nous suit partout où nous allons, en surface ou sous terre, en public ou à la maison, d'un aéroport à l'autre, d'un bout à l'autre de la terre.

Stratégies d'intimidation plus que de séduction. L'extrême fugacité de ces affichages photographiques n'a d'égale que leur extrême ubiquité pendant le temps très court de leur visibilité insistante et entreprenante. Impudiques à froid, prostitués sous vitrine, ils assaillent le client dans le temps bref qui leur est laissé, tout en admettant qu'à son tour la concurrence en fasse autant. En ville, ils pratiquent avec prestesse le plus vieux métier du monde modernisé. Les photographies d'« art » rapportées par de célèbres *globe-trotters* s'affichent elles aussi, depuis quelques années, sur les grilles du Luxembourg, en rang d'oignons, masquant la vue sur la verdure du parc et sur la fontaine Médicis. De toute la terre, et des habitants de ses dernières poches d'archaïsme et de pauvreté, il ne reste que ces myriades d'images en rang et au garde-à-vous, arrachant en plein air et au passage une fraction de seconde d'attention. Aussitôt oubliées qu'aperçues, comme un voyage autour de la planète en accéléré. Aux abords des villes, les affichages publicitaires changent d'échelle : ils se font d'autant plus envahissants qu'ils sont plus éloignés de la clientèle ; sur les bas-côtés des autoroutes, et en pleine campagne où ils se carrent devant le paysage sur d'immenses écrans bariolés, ils s'interposent avec l'aplomb de bandits de grand chemin qui dévalisent à distance.

Sur les trottoirs comme dans la nature, ces images-robots n'ont rien de commun avec celles, calmes et profondes, que Baudelaire se promettait de « glorifier » et auxquelles il avait voué sa « grande », son « unique », sa « primitive passion ». Les gravures collectionnées par le poète sont en voie de disparition comme les livres qu'il lisait à la « clarté des lampes ». « L'art de lire à loisir, à l'écart », livres et gravures, regretté par un autre poète, Valéry, répondait dans l'intimité « à la peine et au zèle de l'écrivain » et de l'artiste invisibles dans leur antre. « Les Phares », eux aussi, sont éteints. L'image machinique pour tous et pour personne, multipliée dans l'espace public, a prévenu et noyé les images capables d'éveiller dans sa solitude la vocation d'un poète, d'un peintre, d'un lecteur.

Aux images que Baudelaire a glorifiées, et dont des peintres de la stature de Toulouse-Lautrec et de Vuillard affichèrent généreusement des chefs-d'œuvre dans les rues de Paris, ces photos de publicité ou d'art, exposées nues ou sous verre, sont ce que peut être une masse indéfinie d'assignats neufs ou d'emprunts russes intacts à un trésor de drachmes d'or à l'effigie d'Alexandre ramené par des plongeurs du fond de la mer, dans leur vase de bronze rongé de sel. L'homme est la « monnaie de Dieu », dont il porte l'image, dit Augustin. L'homme assignat n'est plus gagé que sur le papier-monnaie dévalué d'un dieu boursier. La vue, comme les émissions monétaires et langagières, a sa circulation fiduciaire. Elle a son inflation et sa déflation de crédit. Baudelaire n'avait pas prévu jusqu'où irait la prodigieuse productivité inflationniste de notre moderne planche à assignats visuels. Lucide jusqu'à la cruauté, rongé d'ennui de se trouver contemporain de l'invention et du succès foudroyant de la photographie, il s'en échappait par une imagination qui, comme celle qu'il admire chez Delacroix, « ardente comme les chapelles ardentes », « brille de toutes les flammes et de tous les pourpres ». Poète, demandant à l'art des compositeurs de musique des sons qui rachètent l'ouïe du bruit, il demandait à l'art des peintres et des graveurs des images qui rachètent la vue de la myopie des prunelles. Nous sommes entraînés à ne rien voir à force de trop voir tout ce qui se colle sur nos yeux, à ne rien écouter à force de trop entendre tout ce qui bavarde dans nos oreilles, tout ce qui crie et hurle à nos trousses.

Le principe de dispersion et le rythme de disparition de ces affichages, Decaux et autres, sont les mêmes que pour l'« information en boucle » dont nous gavent la télévision et les pages Orange, entrelardées de publicité, sur l'écran petit ou grand de nos machines à communiquer : mêmes *clips* répétés de quart d'heure en quart d'heure sur toutes les chaînes pendant les vingt-quatre heures de leur brève actualité absolue, aussitôt remplacés par la scie non moins absolue des vingt-quatre heures suivantes, un *clip* chassant l'autre, pièces d'information sensationnelle rejetées, sans transition, d'un geste net d'éboueur, les unes après les autres, à l'entonnoir subliminal des déchets. Reproduites et encadrées de station en station, dans toute la ville, quelle que soit la ligne d'autobus que l'on emprunte, les mêmes affiches sont également présentes, en même quantité obsessionnelle, mais à plus grande échelle, dans l'encadrement des panneaux publicitaires de toutes les stations du métro parisien. Reprenez le lendemain les mêmes transports en commun, bus ou métro, l'exposition a déjà été déménagée et remplacée par la suivante. On ne peut être plus ponctuel, impartial et efficace dans l'offre égalitaire, à l'œil de la clientèle en déplacement, de bouche-trous allumant et décevant tour à tour ses appétits sollicités par des objets différents. Dans la tête désirante des don Juans et don Juanes arraisonnés et courtisés de la sorte, c'est le tournis : collages, mêlées de rugby, chaos d'images rivales, montagnes et montages de papiers déchirés. Jean-Michel Basquiat, mort jeune d'une overdose à New York, aura été le « plasticien » vedette – mais non le seul – de ce champ d'épandage visuel où ce qui reste de la consommation promise par l'affiche et non tenue par l'industrie de série, sans trêve se dépose dans notre mémoire-poubelle et obture notre imagination. Feuilles mortes, déchiquetées et stériles, fresques du pauvre craquelées, pour *favelas* de mégapoles prolétarisées. Icônes d'une insatiable usure symbolique.

Autre allégorie, à échelle monumentale, de ce phénomène de pollution mentale : Naples. Le plus beau paysage portuaire et côtier de la Méditerranée, que les Romains choisirent pour décor de leur *otium*, et dont les Européens depuis la Renaissance ont fait l'enchantement de leur imagination et de leur mémoire, après avoir été défiguré par le béton, est devenu ces dernières semaines, signe des temps, une immense décharge puante qui, pendant plusieurs mois, est restée inévacuée et inévacuable dans la chaleur de l'été. Telle est l'éruption du Vésuve que nous avons méritée. La fumée et la lave du volcan dominaient en falaise la courbe de l'immense baie. Plusieurs civilisations avaient épousé ce site, inspirant aux voyageurs romantiques le sentiment sublime du face à face entre une nature terrible et la nature hospitalière dont les hommes avaient fait leur plus beau séjour. Cette exaltation intime de l'esprit, comme l'antique Néapolis, est ensevelie sous l'éruption de déchets d'images, d'objets jetables et d'empaquetages devenus hors d'usage sitôt qu'on en a usé. J'imagine les voyageurs gravissant les pentes du volcan pour respirer et demander pardon à la nature, pas si terrible après tout, d'avoir collaboré, si peu que ce soit, à l'ensevelissement de main humaine du séjour hospitalier qui s'étendait autrefois à ses pieds.

La vie publique et politique n'est pas moins obscurcie et appesantie. Rusant avec les appétits privés qu'elle trompe, la communication généralisée des images n'en éteint pas moins, très vite, les velléités civiques qu'elle allume. Commentée par les torrents de débats inconclus, les programmes politiques ressassés, glosés, contestés, reniés, démentis à outrance, dépassés par l'actualité, mangent l'attention et l'information en boucle flétrit les adhésions, laissant au bord du désarroi le citoyen déçu, comme les abus de réclame concurrente finissent par blaser le consommateur. Le client est confondu avec l'électeur, et aucun des deux n'a eu le loisir de développer assez d'arrière-conscience pour y retrouver, avec lui-même, dans un temps de trêve, l'exercice de sa liberté.

L'affiche du jour, sur laquelle je suis tombé un matin de septembre 2007, la veille de mon départ, à l'arrêt du 63, au coin de la rue du Bac et du boulevard Saint-Germain, représente, sur un fond blanc immaculé, la photographie d'un écran de télévision plat et plasma. Son cadre de métal rectangulaire est lui-même rempli par la reproduction photographique en couleurs d'un tableau de Van Gogh, lequel représente un moissonneur endormi paisiblement au soleil, à même le sol, au milieu de champs de blé mûr, image du repos bien gagné et hommage de la peinture à l'agriculture. Une admonition en caractères d'imprimerie surmonte cette image dans l'image, selon une structure empruntée, mais à l'envers, aux classiques devises : *Imaginez que votre téléviseur est une œuvre d'art : Samsung.*

La devise associait un symbole gravé à un « mot », elle demandait à l'esprit de réunir ces deux moitiés pour découvrir le sens du tout : si la gravure représentait le Soleil illuminant la Terre et les planètes, l'inscription incluse disait en latin : « Non incapable d'en éclairer plusieurs ». C'est sous cette forme brève, fière, énigmatique, tant de fois glosée, que Louis XIV proclama au monde qu'il entendait gouverner seul la France et qu'il en avait les capacités. Dans l'abribus Decaux, où je m'initie à la communication, point d'énigme, pas besoin d'interprète ni de glose. L'intention flatteuse et transparente de cette matriochka d'images est de m'inciter, passant, client et consommateur potentiel, à me croire, si je me pourvois de la dernière génération de téléviseurs de cette marque coréenne, le maître et possesseur non seulement d'un chef-d'œuvre du design le plus actuel, mais, grâce à ce cadre d'acier magique, d'une installation qui mettra à ma portée et à ma guise, chez moi, tous les chefs-d'œuvre de l'art ancien, partie pour la totalité des images du monde et du monde en images promise pour bientôt par le pape de Microsoft, Bill Gates. Ultime version, mais *up to date*, du « Musée imaginaire », en noir et blanc, dont André Malraux chanta dans ses livres la Légende des siècles, et dernier état digitalisé de l'évanouissement de l'*aura* de l'œuvre d'art décrit par Walter Benjamin à « l'âge de la reproductibilité mécanique ».

Extension logique, enfin, jusqu'à plus soif, des *ready-made* de Marcel Duchamp, l'abribus Decaux se paye le luxe d'afficher la reproduction d'un chef-d'œuvre de musée pour faire vendre *la réelle, la vraie, la seule et définitive* œuvre d'art contemporaine, dont il nous montre la fumée pour nous en faire désirer le rôt : le rôt sera la corne d'abondance inépuisable de la vue, le grand écran de télévision dernier modèle, capable de rassasier l'œil consommateur du Pantagruel le plus glouton d'images, affaissé au fond de son canapé.

Le cercle est-il bouclé ? Reposoir trépidant de la réclame, l'abribus Decaux célèbre et vante sur tous les trottoirs de Paris la dernière génération des autels du seul art visuel demeuré vivant après avoir dévoré tous les autres : la publicité photographique de l'âge digital. Sa chapelle ouverte au premier venu prépare le regard distrait du pèlerin qui s'y arrête, sur sa route, le long des boulevards et des rues, à se retrouver tout à l'heure, penaud et pénitent, dans sa propre chapelle privée, devant l'autel domestique, face à un écran démodé et discrédité, où les dieux visibles de la publicité et de l'information ne sont pas honorés comme maintenant ces capricieux le souhaitent et le réclament. Il va falloir, si l'on veut se montrer à la hauteur, jeter l'ancien et acheter du neuf, du brillant, du clinquant, comme le fit le clergé catholique lorsqu'il se débarrassa de ses anciennes chaires (qui finirent souvent, recyclées par un antiquaire, en bar de *living room*) pour le lectisterne en plexiglas transparent surmonté d'un micro. Mais Samsung, *via* Decaux, s'il inquiète et admoneste, sait rassurer aussi le public supposé dévot de l'idolâtrie *pub*, censé aspirer toujours davantage, moyennant offrandes fréquemment renouvelées, aux jouissances du regard qu'il attend de ses autels domestiques. Un simple geste et une carte de crédit suffiront pour faire passer un mobilier de culte désuet et usé à sa version provisoirement la plus contemporaine et luxueuse. Aux affamés, riches, ou pauvres aspirant à se croire riches, la publicité s'arrange impartialement pour donner en guise de nourriture un produit destiné à irriter leur appétit, faute de pouvoir le combler durablement. L'inflation de la vue est à la mesure de l'inflation rapide du désir et de la jouissance déçue.

2. *De la réclame à l'*advertising *et au marketing de l'*entertainment

> *La publicité, un des plus grands maux de ce temps, insulte nos regards, falsifie toutes les épithètes, gâte les paysages, corrompt toute qualité et toute critique, exploite l'arbre, le roc, le monument, et confond sur les pages que vomissent les machines l'assassin, la victime, le héros, le centenaire du jour et l'enfant martyr.*
>
> *La machine économique est au fond une exagération, une amplification colossale de l'organisme, et il est impossible de faire entrer dans ce système rigoureusement fondé sur l'égalité d'utilité entre les objets et les services que les hommes échangent, des objets et des services qui ne satisfont que des désirs et non des besoins absolus et qui ne correspondent qu'à des dispositions individuelles et non à des fonctions vitales. Par ces motifs, une société systématiquement et complètement organisée ne peut, sans altérer son économie exacte, admettre aucun luxe, aucun échange de ce qui vaut pour tous contre ce qui vaut pour les uns et non pour les autres.*
>
> Paul VALÉRY.

Les emplettes, tant qu'on s'en est tenu à ce diminutif coquet et sautillant, ont gardé la saveur d'un péché mignon. Depuis que l'on fait du *shopping*, il s'est introduit dans la consommation quelque chose de compulsif et de névrotique qui tient d'un impératif catégorique inachevé et inachevable. La réclame, tant qu'elle est restée bon enfant, sans se prendre pour l'art des arts, sans prétention à « changer *votre* vie » et à encourager *vos* pulsions inassouvies, avant qu'elle ne se hausse le col en publicité, puis en *marketing*, a longtemps contribué, elle aussi, au charme de la vie urbaine. Sans remonter aux antiques enseignes, dont le musée Carnavalet conserve une merveilleuse collection, ni aux affiches des peintres fin-de-siècle, qui a pu résister, en des temps encore récents, une fois entendue à la radio, à la ritournelle « D'un coup de Timbler, je fais briller mon auto. Oui, mon auto brille et scintille grâce à Timbler ! » sur des notes à la Charles Trenet ravissantes par elles-mêmes ? Qui ne s'est délecté naguère, au passage, devant une affiche pimpante de Peynet avec l'inscription : « Les Républiques passent, les peintures Soudée restent » ? La réclame fait partie du commerce, et qui songerait à calomnier le commerce, ce système nutritif de toute société urbaine, de toute civilisation ? Autant calomnier Tyr, où fut inventé l'alphabet, ou Venise, Gênes, Pise, Florence, Anvers, et Mayence où fut inventée l'imprimerie par lettres mobiles, toutes fières et indépendantes cités de marchands et de banquiers où la Renaissance des lettres et des arts fit son nid ! Les marchands et les esclaves qui se relayaient au Moyen Âge sur la route de la Soie, depuis la Chine jusqu'à la Méditerranée, ne préfiguraient-ils pas, sur le mode de la sueur et de la lenteur, notre mondialisation instantanée des marques de luxe, transportées du producteur sous-payé au consommateur dépensier dans les flancs d'innombrables machines volantes ou flottantes ?

Il est vrai, peut-être est-ce une simple affaire d'optique, la lenteur ayant ses illusions et la vitesse ses illuminations à elle, mais jusqu'ici aucune société, urbaine ou non, aucun âge antérieur de l'Europe, n'a prétendu se résumer à sa chaîne alimentaire, à son commerce de luxe industrialisé et à ses *gadgets* technologiques. Paul Valéry a développé longuement, dans l'essai intitulé *Notre destin et les lettres*, le parallélisme entre l'économie matérielle et l'économie de l'esprit, solidaires dans les hauts lieux et les hautes époques de l'histoire des hommes. Mais il fait aussi remarquer que la seconde a toujours été la condition d'apparition de la première, et que sa santé, fragile, puisque ses valeurs ne disposent pas d'unités de mesure carrées, s'est trouvée liée à l'existence d'institutions et d'autorités reconnues, évaluant selon d'autres critères que la monnaie, les poids et le nombre. Notre marché globalisé, son *advertising* et son *marketing*, ses économistes, ses démographes et ses sociologues de la culture ne se cachent plus d'aligner l'évaluation des choses de l'esprit sur celle qui vaut pour les produits commerciaux, même dans les pays comme le nôtre où l'on se prévaut, sans y croire, de veiller sur une « exception culturelle [1] ».

---

1. Pour les origines du *mass market* américain, voir Emily S. Robertson, *Spreading the American Dream, American Economic and Cultural Expansion 1890-1945*, New York,

C'est pourtant le seul acte de foi qui nous reste, et il se porte sur la moins fiable et crédible des divinités, la *Fama* aux mille trompettes et aux millions d'affiches. Cette foi non fiable agglutine dans son tintamarre et sa fantasmagorie statistiques une fourmilière de clients, dont les circonvolutions du système digestif affamé ne font plus qu'un avec celles, inassouvies, de son cerveau. L'esprit ou l'âme, cette psyché qui prend son temps pour voir et poser son regard sur elle-même et sur ce qu'elle voit, est exclue de notre vocabulaire et de notre conscience : elle se confond désormais avec l'œuf cervico-intestinal, dont l'image neuronale, vue de haut ou en découpe, scintillante de signaux colorés qui rendent visible son incessant fonctionnement subliminal, est en passe de symboliser, sur le futur drapeau digital des États-Unis mondiaux, l'unique organe désirant et digérant du corps collectif des six milliards en expansion de fournisseurs-clients et de clients-fournisseurs épars sur la planète. La population de l'aire nord-atlantique s'accommode déjà, semble-t-il, d'un tel raccourci : dans l'ensemble elle est nourrie, si mal et si bien, *fast food, junk food* ou *organic food*, qu'en grand nombre elle est atteinte d'une accablante et inguérissable obésité, étrange épidémie tacite, mais qui coexiste, il faut le reconnaître, avec la santé physique éclatante et la verte longévité de quelques autres cellules privilégiées de ce grand corps, bénéficiaires d'une diète, d'une hygiène, d'exercices et de soins esthétiques et médicaux sans précédents dans l'histoire de l'*Homo sapiens*. Oui, mais cette santé et ce galbe, conquis ou sauvegardés avec tant de zèle, par des équipes d'experts, sont une interruption artificielle du principe de gravité qui reprend ses droits dès que l'on baisse pour un temps la garde. Péril latent de chute dans la graisse que préviennent de loin les dames new-yorkaises les plus vraiment huppées de notre monde, dont la maigreur compensatoire passe pour obéir à un inédit « Vers doré » de Pythagore : *Never too rich, never too thin.*

Généreux, nous nous proposons de faire plébisciter notre société cervico-intestinale par un vaste monde pauvre, aussi maigre et élégant que

---

Hill and Wang, 1982. L'étude commence par un inventaire de l'Exposition universelle de Chicago en 1893, et par l'analyse de l'idéologie universaliste du « développement libéral » dont l'Exposition se voulait explicitement la démonstration. L'auteur montre le rôle croissant, dès la fin du XIXe siècle, de l'État fédéral dans la croisade et la propagande en faveur de ce modèle. Voir aussi, dans une toute autre perspective, interne à la société américaine, mais exportable elle aussi, celle du ciblage et même de la construction de publics de consommateurs différenciés par la stratégie des grandes firmes de publicité manipulant les nouvelles technologies de l'information interactives : Joseph Thurow, *Breaking up America, Advertisers and the New Media World*, Chicago, Chicago University Press, 1997. Sur la fragilité regrettable du concept français d'« exception culturelle », et l'alibi à quoi il se résume le plus souvent, voir plus loin.

les grandes dames anorexiques de Park Avenue, mais souvent, bien malgré lui, affamé. Nous y voyons un marché « émergent » et nous l'affriolons en lui faisant miroiter notre Eldorado, avec toutes les facettes et le tapage publicitaire de notre luxe, bien que l'effarante vulgarité de son clinquant nous fasse honte lorsque nous le voyons faire parade sur un échafaudage, dans un village du Tamil Nadu, ignoré par un défilé de repiqueuses de riz allant au travail, drapées comme de vraies princesses dans leurs saris et par de minces ascètes dignes de Sénèque, dont la nudité ceinte d'un linge blanc immaculé n'étonne pas les placides vaches sacrées qui les croisent au passage. La croissance, qui s'est déjà emparée de Mumbaï et de Bangalore, ne tardera pas, selon les dernières estimations optimistes avant le krach financier d'octobre 2008, à emporter dans sa miséricorde infatigable ces attardés tranquilles de l'Inde éternelle.

L'Inde est, ou était, au début de l'année 2008, en bonne voie. Mais il y a, ou il y avait, mieux. Préparée par un demi-siècle de rééducation par le matérialisme historique et par sa propre « révolution culturelle », la Chine exsangue et néanmoins innombrable a adopté en un clin d'œil, dès que Deng Xiaoping et le Parti lui en ont donné le feu vert, le matérialisme capitaliste, trop heureuse de lui devoir, faute de liberté, l'individualisme et la chance de s'arracher, en jouant des coudes, à l'humiliation et à la pauvreté. C'est la grande conversion du nouveau siècle, célébrée à l'unanimité par nos hommes d'affaires, nos intermédiaires culturels, nos touristes, tous successeurs gras de nos ascétiques et savants missionnaires jésuites des siècles classiques. La Chine n'inquiète plus, on lui fait fête, enfant prodigue enfin assis avec nous au bon bout du banquet de la globalisation contemporaine. Nul ne s'avise plus qu'il s'agit de l'un des peuples les plus sinistrés du XXe siècle, amputé de tous les organes et de la plupart des reliques de son antique civilisation, et réduit par la terreur moderne du totalitarisme maoïste à une prolétarisation morale plus radicale encore que sa misère matérielle.

Avec quel doigté expert l'État communiste chinois n'a-t-il pas organisé, au printemps 2008, la communication globale du désastreux tremblement de terre du Sichuan ? Une transparence aussi zélée envers les photographes de catastrophes naturelles a fait aussitôt oublier aux téléspectateurs occidentaux la sanglante répression chinoise au Tibet, tenue rigoureusement à l'abri de nos curieuses caméras. Les Jeux olympiques glorieux d'août 2008 ont achevé l'absolution du nouveau géant économique. Néophyte disciplinée, la Chine fournit une habile main-d'œuvre payée en roupies de sansonnet à notre commerce de luxe démocratisé, qui revend ici, assez cher, ses produits de marque fabriqués pour rien là-bas. Immense usine de notre luxe de série, elle propose aussi, dans ses rares loisirs, un prodigieux surcroît de clientèle (plus d'un milliard de consommateurs potentiels) à nos groupes de rock music essoufflés et à notre industrie du divertissement toujours à l'étroit. Elle se charge d'investir ses bénéfices en bons du Trésor américain, devenant ainsi, avec le Japon et les principautés du golfe Persique, l'un des principaux créanciers de la gigantesque dette du budget fédéral des États-Unis. Elle a désormais, comme nous, ses nombreux obèses trop et trop mal nourris dès l'enfance, affalés devant leurs écrans de télévision. Elle a son oligarchie de milliardaires qui rivalise avec l'occidentale et l'ex-soviétique dans la consommation ostentatoire et la spéculation sur l'« Art contemporain ». Elle s'enorgueillit de ses mégapoles substituées en peu d'années à ses anciennes villes, dont la population a été déplacée et déracinée, elle se glorifie d'une armée et d'un armement qui n'ont rien à envier à ceux des grandes puissances occidentales. Elle est devenue sous nos yeux, à une échelle inimaginable, ce que le Japon était devenu à la fin du XIXe siècle, après trente ans d'ère Meiji. Grandeur de la Chine, fourmilière dressée par Mao ! Cet immense peuple, rallié au capitalisme mais dans un cadre communiste intégral, n'en est pas moins dangereusement exemplaire. Si d'autres l'imitent, nous empruntant la croissance tout en refusant de la lier aux principes de droit qui la moralisent encore aux États-Unis et dans l'Union européenne, leur poids risque fort de faire triompher globalement la croissance, tout en faisant chavirer localement et le droit et les droits dont nous nous flattons de la lester. La publicité, qui fait désirer notre prospérité au reste du monde, se garde bien de faire valoir, à ses nouveaux convertis, les fondations religieuses, philosophiques, morales et juridiques, peu « vendeuses », sur lesquelles elle oublie souvent qu'elle repose. Ne les avons-nous pas nous-mêmes oubliées, ou considérées comme allant de soi ? Ce malentendu nous prépare d'étranges boomerangs. Lénine disait de son régime : les soviets, plus l'électricité. Le capitalisme plus la charia n'est pas un avenir plus souriant que le capitalisme greffé sur le communisme chinois. L'un et l'autre travaillent nuit et jour à surclasser et à encercler notre capitalisme des droits de l'homme de moins en moins sûr, lui-même, malgré 1989, d'avoir le privilège et le monopole de l'avenir. La « conversion » de la Chine nous renvoie une image de nous-mêmes qui donne froid dans le dos.

Nous sommes donc très loin, en avant et en flèche, du stade artisanal et familier des peintures Soudée et de la nénette Sinclair, pourtant récentes. Les savantes stratégies publicitaires de compulsion, de répétition et de pression opèrent à plein régime. Elles proclament un état d'urgence permanent, elles ne laissent pas souffler. Il faut le reconnaître, elles font de leur mieux pour s'envelopper de bienveillance et même d'humour. La tyrannie qui rebiffe n'est pas leur affaire. Les tourbillons du *marketing* et de l'*entertainment* à grande échelle et à haut rendement qui s'emparent de nous successivement, mais à plein temps, font alterner la molestation (« vous êtes privé de ce qui vous rangerait parmi les heureux ») et la flatterie goguenarde (« mais nous vendons tout ce qui vous manque »). La honte de se découvrir incomplet est aussitôt recouverte par la révélation qu'un investissement à portée de main peut à tout instant nous racheter. Nul ne résiste à cet incessant marché d'indulgences.

Pascal parlant de divertissement imaginait un tourbillon volontaire capable de détourner l'âme de se savoir et de se vouloir éternelle et le corps de se connaître mortel. Il n'avait pas prévu cette involontaire multiplication de petits tourbillons provisoires dont la somme infinie comblerait seule chacun de nos instants, mais qui les évide au fur et à mesure que nous nous croyons nous saisir de l'un d'entre eux, chacun, aussitôt obtenu, renvoyant à son rival ou à son successeur plus désirable. Le bazar lui aussi a ses derviches tourneurs. Il leur arrive d'accélérer au point d'exploser, inermes fous ou meurtrières bombes humaines.

De libertinage comme choix personnel de vie, le divertissement est passé, au XIXe siècle machiniste, à l'échelle d'une industrie et d'une clientèle de masse, d'abord locales, maintenant mondiales, et portées, dés le début du siècle suivant, en Amérique à un régime et à un rendement d'une exceptionnelle efficacité. Industrie pour industrie, industrie dans l'industrie, le divertissement est devenu un travail à la chaîne qui obéit aux mêmes lois que la production des biens et des services. Il faut savoir intéresser, tenir en haleine, se renouveler sans cesse pour prévenir les sautes d'humeur et d'appétit collectives, toujours prêtes à passer à la concurrence aux aguets. L'appel d'énergie est formidable, à la mesure du nombre, du pouvoir d'achat et de la famine de consommateurs qui sont aussi des producteurs, soumis à la même éthique du rendement dans leurs loisirs que dans leur travail.

L'Art, ou ce que l'on appelle maintenant ainsi avec un grand A, celui qu'on voit, celui qu'on montre, n'a pas échappé à cette technologie du divertir à grand rendement. Soustrait à la sphère de la dévotion, de la contemplation, de la délectation et du repos, devenu « contemporain » de la production industrielle et commerciale, il a été dévoré, artistes, intermédiaires et public, pour ne rien dire des artefacts eux-mêmes qui désormais tiennent lieu d'œuvres, par un activisme de choc aligné sur celui des gens d'affaires. Les stratégies publicitaires de cet Art jouent aussi bien sur le registre du sinistre, du funèbre, du scatologique, du sacré blasphématoire que sur celui de la farce porno ou du jouet pour adulte, se donnant pour alibis aussi bien la sombre dénonciation de la société contemporaine que la célébration euphorique de ses avantages sans précédent. Sa fabrication et sa communication sont taylorisées par les mêmes méthodes et par les mêmes professionnels qui réussissent dans le grand commerce et l'industrie du luxe, dont cet « Art » au fond n'est qu'un secteur. Comme la chauve-souris de La Fontaine, les grandes affaires contemporaines, tantôt « luxe de série », tantôt « Art », peuvent gazouiller alternativement avec coquetterie, comme la chauve-souris du fabuliste : « Je suis oiseau, voyez mes ailes ! Je suis souris, vivent les rats ! ».

Derrière les affiches commerciales ou celles des Foires d'« Art contemporain », se cachent des tractations à toute autre échelle que les cadeaux diplomatiques qu'échangeaient les souverains d'autrefois, un Vélasquez pour le Habsbourg de Vienne, une statue équestre du Bernin pour le roi de France, un portrait encadré de diamants du souverain régnant pour l'ambassadeur sur le départ. Gigantesques et concurrentes, nos principautés contemporaines de l'« Art » opèrent dans un arrière-pays sur lequel le suffrage universel a aussi peu d'informations qu'au temps de l'absolutisme, sauf celles que fournissent à leur lecteur, en langage ésotérique, le *Wall Street Journal* et le *Financial Times* : elles jouent (ou du moins jouaient, jusqu'à ce noir mois d'octobre 2008 où je me relis), sur des budgets à neuf chiffres. De tels enjeux financiers ne tolèrent la plaisanterie que pour la galerie.

La face visible des grandes affaires, le *marketing*, stade suprême de la réclame, est durcie par une idéologie de croisade : faire acheter ou périr. Il ne s'agit plus de chanter en badaudant. Il faut faire « marcher », courir, vibrer. Si la flatterie n'y parvient pas, le coup de poing fera l'affaire. L'image n'a pas rempli son contrat si son uppercut ou son chatouillement n'a pas arraché du consommateur un « je n'en peux plus », *I can't wait*, « je demande grâce ».

Tout le monde ne cède pas si vite, mais tout le monde sent bien qu'à résister, à traîner trop la patte, on se retrouvera dans l'arrière-garde, amoché, ostracisé, laissé pour compte, avec pour seul viatique, parmi les *losers*, un archaïque cahier en poche, comme le pauvre Baudelaire à Bruxelles ou le malheureux Nietzsche à Turin. Le matérialisme dialectique jouait sur la terreur de passer pour « réac » ; le *marketing*, non moins matérialiste, flatterie et divertissement en surface, joue en profondeur sur la peur rampante de se trouver « dépassé », consommateur défectueux, par le progrès à toute allure des géants de l'industrie agroalimentaire, de l'industrie des hydrocarbures, de l'industrie des assurances et de celle du luxe, toutes attelées à celle de la communication. Faut-il céder à ce chantage discordant et d'autant plus pressant ? Mais peut-on ne pas céder ? Le destin, aujourd'hui, nous l'a-t-on assez répété, n'est plus la politique : c'est l'accélération d'une libre et libérale économie planétaire, en gestation et en expansion. Tenez bon la rampe ! Demain, tous gras et riches, et de surcroît imbattables sur les photos de morgue, les « installations » d'abattoirs, les expositions de squelettes et le *post coïtum triste* du porno artistique. On n'est moderne qu'à ce rythme boulimique, digestif et déprimé, ou l'on n'est rien. Le repos, le recul, l'« arrière-boutique » de Montaigne, l'« arrière-pays » de la poésie, de la musique et des arts, pour ne rien dire de la religion et du cœur, ne sont plus de saison. Je dois constater, en octobre 2008, que l'emballement général a baissé de plusieurs crans. Mais nul ne doute, au moment où j'écris, que Barack Obama, nouveau Magicien d'Oz, nouvel élu, ne remette la machine en marche, et comment !

De tous les poètes issus de temps révolus, Shakespeare a été le seul à surnager dans l'inondation : un *best-seller* américain nous a démontré en effet que son *story telling* expose aussi vivement qu'une bande dessinée les ressorts du bon et du mauvais *leadership*, du bon et du mauvais *management*, qui « maximisent » ou « minimisent » le rendement des « ressources humaines » investies et gérées dans les entreprises performantes. Ce n'est pas perdre son temps que de lire *Macbeth* ou *Hamlet* [1], ne serait-ce que pour méditer en cachette le « cauchemar rêvé par un fou et qui ne signifie rien » de l'un, ou « le monde sorti de ses gonds » de l'autre. Dans *Les Fleurs du mal*, le lecteur est invité à « planer sur la vie », « comme les alouettes » évangéliques, qui ne cardent ni ne tissent. Dans la *Recherche*, le même lecteur commence « couché de bonne heure » avec le Narrateur. Dans *Ulysse*, il achève aussi sa lecture au lit, à suivre des yeux et des oreilles le « courant de conscience » érotique et erratique de Molly Bloom entre veille et sommeil. Des livres à tenir sous clefs, dangereux pour nos « battants » et leur clientèle. Ces sirènes littéraires nous murmurent, avec Valéry : « Se ménager du temps est nécessaire pour l'esprit. Pour l'esprit, il faut du *temps perdu.* » Elles reprennent à leur façon l'antienne démobilisatrice des Psaumes : « Soyez dans un saint repos. » Peu recommandable aussi, l'exposition du musée des Arts décoratifs, voici quelques années, qui démontrait que le seul meuble à avoir échappé à tout progrès depuis l'antique Égypte était le lit ! C'était le mobilier des banquets de l'Académie platonicienne. C'est encore aujourd'hui le dernier allié du livre papier contre l'écran d'ordinateur portable et l'e-book.

À l'autre pôle du livre ouvert « sous la clarté des lampes », je viens de traverser à grand-peine, dans un taxi jaune hélé à l'aéroport J. F. K. de New York où j'ai débarqué en fin d'après-midi, l'agitation frénétique de Times Square. On l'aurait dite télécommandée, à cette heure déjà tombante d'une belle journée de septembre 2007, par les gigantesques affichages électrifiés et multicolores qui rivalisent d'injonctions et de promesses, au carrefour de Broadway et de la 42e rue.

1. Voir l'article consacré à Paul Corrigan, *Shakespeare on Management*, par Christian Salmon, dans *Le Monde* du 17 mai 2008, p. 32.

3. *L'emploi du temps ancien et moderne*

Au plus américain des écrivains américains, Mark Twain, humoriste à la dent dure contre les fallacieux prestiges de la « Vieille Europe », a échappé dans sa jeunesse une page révélatrice sur l'impalpable malentendu qui rend intraduisible le mot américain d'*entertainment*, assorti de tout son arroi laborieux et proprement industriel de *marketing*, *advertising*, *merchandising* et *costumization*. Dans le chapitre milanais de son récit de voyage, *The Innocents abroad* (1869), il résume la révélation qui s'était fait jour peu à peu, pour lui et ses compagnons, pendant leurs promenades en France et en Italie :

> Nous avons descendu et remonté à loisir l'une des rues les plus fréquentées de la ville, nous régalant du bien-être de ces gens et rêvant d'en exporter un peu dans les centres commerciaux de chez nous, remuants, précipités, dévoreurs de vitalité. C'est exactement sur ce terrain que réside le charme principal de la vie en Europe, le bien-être. En Amérique, nous sommes pressés, ce qui va bien, mais quand le jour de travail prend fin, nous le poursuivons en calculant nos pertes et nos gains, nous faisons le programme du lendemain, nous emportons même au lit nos soucis d'affaires, et nous nous torturons les méninges au lieu de restaurer par le sommeil notre corps et notre tête tourmentés. Nous brûlons nos énergies à force de répéter ces excitations, et du coup, ou bien nous mourons tôt, ou bien nous tombons dans un grand âge maigre et faible à un stade de la vie qu'ils appellent en Europe première jeunesse. [...] J'envie le bien-être que les Européens savent se donner. Quand le travail du jour est terminé, ils n'y pensent plus. Beaucoup d'entre eux, avec femmes et enfants, vont au café, et là, assis tranquillement et buvant gentiment un pot ou deux de boisson, ils écoutent de la musique ; d'autres badaudent à pied dans les rues, d'autres se promènent en voiture dans les avenues, d'autres s'assemblent au début de la soirée sur une grande place ornementée où ils jouissent du spectacle, respirent le parfum des fleurs, et écoutent le concert d'un orchestre militaire, aucune ville d'Europe n'étant dépourvue au coucher du soleil d'excellente musique militaire. D'autres encore, appartenant au bas peuple, sont assis en plein air devant des buvettes, se régalent de glaces et boivent des rafraîchissements qui ne feraient pas de mal à un enfant. Ils vont au lit ni trop tôt ni trop tard, et ils dorment bien. Ils sont toujours calmes, toujours polis, toujours de bonne humeur, bien dans leur peau, appréciant la vie et ses bienfaits de toutes sortes. On ne voit jamais d'ivrogne parmi eux. La transformation opérée dans notre petit groupe d'Américains est surprenante. Jour après jour, nous nous affranchissons de notre agitation, et nous nous imprégnons de cet esprit de quiétude et d'aisance dont respire la tranquille atmosphère qui nous entoure et qui émane de la manière d'être des gens. Nous croissons en sagesse à toute allure. Nous commençons à comprendre pour quoi la vie est faite [1].

1. Mark Twain, *The Innocents abroad*, The Library of America, 1984, ch. XIX, p. 146-147.

Quelques années auparavant, un autre grand ironiste, danois celui-là, avait fait un constat analogue : « De tous les ridicules de ce monde, le plus grand, ce me semble, est d'être affairé, d'être un homme pressé de manger, pressé d'agir [...]. On ne peut dire que le sens de la vie soit de travailler pour vivre [1]. » L'affairé moderne, tel que l'a vu Kierkegaard, ressemble à cette femme qui dans l'incendie de sa maison risque sa vie pour sauver les pincettes de sa cheminée. Les affaires, celles de la cité comme celles du commerce, de l'agriculture et de la guerre (les *negotia*, le *labor*, la *militia*, toutes formes de la *vita activa* des Romains), le travail salarié des modernes qui a libéré l'humanité du travail servile, n'ont de sens que dans le repos ou le loisir fécond que les Grecs nommèrent *scholê*, les Romains *otium*, et dont les Européens du Sud de l'Europe, en 1860, à la différence de leurs contemporains danois ou américains en visite parmi eux, connaissent encore le prix et savent encore jouir naïvement.

Il y a dans la notion latine d'*otium* la même ambivalence du tout au rien, de l'être au non-être, que dans la notion d'*imago*. L'*otium* peut être un usage inerte et ignoble du temps, ou bien le plus noble de ces usages, la vie contemplative. L'*imago*, l'objet du sens de la vue, peut n'être qu'un faux objet, un fantôme, un songe trompeur, une vaine apparence, une apparition, un simulacre, une copie dégradée, mais aussi bien la représentation fidèle, le portrait, le double vraisemblable dans le miroir qu'offre l'œuvre d'art de l'objet absent ou abstrait, ancêtre mort, être aimé disparu ou éloigné, idée de vertu. Selon l'usage que l'on fait du temps, le regard et l'image changent du tout au tout. Ils passent de la futilité du regard suspendu aux simulacres qui défilent devant lui, à l'arrêt du regard sur une forme qui sait tout ou qui sait beaucoup sur son modèle. Entre image-icône et image-idole, entre image-mirage et image-œuvre d'art durable, s'impose la même différence qu'entre l'inertie et la passivité paresseuses, et le repos actif de l'œuvrer et du lire à loisir. Deux entames incompatibles du temps que le regard se donne, ou se refuse, pour choisir ou subir les images qui comblent ou qui leurrent son désir de voir, de savoir, de goûter ce qui lui manque. La langue et la poésie latines en savent autant que Proust sur ce qui sépare la culture de l'âme de la culture de consommation et sur la conversion du Narcisse hâtif, prisonnier de son vain reflet qu'il prend pour un autre, en Narcisse prenant son temps et découvrant dans son propre portrait sur l'eau le secret de sa propre fugacité et mortalité. « Et voilà qui je suis ! » : *Iste ego sum*, fait s'écrier Ovide à Narcisse désabusé de son erreur et entrant dans la connaissance de sa mortalité, révélation de poète et de peintre,

1. Sören Kierkegaard, *Ou bien... ou bien...* [1943], trad. du danois par F. et O. Prior et M.-H. Guignot, intr. de F. Brandt, 652 pages, Paris, Gallimard, Tel n° 85, 1984, p. 22 et 27.

à laquelle répondra le moderne et orgueilleux « Je pense, donc je suis », *Cogito, ergo sum*, de Descartes philosophe de la science.

Sous l'étage visible et actuel de l'Europe contemporaine, se dessine en profondeur le socle enfoui, mais présent, d'une romanité convertie aux mérites de l'*otium*, entendu non comme inertie physique et oisiveté, mais comme vacance occupée, sinon aux œuvres de l'esprit et à la vie civilisée par les arts, du moins à prendre recul et repos. C'est dans l'écart de l'*otium* que l'on perçoit au lieu d'entrevoir, que l'on recherche au lieu de répéter, que l'on contemple au lieu de s'agiter, que l'on reconnaît ce que la poussière de l'impatience, les miroitements de la hâte et le poids de l'effort précipité dérobaient aux yeux, serait-ce tout simplement le fait d'être à soi, aux siens, à ses amis, à l'instant goûté pour lui-même. Ce repos qui pose la vue sur les choses et sur les êtres, et qui lui découvre le proche et l'horizon, a toujours fait peur aux tyrans, aux esclaves volontaires, aux barbares. Il semble qu'ils ne sont pas moins nombreux aujourd'hui qu'autrefois, nonobstant nos formidables progrès scientifiques et techniques et la quasi-disparition de l'esclavage involontaire.

Les rayons *American History* des bonnes librairies de Greenwich Village regorgent de nouveaux ouvrages où le mot « Empire » figure dans le titre, annonçant un parallèle de l'Amérique actuelle soit avec Rome, soit avec l'Angleterre. Aussi puritaine et républicaine en son temps que l'Amérique industrieuse et industrielle du XIXe siècle, Rome avait commencé par la sévérité de Caton l'Ancien, veillant sur l'*industria* militaire et agricole et ennemi juré de l'*otium*, entendu au sens coupable d'oisiveté de l'esclave et de désertion de la vie publique par le libre citoyen. Cette addiction au *farniente* pouvait distraire du service à plein temps de la Ville les jeunes gens bien nés corrompus par la « mollesse grecque » et une plèbe dont les comédies de Plaute mettaient en scène, pour son propre esbaudissement, les ébats grossiers. Ce sens premier et péjoratif du latin *otium* survit intact dans l'*ozio* italien, synonyme du vide de la paresse, ce vide que, paradoxalement, des sociologues tels que Gilles Lipovetsky *(L'Ère du vide)* ou des philosophes tels que Jean-François Mattei *(Le Regard vide)* décèlent, à l'autre bout de la chaîne historique, dans l'affairement et l'accélération de l'activisme contemporain.

Mais dès l'époque des guerres Puniques, des hommes d'État hellénisés et des poètes romains avaient entrepris de légitimer un *otium* faisant place non seulement à la *luxuria* (la nonchalance) et à la *lascivia* (le badinage) de la sociabilité urbaine en temps de paix, mais à la vie contemplative du sage, du poète, du mécène et de l'amateur d'œuvres d'art [1]. Scipion l'Africain pouvait déjà se prévaloir de maximes mysté-

1. Voir Jean-Marie André, *L'*Otium *dans la vie morale et intellectuelle romaine*, Paris, 1966, et *Recherches sur* l'Otium *romain*, Paris, 1962.

rieuses qu'un Montaigne, dix-sept siècles plus tard, pourra reprendre à son compte : « Je ne suis jamais moins vacant que lorsque je suis en vacance », ou encore : « Je ne suis jamais moins seul que lorsque je jouis de la solitude. » L'*otium*, pour le cercle des Scipions, cesse d'être synonyme d'inertie et d'abjection, il est devenu l'indispensable « supplément d'âme » de l'homme d'État, associant dans le sein du repos *(quies)*, de la tranquillité *(tranquillitas)* et de la paix *(pax)* une activité réflexive seconde et féconde, une conversation avec soi-même et avec ses intercesseurs dans la perspective des fins ultimes de la Cité, qui sont pacifiques, et de celles de l'âme aspirant à la gloire éternelle : deux repos idéaux et magnifiques, accessibles seulement au regard contemplatif. Dans le *Songe* qu'il attribue à Scipion l'Africain dans le *De Republica*, Cicéron montre Scipion se voyant par avance transporté pour l'éternité dans une société parfaite d'amis comme lui omnivoyants, et comme lui récompensés d'avoir œuvré dans le temps terrestre à rapprocher un peu plus la Cité de ses fins dernières. Pour un Romain de la République, même hellénisé, même disposé à changer le sens traditionnel et péjoratif du mot *otium*, la vie contemplative, le temps laissé au regard et pris sur l'action, était une voie supérieure du service de la Cité.

Le civisme romain hésita donc longtemps à admettre un *otium* se justifiant par lui-même, en marge et en retrait de la vie politique. En témoignent les lettres tourmentées de Cicéron pendant la crise finale de la République. L'*otium* comme genre de vie plénier, pour la plèbe gavée de jeux comme pour l'aristocratie supplantée par le prince, n'obtint droit de cité que dans la *Pax romana* de l'Empire augustéen. Tant qu'elle avait été mobilisée par l'âpre combat pour sa survie interne et externe, pour sa subsistance économique, sa cohésion politique et sa sécurité militaire, Rome, sauf exception, n'avait jamais consenti à s'accorder le « temps libre » qui permet à l'homme d'action de réfléchir sur les raisons de ses actes, au contemplatif, philosophe, poète, artiste, d'œuvrer sans autre fin que la connaissance et l'admiration, et au commun des mortels de participer, dans son ordre et dans son répit, des retombées de cette sphère d'*otium* actif et perspicace, distincte de celles de la guerre, de la politique, de l'artisanat, du commerce, de l'agriculture, tous *negotia* immédiatement utiles. Virgile, Horace, Ovide, Sénèque, venant après les tergiversations de Cicéron entre l'ombre du repos privé et le soleil de l'action politique, entre le port de la retraite et le voyage en haute mer du service de l'État, sont tous d'accord sous l'Empire, si différents soient leurs points de vue, pour constater que Rome est passée du stade de la « culture » à celui de la « civilisation », au sens hellène de ce terme français. Il est désormais admis, à travers une mue sanglante, que l'exercice des vertus ancestrales peut être transfiguré par le culte des Muses grecques, la philosophie, les lettres, la poésie et les arts. C'est cette sorte de progrès, il me semble, que nous parcourons à rebours.

Toute la confusion actuelle sur le mot « culture », entendu au sens des anthropologues (moyens de survie des peuples sans écriture) et des sociologues (toutes les *commodities* des sociétés de consommation, de l'urinoir à l'écran digital), est née d'une volonté d'indistinction avec ce que le XVIIIe siècle, avant Paul Valéry, appela « civilisation » et qui supposait, par-delà une activité de survie matérielle, administrative et militaire, une sphère de surcroît, un temps de luxe, un arrière-pays étranger à l'inertie comme à la mobilisation, où le libre jeu de l'esprit, des émotions, de la main artiste, explore ce qui reste caché à la vue pressée ou distraite. Valéry, le premier, a décrit l'*otium* civilisé en des termes d'oraison funèbre :

> L'espace et le temps libre, écrit-il dans *Variété*, ne sont plus que des souvenirs [...]. Les journées de travail sont mesurées et ses heures comptées par la loi. Mais je dis que le loisir intérieur, qui est tout autre chose que le loisir chronométrique, se perd. Nous perdons cette paix essentielle des profondeurs de l'être, cette absence sans prix pendant laquelle les éléments les plus délicats de la vie se rafraîchissent et se réconfortent, pendant laquelle l'être, en quelque sorte, se lave du passé et du futur, de la conscience présente, des obligations suspendues et des attentes embusquées. Point de souci, point de lendemain, point de pression extérieure, mais une sorte de repos dans l'absence, une vacance bienfaisante qui rend à l'esprit sa liberté propre. Il ne s'occupe alors que de soi-même [...]. Il peut produire des formations pures comme des cristaux. Mais voici que la rigueur, la tension et la précipitation de notre existence moderne troublent ou dilapident ce précieux repos [1].

C'est cette salubre relève d'une vie politique et économique exténuante et exténuée, c'est ce surplus fécond, dont le poète, l'artiste, le philosophe, le savant, le sage, l'amateur, l'amant connaissent le prix. Le temps de travail chronométré a beau être raccourci : le défilement de *news* aussitôt oubliées qu'encaissées et la foire industrielle de l'*entertainment* nous ont embauchés trop tôt dans leur Grande Roue pour que nous ayons trouvé le temps d'apprendre le prix du recul et du repos. La « culture », au sens glouton et consommateur où nous l'entendons, est un placebo que nous avons de plus en plus de mal à distinguer de l'*entertainment*.

L'empreinte laissée dans le sous-sol européen par la conversion de Rome à un *otium* entendu au sens grec de *scholê*, le « temps noble », le

---

1. Paul Valéry, *Variété, essais quasi politiques*, dans *Œuvres*, Paris, Gallimard, Pléiade, 1957, t. I, p. 1069.

temps fécond pour l'âme, le contraire de l'*inertia* (l'*ozio* italien), de la *pigritia* (la passion de la passivité), a été ravivé par une reprise à grande échelle, au cours du passage par paliers de l'Europe du haut Moyen Âge, tout occupée par sa survie matérielle locale, à ses Renaissances successives, la carolingienne, la gothique, l'humaniste : la dernière, entre les XIVe et XVIe siècles, amorça plus résolument que les précédentes le retour à la civilisation gréco-romaine de l'*otium*, à l'urbanité de ses mœurs, à la fécondité de ses lettres et de ses arts, à la magnificence de ses fêtes civiles et religieuses. Dans un long intervalle, en Europe de l'Ouest, entre 500 et 1 000, nombre de villes devinrent des villages à l'étroit dans leur ancien vêtement en loques, nombre de routes romaines devinrent des chemins défoncés et difficilement praticables, nombre de *castra* militaires devinrent châteaux forts, et nombre de villas ruinées avec leur domaine agricole déserté, ainsi que de grandes *domus* urbaines avec leurs parcs retournés à l'état sauvage, furent remplacées par des cloîtres. La vie monastique de prière, alternant avec des travaux jugés autrefois serviles, la copie manuscrite et le travail manuel, prit le relais de l'*otium* antique. Dès le IVe siècle, la retraite (« loin de l'incendie du siècle ») de saint Augustin, de sa mère et de quelques-uns de ses amis à Cassissiacum, près de Milan, dessine les traits transitionnels entre l'*otium* impérial et la *vita contemplativa* du monastère médiéval. Au VIe siècle, Cassiodore abandonne Ravenne, la capitale de recours d'un Occident rétréci, et cet homme d'État chrétien fonde dans la villa de campagne de sa famille le premier – et éphémère – monastère savant du Moyen Âge, qu'il nomme *Vivarium*. Dans le désastre des bibliothèques, il se consacre, avec ses collaborateurs, à établir des copies de la Bible et des textes sur lesquels se fondaient les arts libéraux pratiqués dans l'*otium* grec et romain. Après sa mort et la disparition de *Vivarium*, ces copies recopiées entreront dans les trésors de monastères irlandais, derniers refuges hyperboréens de l'*otium* occidental. Dans le même siècle, Benoît de Nursie fondait le monastère du mont Cassin, dont la règle veut que ses moines, révolution de grand avenir, dédient une partie de leur temps au travail manuel, réhabilité pour la première fois dans le monde latin de l'antique marque servile. Épreuve physique de la résistance des choses, exercice d'humilité artisanale, le travail monastique, alternant avec la prière et les exercices studieux, entre dans un rythme qui équilibre mouvement et repos. La vie heureuse, en ces temps de pénurie, c'est la vie contemplative : son échec est un péché capital, l'*acedia*, la névrose et la tristesse qui ne tiennent pas en place.

Me relisant, quelques mois plus tard, au premier trimestre 2008, je note, à propos, qu'à Venise, le palais Grassi où naguère fut exposée la collection Pinault d'« Art contemporain », avec ses Damian Hirst et ses

Jeff Koons, est l'hôte d'une grande exposition consacrée aux « Barbares » non romanisés et à leurs arts décoratifs d'armes et d'outils parfaitement étrangers à l'*otium* et aux arts de la représentation [1]. Un peu plus loin au sud, à Ravenne, s'est ouverte, en mars, une exposition intitulée *Otium, l'art de vivre dans les demeures romaines de l'âge impérial*, qui au contraire, concentre l'attention sur le passage de la villa romaine aux formes nouvelles que le christianisme contemplatif imprima à l'*otium* antique [2]. Deux regards diversement orientés, l'un fasciné par les « extra-communautaires » envahissant l'Empire, l'autre attirant l'attention sur les métamorphoses par lesquelles, en temps de chaos, le christianisme ménagea des îlots de salut et d'avenir. L'Italie contemporaine, et avec elle l'Europe, sont l'une et l'autre en proie à une crise politique et économique aiguë, mais encore latente, l'une et l'autre tourmentées par la présence d'« étranges étrangers », les uns invités pour augmenter la force de travail locale, les autres infiltrés pour échapper à la misère de leur pays d'origine, tous à la fois soucieux de préserver leur identité et contraints de s'adapter à une société pas toujours accueillante. L'optimisme de commande, dont se rengorgent la globalisation et le multiculturalisme, est démenti en sourdine par une sourde angoisse de fin d'Empire d'Occident qui inspire même les allègres ouvrages du savant spécialiste français de l'Antiquité gréco-romaine, Paul Veyne.

Toutes les « renaissances » occidentales intervenues à partir du VIIIe siècle ont dû se livrer, comme cela s'était passé à Rome dans les deux derniers siècles avant J.-C., à un effort de conciliation difficile et délicate entre des « mœurs d'ancêtres », cette fois chrétiens, partagés entre la contemplation claustrale pour quelques-uns, la guerre et le travail de la terre pour la plupart, et les « humanités » dont la civilisation antique avait laissé le souvenir, l'exemple, la nostalgie, comme une œuvre d'art et de loisir, autant que comme un patrimoine de sagesse et de savoir. Cette conciliation est magnifiquement réussie au XIIIe siècle chez saint Thomas d'Aquin, Dante et Giotto, puis de nouveau par Pétrarque et par Érasme.

Cette synthèse a été rejetée par la Réforme de Luther et de Calvin. Ce n'est pas un hasard si Mark Twain et ses « innocents » compagnons de voyage ont découvert les mérites d'une civilisation chrétienne de

---

1. Voir le catalogue *Rome et les Barbares. La naissance d'un nouveau monde*, Skira-Palazzo Grassi, 2008. La plupart des objets exposés sont des armes, des ustensiles et des bijoux lourdement décorés, étroitesse qui ne fait justice ni à Ravenne, ni à Byzance, ni même à la Rome des VIe et VIIe siècles. Voir aussi – et peut-être surtout – la petite brochure édifiante vendue en complément du savant catalogue, signée Dominique Muller : *Le Bar barbare, esquisse d'un barbazar*, Venise, Palazzo Grassi, 2008.

2. Voir le catalogue *Otium*, a cura di Carlo Bertelli, Luigi Malnati, e Giovanna Montevecchi, Skira, Milan, 2008.

l'*otium*, étendus à la vie quotidienne de villes entières, dans deux pays de religion catholique, la France et l'Italie romantiques.

Le sous-sol américain ne contient rien par lui-même de cette figure de civilisation, et l'idée européenne de « décadence » est inconcevable par les États-Unis et par leur religion nationale de la *Manifest Destiny*. Broadway, l'avenue de New York (la seule à serpenter) que j'ai parcourue en arrivant, en septembre 2007, pour gagner Uptown, n'épouse que le tracé du chemin de forêt foulé, pendant des siècles, par les Indiens de Manhattan. Les prédécesseurs de la colonisation européenne n'avaient jamais dépassé le stade de sociétés du besoin et de l'urgence étudiées par les ethnologues, et les colonisateurs européens, de souche calviniste ou luthérienne, n'avaient rompu avec l'Europe que pour parer au plus pressé de leur Terre promise : le combat contre la nature et les sauvages et un confort demandé au travail servile ou à l'industrie. L'Amérique a connu une sorte de retour à l'Antiquité esclavagiste, beaucoup plus féroce que la grecque et la romaine, dans ses États du Sud protestants. Elle a repoussé cette tentation par la guerre de Sécession, et c'est à partir de là qu'elle a pris la tête de l'essor des sociétés industrielles, où le travail servile durement rationalisé par les planteurs du Sud est remplacé par le travail à la chaîne, au rendement multiplié par des machines, inventé par les industriels du Nord. En attendant qu'elle devienne à la fin du XXe siècle, son industrie se délocalisant dans des pays pauvres, le centre nerveux de la société d'information et de communication mondiales. Et là, chaque cerveau individuel est invité à devenir un neurone branché par de multiples synapses à un cerveau global et impersonnel, dont l'inventivité est certes incessante, mais dont l'imagination électronique et les passions violentes perpétuellement agitées sont sujettes à des orages plus incontrôlables et impersonnels que la colère des dieux homériques ou les éruptions du Vésuve.

Tocqueville, d'un mot profond, a écrit des Américains qu'ils étaient « cartésiens sans avoir lu Descartes ». L'éthique américaine du travail est en effet méthodique, elle exige une organisation économique et rationnelle du travail, calculée au plus près en vue d'une fin pratique soigneusement prévue et visée. L'empire de la Rome moderne doit sa formidable croissance et son imperturbable résilience à cette conception, scientifique autant qu'éthique, du *labor improbus* d'Horace.

L'*otium* dont les Romains avaient fini par changer le sens et reconnaître le prix que les Grecs avaient attribué à la vie contemplative, l'humanisme de la Renaissance l'arracha aux cloîtres médiévaux pour en répandre le goût, avec d'autres saveurs, parmi les laïcs chrétiens : autant de formes et de rythmes de vie que les Américains n'ont pu concevoir que par réfraction, dans le miroir européen, et encore avec le sentiment qu'il s'agissait de phénomènes dangereux, à circonscrire avec soin chez eux, dans les campus universitaires ou les maisons privées d'écrivains ou de peintres égaillés en Nouvelle-Angleterre, exceptions indispensables à la bonne marche ou à la réputation d'une société s'acquittant dans l'ensemble, selon le dessein de la Providence, de son devoir de travailler à plein temps.

L'Amérique n'est pas seule dans ce cas, même si elle est exemplaire. L'*otium* au sens grec, romain, ou humaniste, ou observable dans des sens analogues en diverses époques de la Chine, du Japon, de l'Orient musulman, n'a pas été la chose du monde la mieux partagée ni la plus souvent honorée. L'« économie de l'esprit » dont parle Valéry demande un ensemble de conditions rarement réunies. De ce point de vue peu volontiers envisagé, l'Histoire n'apparaît pas comme un progrès linéaire ou un « dessein intelligent », mais comme une suite sinueuse et discontinue d'oublis et de reprises. Entre ces reprises, les affinités et la sympathie effacent la distance des temps. La Renaissance italienne a bu comme de l'ambroisie tout ce qui pouvait lui revenir de la *scholê* et de l'*otium* antiques, à travers les fragments des poètes, des savants, des architectes, des artistes qui l'avaient emmagasinée. La Rome des papes a déclaré catholique cette nouvelle conversion au christianisme de l'encyclopédie contemplative des Anciens. L'Europe des Habsbourgs, la France des Valois et des Bourbons, ont adopté et adapté à leur forme politique ce choix de vie qui n'était ni d'État, ni d'Église, ni du « siècle » ni du « cloître », ni de l'aristocratie d'épée, ni de la bourgeoisie artisanale ou marchande, mais qui introduisait du jeu, des dégradés et des médiations réflexives entre les mailles serrées du système social. Chacun dans son ordre, Montaigne et Poussin, Rubens et Gracián sont de bons exemples de ces inclassables qui ne furent ni des marginaux ni des maudits. À titre personnel, ils étaient citoyens d'une invisible République des lettres et des arts soudée par l'amitié et la coopération, dont le civisme consistait à rendre généreux un *otium* privé, mais fécond en bénéfiques œuvres publiques de l'esprit.

Pétrarque et la Renaissance ont cherché des ancêtres dans l'Antiquité classique. Chateaubriand et le romantisme européen ont cherché partout, dans le temps et dans l'espace, le souvenir ou la survivance de formes d'*otium* qu'ils sentaient compromises par l'ère scientifique, industrielle et niveleuse qui s'annonçait. Les Romantiques ont idéalisé le Moyen Âge courtois et chevaleresque, la Renaissance des arts et ses mécènes, et ils ont savouré à longs traits les restes de lenteur et de répit en Espagne et en Italie, avant d'aller, dans un Orient encore immobile, puis dans le Japon de l'époque Edo qui venait de prendre fin, des luxes contemplatifs dont on sentait bien, en Europe, que le temps était compté.

Écrivain des marges des villes et de l'industrie, l'Américain Mark Twain a subodoré dans l'air des soirées et des dimanches européens une affinité profonde avec sa propre vocation. Mais il se reprendra de cette faiblesse de jeune homme : en 1888, lors d'un banquet concluant, à New York, la tournée mondiale des *White Sox*, l'équipe de base-ball qui aurait dû convertir le monde à ce sport professionnalisé et commercialisé, le célèbre écrivain déclarait dans une prose que n'aurait pas renié le lyrisme viril de son contemporain et compatriote, le poète Walt Whitman :

> Le base-ball est l'expression extérieure et visible de l'élan, de la ruée, de la poussée, du combat, de l'esprit batailleur du XIXe siècle, enragé, briseur d'obstacles, explosif [1].

4. Le Lorrain, Seurat, Breton

Trois ans plus tôt (1884-1885), Georges Seurat avait représenté dans le paysage et les personnages de *La Grande Jatte*, orgueil aujourd'hui de l'Art Institute de Chicago, le degré, pour ainsi dire élémentaire et populaire, mais plénier, du loisir, tel que l'avait observé Mark Twain pendant son séjour sur le Vieux Continent. Le peintre a fait de cette représentation d'un dimanche ensoleillé au bord de Seine à la fois l'emblème de son art, et son mode d'emploi. Sa technique pointilliste rappelle les mosaïques de Ravenne et leur hiératisme liturgique, réapparu dans l'auguste immobilité des retables et des fresques de Piero della Francesca. Seurat n'avait pas fait le classique voyage en Italie des lauréats de l'Académie des Beaux-Arts. Il avait pu néanmoins étudier les fresques de Piero à Arezzo, dans les copies déposées à l'École des Beaux-Arts, commandées par Charles Blanc au peintre Charles Loyeux, Grand Prix de Rome : excellent exemple de la coopération tacite entre le monde de l'art académique parisien et celui des artistes dits « d'avant-garde », toujours présente sous l'angle trompeur de la rivalité entre « Anciens » et « Modernes ».

Dans l'état de vacance que célèbre la grande toile de Seurat, chaque promeneur est empereur, impératrice, prêtre du temps dont il dispose à son gré, en repos, tranquille, souverain. Les ombres que protègent les frondaisons du parc ou que projettent les silhouettes des promeneurs font équilibre aux trouées de lumière solaire et à l'éclat du jour sur le miroir du fleuve. C'est dans cette disposition de « dimanche de la vie », partagée par tous les Parisiens en promenade représentés dans le

1. Cité dans Thomas W. Zeiler, *Ambassador in Pinstripes : The Spalding World Baseball Tour and the Birth of the American Empire*, Rowman and Littlefield, 2006.

tableau, que celui-ci à son tour demande à être contemplé, savouré, goûté, comme on regarde la *Madonna del Parto* de Piero ou *La Dentellière* de Vermeer. *La Grande Jatte* enseigne dans quel état d'esprit contemplatif il faut la voir, comme une fête des sens et de l'esprit soustraite à l'effort et à la pression modernes du travail.

Quoi de plus « moderne » que *La Grande Jatte* ? Qui de plus « moderne » que l'inventeur du surréalisme, André Breton ? Or, chaque fois que je revois en pensée *La Grande Jatte*, il me semble bien que son peintre et ses personnages souscrivent silencieusement par avance à la revendication d'*otium* anti-utilitariste proférée, en 1937, l'année des « congés payés », dans l'ouverture de *L'Amour fou*, par le poète surréaliste :

> Tout sentiment de durée aboli dans l'enivrement de la chance : c'est à la recréation de cet état particulier de l'esprit que le surréalisme a toujours aspiré, dédaignant en dernière analyse la proie pour l'ombre pour ce qui n'est déjà plus l'ombre, et n'est pas encore la proie, l'ombre et la proie fondues dans un éclair unique. Il s'agit de ne pas, derrière soi, laisser s'embroussailler les chemins du désir. Rien n'en garde moins, dans l'art, dans les sciences, que cette volonté d'applications, de butin, de récolte. Foin de toute captivité, fût-ce aux ordres de l'utilité universelle [1]...

L'*otium* selon Breton est évidemment une disponibilité poétique qui est infiniment en poupe sur le « temps libre » payé que le gouvernement de Front populaire vient alors d'accorder aux « masses laborieuses ». Son aptitude à plein temps au « surréel » est d'ordre tout volontaire : c'est l'attente et l'impatience de voir surgir une « beauté convulsive » dont l'objet lie magiquement, dans « un rapport réciproque », « mouvement et repos ». Un luxe d'avant-garde. Beaucoup d'équivoques se cachent dans ces superbes formules, notamment la tentation du « convulsif » de faire prévaloir le mouvement sur le repos et, inversement, la pente de cette disponibilité à l'extase esthétique à faire prévaloir l'éclair rapide de l'image sur la construction d'une œuvre d'art telle que *La Grande Jatte*, ou de poèmes d'*otium* aussi réflexifs que *La Jeune Parque* ou la *Cantate de Narcisse*. Breton confond l'état poétique et le poème, fruit de l'œuvre du poète, s'imposant les contraintes de la métrique et de la rime, avant d'être objet de pensée et d'émotion pour son lecteur.

La Grande Jatte, élaborée par un art consommé, exsude le repos pour son spectateur. Baudelaire, dans *L'Invitation au voyage*, où il rivalise en poète avec les grandes marines du peintre Claude Lorrain, autres filles d'un long et savant labeur, évoque moins le repos, que le désir de

1. André Breton, *L'Amour fou*, Paris, Gallimard, Folio, 2008, p. 38.

repos et le voyage qui conduit à lui. Les paysages du Lorrain, comme ceux de son contemporain Poussin, tous deux étrangers œuvrant à Rome au milieu du XVIIe siècle, pénètrent en effet leur spectateur d'un sens d'*otium* où le repos n'est pas donné au premier regard, mais laissé à désirer comme une patrie lointaine. Ni l'un ni l'autre n'avaient accès, sauf exception pour Poussin, aux grandes commandes officielles de l'Église, que se réservaient les peintres indigènes. Ils ont composé des tableaux de moyen format, destinés à la délectation et à la méditation intimes d'une clientèle d'amateurs et de collectionneurs privés.

Devant les paysages marins de Lorrain, le spectateur est comme invité à s'asseoir, en vacance, sur le quai d'un port, au coucher ou au lever du soleil, à l'heure où s'équilibrent ombre et lumière. Il embrasse le paysage au moment où la bonace laisse place à la brise et il découvre, dans le vaste panorama de mer et de ciel déployé sous ses yeux, les navires qui viennent de lever l'ancre, voiles déployées, leurs mâts dessinant des Croix sur le ciel. Le peintre a mêlé, dans une sorte de court-circuit interne à une longue mémoire, des monuments antiques et des monuments modernes, des personnages minuscules représentant des scènes de l'Histoire ou du mythe antiques, et le réalisme moderne d'un port peu animé, de ses ouvriers à terre, de ses caravelles haut gréées. Dans l'espace ouvert par la perspective aérienne et les architectures, les temps se superposent et ont cessé de se succéder. Paysages d'*otium*, vus du *portum* tranquille qui en est synonyme, mais qui s'ouvrent, avec les vaisseaux en partance, sur l'horizon infini vers lequel ils font lentement voile en menant le regard ailleurs, vers encore un autre repos, un autre port, invisible. Le spectateur du XVIIe siècle pouvait interpréter ces départs sous le signe de la Croix comme une allégorie du voyage de l'âme exilée vers sa patrie céleste.

Baudelaire, qui a beaucoup goûté ces paysages du Lorrain, et qui a voulu en donner un équivalent verbal et sonore dans *L'Invitation au voyage*, a préféré un autre registre, qu'il ne jugeait pas d'ailleurs incompatible avec l'autre, celui du bonheur que promet ici-bas la beauté sensible : un luxe, un calme et une volupté étales et partagés, un bonheur comblé et incarné que seul peut entrevoir, il le sait, dans un lointain inaccessible, le grand désir du poète. En forme d'invite, le poème est là pour leurrer, le temps de la lecture ou de la récitation à haute voix, ce grand désir qui dans l'actualité se sait à jamais déçu. Les poèmes savamment mûris (Baudelaire n'a rien à envier à Racine pour le métier du vers) ne vieillissent pas, ils touchent les cordes profondes du cœur. *L'Invitation au voyage* est une glose raffinée, voluptueuse, occidentale, du marivaudage oriental du Cantique des cantiques, où l'absence, l'invisibilité, l'attente, l'imagination de l'étreinte aiguisent l'un pour l'autre les cinq sens des deux amants séparés, mieux que le fera jamais leur conjonction physique. Les tableaux qui ne s'oublient pas sont ceux qui enseignent comment les regarder et comment regarder. Longuement médités dans les règles de l'art (l'art de la perspective, à la fois géométrale et aérienne, chez Poussin et Lorrain), ils sont pour l'intelligence du spectateur une école de recul, de cette sorte de recul qui lui fait voir ou pressentir à la fois sa propre fugacité de surface et le fond, stable, insondable, et inaccessible, de l'être.

Peintre chrétien dans la Rome pontificale du XVIIe siècle, le Lorrain sait prolonger le regard contemplatif qui embrasse un dimanche du monde en lui faisant entendre que cet instant étale est lui-même l'image du royaume de paix acheté aux hommes par la Croix. Quinze siècles de christianisme monastique ont modifié le sentiment du paysage, que les peintres grecs et romains limitaient à l'enceinte du jardin. À l'exception de Virgile, qui sait lui aussi faire pressentir et désirer dans les paysages calmés, dans les éléments apaisés, dans l'*otium* cosmique, la paix mystérieuse d'un au-delà du sommeil et de la mort, les Romains, même convertis à l'*otium*, l'ont circonscrit dans le cercle de la vie sensible : les uns, comme Cicéron, y ont vu un répit subi ou choisi dans le service de la cité ; d'autres, nommément les poètes lyriques, l'ont vécu comme le temps bref de la jeunesse, propice aux tourments et délices de la passion amoureuse ; d'autres enfin, comme Horace, y ont cherché la liberté et les joies de la vie privée, de l'amitié, du chant poétique à la gloire d'Auguste et de Mécène. Mais toujours un temps de vie gagné sur la mort, un temps de liberté gagné sur la nécessité et sur le malheur. Le christianisme a moins aboli ce sens poétique et philosophique de l'*otium* impérial qu'il n'en a déplacé le centre de gravité hors d'atteinte de la Cité et de ses vicissitudes historiques, dans la sainte Face du Christ Pantocrator. La demi-coupole des absides de basilique, à Rome, à Ravenne, à Constantinople, le montre en mosaïque, assis, serein, appelant le monde à le rejoindre et à jouir face à face de la présence de Dieu, dans la plénitude éternelle de l'empyrée.

Les sociétés primitives du besoin ne connaissent que la tension anxieuse de la survie immédiate, hachée d'oisiveté vide, de jouissances et de sommeils brutaux. « C'est seulement là où la subsistance [de survie] est assurée, dit Hannah Arendt, que nous parlons de culture désintéressée ; c'est seulement là où nous sommes confrontés à des choses qui existent indépendamment de toute référence utilitaire et fonctionnelle, et dont la qualité demeure toujours semblable à elle-même, que nous parlons d'œuvre d'art, le critère approprié pour les juger étant la beauté [1]. » On dirait parfois que nous sommes revenus en pompe et en foule au stade de la survie, en pleine société d'abondance et de consomma-

1. Hannah Arendt, *La Crise de la culture*, Paris, Gallimard, Folio-Essais, 1972, p. 268.

tion, comme si, le cycle historique étant clos, les extrêmes se rejoignaient et les effets de la pénurie se confondaient avec ceux de la goinfrerie. La Rome républicaine de Brutus et de Caton ne voulut connaître que la tension ininterrompue de la vertu militaire et politique, hors de laquelle elle ne voyait que défaite, déchéance et décadence. Il faut être sorti du besoin, de la mobilisation permanente, et disposer d'un surplus de temps, de repos, de loisir (mais est-ce le « potlach » de Marcel Mauss, la « part maudite » de Georges Bataille, ou le luxe désintéressé du Beau que postule Kant ?), pour avoir le désir de déployer, avec soi-même et avec les autres, les ressources en trop de l'esprit et du cœur que compriment le poids et l'urgence de la survie. Les notions d'*otium* et de *negotium* [1] n'ont pu apparaître complémentaires, et l'*otium* à lui seul devenir légitime, qu'avec le temps en surplus qu'autorise la vie urbaine en temps de paix et de prospérité, situation que les « Vieux Romains » tenaient pour corruptrice en elle-même. Le culte polythéiste de dieux immortels calmés, jouissant d'une santé éternelle, d'un loisir illimité et d'une heureuse sérénité toujours renouvelée, n'a pu lui-même s'établir qu'avec une vie urbaine pourvue de tous ses organes différenciés et engendrant du temps libre, un temps de recul où la mécanique ralentit, et où s'éveille la vie réflexive du cœur, de l'esprit, de l'âme, des cinq sens, de la main.

Deux écoles de sagesse se partagèrent l'Empire gréco-romain. Les épicuriens condamnaient les vains efforts du *negotium* et portaient à un degré d'extrême ascèse le bon usage de l'*otium*, le temps court des mortels exposés à souffrir, à la différence de l'immortalité des dieux, indemnes de la mort et de la souffrance. Les stoïciens au contraire faisaient du *negotium* de la vie administrative et militaire et de ses épreuves, le genre de vie viril et vertueux par excellence, approprié à l'homme libre ; ils laissaient aux épicuriens leur science du loisir et du plaisir, *privée* des vertus et de la gloire de l'action politique. Mais le plus grand de leurs interprètes romains, Sénèque, dans le fragment du *De Otio* qui nous a été conservé, repousse cette dichotomie. Philosophe rebuté par le prince qu'il a éduqué et conseillé, le précepteur de Néron exalte dans l'*otium* librement choisi du sage et, dans les formes de vie contemplative que ce choix de vie autorise, une action imprégnée de repos et une vertu imprégnée de vraie volupté :

1. Sur ces deux notions romaines, voir, outre J.-M. André, ouvr. cit., et sur les sources philosophiques de l'*otium*, le bel essai de Christian Trottmann, *Faire, agir, contempler, contrepoint à la « Condition de l'homme moderne » d'Hannah Arendt*, Paris, Sens et Tonka, 2008.

> Ni celui qui préconise le plaisir ne demeure étranger à la contemplation, ni celui qui consacre sa vie à l'action n'ignore la contemplation. – Il est, dis-tu, bien différent de prendre une chose pour but, ou de ne l'admettre qu'à titre accessoire. – Assurément, la différence est considérable, mais les deux choses n'en sont pas moins liées : la contemplation de l'un s'accompagne d'activité, l'activité de l'autre s'accompagne de contemplation ; quant au troisième, que nous nous accordons à réprouver, le plaisir qu'il préconise n'est pas un plaisir passif, c'est un plaisir que la raison travaille à rendre fondé en raison. Ainsi cette secte de voluptueux ne laisse pas elle-même d'être active. Et pourquoi non ? Épicure en personne déclarait bien qu'il lui arrivera de temps à autre de déserter le plaisir, voire de rechercher la douleur, s'il sent que son plaisir est menacé de repentir ou si une petite douleur doit lui en épargner une plus forte. La contemplation est au programme de toutes les écoles de vie : d'autres en font le but, pour nous c'est un mouillage, au lieu d'être le port [1].

La vie contemplative et la vie active peuvent dérailler et régresser vers l'animalité, le repos de l'*otium* dégénérer en passivité et ses grâces en brutalité, les joies civiques du *negotium* déchoir en poursuite sans frein de la richesse et du pouvoir. Mais *otium* et *negotium* peuvent et doivent aussi se réconcilier et s'ennoblir mutuellement, le recul et la détente de l'*otium* prêtant son détachement à un œuvrer d'autant plus fécond, tandis que la vertu que demandent les *negotia* prête sa propre fécondité et sa dignité aux exercices du repos. Sénèque a entrevu mieux que personne, dans ses réflexions sur le bien-vivre, le paradoxe du poète et de l'artiste, oisifs infatigables, méthodiques et productifs, et celui de leur lecteur, spectateur et collectionneur idéal, dont le repos est suprêmement attentif et éveillé à ce que dit mystérieusement le poème et à ce que montre en profondeur l'œuvre d'art. Deux types rares de distraits exercés et bien faits pour s'entendre.

Parmi les exercices de l'*otium* qui justifient rétrospectivement une civilisation, les villes hellénistiques et la Rome impériale ont compté, outre les écoles philosophiques et la science des philologues, le mécénat, la collection, la composition et la jouissance d'œuvres d'art. Les arts de la Grèce, transportés et transplantés à Rome, célèbrent sans jamais se lasser, sous toutes leurs formes, la *scholê*, le repos, l'équilibre, l'harmonie, même lorsque, dans leur version hellénistique, ils conjuguent à la représentation de l'effort dans l'action et de la souffrance physique celle du calme de l'âme forte commune au sage et aux dieux. La contemplation de l'œuvre d'art est elle-même un repos actif, l'admiration supposant l'appréciation du talent de l'artiste et l'intelligence des intentions qui ont guidé sa main. Chacun des deux rythmes et formes de vie a ses mérites qui gagnent à s'entrecroiser plutôt qu'à se contredire. L'esprit

1. Sénèque, *Œuvres*, édition établie par Paul Veyne, Paris, Laffont, 1993, p. 387.

de joie et de sympathie puisé dans le temps d'*otium*, de repos et de contemplation, se reverse dans la vie consacrée à l'action et au faire, assouplit la tension morale que demandent les *negotia* et les *officia*, répare l'usure des énergies, introduisant de la grâce et une facilité supérieure dans l'effort qu'ils exigent.

Peut-être le peintre, dont l'Antiquité classique a fait presque aussi grand cas que du poète, au point de s'intéresser à sa biographie, à ses gestes et à ses sentences au même titre qu'à ceux des philosophes et des législateurs, a-t-il retenu autant l'attention des Anciens parce que, chez lui, le travail manuel s'élève de la sphère du *negotium* à celle de l'*otium* contemplatif et l'œuvre qui en est le fruit au statut d'objet de contemplation et non d'usage, portant à la fois les marques de la vertu qui conduit l'action à son terme, et du bonheur du repos qui trouve sa fin en lui-même. Le latin *labor* est pénétré de l'idée de souffrance et de fatigue subie. Le français « travail » va plus loin, son étymologie *(tripalium)* le rejette dans l'ordre de la torture. Œuvrer, en latin *operari*, l'activité dans la liberté, conjugue à l'effort subjectif le pressentiment heureux de l'œuvre *(opus)* détachée de son auteur, achevée et bien faite.

Dans l'*Éthique à Nicomaque*, Aristote fait du bonheur l'objet de la science politique et du désœuvrement, la condition de la vie contemplative et de son bonheur philosophique ; mais, au passage, il prend l'artiste et l'artisan en exemple de désœuvrement actif et opératoire, de travail heureux, tangentiel en quelque sorte à la vie contemplative. Pour le philosophe grec, l'œuvre de beauté n'est pas malgré tout à considérer du point de vue de l'artiste ou de l'artisan, mais du contemplatif qui y admire la nature imitée et achevée par l'ingéniosité humaine.

Les arts de la *mimésis* antique, dont les objets font collaborer la nature et l'homme, sont pour ainsi dire intrinsèques à la civilisation gréco-romaine de l'*otium* et inhérents au temps de contemplation dont elle jouit ; ils lui tendent les miroirs où elle se reconnaît, se plaît, et trouve la raison d'être de l'édifice urbain – religieux, militaire, politique, juridique, social et moral – qu'elle a construite sur le travail servile, mais qui l'élève au-dessus de la sauvagerie et de la barbarie, toutes deux esclaves du besoin. Réfléchi par les arts, arrêté par eux dans son mouvement, le monde des apparences se révèle, à ceux qui en contemplent les images, une harmonie cosmique analogue à celle que voient les immortels ; la nature s'y montre, aux yeux humains comme à ceux des célestes, un éternel jardin ; et le corps humain célébré par l'art fait participer les mortels de la santé magnifique, morale et physique, des immortels.

Dans cet apparentement de l'art et de l'*otium*, si vivement senti dans la romanité impériale, Valéry a vu un trait de nature de l'art européen. Il écrit dans *Mauvaises pensées :*

> L'artiste apporte son corps, recule, place et ôte quelque chose, se comporte de tout son être comme son œil et devient tout entier un organe qui s'accommode, se déforme, cherche le point, le point unique, qui appartient virtuellement à l'œuvre profondément cherchée, qui n'est pas toujours celle que l'on cherche [1].

La recherche objective de l'artiste est celle du point d'équilibre qui fera tenir son œuvre en repos sur elle-même et qui l'imposera d'emblée au spectateur comme une demeure préparée pour l'intelligence de son regard. Aussi l'imitation sous l'angle du repos, par les artistes antiques, de la vie, de la nature et du corps humain transporte-t-elle dans le temple, la place publique, la rue, la maison, le parc, quelque chose de ce répit dont jouit le sage, que l'artiste instille dans les formes, si mouvementées soient-elles, de son œuvre, et qui est le mode d'être des dieux immortels.

Grâce aux arts, il y a de l'*otium* et du bonheur de l'*otium* en suspens pour tous, dans la vie quotidienne et dans les rues de la cité antique, même en dehors des fêtes religieuses, des triomphes publics, du théâtre et des jeux populaires. L'urbanisme et l'architecture, les statues, les fresques et les mosaïques qui ornent les monuments et les places publiques, créent pour tous, et pour tous les jours, le sentiment d'un séjour stable et hospitalier, aussi apaisant dans son ordre pour le passant affairé que peut l'être, pour le promeneur détendu, la vue d'un jardin, d'un parc ou d'un paysage par temps clair. La plupart des grandes capitales européennes, depuis la Renaissance, ont cherché à devenir un équivalent moderne de la Rome impériale, seconde Athènes dont le catholicisme a fait une seconde Jérusalem. Je n'aurais jamais pu autant me plaire dans Rome et dans Paris si je n'avais pas, un jour, parcouru en Algérie les deux forums et les avenues quasi intactes de la Djemila romaine, édifiée sur une étrave rocheuse pendant le règne d'Alexandre Sévère.

Enfant et père des arts visuels, l'*otium* antique hiérarchise les genres de vie et il se hiérarchise lui-même, depuis ses exercices vulgaires (les jeux du cirque, le banquet de Trimalcion) jusqu'aux formes les plus rares de loisir lettré dont les poètes, les sophistes et les philosophes se disputent la définition et qui diffèrent selon les goûts de plusieurs écoles d'art et le génie de plusieurs écoles de sagesse.

1. P. Valéry, *Œuvres*, éd. cit., II, p. 895.

5. Le loisir féminin à Pompéi : le cycle dionysiaque de la « Villa des Mystères »

> *La mélancolie antique me semble plus profonde que celle des Modernes, qui sous-entendent tous, plus ou moins, l'immortalité de l'au-delà du trou noir. Mais pour les Anciens, ce trou noir était l'infini même ; leurs rêves dessinent et passent sur un fond d'ébène immuable. Pas de cris, pas de convulsions, rien que la fixité d'un visage pensif. Les dieux n'étant plus et le Christ n'étant pas encore, il y a eu, de Cicéron à Marc Aurèle, un moment unique où l'homme a été seul.*
>
> Gustave Flaubert à Edna Roger des Genettes, 1861.

Les souvenirs de douceur éprouvée devant *La Grande Jatte* de Seurat ou les marines du Lorrain, les réflexions sur l'antique où ils m'ont conduit ont eu raison de l'agitation contractée dans le Paris des affiches publicitaires et exacerbée par mes premières semaines à New York. Sur Broadway, en amont de Times Square, les stations de bus sont identiques à celles de Paris et ce mois-ci elles affichent en rafale une série de publicités pour l'iPod : des silhouettes de démons et démones sur fond de soufre s'y trémoussent en cadence, comme possédés dans les griffes du nouveau gadget.

J'ai loué un studio sur Riverside Drive, aussi austère qu'une cellule monastique, et j'entends y faire retraite, sous l'invocation de saint Jérôme, dans la mouvance studieuse du campus de Columbia et de sa bibliothèque, au large de la trépidation dont la Cinquième Avenue est le vecteur. Un beau dimanche ensoleillé d'octobre, au retour d'une promenade dans le parc superbe qui longe l'Hudson, et où j'avais croisé des enfants joueurs, des jeunes gens endormis sur le gazon, des vieilles gens lisant assis sur les bancs publics, une image antique s'est superposée dans mon souvenir à l'évocation vivante de *La Grande Jatte*. Cette image remonte à mes visites, dix ans plus tôt, lors de mes séjours à Naples, dans le champ de fouilles de Pompéi. Des fragments décolorés qu'en conserve ma mémoire me revient de temps à autre une impression si pénétrante que je me suis senti tenu de l'approfondir une fois pour toutes. Du cycle de peintures antiques de la Villa dite « des Mystères », émane un encens d'*otium* auquel pour rien au monde, ce jour-là, je ne me serais dérobé.

Jour après jour, j'ai eu recours aux livres pour revivifier les couleurs, ranimer avec précision les formes, aller, un peu plus avant que je ne l'avais jamais fait sur place, dans la vue intérieure du chef-d'œuvre échappé aux laves du Vésuve voici deux mille ans. Il m'a semblé répéter l'exercice d'*otium* auquel se livrait Pline le Jeune, dans la pénombre de sa villa de Toscane, l'été, et qu'il rapporte dans une lettre à son ami Fuscus :

> Débarrassé, on ne saurait croire à quel point, par l'obscurité et le silence de tout ce qui distrait, libre et laissé à moi-même, je mets non pas mon attention au service de mes yeux, mais mes yeux au service de mon attention ; ils voient ce que voit mon esprit toutes les fois qu'il ne voit pas autre chose. [1]

Je ne crois pas que l'on ait jamais mieux décrit l'intériorité de la pensée et l'activité du regard contemplatif.

Le cycle dionysiaque, échappé à l'éruption du Vésuve que le même Pline a décrite dans une autre de ses lettres, est la plus considérable relique de la peinture antique jamais retrouvée. Découvert en 1909, il date du milieu du Ier siècle avant notre ère. Il décore une pièce de l'une de ces demeures romaines, urbaines ou campagnardes, construites et distribuées en vue d'un repos privé, qui ont constellé Rome, l'Italie et le monde gréco-romain jusqu'au Ve siècle, et dont la forme s'est réveillée invinciblement à la Renaissance. Les tombeaux antiques ont le plus souvent été conçus comme des demeures de ce genre en réduction, en voyage vers leur fin, le repos définitif. Les laves ont réduit avant l'heure les demeures de Pompéi en tombeaux.

Un peu plus d'un siècle avant que ne soit achevée la « Villa des Mystères », en 186 avant J.-C., la République romaine avait réprimé dans le sang des Bacchanales qui introduisaient dans le paysage religieux de Rome le culte de Dionysos répandu et enraciné depuis le VIe siècle dans le monde grec [2]. Cette dure répression était dans la logique de la sévérité républicaine mobilisée contre toute infiltration de l'*otium* grec dans les murs de Rome. Le Dionysos grec était le dieu de l'*otium* au superlatif. Interdit en public (il sera peut-être encouragé en sourdine par Jules César, pendant les guerres civiles), le culte dionysiaque n'en avait pas moins prospéré en privé, dans l'aristocratie romaine, et notamment parmi les femmes, promises par le dieu grec à la même joie divine que les hommes.

Les femmes de toujours ont en effet un rapport privilégié et particulier à l'*otium*. Ce n'est pas un hasard si les « vieux Romains » accusaient, avec Caton, la « mollesse » grecque de féminiser et de démobiliser la virilité et le civisme des fils de la Louve. Sans commune mesure avec les vertus et l'activité publique des mâles, l'oisiveté vaine, l'ombre de la

1. Pline le Jeune, *Lettres*, coll. Universités de France, t. III, L. IX, 36, p. 136.
2. Voir la thèse de Jean-Marie Paillier, *Bacchanalia : la répression de 186 av. J.-C. à Rome et en Italie, vestiges, images, tradition*, École française de Rome, 1988.

vie *privée*, le *mundus muliebris* du gynécée, étaient à leurs yeux le lot des femmes, même nées libres. La *scholê* grecque, sous toutes ses formes, mélangeait dangereusement les genres. Les poètes lyriques romains, qui occupaient leur *otium* à des liaisons passionnelles avec des femmes sorties elles-mêmes de leur rôle domestique, passeront pour des déserteurs, et Ovide paiera de son exil pour eux tous. La réhabilitation de l'*otium*, le renversement des valeurs qui fait du loisir non un oppresseur de vertus, mais un libérateur des énergies du cœur, de l'esprit et de l'âme, ont toujours été liés à l'affirmation de la personnalité féminine, de sa dignité propre, de sa contribution essentielle à la fécondité de la civilisation. Cela est vrai à Rome dans la transition de la République à l'Empire, cela sera de nouveau vrai dans l'ère chrétienne, où l'*otium* monastique fera se lever autant de génies spirituels féminins que de grands esprits masculins. Ce que l'amour du Christ, défenseur de Marie la contemplative contre l'active Marthe, fera des moniales médiévales et modernes, la foi dans Dionysos-Bacchus pouvait déjà le faire des matrones hellènes et romaines du Ier siècle avant Jésus-Christ.

En témoignent les « fresques », datant des années 60 avant J.-C., qui couvrent les murs de la salle 5, dans la villa suburbaine dite « des Mystères [1] », à Pompéi, où s'affirme un culte privé du dieu qui reconnaît, visite et sanctifie l'*otium* féminin. Rien, ou peu de chose, dans cette suite de scènes intimes, ne rappelle ni la violence des *Bacchantes* d'Euripide, ni celle du résumé que le Romain Ovide propose, à son tour, dans les *Métamorphoses*, de la tragédie du roi de Thèbes, Penthée, déchiqueté par les femmes de sa propre famille pour son impiété envers Bacchus-Dionysos. Aux abords du Vésuve, les forêts sauvages semblables à celles qui entouraient Thèbes et où la mère de Penthée, ivre de Dionysos, s'était ruée sur son fils, ont été défrichées et ont fait place à des villes de plaisance. Le Dionysos et les Silènes invités dans la « Villa des Mystères » ne bouleversent pas son économie domestique, ils se contentent de la mettre à l'épreuve des passions. Ils ne songent pas à se répandre hors les murs de la *domus* essentiellement féminine dont ils sont les hôtes et où on leur rend un culte.

1. Voir les interprétations différentes qu'en donnent Gilles Sauron, *La grande fresque de la « Villa des Mystères » à Pompéi. Mémoires d'une dévote de Dionysos*, (Collection *Antiqua* dirigée par Gérard Nicolini), Picard, 1998 ; Robert Turcan, *Les sarcophages romains à représentations dionysiaques : essai de chronologie et d'histoire religieuse*, Bibliothèque de l'École française d'Athènes et de Rome, fasc. 210, Paris, 1966 ; et Paul Veyne, *Les Mystères du gynécée*, Paris, Gallimard, 1998, qui m'ont tous trois aidé à lire de près ce cycle de peintures antiques. Sur la découverte et l'étude d'ensemble des villes ensevelies en 71, voir Judith Harris, *Pompei awakened, a story of rediscovery*, Tauris, 2007, et *Antiquity recovered*, éd. Victoria Gardner Coates & John L. Seydl, Getty Publications, 2007.

Les consuls qui avaient réprimé les Bacchanales de 186 étaient du côté de Penthée, ils voyaient dans le dieu du vin, de l'orgie et de l'extase, venu d'Orient et adoré des femmes, un corrupteur des vertus viriles et civiques, un maître de désertion et un initiateur aux formes de l'*otium* les plus incompatibles avec les mœurs ancestrales de Rome. La persécution sanglante en 186 des adeptes romains de Dionysos est le précédent républicain de celles qu'exerceront les empereurs des IIe et IIIe siècle contre les sectateurs d'un autre dieu importé d'Orient, le Christ, le maître d'un autre royaume que celui de César.

Dans la suite de tableaux pompéiens, rien de sanglant. Des figures divines (toutes dionysiaques) s'entremêlent, familièrement et sur le même plan, à des personnages humains représentés dans leur paisible vie quotidienne, comme ce sera le cas dans plusieurs récits des *Métamorphoses* d'Ovide. Cette iconographie humano-divine recoupe à plusieurs reprises l'iconographie festive des bas-reliefs de sarcophages dionysiaques ou celle des coupes et vases luxueux, à usage de banquets, que peignirent de célèbres artistes grecs. Ces recoupements ont conduit Paul Veyne à voir, dans la « fresque » pompéienne, une magnifique et libre copie d'un original hellénistique destiné au décor d'une chambre nuptiale. Il la rapproche de la peinture antique retrouvée au début du XVIIe siècle à Rome, objet d'admiration et source d'inspiration pour Nicolas Poussin, *Les Noces aldobrandines*, où Dionysos figure aussi, prêtant ses traits de jeune dieu à l'époux impatient qui attend, dans la chambre nuptiale, au pied du lit, la jeune fiancée voilée se préparant, dans le gynécée, à le rejoindre. On aurait ainsi affaire à un genre pictural grec, adopté dans une *domus* romaine, et analogue à celui du *cassone*, le grand coffre de mariage, souvent peint par les meilleurs artistes sur des sujets profanes qui, dans la Florence chrétienne des XIVe et XVe siècles, figurera de façon quasi obligée dans la dot des jeunes mariées du grand monde. La prise de voile de la religieuse chrétienne est une fête de mariage avec le Christ. La fête de mariage chrétien entre époux laïcs est un intense moment d'*otium* où se mêlent, dans l'Italie de la Renaissance, la joie vitale et profane liée au renouvellement de l'espèce et la gravité du serment irrévocable de fidélité dans les épreuves, prononcé par les époux en présence d'un prêtre ou d'un évêque. Décoré d'une fable païenne ou d'une fiction moderne peinte, le *cassone* mire à la fois la festivité de la vie qui se perpétue et la gravité redoutable des épreuves qui attendent les époux.

Dans l'Antiquité hellénistique, le tableau de mariage fut un genre aussi conventionnel et enchanteur que les bas-reliefs dionysiaques des sarcophages funéraires : dans les deux cas, le dieu du vin, du théâtre, de la fête, de la joie éternelle, est appelé aussi bien à promettre à un couple vivant la félicité et la fécondité dans la lumière de ce monde d'embûches, qu'à épargner à un défunt la tristesse et l'errance glacée dans le noir de l'autre monde. Loin d'apparaître comme un dieu prosélyte et vengeur, comme dans *Les Bacchantes* d'Euripide, Dionysos allié à Éros et à Aphrodite, inspirateur des arts au même titre d'Apollon, penche et fait pencher, ici-bas ou dans l'autre monde, « du côté du bonheur ». Un bonheur où les voluptés charnelles, les plaisirs de la vue, de l'ouïe et des autres sens jouent un rôle religieux qui nous semble aujourd'hui incompatible avec l'ascétisme chrétien d'un Pascal ou d'un Rancé, qui ne sont pas pourtant l'*épitomé* du christianisme. Il est vrai que la ligne de partage entre sacré et profane, joie physique et joie spirituelle, ne passe pas dans les mêmes régions pour le christianisme et le polythéisme antique, surtout le polythéisme romain, si intimement cimenté dans la vie civique, politique et militaire de la Cité. L'humanisme de la Renaissance italienne a rendu poreuse dans la vie personnelle chrétienne la frontière entre spirituel et temporel. Mais cette porosité n'a pas joué uniquement en faveur des mystères douloureux : la Passion et la mort du Christ. Elle a reversé dans la vie personnelle, laïque et profane des saveurs émanant des mystères joyeux et des mystères glorieux.

Presque d'emblée, en effet, les évangélistes ont scandé la Vie « active » du Christ d'heures calmes et jubilatoires qui font pressentir les joies éternelles du royaume céleste qu'il est venu annoncer. Joyeux, et occasions de fêtes joyeuses, l'Annonciation, la Rencontre de Marie et d'Élisabeth, la Nativité, les Noces de Cana, le Baptême, les banquets dont le Christ est l'invité ou auxquels il invite ses apôtres, l'Entrée à Jérusalem. Glorieux, et occasions de fêtes magnifiques, la Résurrection, l'Ascension, la Pentecôte. L'année liturgique chrétienne ne se résume pas aux jours de carême et de deuil qui précèdent Pâques : elle invite la piété publique à plus de dimanches en l'honneur d'un Dieu vainqueur du péché et de la mort qu'à des chapelles ardentes de vendredi Saint au pied d'un Dieu martyr volontaire. Dès qu'elle est sortie des catacombes, l'Église constantinienne, transposant dans ses basiliques l'architecture et les matières de grand luxe, or, marbre, porphyre, pierres précieuses, mosaïques, qui ornaient l'*otium* public des thermes et l'*otium* royal des palais impériaux, fait de ses lieux de culte des avant-goûts visuels de l'invisible royaume où siège le créateur et ordonnateur de l'univers, montrant à toutes les âmes le chemin de leur salut éternel. Elle y a déployé des solennités liturgiques qui font appel à tous les arts, et qui préservent les mystères douloureux de l'année chrétienne de se confondre, si peu que ce soit, avec la boucherie et la fumée des sacrifices païens. C'est un fait qui n'a pas échappé aux humanistes de la Renaissance, l'*otium* religieux des « jours saints » chrétiens est plus proche de l'*otium* privé de la *domus* ou de la *villa* antiques que des cérémonies publiques ensanglantées de la religion civique romaine, qu'il a combattues et remplacées.

En déplaçant le culte du centre de la Cité terrestre, Rome, à la Cité de Dieu, le Ciel, le culte chrétien a emporté et adopté dans ce transfert les exigences esthétiques que s'imposait l'*otium* privé de l'aristocratie romaine, du moins la plus sévère, la stoïcienne. Aussi, par réverbération profane du *decorum* propre à l'autel chrétien, la poétique des humanistes de la Renaissance, toute néo-antique qu'elle se soit voulue, a exclu rigoureusement de la scène le sang et le sexe, ce que n'avait pas fait la poétique antique. « La beauté, écrivait Valéry à Léo Ferrero, est une sorte de morte. La nouveauté, l'intensité, l'étrangeté, en un mot toutes les *valeurs du choc* l'ont supplantée. L'excitation toute brute est la maîtresse souveraine des âmes récentes, et les œuvres ont pour fonction actuelle de nous arracher à l'état contemplatif, au bonheur stationnaire dont l'image était jadis intimement liée à l'idée générale du Beau. »

Le cycle de la « Villa des Mystères » ne relève pas de la religion civique de l'État romain, ni de la sévérité publique de ses hauts fonctionnaires. La riche matrone de Pompéi qui a commandé à un peintre grec, ou ayant étudié dans le monde grec, pour commémorer le mariage de sa fille, les panneaux de cette vaste « fresque » dionysiaque, faisait résolument exception. Cette importation d'un genre pictural grec dans une demeure privée romaine, quoique située dans une ville de plaisance, dans une région de vacances éloignée de la capitale politique, suppose néanmoins, de la part de la commanditaire, une rare indépendance d'esprit.

Il est vrai aussi que, tels qu'ils se montrent dans cette suite de scènes peintes, Dionysos, ses compagnons et son clergé ne songent nullement à troubler l'ordre public, religieux et civique, de la cité. La redoutable thiase des *Bacchantes* d'Euripide s'est transformée ici en une brillante troupe de *Commedia dell'arte*, invitée à donner une représentation privée dans les quartiers féminins d'une demeure particulière, à l'occasion d'une fête intime, le mariage de la fille de la maison, fête dont cette suite de tableaux montre aussi les préparatifs et les à-côtés. Ces acteurs, avec leurs accessoires et leurs masques, et parmi eux le jeune premier Dionysos-Bacchus, sont ici pour mimer, dans le langage du théâtre dont le dieu du vin est l'inventeur, les aspects intimes du mariage, institution dont la religion civique romaine consacre surtout les aspects extérieurs, juridiques, moraux et lignagers. Leur visite joueuse s'accorde aux occupations de l'*otium* approprié aux femmes d'une noble *domus* : la première éducation littéraire des fils, l'éducation musicale et chorégraphique des filles, l'hygiène et les soins du corps, l'élégance du vêtement et des bijoux, le raffinement culinaire et les parfums qui conviennent à des femmes tenant leur rang et se préparant à une fête. La visite de Dionysos et de sa troupe dans le monde des femmes justifie leur contribution, en coulisse et clandestine, mais essentielle, aux assises domestiques de la civilisation romaine.

Les Silènes, satyres, bacchantes et bergers du cortège de Dionysos, que le drame d'Euripide déchaînait hors les murs de Thèbes, dans les montagnes et la forêt, sont réapparus, mais sous la forme amène de comédiens, à l'étage d'une demeure urbaine où s'affairent les préparatifs d'un mariage. Ils sont chargés d'interpréter une liturgie mythique qui confère à cette fête le sens religieux que lui attribue la dame de céans.

Cet apprivoisement du fonds primitif violent du dionysisme grec est le fruit de siècles de culture hellénistique dont la commanditaire de ce cycle de tableaux se veut l'héritière et l'initiée. Cet apprivoisement est néanmoins tout relatif. À plusieurs reprises, en effet, le vertige, l'angoisse, la répulsion, quelque chose même comme une terreur, affleurent au grand jour de cette étrange frise qui offre aussi le spectacle doux, familial et familier d'une vie quotidienne bien tempérée. Le drame dont Dionysos et les siens sont les interprètes n'a rien non plus d'un intermède burlesque. Le dieu, ses acteurs et le sexe masculin qui scandent le cycle suscitent, chez les femmes nombreuses de la *domus*, des émotions intenses et graves, des réactions pathétiques, exerçant sur les spectateurs du cycle, incapables de distinguer où commence la réalité et où finit la fiction, cette tempête intérieure qu'Aristote qualifie de « purification des passions » et qui fait du théâtre, selon le philosophe, une médecine de l'âme. Les exercices de haute culture, autres que le théâtre et le mime, dont Dionysos et les siens sont *aussi*, semble-t-il, les inspirateurs et les acteurs, lecture, danse, chant, musique, art du drapé, arts de la toilette, ne relèvent en rien d'un rationalisme qui aurait évacué, avec le mystère, l'effroi devant le mystère. La lumière qui éclaire uniformément l'étage de la *domus* où ces acteurs de mythes semblent chez eux, ne fait aucune ombre. Mais, du fait même de la présence et du jeu de ces visiteurs venus d'une autre scène, les femmes qui les regardent ou qui ont peur de les regarder semblent ressentir elles-mêmes la proximité de la rampe du sexe et de la mort au-delà de laquelle ces comédiens divins ont surgi, les autres se montrant d'autant plus calmes qu'elles s'appliquent à la régularité des travaux et des jours, ce qui les dispense d'effroi.

Les occupations féminines d'un intérieur privé n'en sont pas moins envisagées ici sous un angle religieux. Ce n'est pas celui du culte civique romain et des vertus publiques qu'il est censé inculquer aux nobles mâles de la République, mais celui d'un dionysisme d'origine hellénistique intériorisé par la matrone de la *domus* et qui donne sens à ses yeux à l'univers féminin, au *mundus muliebris*, sur lequel elle a autorité. Mis à part le tout jeune garçon, probablement l'héritier de la lignée, dont la première éducation est confiée aux femmes de la maison, tous les autres humains représentés sur cette mégalographie, et dont le vêtement indique leur condition esclave ou libre, sont en effet de sexe féminin. C'est dans le quartier de la maison dévolu aux femmes, c'est dans le gynécée, à l'écart des appartements publics et de la présence d'hommes adultes, qu'ont été invités ou se sont invités Dionysos, son parèdre Ariane, Silène, les satyres, les bacchantes, et autres figures mythiques. Ils confèrent un air de fête, mais aussi une dimension mystérieuse et religieuse, aux activités de cette société toute féminine, placée sous les yeux vigilants de l'aristocratique *domina* représentée au repos sur le seuil du cycle et l'embrassant d'un regard pensif.

Le Forum, les temples du culte civique, le Sénat, les tribunaux, l'armée, les cénacles philosophiques masculins, le monde exclusivement adulte et viril qui se dessinent à l'arrière-plan des discours, des dialogues et des lettres de Cicéron, ou qui se profilent à l'horizon impérial de l'Énée virgilien, relèvent d'un autre monde religieux et moral. Dans la « fresque » à compartiments de la « Villa des Mystères », une grande dame a voulu rendre visible à d'autres femmes, et d'abord à sa propre fille dont le mariage se prépare, ce que peut comporter de dignité secrète et de profondeur morale invisible la contribution proprement féminine à la civilisation et à la religion romaines, qui tend pourtant à la réduire aux manèges de la coquetterie et aux blandices du miroir. Elle l'a fait par l'image, sous le signe de Dionysos, le seul dieu qui associe la féminité à l'exercice des arts et aux aspects non guerriers et non politiques de la civilisation. Encore un peu de temps, et la religion du Christ, que ses Évangiles montrent encore plus à l'écoute des femmes que Dionysos ne l'avait été dans la mythologie grecque, trouvera dans les épouses et les filles des grandes familles romaines ses plus ardentes introductrices aux traditions propres à l'*Urbs*. Le monachisme féminin jouera, pendant tout le Moyen Âge chrétien et encore au XVIIe siècle, un rôle déterminant à la fois dans l'inflexion mariale de la vie spirituelle et dans la légitimation des images, balises de la vie de prière [1].

« La passion aux magnifiques yeux égarés » dont parle André Breton dans *L'Amour fou* surgit à plusieurs reprises dans cette suite d'actions énigmatiques peintes par un Piero della Francesca du Ier siècle avant J.-C., qui aurait eu, outre le génie de la statuaire, les raffinements du dessin et de la couleur d'un Parmigianino et d'un Ingres. Mais ces explosions d'anxiété et de vertige sont contenues par la scansion régulière de la composition et par l'élégance à la fois naturelle et quasi-chorégraphique des attitudes, des gestes, des draperies. Aucune inscription ne permet d'identifier à coup sûr, comme c'est souvent le cas dans les peintures de vases grecs et, selon Pausanias et Pline, dans les cycles narratifs des grands peintres grecs, ni les sujets de ces scènes, ni l'identité de leurs acteurs humains ou divins. La commanditaire de cette

1. Voir le beau recueil de Jacques Dalarun, « *Dieu changea de sexe pour ainsi dire* » : *la religion faite femme, XIe-XVe siècles*, Paris, Fayard, 2008, avec la bibliographie afférente.

frise d'actions successives, comparable à une série de groupes sculptés et peints dans une lumière absolue de rêve, sur fond de panneaux *rosso antico* séparés par des pilastres, les a conçues et fait exécuter pour elle-même et les siens, aussi peu soucieuse que possible d'éclairer un quelconque public sur des figures qui lui parlaient d'elles-mêmes, mais qui, pour nous, restent heureusement énigmatiques. Pour célébrer et perpétuer sa religion personnelle de Dionysos, dont les femmes sont les prêtresses, la maîtresse de maison a trouvé un peintre et le genre à la hauteur de ses intentions, et elle s'est fait représenter elle-même, en retrait, isolée dans sa méditation, contemplant la représentation des deux faces, la divine et l'humaine, du royaume étroit, mais plein à déborder, éphémère, mais éternisé par l'art du peintre, sur lequel elle aura régné. Elle figure l'image même de l'*otium* en son sens digne et plénier, résolution en acte des apories de la vie humaine, consentement à la mort.

Écrits plusieurs décennies *après* qu'ait été décorée cette salle 5 de la « Villa des Mystères », les récits mythiques qui se succèdent dans *Les Métamorphoses* d'Ovide, comme ici les scènes de la frise, supposent une sympathie de poète pour les enchaînements nonchalants qu'affectionnaient les peintres grecs narrateurs de mythes. À leur tour, les nombreuses fresques plus tardives de Pompéi, d'Herculanum et de Stabies représentant Narcisse sous les traits d'un adolescent au repos, sur les murs des riches demeures décorées dans les années qui précédèrent l'éruption fatale, supposent la lecture du chant IV des *Métamorphoses*, où ce mythe est traité comme un tableau *en soi*. Poète visuel, amateur raffiné et même théoricien des arts visuels, Ovide montre, en tableaux juxtaposés, les diverses passions humaines se heurtant aux forces divines de la nature, y éprouvant leurs limites et y trouvant leur repos, brèves tragédies, parfois terrifiantes, dont chacune est commémorée, de saison en saison, par l'éternel retour d'un arbre, d'une plante, d'un animal symboliques. En même temps qu'il raconte l'origine mythique et le sens symbolique des êtres vivants et de la vie cosmique, le poète fait arpenter à son lecteur une galerie de tableaux et de groupes sculptés, et il le promène dans un jardin débordant de couleurs et de surprises optiques. Théologie, philosophie naturelle, philosophie morale et zoologie se conjuguent aux arts, peinture, sculpture, tapisserie, jardinage, dans une même poétique contemplative et détachée du mouvement cosmique et du mouvement humain reconduits de la violence accidentelle au repos essentiel. Poème de civilisation, *Les Métamorphoses* sont le prélude à une sagesse grave et ironique. Contemporaines de la naissance du christianisme, elles ont joui d'une extraordinaire faveur à la fin du Moyen Âge, à la Renaissance et à l'Âge classique, accompagnant et nourrissant le rêve de l'Europe chrétienne de se constituer à son tour en civilisation. Ovide reste toujours à redécouvrir.

La sublime frise dionysiaque de Pompéi n'a été découverte que depuis un siècle (1909), mais elle a déjà fait l'objet d'une petite bibliothèque savante. Le conflit d'interprétations entre spécialistes se poursuit aujourd'hui. Gilles Sauron a proposé une lecture suivie et narrative de cette série d'images, procédant à la manière des sculpteurs-restaurateurs de la Renaissance et du XVIIe siècle qui comblaient les parties manquantes d'une statue en prêtant à celle-ci une attitude vraisemblable, dont le principal mérite est de lui rendre une unité complète et un sens satisfaisant. Robert Turcan a procédé selon une méthode rigoureuse d'archéologue, préférant laisser en évidence les parties absentes de la mégalographie dite « des Mystères » et s'en tenant, par un montage neutre, à juxtaposer ses parties subsistantes, dont l'interprétation ne peut être que prudente et partielle, s'en tenant au rigoureusement sûr. Paul Veyne, dans l'intervalle, avait proposé dans une prose étincelante d'humour sa propre lecture « hellénistique » de ce chef-d'œuvre romain.

Au centre de la frise, le dieu impossible à méconnaître, Bacchus-Dionysos vu de face, à demi nu, appuyé sur un escabeau, son corps bronzé et voluptueux abandonné dans une pose alanguie, sa tête renversée et son buste reposant contre le sein d'une femme elle-même assise sur une sorte de trône, les jambes haut croisées, immobile. C'est la double image du repos divin. Le buste et la tête de la figure féminine sont détruits, mais on voit sa main droite posée tendrement sur l'épaule du dieu. Sa mère Sémélé, divinisée par son fils ? Ou bien Cybèle, la déesse des moissons qui ressuscita l'enfant Dionysos déchiqueté par les Titans ? Ou plutôt Ariane, auquel il s'est uni à Naxos ? De sa main gauche, où l'on distingue une bague gemmée, la mère ou l'amante du dieu serre un pan du riche manteau sombre violacé qu'elle porte par-dessus sa tunique claire. Cette teinte d'améthyste, parente de celle du vin, et le jaune d'or, sont deux couleurs liturgiques appropriées aux mystères de Dionysos. Elles luisent encore aujourd'hui dans la pénombre des sanctuaires hindouistes, sur les linges dont on habille dans leurs loges les statues de Shiva et de Pravati.

Un thyrse repose obliquement sur l'escabeau du dieu, dont une des sandales traîne au pied du siège de la figure féminine. Malgré la destruction du haut du corps de celle-ci, ils forment un tout, un groupe sculptural vivant et coloré. La sandale, détachée au cours d'ébats amoureux ayant précédé ce double repos, laisse peu de doutes : il s'agit décidément de Dionysos et d'Ariane. Indécent, contrairement à son parèdre qui a repris une pose digne et ajusté ses vêtements, le dieu incarne l'abandon après l'amour comblé.

À droite du couple central et dans le prolongement de Dionysos, est assis, sur un socle de marbre mouluré, le vieux Silène, Socrate barbu couronné de lierre et le bas du corps enveloppé dans un manteau lie de vin sombre ; il tient un vase de couleur argentée qu'il tend à un jeune satyre, vêtu de jaune sous un manteau de même couleur vineuse que celui du silène. Le satyre se penche et plonge son regard dans le récipient. Est-ce pour s'y mirer ou pour y boire ? À l'arrière-plan, dans l'axe du vase, un autre jeune satyre debout brandit très haut, comme un trophée, un masque de Silène de teinte sombre et aux grands yeux exorbités. Emblème de Dionysos et du théâtre satyrique, le groupe résume l'érotisme et les ivresses masculines.

À gauche du couple central, du côté d'Ariane, une bacchante vêtue elle aussi d'une tunique jaune sous un manteau sombre violacé, coiffée d'un bonnet jaune, met son genou droit à terre face à un van d'osier d'où surgit un phallus (le *lingam* hindou) enveloppé d'un voile violet qu'elle découvre lentement et pieusement, la tête dressée. Sur son épaule gauche, passe un long thyrse, l'oriflamme de Dionysos. Derrière elle se tient, debout, une autre bacchante, à demi détruite, vêtue d'une tunique vert clair et tenant un plat d'argent où l'on discerne des rameaux de pin, autre attribut du dieu. À l'arrière-plan, à droite du plat d'argent, une troisième bacchante aux trois-quarts détruite, vêtue de la même couleur que la précédente, semble fuir vers la gauche, son manteau gonflé par la rapidité de son mouvement. Plus à droite encore, intacte, se dresse debout et isolée une figure féminine troublante, Furie infernale ou Démone, pourvue de grandes ailes noires et touchant à peine terre. Son torse est voilé d'une étoffe légère, ceinte d'une courte tunique jaunâtre. Elle est chaussée de hautes bottes lacées à revers et elle brandit une cravache de la main droite, en détournant le visage. Sa réaction hostile au *lingam* couché dans son van d'osier est soulignée par un geste méprisant de sa main gauche.

Ce groupement où le Phallus, fontaine sacrée de vie, s'oppose à la Furie émanant du monde des morts, est observé à distance, avec inquiétude, par une autre bacchante vêtue de clair, coiffée elle aussi de jaune : assise, elle tient la tête d'une jeune fille en manteau sombre qui, agenouillée, le flanc droit dénudé, les cheveux trempés de sueur, cache son visage dans le giron de sa protectrice comme pour ne pas voir derrière elle le face à face violent de la Furie menaçante et du grand Phallus. À la droite de ce groupe, une danseuse nue fait tinter sa paire de cymbales et enfle en tournoyant un long voile doré, dont la courbe élégante encadre des genoux à l'épaule son gracieux corps nu. Au second plan, derrière la danseuse vue de dos, s'avance une bacchante habillée d'une longue robe d'un pourpre violet sombre. Penché en avant, son fin visage d'artiste a fait supposer à Paul Veyne qu'il s'agit d'une cantatrice. Elle tient obliquement un grand thyrse qu'elle semble agiter, tout en lançant, comme la bacchante assise, un regard hostile à la Furie aux ailes noires. La jeune fille agenouillée, et se préparant dans l'angoisse à l'épreuve des noces, semble bien l'enjeu d'un drame entre les forces de vie et l'émanation funèbre de l'enfer, drame que les Muses dionysiaques s'attachent à conjurer et à dénouer par la danse, les cymbales et le chant.

La double figure centrale de Dionysos et d'Ariane est donc encadrée et prolongée par deux scènes interprétées par la troupe du dieu, l'une exclusivement masculine, autour du silène, l'autre exclusivement féminine, emmenée par la cantatrice au thyrse : ce dernier groupe prend soin de protéger et de rassurer une jeune fille, qu'effraye le *lingam* monumental préfigurant la défloration qu'elle redoute, et il écarte d'elle l'autre menace, plus grave encore, qui la hante, l'angoisse de la mort dont l'intruse Furie est la figure et l'ambassadrice.

Si le regard se reporte maintenant de l'autre côté du couple de Dionysos et Ariane, par-delà la scène bachique présidée par Silène qui leur tourne le dos, trois tableaux juxtaposés représentent les activités ordinaires du gynécée, plus ou moins liées aux préparatifs des noces. Ces scènes d'intérieur ne le cèdent en rien en gravité religieuse à celles qui, sur fond de sexe et de mort, prolongent en quelque sorte la figure d'Ariane, et qui décrivent à sa gauche les rites d'initiation et de passage auxquels procèdent les bacchantes pour libérer de ses anxiétés la jeune fille nubile sur le seuil de la nuit de noces. La grandeur simple des femmes qui en sont protagonistes, la dignité de leurs gestes et le drapé de leur vêtement font d'elles les officiantes d'autres aspects, moins exceptionnels, mais tout aussi nécessaires, du culte civilisé et civilisateur de Dionysos, approprié au gynécée d'une noble et exemplaire maison.

L'une de ces scènes domestiques représente les préparatifs tout profanes de toilette auxquels est accoutumée toute jeune fille bien née, mais qui prennent une gravité nouvelle le jour de son mariage. La jeune patricienne est assise de profil sur un tabouret à pieds tournés, le buste et le visage virés du côté du spectateur. Vêtue d'une longue tunique jaune que serre à la taille une ceinture nouée à reflets violet clair, elle lève son bras gauche paré de deux bracelets afin de relever une mèche de ses cheveux et en tient une autre de sa main droite, dont le poignet est encerclé d'un troisième bracelet. À sa gauche, une servante enveloppée d'un manteau clair violacé l'aide à se coiffer en tenant une troisième touffe de cheveux et en passant sa main gauche derrière l'épaule de la jeune fille, comme pour soutenir une autre partie de sa chevelure. Face au groupe des deux femmes, un Éros présente en pirouettant un miroir où se reflète le visage de la belle en train de se parer : celle-ci conserve un maintien réservé ; loin de se contempler dans le miroir, elle semble même gênée d'être observée. Sur le retour de paroi, un autre Éros enfant, couronné de fleurs, s'appuie contre un pilastre, sa main droite sous le menton. Il tient de la gauche le bois de son arc, comme s'il méditait de tirer une flèche.

La grâce de cette scène est d'inspiration analogue, en beaucoup moins conventionnelle et menue, à celle de « La Marchande d'Amours » découverte en 1759 à Stabies et dont la gravure servit de modèle au célèbre tableau « à la grecque » du peintre Joseph-Marie Vien, au Salon de 1763 ; elle ne contredit pas le caractère dramatique de la scène du van d'osier et de la Furie. Elle montre un autre aspect, plus extérieur et détendu, de la vie intime d'une jeune fille pudique et de bonne maison à l'heure de ses noces.

Un autre tableau représente le soin qu'il faut continuer à apporter, nonobstant les circonstances, à la première éducation convenable à l'héritier de la famille. Vêtue d'une robe longue de grande dame, on est tenté de dire d'un sari hindou, jaune à longues bandes vert clair et enveloppée dans un vaste manteau lui aussi vert clair, mais moiré, la mère de l'enfant, de profil, immobile, retenant son voile de la main gauche, le poignet droit sur la hanche, assiste à la leçon quotidienne donnée à son jeune fils. Sous ses yeux, le garçonnet, nu comme un Éros, la tête couronnée de feuillage, lit debout un texte manuscrit sur un papyrus qu'il tient des deux mains, fermement déroulé, comme on le lui a appris. Ses yeux grands ouverts peinent à déchiffrer les lettres. Il est encouragé par le bras droit, passé sur son épaule, de l'institutrice assise à ses côtés. Vue de face, vêtue d'une robe jaune et d'un manteau gris violacé, la maîtresse ainsi drapée n'est pas une esclave. Cette belle jeune femme, libre et cultivée, tient de la main droite, passée sur l'épaule de son élève, un style qu'elle pointe sur le papyrus pour en guider la lecture, tandis que sa main gauche tient en réserve un autre manuscrit enroulé. La maîtresse et la mère veillent ensemble, avec gravité, à l'apprentissage de la lecture par le fils de la maison. Il passera, à l'âge voulu, aux mains de précepteurs masculins, tradition remise en vigueur dans les familles nobles de l'Europe pré-moderne.

Le troisième tableau représente les préparatifs du banquet de noces, ou ceux du bain nuptial de l'épousée. Comme les deux tableaux précédents, il est aux antipodes de la future « scène de genre » hollandaise, de son prosaïsme et de sa précision obtenue à la loupe. Ici les actes de la vie quotidienne prennent la grâce de la danse et la dignité d'un rituel, montrés pour eux-mêmes, sans que leur finalité pratique ait besoin d'être indiquée. Les objets, les ingrédients, les couleurs des vêtements ont à l'évidence une valeur symbolique, sans que leur sens exact puisse être précisé. D'où vient la jeune esclave qui apparaît couronnée de myrte, vêtue d'une tunique courte jaune et d'un manteau violacé, manifestement enceinte, apportant un objet oblong dans un plat de bronze qu'elle tient par les poignées ? Le myrte dont elle est couronnée est l'une des plantes odoriférantes consacrées à Vénus. À quoi s'occupe le groupe de femmes vers lequel elle s'avance ? La première, à gauche, a les cheveux dénoués. De profil, légèrement penchée en avant, elle soutient des deux mains une corbeille plate en osier, dont une autre femme à sa gauche découvre le contenu. Ce sont des branches de myrte : elle soulève le voile dont elles sont couvertes, teinté du même violet sombre que la toile recouvrant, de l'autre côté de la frise, le *lingam* rituel, et elle les propose ou les offre à une dame assise sur un large tabouret. Celle-ci est vue de dos. Coiffée d'un linge serré sous une couronne végétale, vêtue d'une tunique sombre sous un manteau clair admirablement drapé, monumentale, elle préside aux opérations. Ce ne peut être que la maîtresse de maison, dans une autre fonction que dans le tableau pédagogique qui précède. Elle tourne la tête vers une autre femme, debout sur sa droite, qui tient dans sa main droite, au-dessus d'un récipient de bronze posé sur une tablette, une branche de myrte tirée de la corbeille tenue par sa première assistante. Une seconde assistante, couronnée de feuillage, verse à travers le branchage parfumé le contenu liquide d'un récipient.

L'élégance mystérieuse de cette liturgie domestique – préparatoire au banquet selon les uns, au bain parfumé selon les autres – est de plain-pied et en continuité avec un nouveau surgissement de figures mythiques ou d'acteurs de théâtre. Tournant le dos au groupe de femmes, un second silène trapu, couronné de myrte, pince sa lyre en s'appuyant sur un pilier. Quasi nu, il a l'air ivre, le regard vague. Il préside à une scène agreste, où s'adossent à un décor rocheux un satyre et une faunesse, vêtus de peau de chèvre. Le satyre tient un syrinx, instrument à vent primitif, et la faunesse offre son sein à téter à un chevreau. Au premier plan, une chèvre tourne le museau vers le spectateur. Ce tableau de la vie sauvage des bouviers, en contrepoint avec les scènes de vie urbaine de la *domus* romaine, est inspiré par un bref passage des *Bacchantes* d'Euripide. Le *lingam*, les feuillages, les corps nus attestent la présence de la nature dans ce monde féminin très civilisé. Ce décor et cet intermède de vie sauvage y font surgir une humanité primitive, quasi animale, comme Dionysos et ses silènes y font entrer la vie divine.

Immédiatement à droite du silène et des bouviers, s'élance dans un mouvement de fuite une jeune femme aux beaux traits réguliers et au physique de statue, dont les yeux semblent en proie à la panique. Elle fait de la main gauche un geste de répulsion et d'effroi, déployant au-dessus d'elle un voile violet sombre qui s'enfle au-dessus de son noble visage. Elle est l'allégorie de la Pudeur féminine offensée et elle fait écho à la terreur de la jeune femme à demi nue et en sueur qui, dans les bras d'une bacchante, se refuse à regarder le *lingam* symbolique dressé derrière elle. La figure statuesque qui se détourne du satyre et de ses compagnons sauvages jette aussi un regard d'horreur, comme si elle était assiégée, sur l'autre groupe de la frise où figurent, faisant corps avec Bacchus, un autre silène et des satyres. Dans cette représentation d'un gynécée se préparant à un mariage, la virilité ne se présenterait que sous les traits d'histrions ivres, de sauvages proches de l'animalité, de masques et d'objets fascinatoires, si la figure de Dionysos abandonné au pied d'Ariane-Vénus ne venait rappeler que le dieu s'est laissé dompter par une beauté et que, dans la guerre des sexes, ce sont les femmes qui civilisent et qui l'emportent.

Le cycle est complet. Il a fait traverser au spectateur tous les modes de la sensibilité féminine dans le gynécée, la fierté maternelle, l'autorité matronale, l'angoisse et l'attente des voluptés de la vierge nubile, la pudeur de la jeune fille, le dévouement, libre ou servile, aux tâches exigées par le service de la *domus*, et même l'effroi devant la vie sauvage et la noirceur de l'au-delà accompagnant la visite divine de Dionysos et d'Ariane. Revenons au seuil de la salle : en retrait, avant que ne commence la séquence de la toilette, de l'éducation et de la « cuisine » rituelle, devant un pilastre séparant deux panneaux pourpre, est assise sur une large banquette un personnage féminin, portrait au repos et isolé de la matrone commanditaire du cycle. Malgré l'idéalisation des visages, on la reconnaît pour l'avoir vue par deux fois, en action, dans la scène « pédagogique » et dans la scène « lustrale ». La position de ce troisième portrait de la *Domina* la représente en train de contempler d'un regard circulaire l'ensemble du cycle. Elle est drapée dans un ample manteau jaune à bordure foncée, par-dessus une tunique beige clair. À droite, sur l'appuie-bras de son vaste fauteuil que recouvre une draperie verte, est posé obliquement un diptyque de tablettes, avec son support. Paul Veyne y voit le contrat de mariage de la jeune fille de la maison. Il en découvre un autre exemple dans la « fresque » des *Noces aldobrandines*, découverte dans le sous-sol de Rome, au début du XVIIe siècle, parmi les ruines d'une antique demeure privée.

Une partie de la draperie verte est ramenée sur le giron de la dame. D'un geste mélancolique et doux, elle replie sa main droite en appuie-tête, son bras s'accoudant sur un pan d'étoffe repliée de même couleur que la mante qui recouvre sa chevelure. Pensive, elle regarde en direction de la longue paroi historiée, les yeux grands ouverts. Son bras gauche, appuyé sur le même accoudoir, porte un bracelet et sa main qui repose sur le bord du manteau porte un anneau à gemme. Son cou est cerclé par un collier de longues perles foncées, de la même couleur que le bracelet et la gemme : ce brun violet sombre, dans toutes ses nuances d'améthyste, forme le fil discret qui relie cette dévote de Dionysos à tout le spectacle qu'elle contemple et à plusieurs de ses vingt-trois personnages. Elle donne elle-même, en « reine du gynécée », comme la qualifie Paul Veyne, le mode d'emploi grave, méditatif, religieux des scènes qu'elle a fait peindre. Elle sait qu'elle a fait de la vie de son intérieur un chef-d'œuvre et elle a voulu l'éterniser par ce cycle qui n'a rien d'un décor ni d'un album d'instantanés : il laisse affleurer ses convictions religieuses profondes sur le divin et l'humain, la vie et la mort, la fiction et la réalité, la civilisation et la sauvagerie, la guerre des sexes, les anxiétés, les devoirs et les pouvoirs des femmes. Rien qui ne nous soit « contemporain ».

Pompéi et Herculanum, plusieurs décennies après qu'a été revêtue de ce cycle de peintures la salle 5 de la « Villa des Mystères », et avant que le Vésuve les ensevelît en 71 de notre ère, comptaient déjà des chrétiens. Ce n'est pas par hasard si, au IIe siècle, un Père de l'Église aussi sensible aux images et artiste lui-même que Clément d'Alexandrie a cru devoir consacrer tant de pages à ridiculiser et rendre absurde le culte de Dionysos, où il perçut à bon droit le seul redoutable rival, à l'intérieur même du polythéisme romain, de la foi en Jésus-Christ Sauveur, matyrisé comme Dionysos, ressuscité comme Dionysos, initiateur d'une vie divine supérieure à la vie civique, comme Dionysos.

On aimerait pouvoir comparer, en relevant les continuités secrètes, mais aussi le changement radical de perspective religieuse, ce gynécée dionysiaque du Ier siècle avant notre ère, hospitalier au théâtre, à la danse, à la musique, avec les couvents d'ordres féminins, accueillants eux aussi au théâtre, aux arts visuels, à la musique, à la pédagogie, aux émotions et aux visions mystiques, que le catholicisme a multipliés pendant des siècles dans toute l'Europe, et implantés dans le Nouveau Monde espagnol et portugais. Rien n'en donne une idée plus saisissante que les monastères madrilènes de fondation royale, *Las Descalzas reales* et *La Incarnacion*, récemment ouverts au public, où sont conservés intacts, dans leur naturelle profusion quasi sensuelle, les chapelles, les oratoires privés, les œuvres et objets d'art et d'artisanat dévotionnels, accumulés de génération en génération par ces moniales de haut rang depuis le XVIe et le XVIIe siècle. Titien et Rubens n'étaient pas de trop pour elles. Pendant plusieurs siècles, ces métaphores visuelles, sensorielles et émotionnelles leur ont permis de connaître la vie de fiancée, d'épouse, de mère, de veuve qu'elles auraient pu éprouver dans les tribulations du siècle, et qu'elles auront connues dans la transposition symbolique et vicaire de l'*otium* religieux, au rythme des fêtes de l'année chrétienne, comme une préface à la présence réelle et éternelle du Christ. Certaines chapelles sont de véritables « cabinets de merveilles » où étincellent des centaines de reliquaires d'or, d'argent, de cristal de roche, de corail, de perles, d'ébène, collection de chefs-d'œuvre de savant artisanat et trésor des productions les plus rares de la nature, chacun enveloppant de gloire un petit ossuaire : chambres de haute sécurité et de méditation, composées comme un poème visuel dont les figures silencieuses, parties pour le tout, célèbrent les saints, les saintes et les martyrs ayant attesté et imité le Christ, et dont les paradoxes de splendeur et de vanité rendent tangible et sensible la victoire chrétienne sur la mort.

On peut et on doit préférer à ces privilégiées, c'est certain, l'activité bienfaisante des sœurs hospitalières, pour qui les nouveau-nés, les malades, les blessés, les mourants, étaient et restent de vraies et vives figures du Christ. Mais rien ne donne une aussi vive idée de l'affinité profonde entre le symbolisme catholique et la figuration des arts visuels que ces Christs enfants et ces Christs juvéniles de bois peint, dont celui de Gonzalo Fernandez, à *La Incarnacion*, variante sublime du Christ de marbre de la *Pietà* de Michel-Ange : associés aux fêtes et aux liturgies, ils surent rendre proche et présent, au côté des statues et des représentations peintes de Marie, à la vue et aux sens de ces vestales que leurs grandes familles avaient désignées pour le cloître, la personne du Christ lointain et absent, vicaire de l'époux terrestre et de l'enfant de leur chair qu'elles n'auraient jamais.

6. Une chambre de méditation féminine : Parmigianino à Fontanellato

Il y a des images que la réalité dément aussitôt, il en est d'autres qui l'emportent sur elle et dans lesquelles on s'attarde et on séjourne volontiers. Mon séjour dans la « Villa des Mystères » m'a transporté de Manhattan en Italie, et je n'en suis sorti, sans quitter ma cellule, que pour m'installer à quinze siècles de là, à quelques centaines de kilomètres au nord de Naples, dans une petite forteresse médiévale réaménagée au début du XVIe siècle par la jeune génération de la famille chevaleresque des Sanvitale. J'ai visité ce château d'allure médiévale, avec ses douves, son pont-levis, et l'ancienne bourgade qu'il protège, pendant un récent séjour à Modène, au Collège San Carlo, en compagnie de mon amie Michelina Borsari. Dans une petite salle à coupole ménagée contre l'épaisse muraille, et éclairée par une étroite meutrière, j'y ai découvert un cycle de peintures de la Renaissance peu souvent reproduit et qui me surprit par son air de famille avec celui de Pompéi. J'ai beaucoup lu depuis sur cet autre ensemble narratif, je ne l'ai plus perdu de vue. Maintenant, après avoir revu de près la « Villa des Mystères », j'aspirais à revoir de près dans la même lenteur, dans la même attention de lecture, ces fresques dans leur salle close, tant elles étaient associées pour moi à l'odeur d'*otium* que j'avais respirée à Pompéi. Tant aussi j'étais d'avance heureux d'un exercice qui me transporterait dans l'humus italien, capable de faire refleurir en beauté, après de longs siècles, sans pourtant se reproduire ni se répéter, l'*otium* antique.

Sur les parois d'une *saletta* incrustée dans les épais murs médiévaux de Fontanellato, le très jeune peintre Francesco Mazzola, dit Parmigianino, élève du Corrège, a peint à fresque une représentation exquise du mythe d'Actéon. Ni la date de ce décor (avant 1524, date du départ du jeune homme pour Rome, ou après 1527, date du Sac de Rome et du retour forcé de Parmigianino à Parme), ni la finalité de cette salle décorée, ne sont certaines : les uns supposent qu'il s'agit d'un boudoir profane, voire d'une salle de bain, d'autres, avec d'ingénieux arguments [1], veulent y voir au contraire un lieu de retraite, une chapelle profane, où la dame de la maison venait méditer sur la mort en bas âge, en 1523, de son fils.

Tous sont d'accord, néanmoins, pour attribuer à la dame du château dans les années 1516-1550, Paola, fille de Ludovic Gonzague, marquis de Sabbionetta, l'initiative, concertée avec son époux, Galeazzo da Sanvitale, de la commande du décor peint au peintre de vingt ans, le plus doué des élèves du Corrège, le maître-peintre de Parme, la ville voisine. Tous admettent aussi que les différentes phases du mythe d'Actéon métamorphosé en cerf et déchiré par ses propres chiens, peintes en frise continue sur les parois de la *saletta*, représentaient symboliquement à la noble commanditaire des moments de sa biographie. Comme la *Domina* de la « Villa des Mystères », elle figure elle-même dans le cycle. Par trois fois, le peintre l'a prise pour modèle, prêtant ses traits à Diane, à Actéon quand il se met à ressembler à Diane tant il désire lui plaire, et à Démeter-Cérès, qui regarde la mésaventure d'Actéon comme une allégorie de son propre deuil. Les mythes et les dieux antiques des *Métamorphoses* d'Ovide ont repris vie sur ces murs, mais avec un sens second, personnel et chrétien.

Est-ce le jeune peintre de génie, est-ce le couple Sanvitale, qui a eu l'idée, absente du récit d'Ovide, de faire précéder la métamorphose d'Actéon en cerf par sa métamorphose en jeune femme chasseresse, dans l'instant où il voit Diane, lasse de chasser et entrant nue dans un bassin d'eau claire ? Dans cette interprétation chrétienne du mythe païen d'Ovide, le désir d'Actéon, aussitôt éveillé par la vue de la beauté sans voile de la déesse, a transformé le jeune chasseur en image féminine de Diane. Aimer, dans un sens courtois et chrétien qui n'est pas celui d'Ovide, c'est vouloir, pour se faire aimer, *ressembler* à qui l'on aime.

1. Voir Ute Davitt Asmos, « Fontanellato I » et « Fontanellato II », *Mitteilungen des Kunsthistorischen Instituts in Florenz*, XVII, 1983, p. 3-39, et XXI, 1987, p. 3-37 ; ainsi que Pietro Citati, « Il dolore di Demetra », dans *La civiltà literaria europea*, Milan, Mondadori, 2005, p. 573-580.

Saisi d'amour pour Diane, Actéon change de sexe et devient l'image de Diane pour se faire aimer d'elle.

Filtrent ici, dans le langage du mythe grec latinisé, les modes du salut chrétien selon saint Augustin : l'amour, la ressemblance et la dissemblance. Le salut est ouvert par la grâce, obtenue aux hommes par le sacrifice du Christ, de se délivrer de la dissemblance du péché qui a détourné d'eux l'amour du Père et de recouvrer, en imitant le Christ, le Fils de Dieu, Image parfaite du Père, la ressemblance perdue. En s'incarnant, le Christ a fait voir aux hommes la figure qu'ils avaient reçue, puis perdue, et qu'il leur faut retrouver pour s'attirer de nouveau l'amour du Père. Chambre de miroirs où le Christ est le grand échangeur d'images, et intrigue d'amour déçu et tenace que le Fils de Dieu dénoue en rendant possible cette métamorphose qu'est la « conversion ». Le changement de sexe d'Actéon saisi d'amour et sa transformation en Diane, visibles pour le spectateur, ont-ils été souhaités par la déesse chasseresse ? La Diane de Parmigianino reste la froide divinité païenne : elle s'estime violée, elle et son bois sacré, par le regard intrus et précipité d'Actéon. Elle ne voit rien de l'amour courtois qui, à sa vue, s'est emparé du jeune chasseur et qui l'a métamorphosé à sa ressemblance. Antithèse de la Vierge chrétienne, médiatrice de la grâce de son Fils, la déesse inviolée du paganisme ne songe qu'à punir. À l'intrusion, à la transgression, Diane réplique par le geste d'asperger d'eau l'indiscret, ce qui le transforme une seconde fois, mais maintenant en proie animale. Dans le poème d'Ovide, c'est le face à face fatal entre un mortel indiscret et une immortelle vindicative. Dans la lecture chrétienne qu'en donne le peintre Parmigianino, c'est le heurt entre un amoureux platonicien – chrétien, un Pétrarque ayant le coup de foudre pour Laure et une idole païenne dure et féroce. L'amant sacrificiel a beau se vouloir le miroir de l'aimée, la divinité objet de cet hommage *subjectif* l'ignore et, s'en tenant *au fait* sacrilège de l'intrusion, retourne contre leur maître innocent et coupable les chiens de l'intrus.

Cette duplication visuelle de l'image de Diane et cette inversion des rôles sexuels, le mâle devenant femme qui veut plaire et la déesse se montrant virile et farouche, suivie de l'inversion des rôles dans l'équipe de chasse – le chasseur devenant cerf et proie de ses propres chiens – ne se résument pas à un élégant entrelacement entre le mythe d'Actéon au livre III des *Métamorphoses*, celui de Salmacis et d'Hermaphrodite (qui fond les deux sexes en un même corps), et celui de Narcisse (qui fait mourir d'amour, pour une vaine idole, le beau chasseur), tous deux racontés par Ovide aux livres III et IV. Ces variations par rapport à la lettre d'Ovide supposent une méditation d'humanistes sur ce qui sépare la théologie païenne, remémorée par les récits enchanteurs d'Ovide, de la théologie chrétienne, mais aussi ce qui les rapproche.

La glose chrétienne introduite dans le scénario d'Ovide par les seigneurs de Fontanellato et par leur peintre ne fait que rendre plus mystérieux le destin inéluctable d'Actéon, sitôt qu'il est entré dans la région dangereuse des ressemblances et dissemblances, qui est aussi celle des passions, où les dieux-démons païens se jouent cruellement des mortels. Les fresques de la « Villa des Mystères » se passaient de légende. À Fontanellato, une inscription latine pour le cycle peint court tout autour de la *saletta* :

> *Ad Dianam : Dic Dea si miserum sors huc Acteona duxit a te cur canibus traditur esca suis, non nisi mortales aliquo pro crimine poenas ferre licet : talis nec decet ira Deas.*
>
> À Diane : Dis, Déesse, si c'est le hasard qui a conduit ici le malheureux Actéon, pourquoi l'as-tu livré en proie à ses chiens ? Il n'est pas normal que les mortels soient punis autrement qu'à la mesure de leur crime, et un tel courroux ne sied pas aux Déesses.

Dans cette inscription, comme dans *Les Métamorphoses* et dans les *Tristes* d'Ovide, il est question de crime, de châtiment, et surtout de justice ou d'injustice divines envers une humanité traitée en coupable sans qu'elle sache pour quelle faute. Un parallèle implicite est tiré entre l'injuste férocité de la Diane païenne d'Ovide, et la Justice divine parfaite qui ne saurait, selon Platon comme selon les Écritures saintes, punir les innocents. Dans son récit-tableau du mythe d'Actéon, le païen Ovide n'avait pas manqué de marquer la difficulté, se contentant, sans prendre parti, d'évoquer les deux opinions sur l'épisode s'opposant de son temps à Rome, l'une jugeant Diane injuste, ce qui prélude au christianisme, l'autre l'estimant dans son droit de déesse, dont les critères, ici comme dans la tragédie grecque, ne sont pas l'*intention* des humains, mais leurs *actes* (*Métamorphoses*, III, 253-255). Au siècle chrétien de Parmigianino, déchiré par la Réforme luthérienne, la question de la Justice divine est plus que jamais controversée. Selon Luther, elle ne se mesure pas à l'aune humaine des « œuvres », bonnes ou mauvaises à vue terrestre, mais à celle de l'insondable liberté de Dieu et de sa grâce. L'orthodoxie catholique tendait au contraire à affirmer une corrélation entre la Justice du Dieu d'amour et les œuvres d'intention bonnes et innocentes opérées librement par ses créatures.

À Fontanellato, bastion d'une famille de tradition francophile et dévouée à François Ier, le jeune couple Sanvitale et ses amis lettrés ne pouvaient être étrangers à une question de théologie morale qui remuait le royaume de France et qui tourmentait, en Italie même, un Michel-Ange, son amie Vittoria Colonna, belle-sœur de la comtesse Paola Sanvitale, et, à Parme, leur propre cercle de cour. L'intérêt des maîtres de maison pour les lettres profanes et sacrées allait de pair avec leur curiosité pour les langages chiffrés (mythologie, hiéroglyphes, Kabbale, alchimie, astrologie), auxquels les humanistes demandaient des modes d'expression universels pour signifier les mystères de la Nature, les clefs de la sagesse humaine et les secrets la Sagesse divine.

Cette curiosité est attestée par le somptueux portrait du comte Galeazzo San Vitale (aujourd'hui à Naples) que Parmigianino a peint sans doute au même moment que la *saletta* du château. L'art du portrait, disparu depuis le ve siècle, a réapparu après neuf siècles dans l'Europe chrétienne, comme ont réapparu la statuaire et les cycles narratifs profanes où André Malraux veut voir le symptôme d'une décadence de l'Art. Cette effigie représente le jeune seigneur de Fontanellato assis, vêtu et coiffé à la mode de cour française, devant les pièces d'une armure de parade au repos. Son très beau visage oblong, assorti d'une longue barbe à deux pointes soignée, est celui d'un contemplatif, non d'un guerrier. Son regard grave est habitué à sonder les mystères. Il a même quelque chose de christique, ce qui n'étonne pas de la part de Parmigianino, dont l'un des autoportraits, un dessin, s'inspire de celui de Dürer en Christ. *Ogni pittore dipinge se* – « Tout peintre se peint lui-même », selon un dicton florentin qui se réfère implicitement à la « ressemblance » entre le Créateur et sa créature. Le comte tient ostensiblement, dans sa main droite gantée, une grande médaille frappée du chiffre 72. Dans la Kabbale chrétienne, ce chiffre cache et signifie le nom de Dieu. Sur la large coiffe du comte est agrafée une autre médaille, représentant le caducée d'Hermès, semblable au serpent d'airain biblique et à la Croix de la Passion. Ce descendant de guerriers affiche son parti pris de vivre dans un *otium* noble consacré aux lettres et à la méditation de symboles immuables et inépuisables.

Les maîtres de Fontanellato épousaient la quête, caractéristique de la Renaissance italienne du xve et du xvie siècle, d'un langage symbolique capable de résumer, et de faire concorder avec le christianisme, les révélations partielles et les traditions philosophiques et religieuses qui lui étaient antérieures. Les mythes gréco-romains et leurs représentations par l'art offraient la trame de cette langue figurée où se cachaient et se révélaient les lieux communs d'une *philosophia perennis*, sagesse pérenne, éclairée rétrospectivement par la Révélation évangélique. La fresque ovidienne de Parmigianino, et l'inscription qui invite à la méditer, sont contemporaines de la naissance (qu'elles anticipent de peu) du langage mixte, juxtaposant image gravée et inscription imprimée, de l'emblème. La première édition des *Emblèmes* d'Alciat, avec ses images, parut en 1531. Plusieurs de ces emblèmes font allusion explicite aux mythes des *Métamorphoses*. L'épopée d'Ovide dont un fragment a inspiré la fresque de Fontanellato, sera, en 1559, métamorphosée tout entière à Lyon en un recueil d'emblèmes par l'Italien Gabriele Simeoni. La cour des

Valois, dont la famille Sanvitale était une fidèle alliée italienne, s'est montrée friande des versions « moralisées » des *Métamorphoses*. Aussi le recueil de Simeoni était-il dédié à Diane de Poitiers, que son prénom incita à prendre pour emblème la déesse grecque de la chasse. Dès 1524, la date la plus probable de la fresque de Parmigianino, cette antique et nouvelle langue mystérieuse, familière aux maîtres de Fontanellato, a été choisie par eux pour représenter à la fois sous plusieurs figures les traits de la comtesse Paola, et pour lui offrir un miroir allégorique des interrogations religieuses et philosophiques qui la poignaient, elle et son mari.

Le couple avait perdu en 1523 un enfant mâle encore au berceau. S'il est vrai que leur deuil est à l'origine de la conception et de la réalisation, l'année suivante, de la chambre de méditation peinte par Parmigianino, le langage emblématique du mythe d'Actéon a été choisi par eux pour réfléchir leur deuil et les questions que la mort prématurée d'un enfant innocent leur a posées sur la Providence divine.

Deux des lunettes peintes de la voûte de la *saletta* dessinent un angle au-dessus duquel est représenté l'enfant que pleure Paola Gonzaga-Sanvitale. Ce portrait à fresque est comme supporté par une console où figure en trompe-l'œil le relief d'une tête de Méduse, symbole antique réutilisé depuis peu par les peintres italiens dans ses scènes de martyre ou de Crucifixion, et signifiant l'horreur pétrifiante de la mort [1]. L'enfant est embrassé par sa sœur aînée, qui détourne ses yeux agrandis par l'effroi, tenant d'une main une branche de cerisier, dont les fruits rouges symbolisent le sang versé par le Christ et les martyrs. Parmi les nombreux *angioletti* parsemés par Parmigianino au plafond de la *saletta*, le frère et la sœur sont les seuls *putti* dépourvus d'ailes, les seuls aussi à être, à l'évidence, des portraits. Autour du cou du bébé, un collier de corail, rouge sang comme les cerises. Dans la lunette la plus proche du petit couple fraternel, la mort d'Actéon métamorphosé en cerf est figurée, symbole christique du martyre de l'enfant innocent. Le grand cerf, immobile et résigné comme le Sauveur en croix, est assailli par ses propres lévriers qui ne reconnaissent pas leur maître : l'un d'entre eux l'a déjà mordu au cou ; comme du flanc du Christ, des lèvres de la blessure suintent quelques gouttes de sang. Plus à droite, l'un des lévriers, le collier de cuir fermé par la coquille de Diane, allongé de profil, tel un sphinx superbe, les yeux grands ouverts, observe avec l'indifférence froide du Destin antique la curée dont son premier maître Actéon est victime. Derrière lui, un vieillard et un adolescent, tels les apôtres au pied de la Croix, échangent des regards impuissants et épouvantés.

1. Sur le symbolisme de Méduse, voir Jean Clair, *Méduse, contribution à une anthropologie des arts visuels*, Paris, Gallimard, 1989, notamment planches 30 et 31.

Au fond de la salle, dans une lunette encadrée par deux autres où figurent d'autres chiens au repos d'Actéon martyr et d'Actéon chasseur, point d'aboutissement donc et point de départ du cycle mythique, Parmigianino a peint le portrait de Paola Sanvitale en Déméter-Cérès, tenant d'une main délicatement ouverte l'offrande d'un épi de blé, et de l'autre une coupe-ciboire que l'on peut supposer remplie de vin. La comtesse chrétienne joue le rôle de la déesse antique de la Terre-mère, patronne des mystères d'Éleusis, protectrice des moissons, mère de Perséphone qui lui a été arrachée, seconde mère de Dionysos qu'elle a ressuscité. Mais l'épi de blé éleusinien et le vin dionysiaque qu'elle tient dans ses mains cachent et révèlent le sacrement eucharistique, laissé par le Christ pour renouveler sur la terre le sacrifice salvateur de la Croix. Élégamment vêtue, en large décolleté, et non pas dans l'appareil du deuil, la jeune mère éprouvée sourit d'un étrange et doux sourire de Joconde.

Tout le paradoxe narratif du cycle de Fontanellato tient dans le contraste entre le destin cruel et injuste infligé à Actéon, la terreur qu'il inspire à ses témoins humains, l'horreur qu'en éprouve la sœur aînée du fils mort de Paola et Galeazzo Sanvitale, et ce doux sourire de la mère de l'enfant. Les yeux de la jeune comtesse sont baissés ; ils semblent regarder de l'intérieur. Ce qu'ils regardent et ce qui fait naître un sourire consolé sur les lèvres de la jeune femme réceptrice de l'eucharistie, c'est la pergola que nous voyons peinte par Parmigianino sur le pourtour supérieur de la coupole, ce sont les *angioletti* paradisiaques qui y jouent, éternels compagnons désormais de l'âme de l'enfant disparu ici-bas, ce sont les roses blanches, symboles d'innocence qui fleurissent en abondance au-dessus de ces joueurs célestes et ourlent le pourtour d'un *oculus* ovale bleu. Sur un médaillon peint au centre de cet *oculus*, on peut lire l'oracle divin consolateur qu'entend intérieurement la Déméter chrétienne de Fontanellato : *Respice finem*, « Retourne-toi vers la fin », et donc, ne t'attarde pas sur les apparences immédiates et trompeuses, repose-toi sur la grâce du Christ.

Alain, dans ses *Leçons sur les Beaux-Arts*, fait remarquer que le propre de l'élégie et de la tragédie, en poésie comme dans les arts, est de représenter le trouble des passions et de l'imagination non pour l'hystériser, comme le veulent tous les expressionnismes, mais pour l'apaiser et le consoler, du seul fait qu'il est objectivé, mis à distance, offert à la contemplation. C'est bien ce mystère rédempteur commun au grand art et à la liturgie chrétienne qui est mis en œuvre à Fontanellato. Ne se laissant pas assombrir par l'idée païenne de Destin, telle qu'elle ressort de la lettre du mythe d'Ovide, la mère endeuillée, spectateur idéal de la représentation, est conduite par le peintre à lire, en filigrane du mythe d'Actéon et du mythe de Déméter, un sens chrétien et providentiel caché, celui d'une allégorie du sacrifice d'amour du Christ, de sa victoire sur le Destin et sur la mort. Paola Sanvitale endeuillée pouvait retrouver, à l'image de son propre portrait, le sourire à travers les larmes : la mort de son enfant innocent transporté dans les Limbes en compagnie d'autres anges n'est pas un châtiment injuste, mais une épreuve dont la fresque de Parmigianino cache et révèle le sens secret [1].

Ce second sens chrétien, providentiel et joyeux, qui affleure à Fontanellato sous la lettre, librement remaniée, du mythe d'Ovide, ne compromet en rien le rapprochement qui s'impose entre ce cycle « à fresque » de la Renaissance et le cycle du Ier siècle avant J.-C. de la « Villa des Mystères », réapparu seulement au XXe siècle. Dans les deux cas, on a affaire à un entrelacs subtil de biographie spirituelle dont le sujet est la vie morale d'une femme réelle, et de mythes et symboles universels qui déclinent les rapports entre l'humain et le divin. Ce qui relie le cycle païen de Pompéi au cycle chrétien de Fontanellato, c'est d'abord leur « dionysisme » commun, la Déméter chrétienne du XVIe siècle et son Christ sauveur relayant en quelque sorte le Bacchus païen du Ier siècle avant J.-C., associé à Cybèle-Déméter dans les mêmes mystères et les mêmes rites salvateurs. C'est aussi, et surtout peut-être, la même préférence pour le langage silencieux et énigmatique du symbolisme pictural pour initier aux constantes de la condition humaine et à ses chances de rédemption et de salut.

Dans les deux cycles, toute la signification secrète se joue sur les échanges et la direction des regards, soutenus par une sobre économie des gestes et par des « natures mortes » symboliques (végétaux, fruits, corail, coquilles, masques, vases). Une suite de masques de Méduse, à mi-hauteur, autour de la *saletta* de Fontanellato, oppose la terreur qu'inspirent la mort et le Destin, et que symbolisent aussi les chiens-sphinx, à l'intelligence des symboles qui conjurent cette terreur et enseignent le salut. Les deux inscriptions qui singularisent le cycle de Fontanellato, loin d'« exprimer » en mots, comme on peut le dire d'un citron, le sens des images, resteraient lettre morte si l'enchaînement des images ne venait pas combler l'immense lacune qui les sépare et qui, sans elles, laisserait les deux sentences isolées à l'état de rébus.

La syntaxe narrative du cycle de la *saletta* ne peut pas répéter servilement celle du récit d'Ovide, car il lui faut mettre en évidence ce qui sépare le sort d'Actéon sous le régime du Destin injuste infligé aux

1. Sur le sort dans l'autre monde des enfants morts en bas âge, baptisés ou non baptisés, les Pères de l'Église ont été d'opinion divergente. Dans son combat contre les Pélagiens, qui niaient le pêché originel, Augustin affirme que les enfants morts sans baptême sont damnés. En revanche, les Pères grecs, Grégoire de Nazianze et Grégoire de Nysse, leur accordent après la mort une connaissance de Dieu en rapport avec leur nature. Voir *Dictionnaire de théologie catholique*, aux articles « baptême » et « limbes ».

mortels par les dieux antiques, et la même tragédie relue en profondeur à la lumière de la grâce du Christ. Actéon est ici à la fois celui d'Ovide, et le Christ, innocent s'offrant et souffrant, volontairement et par amour, le châtiment des coupables. Tel aura été le cheminement du cœur de Paola Sanvitale, du deuil et du sentiment *naturel* d'injustice qui ont suivi la mort de son fils, à l'apaisement et au sentiment de consolation *spirituelle* qui lui ont fait voir, sous le régime de la grâce du Christ, l'âme éternelle de son enfant mort attendant joyeusement dans les Limbes, parmi ses compagnons angéliques, la béatitude finale du Paradis. Pour traduire ces sens superposés de la tragédie d'Actéon, il a fallu qu'Actéon fût dépeint jouant à la fois son propre rôle ovidien de chasseur sacrilège sans le savoir, et celui du Christ, dont le sacrifice volontaire donne un sens de grâce à ce qui, sans cette superposition typologique, n'aurait eu que le sens ovidien d'un injuste destin.

Dans le premier acte (réparti en trois lunettes), le jeune chasseur à l'approche de Diane qu'il vient d'apercevoir se retourne vers ses compagnons avec un regard et un geste de séparation et d'adieu. Il est déjà métamorphosé dans l'objet féminin de sa chasse, le sein nu, le visage et la chevelure pleins de vénusté, semblable à la beauté chasseresse dont il s'est épris. Cette métamorphose de l'amant en son aimée réapparaîtra dans le roman pastoral d'Honoré d'Urfé, un peu moins d'un siècle plus tard. On y voit le berger Céladon, amoureux éperdu de la nymphe Astrée qui l'accuse injustement de trahison, chassé loin d'elle et poussé à un quasi-suicide, se travestir en jeune fille pour se rapprocher et se faire goûter d'elle, et mériter son amour par l'apprivoisement d'une virilité que la nymphe avait d'abord redoutée et dont elle avait repoussé la poursuite. Le malentendu qui avait séparé cruellement les deux amants a pu être surmonté par un jeu ingénieux de masque et de théâtre. L'*agapè* chrétienne s'est insinuée jusqu'au cœur de l'*éros* profane. L'amour courtois s'est tressé à la mariologie médiévale pour sauver un bonheur menacé par les pièges du désir. Éric Rohmer vient de tirer de l'*Astrée* un film dépouillé de tous les artifices du cinéma, dont les dialogues sont ceux du roman et dont les images lentes tendent à l'immobilité des miniatures des saisons, dans les *Très Riches Heures du duc de Berry* conservées à Chantilly.

Puissamment virils, les deux compagnons d'Actéon se regardent stupéfaits par cette transformation féminine de leur prince et tentent vainement du geste d'interrompre le phénomène. Mais la course au sacrifice d'Actéon (rebaptisé *Acteona* dans l'inscription latine qui court sous la frise) n'en est pas interrompue et le magnifique lévrier qu'il (ou elle) tient en laisse tourne déjà la tête du côté de Diane, impatient d'accompagner l'élan de son maître (devenu sa maîtresse) vers l'objet de son amour. En fait, il n'est déjà plus tout à fait le chien d'Actéon, il porte au cou le symbole de Diane, une coquille.

Dans le second acte, qui occupe les trois lunettes suivantes, la déesse se montre debout et nue, dans le bassin creusé dans la clairière sacrée, surveillée mollement par deux nymphes assises, enlacées et nues, qui commentent entre elles la scène. Atteinte par la giclée d'eau que Diane lui a lancée des deux mains, « Acteona » subit humblement, le mufle et les yeux détournés, ses mains et ses bras encore humains faisant un geste d'acceptation, le second degré d'humiliation qui lui est infligé par la déesse. Dans cet acte et le précédent, le peintre-metteur en scène a dirigé les attitudes, les regards, les formes et les accessoires d'« Acteona » de telle sorte que le prince chasseur apparaisse sous les traits de l'amant soumis jusqu'au sacrifice de sa virilité à l'objet féminin et sensible de sa passion. L'« Actéon-Acteona » de Parmigianino n'est pas innocent(e) de la même façon que l'était l'Actéon d'Ovide : celui-ci, isolé de ses compagnons, n'avait fait que surprendre du regard, sans l'avoir cherché, par hasard, la nudité de Diane. L'« Acteona » de Fontanellato, épris(e) d'amour fou pour l'objet de sa chasse, la beauté de la déesse Diane, une idole, une démone, se sépare de ses compagnons pour la rejoindre. Cet amour fou qui l'a métamorphosé en son propre objet se trompe sur cet objet, qui n'est qu'une idole. Mais le mouvement qui l'emporte et lui fait désirer de s'identifier à une image divine atteste une vocation divine, comme celui qui, chez Ovide, pousse Narcisse au sacrifice de sa vie, par passion pour ce qu'il y a de divin dans sa propre beauté réfléchie à la surface de l'eau.

Au troisième acte, réparti sur quatre lunettes, Actéon, victime sacrificielle se laissant déchiqueter par ses propres lévriers dont Diane a fait sa chose et qui ne le reconnaissent plus, sort de l'erreur de l'amour terrestre pour entrer dans la vérité de l'amour céleste. Proie volontaire au lieu de chasseur asservi, Actéon-cerf ne s'identifie plus à Diane, idole décevante, il n'en est plus l'esclave, il s'identifie au Christ en croix, Dieu-homme innocent acceptant par amour de sacrifier son humanité pour libérer les hommes de leur servitude. Au-dessus de la scène, un *angioletto*, se détournant du carnage, brandit à bout de bras un linge d'où la figure du Christ s'est effacée, mais qui a toutes chances d'avoir été un voile de Véronique.

Qu'apprend à Paola Sanvitale cette séquence de double conversion ? L'amour qu'elle portait au fils qui lui a été arraché doit s'arracher lui-même à l'ordre charnel et au sentiment d'un destin injuste, il faut à la mère éplorée interpréter cette mort et le deuil qui l'avait terrassée comme un sacrifice, une croix, et trouver dans l'acceptation de cette croix un surcroît de foi et d'espérance. Mort, où est ta victoire ?

La Cour humaniste des Farnèse, à Parme, dont le noble couple Sanvitale devint un ornement, s'adonnait comme la cour des Montefeltre à Urbin, décrite par Baldassare Castiglione dans son *Cortegiano* (1515-1528), ou celle des Gonzague à Mantoue et à Sabionetta, aux plaisirs de la conversation civile, de la galanterie et des arts. La dame de Fontenallato, qui avait fait peindre par Parmigianino ce vaste emblème mytho-théologique de son chagrin de Déméter chrétienne, put sourire aussi aux grâces de la civilisation de cour. L'ère de grâce et de salut ouverte par le sacrifice du Christ s'étend à l'ordre et au temps profanes, adoucis et comme rédimés par la civilité, dont les arts et les fictions poétiques d'un paganisme exorcisé de ses dieux-démons énoncent maintenant les arcanes.

Il aura fallu tant de siècles de tâtonnements d'artisans, de disputes entre théologiens sur le statut de l'image, une redécouverte progressive de la statuaire classique gréco-romaine et de l'imitation païenne de la nature, pour qu'un art de peindre proprement chrétien, d'une originalité totale dans ses deux registres, les images de dévotion et les images de délectation, s'imposât aussi bien à l'intérieur des cloîtres d'ordres contemplatifs du Nord et du Sud de l'Europe qu'à l'intérieur des demeures patriciennes italiennes où l'on cultive de nouveau les grâces du loisir lettré. La *quies*, la paix intérieure, chrétienne, et l'*otium*, le repos, philosophique antique, l'un étayant l'autre, étaient devenus ou redevenus les deux compas de la même civilisation, réfléchies l'une et l'autre dans deux genres différents d'images artistiques, saintes et profanes, œuvres des mêmes artistes dans les mêmes ateliers et avec le même métier. Différentes, mais non opposées, et moins encore contradictoires, comme l'ont cru trop d'historiens de la Renaissance italienne. Par le déchiffrement des mythes antiques et de leur représentation artistique, la médiation de la Révélation et de ses mystères s'étendaient aux laïcs lettrés, hommes et femmes et cessaient d'être le privilège des clercs.

*7. Le crépuscule moderne de l'*otium

Mark Twain et ses compagnons de voyage américains ont au moins entrevu, en suspension dans l'Europe catholique d'âge romantique, une forme élémentaire, urbaine et plébéienne, mais non la moins précieuse, de l'*otium* civilisé antique : la conversation de plein air sur la place publique, la flânerie sur le paseo, le corso, le mail, le boulevard, la fête et la foire. Mais auraient-ils supporté la visite guidée qui leur aurait fait entrevoir, dans les étages supérieurs de la civilisation européenne de l'*otium*, les lieux enchantés par les arts et propices aux intermittences du cœur que décriront Henry James et Edith Wharton, expatriés qui jugeaient les jeux dangereux et pervers de l'esthétisme européen non exportables dans l'Amérique du coton-roi ou de l'acier-roi ? L'Europe romantique avait retrouvé, dans le sillage laissé par Pétrarque et ses disciples, le sens des villas-bibliothèques-musées-académies de Cicéron et de Pline, et dans le sillage d'Érasme, le sens de la villa de Cassissiacum où Augustin se retira au Vᵉ siècle avec ses amis pour méditer de concert, amorçant la transition entre la délectable villa païenne de la *Pax romana* et l'austère monastère chrétien, en retrait des temps barbares. Le luxe écrasant des demeures monumentales de Newport, le pré carré des plus riches dynasties industrielles américaines, où elles rivalisèrent entre 1880 et 1914 de *conspicuous consumption*, (une « consommation ostentatoire » qui préludait à celle dont nous sommes spectateurs à l'échelle mondiale), n'était pas l'héritier de cette longue tradition d'*otium cum dignitate*, « le loisir dans la dignité ». Il n'était lui-même que la luxueuse façade surchargée de moulures dorées d'un arrière-plan d'usines, de hauts fourneaux, de mines de charbon, de travail à la chaîne, la façade pseudo-aristocratique, tournée vers l'Europe, d'un gigantesque moteur mi-humain, mi-machinal, produisant une formidable quantité d'énergie, soumise aux deux principes de la thermodynamique posés en 1824 par le physicien français Sadi Carnot, dans une brochure intitulée *Réflexions sur la puissance motrice du feu et sur les machines propres à développer cette puissance.* Le second principe de Carnot, tel du moins que l'ont compris les écrivains du XIXᵉ siècle auxquels il a inspiré la notion de décadence, c'est la dégradation de l'énergie en chaleur et en désordre, allant diminuant jusqu'à l'extinction.

La carte postale que Mark Twain adressait d'Europe à ses lecteurs américains en 1869 a beaucoup jauni. Elle date cruellement. Charles Péguy, dans des pages magnifiques de perspicacité triste, prévoyait dès 1907 que le régime moderne, celui dont l'Amérique était en train de prendre la tête, avait déjà eu raison en Europe, et même en France, de l'*otium* sous ses différentes formes, plébéiennes et aristocratiques, païennes et chrétiennes, laïques ou monastiques, un *otium* qui introduisait du libre jeu, de l'« arrière-boutique », et du « regard éloigné » du haut en bas de la société humaine étagée dans sa vallée de larmes. Aucun des régimes discrédités par la critique des Lumières philosophiques n'avait attenté au principe des *otia* créatifs et récréatifs qu'avait chantés Virgile, et pourtant cette même critique des « despotismes » est restée aveugle à un rare mérite dont, au XVIIIᵉ siècle, elle était la première à bénéficier avec délices. Les saveurs restaurées de l'antique *otium*, que Talleyrand a définies d'un mot un peu court, mais qui a fait mouche, « la douceur de vivre », n'ont été en effet remémorées et célébrées à leur juste prix (c'est tout Stendhal et tout le romantisme) que lorsqu'il était déjà trop tard, de l'autre côté du « fleuve de sang » de la Terreur et du fleuve de lave des aciéries.

> Il y avait, écrit Péguy, cette liberté de caractères, que nulle autre ne peut suppléer, qui, seule, supplée toutes les autres, [...] cette liberté réelle qui était dans les cœurs, qui faisait le fond même du caractère français, qui transparaissait, qui passait, qui paraissait librement, qui sortait, qui perpétuellement

et organiquement circulait librement dans les mœurs, dans les actes, dans toute la vie, dans les arts, dans la pensée, et surtout qui admirablement sortait dans cette admirable liberté de propos [1].

Ne séparant pas la liberté de l'art de se rendre heureux, Stendhal avait dit plus tôt, et plus brièvement : « Je vois les Vénitiens de 1770 plus heureux que les gens de Philadelphie d'aujourd'hui [2]. » C'est un fait vrai, mais insaisissable pour tous les instruments de mesure quantitatifs dont les sciences humaines comparatives se servent avec zèle pour nous rassurer. Les *vedute*, les « vues » si bien nommées de Francesco Guardi n'ont rien de commun avec les cartes postales photographiques pour touristes hâtifs qui portent avec elles toute la tristesse du XIXe siècle industriel ; elles mentent aussi peu que les aperçus de Venise en fête dont Carpaccio a fait le théâtre de sa *Légende de sainte Ursule*, trois siècles plus tôt. Dans une lettre en français de l'abbé vénitien Antonio Conti à la comtesse de Caylus et à son fils, ses meilleurs amis parisiens, lettre récemment publiée et que Stendhal n'a pu lire (mais il connaissait par cœur celles, de la même encre, qu'écrivit le Président de Brosses pendant son séjour à Venise en 1740), on trouve cette page enchanteresse, datée du 28 juillet 1728 :

> Nous avons célébré ici la fête de sainte Marthe avec beaucoup de gaîté. Tout le peuple se promène la nuit sur le quai qui mène à l'église de cette sainte. Les rues sont remplies de cabarets où les hommes sont mêlés ensemble. Sur le Grand Canal vis-à-vis, il y avait un nombre prodigieux de gondoles et de tartanes où l'on soupe et l'on se réjouit. Il y avait entre autres une tartane dont Le Maury, décorateur de l'Opéra, avait dessiné le modèle de l'illumination. Elle faisait fort bel effet sur l'eau. Pour moi, j'étais avec une compagnie de vingt-cinq personnes dans une espèce de Bucentaure, mais je vous dirai confidemment, malgré ce qu'il y avait d'honneur à souper avec les plus belles et les plus nobles dames de ce pays, que je me suis endormi à table. Vous verrez par là que je n'ai point changé [3].

La fête religieuse et la réjouissance profane ne se séparent pas, et si les uns sont au balcon et les autres au parterre, toute la ville unanime participe au spectacle qu'elle se donne de sa propre féerie, et tout se passe comme si, dans ce dimanche de la vie, quelque chose de l'*otium* paradisiaque s'était déjà déposé sur le miroir des canaux vénitiens,

---

1. Charles Péguy, *Œuvres en prose complètes*, Paris, Gallimard, Pléiade, 1988, t. II, p. 816-817.

2. Cité par Michel Crouzet, *Stendhal et l'Amérique, essai sur la critique romantique de la modernité*, Paris, Éditions de Fallois, 2008, p. 8.

3. Antonio Conti, *Lettres de Venise à la comtesse de Caylus (1727-1729)*, éd. par Sylvie Mamy, Florence, Olschki, 2003, p. 156-157.

volupté qui culmine dans le doux sommeil de l'abbé-narrateur. L'Antiquité n'avait connu rien de semblable, la Modernité n'en connaîtra plus, sinon l'Exposition universelle de 1937 à Paris. Les arts italiens, et pardessus tous les vénitiens, ont extrait de la sainte épiphanie des icônes une aurore boréale de saveurs et de mélodies sensibles qui ont transfiguré leur monde et scandé de jours joyeux et de nuits magnifiques l'année chrétienne. Il nous reste les « Nuits blanches ».

L'équilibre grec et latin entre *otium* et *negotium* était resté un idéal de philosophes ou de dignitaires lettrés retirés dans leurs villas. Il disparut avec l'Empire. La forme sévère de l'*otium* qui s'y substitua dans l'enceinte monastique des cloîtres chrétiens, *ora et labora*, « prie et œuvre », pendant des siècles de barbarie, demeura un luxe extraordinaire, une oasis de civilisation en voie d'expansion et de défrichage, dans le désert général du besoin et de l'insécurité. Les jeunes plébéiens les plus doués y aspirèrent, et les jeunes nobles qui la préférèrent à la vie guerrière savaient choisir la meilleure part. Il fallut inventer la chevalerie pour les convaincre du contraire. Avec le réveil des villes, à la fin du haut Moyen Âge, laïcs, nobles et bourgeois commencèrent à vouloir, à leur tour, bénéficier d'une forme supérieure d'*otium* sans pour autant sortir du monde, ni renoncer à ses *negotia*, ni se lier par des vœux. Ils empruntèrent alors aux moines une version atténuée et privée de leur vie contemplative communautaire, mais ils inventèrent, ou réinventèrent aussi, par touches successives, dans leurs hôtels ou leurs châteaux, un *otium* bien à eux, propre à rendre délicieux et féconds les intervalles de leur vie active : les grâces de la courtoisie, de la civilité et de la galanterie, l'art de la chasse et du tournoi, la culture des Belles-lettres et des Beaux-Arts, le luxe des parcs, des jardins, de la bonne chère, de la conversation, alternant avec les *negotia* de l'art de la guerre et de l'art politique. Extraordinaire dilatation profane, épanouie à la Renaissance, des délices dévotes dont les moines jardiniers, vignerons, confiseurs, pharmaciens, artisans, faisaient leur miel, dans les marges et à l'appui de leurs exercices de piété et de leurs œuvres de miséricorde. Il faut compter parmi celles-ci les hospices publics qu'ils inventèrent et embellirent, non sans passer, aux yeux de nombreux laïcs jaloux ou envieux, pour d'autarciques jouisseurs au milieu de la disette générale et des malheurs des temps. Les fêtes chômées (« Dont Monsieur le curé charge toujours son prône », gémit le savetier de La Fontaine) réunissaient riches et pauvres, nobles, bourgeois et gens du peuple non seulement à l'église et en procession, mais dans les festivités et les jeux profanes. La vallée de larmes n'en prélevait pas moins sur tous, comme toujours, son tribut de malheurs, de deuils et de crimes.

Du moins, dans toute la gamme des anciens régimes européens, de l'Atlantique à l'Oder, la courte espérance de vie, l'absence de confort matériel, de liberté et d'égalité politiques qu'on leur a reprochées à bon droit, ne faisaient que porter plus haut le prix d'une existence où le cycle des *negotia* s'entrecroisait tout naturellement au cycle des *otia*, communs ou rares, profanes ou religieux, festifs ou mystiques. De nobles ou puissantes individualités se forgeaient dans ce monde rude et injuste, mais où restaient évidents les grands axes selon lesquels une vie humaine peut déployer ses naturelles capacités. Dans son *Paradis*, Dante fait surgir au sommet du monde créé et du ciel, sur le seuil du Soleil trinitaire chrétien, Bernard de Clairvaux, maître d'une vie contemplative aussi ardente que le grand amour humano-divin du Cantique des cantiques, mais aussi formidable homme d'action dont l'autorité personnelle l'emportait en Europe sur celle des papes de son temps. Il est vrai que Bernard, se maudissant lui-même comme « la Chimère de son siècle », s'est plaint de cette double vie, mi-monastique (toute contemplative), mi-laïque (tout enfoncée dans l'action politique), qualifiant cette duplicité de « monstrueuse », puisqu'elle l'éloignait du souverain bien, la conversation avec Dieu. La réciprocité entre la contemplation et l'action que postulaient Aristote et Cicéron est devenue une antithèse et un problème pour la théologie morale chrétienne [1]. Il faudra attendre saint Thomas pour surmonter cette aporie.

Reste que l'Église romaine avait emporté dans ses bagages, sinon la postulation d'un loisir conciliable avec l'action auquel était parvenu l'Empire gréco-romain, du moins la forme extrême du loisir contemplatif, le monachisme séparé du monde et paradoxalement compatible avec le travail manuel que l'Antiquité assimilait au travail servile, indigne du citoyen libre. Lorsque la prodigieuse *Pax romana* commença à inspirer le doute, le christianisme capitalisa le désir latent de déserter le « monde », sa vie active, sa vie de détente et leur éventuelle conciliation, et de demander un *otium* moins incertain à une vie contemplative dont le centre de gravité était de l'autre côté de la Cité. Dans son récit de voyage en vers écrit en 410, l'ancien préfet païen de Rome Rutilius Namantianus, se rendant en Gaule après le terrible Sac de l'*Urbs* par Alaric, commence par une prière à Rome glorifiée, qu'il identifie au principe éternel d'harmonie cosmique : les barbares ont pu la vandaliser provisoirement, elle reviendra intacte et plus vaste encore. En cours de route, il aperçoit depuis la mer un ermitage où un jeune Romain, appartenant au même monde que lui, s'est retiré dans la pauvreté et la solitude, après s'être converti au christianisme ; il maudit cette « retraite honteuse », où le corps est humilié et l'âme est privée des nourritures de

1. Voir dans le recueil *Vers la contemplation*, cité, l'étude de Bertrand Souchard, « La singulière primauté aristotélicienne de la raison théorique » (p. 27-45) et celle de Dominique Poirel, « L'unité de la sagesse chez Hughes de Saint-Victor » (p. 80-119).

l'*otium* philosophique. L'*otium* romain, même le plus stoïque, supposait la *Pax romana* de l'Empire et une foi inattaquable dans sa pérennité. Cette foi dans la civilisation faite de main d'homme, mais aimée des dieux, démentie par l'actualité du Ve siècle, est réapparue obstinément dans les Renaissances successives et cumulatives qu'a connues l'Occident chrétien, hanté par le souvenir et même la nostalgie de l'Empire. Rutilius, sur le long terme, n'avait pas tort. Son ami ermite n'avait pas tort non plus. L'*otium* monastique chrétien supposait une prise de conscience aiguë de l'essentielle précarité de l'édifice économique et politique impérial ; il rompait radicalement avec un syndicat de faillite et reportait intégralement sa créance sur le royaume promis par le Christ. Saint Augustin, contemporain de Rutilius Namantianus, est le plus complet et génial interprète de ce report dont il fait de l'Église romaine le grand courtier.

Les philosophes grecs avaient discerné, dans la fête et dans l'émerveillement, l'élément divin de l'être et du connaître humains, la finalité supérieure de tous les travaux des mortels. Le latin des chrétiens va jusqu'à placer, au-delà de la *ratio* discursive, qui a ses limites et ses prétentions, l'*intellectus* réceptif et contemplatif, dont la vision relève de l'amour et qui s'ouvre aux dons de la grâce : deux manières de « théoriser » (d'un verbe grec qui signifie « contempler ») ne se dressant pas l'une contre l'autre, mais appelées à se relayer et à se compléter. Caractéristique de l'impératif de la rentabilité omnivore, commun à toutes les idéologies de la modernité, les plus insinuantes comme les plus brutales, la rationalisation de l'effort physique et de l'effort intellectuel crée un désert pour la religion aussi bien que pour les arts, pour la liberté politique aussi bien que pour le bonheur personnel. Le divertissement et le luxe dont s'enivrent nos sociétés encore libérales ne sont que fantômes occupant leur ennui et leur dissimulant la rétraction, en leur centre et dans leur périphérie, de la sphère dédiée à l'*otium* désintéressé et contemplatif. Dans un XXIe siècle de tous les périls et de tous les déficits de confiance, où les fissures visibles dans la *Pax americana* ne vont pas manquer d'entraîner d'analogues et prévisibles conversions et désertions, nous sommes mieux placés que jamais pour comprendre l'Antiquité tardive, la faillite de l'Empire, et le recours chrétien au monachisme. Nous revivons cet ancien drame à une vitesse accélérée. En tirons-nous assez les leçons ?

Ancien étudiant de l'université de Naples fondée par l'empereur Frédéric II, l'un de ces princes européens qui ont tenté de reconstituer les organes civils de la romanité, Thomas d'Aquin est le premier à avoir retrouvé et réhabilité, parmi les vertus de la théologie morale chrétienne, l'*otium* gréco-romain. Il fait entrer dans la liste des vertus chrétiennes ce que son maître en philosophie, Aristote, nommait « eutrapélie », la bonne grâce en société et le sens du jeu, sans lesquels le sérieux de l'âme et la santé du corps sombreraient dans l'humeur noire. La foi chrétienne n'est pas incompatible avec l'ironie, le sourire, les conventions qui rendent civile et aimable la société humaine. À son tour, Dante, poète théologien laïc, avec toute sa terrible gravité, n'en parsème pas moins d'un sel d'humour, d'humanité et d'urbanité le parcours ascensionnel de sa *Divine Comédie*, dont le titre est à lui seul un programme d'eutrapélie chrétienne. Même en Enfer, dans ses dialogues avec les damnés, il pratique cette vertu polie autant que charitable. L'humanisme de la Renaissance italienne a conçu, à côté, en résonance et non en conflit avec l'*otium* monastique, une vocation et vacation « lettrée », d'abord décrite par Pétrarque comme un repos actif, au cours duquel l'âme s'avance et s'élève, dans son dialogue avec les grands auteurs, vers la vérité divine dont elle n'aura la vision plénière qu'au Jugement dernier. Cet *otium* lettré est hanté chez le chrétien Pétrarque par le désir de l'inaccessible Laure, que lui représente tantôt une image-souvenir où il craint, à l'écoute de saint Augustin, d'adorer une idole, tantôt l'icône de Laure que le peintre Simone Martini est « allé chercher au ciel » : c'est le portrait d'une Laure telle qu'en elle-même, il la retrouvera en Dieu, accueillante à son amour et non *ritrosa*, butée, hostile. Cette préfiguration d'un bonheur éternel ne console pas son désir de l'insatisfaction présente et lancinante qui ne le quitte pas. Premier retour dans la vie contemplative médiévale de la beauté profane et de son image, sources de joie, mais tourmentées de passion, par où ressurgit l'une des variantes de l'*otium* romain, le lyrisme érotique, mais non pas tel quel, car imprégné désormais par l'image de l'âme éprise et séparée du Christ.

Montaigne coupe court au mélange pétrarquiste d'*otium* religieux et d'*otium* lettré. La joie sans partage d'être tout uniment au monde qui le remplit, tout vieil et malade qu'il soit, à la lecture de Lucrèce et de Virgile évoquant Vénus et la volupté, et dont il fait confidence au lecteur du chapitre *Sur des vers de Virgile*, est contemporaine des fêtes de la couleur que Titien, encore jeune, offrait aux princes et aux hommes de cour, de ses Vénus nues au repos ou s'abandonnant dans les bras de Mars ou d'Adonis : autant d'allégories à la fois de l'art de peindre et des grâces qui comblent le repos de l'homme aimable et civilisé [1]. Molière, Madame

1. Sur le loisir lettré humaniste, voir le recueil *Le Loisir lettré à l'âge classique*, essais réunis par Marc Fumaroli, Philippe-Joseph Salazar et Emmanuel Bury, Genève, Droz, 1996, et sur la problématique philosophique de la contemplation et de l'action, les travaux de Christian Trottman, éditeur du recueil *Vers la contemplation, études sur la syndérèse et les modalités de la contemplation de l'Antiquité à la Renaissance*, Paris, Champion, 2007, et auteur de *Faire, agir, contempler, contrepoint à* La Condition de l'homme moderne. La meilleure introduction à la théorie du loisir reste le court essai de Josef Pieper, *Musse und Kult*, Kösel-Verlag, 1948, trad. en anglais par Gerald Malsbary, avec préface de Roger Scruton, sous le titre : *Leisure, the Basis of Culture*, South Bend, Indiana, St Augustine Press, 1998.

de Sévigné, La Bruyère et tous nos classiques n'ont vu aucune contradiction entre le don et l'art d'être et de rendre heureux en société et le sens chrétien qu'il n'est de vrai bonheur qu'en Dieu.

L'*otium* antique s'était reconnu dans l'art et ses savants miroirs, il avait fait de ses architectes, de ses peintres et de ses sculpteurs les égaux des poètes. C'est en vertu de l'*otium* des modernes, laïc mais non incompatible avec un *otium* chrétien humanisé par le sourire, que, de nouveau, les artistes ont été glorifiés et que, de nouveau, l'art et ses œuvres ont représenté le temps approprié à un regard silencieux et attentif, détaché des fins immédiates et réceptif au fond divin de l'âme et de la nature. Dans les « Paysages héroïques » de Poussin vieillissant, l'éclair de l'orage, le serpent qui mord, le cortège de funérailles rompent, pour mieux le faire percevoir à la fragilité humaine, le calme cosmique de la nature et la stabilité des architectures qu'ils n'auront troublé qu'un instant. Le peintre du XVIIe siècle a retrouvé à Rome le principe de traduction du temps en espace et de suspension de l'action en son point décisif que le Grec Philostrate, grand critique d'art du IIIe siècle, faisait remarquer et admirer dans les tableaux mythologiques des peintres de son temps. Il y a ajouté de brèves éruptions de vulnérabilité.

Les formes de société passent, l'Histoire montre que leur injuste fabrique, ni plus ni moins injuste que la nôtre, les rendait provisoires et les condamnait à la ruine. Mais elles seront jugées aussi, sur le long terme, à la place et au statut qu'elles ont accordés, sous des formes diverses, à l'*otium*, condition d'exercice fécond aussi bien de la vocation humaine à la contemplation que de celle qui les porte à l'agir, au faire et à l'œuvrer. La peur et l'horreur du vrai repos déshumanisent. C'est dans le repos contemplatif, c'est dans la réflexion qu'il autorise, que jaillissent les sources divines du peu de science, de sagesse, de justice, d'amour, de bonheur et de beauté que les mortels sont susceptibles de se transmettre, afin de se rendre personnellement dignes d'estime. Les fruits de l'*otium* contemplatif romain, mûris sous le règne de Néron (œuvres d'art et *Dialogue des orateurs*), ne sont pas plus « néroniens » que les fruits de l'*otium* contemplatif cistercien, mûris au Moyen Âge, ne sont « féodaux ». Nous les reconnaissons aujourd'hui pour nôtres, pour peu que nous ayons encore le sens de l'*otium*, de son miel et de ses fruits. Sens rare, dédaigné, persécuté, dans une société activiste qui l'a refoulé et qui l'ignore, inversant au profit d'un *negotium* omnipotent l'antithèse monastique de saint Bernard. Ayons l'œil sur notre P. I. B., mais sachons que nous serons jugés en définitive sur notre miel et sur nos fruits.

On entrevoit ce que Péguy déplorait dans la modernité lorsque l'on découvre, aujourd'hui, dans les États les moins modernisés de l'Inde, outre d'affreuses injustices, outre la tenace survivance du système de castes, outre la pauvreté et l'ignorance, et avant que ne fassent irruption l'inommable misère de Calcutta ou de Mumbaï et les conflits d'identité, le passage aisé du travail à la fête et au repos, une gentillesse jamais exempte de dignité, une grâce physique jusque dans le grand âge et un don extraordinaire pour faire avec rien, au travail comme à la fête profane ou religieuse, de l'élégance et de la beauté. J'ai vu cela aussi, autrefois, dans les villages berbères du Haut-Atlas marocain. Irritant et immoral paradoxe, mais qui donne beaucoup à penser.

Le Paris républicain de la « *moveable feast* », a pu encore, entre les deux guerres, s'entendre célébrer par un autre Américain, Ernest Hemingway. Son dernier feu d'artifice fut tiré par la France plébéienne des congés payés de 1936. Le merveilleux *Journal* d'Andrzej Boblowski [1], et notamment la relation de son tour de France à bicyclette au cours de l'été 1940, pèlerinage aux plus modestes étages de la vie provinciale des pays d'oc, témoigne d'une bonhomie et d'un art de vivre ancestral que la botte de l'activisme nazi n'avait pas encore piétinés. Le documentaire de Raymond Depardon, *La Vie moderne* (2008), nous montre avec amour et tristesse que le monde des fermiers, encore très vivace au temps de Boblowski, est aussi proche de sa fin que l'étaient au XIXe siècle, dans l'Ouest américain, les Indiens Lakotas.

8. *De l'inversion du loisir en industrie de la communication et de la consommation*

Depuis lors en effet, nous nous sommes perfectionnés et modernisés à toute allure, cadran de Rolex au poignet, bien qu'il nous reste toujours fort à faire, nous répètent à satiété nos divers tuteurs, pour nous montrer à la hauteur. Où est passée cette Marie européenne dont Mark Twain jalousait le sens du repos au nom de l'active Marthe américaine ? À en croire le romancier, l'*entertainment* au sens américain (il suggère lui-même d'y comprendre le tourisme et le lit) est une continuation du travail par d'autres moyens, au même rythme, dans la même préoccupation méthodique de rendement maximum que le travail à la chaîne. Le passage, dans nos contrées privilégiées, de la société industrielle à la société de services n'a rien changé à cet égard. Survivre au XIXe siècle, pour la plupart des Américains immigrés ou émigrants de l'intérieur, ne laissait guère de place au répit et aux grâces. Ce n'était certainement pas dans cet immense chantier et marché, dont la frontière se déplaçait sans cesse vers l'ouest, animé par la foi protestante, soutenu par la force armée, que l'on pouvait prêter l'oreille aux sirènes d'un Ancien monde, grec,

1. Andrzej Boblowski, *En guerre et en paix. Journal 1940-1944*, Paris, Noir sur Blanc, 1991.

romain, catholique, aristocratique et populaire, dont Baltasar Gracián se fit l'interprète en 1647 :

> Une vie qui n'a point de relâche est pénible comme une longue route où l'on ne trouve point d'hôtelleries, une variété bien entendue la rend heureuse. La première pause doit se passer à parler avec les morts, nous naissons pour savoir, et pour nous savoir nous-mêmes, et c'est par les livres que nous l'apprenons au vrai et que nous devenons des hommes faits. La seconde station se doit destiner aux vivants, c'est-à-dire qu'il faut voir ce qu'il y a de meilleur dans le monde et en tenir registre. Tout ne se trouve pas dans un même lieu. Le Père universel a partagé ses dons, et quelquefois il s'est plu à en faire largesse au pays le plus misérable. La troisième pause doit être toute pour nous : le suprême bonheur est de philosopher [1].

Cette apologie peu pascalienne, par un Jésuite évidemment, des divers degrés de vie contemplative à l'usage des « honnestes gens » se voulant dans le monde sans être du monde, était déjà, au XVIIe siècle, une salve tirée au nom de l'âme contre un adversaire encore minoritaire, mais déjà envahissant. Depuis un siècle en effet, la Genève de Jean Calvin avait déjà fixé pour l'Europe protestante le modèle d'un emploi du temps encore plus exactement ponctuel que celui des moines bénédictins ou cisterciens, mais étendu aux citoyens de toutes professions d'une ville entière. La règle bénédictine avait consacré le temps de ses moines aux exercices alternés de la vie contemplative, de la vie liturgique et du travail manuel. Les normes régulatrices du temps édictées par Calvin, et mesurées par les horloges de Genève, s'appliquaient à des travaux productifs ne laissant place à aucun répit, chaque minute œuvrée ou désœuvrée comptant dans le décompte d'une vie sans grâce, sans joie, perdue ou gagnée pour la justice impénétrable de Dieu [2]. C'est au siècle de Bacon et de Descartes, qui suit celui de Calvin, que la nouvelle physique a disqualifié le repos au profit du mouvement. Le repos n'est plus désormais qu'un cas particulier du mouvement, par opposition à l'inertie : le tic-tac du mécanisme de l'horloge genevoise mesure un temps homogène et abstrait qui aligne le repos sur le mouvement, les mettant, l'un et l'autre confondus, au service du travail rentable, utile et pieux. Le terrain est préparé pour les philosophies de l'Histoire qui confient le progrès de l'Esprit au degré de travail de l'esclave, auquel succède la plus-value du travail ouvrier, lequel entraîne une accélération de processus matériels qui déséquilibrent l'éco-système terrestre.

---

1. Baltasar Gracián, *L'Homme de Cour*, traduit par Amelot de La Houssaye, Paris, Ivrea, 1993, p. 140.
2. Voir Max Engammare, *L'Ordre du temps. L'invention de la ponctualité au XVIe siècle*, Genève, Droz, 2004.

La théologie morale catholique, qui a longtemps débattu sur le sens de l'adjectif *otiosum*, employé par le Christ dans le verset 36 du chapitre XII de l'Évangile selon Matthieu, a incliné du côté du sens le plus péjoratif et peccamineux de l'adjectif, et le XVIIe siècle, le siècle de la « nouvelle physique », s'est achevé sur la condamnation, par le même magistère théologique romain qui avait obtenu la rétractation de Galilée, de la doctrine de Molinos et de celle de Fénelon, tous deux coupables, à des degrés différents, d'avoir justifié la *quies*, le repos, l'abandon, la pure jouissance de la conversation divine sans mérite moral, bref, l'*otium* désintéressé et allégé d'effort transporté dans la relation à Dieu [1]. Dans cet ordre encore, celui du rapport au divin, le repos et ses fruits cessent d'être en eux-mêmes des fins légitimes, ils sont asservis à l'effort et à l'éthique doloriste de l'effort. Le pécheur ne connaît pas de trêve ni de repos, il fait à plein temps son salut dans l'anxiété et le travail ininterrompus. Faute de Molinos et de Fénelon, nous avons eu des myriades de mystiques sans Église.

Anglais, Hollandais, Scandinaves, Allemands du Nord, Écossais, Irlandais, les colons et émigrants des futurs États-Unis étaient déjà pliés, de gré ou de force, à la discipline moderne du travail que le protestantisme recommandait au nom de la Bible et que les excellents philosophes anglais, Locke et Smith au XVIIIe siècle, Bentham au XIXe, prônaient au nom du bien commun ou de l'utilité sociale. Marx accuse la bourgeoisie industrielle d'aliéner et d'exploiter le travail, tout en lui donnant acte d'en avoir fait le moteur de la victoire de l'esprit humain sur la Nature et sur sa propre nature infirme. Ce n'est plus l'Idée, comme pour Hegel, qui est à l'œuvre dans l'Histoire, mais le prolétariat, dont le travail aura créé les conditions propices à la révolution sociale et à sa propre libération du travail : l'humanité vivra ensuite comme les dieux d'Épicure, oisive, papillonnant de la peinture à la musique et au jardinage du dimanche. Ce grand penseur romantique de la force de travail, servile puis salariée, était lui-même un prodige de *travail intellectuel.* Cela a fait injustement de lui le patron des *travailleurs intellectuels*, selon une métaphore industrielle qui a singulièrement aggravé le cas de ces stakhanovistes que les classiques appelaient *pédants*.

Les Puritains, qui ont inventé les États-Unis, n'étaient pas moins sourcilleux sur l'ardeur au travail. Ils avaient honte, comme d'un péché capital, de chaque minute inutile et perdue. *Time is money*, au sens matériel comme au sens moral, était leur devise, que la philosophie utilitariste anglaise du XIXe s'est employée à étayer d'arguments nouveaux, moraux et sociaux. Dans la réalité américaine comme dans les films qui la repré-

1. Voir Jean-Robert Armogathe, « L'*Otium* est-il un péché ? », dans *Le Loisir lettré à l'âge classique*, ouvr. cit., p. 60.

sentent aux prises avec une Nature hostile, les courses-poursuites en voiture à toute allure sur d'interminables autoroutes, sans une halte ni un point d'eau, pendant des journées entières, restent symboliques de la dévorante *vita activa* nationale, fuite en avant pétaradante et dents serrées dans l'abstraction du désert. Sauf que les films de poursuite sont le cauchemar d'une vie réelle et quotidienne où chacun, du haut en bas de la société, est tenu de travailler durement et intelligemment à des fins précises et utiles, condition du progrès commun mais aussi du succès personnel. Certes les vols internationaux ne chôment pas sur les aéroports américains, les avions sont remplis d'hommes d'affaires qui courent le monde pour leur firme ou de jeunes gens et de retraités qui font le tour du monde. Mais la majorité de la nation est occupée à gagner sa vie, ses vacances sont courtes, et le reste du monde est pour elle un spectacle d'ombres chinoises entrevu à la télévision. Nous ne valons pas mieux. Mais le multiculturalisme américain a l'avantage pratique de se limiter aux traits secondaires. Le trait essentiel et commun qui transcende le patchwork des « cultures » est la hantise du *do it or die*. Même les « Latinos », clandestins ou non, sitôt entrés sur la terre des *opportunities*, perdent l'habitude de flâner sur un paseo ou de converser sur le pas de leur porte. Même les universitaires, dans leurs oasis relatives, obéissent à la loi du *publish or perish*. La nation a payé dur son accession au premier rang des puissances économiques et militaires. De cette tension acharnée, elle garde la marque et le *tempo* indélébiles. Elle l'a enseignée à ses dépens au Japon de l'ère Meiji, elle l'enseigne, sans doute à ses dépens, à la Chine communiste. Connaîtra-t-elle l'évolution de la Rome hellénisée ? C'est peu probable. L'Europe d'aujourd'hui ne semble pas non plus avoir la vocation antique d'Athènes, de Pergame et d'Alexandrie, même si un Robert Kagan s'égosille à détourner l'actif Mars américain, son compatriote, de céder aux avances de la Vénus européenne, supposée aussi languide que l'Olympia de Manet.

L'*Homo ludens* américain, depuis toujours plié au rythme productif de l'*Homo faber* industriel, est demeuré en bouton. L'« alcoolisme du travail » a débordé dans les loisirs que, pourtant, il a chèrement payés. Chef-d'œuvre de la philosophie politique moderne, terre promise de la liberté individuelle et de tous les progrès, l'Amérique ultramoderne serait-elle aussi le lieu d'une régression du côté des sociétés primitives du besoin, du qui-vive, de la survie, antérieures aux civilisations de l'*otium*, dont ses nombreux musées abritent le souvenir et les fruits ?

Stendhal, grand admirateur de la libre Amérique sous l'Empire napoléonien, commence à se retourner contre elle au cours de la Restauration. Scrutant les témoignages oraux et écrits des voyageurs, il va jusqu'à la qualifier en 1839 de « régressive ». Régressive si l'on prend pour critère d'évaluation, comme il le fait, non le confort matériel obtenu librement par une incessante lutte pour la vie, mais l'*otium* où l'imagination, la gaieté, les plaisirs de société, les arts, le milieu où cristallisent les passions de l'amour et qu'interdit cette mobilisation générale de tous et de chacun, coagulés en tyran impérieux. L'« homme de la Frontière », qui fait place nette pour l'expansion de cette société industrieuse, est lui-même une mécanique aussi sommaire et asservie au besoin que les sauvages qu'il a vaincus grâce à sa supériorité technique. Stendhal a choisi l'Italie entrevue par Mark Twain, contre l'Amérique observée avec sympathie, mais non sans arrière-pensées, par Tocqueville. Il a pris parti pour Vénus contre Mars. Il écrit en un mois *La Chartreuse de Parme* pour conjurer, à force de musique allègre et passionnée, le spectre du Carême-Prenant américain dont la France de Louis-Philippe est déjà hantée [1].

Le loisir lui-même est devenu en Amérique l'objet d'une industrie taylorisée, qui divertit en temps réglé et à plein régime, ce qui ne serait rien encore, si elle n'enseignait pas à ses clients que leur loisir comporte aussi *un devoir* envers la prospérité de l'économie, celui de consommer avec plus de zèle les jours chômés que les jours ouvrables. Point de répit, point de détour, point de chemin des écoliers. Ni à Broadway, ni à Chelsea, ni à Hollywood, ni à Las Vegas, ni à Disneyland, l'*entertainment* n'a été laissé à l'improvisation du badaud, du promeneur, du curieux, du bricoleur, de l'écrivain ou de l'artiste qui prend et perd son temps, essaye et s'essaye : le loisir qui a été pris sérieusement en main, drainé et entraîné par l'*advertising* et le *marketing*, s'est plié à la logique civique et patriotique de la croissance économique, il est devenu une industrie et cette industrie a dévoré le lieu du repos et le temps de la délectation, appropriés aux arts aussi bien qu'à l'art de vivre, privilégié ou non. La religion chrétienne elle-même est devenue un pur et simple lubrifiant du moteur de l'homme et de la femme dynamiques, travaillant à plein régime à leur survie et à leur succès, épaulés par une communauté solidaire.

La politique a suivi les progrès en efficacité de l'industrie de l'*entertainment*. On appelle à Hollywood *blockbuster* ce que l'état-major allemand appelait *Blitzkrieg*. Le lancement d'un film à gros budget, dont les ingrédients ont été savamment dosés pour en imposer au public du moment, est organisé par des équipes de spécialistes et de professionnels parfaitement entraînés et coordonnés qui font donner tous les moyens à la fois de communication, et il sont nombreux, selon une mon-

1. Voir Michel Crouzet, *Stendhal et l'Amérique*, ouvr. cit.

tée en puissance progressive du tir qui culmine dans l'offensive finale : la projection en salle. Le succès, ou le triomphe, sont imparables. Quand j'écrivais ces lignes en décembre 2007, je me disais : si le candidat Barack Obama l'emporte le 4 novembre 2008, il le devra sans doute à son charisme de pasteur évangélique appelant au *revival* de la foi américaine, mais ce n'est là que le ressort émotionnel du scénario. Il le devra aussi au *casting*, qui a parié sur son physique, lequel prête à l'identification aux stars de Hollywood les plus populaires et *glamorous* dans sa catégorie, Harry Belafonte, Sidney Poitier et Denzel Washington, et aux champions sportifs aussi idolâtrés que Magic Johnson, la vedette légendaire de l'équipe de basket-ball de Chicago. Il le devra aussi à son parcours universitaire qui a fait de lui le plus brillant et typique représentant de la jeune élite formée dans les *Law schools* des universités de l'Est. Mais il le devra surtout à une magistrale stratégie de *blockbuster* et à l'équipe surpayée des meilleurs professionnels du *marketing* jamais réunis au service d'un film à énorme budget, ciblé avec précision pour « vendre » une star aussi bien profilée dans la conjoncture particulière de l'heure, et avec tous les moyens de l'heure, notamment un vecteur encore inutilisé dans ce genre de campagne, l'Internet et ses blogs. L'homme qui a su, après Ronald Reagan, organiser son lancement avec une telle science de la *psyché* collective et un sens aussi remarquable de sa propre publicité ne peut qu'obtenir l'approbation des Américains, qui ne pardonnent pas l'amateurisme et, tant républicains que démocrates, respectent le professionnalisme porté à un tel degré de perfection intellligente et efficace. Cela n'a pas manqué.

La vie active collective a annexé la vie contemplative personnelle, elle l'a prévenue et acculée à des pratiques clandestines, la boisson, la drogue, la cure du sexologue et du psychothérapeute, voire le pauvre tabac, rémanence coupable du calumet indien de la paix, et sur lequel s'abattent, payant pour tout le reste, comme sur l'âne des *Animaux malades de la peste*, toutes les foudres de la science médicale, de la morale et de la loi.

Il faut être Française d'autrefois, à la Péguy, comme la photographe Martine Barrat, qui chaque jour depuis trente ans « monte » du Chelsea Hotel, où elle a sa chambre, à Harlem qui l'a adoptée, pour savoir montrer à la fois ses jeunes amis noirs s'exerçant férocement à la boxe ou au music-hall, soumis à la loi d'airain du « Sors-toi d'affaire ou crève », et un peuple de pauvres sachant perdre son temps, dans ses Clubs crasseux, en interminables palabres animées et joyeuses, en festins de Gargantua où chacun concourt d'un plat concocté à la maison, en ostensions d'élégance extravagante, en parties de danse, en numéros de chant, en beaux gestes gratuits, en souvenirs de chers disparus. Le « je ne sais quoi » qui fit le sel de l'existence dans nos vieux pays s'est retiré dans les marges et dans les catacombes de la moderne mégapole.

9. Otium, Desiderium, Imago, Ars *: Chateaubriand et Baudelaire*

Je suis parti pour New York après avoir volé l'image du moissonneur au repos de Van Gogh reproduit sur une affiche Decaux, et elle n'a plus cessé de germer dans mon esprit. Hasard objectif, je tombe, aujourd'hui, dans *Mon cœur mis à nu*, sur cette sentence de Baudelaire que je n'avais jamais remarquée : « Immense nausée des affiches ». Il y a là pour moi un trait de lumière. Qui a mieux décrit et assumé que Baudelaire l'« honnête homme » moderne, seul échappé à l'agitation générale et au travail spécialisé : le dandy ? Mais aussi, qui a plus insisté, sinon Mallarmé et Valéry, sur le travail, seul vrai remède du contemplatif à l'ennui qui l'assiège ? « Plus on travaille, mieux on travaille, écrit-il *aussi* dans *Mon cœur mis à nu*, et plus on veut travailler. Plus on produit, plus on devient fécond. » Pour échapper à l'éthique du travail, pour lui tenir tête, il ne suffit pas de rêver : l'*otium* esthétique se défend à force d'un travail dont le style lui est propre.

Méditant sur l'*otium*, ancien, chrétien et moderne dans la capitale d'un empire industriel et financier fameux pour son zèle au travail, j'ai eu beau le laver de tout soupçon de passivité et de paresse, je n'ai pu écarter la crainte de passer pour un agent secret de Vénus travaillant à attirer Mars dans le filet où Vulcain les surprend, assoupis de volupté. Baudelaire me rassure. L'*otium* du dandy est peut-être paresse, et même défi de paresse, l'*otium* du poète, et avec lui de tous les vrais artistes, est occupé à un travail, pour le moins aussi rigoureux, méritoire et productif, sinon rentable économiquement, que les travaux si respectables dont se prévalent, à juste titre, aux yeux de Dieu, des hommes et des banques, les *negotia* des actifs citoyens de la libre Amérique. Il y aurait, selon Baudelaire, deux sortes de travail, l'un librement choisi et d'autant plus méthodique et acharné qu'il se donne une fin étrange, incomprise, quasi sacrificielle : le plaisir d'autrui, et l'autre dicté par la nécessité de vivre, de survivre et de réussir, discipline accessoirement utile à la vie matérielle des autres. Il y aurait aussi deux types d'*otium*, l'un paresseux, et menacé de sombrer dans l'ennui stérile, l'autre studieux et extrayant de l'ennui la délectation victorieuse de l'œuvre et la fécondité poétique. David, pour affronter le Goliath moderne, doit savoir comme l'autre manier dextrement sa fronde. Jacob, pour tenir tête à l'Ange de la modernité, doit être un athlète dûment entraîné, et qui a fait ses classes sous un entraîneur infatigable, Satan.

Mais à quoi vise le travail méthodique auquel se livre librement le contemplatif, quand il est un vrai poète et un véritable artiste ? Et, surtout, quel est cet ennui dont par ce travail il s'affranchit et s'allège, et dont Baudelaire fait l'aiguillon incessant qui rend son loisir fécond *à force* de travail sur la syntaxe et la sonorité du langage et selon les contraintes du mètre, de la rime, du rythme ? Étrange paradoxe, qui suppose un étrange critère d'évaluation que les sociologues de la « culture », avec leurs statistiques, ne sauraient prendre en considération. Dans un autre fragment de ces mêmes notes intimes, Baudelaire a fait figurer la devise qui me hante et dont le poète Yves Bonnefoy a fait son oriflamme : « Glorifier le culte des images, ma grande, mon unique, ma primitive passion ».

On interpréterait volontiers cette devise dans un sens passif, Baudelaire critique d'art et collectionneur de gravures ayant été un spectateur inassouvissable et un connaisseur raffiné des arts visuels. Mais il faut aussi, je crois, la lire dans un sens actif, celui du poète qui, dans le sillage d'Aloysius Bertrand et de ses imitations verbales des gravures de Callot, a travaillé avec la « rigueur obstinée » de Léonard, se pliant aux règles de la métrique comme le grand peintre l'a fait aux lois de l'optique, ou s'imposant la discipline formelle du poème en prose, à offrir à la vie moderne des « tableaux » et des « dessins » qui lui ressemblent, qui l'arrêtent par la ressemblance, la rendant réflexive sur elle-même, sur les facettes de l'ennui qu'elle se dissimule mais qu'elle porte en elle comme une plaie, que rouvre et débride le poème pour mieux l'empêcher de s'infecter.

La différence entre la vie moderne que le poète prend pour « modèle », au lieu des gravures de Callot, et les poèmes des *Fleurs du mal*, des *Tableaux parisiens* ou du *Spleen de Paris*, qui ont exigé du poète dandy le travail inouï qui l'a rendu fécond et neuf, c'est que la vie moderne s'étourdit de travail ou de drogue pour s'ignorer et s'oublier, alors que le poète, qui partage avec elle le secret humain et universel de l'ennui, est capable de lui offrir, prenant sur lui-même, des miroirs où elle se puisse connaître elle-même, plutôt que de s'employer à s'ignorer. Travail contre travail. Mais l'heure de poète, pas plus que l'heure d'artiste, ou celle de prêtre, n'est pas négociable, ni sur le marché ni à la Bourse.

L'élaboration poétique (comme Valéry, Baudelaire se garde des pièges du mot « création ») a pour fin une « sorcellerie évocatoire », dit Baudelaire, « l'œuvre pure, dira Mallarmé, celle où les mots, par le heurt de leur inégalité mobilisés, s'allument de leurs feux réciproques », arrachant les sens à la contingence du temps, dans le même ordre pour Mallarmé que la musique, et pour Baudelaire, que les images élaborées par l'art des peintres, modèles et entraîneurs auxquels il attribue l'origine de sa vocation de poète. Les poèmes-tableaux auxquels il a choisi librement de consacrer *tout son art de poète*, il les veut aussi « glorieux » que les tableaux, les dessins ou les gravures-poèmes dont l'*art* l'a toujours « passionné ». Ces « images » artistiques, il ne les confond pas avec les fugitives images psychologiques, pas plus qu'il ne confond l'« inspiration » romantique (qui deviendra le « flux de conscience » ou l'« écriture automatique » des modernistes), avec cette « imagination créatrice », passage de la puissance à l'acte, au prix d'un long travail d'enfantement symbolique. On dirait que pour lui, les œuvres durables qui introduisent à l'*otium*, et qui balisent son espace propre, supposent un laboratoire infiniment plus exact et rigoureux que ceux qui produisent les repères et les objets consommables, propres au *negotium* et à son sablier.

L'horreur de Baudelaire pour la photographie, ou pour les affiches, est proportionnelle à l'instantanéité de leur genèse, mais aussi à la flatterie que ce type d'images adresse au tourbillon d'images psychologiques et publicitaires qui étourdissent le Travailleur et l'Homme des foules modernes. Ces reflets passifs de l'éphémère, ce « divertissement » que le décollage industriel du Second Empire a multiplié, écument et titillent l'ennui humain sans se donner la peine ni lui laisser le temps de se sauver par la réflexion et de se consoler dans le repos.

Cette réflexion, ce repos, ces jouissances, le poète, dans sa générosité, souhaite les faire partager à l'esprit moderne emporté par un mouvement perpétuel. Sa poésie s'adresse à l'ennui qui ronge en profondeur l'homme moderne et dont le poète et l'artiste sont le plus consciemment atteints. L'*otium* baudelairien est pour ainsi dire l'or extrait de cette noire matière première qu'est le *spleen*, l'un de ses thèmes majeurs et dont il a bien vu, sous ce nom anglais, qu'il désignait une forme nouvelle et moderne d'un mal de vivre dont le diagnostic est aussi ancien que sa diffusion est universelle. Sénèque en proposait déjà au Ier siècle un écorché inoubliable dans les *Lettres à Lucilius*, où il relie l'un des états de ce cruel sentiment d'absence et de manque à l'imagination qui cherche à le compenser, et il écrit :

> Douces pour nous sont les images des amis absents, qui en renouvellent le souvenir et qui soulagent le regret et l'absence par une vaine et vide consolation[1]. (40, 1)

Mais c'est avant tout de Chateaubriand et de son *Génie du christianisme* que Baudelaire tient sa conception anthropologique de l'ennui. Dans le chapitre « L'Instinct de la patrie », que je relis dans une lumière

1. Je dois cette citation à mon ami Maurizio Bettini, dont le grand livre, *Il Ritratto dell'Amante*, Turin, Einaudi, 1992, découvert à New York, a été un relais décisif sur mon chemin.

neuve et nette, il décrit la contradiction intime du cœur humain, dont l'impatience agitée cache un rêve de repos le ramenant dans les lieux, les temps et les mœurs natals et la souffrance d'un inguérissable mal du pays. À des degrés divers selon la conjoncture ou les vicissitudes de la vie, la mémoire d'une patrie qui s'éloigne dans le temps ou dont on est exilé dans l'espace nous fait souffrir. C'était le cas d'Achille campant sous les murs de Troie, d'Ulysse errant en quête de son Ithaque, des Troyens chassés de leur ville détruite et des Romains dispersés dans leur trop vaste empire. Mais c'était encore plus le cas des modernes citoyens des sociétés industrielles alors à leurs débuts, toutes plus ou moins peuplées de personnes déplacées. On peut ajouter à la liste esquissée par Chateaubriand le cas singulier des Américains, tous émigrants ou réfugiés à des titres divers, et qui s'emploient à donner corps au mythe d'une patrie « multiculturelle » de toutes les patries perdues, sans précédent, unique, en devenir, mais appelée à devenir fusionnelle et universelle. L'ennui et l'élégie américains se veulent non pas rétrospectifs, mais prospectifs, eschatologiques, projetés dans l'avenir.

Chateaubriand paraphrase le chant III de *L'Énéide*, où Énée raconte à Didon (elle-même exilée de Tyr et régnant sur une autre Tyr, Carthage) comment, fuyant Troie et cabotant en Méditerranée, il a débarqué dans l'île de Buthrote : il y retrouve sa belle-sœur Andromaque exilée, veuve d'Hector et en deuil de leur fils Astyanax ; elle a fait construire sur cette île étrangère une autre Troie et, sous les murs de ce double de sa patrie, elle a fait ériger un double du tombeau d'Hector, sur les rives d'un double du fleuve Simoïs qui longeait la ville de ses ancêtres. « Andromaque, dit Chateaubriand, a donné le nom d'un fleuve à un ruisseau ». Ce paysage imité de Troie, et tenant lieu de la Troie originale, est un « tableau », une œuvre d'art, au même titre que les futurs *Paysages héroïques* de Poussin ; il ne leurre pas assez Andromaque pour la guérir de son deuil, mais il la soulage assez, avec les rites et les gestes qu'il autorise, pour ôter de la violence à sa douleur inconsolable et la faire se tenir « plus tranquille ». Dans cette page du *Génie*, toute la semence, avec sa dédicace virgilienne, du *Cygne* de Baudelaire, sauf l'alchimie du verbe qui a fait des alexandrins de ce poème « une combinaison de chair et d'esprit, un mélange de solennité, de chaleur et d'amertume, d'éternité et d'intimité » (Valéry), un corps visible, vivant, sonore, propre à tenir compagnie en ce monde à tous les Troyens et Troyennes exilés.

Chateaubriand ne s'en est pas tenu là. « Le cœur, dit-il est expert en tromperies. Une autre ruse [que l'imitation métaphorique, par l'art, de *toute* la patrie perdue], c'est de mettre un grand prix à un objet en lui-même de peu de valeur, mais qui vient de notre pays, et que nous avons emporté en exil. L'âme semble se répandre jusque sur les choses inanimées qui ont partagé nos destins. »

Dans les exemples qu'il prend de ces « parties prises pour le tout », Chateaubriand sème le principe de la théorie baudelairienne du jouet, mais il suggère en passant aussi bien une métaphysique du genre pictural de la « nature morte » qu'une théologie de la relique et de l'art figuratif dévotionnel. Œuvre ou objet d'art (à la différence des « vains » et « vides » fantasmes du souvenir psychologique qu'évoque Sénèque) ont aux yeux de Chateaubriand une présence, une durée, une vérité sensible propres. Ils ne leurrent qu'en partie, ils restituent et préservent quelque chose des lieux ou de l'objet perdus. Il se peut donc que l'ennui, le regret et le deuil de la patrie perdue ne restent point passifs et oisifs, et qu'ils se renversent en désir ardent et douloureux de *faire* un substitut digne de l'objet absent ou disparu. Didon et Andromaque ont fondé et construit une ville. Le Caïn biblique, chassé comme ses parents du Paradis, et premier meurtrier, « vagabond sur la terre », construit la première ville, Hénoch, et c'est l'un de ses descendants qui inventa le feu et l'industrie métallurgique. C'est dans ce genre de faille entre soi et soi que Chateaubriand discerne la source du travail manuel, artisanal et industriel acharné, qui fait taire tant qu'il dure regret, deuil et remords, mais aussi celui de l'œuvre poétique et artistique, qui construit des doubles capables d'épointer l'aiguillon de la souffrance en la rendant réflexive et contemplative. Il voit aussi jaillir de cette faille inhérente à l'être humain la violence singulière et inassouvissable de son *éros*, que les mœurs, l'art et la religion se donnent autant de mal à conjurer et à canaliser que la nostalgie et la privation de la patrie, mais dont il est l'asymptote. Baudelaire est sur ce point beaucoup plus explicite que l'auteur du *Génie*, mais il se tient dans la même ligne d'interprétation de l'ennui et des énergies de qualité diverse, selon leur degré de réflexivité, qui en jaillissent soit pour le consoler sans l'aveugler, soit pour l'aveugler sans le consoler.

Les Anciens savaient que l'art a son origine dans l'*otium* qui laisse le temps de se savoir privé et assoiffé. Une légende grecque, rapportée en latin par Pline, attribuait les premiers pas dans la peinture et le bas-relief à une jeune fille de Corinthe amoureuse et angoissée. Son fiancé devait partir en voyage sur mer pour ses affaires. Pour éviter de le perdre tout à fait, s'il faisait naufrage ou s'il la trahissait en route, elle décida de donner un leurre sensible à son désir repoussé à plus tard et menacé d'être déçu. Profitant du moment où la silhouette du jeune homme au repos, éclairée par une lampe, se projetait sur un mur, elle en fixa les contours au charbon. Dans ce tracé, son père, le célèbre et habile potier Butadès, sculpta en relief les traits du voyageur et durcit au four son portrait d'argile. Vain double, sans doute, que cette œuvre d'art substituée au fiancé absent, mais l'illusion du portrait était assez ingénieusement ménagée pour repaître les yeux et les sens de l'amante, et elle était dotée de vertus – stabilité, durée, pour tout dire fidélité – dont le fiancé de Corinthe était peut-être dépourvu. À la différence de l'image instable et décevante de Narcisse à la surface de l'eau courante, et à mi-chemin de la statue féminine d'ivoire qui prend vie pour répondre au désir de son sculpteur Pygmalion, le portrait fidèle de l'amant en voyage est devenu pour la fille de Butadès le partenaire d'une vie contemplative qui apaise, pendant l'absence du bien-aimé, l'impatience de son désir.

Chateaubriand a construit tout l'édifice de son apologie du catholicisme sur ce chapitre anthropologique du *Génie*. J'ai eu beau essayer de réhabiliter ce chef-d'œuvre contre l'unanimité de la critique depuis Sainte-Beuve, j'ai été trop timide. Baudelaire en était nourri et la lecture du *Génie* entre pour beaucoup dans sa propre fidélité de laïc envers l'Église romaine, son magistère, sa liturgie, ses arts, ses sacrements et son sens perspicace de Satan-Lucifer, grand expert et manœuvrier de l'Ennui. Chateaubriand, pour réconcilier l'Église et son siècle, n'a mis en avant ni son intelligence théologique ni sa légitimité historique, objets d'infinies et arides controverses avec l'érudition protestante et la critique des Lumières. Il a invoqué le « génie » esthétique millénaire qui a fait d'elle une œuvre d'art totale, un système symbolique universel faisant concourir tous les arts à représenter, pour tous les sens spiritualisés, la personne humaine et divine du Christ. L'Église a trouvé la réponse mythique la mieux accordée à l'instabilité et à l'insatisfaction inhérentes au cœur humain : un Dieu qui s'exile dans le temps et dans le monde de la vue, là où les hommes s'étaient eux-mêmes exilés de leur vrai et original séjour, et qui leur montre assez de son vrai visage, de sa vraie image, avant de se retirer du temps et du monde de la vue pour les remplir du désir et de l'espérance de regagner leur vraie patrie, qu'il leur a fait entrevoir et où il les attend.

L'Homme-Dieu s'est montré aux hommes, vivant, visible et proche, avant de mourir en homme et de ressusciter en Dieu, là où l'humanité naturelle ne savait adorer que des idoles, là où la philosophie grecque montrait le chemin de retour à l'Un, là où la Bible faisait entendre la voix d'un Dieu personnel et unique, mais caché. Plongée par le progrès de ses propres lumières dans le « vague des passions », l'humanité moderne souffre plus que jamais de son incomplétude, elle se sent un « édifice tombé » dans un monde de débris, mais ne sait plus comment le réparer. Chateaubriand l'invite à se reconnaître dans le Logos de saint Jean et le Verbe d'Augustin, le seul Dieu qui ait voulu connaître l'exil, la misère morale, la mort de l'humanité. Un Logos et un Verbe qui, à la différence de l'Un lointain des philosophes, du Dieu invisible de la Bible, ou du Christ tout intérieur du protestantisme, ressemble par son incarnation à l'homme qu'il est venu sauver, et à qui il montre comment se sauver par ce qu'ils ont en commun, la parole (et l'image) à racheter de l'abstraction, des décombres, du dessèchement, de la mort, et à les ressusciter vivantes, comme Jésus l'a fait de Lazare, de la fille de Jaïre, des ombres enfermées dans les Limbes et de sa propre dépouille disparue du tombeau vide. La poésie et les arts modernes, « rémunérant le défaut des langues », ont pour initiateur et modèle rédempteurs l'Orphée évangélique. Il est le divin Fiancé de Corinthe (et l'Époux du Cantique) d'une humanité moderne délocalisée, désorientée, aliénée dans la langue de bois d'une communication impersonnelle et dans les leurres d'un monde symbolique dégradé en assignats d'images.

Chateaubriand montre dans l'Église romaine, œuvre d'art vivante et objective, dans sa hiérarchie, son architecture, sa liturgie, ses arts visuels, sa musique, ses cérémonies, ses sacrements, ses fêtes, une première rédemption en acte du monde humain abîmé, ruiné, décomposé. Elle est la Fiancée de Corinthe (l'Épouse du Cantique, la Sulamite), qui maintient intacts et agissants la présence, l'amour et la fidélité du Fiancé apparu et disparu, dans l'attente et l'espérance de le revoir dans la Rose dantesque de l'éternité. L'Église est la Tyr de Didon, la Buthrote d'Andromaque, la Rome d'Énée, l'œuvre d'art « de génie » qui fait de son deuil et de son sentiment d'exil le principe d'une économie symbolique rendant la terre un séjour habitable, une demeure décente, à l'image imparfaite et dans l'attente de la patrie plénière où Dieu sera vu « face à face ». Le désir d'un Dieu qui s'est montré aux hommes n'a été si fécond en œuvres de beauté que pour avoir assumé et sublimé l'*éros* de la Fiancée de Corinthe, dont la violence, les appréhensions et les agitations, même adoucies par l'œuvre d'art, refluent sitôt que l'esprit les compare, comme le fait le Polyeucte de Corneille, à la joie divine que promet un amour partagé et qui dure sans fin :

C'est vous, ô feu divin, que rien ne peut éteindre
Qui m'allez faire voir Pauline sans la craindre.
Je la vois, mais mon cœur d'un saint zèle enflammé
N'en goûte plus l'appas dont il était charmé ;
Et mes yeux, éclairés des célestes lumières
Ne trouvent plus aux siens les grâces coutumières.

Il est assez extraordinaire, soit dit en passant, que la tragédie de Corneille la plus inspirée, et que Péguy a si superbement commentée, n'a plus été jouée sur une scène française et a disparu du répertoire de la Comédie-Française depuis combien, trente, quarante ans ? C'est un symptôme parmi tant d'autres de notre rétrécissement symbolique.

André Grabar, grand interprète de l'art byzantin, a fait comprendre le culte des reliques, tant moqué par une Réforme et des Lumières si souvent homaisiennes, dans son analogie structurelle avec l'amour des œuvres d'art et le culte des icônes. Chateaubriand en eut la parfaite intuition. Partie pour le tout du Christ (dont les saints et les martyrs participent, l'ayant *vu* à l'instant de leur mort), la relique chrétienne a pour fondement naturel ces « objets de peu de valeur » apparente, parties qui trompent le cœur en lui rappelant le tout, et dont le recours est commun à tous les humains. Sauf qu'elle porte en elle, comme l'Eucharistie, quelque chose du divin, de l'éternel, et du Rédempteur qu'elle tient directement de celui dont elle est un fragment. C'est le culte des reliques qui est à l'origine de l'art dévotionnel, « images saintes » du catholicisme, icônes de l'orthodoxie orientale, l'un des plus constants et efficaces lieutenants sensibles et émouvants de la présence et de la promesse du Christ sur la terre.

Entre le *Génie du christianisme*, où il croyait pouvoir restaurer l'édifice esthétique ruiné par la Révolution, et le désabusement des *Mémoires d'outre-tombe*, Chateaubriand en est venu à croire, comme ce sera le cas de Baudelaire, que l'Église, cette prodigieuse Buthrote édifiée au cours de deux millénaires sur les ruines de Troie, d'Athènes, de Rome et de Jérusalem, est elle-même maintenant un objet de nostalgie, survivant avec peine à la Troie définitivement abolie de la monarchie française. Il reste aux suprêmes poètes et artistes, clergé laïc, de poursuivre dans leur *otium*, son travail de rémunération et de rachat de la langue et des images, rendant obstinément la vie à ce qui a été livré à la mort, et à la présence ce qui était perdu ou égaré.

Ce bref intermède en compagnie de Chateaubriand et Baudelaire, mes deux intercesseurs français, dans mon studio ensoleillé de Riverside Drive, m'a pourvu du viatique dont j'avais grand besoin pour affronter, avec un regard neuf, ce Manhattan que je crois connaître, pour y avoir si souvent séjourné, mais dont je sens bien maintenant qu'il n'était pas encore mûr pour moi, ni moi pour lui. Pour me mettre en appétit, je m'imagine à New York au temps de Baudelaire, non pour y consulter l'ombre de son cher Edgar Poe, mais pour y faire ma petite enquête sur un personnage infiniment plus célèbre, et plus en phase avec son pays et son temps.

10. Le grand précurseur : Phineas Taylor Barnum

L'Amérique n'a certainement pas inventé la publicité, ce régime de leurres qui tient en haleine l'ennui afin qu'il ne s'éclaire ni ne se console. Cependant, il faut admettre que la publicité y a trouvé un terrain d'exercice et de croissance sans précédent. C'est là qu'elle s'est donné des espèces de génies, qui ont fait depuis d'innombrables petits.

L'inventeur de l'enchaînement *marketing-entertainment*, destiné beaucoup plus tard à recevoir en France le nom bureaucratique de « culture et communication », mériterait d'être aussi connu et commémoré à Paris que Benjamin Franklin, son paratonnerre et son harmonica, ou Edison, son phonographe et son tube électronique. À New York, où je débarque à peine et où je retrouve, le long de Broadway, les mêmes abribus qu'à Paris (modèles ou copies des Decaux ?), le souvenir de Phineas Taylor Barnum, né à Bethel, Connecticut, en 1810, avec plus d'un siècle et demi d'avance sur ses émules européens, est toujours honoré. Il fait partie de l'air que l'on respire à Times Square, le fameux carrefour rutilant jour et nuit, et de haut en bas, d'une fournaise d'immenses publicités lumineuses. Son mot le plus fameux explique son triomphe et révèle son génie : « Les gens aiment être charlatanisés » *(humbugged, hoaxed)*. Aussi, de son vivant, Manhattan, le théâtre de sa fulgurante ascension, le qualifia de « prince des charlatans » et appela « *barnumization* » son art de faire de rien quelque chose de fabuleusement attrayant pour les ennuyés et de rentable pour lui-même. Dans l'histoire de ce que nous appelons maintenant « culture », c'est un événement aussi décisif que, dans l'histoire des sciences, le « Dialogue des deux principaux systèmes » de Galilée.

Barnum avait commencé, dans la fièvre du second Grand Réveil évangéliste des années 1830, par la publicité et la vente de la Bible. Il fut toujours épaulé, dans les heures difficiles de l'après-guerre de Sécession, par son premier maître, le prédicateur et publicitaire Dwight Lymann Moody, dont la méthode et le charisme missionnaires savaient attirer les foules les plus nombreuses et tenir la presse en haleine. Du prosélytisme intéressé, mais de faible rapport, il passa très vite au registre profane du divertissement populaire, montant des « coups » de plus en plus « fumants », retentissants et avantageux, espiègleries, blagues et mystifications dont le succès se démentit rarement. Le verbe *to mesmerize* et l'adjectif *mesmerizing* sont entrés d'emblée dans le richissime vocabulaire du choc esthétique dont dispose la langue américaine (*stunning*, stupéfiant, *hilarious*, à se tordre, *gripping*, saisissant, *terrific*, inouï, *dazzling*, éblouissant, *overwhelming*, renversant, *thrilling*, bouleversant). L'américain se souvient de s'être séparé de l'anglais d'Oxford au temps où l'Europe faisait cercle autour des baquets électriques du Dr Mesmer et de leurs chocs pseudo-thérapeutiques. La « barnumization » est une forme de mesmérisation à l'échelle industrielle. Passé un certain seuil, la réclame et le *bluff*, comme le commerce, le divertissement, la démographie et la démocratie, ne changent pas seulement de nom, mais de sens. Il faut que tous soient en principe et à la minute saisis, mais que chacun reste toujours, en réalité, haletant et sur sa faim.

Balzac a bien entrevu l'avenir de la publicité, dans *L'Illustre Gaudissart*. Que n'a-t-il pas prévu de la modernité ? Dans le Paris de Rubempré et de Lucien Leuwen, il a eu la vision du Wall Street du XXe siècle. Mais ce grand optimiste n'a pas plus tôt montré le *marketing* qu'il l'a exorcisé en condamnant son V. R. P. parisien à se casser les dents en province sur le bon sens retors du paysan français. Ne nous fions pas sur ce point à Balzac. Son Gaudissart pourrait nous cacher Barnum, dont les descendants aux dents longues et intactes sont maintenant et partout légion.

Le Barnum du spectacle profane commença par exhiber à New York, sur les tréteaux d'un parc d'attractions, après une campagne soutenue de publicité par prospectus, affiches et articles de journaux, Joice Heth, une Afro-Américaine qui, selon lui, était âgée de 160 ans, puisqu'elle avait été la nurse du petit George Washington. Elle raconta pendant un an ses « souvenirs » du grand homme à des milliers de badauds payants, puis mourut de vieillesse et de fatigue. Barnum vendit très cher les billets permettant d'assister aux premières loges à son autopsie, laquelle dévoila l'âge véritable de la malheureuse.

Cela n'intimida en rien Barnum, sûr de son fait. En 1841, il ouvrit au public, sous le nom d'*American Museum*, un édifice qui devint sur-le-champ l'attraction la plus visitée des États-Unis. C'était, à l'attention du grand public démocratique, une imitation commerciale du « cabinet de curiosités », ou *Wunderkammer*, que les « virtuoses » européens de l'Âge classique réservaient à leurs pairs et dont l'« Art contemporain » du XXIe siècle a fait l'un de ses poncifs. S'y juxtaposaient requins et baleines empaillés et repeints, Neal le phoque savant, FeeGee la Sirène, mi-singesse, mi-poisson, Chang et Eng les siamois nains, Grizzly Adams l'ours danseur, des dioramas et cosmoramas, des instruments scientifiques, un cirque de mouches, le tronc de l'arbre sous lequel s'asseyaient les disciples de Jésus, un chapeau porté par le général Ulysses S. Grant, un banc d'huîtres, un métier à tisser manœuvré par un chien, des souffleurs de verre, des taxidermistes, des phrénologistes, des magiciens, des ventriloquistes, des conteurs d'histoires bibliques et de *La Case de l'oncle Tom*, un homme noir couvert de poils, « chaînon manquant » entre l'animalité et l'humanité, le tout éclairé violemment, dans un déluge de bannières et de drapeaux, par des rampes de lumière oxyhydrique, une récente invention. Barnum recruta les plus mauvais musiciens qu'il pût trouver pour les faire jouer sur un balcon, au-dessus de l'entrée du *Museum*, tintamarre conçu dans l'idée, avérée, d'attirer la grosse clientèle. Il la retenait en demandant pour chacune de ses inventions « Qu'est-ce que c'est ? », ou en la qualifiant de « jamais vu ». Il faisait circuler des témoignages « scientifiques » favorables et des « rapports d'experts » hostiles, invitant la foule et la presse à spéculer et à débattre, débats et spéculations libres et démocratiques sur le vrai et le faux où il se refusait lui-même à prendre parti, mais qui augmentaient immanquablement son audience. Il a vu le premier que la catégorie esthétique appelée à supplanter toutes les autres serait l'intéressant. Il en savait plus long sur la démocratie d'opinion que son philosophe aujourd'hui le plus compétent, Jürgen Habermas.

Bref, il mit sur pied à la fois un proto-Disneyland et l'incunable des foires d'« Art contemporain » : en vingt-cinq ans, trente-huit millions de visiteurs s'y pressèrent, un peu plus que la population des États-Unis, jusqu'à l'incendie de 1865 qui anéantit le *Museum*.

Peu après, il en ouvrit un autre, plus loin sur Broadway, et cette fois Barnum attira le gratin en même temps que le bon peuple. Il lança la nouvelle affaire en bombardant New York de réclame pour une chanteuse d'opéra, Jenny Lind, « voix d'or » suédoise qu'il avait élue sur sa réputation européenne et dont il prépara de longue main la tournée américaine. Il déclencha en sa faveur, dans les quartiers chic comme dans les pauvres, une Lindomania encore plus impatiente et frénétique que celle qu'est censée susciter aujourd'hui l'arrivée prochaine d'une Madonna fourbue ou d'un Rolling Stone octogénaire. Il inventa pour l'occasion le *merchandizing* (marchandisation) et la *customization* (produits dérivés d'un spectacle à succès), mettant en vente des chapeaux Jenny, des ombrelles Jenny, des crèmes faciales Jenny, et même des berceaux Jenny Lind, toujours fabriqués et en vente aujourd'hui.

Accueillie sur le port de New York par 30 000 enthousiastes, plébiscitée à l'hôtel par une foule quotidienne, il était hors de question que Lind fût sifflée lorsque, enfin, elle se produisit en scène. Il se trouva que sa réputation de soprano, allez savoir, n'était pas usurpée. Le prix des billets d'orchestre était prohibitif. Déjà sûr du grand public, Barnum impresario d'opéra s'acquit par ce moyen la faveur des grandes fortunes new-yorkaises, succès mondain qui crût encore après qu'il eut été reçu à Londres, lors de sa grande tournée en Europe, par la reine Victoria et le duc de Wellington. Mais déjà en 1863, lors du féerique mariage de deux vedettes du *Museum* encore debout, Tom Pouce le nain et Lavinia Warren Bump la naine, les Vanderbilt et les Astor, la crème de la crème de la Ve Avenue, assistèrent à la cérémonie religieuse. Le couple en voyage de noces fit halte à Washington et fut reçu par le président Lincoln à la Maison-Blanche.

En 1870, ce *showman* de soixante ans, changeant d'échelle, ouvrit « Le plus Grand Show sur la terre », un proto-Las Vegas en plein Manhattan, avec un grand hippodrome romain de 10 000 places. En moins de deux générations, il avait créé le champ communicationnel et charlatanesque que, de son vivant déjà, prenant le relais, à l'échelle cette fois des États-Unis *coast to coast*, William Randolph Hearst étendit à la presse sensationnaliste et manipulatrice, puis au cinéma, auquel il donna une capitale, Hollywood. Barnum et Hearst avaient une gueule, une stature et une espèce de génie. Leur charlatanerie « hénaurme » et « chaude » est maintenant exercée par de gigantesques corporations et de froids managers, jour et nuit à la manœuvre, avec leurs équipes, devant leurs écrans d'ordinateurs ou dans leurs studios de télévision.

Ce qu'ils appellent « Art » est le rien, la « blague », comme on disait avec ironie et mépris dans les ateliers parisiens du XIXe siècle : mais c'est avec ce rien dont elle vit que l'industrie du *marketing* sait faire quelque chose. Plus il est âprement attaqué et hautement défendu, plus ce quelque chose gonfle en importance de mois en mois, grimpe dans les enchères et les sondages, gigantifié parfois jusqu'à intimider l'univers. Le temps que la « bulle » éclate. En attendant, les enjeux financiers énormes de ces brillantes fumisteries ne prêtent pas à sourire. Autant dire que le *marketing* et l'Art, l'empaquetage et l'empaqueté, en sont venus à se confondre.

Je ne me suis pas trompé en choisissant Barnum pour intercesseur avant de me lancer dans Manhattan. Baudelaire, dont un de mes amis américains, le poète Richard Howard, a donné non sans succès une traduction nouvelle des *Fleurs du mal*, habite une autre planète. C'est la meilleure, je ne la trahirai pas. Mais il me faut un guide d'ici, à ras de terre. Barnum est sympathique, rabelaisien à sa façon. Son génie publicitaire était encore bon enfant.

Les campagnes d'affiches qui inondaient Paris avant mon départ montrent à quels pas de géant l'organisation et l'efficacité du marketing ont progressé jusqu'à nous depuis Barnum. La marque Samsung voit grand, à la mesure de la mystérieuse et puissante multinationale qui porte ce nom et qui tient littéralement dans ses rets la Corée du Sud. Cette entité abstraite est un monstre froid, un robot. Elle prend rien de moins que Van Gogh, le saint martyr de l'Art européen, pour emblème de la qualité hors pair du design asiatique et des dernières performances de la technologie asiatique des images. Elle prend les gens par le haut. En France, elle nous fait l'honneur de s'adresser à nous en français, ce qui est assez rare parmi les affichistes Decaux. Lesquels, il faut être juste, se bornent à suivre le torrent. Tous les titres de films, français ou américains, que projetaient en même temps que la gloire de Van Gogh les affiches de cinéma du boulevard Saint-Germain étaient rédigés en anglais, espéranto de la publicité globale. Le français, patois local, survit dans les sous-titres.

La Corée respecte-t-elle encore ce qui déjà nous indiffère ? Ou bien, rivale acharnée du Japon depuis 1964, l'imite-t-elle non seulement en se spécialisant comme lui dans l'équipement domestique « gris » (caméras et écrans, et non machines à laver ou réfrigérateurs « blancs »), mais en adoptant les préjugés japonais sur la mentalité de la clientèle européenne ? Peut-être les Coréens, se fiant aux Japonais, ignorent-ils comme eux que nous sommes infiniment plus nombreux ici à être plus émus par l'équipe du Paris-Saint-Germain en action que par le moissonneur de Van Gogh au repos ? Le Japon croit, et nous lui en sommes très reconnaissants, que, pour le consommateur européen comme pour le touriste japonais, Vinci, Michel-Ange, Van Gogh, buts de pèlerinages en Europe, sont des labels de qualité au moins aussi attrayants que les accessoires de voyage et de marche Vuitton, Chanel, Nike ou Reebok. C'est, ne n'oublions pas, au mécénat d'une chaîne de télévision japonaise, moyennant l'exclusivité du documentaire filmé, que nous devons la restauration haute définition du plafond à fresque de la chapelle Sixtine.

11. Crépuscule des originaux, aube des clones digitalisés et marchandisés

Ne rendent-ils pas un hommage indirect au Japon et à la Corée, son émule, ces Italiens qui ont conçu le récent clonage digital, grandeur nature et matières à l'identique, des *Noces de Cana* de Véronèse ? L'original, arraché à son lieu natal, Venise, et rapporté en France par Napoléon, est exposé au Louvre, dans la même salle où les pèlerins nippons viennent en foule mitrailler de flashes, derrière son vitrage pare-balles, la *Joconde* de Léonard. Son clone, tour de force technologique élaboré en Espagne, vise à attirer à Venise le même zèle, mais cette fois au pied des *Noces* en fac-similé, dont l'original languit, quelque peu négligé, au Louvre, victime de sa concurrence directe avec l'icône Mona Lisa. Son jumeau vénitien cloné dispose d'excellents arguments de vente : il s'est voulu plus original que l'original, ayant été délivré, à force de science et de technique, des restaurations successives qui ont, en France, paraît-il, oblitéré certains traits de l'immense tableau du maître vénitien, dont notamment la figure centrale, le visage du Christ. Il peut donc prétendre rivaliser victorieusement avec le document historique d'où il dérive. Brillant de toutes ses couleurs ravivées, rayonnant de ses expressions retrouvées, ressuscité comme sur un écran Samsung à sa mesure, plus vrai que le vrai, ce chef-d'œuvre d'un Paul Véronèse virtuel est revenu en triomphe et sans rival, à l'échelle exacte de sa conception, à la place que l'autre occupait depuis 1563, jusqu'à son enlèvement à Paris par Bonaparte en 1797, sur toute la largeur du mur de clôture du sublime réfectoire de Palladio, dans l'ancien couvent de l'île San Giorgio Maggiore. Une telle attraction *contemporaine* devrait faire venir dans l'île une partie des touristes internationaux qui piétinent, en foule, avec les pigeons, sur la place Saint-Marc, achetant dans les ruelles adjacentes, à des Africains qui les étalent à même le sol, avec de mauvaises copies d'idoles de leur pays, des copies à s'y tromper de sacs Vuitton fabriqués en Chine ou au Vietnam, gris-gris pour les uns et, pour les autres, signes extérieurs de richesse à la portée des petites bourses. Aux dernières nouvelles, le taux de visiteurs du cénacle de San Giorgio n'a guère augmenté.

Les concepteurs de l'opération *Noces de Cana* se sont proposés, par cette méthode, de répéter l'effet Bilbao, successeur et imitateur de l'effet tour Eiffel, et partout imité. Longtemps ignorée des *tour operators*, la capitale industrielle basque est devenue un but de pèlerinage massif et à la mode, depuis que s'y dresse un musée qui s'expose lui-même et se suffit à lui-même. Ce monument de sculpture néo-futuriste conçue sur ordinateur n'est qu'une enveloppe miroitante rendant d'avance superflus et superfétatoires ses contenus éphémères. Ce genre de musée-miroir aux alouettes et ce que l'on appelle « les foires de l'Art » sont devenus des attractions, non pour l'« Art » qui en est le prétexte, mais pour les restaurants, les boîtes de nuit, la foule en goguette, et le mélange de bonnes affaires et de bonnes fortunes qui définit le *life style* des gens à la page.

Il fut un temps, déjà ancien maintenant, où dans toute l'Italie s'affichait une publicité enveloppant d'un slip moulant les avantages du David de Michel-Ange. Depuis, les marques de sous-vêtements ont échangé la photo noir et blanc du David de marbre contre celle de Davids en chair et en os, bronzés et les yeux cernés de rimmel comme d'antiques *kouroï* repeints. Versions gigantesques des fameuses photographies siciliennes du baron von Gloeden, ces idoles recrutées et mises en scène pour Calvin Klein, Giorgio Armani ou Dolce et Gabanna scrutent de haut le passant de Times Square à New York ou l'automobiliste prisonnier du trafic sur le Longotevere à Rome. Qui les regarde, parmi tous ceux qui les voient ? Font-elles vraiment vendre ? On est tenté de croire qu'en faisant afficher de telles images, aussi hautes que la coupole de Saint-Pierre, ces marques subventionnent, plutôt que leur propre publicité, celle du *shopping* et du *look* en général, contribuant à créer le milieu optique désirant et frustrant où les fringues minimales qui le signalent promettent, aux uns des appâts fétichistes et, aux autres, des indices intimes de luxe et de *standing*. C'est encore autre chose avec les affiches Benetton. Celles-ci ne se contentent pas de créer leur propre système de la mode, elles en font la morale : endettez-vous en achetant nos chiffons, répètent sur tous les tons les montages photographiques d'Oliviero Toscano, le Greuze de la fripe, vous et vos enfants prendrez parti contre le sida et militerez pour le métissage, tout en donnant à votre marmaille, ce qui ne gâte rien, un petit air *sexy*. Et que penser de ce tailleur napolitain qui a fait afficher cet hiver, sur les murs de sa ville, au-dessus de montagnes d'ordures et de déchets que les éboueurs refusent d'évacuer, faute de savoir où les transporter, fabuleuse « installation » anonyme, un grand placard publicitaire qu'un ami peu facilement étonné a pris soin de filmer et de m'adresser aussitôt par Internet. Cette photographie en couleurs représente un jeune gaillard nu et bronzé attaché sur une croix et ceint aux hanches d'un blanc périzome, dont le long déploiement devient, entre les mains expertes du jeune tailleur en costume de ville, représenté lui-même en train de le fignoler sur un mannequin féminin, le drapé d'une seyante robe de mariée. Le tout commenté par l'inscription suivante : *Dalla sofferenza all'Arte.* Même à Naples, promue « capitale culturelle », l'« Art contemporain », indiscernable de la mode vestimentaire et de la publicité, investit dans le « sacré » catholique retrouvé et détourné par la dérision, le blasphème, la « corporéité » sadomasochiste. C'est là l'un des alibis les plus en vogue du « travail » des « artistes », concurremment avec la quête à la fois nietzschéenne et biotechnologique du « corps mutant », où s'expérimente le « surhomme » de l'avenir, libéré de la différence sexuelle, de la différence de couleur de peau et de sa chronologie naturelle.

Comment le client-roi résisterait-il à ces courtisans si perspicaces, si efficaces, si délurés, qui veulent sa bonne conscience autant que son bien-être ? Sans toujours se l'avouer, les conservateurs du pauvre art ancien rêvent pour lui la survie que lui vaudrait sa propre plongée dans l'univers optique propre au *marketing.* Musées et grandes firmes de vente d'art consacrent une partie de leur budget à « valoriser » leurs collections par l'affiche, l'encart publicitaire, le papier glacé, les produits dérivés. À la sortie d'une exposition des œuvres d'un grand peintre qui ne dédaignait pas de dessiner d'enchanteresses affiches publicitaires ornant les murs du Paris de la Loïe Fuller, on a vendu naguère dans la boutique du Grand Palais des ombrelles Toulouse-Lautrec et des bas de la Goulue, comme on vend aux enfants des poupées-Minnie ou des poupées-Sept Nains à la sortie des films d'animation Disney. L'épaisseur et le poids du catalogue scientifique, qui a trouvé comme d'habitude beaucoup plus d'acheteurs que de lecteurs, ont donné bonne conscience à la Réunion des Musées nationaux et à la Direction des Musées de France, qui ont fait à l'occasion de cette belle exposition de la *barnumization* sans le savoir.

Mais pourquoi s'excuser ? L'art ancien n'est pas mort, contrairement à ce que prétendent les impatients. Et derrière les paravents, l'art d'aujourd'hui n'est pas mort non plus, quoique pratiqué dans une quasi clandestinité, par d'excellents peintres, inconnus ou très peu connus, qui continuent Bonnard, Vuillard, mais qui ont leur public, indifférent à la dernière mode. L'art ancien, lui, a conservé sa cote d'amour, il a ses expositions, ses catalogues, et il se vend : mieux, il fait vendre, y compris l'« Art contemporain » quand il se juxtapose à égalité avec les chefs-d'œuvre anciens dans les murs mêmes de leurs Musées classiques, comme s'il jouait dans la même division que Picasso et Vélasquez. Le téléviseur Samsung étant, à sa manière, une installation d'« Art contemporain », un chef-d'œuvre de Van Gogh, peintre ancien, sert sa réclame. La reproduction photographique en milliers d'exemplaires de l'un de ses tableaux est devenue un leurre qui prête son prestige à une machine à images de grande consommation. Et, inversement, la reproduction photographique des chefs-d'œuvre de l'art ancien, remorquée par la réclame de telle ou telle machine domestique, va s'imprimer dans la mémoire consommatrice comme un indice de fort pouvoir d'achat qui la réduit à la fonction de repère et de signal abstrait, de luxe, de confort, de jouissance, au même titre que la classification Forbes ou les symboles routiers avertissant du voisinage d'une noble collégiale ou d'une célèbre abbaye médiévale. Rien n'interdit de revenir à l'original, et de lui accorder l'attention soutenue qu'il mérite, il est vrai. Mais quel chemin à parcourir en sens inverse ! La conversion de l'œil passif quasiment aveugle, à l'œil éveillé et sensible caressant les formes qu'une main a tracées, humant les valeurs colorées que l'œil et la main du peintre ont posées et dosées, est un saut perceptif aussi radical qu'une conversion religieuse. À cet égard, l'exposition des pastels français de la fin du XIXe siècle au musée d'Orsay en cet hiver 2008, suivie par un public émerveillé, a eu l'effet pour ses visiteurs d'une véritable guérison miraculeuse.

L'histoire et la conservation de l'art ancien se sont donc trouvées insensiblement branchées sur le glamour, le commerce de luxe et les défilés de mode déhanchés et branchés. Ce ne sont pas les seules disciplines à connaître ce sort. La politique, la littérature, les arts, la religion, et même les sciences exactes ont dû se jeter dans la piscine cathodique et probatique du *marketing*, dans l'espoir d'y jouir eux aussi de l'audience contemporaine que vaut aux autres leur bain de jouvence dans le *bluff*. Toutes ces formes du croire et du savoir, naguère si soucieuses d'en imposer, sont ressorties du bain impudiques et racoleuses, les yeux fixés sur leur image, la remodelant et la profilant selon la courbe des sondages. La publicité Samsung, invoquant Van Gogh, le plus mythique des peintres anciens, le peintre martyr de son art, a-t-elle été conçue en Corée, où l'on ignore encore à quel degré d'amnésie de tout ce qui est « passé », l'Europe peut parvenir, afin de se montrer vraiment contemporaine, et changée enfin, de fond en comble, en *success story* ? Si l'affiche a été conçue en France, est-elle due à un plasticien surréaliste, pratiquant à contretemps la citation, le collage et le second degré ? Il s'est fait plaisir. Cela arrive.

12. Grandeur et décadence de l'encadrement ancien

Sur un seul point, le « concept » de ce *designer* anonyme n'a pas trompé ses patrons asiatiques. Le Van Gogh télévisé de son affiche est encadré de métal gris, brillant et coupant. Complémentaire de la « reproduction mécanique » qui abstrait le tableau de sa réalité tactile, ce cerne froid achève de le soustraire au métier ancien, à la pulpe charnelle du châssis de bois, de la toile tendue, des pigments, des touches de la main et du pinceau, bref au corps vivant de l'œuvre où le peintre a incarné, dans la figure du moissonneur au repos, l'idée contemplative et nourricière qu'il se fait de son art : cet entour glacial, qu'affectionnent les galeries de photographie, transporte le chef-d'œuvre du « pauvre Vincent » dans le monde optique *high tech* où l'œil contemporain est encagé et l'y réduit au rôle de rouage dans la machine à duper. Iconoclasme indirect, iconoclasme d'écornifleurs, mais iconoclasme à faire se retourner Van Gogh dans sa tombe.

Un seuil a été franchi depuis le modernisme. Les peintres modernistes, à commencer par Picasso, ont toujours exigé que leurs toiles soient pourvues de cadres anciens authentiques, ce qui a fait monter aux étoiles le prix de ces petits chefs-d'œuvre d'ébénisterie artisanale des XVIe, XVIIe et XVIIIe siècles, l'équivalent pour le tableau de la reliure en maroquin à filets dorés pour le livre précieux. Cet encadrement de matière vivante, bois ou peau, chaleureux pour le tact comme pour la vue, outre l'effet de contraste de son luxe ancien avec l'échevellement neuf de la beauté « absolument moderne », attestait aussi (et peut-être surtout) le *pedigree* du tableau moderniste. Il situait l'œuvre dans la lignée du grand art au moment même où elle feignait de le défier, et il la prédestinait à faire son entrée un jour au Musée, dans la compagnie auguste de ses aînés. C'était pour Picasso un tour de magie rendant inévitable son entrée au Louvre et, à défaut, l'idée de l'exposition « Picasso et les maîtres » qui cet automne 2008 attire les foules au Grand Palais pour le malheur et de Picasso et des maîtres.

Par son cadre, dont Baudelaire a écrit qu'« il ajoute à la peinture / Je ne sais quoi d'étrange et d'enchanté / En l'isolant de l'immense nature », le tableau ancien s'isole du monde éteint des perceptions courtes et se déclare fenêtre ouverte par l'art sur un monde de perceptions et de suggestions vives qui résonnent en profondeur, dans les sens comme dans l'âme. C'était déjà vrai pour les « fresques » de la « Villa des Mystères », dont chaque scène forme « tableau » séparé par un pilastre ou une colonne en trompe-l'œil. C'était vrai aussi pour les icônes byzantines, que l'on présente dans les expositions dénuées de cadres. Il arrive qu'elles aient un cadre peint. Il arrive souvent qu'elles aient été pourvues d'un cadre d'argent, parfois très envahissant, sculpté en bas-relief, œuvre d'art humaine : cette coque froide assurait la transition entre le monde profane et ce qu'elle protégeait, la théophanie, non faite de main d'homme, du Christ, de la Vierge, du saint, se révélant dans les pigments et le bois chauds de la sainte image. Cela reste vrai pour les retables gothiques de bois doré, dont le déplacement et la mise en scène scientifique, (c'est le cas par exemple de la *Maestà* de Duccio, sublime retable dépecé aujourd'hui à Sienne dans un montage de métal pauvre et abstrait) tuent littéralement l'*aura* surnaturelle, réduisant chaque compartiment isolé à sa matière et à ses pigments. C'était aussi vrai pour les fresques de Giotto à l'Arena de Padoue, toutes encadrées en trompe-l'œil par le peintre, et cela vaut encore pour les plafonds de Michel-Ange et d'Annibal Carrache, véritables collections célestes de « cadres rapportés ». L'art travaille à faire surgir le monde de l'esprit vivant découpé dans le monde de la lettre morte. La multiplication à la Renaissance de tableaux de délectation et de collection tout profanes, de proportions modérées, n'a fait que rendre plus indispensable leur encadrement, auquel un Poussin, qui « ne négligeait rien », accordait une attention minutieuse. Le monde profane de l'esprit se guérissant du désordre du monde devait, comme celui de la dévotion, s'isoler de celui des perceptions confuses et éphémères.

Le cadre des XVIe et XVIIe siècles est semblable à la scène de théâtre classique : il dessine comme elle le seuil d'un espace fictif où le spectateur est invité à délaisser le chaos de ses sensations ordinaires et à jouir de leur mise en ordre et en correspondance harmonique. Il est semblable aussi à la toilette, au maquillage et aux bijoux dont la beauté des femmes s'encadre et s'arrache à la nature pour s'exposer en seconde nature, en œuvre d'art : thème baudelairien s'il en est. En l'adoptant pour se cerner, le tableau moderniste affirmait sa généalogie et son appartenance légitime au monde des perceptions à longue portée, sauf qu'il allait jusqu'à arracher le regard non seulement aux habitudes perceptives banales, mais même à celles qu'avaient récréées ses illustres prédécesseurs, entre-temps banalisées. Art de haute culture critique, art du second degré, art qui tire à répétition ses dernières cartouches, avant que le rideau ne tombe.

Balzac, dans *Le Chef-d'œuvre inconnu*, a prévu, avec près d'un siècle d'avance, cette chute du rideau, et ce qu'il a appelé lui-même, dans une prémonition visionnaire, « le suicide de l'Art ». Il était pourtant le contemporain d'Ingres, de Delacroix, de Corot, mais il ne s'est pas fié aux apparences de cette splendide arrière-saison de l'art de peindre. Il a fait surgir dans un XVIIe siècle de fantaisie le personnage démonique de Frenhofer, peintre de génie, couvert de gloire et d'or, maître virtuose de tous les secrets illusionnistes de son art, tant de la « ligne » florentine et dürerienne que du « coloris » vénitien et corrégien. Affranchi du mécénat d'Église, anticipant sur la fin du mécénat d'État, impatient des conventions dont les petits maîtres qui l'admirent et qu'il terrorise s'accommodent, Frenhofer se veut libre de franchir les limites de son art, d'aller au-delà du trompe-l'œil, au-delà des frontières assignées à la perception naturelle : il a cru s'emparer des « arcanes » de la nature et rivaliser avec Dieu, en créant sur sa toile, dans la « quatrième dimension », une Ève inouïe, plus vive et plus lascive que toutes les plus belles femmes présentes ou représentées dans l'espace euclidien.

Balzac prévoit le Courbet de *L'Origine du monde*, le Cézanne qui se reconnut en Frenhofer, le Duchamp du *Nu descendant l'escalier*, et même le Picasso des *Demoiselles d'Avignon*, qui a consacré une suite admirable d'illustrations gravées au *Chef-d'œuvre inconnu* en 1931. Dans le secret et la solitude, le Frenhofer imaginé par Balzac travaille depuis dix ans à franchir les frontières de la perception rétinienne et à pénétrer les sources mêmes de la vie et de la vue. Quand il dévoile enfin, devant ses hôtes, le chef-d'œuvre qu'il juge achevé, les deux spectateurs, des peintres, ne voient que « des couleurs confusément amassées et contenues par une multitude de lignes bizarres, qui forment une muraille de peinture ». Du chef-d'œuvre, il ne reste que le cadre. De cet iconoclasme, de cette « destruction », de cette « ruine », de ce « brouillard », ne surnage, dans un coin de la toile, qu'« un pied délicieux », ce qui fait dire à l'un des peintres : « Il y a une femme là-dessous. » Allant jusqu'au bout de la logique du mythe qu'il a construit, Balzac prévoit les « papiers peints apocalyptiques » obtenus par le travail forcené du *dripping* d'un Jackson Pollock, qui se suicida en 1956 [1], comme le fictif Frenhofer dans la nouvelle fantastique de Balzac. Le tableau vide pour la vue naturelle, réduit à un cadre et à un écran, tel qu'il apparaît aux confrères de Frenhofer ébahis, préfigure aussi le « Carré blanc » de Malevitch, les carrés « en abyme » de Josef Albers, abstraits de toute visibilité autre que négative. Le mythe balzacien résume par avance toute la lyre des recherches contradictoires déployées par la peinture moderniste pour briser l'illusion visuelle et faire parvenir leur art à une « vision intellectuelle » qui force les frontières de la « vue naturelle ».

Les premiers, les marchands des impressionnistes et (posthumément) de Van Gogh ont fait valoir leurs paysages de grand air, rompant avec le « léchage » exquis des Joseph Vernet ou des Hubert Robert, dans des cadres Louis XV qui les reliaient à la famille classique des paysagistes du Grand Siècle et des Lumières, Claude Lorrain ou Valenciennes. Les Ambroise Vollard, les Daniel Kahnweiler, les Paul Rosenberg, en firent

1. Voir, sur l'expressionnisme abstrait new-yorkais, le catalogue de l'exposition *Action/ Abstraction, Pollock, De Kooning and American Art, 1940-1976*, éd. Norman Kleeblatt, Jewish Museum-Yale University Press, 2007, où sont analysées les interprétations contradictoires de Harold Rosenberg et de Clement Greenberg sur cette famille de peintres américains.

autant pour Cézanne, pour Picasso, pour Braque, pour Matisse. C'était leur façon à eux, gens d'affaires, de rendre hommage à la sphère désintéressée de l'*otium* où dialoguaient artistes et collectionneurs, et qu'ils tenaient à honneur de servir. C'était aussi tendre un pont, le dernier possible, la forme de la fenêtre, entre la tradition de la peinture dite « rétinienne », s'appuyant sur la vue naturelle et commune pour la métaphoriser, et l'*hubris* moderniste d'une peinture déconcertante, dont le foyer s'est déplacé d'emblée dans l'au-delà ou l'en deçà de la vue naturelle et non plus seulement de la vue de près à la vue de loin.

Le cadre d'acier Samsung, brillant et neuf, entourant la reproduction photographique *brillante et neuve* d'un Van Gogh (le *neuf* est une agression, un tape-à-l'œil, le *beau* a besoin de temps pour s'en départir), ne se borne pas à mettre celui-ci sur le même plan que les myriades d'images de trois secondes que tout écran de télévision a pour vocation de faire défiler : il ôte à la reproduction photographique du tableau, et implicitement à celui-ci, toute prétention à s'isoler de la seconde nature optique, technique et utilitaire dans laquelle la copie, et implicitement l'original, sont pris comme l'abeille dans l'ambre ; il les soustrait à la galerie de prédécesseurs qui, comme Van Gogh et avant lui, ont tourné le dos à la perception affairée pour ouvrir le regard à l'autre côté, contemplatif et délectable, du miroir. Ce liséré de métal qui repousse tout plaisir des sens n'évoque rien d'autre que les menottes qui cadenassent les mains du galérien à la rame qu'il est contraint de mouvoir sous le fouet. Il est en parfaite cohérence intentionnelle avec le faux luxe vitré et électrifié, proliférant et impérieux, technologique et utilitaire, où la mise en scène des expositions d'œuvres d'art se plaît de plus en plus souvent à piéger retables et tableaux anciens, dépouillés de leurs cadres d'époque, sous couleur de ne rien interposer entre l'œil et son objet. L'alibi d'une telle délocalisation est tantôt le progrès de la connaissance scientifique, qui obligerait l'exposition à poser au laboratoire, tantôt la satisfaction accordée au public, que l'on suppose dûment conditionné par l'*interior design* des magasins de mode, des restaurants branchés, des « boîtes » de rock et de danse, des mises en scène d'opéras relookés et ne supportant plus que le tape-à-l'œil.

Le souvenir coupant de l'acier du cadre Samsung dans son abribus transparent a rejoint et éclairé l'impression de malaise que j'ai éprouvée, quelques mois plus tard, lors d'une visite de l'exposition Sebastiano del Piombo, dont la mise en scène, dans les hautes salles du XVIe siècle du Palazzo Venezia, à Rome, était signée Luca Ronconi, célèbre metteur en scène d'avant-garde de théâtre et d'opéra. Ronconi a métamorphosé ces hautes salles en une suite de caves violemment éclairées au plafond par du néon de couleur crue, verte, rouge ou violette, et, pour leur moitié inférieure, plongées dans une pénombre teintée d'en haut. Privés pour la plupart de cadre, les tableaux de ce coloriste vénitien converti au dessin de Michel-Ange, restaurés à neuf, incrustés dans un épais velours sombre derrière leur vitrine de plexiglas vivement éclairée, semblent faire tapisserie le long des murs, brillants comme s'ils étaient leurs propres photographies argentiques ou une séquence télévisée de la chaîne Arte. Leur *colore* est à demi mangé par la vapeur électrique de teinte vulgaire venant du plafond et imprégnant chaque salle d'une teinte différente et uniforme. En réalité, cette « exposition » Sebastiano del Piombo est une « installation » Ronconi, où les œuvres du grand ami vénitien de Michel-Ange sont traitées en citations ou en cabochons de joailliers, intégrés et détournés dans une ambiance de boutique de luxe lugubre et post-moderne, celle qu'affectent les galeries d'art contemporain de New York, de Paris et de Londres. Rome n'est plus dans Rome.

13. La Fée électricité et son optique

> *L'électricité, du temps de Napoléon, avait à peu près l'importance que l'on pouvait donner au christianisme au temps de Tibère. Il devient peu à peu évident que cette innervation générale du monde est plus grosse de conséquences, plus capable de modifier la vie prochaine que tous les événements politiques survenus depuis Ampère jusqu'à nous.*
>
> Paul VALÉRY.

Les descendants de Talbot, de Daguerre et des frères Lumière, heureux nains grimpés sur les épaules de ces géants inventeurs, se voient en héritiers et en rentiers du flux d'images qui nous assaille de tous côtés, encore augmenté et accéléré récemment par l'Internet : nous engrangeons la grasse moisson des semences plantées par nos arrière-grands-parents, inventeurs, premiers consommateurs et multiplicateurs de la technique baptisée par Herschell « dessin de lumière », *photographie*, (au lieu du « dessin d'ombre », *skiagraphie*, des ateliers d'artistes anciens). Il n'était question alors que de chambre obscure où se révélaient sur la plaque de verre sensibilisée les effets optiques de la lumière du jour. Le cinéma, et à plus forte raison la télévision, l'informatique et le digital n'ont pu voir le jour qu'en se branchant sur la lumière électrique. Le monde qu'ils nous montrent et que nous habitons fonctionne à l'électricité et il est pour l'essentiel éclairé par des lampes, des projecteurs ou des flashes électriques. Une Apocalypse moderne commencerait par une panne générale d'électricité. Notre œil, nos sens, notre façon d'être au monde se sont accommodés à sa lumière artificielle, à sa chaleur artificielle, et nous vivons dans un cocon électrique de science-fiction quotidienne, substitué à l'ancienne planète et à sa lumière. Toute la préhistoire de ce monde second et les reliques qui en proviennent, nées sous un autre soleil, relèvent d'un inimaginable univers archaïque, un âge des cavernes de longue durée, dont le « regard éloigné » de l'ethnologue et de l'archéologue imaginatifs est seul à pouvoir se représenter l'éclairage original. Pour le rendre acceptable à notre optique électrique et à l'œil de nos caméras, il faut faire oublier, par des mises en scène technologiques, que le passé, tout le passé, celui des artistes et celui de leur clientèle, ne vivait pas sous le même soleil et dans la même nuit que nous. Le peintre par excellence, le Créateur qui prononça le sublime *« Fiat lux »* de la Genèse, le « Soleil des esprits » de saint Augustin, a bien du mal, et on le comprend, le pauvre, à rester en mémoire dans la bulle artificielle créée par les magiciens électriques de la commodité, du confort et de la sidération.

La réception de la peinture, dévotionnelle ou profane, par ses spectateurs, et cela jusque très avant dans le XIXe siècle, a été prévue par l'œil des peintres pour la lumière naturelle, leur objet et leur allié privilégié, même lorsqu'ils la captaient en atelier et avec l'aide de la *camera oscura*. La lumière du soleil, accompagnant la connaissance du matin et celle du soir, avait pour prolongement, de nuit, cette autre lumière naturelle, vivante et magique, diffusée par la flamme des cierges et des torches de cire. Toute une grande famille de peintres occidentaux, de Luca Cambiaso à Caravage, Ter Borch et La Tour, a fait de la flamme alimentée par l'huile ou la cire végétales, la figure d'une vision spirituelle s'arrachant aux ténèbres, voire un symbole de la grâce se frayant dans l'opacité et l'obscurité de la matière. Héritier d'une tradition qui remonte à l'ancienne Égypte, Swift fait encore au début du XVIIIe siècle l'éloge des abeilles, montrant dans ces insectes de pauvre apparence des sources naturelles d'inspiration et d'énergie qu'il compare aux Muses, et que nous comparerions, nous, avec un contresens, à nos centrales électriques. Les abeilles de Swift n'extraient-elles pas du suc et du pollen des fleurs, les biens les plus précieux que les hommes aient reçus du ciel, la douceur nourrissante du miel et la lumière bienfaisante de la cire ? La lumière du jour, dans ses degrés et ses irisations infinies, a toujours passé pour la présence du divin lui-même dans le monde sensible. Le Dieu de la Bible, invisible et inimaginable, se manifeste sous le voile de la météorologie. Et Cézanne adressait à ses visiteurs ce mot d'ordre de paysagistes du XIXe siècle : « Sortons au soleil. » Richard Wagner a-t-il été le premier à pressentir cet exil de l'œil dans la lumière artificielle que l'art aurait désormais la mission impossible de corriger ? Nietzsche lui fait dire, dans *La Naissance de la tragédie*, que la civilisation (au sens de Buffalo Bill) est abolie par la musique « comme la clarté des lampes par la lumière du jour ». Il ignorait encore l'abolition, par le chauffage urbain, du feu de bois et de ses flammes dansantes, où frémissait quelque chose du buisson ardent devant lequel Moïse fut invité à ôter ses sandales. Les puissances silencieuses du rêve et de l'imagination qu'éveillaient les caprices des bûches enflammées et leurs crépitements, inépuisable spectacle perpétuellement renouvelable, ont été éteintes au profit du *zapping* sur l'écran, lui-même substitué au paravent de cheminée.

Nous sommes si bien conditionnés par des images produites et éclairés par la lumière électrique que nous préférons, dans nos musées et expositions, obstruer les verrières et fermer les fenêtres à la lumière du jour pour éclairer violemment les tableaux anciens et modernes par des projecteurs électriques [1]. Nous faisons semblant d'ignorer que, de leur côté, les restaurateurs s'ingénient en coulisse à faire ressembler les tableaux anciens à leurs propres reproductions photographiques en couleurs, prises sous de puissants projecteurs. La lumière électrique est devenue pour nous la norme. La lumière naturelle est devenue l'exception que nous accommodons inconsciemment à la norme. Jean Baudrillard a pu écrire que les États-Unis, dans leurs villes comme dans leurs paysages, sont un vaste simulacre construit en studio et attendant projecteurs et caméras. L'intuition est fine, mais il est injuste de l'appliquer aux seuls États-Unis. En fait, c'est l'accoutumance de l'œil moderne, réglé sur la photographie, elle-même entièrement incapable de percevoir et de faire percevoir la différence entre la « nuit américaine » en studio et le soleil du plein jour, qui nous enferme dans un monde prédestiné et préconditionné à l'objectif et aux projecteurs. Nous avons intériorisé un œil électrique qui a le pouvoir d'irréaliser, dans une même saisie possessive et niveleuse, dans la même lumière abstraite, comme l'objectif de la caméra, tout ce qu'il fixe. C'est un œil scientifique et clinique, approprié à la salle d'opérations, au laboratoire, à l'usine, à la prison. Il a fallu inventer le variateur pour farder et moduler, comme les filtres des appareils photographiques et le logiciel Photoshop, la vérité spectrale que ce type de regard a vocation de fixer. À la lumière électrique, la chair n'est plus que matière, les œuvres de l'esprit et de la main que clinquant. Le néon des autobus et du métro, la nuit, fait de leurs compartiments autant de bolges dantesques et de morgues ambulantes dont les photographes actuels se délectent, comme si ce mode funéraire d'apparition des êtres était le mieux accordé à la visée de leur caméra, tenant lieu de notre œil naturel.

1. Voir les pertinentes remarques sur ce détail qui n'en est pas un dans le beau et savant livre d'Avigdor Arikha, *Peinture et regard*, Paris, Hermann, 1992.

Le meilleur témoignage qui nous reste de la lumière du jour, son musée pour ainsi dire (encore faut-il qu'ils soient exposés dans leur propre lumière), ce sont les incroyables tableaux de plein air, peints « sur le motif » par les peintres impressionnistes. On dirait qu'ils se sont hâtés et multipliés, fureur prémonitoire qui habita encore Cézanne, Seurat et Balthus paysagiste, de capter et de retenir à temps, sur leurs toiles, les merveilles et les miracles d'un monde encore perçu et éclairé à la lumière du jour, avant que le rideau ne tombe et que l'œil humain ne bascule, accommodant la nature elle-même, de jour comme de nuit, à la lumière artificielle, au regard photographique, à l'imagination cinématique. C'est grâce à eux, derniers témoins qui se savaient l'être, et en nous souvenant d'eux, qu'il nous est encore donné de découvrir et de reconnaître la douceur des choses, quand elle se présente soudain à nous, au cours d'une promenade à pied, avec un courant d'eau limpide, un bosquet d'arbres, un jardinet, une prairie. Saisis par la réminiscence de ce que ces peintres du plein air ont montré, nous voyons tout à coup comme eux, comme *avant*. Cette révélation vient rarement seule : dans l'instant où nous voyons ce qui nous est d'ordinaire caché, nous entendons des gazouillis d'oiseaux, des grésillements d'insectes, un son lointain de cloches, le chant du monde, là où nous avions emporté une oreille encore obstruée de bruit, un odorat amoindri, une main calleuse de polystyrène.

Dans le temps même où la Fée électricité commençait à répandre son indispensable et irréfutable commodité, les paysagistes européens ont rendu visible un peu plus longtemps, avant qu'elle ne s'éclipse, cette merveille que toute l'humanité, riche ou pauvre, avait tenue jusque-là pour allant de soi et dont elle jouissait sans le savoir, l'hospitalité de fête accordée par l'Ange du jour et celui de la nuit à la saveur des êtres et des choses de ce monde, modestes ou magnifiques, une théophanie habituelle. Le monde second qu'a créé l'éclairage électrique est loin d'être aussi égalitaire que le précédent. Ici, sous les spots, l'excès d'éclairage et là-bas l'aveuglement, sous l'ampoule unique suspendue à un fil, dont Picasso dans *Guernica* a fait un symbole de fin du monde, de terreur sans phrase. Aussi n'est-il pas surprenant que l'œuvre de Monet ait attiré plus souvent que toute autre la fureur d'iconoclastes. Bons logiciens, les « actionnistes » qui trouent les toiles impressionnistes portent à ses dernières conséquences un « Art contemporain » qui ne tolère pas que l'on vive ailleurs que sous le néon et dans la piscine cathodique. La Fée électricité ne veut de fête qu'éblouie par les flashes et les sunlights, assiégée par des essaims de paparazzi à corps d'homme et à tête de métal noir ; elle ne veut connaître de ville, de campagne et de champs que filmés ; elle a enfin trouvé dans le « contemporain » l'art qu'il lui fallait, grand consommateur de kilowatts et ne devant rien qu'à ses commutateurs.

14. L'art ancien, embarrassant et gêneur

Avant que les peintres de la fin du XIXe siècle n'en arrivent à voir, dans la lumière naturelle, le dernier luxe laissé à l'œil humain par l'envahissante lumière artificielle, les peintres et miniaturistes d'« images saintes » firent longtemps appel à une lumière surnaturelle, le fond d'or, dépourvue d'ombre, possible extrait par l'imagination créatrice de l'expérience ordinaire du plein ciel. La perte de sensibilité à la lumière, comme « forme symbolique » par excellence, est l'un des « dommages collatéraux » de la richesse électrique, concurrente du ciel, démon de la mise en scène artificielle et photographique du monde. Les chefs-d'œuvre de l'art ancien et leur restauration doivent s'y plier. Ils sont mis « à notre portée », afin de nous dispenser de nous mettre à la leur. Ces gêneurs ne nous rappelleront plus que nous marinons dans un éclairage qui a vaincu la lumière.

Reste que le *designer* employé par Samsung fait appel implicitement au nom de Van Gogh, comme l'Italien Ronconi, explicitement, à celui de Sebastiano del Piombo. Leur nominalisme n'est-il pas encore une forme d'hommage du vainqueur au vaincu ?

Lors d'un bref retour à Paris courant novembre 2007, j'ai constaté que Samsung avait déjà rectifié le tir. Une seconde bordée d'affiches, lancée à l'assaut du Paris hivernal, montrait, dans des couleurs crues, une mariée en blanc (souvenir de la fiancée de verre brisé, chère à Duchamp ?) envoyant en l'air son bouquet à travers le cadre métallique de l'écran plat, avec ce commentaire : *Imaginez des images dont la fluidité est incroyable*. En trois mois, on est passé de la sophistication du concepteur surréalisant à un collègue persuadé que l'air du temps est au virtuel et que l'envie de télévision, comme celle de se marier, se confond désormais avec l'appétit insatiable d'accélérer le mouvement et de sauter à pieds joints dans la piscine de l'imaginaire préfabriqué. Foin du paysan au repos de Van Gogh, empêcheur de fluidité fluorée. Fin novembre 2008, les affiches Samsung ont réapparu encore une fois en rafale dans les abribus Decaux, elles invitent sans ambages à se débarrasser des images et des écrans plats de l'an dernier et à se pourvoir de l'image définitive sur l'écran encore une fois perfectionné : *Vivez la Révolution HD*. En deux ans, il aura fallu changer trois fois de récepteur.

Ce qui est vrai de l'acte de voir, de mois en mois réajusté, l'est aussi de l'acte d'écrire. Il a été très longtemps cousin de l'inscription et de la gravure sur pierre, sur cuivre, sur parchemin, sur papier, tous supports durables. Il s'apparente maintenant au jet d'une fine poudre de sucre toujours menacée de fondre à la surface de l'eau blanchâtre d'un écran-piscine. Il faut changer tous les deux ans en moyenne d'ordinateur, chaque fois pourvu d'un logiciel plus performant. Chaque machine dernier modèle s'arrange pour réduire l'imaginatif ayant eu l'imprudence de renoncer à la plume et à la feuille blanche au sort de l'esclave fugitif, rattrapé par les chiens de son maître et coupable d'avoir ignoré que la discipline binaire de la plantation de coton a été perfectionnée. Je n'ignore pas les merveilleux avantages de ces étonnantes machines, mais leur empressement à se renouveler toutes, si souvent, et du même mouvement, et à ne jamais simplifier leur maniement, me fait entrer de gré ou de force dans une *assembly line* d'un nouveau genre, contre laquelle il est sacrilège ou pis, coupable et idiot, de regimber, car cette fois l'esclavage est ovationné par la volonté générale : ses féroces chagrins doivent être tus : une *omertà* sans faille les condamne au silence et à la dissimulation.

A-t-on au moins le droit de rire sous cape ? L'affichage Samsung de l'automne 2007, à Paris, a coïncidé, dans le temps, avec l'inauguration à Venise d'un miracle technologique, sans doute mineur, en comparaison des écrans Samsung et des piscines à écrire Microsoft, mais non moins riche en enseignements : le clonage des *Noces de Cana*. Samsung sait liquider un original, le clonage digital sait le dédoubler. Nous sommes sur la voie du musée de demain, affranchi du statut assigné aux musées d'hier, conservatoires d'originaux tenus pour uniques et interdits de simonie. Après tout, on assiste plus commodément à une grand-messe à Saint-Pierre de Rome ou à Notre-Dame de Paris sur un écran géant dressé à l'extérieur, qu'à l'intérieur de la nef. Et on a mieux vu, et revu, au télescope, en gros plan à l'écran, le coup de tête historique de Zidane dans la poitrine de Materazzi, que les spectateurs présents dans les tribunes (qui s'en souvient ? L'image-choc est biodégradable, et tant d'autres gestes médiatiques ont depuis remplacé celui-là !). Reste que la copie, à l'inverse de ce que pensait Platon, non seulement peut se montrer l'égale de l'original, mais même lui être supérieure. Dans ces conditions, la reproduction numérisée des trésors de musées, plus parfaite que leurs originaux et propice à une exploration optique élargissant l'emprise naturelle de l'œil humain, pourrait être déployée « en boucle » dans des sites virtuels, sur grand écran, par simple pression du doigt sur un clavier. Une autre pression, et un logiciel Photoshop permettra à chacun de mettre des moustaches à la Joconde et de faire d'un Bacon une montre molle à la Salvador Dalí. Finie la vieille superstition de l'authentique qui fait foi et sur lequel le regard peut se poser et scruter, sans errer davantage. Finis aussi le face à face de l'œil vivant et de l'image vive, le corps à corps voluptueux du désir de beauté avec l'objet qui le comble, ou qui du moins le leurre généreusement. Adieu à l'*otium*.

15. Le clonage de photographies, stade suprême de l'« Art contemporain »

Il faut le reconnaître, la notion platonicienne de Forme originale, stable, authentique, mère malgré elle d'images dérivées, dégradées, friables, fondement métaphysique du droit d'auteur, a toujours été relative dans la pratique des artistes comme dans le jugement des connaisseurs. Célèbre est le cas de l'atelier anversois de Rubens, où le maître se contentait souvent d'apposer la touche finale sur des tableaux exécutés dans sa manière par ses collaborateurs (Van Dyck fut l'un d'entre eux) d'après ses dessins originaux ou bien sur les copies, exécutées sous ses yeux, de tableaux entièrement de sa main. Même méthode dans l'atelier de sculpture du Bernin, à Rome, où des collaborateurs formés par le maître transposaient dans le marbre ses esquisses en terre cuite, avant qu'il n'y apporte la touche finale. Les collectionneurs les plus huppés du XVIIe, du XVIIIe et même du XIXe étaient heureux d'avoir chez eux des copies d'atelier, voire de bonnes copies tout court, d'œuvres de maîtres, peintes ou gravées, qui voisinaient dans leurs galeries avec des « originaux » au sens le plus strict. La notion d'original n'en a pas moins gardé toujours sa valeur idéale de référence, bien avant qu'elle ne soit devenue exacte, voire terroriste, dans l'histoire de l'art scientifique et technologique d'aujourd'hui. Avant d'acheter un tableau, une statue, on s'en assurait par la vue directe et physique, au moins par l'intermédiaire d'un connaisseur de confiance servant d'intermédiaire. Après l'achat, on l'avait sous les yeux, on en jouissait. Nous avons changé tout cela. Tout est devenu flou et ambigu, au moment même où la précision de l'image numérique et de l'expertise scientifique atteignait à la netteté d'un regard surpuissant. Mais j'ai trop procrastiné dans ma chambre, où, en dépit de Pascal, je me suis tenu coi sans ennui. Il est temps d'en sortir et de me promener dans New York.

Sur la rive élégante de la Cinquième Avenue, face à Central Park, à l'intérieur du *Museum Mile* (le kilomètre des Musées), d'immenses bâches cachent, cet automne 2007, le chantier de la nouvelle aile en construction, futur cube de verre signé Renzo Piano, du Salomon G. Guggenheim Museum. La maison-mère, qui a essaimé récemment aux quatre coins du monde, a été longtemps confinée dans l'énorme escargot de béton rosâtre de Frank Lloyd Wright, recyclé d'un ancien projet de garage à voitures en spirale que le vieil architecte, dont Chicago se glorifie, avait dans ses cartons au moment de la commande. Ce musée privé s'est rendu célèbre en 2000 en abritant dans ses murs new-yorkais, avant de l'exporter dans le monde et finalement à Milan, une exposition de fripes du couturier milanais Giorgio Armani, le consacrant « artiste contemporain » global. Une controverse accueillit cette initiative. Elle s'éteignit vite.

Le Guggenheim (et ses ambassades à travers le monde) n'avait fait qu'élargir le champ d'action des coups de baguette magique dont New York a conquis l'exclusivité dans les arts comme à la Bourse, et par lesquels le rien devient quelque chose, la boîte Brillo une statue de Donatello, des affiches déchirées une fresque de Goya, une citrouille un carrosse.

Sur la bâche du chantier, une inscription en hautes lettres majuscules annonce depuis quelques jours l'exposition personnelle qui occupe cet automne les rampes en pente du vaste garage-Musée : RICHARD PRINCE, SPIRITUAL AMERICA. Tout au long de la Cinquième Avenue, jusqu'à la hauteur de l'hôtel Plaza, des oriflammes suspendues aux réverbères répètent en miniature l'inscription de la façade du musée et l'image en couleurs qui l'accompagne. Cette image indéfiniment multipliée représente, en surplomb et en gros plan, un cow-boy chapeauté au repos, chemise rose, ceinturon de cuir, cigarette allumée au bout des doigts.

Un tel déploiement de drapeaux et d'effigies est réservé, à Paris comme à New York, aux chefs d'État ou au pape en visite. Mais l'artiste Richard Prince, dont la célébrité n'a fait que croître depuis ses lointains débuts dans les années 1970, connaît dans cette rétrospective de trente années de chefs-d'œuvre et de cote sans cesse en hausse sa canonisation de poids lourd de l'« Art contemporain » américain, donc mondial. L'Europe l'a en effet consacré : une ligne de sacs Louis Vuitton s'inspire de sa série intitulée *Nurses*. Il était temps que New York leur fît fête, et la cérémonie est à la hauteur du nouveau saint.

Un étage circulaire entier de la tour de Babel du Guggenheim correspond à l'image publicitaire rabâchée sur la Cinquième Avenue. D'immenses photographies, qui ont un air insistant de déjà vu sur des panneaux publicitaires haut perchés, le long des autoroutes européennes, déclinent en couleur, dans diverses postures et devant divers paysages de forêt ou de désert, le jeune cow-boy Marlboro en uniforme, flanqué de sa belle monture. Ma visite a coïncidé avec une interview dolente, publiée le même jour dans le *New York Times* du 6 décembre, d'un photographe commercial, Jim Krantz, natif de Chicago, qui avait découvert quelques jours plus tôt les oriflammes de la Cinquième Avenue et l'étage « Marlboro » de la rétrospective Prince. Cela l'avait mis d'exécrable humeur. Il n'avait eu nulle peine à reconnaître dans les deux cas des clones, tirés à l'identique, d'une campagne de photographies qu'il avait faite en 1990, dans un ranch d'Albany, au Texas, pour le compte de la fameuse compagnie de cigarettes et, maintenant, de vêtements décontractés. Il était au courant depuis longtemps, mais voir la chose de ses propres yeux lui a fait un choc. Il a donc saisi l'occasion de se plaindre en public. Il savait par exemple que l'un des clones de ses propres clichés, signé Richard Prince, avait « fait » un million deux cent mille dollars en 2005, dans une vente publique. Trois ans plus tôt, un autre de ces clones, dont le seul mérite était son agrandissement gigantesque, n'avait « fait » que trois cent mille dollars. Le plagiat dans les arts ne cesse de rapporter davantage. Quelle tentation pour la biogénétique d'en faire autant avec la nature !

Les avant-gardes artistiques depuis un siècle ont déversé des tombereaux de dédain sur l'« imitation » des peintres et dessinateurs anciens, imitation servile de la nature, imitation simiesque de l'antique et des maîtres, misérable démission et esclavage de l'Art. Tant d'orgueil et de volonté d'originalité absolue ont fini par aboutir impunément à la glorification hautaine du pur et simple recopiage ! *Spiritual America* vaut la visite à quinze dollars (prix *Senior*).

Les clichés originaux de Jim Krantz, tous ensemble, lui ont beaucoup moins rapporté qu'à Richard Prince un seul des clones que l'« artiste » en a fait tirer. Mais le photographe commercial peut-il porter plainte ? Le copyright de ses originaux appartient à la compagnie Marlboro, et Prince, avant même de devenir célèbre, avait pris toutes ses précautions juridiques, obtenant pour ses clones un copyright exceptionnel d'originaux « détournés », justifié par son « concept » d'artiste : l'appropriation d'images toutes faites. Aux plaintes qu'il reçoit, aux procès qui lui ont été intentés, et que ses avocats ont gagnés, il a toujours rétorqué qu'il ne considérait pas sa matière première, les images publicitaires et commerciales, comme ayant des « auteurs » ! Le pire, c'est qu'il n'a pas tout à fait tort.

À ce stade de cynisme, la « reproductibilité mécanique des œuvres d'art » dont se plaignait Walter Benjamin dans les années 1930 atteint des proportions borgésiennes que le philosophe n'avait pas prévues, pour la bonne raison que, comme Baudelaire, il ne tenait pas la photographie pour un art et n'attribuait aucune *aura* à des images « non faites de main d'homme » et, par définition, indéfiniment reproductibles. Affrontons néanmoins le vertige dans la spirale du Guggenheim : avant que l'« auteur » et « artiste » Prince ne se les approprie, les photographies originales, mais commerciales, de Jim Krantz ont été reproduites en affiches par Marlboro à des dizaines de milliers d'exemplaires et publiées sur panneaux publicitaires en Europe et en Asie. Impossible de calculer les centaines de millions de spectateurs qui les ont vues. Quant à leurs clones, « originaux au second degré », exemplaires à tirage limité signés par l'« artiste » Richard Prince, ils n'en sont pas moins eux-mêmes reproduits *ad libitum* non seulement en oriflammes publicitaires, mais en cartes postales, vendues avec succès à la boutique du Guggenheim pour neuf dollars pièce. Que de pieds ont été enfournés dans la même chaussette *originale* tricotée par Jim Krantz !

Professionnel de la photographie commerciale, Krantz est contemporain de l'accès de son métier au rang de grand art exposé dans les musées et faisant les beaux jours des salles de vente. C'est le *breakthrough*, la percée décisive réussie par Andy Warhol, en 1962 exactement, qui a supprimé la hiérarchie entre le design publicitaire servile où il avait brillé jusqu'alors et l'Art noble des galeries et des musées où il brûlait de s'introduire. Mais Krantz s'y est mal pris, ou trop tard. Resté artisan de la photographie publicitaire, franc du collier, il n'a droit ni au titre d'artiste ni à celui d'« auteur », dont jouit pleinement en revanche son copilleur Prince, coucou niché dans le nid dont il a été délogé. Sans cette interview au *Times*, Krantz serait resté anonyme, comme le sont restés les obscurs auteurs de bandes dessinées à gros tirage et à bon marché dont Roy Lichtenstein et James Rosenquist, agrandissant sur toile tel de leurs détails, ont fait leur succès d'artistes, avant que Warhol ne leur dame le pion. Levée d'anonymat aussi vaine pour Krantz que celle dont crut bénéficier, voici plus de quarante ans, le peintre expressionniste abstrait James Harvey. Se livrant pour vivre au design commercial, il avait conçu l'enveloppe de la boîte Brillo. Cette boîte de poudre à récurer, en vente dans tous les supermarchés, une fois clonée sur bois par la Factory d'Andy Warhol en exemplaires signés et exposés dans une galerie new-yorkaise, y bénéficia en 1967 d'un second succès, parasite de celui qu'avait connu son original, le produit de consommation répandu en millions d'exemplaires. La réussite publicitaire de ce tour de prestidigitation étonna le philosophe Arthur Danto, avant de le convaincre qu'un fait aussi patent méritait d'être justifié par une théorie, et il écrivit un article, puis un livre, qui ont fait date :

> Ce qui fait la différence entre une boîte Brillo et une œuvre d'art qui consiste en une boîte Brillo, est une certaine théorie de l'art. C'est la théorie qui la fait entrer dans le monde de l'art et l'empêche de se réduire à n'être que l'objet réel qu'elle est [1].

J'ai eu l'occasion d'entendre une conférence d'Arthur Danto, très gourou philosophique, expliquant sa théorie à grand renfort de Hegel et de Wittgenstein. Au moment des questions, un jeune homme se lève et déclare innocemment (nous sommes dans le Middle West) que tout cela est bel et bon, mais que pour lui, poète, le critère de l'œuvre d'art est le plaisir que d'emblée elle fait naître. Un instant décontenancé, le conférencier répond en grommelant : « La question n'est pas là. Mon métier est d'expliquer l'"Art contemporain", non d'exprimer mes goûts person-

1. Cité dans Aude de Kerros, *L'Art caché. Les dissidents de l'art contemporain*, Paris, Eyrolles, 2007, p. 69. Sur Danto philosophe analytique, pour qui l'art est ce que déclarent tel les galeries et les collectionneurs, ce que canonisent les musées et théorisent les philosophes, voir Antoine Compagnon, *Les Cinq Paradoxes de la modernité*, Paris, Seuil, 1990.

nels. Si vous voulez savoir le mien, sachez qu'en peinture je mets Chardin au-dessus de tout ».

Galerie du marchand et théorie du critique-philosophe assurent désormais la différence de valeur entre le produit de consommation banal et le même produit, consacré œuvre d'« Art contemporain » par le fait d'être exposé dans une galerie qui vend bien. Évacués les critères du goût, du beau, du sublime, du chef-d'œuvre, de l'original, du talent, du génie, de la maîtrise sous quelque forme que ce soit. Avec Danto, les *practical jokes* de Duchamp sont devenus, moyennant exégèse savante consécutive à évaluation marchande, un système universel de légitimation, d'autorisation et d'homologation approprié à n'importe quoi, ce qui convenait merveilleusement à la diversité des cultures et à la tolérance des idiosyncrasies dont New York s'est voulue la centrifugeuse. C'était un tour barnumien de première force. Néanmoins, dans l'affaire Brillo, un autre naïf, le malheureux James Harvey, ne l'entendit pas de cette oreille, et il se rebiffa.

Le magazine *Newsweek* consacra un article à l'affaire, juxtaposant la photo de Harvey et celle de Warhol, chacun flanqué de ses œuvres respectives, la boîte commerciale « originale » et son clonage « artistique ». Magnanime ou prudent, Warhol avait consenti à donner en compensation à Harvey un exemplaire de ses coûteuses « sculptures » Brillo. La mort prématurée de James Harvey, emporté par un cancer, éteignit le litige. Quant à la canette Campbell soup, la plus démocratique des images, figurant depuis plusieurs générations au menu de centaines de millions d'Américains, et soudain appropriée au « grand art » par Warhol, son designer était mort depuis longtemps lorsque son œuvre devint l'icône par excellence de l'« Art contemporain », américain et mondial. Coup de maître de l'escamoteur, qui avait surclassé du premier coup et sur leur propre terrain les véritables inventeurs du Pop art, Jasper Johns et Robert Rauschenberg, Roy Lichtenstein et James Rosenquist, lancés avant lui par la galerie new-yorkaise de Leo Castelli. C'est que l'enveloppe de la canette Campbell Soup avait été consacrée, avant Castelli et Danto, par un plébiscite démocratique encore plus écrasant que les figures de *cartoons* appropriées par les initiateurs du Pop art. Jasper Johns ne put trouver de parade à la hauteur qu'en s'appropriant… la bannière étoilée et le dollar. Tout ce qui reste de symboles durables.

Le rusé concept d'« appropriation », qui transforme le *ready-made* selon Marcel Duchamp en une prédation générale et effrénée, par l'« Art *pop* », des images de la *pop* culture commerciale et publicitaire américaine, a dès lors rétabli une hiérarchie féodale féroce entre les « artistes » cloneurs, promis à la gloire et à l'argent, sacrés par le musée ou la galerie malgré leurs plagiats de coucous, et les artisans de la caméra tels que Jim Krantz, demeurés dans l'obscur circuit du design publicitaire, privés d'une image *glamour* et pillés sans remords par les compères de l'« Art contemporain ». La hiérarchie est encore plus féroce entre ces mêmes « artistes » et les techniciens anonymes chargés d'usiner pour eux à la chaîne, dans des ateliers *high tech* (qui ne font l'objet, et pour cause, d'aucun reportage ni d'aucune publicité, sinon posthume), les « concepts » de ces mêmes « artistes » qui ne se salissent pas les mains.

Les collaborateurs de Rubens sont devenus Van Dyck et Jordaens, ceux du Bernin devinrent eux-mêmes des sculpteurs accomplis ou des peintres de la stature du Baccicio. Les ateliers des maîtres anciens étaient aussi des écoles. Les stars de l'« Art contemporain » ont beau se comporter avec leurs équipes d'exécutants comme Ford à Detroit avec ses ouvriers travaillant à la chaîne : nul Chaplin n'a jusqu'ici recommencé à leur endroit la satire des *Temps modernes*. L'histoire de la légendaire Factory dont Andy Warhol était le chef d'entreprise a fini pourtant par être écrite [1]. Lorsqu'elle tournait à plein rendement, sous la tyrannie d'un vampire voyeur, mû par un arrivisme et une avidité dévorantes, cette usine tint pour le moins autant de la chiourme et de l'esclavage sexuel que de l'atelier d'artiste. Les esclaves étaient prêts à tout, pour peu que l'œil de la caméra les métamorphose en images. Le grand rendement excuse tout et tient lieu de tout.

Mais que vient faire le titre *Spiritual America* donné à la rétrospective Prince ? Insatiable collectionneur et copilleur d'images *trash*, l'« artiste » a expliqué le *fiat* qui différencie ses clones « artistiques » d'originaux qui ne le sont pas, par une comparaison qui ne fera pas plaisir aux musiciens dont les œuvres sont piratées à grande échelle sur la Toile : « Certains enregistrements, a-t-il déclaré, sonnent mieux quand un disc-jockey les fait entendre à la radio, que lorsque l'on est seul à la maison et que l'on fait tourner soi-même le C. D. » À quoi le pauvre Jim Krantz ose aujourd'hui répliquer, non sans esprit, mais trop tard : « Si je publiais *Moby Dick* sous mon nom, mais en italique, m'en tiendrait-on pour l'auteur ? »

Richard Prince est inépuisable. Que d'autres étalages dans les étages du colimaçon Guggenheim de Frank Lloyd Wright ! Photos d'*interior design* nouveau riche découpées dans les pages de publicité de magazines, clonées et agrandies ; instantanés adressés par des propriétaires de grosses cylindrées à des revues spécialisées et qui publient leur énorme engin clinquant neuf, flanqué de leur grosse petite amie déshabillée : toutes images devenues, une fois agrandies par les collaborateurs de l'artiste, des icônes dûment encadrées, signées et glosées. Autant de lieux communs de l'immense *pop* culture américaine que ce

1. Voir Victor Bokris, *The Life and Death of Andy Warhol*, Bantam Books, 1989.

sociologue improvisé inventorie et fait reproduire en tableaux de collection.

La mésaventure de James Harvey et de Jim Krantz avait été pressentie, dès 1839, par Balzac, dans sa nouvelle *Pierre Grassou*, dont le héros est un peintre médiocre, ne sachant que copier, avec variations, et sans même le savoir (mais cela n'a pas échappé à son galeriste) la manière de maîtres célèbres. Visitant la collection d'un riche bourgeois qui lui montre et qui lui vante ses Titien, ses Rubens, ses Gérard Dou, acquis chez le même galeriste au prix fort, mais raisonnable, Grassou, stupéfait, ne peut se retenir de dire à son hôte : « J'ai fait tous ces tableaux ! Je ne les ai pas vendus tous ensemble plus de dix mille francs ! » Loin d'être désarçonné ou déconfit, le collectionneur redouble d'admiration pour un peintre capable de résumer tous les autres. Il lui donne sa fille en mariage. N'ont-ils pas le même marchand, le même notaire, le même avocat ?

Le Grassou de Balzac est un contemporain inconscient de « l'ère de la reproduction mécanique », qui commençait à peine. Son galeriste est roublard pour deux. Il tire parti d'un épigone, peintre d'après d'autres peintres. Il l'exploite, pour duper à son tour une clientèle moutonnière. C'est une excroissance de l'art. Mais l'art, même parasité, est encore là. En plein dans l'époque où la photographie est devenue reine, Richard Prince est autrement dégourdi. Je finis par comprendre son titre à contre-emploi. *Spiritual America* est une figure d'ironie noire, résumant la prétention de l'« artiste » à offrir à un public urbain, *college educated*, une encyclopédie des lieux communs photographiques de l'Amérique « profonde », analphabète et déboutonnée sans complexe. N'est pas Flaubert qui veut. L'auteur de *Bouvard et Pécuchet* était pétri de compassion pour ses pathétiques personnages, victimes d'une époque de plomb. Il n'hésitait pas à s'identifier à ces malheureux. La « sociologie culturelle » de Prince et de ses clones grince à la fois d'un hautain mépris mêlé d'attrait morbide pour la tératologie d'un imaginaire de masse, qu'il met en exergue et en vente « au second degré », véritable poule aux œufs d'or. *Humbug, hoax* ! me souffle à l'oreille mon excellent guide Barnum. New York n'a jamais boudé les mystificateurs qui réussissent à désennuyer le chaland et à le faire débourser.

16. La « barnumization » de l'« Art contemporain »

Barnum est bien disposé à mon égard, et il m'affranchit. L'« Art contemporain » (à distinguer soigneusement de l'art d'aujourd'hui, qui ne se montre ni ne se voit [1]) est une entité fiduciaire conçue, promue et consommée par un étroit club mondial. Côté offre, il est pourvu d'habiles chasseurs de têtes « artistiques » qui agissent à leur compte ou bien sont employés, dans ce secteur, par les grandes firmes de vente et les patrons d'influentes galeries spécialisées. Côté demande, il compte dans ses rangs de puissants conseillers en placement de *hedge funds* (fonds spéculatifs, un peu étourdis depuis octobre 2008) et de fabuleusement riches promoteurs, immobiliers ou autres, de toutes nationalités, notamment russes et chinois, de plus en plus nombreux, au moins jusqu'à la date fatidique. Cette forme de roulette, associée à des calculs de *standing* social, les amuse et les excite. Coté « création », les « artistes » inventés et promus par ce club ne se contentent pas de pratiquer la copie à haute dose et de faire travailler en « usine » d'obscurs techniciens : leur « art » s'achète et se vend sur photo de catalogue de ventes ou sur l'image digitale qu'en donne l'Internet, une fois vérifiés soigneusement, auprès d'un conseiller expert, les prix qu'il a déjà faits et supputé celui que sa revente éventuelle pourrait faire. Le temps presse, il faut savoir à propos placer sa mise.

Le très élitiste club de l'« Art contemporain » est (ou était) néanmoins en voie de démocratisation mondiale accélérée. Rentré dans ma cellule, je trouve dans ma messagerie, comme des milliers d'autres internautes, une publicité en anglais datée de New York, 2 novembre 2007, intitulée : « Les prix de l'art gratuitement sur ARTINFO.COM, le portail numéro un pour l'index des ventes d'art ». Le ton et le style du texte du message ne permettent pas de s'y méprendre : c'est celui des évangélistes mormons ou baptistes qui proposent la Bible pour rien, avec effet garanti sur votre santé morale et votre prospérité matérielle :

> ARTINFO, le guide définitif dans le monde de l'art et de la culture, a dévoilé un nouvel Index de ventes d'art, de consultation gratuite pour tous ses visiteurs. L'Index des ventes d'art est en ligne un instrument d'appréciation qui donne à tous ses usagers accès à une base de données exhaustive concernant les ventes d'art, continuellement mis à jour avec les plus récents et significatifs résultats de vente aux enchères sur le marché. Cet instrument de travail contient environ 3 millions et demi de résultats de vente de tableaux, gravures, photographies, sculpture, œuvres sur papier et miniatures depuis les

1. Voir la plainte, rarement entendue, proférée au nom du nouveau prolétariat des « plasticiens » par Olivier Jullien, dans *Le Monde* du 22 novembre 2008, sous le titre : « Art contemporain, le triomphe des cyniques, l'arrogance pseudo-provocatrice qui envahit les monuments nationaux est assimilable à une nouvelle esthétique pompier. » Je reviens plus loin sur cette question d'un art « clandestin », ostracisé par les officiels comme par les médias, mais trouvant néanmoins admirateurs et acheteurs, dans la seconde partie de cet essai.

années 1920. Plus de 200 000 artistes passés en vente dans plus de 500 salles de ventes sont représentés. L'Index des ventes d'art offre gratuitement des images haute qualité couleur, un intuitif moteur de recherche de maniement facile avec de flexibles options prévisibles et une évaluation sophistiquée des capacités de chaque artiste, le tout gratuitement. La nouvelle plateforme met en œuvre le dernier cri de la technologie en vue d'une augmentation de vitesse et d'efficacité qui optimise la livraison et l'exactitude des résultats de recherche. Pour quiconque est intéressé au monde des ventes aux enchères et aux tendances du marché, l'Index des ventes d'art est une ressource indispensable en ligne. [...] C'est un rêve devenu réalité qui procure un accès jusqu'ici inconnu au monde de l'art. ARTINFO est le portail des arts, la plus pertinente source d'information pour l'art et la culture sur Internet. Vous cliquez sur Louise Bourgeois et vous trouvez les galeries et les musées du monde entier qui se rapportent à elle, ses lots qui ont été vendus aux enchères, les informations biographiques et les plus formidables photos de son art », a déclaré Louise T. Blouin, fondatrice et P. D. G. de Louise Blouin Media. [...] Soyez membre de la communauté mondiale de l'art.

Joignons-nous à cette immense et mondiale famille qui dispose désormais de la parfaite martingale pour jouer gagnant à la table verte du casino de l'« Art » global. Adieu aux collectionneurs qui se sont formé lentement leur goût, adieu même aux experts, devenus des amis, qui les conseillaient de vive voix. Adieu même au club des hyper-riches qui se détendaient de leurs lourdes affaires en faisant eux-mêmes leur marché. Avec ce moteur de recherche gratuit et démocratique, chacun va pouvoir rentabiliser au mieux ses investissements dans l'« Art contemporain ».

Cette gratuité inquiète cependant. N'est-ce pas un miroir aux alouettes destiné à faire monter les enchères en multipliant le nombre des petits et naïfs enchérisseurs ? Les conseillers experts, qui connaissent le dessous des cartes, ont encore devant eux de beaux jours, et le club restreint qui découvre, achète et canonise l'« Art contemporain » n'est pas près de se dissoudre dans la masse de ses compétiteurs inconnus. Le plus efficace de ces conseillers experts, le New-Yorkais Jeffrey Deitch, se garde bien d'installer chez lui ses propres achats : ils sont emmagasinés hors de sa vue pour ne pas troubler ses calculs. On l'appelle à New York le Barnum de l'« Art contemporain ». (Mon guide, que j'ai consulté, proteste : « Un Barnum à cent bras et à sang froid[1] ? Ce n'est pas ma famille. ») Non content de mener à bien des affaires de haute volée entre membres du club, non content de multiplier dans sa galerie branchée (et achetée clefs en main par Sotheby's) performances et installations de

1. Voir son portrait dans Calvin Tomkins, « Onward And Upward With The Arts : A Fool for Art, Jeffrey Deitch and Art Market Exuberance », dans le *New Yorker*, 12 novembre 2007, p. 64-75.

débutants lui servant de vivier, ce technocrate de l'« Art contemporain » organise (et finance en partie) chaque année, début septembre, dans *downtown* Manhattan, une « Art Parade » de rue, qui a beaucoup de points communs avec la Thanksgiving Day Parade de la Cinquième Avenue et la Gay Parade de Greenwich Village : elle associe aux majorettes et aux *drag queens* les blagues d'artistes propres à esbaudir le badaud. Les diverses parades new-yorkaises, par l'entregent de Jeffrey Deitch, ont échangé leurs attractions.

Cette année, l'artiste vedette du traditionnel défilé de Thanksgiving sur la Cinquième Avenue est le Van Gogh de l'ours en peluche et de la poupée gonflable, Jeff Koons, dont le génie a fait entrer « Le Nain Bleu », célèbre magasin de jouets de la rue Saint-Honoré, aujourd'hui transféré Boulevard Malesherbes, au musée et dans les collections les plus huppées d'« Art contemporain ». La parade de la Cinquième Avenue était surplombée par un ballon gonflé d'hélium en forme de lapin Bunny, de couleur gris métallique, sorti de l'usine de l'artiste et prêté pour l'occasion par les Grands Magasins Macy's, commanditaire et propriétaire d'un exemplaire à tirage limité de ce chef-d'œuvre. Autant d'épargné par le budget de la Ville de New York. La Factory de Jeff Koons ne sent pas le soufre et le *sniff*, comme celle de Warhol. On y travaille à la chaîne dans la propreté *high tech* la plus méticuleuse et l'efficacité d'un *managemen*t horloger. L'artiste montre négligemment aux dames européennes en visite sa petite bibliothèque de livres d'art, et il en extrait les *Œuvres complètes* de Tristan Tzara, où il prétend puiser des idées pour ses jouets usinés. On ne peut rêver homme d'affaires, *designer* et autopromoteur mieux organisé. Barnum néamoins le déteste.

Pourquoi ce triomphe d'imperator vainqueur accordé à Jeff Koons et à son lapin gonflable sur la Cinquième Avenue ? À la tête de la P. M. E. installée dans Chelsea de 85 ingénieurs, techniciens et informaticiens qui lui tiennent lieu d'atelier, cet artiste est le « créateur » dont le « travail » fait les plus hauts prix du marché de l'art. L'exposition que lui consacre l'Art Institute de Chicago cette année a été assurée pour près d'un milliard de dollars. Son image d'ex-*trader* à la Jérôme Kerviel, encore jeune (53 ans), costume-cravate-attaché-case, toujours souriant, triomphant et jouisseur, avait inauguré sa vie dans l'« Art contemporain » en épousant brièvement, mais avec quel éclat et scandale savamment orchestrés ! la star porno italienne Cicciolina, un temps député Radical au Parlement de Montecitorio. Tout en lui contraste avec la dégaine de clown triste et décadent d'un Andy Warhol, possédé qui se savait et se voulait damné. Warhol convertit l'Amérique et le monde de Truman Capote, de John et Jackie Kennedy, à un kitsch inquiétant, et l'époque encore un peu hypocrite s'y reconnut. Jeff Koons vire à l'optimisme et au cynisme au beau fixe cette inquiétude démodée. Il a coupé au diable, pour l'Amérique et le monde du couple Clinton et de George W. Bush, ses cornes et sa queue fourchue. Il est le Walt Disney au petit pied de l'« Art contemporain », sorti des rangs de sa propre clientèle, et parfaitement initié à ses « motivations ». Le Pop art tel que l'incarne Koons, avec ses énormes cœurs rouges enrubannés et ses animaux de nursery en acier, embrasse et exalte jusqu'aux étoiles la *pop* culture dada du nouveau riche mondial et il la branche avec précision sur son actuelle démesure financière. Elle crevait déjà les yeux lorsque j'écrivais ces lignes dans l'hiver 2007. On ne l'a pourtant *vue* qu'en octobre 2008. Faire d'un endettement gigantesque et de prises de risques insensées (les *subprimes*) les principes d'une abondance universelle en pleine expansion, tel était alors l'acte de foi du charbonnier dans la contemporaine Main invisible, bravant toutes les mauvaises nouvelles (Irak, prix du brut pétrolier) : cette Providence hallucinée a gouverné au Prozac la « révolution » rose (vue de New York) dont Jeff Koons, ni Dieu, ni diable, s'est fait le plasticien en série, et dont il a touché les revenus intimidants et la gloire provisoire. Cela valait bien, en attendant les ors et les marbres de Versailles, un triomphe sur le Museum Mile de New York, paré aux oriflammes d'un autre célèbre spéculateur, Richard Prince.

Fou avisé de la Bourse de l'« Art », Méphisto-Jeffrey Deitch en est aussi le missionnaire : par la « barnumization », où il est passé maître, il perpétue le solide cordon ombilical qui rattache, depuis Warhol et Rauschenberg, l'art hyper-cher et hyper-sophistiqué des stars du « contemporain », exposé dans leurs galeries hyper-luxueuses, à la consommation courante, mais *hype* (dernier cri) des estomacs et du ventre « bobos » de Greenwich Village, de SoHo et de Chelsea, partie pour le tout de la *pop* culture à vocation universelle des États-Unis. Dans l'Art Parade de Greenwich Village, dont il est l'impresario, farces et attrapes, stéréotypes des bandes dessinées et de la réclame industrielle, *Do it yourself*, déculottage et grands rires se montrent asymptotiques de l'art chic et coûteux.

Mais ne nous y trompons pas : banquier défroqué, lui aussi, Jeffrey Deitch n'est pas un vulgaire publicitaire de l'« Art contemporain ». Du même mouvement, il le « promeut » et il le « pense ». Les installations et les performances « expérimentales » dont il est l'inspirateur dans sa galerie de New York ou dans de hauts lieux analogues en Europe résultent d'un projet post-moderne dont il a écrit et défini lui-même les linéaments, entre surhomme de Zarathoustra et cyborg issu de la biotechnologie [1]. Tous les moyens sont bons à l'« Art » que vend et vante Deitch pour représenter l'horreur de l'« humanité traditionnelle » et pour faire émerger les traits d'une autre humanité et de mondes virtuels,

1. Voir Keith Haring, *Jeffrey Deitch*, Rizzoli-USA, 2008.

esquissés et souhaités par le féminisme, l'antiracisme, la culture gay, et favorisés par la globalisation gonflable. Andy Warhol, qui a trouvé en Jeff Koons son clone courtois et riant, reste le dieu de Deitch. Il s'en veut le prophète. L'« Art » préfigurant ce qu'il appelle le « Post-humain » dicte à chacun le devoir de s'inventer, comme l'a fait Warhol, un autre corps et un autre conscience, pour vivre en « mutant » de toutes les identités reçues, et en expérimentateur de modes d'être inédits qu'actualisent ou actualiseront l'*ingeneering* génétique, la cybernétique, l'informatique. Dans la version new-yorkaise patronnée par Jeffrey Deitch, l'« Art contemporain » se constitue en secte quasi scientologique, dont il serait le gourou, les temples des galeries, les rites des installations et des performances transgressives, les processions des « Art Parades », le clergé des plasticiens, et les paroissiens de riches collectionneurs dûment « fidélisés ». L'« Art » est la tête chercheuse d'une science et d'une religion de la « sortie de l'humain ». Barnum lui-même se sent dépassé.

Super-Barnum a franchi l'Atlantique. Il a trouvé des adeptes, et même des émules, en Angleterre, en Italie, en Allemagne, en Suisse. En France, l'ostentation, à droite et à gauche, d'un anti-américanisme de principe a servi, dans les faits, de rideau de fumée à une imprudente volonté tenace et commune de détruire les dernières souches-mères d'une mémoire, de mœurs et de manières qui donnaient leur sens aux arts, émanant aussi bien de la tradition académique que s'insurgeant contre elle, tout en se définissant par rapport à elle. En deux étapes, 1958 et 1968, symétriques et complémentaires, la religion démocratique de la culture que Malraux rêvait de répandre d'en haut dans tout l'Hexagone s'est combinée avec un clonage caricatural et local de la contre-culture importée de l'Amérique anti-Vietnam. Les politiques ont sanctionné cette symbiose qui leur donnait un vernis de modernité et qui flattait leur illusion de succéder à Louis XIV, à Robespierre et à Napoléon III dans le mécénat volontariste d'État. Créé par un Président patriote, indigné des prétentions de New York à supplanter Paris dans le rôle de capitale mondiale des arts, et décidé à lui damer le pion, le Centre Pompidou est devenu très vite une antenne provinciale et française, sur fonds d'État, à la différence de la collection privée londonienne de Charles Saatchi, plus efficace, mais non moins coloniale, de cette « culture » des vases communicants entre *low* and *high*, typique de *downtown* Manhattan. Berlin, Düsseldorf, Bâle, Milan et Londres sont devenus eux aussi les relais d'exportation de cette « culture » new-yorkaise, expansée au monde entier, accoutumé à voir dans le billet vert, la canette Campbell soup et la *Star Sprangled banner* les icônes-mères d'un art enfin « contemporain » et universel.

Au moins, dans le reste de l'Europe, cette translation s'est faite sur fonds privés, même si l'économie et la stratégie de l'« Art contemporain » y étaient conduites par un trust transnational d'une rare efficacité. En France, l'« Art contemporain » s'est greffé sur une assise et une autorité administratives sans rivales, non sans nuire, hors de nos frontières, à la crédibilité d'artistes apparaissant comme des épigones inventés par des fonctionnaires et appartenant à une clientèle d'État. Super-Barnum est d'autant plus crédible qu'il ne se pique pas d'autorité administrative nationale. C'est la quadrature du cercle que de vouloir en même temps un art mondialisé à l'américaine et des artistes portant le label officiel « CulturesFrance ».

17. Contrepoint : l'« Art contemporain » au couvent

Rendons à César ce qui est à César : New York peut se permettre d'ignorer ou même de freiner la dégradation de l'énergie symbolique du modernisme en chaleur culturelle post-moderne. New York n'a pas peur de l'art ancien. New York baptise et canonise « Art contemporain » tout ce qui l'arrange, sans redouter l'art européen du premier XXe siècle, qui ne lui fait plus ombrage. La « capitale mondiale des arts » est la métropole universelle de leur exposition et de leur commerce, sous toutes leurs formes et toutes leurs couleurs. Quoique récemment amplifié par le Japonais Yoshio Taniguchi et devenu par les soins de cet architecte un supermarché à deux vitesses, l'une pour les riches, avec restaurant français, l'autre pour la foule, avec cafeteria, le MoMa ne renie pas sa vocation première de Temple jaloux de l'Art moderniste.

Plus intransigeant encore dans l'orthodoxie, l'espèce de couvent ou d'hôpital d'un rare luxe d'espaces nus que la fondation privée DIA a érigée sur une colline dominant le cours de l'Hudson vaut le voyage. En amont de Manhattan, l'édifice fait face au panorama montagneux que les peintres paysagistes de l'Hudson School ont représenté avec prédilection au XIXe siècle. À travers les vitres de l'archaïque micheline qui conduit, à pas de tortue, longeant le fleuve, en une heure et demie, de Grand Central Station à Beacon Point, *Upstate New York*, on admire tout à loisir les originaux naturels, encore intacts, de ces artistes. À mi-chemin, on aperçoit sur l'autre rive, véritable ville-forteresse cubiste, West Point, le Saint-Cyr américain, où se forment les officiers de la plus puissante armée du monde. Au bout de ce pèlerinage qui comble le voyageur du sublime de l'Amérique éternelle, nous voici sur les lieux du Fort Knox où l'or de l'Art américain moderne et contemporain *sévère* gage, pour ainsi dire, sa monnaie papier.

Pas l'ombre d'ornements ni de couleurs. La monumentalité austère de l'architecture intérieure de la fondation, soignée jusque dans le plus fin détail depuis les parquets de bois ciré et de métal gratté jusqu'aux poutres blanchies à la chaux des plafonds à l'ancienne, se porte garante de la gravité des œuvres autorisées à respirer au large dans les salles hautes et immenses qui leur accordent une froide, mais auguste hospitalité. La tonalité générale est au minimalisme le plus strict. Grands grillages dessinés à même le mur de Sol Lewitt. Fils de laine colorés tendus de Fred Sandback, mimant des surfaces dont le catalogue vante l'*incorporeal impalpability*. Couples, indéfiniment répétés par Walter de Maria, de cercles et de carrés de métal brillant posés à même le sol de bois, comme autant de duos congelés dans leurs sarcophages. Dates chiffrées et peintes en blanc par le Japonais On Kawara sur de petits rectangles noirs indéfiniment juxtaposés à hauteur de regard sur de vastes murs vides. Appauvrie, refroidie, banalisée, l'angoisse métaphysique de la nouvelle d'Edgar Poe, *Le Puits et le Pendule*, est de rigueur dans cette série, préface à la rencontre d'« installations » de Josef Beuys, monceaux qui semblent importés en droite ligne des ruines de Dresde ou de Nuremberg en 1945. Son ami Andy Warhol est représenté par une composition abstraite et obscure répétée indéfiniment, en frise, autour d'une immense salle carrée, spécialement conçue par l'amuseur pour prouver qu'il peut être sérieux comme un pape.

Dans le vaste sous-sol de la fondation, d'énormes labyrinthes de fonte savamment rouillée de Richard Serra invitent au cauchemar. Au grenier, les hideuses crottes de bronze plus ou moins freudiennes de Louise Bourgeois font voyager l'imagination gênée dans l'inconscient intestinal de l'artiste. Une de nos rares chances, à nous autres Français, c'est d'avoir été longtemps épargnés par les productions de cette exilée, glorieuse à Greenwich Village. Mais notre côté gobeur n'a pas pu résister plus longtemps. Au printemps 2008, dans les quelques mois qui suivirent ma visite à DIA, le Centre Pompidou allait exposer la dame et ses nombreuses horreurs en grande pompe, et le verdoiement du jardin des Tuileries s'ornerait d'une gigantesque araignée noire, fignolée de sa main. On a pu même lire, dans un magazine français sur papier glacé : « Aux États-Unis, c'est vraiment une *star*. Un peu comme Marcel Duchamp, elle fait partie des artistes *born in France* qui ont finalement plus de succès aux U. S. A. que dans leur propre pays. » Difficile de pousser plus loin le provincialisme que dans cette minauderie beaubourgeoise. Ah ! elle est bel et bien oubliée et reniée à Paris, la grande Germaine Richier, contemporaine et rivale de Giacometti, dont cette très vieille dame, qui débuta dans les années 1950, n'aura jamais été qu'un épigone de province, culottée, increvable et montée en graine.

Le secteur Louise Bourgeois fait tache dans le grenier de DIA, de même que, dans un coin de la cave, le coloriage violent des tubes de néon avec lesquelles Bruce Naumann dessine des caricatures plus ou moins lascives. Ce sont là des faiblesses qui laissent craindre une chute de tension de l'exigeante fondation. Le public intimidé qui parcourt en silence cet étrange réfrigérateur d'obsessions funèbres et de dépressions aiguës passe heureusement sans voir ces deux grosses fautes de logique esthétique.

Il est clair que DIA, entièrement dévouée à l'« Art contemporain » avec un grand A, ne fait aucune concession au *marketing* ni au *show business* dont font parade les vedettes de cet « Art » depuis 1960. Cela mérite respect, même si ce haut lieu, qui vise à convaincre ses pèlerins que l'Amérique d'aujourd'hui est toujours, comme hier, capable d'« art sacré », n'est qu'une exception ne prouvant rien. Du moins la bonne intention qui inspire les riches *trustees* de cette fondation privée ne demande rien au contribuable, ni aux fonds publics. Je n'ai pas besoin de consulter Barnum. Il n'a pas sa place ici. Il n'empêche. À la sortie du *Campo Santo* du modernisme orthodoxe, mon amie française Dominique Nabokov, photographe, femme d'esprit et de goût, et moi, affrontant ensemble l'air glacé et humide d'une fin d'après-midi de novembre, sur la route qui nous ramenait à la gare minuscule de Beacon Point, nous sommes tombés d'accord qu'avait été inévitable le virage de l'art américain du côté des farces et attrapes du Pop. Iconoclasme pour iconoclasme, l'anti-art à paillettes qui tient le haut du pavé à New York depuis les années 1960 est à coup sûr plus amusant, *interesting*, *entertaining*, *funny* (les catégories esthétiques classiques des *music halls* de Broadway), que l'« Art sacré » expressionniste abstrait de la génération Pollock-Gorky-Rothko-De Kooning, dont les cimaises de la fondation DIA voudraient nous faire croire qu'elle a donné à jamais le « la » à un grand art américain. Non, le deuil tragique ne sied pas longtemps à l'impatiente Électre américaine.

18. L'Amérique de Henry Clay Frick coexiste avec celle de Phineas Taylor Barnum

Revenus dans Manhattan, changeons de quartier et d'univers. C'est le luxe et la force de New York que de laisser pousser et vivre ensemble les incompatibles. Le génie du lieu n'est pas au paradoxe, mais au coq-à-l'âne. Dans ce chaos d'idées claires de verre et d'idées épaisses de béton, les allées numérotées ont beau avoir été tracées au cordeau, le dédain le plus total de l'harmonie et de l'unité l'emporte. Le quadrillage arithmétique et géométrique des avenues et des rues semble même n'avoir pour fin que de ménager des couloirs, prévenant la gêne ou les heurts entre « blocs » en fréquente rétraction, disparition ou expansion, qui de surcroît changent sans cesse de propriétaires et d'affectation. Marcher à pied le long des rives de ce Grand Canyon, dont le profil se modifie d'une année sur l'autre, d'un croisement à l'autre, ne lasse jamais. Rien de plus fascinant que de repérer, perchées au sommet de gratte-ciel, comme suspendues dans les nuages, d'archaïques huttes d'Indiens habillées et coiffées de lattes de bois (en réalité des réserves, mais d'eau en cas d'incendie), les unes très anciennes et grises, les autres, sortant du même moule toutes neuves, comme si la métropole qui s'est dressée à la place d'une forêt rêvait toujours, dans ses hauteurs, à l'ancien habitat des Peaux-Rouges parcourant en mocassins la piste sinueuse de Broadway. Cette multiplicité de guingois, dépourvue de centre et de symétrie, à la fois écrasante et légère, ne fait pas de Manhattan un éboulis, mais un être vivant fort bizarre qui, dans sa dure carapace hérissée et carrelée aux couleurs de l'huître, se meut sur place par puissantes contractions et détentes, comme un énorme organisme du genre pieuvre, pourvu de plusieurs centres nerveux, d'un estomac de grande capacité et de nombreux pseudopodes. De ses innombrables naseaux, jaillissent l'hiver de puissantes exhalaisons de nuées blanches, vulcanisme incessant du chauffage urbain.

William James a décrit le « champ mental » du moi comme une « coexistence simultanée de deux ou plusieurs groupes de fins », dont les oscillations, donnant un privilège momentané d'attention et d'intensité émotionnelle à tel d'entre eux, laissent les autres pour l'instant dans la pénombre, ce qui ne compromet nullement ni son identité ni sa flexibilité :

> Il peut y avoir, écrit-il, de grandes oscillations d'intérêt émotionnel, et les points chauds peuvent se succéder aussi vite que les étincelles qui courent le long d'un papier en train de brûler. Ou bien le foyer d'excitation et de chaleur, le point de vue sous lequel le but est visé, peut en venir à se stabiliser à l'intérieur d'un certain système ; et alors, si le changement est d'ordre religieux, nous l'appelons conversion, spécialement s'il intervient par crise, ou soudain.

Telles sont bien les pulsations, de rythme et non d'intensité différents, que perçoit le promeneur passant d'un point de vue à l'autre du « système Manhattan ». Ce pluralisme étagé et décentré, dont l'anarchie en accéléré peut conduire au *zapping*, se veut un principe de souplesse, de vitalité et d'adaptation ; la Constitution américaine en est la traduction institutionnelle, et New York, l'incarnation urbaine : miroir-sorcière où pourtant l'immense nation fédérale (et provinciale) refuse d'ordinaire, et obstinément, de se reconnaître. Encore trop européenne, New York. Les sautes d'humeur et les conversions de Manhattan n'en sont pas moins capitales pour la nation. C'est Manhattan qui s'est converti brusquement au modernisme peu de temps avant la Grande Dépression de 1929, et le New Deal rooseveltien a eu les moyens de l'imposer à toute l'Amérique conservatrice, non sans laisser encore se déployer la contribution locale et originale à l'Art Déco : l'Empire State Building, la Chrysler Tower, le Rockefeller Center, le superbe Woolworth Building. Il faut avouer que les deux tours du World Trade Center juraient sur le *skyline* de Manhattan par leur extrême niaiserie utilitaire, fonctionnelle et prétentieuse. Leur modernité était celle d'un modernisme banalisé, d'un Bauhaus passé en poncif, bureaucratisé, formaté et cachant son absence d'imagination sous sa masse et son échelle gigantesques. Leur hauteur et leur pesanteur ont-elles attiré la foudre ? L'orgue des tours new-yorkaises avait fini par devenir une image naturelle, transposée dans l'abstrait, de la forêt primitive qui occupait la presqu'île, avant l'arrivée des Hollandais.

Le 11 septembre 2001, j'ai assisté en quelques heures à la transformation soudaine de la forêt de gratte-ciel en chapelle ardente, en deuil violent de deux de ses troncs foudroyés et d'une population équivalente à celle de plusieurs *blocks*, terrifiée avant d'être anéantie. Sous l'énorme choc, New York la « séculière », la libertine, l'hérétique, l'européenne, s'est retrouvée, d'un coup, toute dévote : églises, temples, synagogues, musées, ouverts de nuit, retentirent de psaumes dans les heures et les jours qui suivirent l'attentat ; devant chaque porte d'entrée d'immeuble, barrée de la bannière étoilée, pendant les semaines qui suivirent l'atroce massacre des deux tours, et tandis que *Ground zero* fumait toujours, habitants et passants échangèrent des cierges protégés dans des verres, tous s'embrassant en larmes ou formant un chœur et chantant des cantiques. Washington et le reste du pays se sont mis aussitôt à ce diapason de sanglots, de prière et de renouveau de la religieuse ferveur patriotique américaine. Nation à tant d'égards multiple, voire parcellaire, les États-Unis sont susceptibles de ces raz de marée collectifs, quasi pentecôtistes. George W. Bush y puisa toute licence de déclencher la « guerre au terrorisme ». S'il est élu président du monde contemporain, Barack Obama aura bénéficié, de la part de son électorat américain, de ce genre de *revival* collectif consécutif à un désastre : cette fois, le piège afghan, les mauvais effets de l'occupation de l'Irak, l'impasse au Moyen-Orient, et brochant sur le tout, une économie en danger. J'écrivais ceci en décembre 2007, je ne croyais pas si bien dire.

En proie tout entière, au soir du « 9/11 », au chagrin et à la pitié, la ville championne de la multiplicité et des transgressions a donné paradoxalement à la nation l'exemple d'un rare unisson choral dans le recours pieux au Dieu de l'Amérique. Après sept ans, la situation est redevenue normale. L'on entend de nouveau à la télévision ou à la radio des voix tonnantes cherchant l'oreille de l'Amérique profonde et accusant New York du vice suprême, la « haine de soi » américaine. Cet intermède piétiste dont New York a donné le signal n'en a pas moins été révélateur : la féroce, parfois brutale concurrence et lutte pour la vie qui durcit les Américains, et dont New York n'est pas exempt, c'est le moins que l'on puisse dire, peut engendrer son contraire et son envers repentant, prenant le souffle d'un enthousiasme national, ou affleurant dans les minuties de la vie de relation quotidienne, où chacun se sent tenu de se montrer d'autant plus attentif, serviable et complaisant qu'il est temps de compenser en détail l'âpreté générale et concurrentielle de l'existence. Mais c'est en cas de drame collectif que cette philanthropie par accès se manifeste de la façon la plus éclatante et touchante. Je me souviens d'une panne générale d'électricité dans les années 1970 qui aurait rendu invivables et même mortifères les hautes tours de Manhattan, si la solidarité active de leurs propriétaires et locataires, aussitôt établie et organisée, n'avait sauvé la situation des plus fragiles. À plus forte raison, un attentat de fantastique magnitude a pu faire de toute une métropole multiculturelle une seule famille dévote serrant les rangs. Il s'agit moins de bonne éducation ou de délicate sensibilité que d'un réflexe quasi héréditaire, dicté par l'expérience de ce que la vie, en elle-même, comporte d'impitoyable. C'est le genre de complicité tacite et superstitieuse qui lie entre eux les combattants de la même tranchée, quand le canon tonne, et qui perdure un temps, par précaution, dans les temps d'accalmie.

De nuit, vue du balcon de l'Empire State, New York « toute brillante de clartés », fait l'effet eschatologique de la Jérusalem céleste : « Les nations marcheront à la faveur de sa lumière, et les rois de la terre y porteront leur gloire et leur honneur. » De jour, un samedi sombre du *shopping* de Christmas, vue au ras du sol sur la Cinquième Avenue, c'est une foule de spectres se bousculant et s'écoulant dans la vallée de Josaphat. En tout temps, de quelque point de vue qu'on l'envisage, de préférence depuis l'intérieur pastoral de Central Park, par-dessus l'océan de chênes et de tilleuls qui a de tous côtés pour horizon une couronne de tours et de blocs, New York est bien autre chose qu'une capitale historique, c'est un lieu transitionnel, un court-circuit d'Ancien Monde et de Far West en expansion interne, un creuset d'humanité inédite sur lequel passe un souffle biblique.

L'océan immense à son étrave, les deux larges fleuves, l'Hudson et l'East River sur ses flancs, les arbres innombrables dans le poumon de son Central Park, la lumière crue et le vent coupant fouettent Manhattan : les éléments contribuent à la puissante poésie paysagère de la presqu'île, aussi fidèle à elle-même qu'un Krak de chevaliers en Syrie, et aussi monumentalement stable, en dépit de la substitution fréquente de ses tours et du renouvellement perpétuel de ses habitants, changeant de *moods* de six mois en six mois. Depuis le « 9/11 », le sort architectural réservé au site toujours béant de la tragédie reste très incertain, et comme pour attendre d'eux des chocs visuels qui changent les idées, les promoteurs immobiliers new-yorkais font appel partout ailleurs aux « stars » étrangères de l'architecture post-moderne, les Norman Foster, les Renzo Piano, les Jean Nouvel, les Rem Kolhaas. La tour projetée par Rem Kolhaas sur Madison Park ressemble à une ziggourat renversée, reposant sur sa pointe et déployant sa base en hauteur. Inversion du principe même de l'architecture, elle donne une impression de château de cartes sur le point de basculer ; c'est sans doute l'effet recherché, mais il n'a rien de rassurant. New York est-il menacé du même sort que Berlin, Pékin, Tokyo, Singapour, Dubaï, « installations » où, sous le signe de l'éphémère et du festif, chaque architecte juxtapose, à celle de son voisin, le témoignage de sa virtuosité technique, mais aussi de son peu de foi dans la stabilité du sol et du ciel où ils s'invitent ?

Bon exemple de la mobilité et de la labilité new-yorkaises, SoHo, il y a peu de temps encore, était le quartier des galeries d'art et des magasins de fripes branchées et chères. Maintenant, le foyer « chaud » de ces deux activités commerciales s'est déplacé plus haut dans la presqu'île, à Chelsea, plus à portée des deux riches quartiers d'Upper Side West et East. Chelsea a de tout temps été occupé par la production industrielle et artisanale. Il vient de passer à la consommation de luxe. Des garages ou des ateliers à l'abandon ont été tout à coup transformés par de puissants galeristes en immenses espaces blancs, débordant de lumière artificielle. On ne prononce le nom du patron de la plus imposante d'entre elles qu'en baissant la voix : Larry Gagosian. Autant murmurer les noms de Midas, de Kubla Khan, de De Beers. La galerie tente en vain, cet hiver, de me faire reconnaître une grandeur abstraite à de gigantesques toiles récentes de Cy Twombly, plus que jamais frappées des mêmes impacts ruisselants et des mêmes graffiti et gribouillages s'effaçant eux-mêmes, inspirés depuis un demi-siècle par une « créativité » infatigable qui confine à la rage de souiller le visible et de rendre illisible le lisible. Qu'importe mon indifférence idiote envers cet exhibitionniste impénitent ? Gagosian a vendu récemment l'une de ces toiles cinq millions de dollars.

Une vaste boutique-labyrinthe côtoie la galerie. Elle porte une enseigne française : « Comme des garçons ». Elle est beaucoup plus achalandée, autour de ses cintres et de ses maillots propres, que sa voisine, autour de ses toiles sales. Mais elle se donne les mêmes airs funèbres et officiels de galerie de grand art, hors de portée du commun. Le prix du moindre chiffon dépasse ici celui d'un fauteuil d'orchestre au Metropolitan Opera. Aussi, pour prévenir le vol, une véritable escouade de gros bras en uniforme de cuir noir est-elle mobilisée pour ne perdre de vue aucun client ni cliente. Dans cet antre, l'Amérique semble mettre son point d'honneur à dépasser tout ce que l'on a pu imaginer de pire sur Mammon et son empire.

Respirons un bon coup et remontons, à grands pas, vers *Uptown*, quarante rues : une nouvelle aile de verre, abribus Decaux au très riche, a été ajoutée récemment à la Pierpont Morgan Library. Le noyau historique de ce Musée du manuscrit et du dessin anciens, de la miniature médiévale et de l'incunable, reste intact, tel que l'a laissé le plus puissant banquier d'affaires américain de l'après-guerre de Sécession, John Pierpont Morgan (1837-1913), comme demeure intact lui aussi, non loin de là, sur la Cinquième Avenue, son contemporain, l'élégant hôtel particulier de Henry Clay Frick (1849-1919), qui abrite toujours l'une des plus fabuleuses collections de tableaux, de statues, de meubles et d'objets d'art européens jamais réunies [1]. La « Frick » s'est récemment agrandie, mais contrairement à la Pierpont Morgan Library, abîmée par l'addition d'une gigantesque verrière signée Renzo Piano, elle a demandé son aile nouvelle à un architecte modeste et cultivé, John Barrington Bayley, qui l'a conçue en continuité avec la demeure de style Louis XVI laissée par Henry C. Frick.

De leur temps, les Pierpont Morgan, les Frick, les Carnegie étaient cruellement snobés, comme nouveaux riches, par les anciennes fortunes new-yorkaises des Astor et des Vanderbilt. Ils ont pris leur revanche avec panache, leur volonté de s'anoblir s'est montrée aussi méthodique que celle de s'enrichir, et avec un succès beaucoup plus durable.

Frères new-yorkais émergés d'une immense famille invisible répartie sur tout le territoire des États-Unis, ces deux musées privés qui font la fierté de Manhattan, avec le Met et le MoMa, donnent à leur visiteur une idée des innombrables collectionneurs et bibliophiles américains qui ont réuni, puis donné ou légué aux musées, aux universités, aux collèges, dans chacun des États, depuis un siècle et demi, le fonds de leurs trésors d'art ancien et de leurs réserves de *rare books*, de manuscrits et même d'archives importées de la Vieille Europe. L'évergétisme qui a fait la gloire des temples, des théâtres, des monuments publics de l'ancienne Athènes a été porté aux États-Unis à une échelle sans précédent. Il n'a jamais été entièrement conté, il reste méconnu, cet immense, paisible et capillaire transfert, de l'autre côté de l'Atlantique, d'une mémoire européenne (et donc universelle, l'Europe ayant greffé sa mémoire curieuse sur tout le globe terrestre) des lettres et des arts, plus exhaustif, moins éphémère et non moins bien sélectionné que celui qu'opérèrent, au profit de Paris, et à la pointe du canon, les armées de la Révolution française.

---

1. Sur Andrew Mellon, secrétaire du Trésor au moment de la Grande Dépression de 1929 et qui constitua la collection plus vaste encore, devenue la National Gallery de Washington, voir David Carradine, *Mellon, an American Life*, Allen Lane, 2007.

Aujourd'hui plus que jamais, ces gâteaux de miel, butinés dans l'Ancien monde depuis plus d'un siècle et délocalisés, sont les meilleures ambassades des grandes nations du monde auprès des Américains, les clubs, dans chaque ville qui en a été dotée, de la petite société cultivée et de « vieil argent » locale, les lieux d'initiation pour les futurs historiens de l'art ou conservateurs de musée. Ils sont toutefois concurrencés un peu partout par de tonitruants musées d'« Art contemporain » où s'investit volontiers l'« argent neuf » et par des centaines d'autres consacrés à tout et à n'importe quoi. La concurrence est devenue très âpre.

L'autre face oubliée de cette prodigieuse translation, ce furent les forges rougeoyantes et les hauts fourneaux fumants de Pittsburgh, capitale de l'acier, la misère et la crasse prolétaires où grandit Andy Warhol, fils d'immigrés ruthènes, et les polices privées qui y prévenaient la révolte ouvrière : brute matière première transmutée en or, dont les Carnegie, les Frick et les Mellon payèrent les œuvres d'art ancien, les musées, les instituts de design et de Beaux-Arts qu'ils offrirent à leur ville, à New York ou à la nation.

À l'Amérique de l'avidité froide, calculatrice et féroce du *greed* moderne, mot et chose terribles et aussi intraduisibles qu'un grincement de dents de panthère affamée, fait contrepoids l'Amérique avenante de la générosité avisée et du sens civique. Elle s'est donné de splendides organes de contemplation, d'étude et d'éducation : musées, mais aussi et surtout universités, instituts, académies de *Design and Fine Arts.* Leur haute tenue et leur puissance d'attraction sur les jeunes générations d'Europe et d'Asie sont dues non seulement à leur prospérité budgétaire, qui leur permet de multiplier chaires, bourses et antennes à l'étranger, mais à la part personnelle que leurs riches *trustees*, les *alumni*, leurs anciens bénéficiaires et leurs collaborateurs bénévoles, femmes et hommes, prennent à leur bonne administration. Il règne un air hospitalier, serviable et aimable de *home*, de club, à tout le moins de fondation privée, dans nombre d'institutions américaines d'éducation, de recherche et de *performance arts.* L'argent n'explique pas tout et ne corrompt pas tout. Cette Amérique mérite d'être admirée, imitée, exportée.

Cet octobre 2007, le Studiolo de Federico de Montefeltre, duc d'Urbin au XVe siècle, démembré au cours du temps, se trouve reconstitué dans l'aile neuve de la Pierpont Library, par des images digitales si parfaites que leurs pixels retrouvent le grain même du bois des véritables panneaux de marqueterie restés au château d'Urbin, trompant le tact de l'œil mieux que n'a jamais su faire un peintre illusionniste ancien. L'authentique double portrait du duc et de son fils, par Juste de Gand, importé d'Urbin à New York et dûment restauré pour l'occasion, a du mal à faire valoir son privilège d'original dans la galerie de reproductions haute définition des portraits peints de grands hommes qui ornait, elle aussi, le Studiolo-bibliothèque du duc : elle est ici pour la première fois reconstituée et réunie, comme à l'origine et comme elle ne sera jamais sur place. Une vidéo, tournée à la Morgan Library et projetée sur écran Samsung, permettrait aux amateurs de s'offrir, chacun à sa guise, sans courir à Urbin, une visite à ce Studiolo redevenu aussi intact et indemne qu'à l'heure de son achèvement en 1476 : elle pourrait même permettre la consultation page après page, impossible dans les vitrines d'une exposition, de toute la somptueuse bibliothèque de manuscrits enluminés composés pour ce prince humaniste, dispersés après sa mort et aujourd'hui tous localisés par l'érudition moderne. Quelques-uns seulement figurent, ouverts à l'une de leurs pages, dans les vitrines de l'exposition new-yorkaise.

Déjà la fondation Mellon invite, sur son site ARTstor, à contempler et étudier, en une définition plus fine que la vue naturelle, dans tous ses détails grossis à volonté et ses volumes contournés à loisir, les bas-reliefs de cuivre doré de Lorenzo Ghiberti, si difficiles à observer sur place, sur les hautes portes du Baptistère de Florence. Les photographies d'Aldo Quattrone établissent que ces bas-reliefs sont en réalité des quasi-rondes-bosses, qui supposent une étude anatomique des figures d'après des corps vivants posant en atelier, dessinées puis modelées en cire, avant d'être fondues en métal. Loin d'être un artiste attardé du « gothique international », Ghiberti avait retrouvé la méthode pratiquée en isolé, deux siècles plus tôt, par le sculpteur Nicola Pisano, qui lui-même avait fait revivre l'imitation de la nature oubliée depuis l'Antiquité classique. La photographie, technique dont même Baudelaire admettait la portée scientifique, et dont les peintres n'ont jamais hésité à faire usage comme auxiliaire de l'œil et de la mémoire visuelle, se montre ici non pas en vampire d'« aura », mais en instrument de découverte et d'émerveillement pour l'historien comme pour l'amateur d'art [1].

Une ère nouvelle et une conception inédite de musées « immatériels » se dessinent. Ne marchandons pas notre adhésion à des progrès technologiques et scientifiques qui permettent de tels tours de force et qui promettent d'offrir, à tous, le bonheur souhaité par le poète : « dans le présent, le passé restauré ». Jubilons avec les savants historiens, conservateurs et bibliothécaires qui, laissant derrière eux les naïves *period rooms* qu'affectionnaient naguère les musées américains et les pompeux spectacles « Son et lumière » chers à André Malraux, cloneront tout vifs, par leur savoir pluridisciplinaire conjugué aux miracles de l'électronique, des pans entiers d'Égypte et de Grèce antiques, de Moyen Âge

1. Voir Andrew Butterfield, « Art and Innovation in Ghiberti's Gates of Paradise », dans le catalogue *The Gates of Paradise, Lorenzo Ghiberti's Renaissance Masterpiece*, éd. Gary M. Rake, Yale University Press, 2007, p. 16-41.

gothique, de Renaissance italienne, de baroque bavarois ou d'Âge d'or des bronzes du Bénin, et cela, dans la transparence d'abribus ouverts aux passants, ou sur l'écran vitré de leur ordinateur et de leur portable personnels, ouverts à leur gré, au site voulu.

Mais ne rêvons pas trop vite : de telles remontées télescopiques dans le temps de l'art, même subventionnées par Samsung et mises au service de sa publicité, ont peu de chances de « brancher » le plus grand nombre, ce gisement de nouveaux publics et de regards neufs que rêve de convertir l'armée croissante des « opérateurs culturels ». Coûteux, les reportages vraiment scientifiques sur l'art d'autrefois ont toutes chances de rester le plus souvent à l'état d'utopies et, dans le meilleur des cas, le privilège non envié de doctes « happy few ».

19. L'« Art contemporain », occidental et ethnique : l'ancien et nouveau American Museum

Cette utopie de philologues des images devra concurrencer comme elle pourra une autre utopie, née plus récemment, mais dont l'emprise sur le marché de l'art, et la fascination qu'elle exerce déjà sur ses professionnels, ont quelque chance de s'imposer à la Bourse de l'Art. Il faut en rabattre des ambitions de connaissance et de diffusion universelles de la « noblesse du monde ». Le cerveau d'esthètes blasés, mais non désintéressés et non dépourvus de mémoire, a imaginé cette martingale. Ils imitent, ou croient imiter, après un siècle, les pionniers des arts africains et polynésiens du Paris 1900-1930. L'ennui, c'est que la découverte des arts de l'Afrique noire et des îles de l'océan Pacifique, après celle des arts du Japon, et en même temps que celle de l'art roman à la fin du XIXe siècle, fut pour les artistes un retour aux sources, comme autant de mains fraternelles qui leur étaient tendues, de loin, par d'autres artistes d'époques et d'univers préindustriels, dont l'autorité et l'invention formelles étaient intactes de toute interférence avec la mécanique et le regard modernes. Alors que les derniers et tard venus dans l'exploration de l'Afrique n'y ont plus trouvé que les formes modernes inventées par l'artisanat africain depuis la fin de l'époque coloniale, sur le modèle des produits de série de l'industrie moderne.

Les « cercueils fantaisie » d'Accra

Ayant néanmoins la générosité de vouloir « valoriser » leurs trouvailles, notamment par une publicité qui ferait frémir un marché blasé, ces fureteurs ont mis la main sur la production africaine récente de *Fantasy coffins* (cercueils-fantaisie), analogues aux célèbres *cargo cults* polynésiens apparus après la Seconde Guerre mondiale dans certaines îles du Pacifique, imitant à terre les avions de transport militaires que la guerre avec le Japon avait fait gronder dans un ciel jusque-là silencieux.

Ces « cercueils fantaisie » sont du Pop art naïf et à bon marché, investis de surcroît par les artisans locaux et leur clientèle d'un réel pouvoir magique. Accompagnant et accélérant le voyage dans l'au-delà des ancêtres morts, (avions, mais aussi voitures de marque, chaussures de sport Nike ou Reebok, sacs Vuitton, animaux d'animation Disney), ces imitations artisanales à grande échelle de productions industrielles occidentales, sont recyclées, dans les pays « développés », en chefs-d'œuvre d'art *pop*, muséifiées, collectionnées, et passent en salles des ventes.

Et aussitôt la littérature grise de la sociologie de la post-colonisation et de l'anthropologie des sociétés de marché est venue à la rescousse. Colloques et publications scientifiques ont appuyé l'« effet Duchamp » (tout objet exposé dans un musée est une œuvre d'art), et consacré scientifiquement les naïfs enfants adoptifs du kitsch contemporain. Étonnés, ces objets de fabrication locale achetés à bas prix dans les boutiques d'Accra, au Ghana, se retrouvent dans les vitrines les plus huppées du monde au voisinage des installations les plus coûteuses, de conception européenne et américaine, tel le *Crâne de platine incrusté de diamants* (prix plancher : cent millions de dollars) de l'infatigable Damian Hirst, exposé dans l'été 2007 à la galerie White Tube, à Londres.

Damian Hirst et les artisans de *Fantasy coffins* furent lancés ensemble et en fanfare par l'exposition *Magiciens de la terre* du Centre Pompidou en 1989 : ils réclament maintenant un *Lebensraum*, un espace vital et mondial à la hauteur de leur croissance vénale, et ils le demandent, entre autres, aux musées d'art ancien sur la défensive. Et ils l'obtiennent, à la grande satisfaction d'une clientèle dont le goût et l'esprit critique sont faiblement préparés à résister à l'adoration du fait accompli, mais qui s'émerveille de vivre à une époque délivrée du scandale de l'artiste maudit. Tous artistes. Tout est art. Le Metropolitan Museum expose ces jours-ci pour trois ans, dans l'une de ses salles, un abribus du type Decaux, mais hermétiquement clos et entièrement transparent, rempli de formol bleuté, où un squale naturalisé ouvre sa vaste gueule dentée, sous le titre métaphysique « Impossibilité physique de la mort dans l'esprit de quelqu'un de vivant » (1991).

Damian Hirst et les Young British Artists à New York

C'est le joyau, signé Damian Hirst, d'une collection privée new-yorkaise, obtenu en prêt par le musée. Ce fut le clou de *Sensation*, l'exposition à grand tapage organisée en 1997 à la Royal Academy de Londres, rien de moins, et qui paracheva le lancement public des

« Young British Artists » que Charles Saatchi, puissant et efficace professionnel de la publicité, sélectionnait, patronnait et collectionnait jusqu'alors à titre privé. Généreusement, ce mécène patriote se proposait de doter Londres et l'Angleterre de Margaret Thatcher, et par les mêmes voies barnumiennes qui avaient si bien réussi à New York et aux États-Unis de Ronald Reagan, d'une écurie d'artistes encore plus contemporains que celle des *pop artists* américains des années 1960. Ce sont tous, écrit une journaliste française grisée, « des guerriers du marché, avides de représentation, de pouvoir et de fric ». Ô Van Gogh !

Eh ! bien, non, Damian Hirst, ses animaux formolisés et empaillés, ses étals de boucherie polymérisés, se posent en vengeurs de Van Gogh, en terroristes du monde qui les idolise et milliardise ! Un an plus tard, en septembre 2008, Hirst fait la une des *news* mondiaux en pariant de « casser » le marché de l'art et ses traditionnelles galeries ; il met en vente lui-même, chez Sotheby's-Londres, rien de moins que deux cents de ses « œuvres », fabriquées en toute hâte en vue de cette vente, dans sa propre usine de cent quatre-vingts ingénieurs et techniciens, qui « tournent » assez vite pour qu'aucun d'entre eux ne puisse réclamer en justice et au passage la qualité d'« auteur » de ces artefacts. Le clou de la vente est un authentique veau momifié dont les cornes portent un soleil d'or. Cette fine allusion à l'idole égyptienne qu'Aaron fit forger et que les Hébreux en route pour la Terre promise adorèrent, trahissant Moïse occupé au même moment à recevoir du vrai Dieu les Tables de la Loi, a fait, contre l'attente des milieux de l'« Art contemporain », un prix sans précédent dans cette catégorie : 89 millions d'euros. Art ou pas, il faut avouer que cet Anglais a du génie : il a vendu tout son fonds « d'atelier » au meilleur prix, et hors galerie, quasiment la veille d'un krach général qui n'a pas laissé indemne l'« Art contemporain ». Je ne serais pas étonné de le voir bientôt reparaître à la tête d'une holding vendant, clefs en main, du « développement durable ».

New York, en 1997, s'est bien gardé de monter sur ses grands chevaux contre la soudaine et ardente concurrence londonienne. Magnanime, et saluant d'authentiques disciples en Saatchi et ses poulains, il leur a fait l'accueil que l'on réserve aux cousins d'outre-Atlantique qui, à leur tour, ont réussi dans la même catégorie. Le Metropolitan lui-même a ouvert ses portes au champion des British Young Artists et au chef-d'œuvre qui l'avait d'emblée imposé au monde, et que son actuel propriétaire new yorkais a bien voulu prêter au musée pour trois ans, moyennant une assurance plus que rondelette. Pour garantir aux badauds mal informés que le squale formolé de Damian Hirst est bien une œuvre d'art, et non une pièce exportée du Muséum d'histoire naturelle tout proche, trois tableaux à l'ancienne ont été accrochés aux murs de la même salle : deux pompiers américains du XIXe, représentant des faits divers marins avec requins toutes dents dehors, et un chef-d'œuvre anglais du XXe, la

« Tête humaine » de Francis Bacon, qui en effet semble en voie de digestion dans l'estomac d'une baleine.

Tout allait bien quand j'avais vu en passant, l'an dernier, le fameux requin toutes dents dehors dans son énorme bocal bleuté. Aux dernières nouvelles, tout s'est gâté. Malgré le formol, l'animal a donné des signes indubitables de décomposition. Bonne affaire pour les hommes de loi, autres requins qui se pressent partout où le corps social contemporain donne des signes de délitement. Le propriétaire, l'assureur et le musée se disputent par compagnies d'attorneys interposés, et butent les uns et les autres en public sur la question, jusqu'ici restée confidentielle, du délitement rapide de l'« Art contemporain » en général, qui a renoncé à peaufiner des formes, belles ou non là n'est plus la question, mais au moins durables et non jetables. Peu importe la solution qui a été trouvée. Le cas est en lui-même emblématique. Comme l'affiche Samsung, comme la canette Campbell Soup, l'artefact usiné d'« Art contemporain » est conçu pour le cycle de production-consommation rapide. Il n'est pas biodégradable, mais il s'auto-vandalise, comme le font les images de quelques secondes de la télévision, les images psychologiques qui se succèdent dans le « courant de conscience » quotidien sans laisser de trace, et le circuit biologique animal nutrition-expulsion. Sa seule réalité symbolique est gagée sur son actuelle valeur boursière, et l'on sait à quel point la Bourse est instable et ses humeurs changeantes. Il est l'antithèse de l'œuvre d'art, par définition destinée à franchir les générations. Que venait-il donc faire dans un musée, lui-même et par définition demeure de la Mémoire, peuplée de conservateurs de la durabilité des chefs-d'œuvre et de visiteurs venus s'assurer de cette présence intacte, repère fixe de beauté dans leur vie qui fuit ? Peu nombreuse est la tribu des amateurs, conditionnés par leur habitude financière de jouer à la roulette et à haute vélocité, qui reconnaissent leur propre image dans ces objets et installations de valeur titubante, dont ils savent qu'ils dureront peut-être moins qu'eux-mêmes, ce qui en fait sans doute à leurs yeux tout le prix.

À l'époque où tout semblait encore aller de soi, le vernissage du requin anglais au Met n'eut pas plus tôt eu lieu, en novembre 2007, qu'on annonça, comme par enchantement, le grand *opening* pour deux mille privilégiés, dans le hall monumental de Lever House, sur Park Avenue, d'une gigantesque « installation » permanente du même Damian Hirst, le Michel-Ange de la taxidermie. Jules II et Léon X américains sont en l'occurrence le propriétaire de Lever House, Aby Rosen, très riche promoteur immobilier et un très considérable marchand d'« Art contemporain », Alberto Mugrabi. L'« installation » a coûté dix millions de dollars et elle s'intitule avec panache, à la Foucault : « École : l'Archéologie des Désirs perdus, y compris l'Infini et la Recherche du Savoir ». Elle réunit à des zigzags de rampes fluorescentes, un troupeau de moutons éventrés et pantelants de sang, venus tout droit de l'étal du bouch^r, et un autre requin, plus mignon que celui du Metropolitan, tous noyes dans le formol, outre des cercueils d'animaux morts desséchés et des cages d'oiseaux vivants. Pas de murs. Tout est plexiglas, électricité et transparence. Barnum, que j'avais envoyé aux nouvelles et qui s'est fait inviter, refuse d'y reconnaître, comme je le lui suggérais, un *remake* « high tech » et flatteur de son *American Museum*. Il m'affirme qu'un tel spectacle n'est pas *genuine*, qu'il est *unamerican*, et qu'il tient trop des expositions surréalistes françaises, tout au plus exagérées par la *British excentricity* pour ébaubir New York. Cet expert d'outre-monde voit juste. Si l'on veut savoir à quel point l'« Art contemporain » peut être *fun*, à la fois amusant et sinistre, comment il peut entrer en composition avec les *lifestyles* (mot intraduisible) de la *new business upper class* mondiale (inutile de traduire) et de la non moins *new Art business class* qui vit à ses crochets, il faut se glisser en Huron de Voltaire dans ce genre de vernissage luxueux, gastronomique et culturel.

L'Amérique *pop* et *low brow* est fidèle à elle-même. Il est tout aussi vrai que l'Amérique *high brow* l'est aussi, grâce à la générosité et à la persévérance d'un club encore plus exclusif que celui qui « fait » l'« Art contemporain ». Les deux Amériques se font-elles concurrence ? New York est-il le théâtre d'une querelle des images ? Pas du tout. Les deux séries d'offres ne sont ni concurrentes, ni incompatibles, elles ne donnent lieu à aucun conflit. Au cours de mes séjours précédents, il m'est arrivé d'être invité dans d'immenses appartements remplis de Renoir, de Redon, de Degas. Dans tel autre, les boiseries Louis XIV servent de cimaises à une sublime série de Monet ; dans un autre, les chefs-d'œuvre de l'art et du dessin italiens et français des XVIIe et XVIIIe siècles règnent et intimident. J'ai atterri quelquefois dans des lofts aux proportions d'usine, où l'on est accueilli par les coups de poing visuels des plus contemporains et coûteux. En dévidant ces souvenirs, je prends la mesure rétrospective d'un « multiculturalisme » social qui fait coexister dans la même ville la fortune qui a fait le choix des « valeurs » sûres et la fortune qui a fait celui des « valeurs à risques ».

Cette coexistence ne serait-elle pas une complémentarité ? J'en viens à croire que le prestige et les attraits du grand art européen, auquel la place, le rang, la visibilité ne sont pas disputés, servent de réflecteur et d'alibi à l'anarchie de la production contemporaine, tenue unanimement à New York pour symptôme de vitalité présente, promis sans doute à des reclassements imprévisibles, mais pour l'instant, et tel quel (dernier semestre 2007), fort amusant et payant.

Le New Museum de Brooklyn

L'événement de la saison, selon les gazettes, n'a pas lieu pourtant dans Manhattan, mais de l'autre côté de l'East River et du célèbre pont de style Eiffel qui l'enjambe, dans le quartier de Brooklyn, sur le Bowery, avenue dont les films policiers ont fait le théâtre nocturne d'une guerre des gangs, de la misère et du crime, au temps où Brooklyn était une banlieue pour récents immigrants. Là est ouvert, depuis le premier décembre, le New Museum, que la critique dit en effet « entièrement nouveau », et par son bâtiment, et par une exposition qui « remet en question le concept traditionnel de sculpture ». Les étroits immeubles de briques à deux ou trois étages, rongés ou restaurés, qui s'alignent sur le boulevard depuis le XIXe siècle, semblent s'être resserrés pour faire place à une haute tour, éclatante de blancheur, premier jalon sans doute de la métamorphose de l'ex-quartier dangereux en Cité radieuse de la culture. Les architectes japonais de cet édifice rédempteur n'aiment manifestement ni la symétrie, ni le fil à plomb. Selon une mode qui se répand, ils ont voulu ébranler nos derniers conforts intellectuels. Leur haute tour est faite de cubes superposés en équilibre fort instable, au moins à première vue. Bien que les surfaces de verre ne soient pas transparentes de l'extérieur, afin de soutenir cet effet de volumes pleins et décalés, à l'intérieur la lumière, à la fois naturelle et électrique, coule à flots. Uniformément, dans les salles d'exposition comme dans les salles de lecture, sur les murs comme sur le mobilier, triomphe cette blancheur immaculée d'hôpital qui est devenue le *nec plus ultra* du luxe démocratique, le symbole de ses *success stories*. Du moins les planchers sont-ils horizontaux et restent un repère. C'est dans ce cadre aéré que sont exposées les « sculptures » qui prétendent répondre à un concept inédit de cet art. Une dame nue, hyperréaliste, représentée grandeur nature, debout, l'un de ses deux fémurs enfoui dans un socle cubique, s'offre d'abord au visiteur, non loin d'un amas gluant dans lequel est plantée une Durandal. Poupée gonflable ? Poupée de cire ? C'est une bougie. Sur sa tête vacille une petite flamme qui la fait fondre lentement et qui, pour commencer, altère les traits et le fard assez vampiriques de son visage. J'ai trouvé depuis, dans un magazine français de psychanalyse, une longue exégèse de cette œuvre fondante. Elle interpellerait, en conjonction avec Durandal, notre angoisse de castration : « Ce genre de monuments est-il si différent des statues grecques que contemplait Hegel [1] ? »

On rencontre aussi, dans ces salles immatérielles, un vrai cheval empaillé que son élan a encastré et suspendu dans le mur, où sa tête, entendez-moi bien, s'est enfouie. On y voit encore un assemblage de

1. *Le Nouvel Âne*, n° 9, septembre 2008, p. 8.

vieilles chaises cassées, dans la ligne des violons d'Arman, des « installations » de meubles sales et usés jusqu'à la corde, des mâts de cocagne de cravates et de chaussures ramassées dans les poubelles, des autoportraits photographiques d'une plasticienne assise au cabinet. J'ai cru comprendre que ces artistes vivants entendaient polémiquer contre l'« Art contemporain », *high tech* et hygiénique, ayant actuellement la faveur du marché de l'autre côté du pont de Brooklyn. L'« Art contemporain » sale et débutant guerroie, d'une rive à l'autre de l'East River, contre l'« Art contemporain » propre et arrivé. C'est la réponse du berger à la bergère, du Bowery débutant dans la carrière, aux *lifestyles* arrivés de Park Avenue. À la faveur du New Museum et de ses courageux conservateurs, ces artistes américains et européens veulent rompre le charme de la société de consommation en mettant sous son nez ses déchets et sous ses yeux sa castration. La ficelle est grosse. Elle figure parmi les options de début de carrière analysées dans le *best-seller* souvent réédité, *The business of being an Artist* [1]. Mais l'autorité mondiale sur le *business* de l'Art, un des maîtres du monde, Lorenzo Rudolf, organisateur d'*Art Basel*, de *Shangaï Contemporary*, et de la future *Miami Fair*, a tranché. On peut commencer au Musée, mais « aujourd'hui, c'est le marché qui fait les artistes [2] ».

Seurat, Freud, Arikha

Retraversons en sens inverse le pont de Brooklyn. En ce dernier trimestre 2007, le MoMa, héritier et conservateur du modernisme et de ses précurseurs, expose un rare ensemble de dessins de Seurat, pour la plupart en mains privées. Pour qui l'art de Seurat est connu par ses toiles, *La Grande Jatte* ou *Le Cirque*, c'est une révélation. La seule et vraie nouveauté qu'offre en réalité cette saison new-yorkaise se trouve ici, dans ces deux petites salles que l'immense Musée, récemment augmenté et rempli d'attractions, consacre aux dessins d'un peintre mort très jeune à Paris, voici un siècle. Quelques-unes d'entre ces feuilles, les premières que l'on rencontre, attestent la qualité de la formation académique reçue par l'adolescent, dont le trait, dans le dessin d'après l'antique et d'après le modèle vivant, est aussi pur et singulier que celui d'Ingres, si admiré par Baudelaire, si jalousé par Picasso. Renonçant au trait ingresque, Seurat a ensuite changé complètement de manière et de technique. Comme tous les très grands peintres de son époque, il a cherché pour

1. Publié en 1997, sous le titre *How to start and succeed as an artist*, le manuel de Daniel Grant, d'une réelle valeur à la fois pratique et sociologique, a été plusieurs fois réédité depuis par Alworth Press sous ce nouveau titre, encore mieux approprié.

2. Voir son interview sur deux pleines pages dans le quotidien *Libération*, 26-27 juillet 2008, p. 22-23.

son art une parade à la photographie dont, dès 1857, Baudelaire avait dénoncé les prétentions à sortir de la documentation scientifique et à revendiquer un statut d'art. Seurat résiste, concurrençant l'épreuve photographique sur son propre terrain, à son propre format, sur ses propres sujets de « vie moderne ». Ce combat du peintre contre la photographie, qui sera l'un des aiguillons du meilleur modernisme artistique, encore feutré chez Seurat, n'en est que plus subtil et haletant. Sur un papier finement tramé et grainé, l'artiste répand le crayon gras par à-plats plus ou moins appuyés, dosant les volumes, la lumière et l'ombre comme s'il taillait directement dans l'étoffe affective de l'émotion ou du souvenir. Ce pointillisme sensible du crayon, très différent du pointillisme prémédité de ses tableaux qui rivalisent avec la mosaïque, nous révèle tout ce qui manque à ce que nous appelons aujourd'hui « pixels » : la beauté de la matière, la présence divinatrice de la main, la poésie de l'œil contemplatif, le tremblement suspendu du temps.

John Dubrow, peintre qui vit à New York, épris de Vuillard, de Bonnard et de Matisse, mais n'ignorant rien des recherches des expressionnistes abstraits (il a commencé par suivre l'enseignement de Richard Diebenkorn, le maître californien de cette école), m'a rejoint ce jour-là devant les dessins de Seurat. À Paris, où il a brièvement tenté sa chance, toutes les portes de galerie se sont fermées à sa peinture, politiquement incorrecte. À New York, il reste obscur, mais une amie, galeriste avisée et généreuse, l'expose. Des collectionneurs moins branchés que d'autres, ou en avance sur le krach possible de l'« Art contemporain », achètent ses portraits et ses paysages urbains assez cher pour qu'il vive décemment de son art et des critiques du *New York Post* rendent compte longuement et très élogieusement de ses expositions. Dans ses années d'études, en Californie, où il eut ensuite pour maître un peintre qui s'était formé à l'école française, il faisait en sorte, m'explique-t-il, pour ne pas imiter servilement Matisse, de remonter aux sources dont le peintre français s'était tour à tour abreuvé : Cézanne, Chardin, Giotto. Il a osé débarquer du torrent qui a fait de l'art américain une version industrielle et boursière d'un dadaïsme embourgeoisé. Il est libre, il est encore jeune, il a un bel atelier, il est cet oiseau rare : un peintre.

Malgré sa traditionnelle répulsion pour l'art « figuratif », le MoMa inaugure une autre mémorable exposition, la seconde dans ses murs, d'un autre peintre, Lucian Freud, vivant à Londres, mais non « contemporain » selon les critères du Musée et ceux du Centre Pompidou (lequel doit à la ténacité de Jean Clair, alors l'un de ses conservateurs, d'avoir consacré à Freud une rétrospective, en 1984). Judicieusement dosés, eaux-fortes, dessins et tableaux donnent une idée assez complète du talent de cet artiste anglais, petit-fils du fondateur de la psychanalyse. Portraitiste des siens – sa mère, sa fille, son médecin, son chien –, autoportraitiste aussi, il n'en porte pas moins jusqu'à l'effroi et à l'angoisse son regard sur la face et le corps humains. Peintre et dessinateur de nus (*naked* et non *nude*), il représente jusqu'au seuil de la caricature le poids et le sac de viande animale de ses modèles masculins et féminins, à faire tenir Courbet pour un autre Rubens. On sort de là titubant, à la fois étonné par un superbe métier du dessin et profondément troublé par la terreur et la pitié impuissantes que la face et le corps humains, même ceux de ses proches, inspirent à ce peintre. Les chairs sont vouées à gonfler, les visages à se rétracter et à se rider. Seuls le chien et son pelage restent beaux. Une noire mélancolie conduit la main experte de ce grand et singulier artiste, ancien par le métier, « contemporain » par son obsession de la déréliction humaine. Contemporain ? Ou continuateur en exil, résolument germanique, d'Egon Schiele, de Lovis Corinth ?

Ce qu'il n'est même plus convenu d'appeler « figuration » s'affirme néanmoins contre vents et marées, à New York, dans les natures mortes, les nus, les portraits et les autoportraits d'un autre peintre de haute culture et de savant métier, de la même génération que Lucian Freud, Avigdor Arikha, de nationalité israélienne, vivant et travaillant depuis quarante ans à Paris où il n'a jamais eu droit à une exposition de ses tableaux. Il n'en est pas moins apprécié à Londres, à Madrid et à New York, où la galerie Marlborough ne se gêne pas de montrer en ce moment quelques-unes de ses œuvres récentes, qui recourent à la technique oubliée du pastel. Cet artiste prend le plus souvent ses sujets, comme Freud, dans son monde privé, avec un métier d'où l'émotion n'est jamais absente.

Encyclopédique, le Metropolitan Museum, de son côté, offre à ses visiteurs, en même temps que les « Dents du requin » anglais, un rassemblement de ses propres collections de peinture hollandaise du « Siècle d'or », la réouverture des salles Wrightsman, dont la mise en scène et l'éclairage, dignes de *La Cerisaie* selon Giorgio Strehler, font revivre les arts décoratifs français du XVIIe et du XVIIIe siècle, et une somptueuse exposition, sans précédent à cette échelle, de tapisseries princières de l'Europe dite « baroque ». Ce n'est pas tout : on peut voir, dans l'une de ses salles, devant une reproduction photographique en trompe-l'œil de la « Porte du Paradis » du Baptistère de Florence, trois de ses authentiques panneaux restaurés et provisoirement prêtés au Musée. Récemment redistribués dans les deux galeries et l'atrium néo-classiques du rez-de-chaussée du Musée, la statuaire et les ornements d'architecture grecs et romains composent une symphonie classique en blanc majeur.

Non loin de là, la Frick Collection propose une anthologie du Constantin Guys du Paris de Louis XV, l'infatigable dessinateur Gabriel de Saint-Aubin. La tradition de John Pierpont Morgan et de Henry Clay Frick, attachée à rendre l'Amérique dépositaire des lettres et des arts de la Vieille Europe aristocratique, est aussi tenace dans son ordre que celle de P. T. Barnum dans le sien. Si l'on ajoute que, dans la même saison, le Metropolitan Opera présente, avec une distribution superbe et dans des mises en scène dépourvues de prétention idéologique ou psychanalytique, *Iphigénie en Tauride* de Gluck, les *Noces* de Mozart, et *Norma* de Bellini, il faut reconnaître que la capitale du *business* et du *show business* sait s'offrir, sans lésiner, ce luxe muséal et éclectique de harem de sultan que Paul Valéry tenait pour barbare par excès. Ennemi du Musée, le poète en a donné un jour cette définition : « Un assemblage forcé de merveilles, indépendantes et rivales, et qui sont même des ennemies mortelles quand elles ne sont pas parentes. » Ignorant ces scrupules de princesse au pois européenne, le public nombreux des musées et des salles d'opéra de New York est partout sérieux, appliqué, discipliné, silencieux.

Tant pis si, dans l'abribus luxueux du hall de Lever House, sur Park Avenue, manquent, à côté du bestiaire Hirst, quelques « cercueils de fantaisie » en forme de requins Disney, fabriqués sur place pour les « chers disparus » d'Accra (Ghana) : ils figurent déjà, distraits de leur destination première, sollicités et exportés par plusieurs musées du monde entier, dans la vaste collection de Jean Pigozzi, à Antibes, mais pas encore consacrés par New York. On ne peut tout avoir à la fois et en même temps.

Le cercle n'est donc pas bouclé. Il ne peut pas l'être. Jean-Claude Decaux n'affiche-t-il pas sur de nombreux aéroports européens sa propre et fière devise : « Quand la publicité se combine avec l'art, son impact est double » ? Aussi l'abribus Decaux, cellule-mère des musées de demain, est-il ouvert à tous les vents de la mondialisation des deux marchés confondus, celui du *marketing*, et celui de l'« Art ». Sur ses parois de verre, le *marketing* n'a jamais fini de changer d'affiche et de multiplier les offres d'art les plus hétéroclites. *Mall* en réduction, supermarché virtuel où l'œil se rassasie de tout, il attend la prochaine génération technologique pour échanger son panneau d'affichage contre le grand écran de télévision Samsung ultraplat que vous ne vous contenterez plus de suspendre à vos murs, tableau des tableaux, image de toutes les images : vous le retrouverez allumé, immense et gesticulant partout sur votre chemin. Sans obliquer ni faire de détour, comme j'y suis encore contraint dans cet hiver 2007 du Moyen Âge « contemporain », il vous suffira d'un geste de l'index pour avoir sous les yeux, tour à tour ou en même temps, une séquence du *Lac des cygnes* et les blogs à la dernière mode, le grand *aria* de la Reine de la nuit et le match de foot de la dernière heure, les bas-reliefs érotiques de Kijarao et la dernière installation de Damian Hirst, avant qu'il n'ait mis la clef sous la porte.

20. Du musée-Mall à l'église-Megachurch : deux destins asymptotiques

Le destin contemporain du musée, naguère temple de l'art, aujourd'hui maison polyvalente de la culture-*entertainement*, suit la même pente que celui des églises protestantes : la *church* de la foi enthousiaste des *born again* est devenue depuis les années 1960, en de nombreux États américains (et pas seulement au sud, dans la « Ceinture biblique »), *megachurch* intégrée, regroupant autour du lieu de culte des quartiers entiers d'appartements neufs en location, un supermarché, des salles de cinéma, des parkings, des écoles maternelles et des collèges, des bureaux, un hôpital, une maison de retraite pour troisième âge, un stade et des salles de sport, des banques, des agences de voyages, vaste ensemble presque urbain régi par des pasteurs et des laïcs formés au *management* contemporain autant sinon plus qu'à la théologie, une théologie il est vrai réduite à la lettre biblique. Là, on peut naître, grandir, faire ses études, faire carrière et mourir dans des conditions de sécurité, de confort et de moralité en principe inouïes. On peut aussi, en bénévole, assister sur place les infirmes, les malades, les vieillards, visiter les prisonniers et aider les nécessiteux de la ville voisine. Deux de ces églises-cités, en des points différents des États-Unis, ont pourtant été récemment victimes de l'acte gratuit devenu trop fréquent de nos jours, commis à l'improviste par de jeunes tueurs d'occasion qui, après avoir fauché un certain nombre de gens au hasard, ont coutume de se donner la mort. L'ennui moderne, même refoulé en ces lieux ordonnés et fervents, lève sa dîme de sang.

Les fameuses missions jésuites du Paraguay et du Brésil, admirées par Voltaire, et dispersées *manu militari*, en 1767, par le souverain « éclairé » du Portugal, pourraient passer pour d'anciennes versions catholiques des *megachurches* américaines. Érudits et maîtres de toutes sortes d'arts, les jésuites étaient d'excellents organisateurs, ils avaient le sens du théâtre et des spectacles : la vie des missions faisait alterner labeur et fêtes, travaux des champs et œuvres d'art – opéras, retables sculptés et danses – dont les Indiens étaient auteurs, acteurs et spectateurs. La religion des *megachurches* contemporaines n'est pas avare non plus de spectacles : pour avoir assisté à des services du dimanche dans des temples gigantesques, à Chicago, j'en sais quelque chose.

La parole haletante du prédicateur commentant au micro, devant des milliers de fidèles, un épisode biblique – souvent le Passage de la Mer Rouge, approprié à la conversion et au baptême – soutenue par un orchestre rock masculin et entremêlée de trémoussements d'un chœur professionnel de danseuses en tutu, fait monter la pression de minute en minute. De temps à autre des spectateurs chauffés à blanc, n'en pouvant plus, se lèvent et poussent un cri libérateur ; des bénévoles se précipitent, les prennent par le bras et les entraînent gentiment derrière les coulisses. Tandis que le prédicateur, tel Moïse frayant le chemin aux Hébreux, redouble d'objurgations et d'invocations, sur l'immense écran blanc qui domine la scène apparaissent et s'agitent des ombres chinoises : ce sont les *born again* qui dépouillent les vêtements du « vieil homme » et se plongent dans la piscine probatique, avant de redescendre, vêtus de probité candide et de lin blanc, pour reprendre leur place dans l'assemblée, aux applaudissements enthousiastes et prolongés de la congrégation.

Dans une mégapole où les quartiers *off limits* sont vastes et menaçants, c'est une espèce de miracle d'avoir fait se lever un tel temple, de l'avoir entouré de logements décents et de toutes sortes de commodités, et de le remplir d'un peuple endimanché, reconnaissant au Seigneur d'avoir échappé en famille à la grande misère et à la criminalité. Les enfants ravissants et épanouis qui fourmillent dans l'assistance, des garçons en costume bateau, des fillettes nattées et en jupe plissée, ont toutes chances de prendre exemple un jour sur Barack Obama.

Mais, autour d'un apôtre charismatique, un tel succès de civilisation suppose des diacres-*businessmen* et *businesswomen*, rompus aux techniques du *fund raising* et du *management*, et pour lesquels la religion, à l'image de l'« Art contemporain » et de la politique, est devenue une industrie de services à plein temps, tournant à plein rendement et selon des méthodes aussi *high tech* que n'importe quel secteur de l'industrie pétrolière ou du *show business* [1].

Les sectes aux dénominations les plus étranges (« Église baptiste de l'amitié missionnaire », « Première Assemblée de l'Église de Dieu ») qui souvent surgissent à point nommé pour créer l'une de ces fécondes *start ups*, trouvent d'autant plus facilement les crédits dont elles ont besoin pour investir que la loi américaine dispense d'impôts fédéraux les associations religieuses par définition *non profit* ; de surcroît, les futures *megachurches* se localisent hors des villes et hors d'atteinte des taxes municipales, sur des terrains non encore gagnés par la fièvre immobilière. Cela ne va pas sans conflits juridiques, soulevés notamment par les municipalités. Mais où commencent et où finissent les activités *non profit*, là où le salut des âmes est si étroitement subordonné à la nourriture, au divertissement, à l'éducation, au soin des corps ? Il arrive cependant, comme à Concord, Massachusetts, haut lieu littéraire de la Nouvelle-Angleterre, que la *megachurch* voisine, « Faith Church », prenne sur elle les frais du feu d'artifice de l'*Independance Day*, fête

1. Voir l'étude exhaustive du phénomène, de sa genèse et de son expansion, dans Stephen Fath, *Dieu XXL, la révolution des megachurches*, Paris, Autrement, 2008.

unanime, patriotique et toute laïque datant du XVIIIe siècle, à la différence de *Thanksgiving*, fête religieuse datant du XVIIe siècle.

Des générosités de ce genre arrondissent les angles, sans toutefois dissiper le soupçon de discrimination qui pèse sur ces « quartiers hors les murs » de confession résolument monolithique. Leurs « business managers » se défendent de sortir le moins du monde de la norme multiculturelle et multiconfessionnelle de la société américaine. L'un déclare :

> Nous faisons de notre mieux pour ne pas discriminer dans le service communautaire que nous assurons. Il y a des musulmans et d'autres non-chrétiens parmi nous, bien sûr. Et nous souhaitons les convertir, nous ne le cachons pas, c'est notre mission. Mais nous ne discriminons pas, nous évangélisons.

Tel autre ajoute :

> Il n'y a rien en soi d'aliénant dans ce que nous faisons, économiquement. Un jeune juif orthodoxe ou un enfant de foi musulmane conservatrice ne trouvent pas la moindre intimidation dans les programmes que nous leur offrons. Il est clair néanmoins que nous voulons, par ces efforts, ouvrir la porte à l'entité où nous reconnaissons l'auteur et le créateur de l'abondance de vie, Jésus. C'est un acte dont l'équilibre est difficile [1].

Les États-Unis, qui nous font mourir de honte par leur « modernité » (mot-valise, mot fétiche, mot magique, argument sans réplique), sont, à la voir de près, la nation la plus conservatrice qui soit de ses propres révolutions. Elle se contente de les additionner, juxtaposer et moderniser. En Europe, je ne vois plus que l'Autriche, la Bavière et la Suisse qui puissent rivaliser avec les Américains sur le terrain de la continuité, entamée, mais seulement en surface, outre-Atlantique, par des non-conformistes européens adoptés dans les Quartiers latins de New York ou de San Francisco et choyés dans les universités les plus fortunées. Le fait est, en tout cas, et il nous étonne aujourd'hui encore plus qu'il n'a surpris Tocqueville en 1832 : fidèle aux formules politiques des Lumières inscrites dans son contrat fondateur, la nation américaine ne l'est pas moins à ses origines protestantes et au grand *revival* évangéliste qui l'a parcourue au XVIIIe siècle, pendant que nous nous « sécularisions ». Les *megachurches* dernier modèle ont des ancêtres directs dans les *camp meetings* du deuxième grand *revival* des années 1800-1830, entreprises de masse, régies selon une logistique et une discipline quasi militaires, rassemblant pendant quelques jours ou quelques semaines des pionniers blancs épars dans le *wilderness* de l'Ouest, ou des Noirs émancipés, les

1. Voir le reportage « Megachurches Add Local Economy to Mission », par Diana B. Henriques et Andrew W. Lehren, dans *N. Y. T.*, vendredi 23 novembre 2007, p. A1-34.

uns et les autres privés d'églises ou de paroisses fixes et réchauffant ensemble, à plein temps, leurs repentirs et le regain de leur piété. Le phénomène se produisit une troisième fois, à plus grande échelle, dans les grandes et petites villes, après la guerre de Sécession, et cette fois avec le renfort d'un onzième commandement : Que la publicité soit faite, *Let there be advertising* [1]. Barnum est issu de cette école. Il est rare en histoire de trouver des généalogies plus continues, et en sociobiologie, des A. D. N. plus fidèlement transmis.

Non contentes de leurs actuels succès missionnaires, les sectes évangéliques ont accédé récemment, aux États-Unis, à la grande puissance économique, après avoir pénétré depuis longtemps les plus hautes sphères du pouvoir politique local et fédéral [2]. Harry Truman était baptiste, comme Bill Clinton, et l'un des candidats du Parti républicain, longtemps vraisemblable, dans l'actuelle course à la présidence, a été un aristocrate richissime de confession mormone, Mitt Romney, fils d'un ex-gouverneur du Massachusetts auquel il a succédé. Un débat théologique entre chrétiens et mormons s'est greffé quelque temps sur la campagne présidentielle des candidats républicains aux primaires, et ses péripéties ont alimenté la chronique de l'automne-hiver 2007. La secte mormone, immensément riche, à l'image de Mitt Romney, gêne l'électorat évangéliste majoritaire, qui l'accuse d'hérésie. L'Église mormone prétend en effet disposer d'une Révélation antérieure à la Bible canonique et, à plus forte raison, au Nouveau Testament. Cette Écriture sainte, gravée et enfouie par le Seigneur en terre américaine, a été retrouvée et déchiffrée par son fondateur Brigham Young, auprès duquel Champollion fait pâle figure. Éclairée par cette confidence divine et écrite (les originaux ont disparu) sur l'état le plus ancien du dessein providentiel, l'Église mormone s'estime à même de préparer ses fidèles, mieux qu'aucune autre, au jour proche du Jugement dernier.

C'est dans l'Utah, à Salt Lake City, la Jérusalem des « Saints du Dernier Jour », que l'on prétend, et non à tort, connaître le premier et le dernier mot de l'élection réservée par le vrai Dieu à la terre et à la nation américaines. L'« hérésie » mormone ne fait que mettre crûment en lumière celle que se cachent à eux-mêmes l'évangélisme et le biblisme américains, deux versions indéfiniment déclinées d'un même patriotisme théologique. En dépit de ses hypocrites détracteurs, le mormonisme d'un éventuel Président Romney n'aurait pu que hâter la vocation américaine à mettre fin, dans les dispositions requises, aux erreurs d'une histoire humaine trop longtemps désorientée.

1. S. Fath, ouvr. cit., p. 15-27.
2. Voir D. Michael Lindsay, *Faith in the Halls of Power. How the Evangelicals Joined the American Elite*, Oxford University Press, 2007.

De surcroît, les innombrables sectes américaine qui se disent attachées à la lettre de la seule Bible canonique, et dont se réclament les hommes d'affaires avisés et compétents qui créent des *megachurches* et leurs satellites (1 328, en 2008, dans l'ensemble des États-Unis) ont beau se flatter contre les mormons d'une orthodoxie supposée, il est trop évident que leur Dieu utile, domestiqué par l'économie de marché, n'a plus rien de commun, ni avec le Dieu biblique du sacrifice d'Abraham, ni avec le Dieu évangélique du sacrifice de la Croix. Loin d'inviter ses fidèles à l'angoisse et au tremblement, à cette « tristesse chrétienne » qui selon saint Paul est la vérité de la « tristesse du siècle », le Jésus américain ne les fait « naître une seconde fois » que pour leur épargner les états d'âme « négatifs » qui font obstacle à leur succès sur la Terre sainte de la *pursuit of happiness*. Un *born again* est d'abord quelqu'un qui met de son côté toutes les chances morales de son succès dans un ici-bas semé d'embûches et qui écarte de lui tous les défauts qui rouilleraient les rouages de son succès. Le télévangéliste John MacArthur, pasteur de l'Église « Communauté de Grâce », à Sun Valley en Californie, a écrit, on ne sait trop si c'est à titre de programme et/ou de critique :

> Vendre la religion suppose que des sujets négatifs tels que la colère divine soient évités. La satisfaction du consommateur veut que le degré de droiture demandé ne s'élève pas trop haut. Les semences d'un évangile délavé sont donc incluses dans la philosophie qui inspire aujourd'hui nombre de ministres [1].

21. Le Christ américain

Cette Amérique évangéliste, non moins que l'Amérique scientiste, n'a jamais été un terrain fertile pour les arts. L'Amérique catholique, sur un terrain à cet égard stérile, n'a pu faire le poids, et rien n'est plus saisissant que de passer de Baltimore (Maryland, État anciennement catholique), riche en églises pauvres en œuvres d'art, à Guadalajara (Mexico), où l'art dévotionnel colonial du catholicisme espagnol tapisse les lieux de culte, se propulse en procession dans les rues et ravit les yeux des visiteurs étrangers, à commencer par les citoyens des U.S.A.

Cette même Amérique évangéliste s'est jetée sans hésiter, pour sa publicité, tour à tour dans la presse à sensation, la photographie, le cinéma et la télévision. Mais pas d'images dévotionnelles. Sauf à titre de logo, un Jésus jeune et souriant.

---

1. Voir l'excellente étude de Frances Fitzgerald, « Come on, Come all, Building a Megachurch in New England », dans le *New Yorker*, 3 décembre 2007, p. 46-56.

Le film du catholique Mel Gibson, *La Passion du Christ*, dont les images sanglantes ont suscité une couverture étonnante de *Time Magazine* sous-titrée : « Pourquoi Jésus a-t-il cru bon de mourir ? », a cherché le succès de scandale, non pas tant auprès des non-chrétiens (il a fait pourtant un malheur dans l'Orient musulman), que des nombreux chrétiens réformés américains, accoutumés à imaginer le Sauveur, non pas sous les traits du Crucifié, icône funeste, mais d'un jeune thérapeute *glamour* dont les bras grands ouverts, le sourire contagieux et les rangées de dents blanches promettent ici-bas santé, succès et bonheur, un télévangéliste du Ier siècle. Dans les polémiques qui ont entouré la sortie du film, on pouvait entendre un faible et lointain écho du vieux conflit européen entre catholiques iconophiles et réformés iconophobes.

Pour autant, le Christ de Gibson n'est que l'inversion musclée, ruisselante d'hémoglobine, *knock-out*, du Jésus bien lavé et repassé qui s'affiche sur une oriflamme à l'entrée des *megachurches*. Mais c'est l'un ou c'est l'autre. Malgré le succès du film, c'est l'autre qui de très loin obtient tous les suffrages. Le Christ « signe de contradiction », paradoxe de divinité et d'humanité, est aussi inconnu que ses représentations artistiques de la chrétienté protestante américaine, laquelle veut un modèle humain d'entraîneur gagnant, surtout s'il a perdu le premier *round*. L'évangélisme américain « vend » Jésus au titre de police d'assurance tous risques, notamment en matière de santé, si coûteuse, et donc si rarement couverte aux États-Unis, source d'anxiété constante et sourde à l'idée de l'accident, de la maladie grave, des troubles psychiques qui exigeraient des soins de longue durée. Au pays du multiple, du mouvant, du fuyant, c'est tout de même une chance pour le Dieu de Moïse et de saint Jean, le point fixe par excellence, de pouvoir atténuer l'insécurité de ses fidèles et d'y trouver enfin une solide raison d'être, accordée au pragmatisme et à l'optimisme conquérant de la nation élue. Entre ce christianisme pharisien et l'« hérésie » mormone, il y de quoi hésiter. Au lieu de créer une Amérique purement chrétienne, comme c'était leur initiale utopie, les évangélistes et leurs rivaux, les pentecôtistes, ont en réalité américanisé le christianisme [1].

Sur Godchannel, plus accessible dans les chambres d'hôtel du monde entier que TV5 ou France 24, écoutez entre autres l'une de ses vedettes, le jeune et fringant pasteur Joël Osten, allant et venant sur une estrade devant une salle pleine de milliers de spectateurs. Habillé chez Ralph Lauren, toutes dents blanches dehors, les yeux au ciel, il répète à un débit intarissable :

1. Voir Richard Pyle, *Evangelicanism, an Americanized Christianity*, Transaction, 2007.

Do today your expector act ! Become a better you ! You are not expecting the best ! You do not anticipate God's blessings ! God is in control, God has more in store for you ! Anticipate it ! Start expecting a supernatural good ! Start thinking : something good is to happen to me today ! We are victors, we should have the victors' approach to life.

Cette voix de l'Amérique assimile le christianisme, vidé de théologie, à la gymnastique suédoise[1] et à la méthode Coué. La condescendance gênée de l'intelligentsia new-yorkaise envers ces énergiques publicitaires de Dieu est assez hypocrite. La religion patriotique américaine, évangélique ou non, n'établit pas le Paradis terrestre autrefois, ou ailleurs, mais ici et en avant.

Les débats sur le darwinisme et l'*« intelligent design »*, sur l'avortement et le *« droit à la vie »*, sur le *« big »* ou *« small government »*, divisent et confortent réciproquement deux versions rivales du même américanisme s'opposant sur des points de détail, mais uni dans le même providentialisme d'ici-bas. La note que fait entendre le jeune pasteur Joël Osten est également audible dans les exhortations des hommes d'État américains, tant républicains que démocrates, ou dans les prestations télévisées du célèbre milliardaire de l'immobilier Donald Trump, professeur de *success stories*, et même au fond de la raisonneuse doctrine de la justice sociale du philosophe moral John Rawls. Les légitimations s'opposent, les lubrifiants moraux diffèrent, mais les fins sont unanimement les mêmes : augmenter le rendement rationnel de la machine humaine et sociale afin qu'elle tourne toujours mieux, donnant l'exemple à toute la terre, pour la satisfaction plus ou moins prochaine de tous ses usagers.

22. Je et On : comment l'individualisme peut être taylorisé

La religion et les technostructures américaines rivalisent à qui drainera le mieux, en pratique, l'imagination et les passions, ces troubles archaïques dans le moteur humain et social. Dès avant 1914, au cinéma, puis après la Seconde Guerre mondiale, avec une puissance de frappe multipliée, à la télévision avec ses *sit-coms* et ses *reality shows*, le *show business* est venu à leur rescousse, exerçant tant sur le public religieux que sur le public éclairé une puissante fonction morale et sociale régulatrice : modelant chaque génération par une nouvelle vague de stéréotypes et de schèmes dramatiques diffusés chaque fois par une nouvelle

1. Voir le délectable ouvrage de Clifford Putney, *Muscular Christianity, Manhood and Sports in Protestant America, 1880-1920*, Harvard University Press, 2001.

génération de technologies de l'image, ces vagues successives d'images dictent leur comportement, leur langage, leur vêtement, aux jeunes publics ciblés, selon une diversité et des contradictions, même les plus risquées, qui se résorberont, en gros, l'âge venant, sous la pression du conformisme général à la loi d'airain du marché du travail et aux mythes et symboles eschatologiques communs à tous et universellement contagieux : la *City upon a Hill* [1], *America the Beautiful*, l'*American Dream*, l'*American Century*, et le plus beau de tous, la *Manifest Destiny* [2].

À bien des égards, cette puissante « machine à rêves » informant de jeunes révoltes avant de les ramener peu à peu au sain conformisme moyen, même si elle comporte à grande échelle, des « ratés » et des « dommages collatéraux » (les statistiques pénitentiaires attestent leur ampleur), fonctionne comme une paraphrase du fameux aphorisme d'Oscar Wilde : c'est la nature (sociale) qui imite l'art (celui de l'industrie des images). L'art de vivre, c'est de devenir par son *lifestyle* l'image d'une des stars du répertoire particulier à sa génération, le mannequin parfait de la panoplie de produits dérivés appropriés aux *role models* de chaque âge, de chaque sexe, de chaque groupe social, voire d'acteur ou d'actrice de l'une de ces situations à la mode qu'on a vues à l'écran. Ainsi ce que l'on appelle l'individualisme démocratique peut-il choisir librement, dans le vaste *Department store* de *lifestyles* et de *role models* prêts-à-porter, le stéréotype qui lui convient et auquel il ou elle identifiera son *Je*, jusqu'à ce qu'il ou elle en change au cours d'une crise d'identité, ou à la faveur d'une conversion. Pour autant, l'affirmation intérieure d'un « moi » indépendant est rendue difficile par ce jeu de rôles, et il se peut qu'on en ait changé un grand nombre sans échapper une minute au grand

---

1. Cette expression entrée dans la langue, et souvent reprise par l'éloquence présidentielle américaine, est extraite d'un sermon du pasteur John Winthrop (1578-1649), le premier gouverneur du Massachusetts, élu en 1630. Elle symbolise la sainte communauté que les pèlerins exilés volontaires en Nouvelle-Angleterre ont mission de Dieu de créer. C'est l'incunable de la *Manifest Destiny* de John O'Sullivan. Sauf que, dans ce même sermon, le pasteur Winthrop, dont descendent à la fois George W. Bush et son ancien concurrent John Kerry, s'écriait : « Une démocratie, parmi les nations civilisées, compte pour la plus vile et désastreuse forme de gouvernement. »

2. Cette formule a été mise en circulation par le journaliste politique démocrate John Louis O'Sullivan (1813-1895), pour légitimer en 1845 l'annexion du Texas et, en 1848, celle de l'Oregon. Elle résume sa conception providentielle de l'expansion des États-Unis en Amérique du Nord, justifiée par « la grande expérience de liberté et de gouvernement représentatif fédéral qui nous a été confiée [par Dieu] ». Passée dans la langue, mais rendue au XXe siècle à son auteur, elle a, depuis, largement dépassé dans l'esprit de ceux qui l'invoquent les limites nord-américaines que celui-ci lui avait réservées. Voir Anders Stephanson, *Manifest Destiny, American Expansion and the Empire of Right*, Hill and Wang, 1995, et Robert J. Johannsen, « The Meaning of Manifest Destiny », dans *Manifest Destiny and Empire, American Antebellum Expansionism*, ed. Sam W. Hayes & Christopher Morris, Texas University Press, 1997.

On sociologique qui a conditionné ces rôles à la vaste aire de jeu et à la souple dramaturgie dont s'accommode la multiplicité extrême du corps social américain. Le principe aristotélicien d'imitation, étendu par Gabriel de Tarde à la psychologie de masse, mais libéralisé par la variété de l'offre et son fréquent renouvellement, régit les mœurs américaines, par ailleurs fidèles à un certain nombre de traditions festives.

23. William Cody – Buffalo Bill, l'épopée nationale de la Frontière, et la « survie des plus aptes »

Le studio que j'ai loué sur la rive de l'Hudson ne contient pas de téléviseur. Je me suis bien gardé d'en louer un, et je consacre le temps que j'aurais pu passer devant l'écran à compléter mes lectures d'histoire américaine, que le prêt à domicile de la bibliothèque voisine me permet de faire tranquillement chez moi. Luxe extraordinaire en France, mais habituel aux États-Unis. Je me rappelle l'année où, à Chicago, je m'étais laissé aller à suivre des programmes de télévision sous le prétexte de mieux m'informer sur cet étrange et immense pays. J'avais dû constater alors que ces images, jouxtant celles que je recherchais aussi sur l'Internet, m'habituaient à une telle nervosité du regard que je ne lisais plus la page imprimée qu'en diagonale et en sautant des paragraphes entiers, y trouvant sans cesse des « tunnels » qui m'impatientaient et qui n'en étaient peut-être pas. Je me suis senti devenir moi-même Danaïde au-dessus de son tonneau qui se vide au fur et à mesure qu'on le remplit, supplice infernal que, depuis, j'ai expérimenté trop souvent au-dessus d'un écran d'ordinateur bêtement facétieux.

Les Américains ont de très nombreux, excellents et savants historiens de leur propre pays. Ils connaissent souvent très bien leur propre histoire, dont ils sont en général très fiers, et j'ai pu constater à la Newberry Library de Chicago, dont un étage est consacré aux archives de l'état civil de tout le Middle West, à quel point la passion généalogique de la démocratie américaine peut être ardente et ingénieuse. Elle n'a rien à envier à celle des anciennes aristocraties européennes. Aussi, chaque fois que je suis venu dans ce pays, j'ai fait de mon mieux pour surmonter l'ignorance abyssale, que je partage avec la plupart des Français, du passé de la nation gargantuesque dont pourtant nous dépendons tous. Il est étrange que, depuis Bernard Faÿ, nous n'ayons pas eu en France un seul grand américaniste de renom. L'histoire des États-Unis est pourtant passionnante, inépuisable, utile pour comprendre la nôtre, dont elle est une sorte de contrepartie.

Elle donne à qui la parcourt l'impression d'assister à l'une de ces mystérieuses et terribles migrations primitives parties du Kenya, dont nous parlent vaguement les paléontologues, et qui se serait déroulée, non pas dans la nuit des temps, mais en pleine époque moderne et scientifique, aux siècles lumineux de Galilée, de Montesquieu et de Lavoisier, de la presse à imprimer, du télégraphe, de l'essor des chevaux-vapeur et des hauts fourneaux, bref en des temps d'archives ne laissant rien à désirer à l'enquêteur rétrospectif. Cette conflation du primitif muet et d'une modernité tardive et loquace donne aux Américains le sentiment de résumer, voire d'achever, le cercle de l'Histoire humaine, un sentiment qui réduit quelque peu l'Europe à un entre-deux fascinant, mais au fond pris en étau. Nous n'avons pour nous ni la Genèse, ni l'Exode, ni la Nasa, ni Microsoft, ni l'Apocalypse finale. Cette foi des Américains dans leur insertion privilégiée dans un temps providentiel *courbe* se résume dans l'expression *destinée manifeste.*

Les trois sources de la foi américaine

La « *Manifest Destiny* » est une formule qui remonte aux origines les plus lointaines de la colonie puritaine de Nouvelle-Angleterre, au XVIIe siècle. Cette eschatologie chrétienne de la Jérusalem enfin définitive s'est amalgamée, au cours du siècle suivant, à la foi dans le progrès des Lumières, laquelle s'est confondue pendant la guerre d'Indépendance avec le patriotisme de la nouvelle nation. Un ingrédient nouveau s'y est ajouté au XIXe siècle : le darwinisme social, la survie des plus aptes, difficile à concilier avec l'Évangile et même avec la Déclaration des droits, mais que la guerre de Sécession gagnée par le Nord industriel, et la ruée vers l'Ouest gagnée sur la Nature sauvage et les Indiens, semblaient vérifier par une dure et concluante expérience. Voulue par la Providence, la victoire méritée par le plus fort et le plus éclairé put, le cas échéant, trouver une légitimation en Europe dans la grandiose philosophie idéaliste de l'Histoire hégélienne, dans le sens hautain du fardeau de l'homme blanc propre à l'impérialisme anglais ou encore dans le schéma dialectique de l'historicisme marxiste. Mais ce n'était pas indispensable : la triple foi américaine dans le dessein de Dieu, dans la supériorité politique de la Constitution de 1787 et dans la victoire réservée aux plus aptes par l'évolution des espèces suffit à donner au pragmatisme de la nation la certitude inébranlable qu'elle est appelée au rôle de proue moderne du vaisseau humain : même ses actes apparemment condamnables sont autant de « ruses de la raison » d'une Histoire qu'elle ramène toujours dans le droit chemin. S'il est un trait qui distingue métaphysiquement les États-Unis de l'Europe, c'est la quasi-absence dans l'âme collective américaine de tout pathétique de la patrie perdue. Rien qui ressemble à ce que Tyr était pour Carthage, Troie pour Rome, à ce que Rome à son tour a été pour la plupart des villes et des nations européennes, et à ce que la Grèce mythifiée a été pour l'Allemagne philosophique et philologique depuis le romantisme. En tant que corps mystique, l'Amérique ne veut connaître de double qu'en avant d'elle-même, dans la « Cité sur la colline » inouïe vers laquelle elle va, l'humanité à sa suite, mais que sa réalité présente préfigure déjà imparfaitement. Le malentendu de fond avec la « Vieille Europe », avec le deuil métaphysique et poétique qu'elle a respiré dès Homère, à plus forte raison avec la version catholique romaine du christianisme, ne saurait être plus radical. Le passé proprement américain est une source légitime et inépuisable d'exaltation ou de critique, étudié et disputé sans cesse pour éclairer, de près ou de loin, l'interprétation de la Déclaration des droits et de la Constitution. Le passé anglais a pu être invoqué de plus en plus souvent ces dernières années, à titre de comparaison ou de repoussoir entre un empire colonialiste et l'actuel « empire » américain, d'une tout autre nature. Par ailleurs, il n'est pas une période du passé du reste du monde, de la préhistoire à nos jours, qui ne soit étudiée dans les universités et centres de recherche américains et n'y ait ses spécialistes, souvent les meilleurs du monde. Mais la vision commune et vulgarisée de l'Histoire humaine est donnée au grand public par de nombreuses et vastes *Histories* épiques *of world civilization*, souvent des best-sellers de longue durée qui confortent leurs lecteurs dans un finalisme conduisant de la globalisation progressive du monde à l'essor des États-Unis qui la récapitule et l'achève. Dans ce schéma vulgarisé, auquel ne souscrirait bien évidemment aucun universitaire américain digne de ce nom, l'Europe apparaît comme une préface, un chaînon, entre les grandes migrations préhistoriques et leur reprise à un niveau technologique infiniment supérieur au « Siècle américain », le XXe. Le passé ne saurait être qu'une référence utile à la préparation de l'avenir. Comme l'a dit, fameusement, le président Clinton : « Le jour où le passé compterait plus pour le peuple américain que ses progrès à venir serait le commencement de la fin pour les États-Unis. »

La première guerre totale, sur terre et sur mer, a été la guerre civile américaine, la guerre de Sécession (1861-1865). Ce fut aussi la première a être photographiée dans toute son horreur par Matthew Brady et son équipe. Dès 1848, ils avaient introduit le daguerréotype en Amérique et le gouvernement fédéral les engagea comme *reporters* pour suivre et enregistrer les opérations militaires. En mars 1865, l'armée nordiste libéra un camp de prisonniers à Andersonville, en Géorgie. Les photographies de Brady et de ses collaborateurs, publiées sous forme lithographique dans le magazine *Harper's Weekly*, révélèrent à quel état de famine, de misère et de mortalité avaient été réduits les prisonniers de guerre nordistes, suscitant une violente indignation contre les sudistes vaincus et coupables de tant d'inhumanité. Par la suite, Brady publia à compte d'auteur un vaste répertoire en dix volumes *The Photographic History of the Civil War*, réunissant l'essentiel de ce reportage sans précédent. Le succès fut faible, Brady mourut ruiné et oublié. Le public avait déjà tourné la page, l'actualité était à la reconstruction et non à la remémoration intempestive.

À l'école de cette lutte à mort avec des moyens de destruction modernes, sur terre et sur mer, que se livrèrent le Nord et le Sud, guerre dont l'Ouest américain était en partie le théâtre, la Frontière changea de rythme, d'échelle, d'équipement technologique, de stratégie. La nation, une fois rendu le jugement de Dieu condamnant l'esclavage, ne tarda pas à inventer l'*assembly line* (le travail à la chaîne) et à devenir un mastodonte industriel. De la colonisation lente et capillaire de l'immense Ouest, elle passa à la conquête militaire et à l'extermination des races primitives et inférieures, végétales, animales et humaines, qui lui faisaient obstacle dans cet espace vital providentiel. À la place du rude *settler* venu de Nouvelle-Angleterre, se déplaçant avec son chariot et sa famille, de défrichage en défrichage, de *log cabin* en *log cabin*, avant de devenir un riche fermier, surgit une sorte de surhomme blanc, le *pioneer*, rejeton de plusieurs nations, centaure éduqué à la rude école de son ennemi mortel le sauvage, « étranger aux idées et institutions européennes, impatient de toute restriction gouvernementale, n'admettant de loi que personnifiée par le plus fort, intolérant envers les coupeurs de cheveux en quatre ou les scrupuleux qui objectent aux moyens de parvenir à sa bonne fin [1] ». Bref, la Frontière engendra une « catégorie d'hommes » inédite, dont l'individualisme démocratique, en principe sans frein, a été érigé depuis par le western, les blue-jeans Levi's et la publicité Marlboro en modèle canonique de toute jeunesse. Frayant la voie à l'avancée du chemin de fer, aux pionniers et aux raids de l'armée fédérale, le *scout*, *free lance* absolu, en vint à incarner le type parfait de l'individu affranchi moderne.

Les esclaves avaient été libérés pour le marché du travail industriel. Mais les traités passés avec les diverses tribus indiennes et qui leur garantissaient des terres de migration et de chasse furent tenus pour chiffons de papier au nom d'un droit divin supérieur au droit des gens, le droit que confère le progrès irrésistible sur la stagnation et l'arriération irrémédiables. Le pionnier ne connaît pas plus le repos que le sauvage aux aguets et aux abois qui lutte pour sa survie, mais il est mieux armé et il a plus de suite dans les idées. Ce droit des plus aptes fit prévaloir les communications, l'agriculture, l'industrie et le commerce modernes sur un immense territoire que ses natifs vagabonds étaient incapables

1. Je traduis la définition du *pioneer* donnée par le grand historien classique de la Frontière, Frederick Jackson Turner, auteur du recueil *The Frontier in American History*, Krieger publisher, Malabar, Florida, 1947 (édition originale 1920), p. 253-254.

d'exploiter rationnellement. Un précédent biblique était raconté par le menu dans le Livre de l'Exode. Un précédent anglais moderne étayait cet exemple antique : c'était la spoliation et l'exploitation méthodiques des ressources naturelles et humaines de l'Irlande catholique au profit de notables anglais, dont plusieurs, à cette fin utile, comptèrent parmi les membres fondateurs de la *Royal Society* de Londres, la première académie des sciences expérimentales et appliquées d'Europe.

Buffalo Bill et le mythe national de la Frontière

La date-butoir de la « Ruée vers l'Ouest » est 1890. Cette année-là, le Surintendant du Cens déclara forclose la notion de « Frontière », l'ensemble du territoire américain étant désormais *settled*, c'est-à-dire soumis uniformément au même impôt fédéral. Le massacre des Sioux Lakotas, à Wounded Knee, par l'armée fédérale, vengea la dernière des victoires indiennes, qui quelques années plus tôt, à Little Big Horn, avait coûté la vie au général Custer. Buffalo Bill, qui prétendait avoir assisté à la mort de Custer, en tira lui-même et de son propre chef une vengeance spectaculaire et symbolique, en tuant en duel « Main Jaune », un Indien dont le seul tort était d'appartenir à la même ethnie que les meurtriers de Custer. Il lui arracha et il brandit son « scalp », mot et pratique introduits non pas, comme on le croit communément, à l'imitation des cruels Indiens, mais par les trappeurs hollandais du XVIIe siècle, lesquels, en échange de ce trophée, obtenaient une récompense dans leurs avant-postes militaires.

Ce haut fait, transposé sur la scène, devint un épisode obligé des spectacles montés par Buffalo Bill, mimé par le héros lui-même, un comparse indien, et l'authentique scalp ! Recruté par l'ancien *scout*, un autre Indien de la même ethnie lakota, Sitting Bull, qui passait, lui, et peut-être à bon droit, pour avoir été le cerveau de la victoire des sauvages et de la mort du général Custer à Little Big Horn, devint lui aussi une attraction permanente, en costume authentique, des grands *shows* imaginés par l'industrieux cow-boy. C'est sa représentation *live* par un échantillon de ses vrais acteurs qui imprima dans l'imaginaire américain et mondial la grande aventure biblique et épique de la Ruée vers l'Ouest. Elle avait duré un siècle, avec une accélération irrésistible dans les trente dernières années. Une fois qu'il eut buté sur les côtes du Pacifique, cet élan ne put se poursuivre qu'en cherchant ailleurs et autrement son espace vital, transgressant la doctrine Monroe. La guerre anticolonialiste déclenchée contre l'Espagne par le président McKinley en 1898 fut la première exportation à grande échelle de la Frontière. Désormais, extensible et métaphorique, la Frontière entendue au figuré désigna le lancement à grand fracas sur le marché électoral d'une nouvelle technologie (par exemple, la conquête de la Lune par le président Kennedy), d'un nouveau gadget militaire (par exemple, la guerre des étoiles du président Reagan), d'une nouvelle politique intérieure (par exemple, le « Nouveau Contrat » du président Roosevelt et la « Grande Société » du président Johnson).

Comment une conquête récente se transforma-t-elle si vite en mythe national ? William Cody n'avait rien de commun ni avec Homère, qui attendit plusieurs siècles pour faire une épopée de la victoire des Grecs à Troie, ni avec Wagner, dont la musique savante rendit à l'actualité du XIXe siècle romantique et nationaliste une mythologie païenne oubliée depuis un millénaire. La légende de la Frontière grandit en même temps que se déroulait son histoire, et son narrateur en était un comparse. Une abondante imagerie populaire et une non moins abondante production de *dime novels* (romans à un sou), et un auteur célèbre mondialement, Fenimore Cooper, ont précédé et préparé depuis le début du XIXe siècle [1] la légende de la Frontière, dont Buffalo Bill interpréta une version durcie et modernisée, inspirant à leur tour une littérature, traduite de l'américain, ou même écrite dans les diverses langues nationales, dont le succès ne se démentit jamais auprès du public adolescent et adulte de tous les pays du monde [2]. Mais seul le théâtre, un théâtre cru, à mi-chemin du cirque et du mélo de boulevard, un « Grand Guignol » interprété par les héros eux-mêmes du moderne *Exode*, pouvait, avant le cinéma qui en fit d'emblée ses délices, représenter à l'Amérique des années 1870-1914, la *success story* de la Ruée vers l'Ouest. Épopée nationale et religieuse, la Frontière faisait l'orgueil de la droite raciste comme de la gauche socialiste. Son héros, le tireur d'élite soudé à cheval et à ses *cow-boys*, avant-garde de la loi, mais encore au-dessus des lois, attestait darwiniennement, sur le propre terrain sauvage de l'Indien, la supériorité du « surmâle » blanc sur son redoutable adversaire « mentalement retardé ». Agent résolu du progrès moderne, protecteur héroïque des familles chrétiennes menacées par les barbares païens et entrepreneur infatigable, William Cody-Buffalo Bill, héros jouant son propre rôle, incarna dans les spectacles dont il était aussi le *manager*, et dont les nombreux acteurs étaient d'autres vrais *scouts*, de vrais *cow-boys*, de vrais Indiens survi-

1. Rien de moins que 1 700 romans de gare ont été publiés sur Buffalo Bill ; en 1932, Hollywood produisait cent westerns par an. Mais, de la production de *dime novels* sur la Ruée vers l'Ouest, seul surnage pour nous le grand classique Fenimore Cooper (1789-1851), témoin d'une Amérique encore sur la voie de la grande industrie, d'une expansion à l'Ouest encore lente, et en toutes choses l'antithèse littéraire de la « civilisation » conquérante selon Buffalo Bill. Il séjourna sept ans en Europe (1826-1833).

2. Sur l'infatuation que peut créer aujourd'hui encore ce mixte vertigineux de virtuel et de réel, analogue pour la chose écrite aux jeux vidéo violents, voir Clive Sinclair, *Clive Sinclair's True Tales of the Wild West*, Picador, 2008.

vants et toute une écurie de vrais chevaux, à la fois la religion conquérante du progrès et la foi chrétienne dans la *Manifest Destiny* de la nation. Le *show* métamorphique et vagabond, sans cesse refaçonné et augmenté, fut l'œuvre de la vie de William Cody. Vu avec enthousiasme pendant un demi-siècle par des millions de spectateurs américains, il s'est imprimé d'autant plus profondément dans l'imaginaire collectif des États-Unis qu'il fut accueilli triomphalement dans plusieurs tournées en Europe, entre 1887 et 1906.

L'« Indien blanc » et le « Drame de la civilisation »

William Cody, alias Buffalo Bill (1838-1917), chasseur de buffles émérite dès l'enfance, était devenu un *scout* à titre privé, en territoire ennemi, de l'armée nordiste harcelant les confédérés pendant la guerre de Sécession, puis de l'armée fédérale dans ses raids contre les tribus indiennes dépossédées, affamées et enragées. Il passe aujourd'hui en Europe pour un amuseur qui a inspiré le western, genre cinématographique glorieux, quoique dépassé, ne survivant aujourd'hui qu'avec peine au rouleau compresseur des *blockbusters* de l'« Écran global » et à leur hyper-violence technologique. Le grand livre de Louis S. Warren, *Buffalo Bill's America* (1995), a amplement démontré que ce dédain ou cette amnésie ne sont pas de mise [1].

La charlatanerie de William Cody, l'« Indien blanc », le « Centaure » de la Frontière, le « showman » fêté par les grandes capitales américaines et européennes, est bel et bien le liant qui fit tenir ensemble le grand spectacle intitulé *The Drama of Civilization*, qu'il conçut en 1886 et dont il fut le principal interprète jusqu'à sa mort, après en avoir été, dans sa jeunesse et selon ses dires, l'un des authentiques acteurs. Précédé et essayé par nombre de *shows* partiels, ce fantastique spectacle de synthèse, véritable « documentaire-fiction », a concouru, plus qu'aucun livre et aucun discours, relayé mais non remplacé dès le début du XXe siècle par le cinéma, à coaguler une foule de mythologèmes et à pourvoir d'un mythe l'« exceptionnalisme » américain. C'est sous cette forme aboutie, voilant la violence quasi préhistorique de l'extermination des Indiens, qu'il s'est greffé sur l'imaginaire européen et mondial [2].

1. Une exposition à la Newberry Library de Chicago en 1994, et son catalogue édité par James A. Grossman, avec des essais de Richard White et de Patricia Nelson Limerick, exposition et catalogue intitulés *The Frontier in American Culture* (California University Press, 1994), ont précédé de peu la publication du livre de Warren. La thèse qu'ils soutiennent est la convergence profonde entre l'enseignement de l'historien F. T. Turner et le « mentir vrai » des spectacles à succès universel de William Cody.

2. Sur la conquête de l'Ouest, son mythe national et ses réalités, voir les plus récentes études : Hampton Sides, *Blood and Thunder : An epic of the American West*, Doubleday, 2008 ; Kingsley M. Bray, *Crazy Horse. A Lakota Life*, Oklahoma University Press, 2008 ;

Né sur la Frontière, dans un Kansas qui n'était pas encore un État, l'enfance et l'adolescence du futur Buffalo Bill furent contemporaines des prodromes de la guerre de Sécession. Il avait vingt ans quand celle-ci éclata, et il acquit pendant cette guerre les talents de cavalier et de tireur d'élite *free lance* qui le firent apprécier des officiers de l'armée régulière Nordiste. La guerre terminée, il mit ces talents au service de l'armée fédérale : la reprise à grande échelle de la Ruée vers l'Ouest obligeait désormais à régler l'obstacle indien par son élimination rapide. C'était un superbe athlète, cavalier virtuose, Winchester à l'épaule, Colt à la ceinture, prompt à ne jamais manquer sa cible animale ou humaine, une dynamo biologique astucieuse fonctionnant souvent à l'alcool, mais toujours à plein rendement. Les touristes, riches ou princiers (dont le grand-duc Alexis Romanov) qui cherchaient sur la Frontière déjà légendaire des émotions fortes sans danger, le prirent eux aussi pour *scout* à ses moments perdus. Il sut faire croire à ces Tartarins qu'ils y avaient vécu dangereusement grâce à lui. Ce *bluff* lucratif lui révéla les dons de comédien et d'entrepreneur de spectacle que cachait son authentique maîtrise du terrain mouvant de la Frontière et de la part de fraude qui la faisait sans cesse se déplacer en avant.

Sur la Frontière, où l'ordre civil suivait de très loin l'avancée du chemin de fer et la poussée tumultueuse des pionniers, le vrai et le faux, le réel et le fictif, voire le juste et l'injuste, quoique leur enjeu fût souvent de vie ou de mort, se mêlaient de façon beaucoup plus inextricable que dans le monde classique du théâtre et de l'art, où, la fiction se donnant pour fiction, et le jeu pour jeu, ils ne prennent pas au piège leur spectateur. L'éducation sur le terrain de William Cody ne lui enseigna pas cette *suspension of disbelief* urbaine, mais la façon de tirer son épingle du jeu en évoluant constamment entre fiction et réalité et le profit que l'on peut tirer de la représentation de ce clair-obscur pré-cinématographique pour l'amusement d'un public indifférencié. Ce qui lui avait si bien réussi, en pourvoyant de riches touristes en émotions fortes dans des situations truquées à leur insu, devait se répéter, à plus grande échelle et avec un profit bien supérieur, auprès d'un public beaucoup plus nombreux, exposé à un *reality show* encore plus truqué.

Dans son premier spectacle, plus proche du cirque que du mélodrame, et inauguré en 1872, *The Wild West Show*, il jouait lui-même l'éclaireur,

---

et surtout Ned Blackhawk, *Violence over the land. Indians and Empires in the early American West*, Harvard University Press, 2008. Elles ne font que compléter la trilogie fondamentale de Richard Slotkin, *Regeneration through violence. The Mythology of the American Frontier (1600-1806)* ; Wesleyan University Press, 1973 ; *The Fatal Environment. The Myth of the Frontier in the Age of Industrialization (1800-1890)*, *ibid.*, 1985 ; et *Gunfighter Nation. The Myth of the Frontier in Twentieth Century America*, Mc Millan, 1992.

le chasseur, et le tireur héroïque qu'il prétendait être dans la vie, et il s'entoura d'une troupe de rudes cow-boys et d'animaux authentiques, mustangs et buffles sauvages, tirés de son terroir familier. Peu à peu, l'actualité sanglante de la Frontière ayant fait de la solution finale du problème indien la préoccupation majeure, il y fit entrer des Indiens dans ce qu'il appela *A History of American Civilization*, en quatre tableaux : « La Forêt primitive », « La Prairie indienne », « Le Ranch de pionniers blancs », « Le Champ de mines de l'économie industrielle ». La Frontière américaine répétait et juxtaposait en accéléré ces quatre stades de l'évolution humaine, plus ou moins parallèles aux trois stades de maturation des sociétés selon le philosophe anglais Herbert Spencer : anarchie, despotisme militaire, capitalisme industriel.

Malgré le grand succès populaire de ces premiers essais, l'ambition d'atteindre la respectabilité et de toucher le public de la classe moyenne des villes lui fit engager une jeune femme, elle aussi née sur la Frontière, Annie Oakley, virtuose du cheval et du fusil. Avec le renfort de ce symbole de la famille blanche, fiancée, épouse et mère, défendant elle-même son *home* et prédestinée à recevoir à temps du renfort, le spectacle d'essence cinématographique de William Cody put être qualifié d'*American National Entertainment*. Ce n'était ni du théâtre, ni de la fiction, ni de l'art, puisque tout le monde y jouait son propre rôle et ne déléguait à aucun acteur de profession le soin de le représenter. Mais cette réalité non imitée par l'art n'en imposait que davantage au spectateur la nécessité et l'évidence d'un mélodrame « progressiste » où une morale plus forte que la morale légitimait la violence des uns et châtiait sans rémission celle des autres.

Le vrai triomphe de l'*History*, cette fois transatlantique, ne commença qu'en 1886, avec une nouvelle version plus nombreuse, enrichie d'un nouveau tableau d'actualité récente, *« Custer's Last Rally »*, à la gloire du général mort au champ d'honneur. C'est sous un nouveau titre, cette fois universel et vraiment spencerien, *The Drama of Civilization*, que le show fut présenté à New York au stade de Madison Square Garden, devant d'immenses trompe-l'œil panoramiques peints en arc de cercle. La représentation, qui mettait en branle des centaines de « vrais » acteurs, durait sept heures. La répression militaire qui avait suivi la défaite et la mort du général Custer ayant mis pratiquement fin au problème indien, la présence d'un véritable village d'Indiens dans l'action, en costume, exécutant leurs danses traditionnelles, offrait dans le divertissement de ce spectacle une sorte d'issue à la violence nécessaire à la survie des plus aptes : les « nobles sauvages » décimés et vaincus entraient dans la « fiction vraie » de William Cody, à leur place et à leur tour, avec les gauchos mexicains et autres cow-boys de toutes origines européennes engagés dans la troupe, miroir en réduction de la libre Amérique moderne et démocratique, *melting pot* transformant de pauvres immigrants en citoyens héroïques et les sauvages inassimilables en figurants et survivants utiles à l'*entertainment* de leurs vainqueurs. Les Indiens symbolisaient aussi les ouvriers et leurs grèves sauvages, devenus entre-temps le problème social américain : ces barbares provisoires de la civilisation étaient appelés eux aussi, une fois la violence nécessaire appliquée à leur violence, à figurer à leur tour, un jour ou l'autre, en figurants comblés, dans le grand spectacle de la domestication civilisée.

Le président Theodore Roosevelt, lui-même grand baroudeur et *showman*, approuva la leçon. Edward Aveling aussi. Cet Anglais, époux de l'une des filles de Karl Marx, Eleanor, était venu en Amérique pour y étudier « le mouvement de la classe ouvrière », auquel il consacra un livre marxiste orthodoxe, co-signé avec son épouse. Loin de recommander la paresse, comme l'autre gendre de Marx, Paul Lafargue, ou de s'indigner contre le darwinisme social dont *The Drama of Civilization* était imprégné, il recensa avec enthousiasme un spectacle qui mettait en évidence la nécessaire et violente disparition des nomades primitifs au profit de la propriété privée sédentaire, base du progrès des forces de production, en attendant bien sûr la nécessaire élimination des bourgeois au profit de la société moderne sans classes. Les matérialismes historiques se ressemblent, tous invoquent la ruse de la Raison hégélienne qui d'un mal fait sortir un bien au cours d'une Histoire dont elle tient le fil et connaît la fin. Aujourd'hui, Mao lui-même passe pour avoir été un fourrier cruel, mais irremplaçable, de l'extension fort prometteuse du capitalisme global à la Chine [1].

L'année suivante, la très nombreuse troupe et son attirail traversa l'Atlantique, et se produisit à Londres, dans l'enceinte d'Earl's Court. Le prince de Galles recommanda le spectacle à l'impératrice-reine, et celle-ci, sortant de la réclusion où elle s'était tenue depuis son veuvage, assista avec sa cour et le Premier ministre Gladstone à cette mise en scène authentique d'un drame qui aurait pu s'intituler aussi, selon le mot fameux de Rudyard Kipling, « Le fardeau de l'homme blanc ». Elle se déclara ravie, sans aller toutefois, comme le bruit s'en répandit aussitôt en Amérique, jusqu'à se lever lorsque la bannière étoilée lui fut présentée au début du spectacle.

Les États-Unis sont restés à jamais reconnaissants à Buffalo Bill de leur avoir valu au moins un mot d'estime de la reine Victoria. Ce geste

1. Dans son livre *Hitler's Empire. Nazi rule in occupied Europe*, Allen, 2007, Mark Mazouer fait remarquer que Hitler, nourri dans son adolescence de romans de la Frontière, prenait l'exemple de son projet de *Lebensraum* à l'Est, où les populations seraient éliminées pour faire place à des fermiers allemands, dans l'expansion à l'Ouest des pionniers américains.

souverain égalait celui de Louis XVI à Versailles, en 1783, en présence d'une délégation américaine conduite par Benjamin Franklin, légitimant sur la scène diplomatique mondiale l'entrée des États-Unis dans le concert des nations indépendantes. Un siècle plus tard, en 1887, la reine d'Angleterre faisait un grand pas de plus : elle admettait implicitement les États-Unis dans l'étroit concert de la civilisation européenne, dont Guizot avait dit qu'elle « avance selon le plan de la Providence, ce qui fait le principe rationnel de sa supériorité ». La solidarité historique entre l'Angleterre et son ancienne colonie, solidarité que le général de Gaulle se plaisait à qualifier d'« anglo-saxonne », était scellée [1]. Un peu plus tard dans la même tournée européenne, sans aller jusqu'à honorer de sa présence une représentation romaine du *Drama of Civilization*, le pape Léon XIII bénit William Cody lors d'une audience d'étrangers dans la chapelle Sixtine. Lors de l'Exposition universelle de 1889, à Paris, *The Drama of Civilization* disputa la vedette à la tour Eiffel, et le président Sadi Carnot vint à son tour, en personne, y assister. Le marquis Folco de Baroncelli, disciple du poète Frédéric Mistral, vit dans les cow-boys de Buffalo Bill, revenus à Paris en 1905, les cousins américains des gardians de la Camargue et, dans la présence dans le spectacle d'Indiens en costume, parlant leur propre langue, la confirmation de ses vues sur le Félibrige, renaissance du peuple de langue d'oc, de sa poésie érotique, de sa générosité chevaleresque. Les *cargo cults* ne sont pas réservés aux îles de Polynésie.

La fascination éprouvée pour Buffalo Bill dans l'Europe, la France, et notamment la France du Midi, n'épargna pas Picasso, d'abord au titre de Catalan sympathisant avec la cause provençale, ensuite au titre de peintre ayant fait son dieu de Cézanne, qui lui-même avait vécu à Aix entouré de partisans du Félibrige, et enfin à la faveur des séjours qu'il fit dans le Midi de la France. Il s'y lia avec Folco de Baroncelli, dont il partageait la ferveur pour les courses de taureaux. En 1906-1907, il avait intitulé la toile-oriflamme du cubisme, qui renversait tous les canons académiques : *Les Demoiselles d'Avignon*, reprenant avec une variante ironique le titre du poème provençal de Théodore Aubanel, *Les Filles d'Avignon*, dont l'érotisme avait déclenché un terrible scandale parmi les siens. En 1911, il peignit une effigie cubiste de Buffalo Bill [2].

Étrange arc électrique entre le mythe américain de la Frontière incarné par William Cody, l'« homme nouveau » régénéré par son contact avec le monde primitif, et le modernisme européen dans les arts, dont Picasso était

1. Sur l'histoire de cette solidarité anglo-américaine au XXe siècle, voir Andrew Roberts, *A History of the English Speaking Peoples since 1900*, Harpers Collins, 2008.

2. Voir Irving Lavin, *Théodore Aubanel's* Les Filles d'Avignon *and* Les Demoiselles d'Avignon *de Picasso*, conférence au Collège de France, 8 octobre 2008.

l'incarnation majeure. Cet épisode laisse présager l'arc électrique d'une tout autre ampleur qui se produira en 1917, au contact, cette fois direct, entre le dandy Marcel Duchamp et la machine publicitaire et consommatrice du marché américain. Réaction contre le décadentisme et l'académisme, l'énergie réjuvénatrice des artistes modernistes était prédestinée à se greffer à la fois sur son mythe primitiviste de la Frontière (les arts des Indiens d'Amérique du Nord passionneront Breton et les peintres surréalistes, et la réserve indienne de Taos, au Nouveau-Mexique, deviendra le Solesmes du modernisme américain) et sur le perpétuel mouvement en avant enclenché par l'Amérique industrielle et ses méthodes commerciales : la « Destinée Manifeste » gagnait sur tous les tableaux.

En 1893, ce fut au tour de l'Exposition universelle de Chicago d'accueillir, parmi ses attractions, le plus célèbre des Américains et son « Drame ». Le grand historien américain Henry Adams visita longuement l'exposition. Ce gentleman bostonien se dérangea-t-il pour le vulgaire Buffalo Bill ? On peut en douter. Dans son autobiographie, chef-d'œuvre sur lequel je reviens souvent, il prend occasion de sa visite à Chicago pour décrire la statue équestre du général Sherman, œuvre de son ami le sculpteur Augustus Saint-Gaudens : elle se dresse toujours à l'un des grands carrefours de New York, au pied de l'hôtel Plaza. Recourant à l'image du Centaure, associée depuis longtemps à Buffalo Bill cavalier et à ses cowboys, Adams veut voir une continuité symbolique, en même temps qu'un saut violent de quantité, entre le Centaure classique créé par l'artiste, multipliant sa propre force par l'absorption de celle de son cheval, et les chevaux-vapeur développés par les dynamos exposées dans la salle des Machines de l'Exposition de 1893, nouvelles montures moins accordées que le cheval, l'épée ou le fusil à l'échelle humaine, moins faciles à manœuvrer, mais douées d'une énergie inouïe. Autre version du *Drama of Civilization* : du règne millénaire du cheval qu'ils ont enfourché les derniers, les États-Unis ont sauté sans transition au premier rang du règne moderne de l'industrie et du progrès incessant des technosciences.

24. Le mythe de la Frontière, sa descendance et ses applications

Le chaos conquérant de la Frontière, et le héros qui lui avait deux fois donné forme, au titre modeste de tireur d'élite et *scout* des troupes régulières, puis au titre glorieux de *showman* et *salesman* tirant de sa propre expérience un mythe national, se répète à chaque nouveau flux d'immigrants et à chaque nouvelle génération que l'accélération du progrès place en porte-à-faux de la génération précédente. À ces nombreuses crises ponctuelles, le « Drame de la civilisation », transporté du vivant même de William Cody de la salle de théâtre à l'écran de cinéma, a le premier montré comment les conclure en *happy end*. Équivalent américain, démocratique et mobile des triomphes romains, le show de Buffalo Bill réunissait vainqueurs et vaincus dans une même tragédie optimiste réduisant en péripéties la férocité exterminatrice de la conquête de l'Ouest. Cette transmutation en mythe populaire, par l'image et le spectacle, d'une réalité cruelle et gênante a fait école. En politique intérieure et extérieure des États-Unis, une nouvelle variante du mythe de la Frontière (et les spectacles attenants), surgit toujours, à point nommé, en temps de crise aiguë, quelle que soit la ligne de front.

Émeutes raciales et lynchages dans le Sud et le Middle West de la Grande Dépression ? Musiciens et chanteurs des années 1930, extraits des églises baptistes noires, comme Sitting Bull, l'Indien lakota jouant son propre rôle dans la tournée européenne du « Drame de la civilisation », sont à leur tour devenus des vedettes mondiales du jazz et du *negro spiritual*. Nouvelles tensions et violences raciales dans les années 1950, en dépit ou à cause de la politique fédérale de combat contre la ségrégation et la pauvreté, culminant en 1965-1967 dans une vague meurtrière de guérilla urbaine et embrasant plusieurs villes, depuis Los Angeles jusqu'à Newark ? Les accusations de racisme fusent de plus belle lancées contre l'Amérique, fort gênantes en ces temps de guerre froide, où de surcroît le crime d'impérialisme est imputé par les communistes de l'Est et de l'Ouest à l'Amérique engagée au Vietnam ? À partir de 1956, le Département d'État organise, des tournées mondiales, y compris dans l'Europe de l'Est et en U. R. S. S., de Dizzy Gillespie et de Duke Ellington, emblèmes noirs de la liberté et du modernisme américains défiant l'académisme de la musique européenne, mais aussi réfutations vivantes de la propagande anti-américaine [1]. Par des voies plus discrètes, dans les années 1960, le gouvernement américain, retourné à une indifférence envers les arts dont Franklin Roosevelt s'était départi dans la première phase du New Deal, prend conscience d'une lacune : son Service d'information, en liaison avec la C. I. A., finance en Europe expositions, catalogues et articles de revue, faisant passer le message selon lequel la *high culture*, elle aussi, n'est plus le privilège du Vieux Continent, comme on l'imagine encore des deux côtés du rideau de fer : ce n'est plus seulement le cinéma et le jazz, mais l'avant-garde artistique mondiale, expressionnisme abstrait en peinture et minimalisme en sculpture, qui ont leur mère-patrie en Amérique. Pollock, De Kooning, Rothko,

1. Voir l'excellente étude par Penny M. von Eschen de cet épisode oublié, « The Goodwill Ambassador : Duke Ellington and Black Worldliness », dans *The Arts of Democracy, Art, Public Culture, and the State*, éd. par Casey Nelson Blake, Maryland University Press, 2007, p. 151-170.

Motherwell, Smith, De Suvero, que détestent la plupart des politiciens américains et la majorité silencieuse de leurs électeurs, mais qui fascinent New York et l'Europe, sont devenus les symboles de la créativité démocratique, les vrais successeurs de Van Gogh et de sa légende. De tout mal, l'Amérique est convaincue qu'elle sait toujours tirer un grand bien.

Conflit de générations dans les années 1950 ? Elvis Presley, formé dans les chœurs d'églises baptistes blanches, est invité à mimer et à chanter son « mal du siècle » sur la scène, devenant le roi américain, et mondial, du rock'n'roll. Et James Dean, éduqué par l'Actor's Studio à nourrir son jeu d'acteur de son propre « complexe d'Œdipe », est appelé à donner à sa génération un anti-héros et un *role model* dans *La Fureur de vivre* de Nicholas Ray et *À l'est d'Eden* d'Elia Kazan. Sa mort accidentelle fera de lui un martyr, et la fin pathétique d'Elvis, gonflé d'alcool, de drogues et d'amphétamines, un dieu.

De même que les colères sociales et les soucis diplomatiques d'image, les rébellions et les troubles d'identité adolescents, les plus privés qui soient, n'en sont pas moins eux aussi, eux surtout, publiés, transportés et célébrés sur la scène, au concert ou à l'écran, collectivisés en quelque sorte par l'industrie du *show business* qui joue le rôle gigantesque de gyroscope social et moral *at home*, mais dont l'exportation hors contexte contribue à répandre au loin un trouble inconnu plutôt qu'à le guérir. De décennie en décennie, de génération en génération, il faut à l'industrie du *show business*, liguée à celle du *marketing*, modifier sa mise au point, toucher un autre nœud de nervosité ou de névrose, se saisir à temps du point de souffrance nouveau qui fait coïncider l'individu adolescent isolé et la foule dispersée de ses semblables, tandis que les images auxquelles s'était identifiée la génération précédente, perdant de leur mordant, se fanent et deviennent souvenirs, nostalgies et déceptions flottantes pour les adultes plongés dans l'intervalle dans le courant principal et majoritaire du torrent : le *mainstream*. Attentifs aux marges dangereuses et explosives (la jeunesse d'abord, mais aussi les minorités ethniques et sexuelles, les éventuels perdants de la lutte pour la vie), le *show business* et le *marketing* allant du même pas se gardent de négliger le courant principal, sa clientèle majoritaire qu'ils ont toutes raisons de choyer, et pour lequel ils gonflent et enflent un long et large Mississippi mythique où se mirer et où trouver à imiter. L'alliance du cinéma et de la publicité est telle que la quasi-disparition du « western » et la campagne anti-tabac n'ont en rien interrompu le flux mondial des affiches Marlboro, le cow-boy de charme, son chapeau à larges bords, son blue-jean, son superbe cheval, ses paysages du Nevada, photographié par plusieurs générations de cameramen, publicité de cigarettes devenue réclame, non moins obsessionnelle, d'une marque de vêtements coordonnés pour jeunes mâles recopiés sur le James Dean d'*À l'est d'Eden*. Combien de Narcisses ont été happés par ce jeu de renvois et de reflets multipliés dans la chambre de miroirs collective et close, qui a ses voyeurs de profession, tel le plagiaire Richard Prince, dont les copies mettent le comble au vertige et à l'enfermement dans ce maëlstrom imaginaire ?

Cette même alliance *show business-marketing* joue à fond sur le public fragile et malléable d'enfants et d'adolescents. Les images cinématographiques et télévisuelles qui leur sont destinées rebondissent en ricochet publicitaire sur la clientèle des parents. Les jeunes spectateurs sont absorbés par les *role models* de rebelles qu'on leur propose à l'écran et qui les isolent un peu plus de leurs parents, lesquels sont trop heureux si leur progéniture leur demande d'acheter la panoplie de leurs héros et héroïnes, toute prête à la vente et à la consommation, films et séries télévisées étant *customized*. Ainsi se répandent des modes irrésistibles et s'ouvrent de lucratifs et vastes marchés plus ou moins éphémères.

Il y a quelque chose qui tient de l'enchantement, de la magie, dans ce conditionnement efficace mais doux et dont la dose est modifiée à point nommé, *timely*. L'étranger qui n'a pas bu ce philtre avec le lait en reçoit une fausse impression de vertige, lorsqu'il l'observe de près et sur place. Son administration, hors des États-Unis où il a sa fonction et son sens naturels, a transformé le monde troublé en caverne de Platon. Sans désemparer depuis les années 1930, de révolution technique en révolution technique, des effets spéciaux à la Méliès aux miracles de la numérisation, *Superman*, ancêtre de nos *Spider Man*, et l'*Iron Man* de bandes dessinées transportées à l'écran, le shérif redresseur de torts du *western*, tous bourreaux des grands cœurs féminins, ont renouvelé et varié d'année en année la mythologie américaine de l'homme de la Frontière, exaltant le narcissisme mâle et l'optimisme moral de la nation, avant de convertir l'imaginaire mondial au culte du justicier, frère ennemi du terroriste. Les films de « révolte adolescente », du type *La Fureur de vivre* ou *La Fièvre du samedi soir*, n'ont agi sur les jeunes générations successives, blanches ou noires, qu'en contrepoint de cette mythologie, relativement constante, et emportant le *consensus*. L'avènement du film « noir » et du « privé » lui aussi redresseur de torts, tournant la loi pour mieux la faire triompher, puis des *blockbusters* rivalisant d'hercules simiesques, de paquets de muscles, de rugissements, de fureur et de sang, a porté jusqu'à l'hyperbole le sublime démocratique, la violence justicière triomphant de la violence maléfique. La « révolte » adolescente et le manichéisme moral de la majorité silencieuse adulte se reconnaissent l'un et l'autre dans cette éthique de combat. Les films de kung-fu tournés à Hong-Kong ne relèvent guère plus de la « diversité culturelle » que les McDo relookés pour le public de Rome, avec fronton et colonnade à l'antique.

L'exportation de cette spirale de stéréotypes, de mythes et d'idoles à usage interne du *melting pot* national américain n'est pas allée sans grincement, lorsqu'elle s'est imposée par le *dumping*, après la Seconde Guerre mondiale, à des nations européennes qui disposaient en propre d'un cinéma, d'une mythologie et d'idoles populaires. Il est difficile de mesurer ses effets dans d'autres aires géographiques et religieuses, certaines encore plus exposées, du fait de leur impréparation traditionnelle à l'image, à prendre au pied de la lettre ces puissantes exhortations à la violence justicière. Il faut convenir que c'est aussi aux États-Unis qu'il faut chercher la critique la plus pertinente de cette mythologie. Un film comme *Matrix*, à condition de le prendre au second degré, réussit à objectiver ce rêve ou cauchemar imposé de l'extérieur, mais a-t-il aidé personne à s'en éveiller ? Dans plus d'un de ses films, qui montrent le quotidien américain hanté, saturé, sapé par les termites des images artificielles, Robert Altman égale l'humour noir du Fellini de *Ginger et Fred*, enragé, avant de mourir, contre la télévision berlusconienne. Cette critique *high brow* ou *middle brow* ne saurait toucher qu'un public restreint de lecteurs et de spectateurs, ne pouvant le plus souvent opposer, à l'énorme sociologie rusée de l'image industrielle et aux mythes endurcis de la Grande Nation, que l'ironie et l'indépendance fragiles, parce que personnelles, du livre et de l'article imprimés. Il faut rendre à l'Amérique cette justice que ses historiens et ses écrivains sont ses plus impitoyables critiques. Leur perspicacité dépasse de loin ce que les écrivains européens, inquiets comme Tocqueville ou naïvement effrayés comme Dickens ou Duhamel, ont pu écrire pour tenter d'écarter de nos rives Phineas Taylor Barnum, Buffalo Bill et leurs disciples. Mais que peut le livre, l'article de revue, l'article de journal ? Des cinéastes du calibre de Fellini ou d'Altman ne peuvent rien eux-mêmes contre la grande industrie des images technologiques et ses « effets spéciaux ». Il n'y a pas que de la magie, il y a du destin, de la Providence, dans cette prodigieuse Grande Roue à rêves préfabriqués en série.

25. Universalité de l'Église romaine, vocation universelle de la religion américaine

Manhattan est en Amérique ce que la glande pinéale est dans la physiologie de Descartes, l'échangeur entre le corps et l'âme américains : c'est là que les images et les passions qui montent du grand corps de la nation viennent s'exposer naïvement au regard avide et critique, mais amusé et intéressé aussi, d'une âme qui n'a rien de naïf, ayant pour arrière-pays de connaissance un autre monde, la Vieille Europe des lettres et des arts. Passer quelques mois à New York, c'est être pris dans un ressac dangereux, dont les ondes affaiblies et déformées se répandent en cercles concentriques dans le monde entier.

Dans ses *Rare books libraries* et dans ses musées, la grande métropole hérite de la mémoire de l'Europe, mais elle est aussi, et surtout, la réceptrice et le filtre des humeurs et des images de son arrière-pays, une exposition permanente de cette fantasmagorie à la fois monotone et surprenante, dont l'Art américain contemporain se veut le miroir à la fois flatteur et critique, et qui agit puissamment d'elle-même, nouvelles technologies aidant, sur sa cible privilégiée, les jeunes esprits du monde entier. C'est à New York que l'on est saisi le plus directement par le heurt entre les images qui nous viennent de l'Ancien Monde, chrétien ou antérieur au christianisme, et les images d'essence toute différente et de quantité de beaucoup supérieure, qui s'attachent avec une autorité impersonnelle, diffuse, mais incontestable, à mouler à neuf l'« individualisme » de la génération présente.

C'est ce heurt, évident à Manhattan mieux que partout ailleurs en Amérique ou dans le monde, qui dément involontairement l'idée néo-hégélienne, si en vogue à Paris, selon laquelle une continuité, ou une évolution par paliers successifs, a fait de l'art de l'Europe chrétienne la préface et la préhistoire de la prolifération massive d'images-idoles du marché global, et de l'« Art contemporain » qui fait double emploi de luxe avec elles. L'art de l'Europe chrétienne a une très longue histoire qui ne conduisait pas nécessairement ici. On peut même dire qu'il a eu plusieurs histoires successives qui, en divers lieux, se chevauchent et se recoupent, dessinant une figure mystérieuse que le temps n'a fait que rendre plus étrangère à toute intrigue historique de type hégélien. Les émetteurs de l'imagerie contemporaine, publicitaire ou « artistique », ont une généalogie américaine ; leurs « progrès » ont accompagné la *success story* américaine et relèvent de sa logique providentialiste propre, voire d'une eschatologie que semble étayer et prouver leur réception fascinée en Europe et dans le monde entier.

L'Église catholique romaine elle-même, pendant des siècles mère et mécène des arts européens, en est réduite à dire par-devers elle, paraphrasant un mot fameux de Cocteau dans *Les Mariés de la tour Eiffel* : « Puisque ces mystères nous dépassent, feignons d'en être les organisateurs. » Les nombreuses bulles pontificales relatives au cinéma, à la télévision, à la photographie, publiées par Pie XI et Pie XII, peuvent se résumer à ce mot d'ordre de vaincu cherchant à se convaincre qu'il peut encore gagner la partie dans un jeu où il a été autrefois champion.

L'Exposition universelle de New York, en 1939, lança le premier écran cathodique commercialisé. Le président Franklin D. Roosevelt prononça le discours d'inauguration, et David Sarnoff, président honoraire de R.C.A. Corp., prononça le discours qui célébrait, sur le petit écran tout neuf, la première transmission télévisée sonore, clou de l'Exposition et orgueil de sa compagnie. Il déclara :

> C'est avec un sentiment d'humilité que j'annonce la naissance dans ce pays d'un art nouveau, si important dans ses implications qu'il est appelé à affecter toute la société. C'est un art qui brille comme une torche d'espoir dans ce monde troublé, c'est une force créatrice dont nous devons apprendre à nous servir pour le bénéfice de toute l'humanité. Ce miracle de la technique fera un jour du monde une seule patrie, il crée aussi une nouvelle industrie américaine propre à servir le bien-être matériel de l'humanité. La télévision va devenir un important facteur dans la vie économique américaine.

Les prophètes de l'Ancien Testament n'annonçaient que le malheur et ne se trompaient jamais, étant les porte-parole de Dieu. Jésus ne dorait pas la pilule évangélique, disant : « Je ne suis pas venu apporter la paix, mais le glaive. » Il parlait en Fils de Dieu. David Sarnoff, prophète optimiste, ne se trompait pas non plus, étant le porte-parole du dieu américain. Il était seulement au-dessous de la vérité à venir. Il se bornait à laisser entrevoir que l'*American dream*, après avoir trouvé dans le cinéma une première actualisation collective, mais encore théâtrale, avec ses salles publiques et sa division de la salle et de l'écran, allait avec la télévision introduite dans chaque foyer, à la cuisine, dans le lit des parents, dans la chambre des enfants, s'emparer entièrement et intimement de la diversité américaine, la réunissant dans un même songe éveillé, préfabriqué, ininterrompu et cousu en un seul patchwork mobile, flottant, extensible et manifestement destiné à recouvrir le lit du monde entier, réjoui par la visite des mêmes images américaines. Il ne prévoyait pas la proximité plus étroite encore du dieu moderne avec ses fidèles : l'écran devenu portable, tenu partout et à tout instant dans la main, comme les anciennes moniales maniant le rosaire, les yeux fixés sur une image de dévotion apposée au-dessus de leurs prie-Dieu, les baffles devenues écouteurs collés la journée entière aux oreilles, comme les anciens mystiques suspendus à la voix des anges et des saints et, pour peu que les progrès des nano-biotechniques se poursuivent à leur rythme actuel, écrans et écouteurs greffés dans les lobes appropriés du cerveau et sautant d'un programme à l'autre sur un simple signal lancé par le lobe de la volonté.

Le 24 juillet 1956, un peu moins de vingt ans après ce discours mémorable, l'Italie et l'Europe étant acquises à la télévision, le pape Pie XII endossait publiquement les conclusions de la « Commission pontificale pour le cinéma, la radio et la télévision », laquelle citait les déclarations antérieures du Saint-Père sur le sujet :

> La transmission des cérémonies liturgiques, l'illustration des vérités de la foi, la présentation des chefs-d'œuvre de l'art sacré, et bien d'autres entreprises, porteront la parole de Dieu aux plus déshérités, aux plus éloignés. Puissent-elles un jour porter l'Évangile aux masses païennes elles-mêmes.

La télévision est ainsi considérée, par la suprême autorité doctrinale de l'Église catholique, comme un nouvel auxiliaire providentiel – quoique neutre en soi – de la mission évangélique confiée aux apôtres : convertir universellement les nations et les ranger sous le gouvernement providentiel du vicaire du Christ.

De là à conclure, avec Giorgio Agamben, que la « société du spectacle » selon Guy Debord, d'essence et de vocation totalitaire, a été conçue et prévue par la théologie trinitaire chrétienne dès les premiers siècles, avant de trouver de nos jours son actualisation la plus rusée et complète dans la démocratie et ses médias, le pas est difficile à franchir. Seul un philosophe, se voulant archéologue au sens de Foucault, peut se permettre des raccourcis aussi foudroyants et faire apparaître, par superposition de tous les régimes qui se sont succédé en Occident (et dans l'Occident seul) depuis l'Empire romain, une figure transhistorique dont le secret meurtrier gisait au fond de la théologie et du droit chrétiens, et que les régimes totalitaires du XXe siècle auraient enfin portée à ses ultimes conséquences, les camps de la mort, mystère d'iniquité dont il reviendrait au philosophe-archéologue de dévoiler les origines et la finalité longtemps cachées. À en croire *Le Règne et la Gloire*, la technosphère moderne et contemporaine, avec ses légions de messagers célestes, les anges *paparazzi* et les anges agents secrets, les uns laudateurs, les autres instruments des vicaires terrestres de la Providence divine, aurait été pensée et prévue par Grégoire de Nazianze, saint Augustin, Denys l'Aréopagite et saint Thomas, lesquels auraient perfectionné d'âge en âge, avec une perversité tenant du génie, la symbolique encore artisanale du Pouvoir laissée par la religion impériale romaine [1].

À ce compte, les camps de la mort seraient donc devant nous, autant que derrière nous. Cette thèse noire me fait l'effet d'un retournement savant et mélancolique de la théorie rose du « Village global », développée dans les années 1960 par le catholique canadien Marshall McLuhan. Ce médiologue avant la lettre connut un immense succès dans les milieux d'affaires américains et internationaux, ravis de s'entendre dire qu'ils faisaient partie du nouveau « Corps mystique » universel en voie de condensation à la faveur des nouveaux médias (essentiellement, alors, la télévision), en prolongement de l'ancien. McLuhan en résumait le mystère dans la formule quasi sacramentelle « *the medium is the*

1. Voir Giorgio Agamben, *Le Règne et la Gloire*, Paris, Seuil, 2008.

message ». Dans les mêmes années, son élève, le docte jésuite américain Walter Ong, se fit le prophète d'une Pentecôte descendant sur une humanité rendue à son oralité première par le mérite des médias ultramodernes. Chez les deux « médiologues », l'idée catholique de Corps mystique ecclésial, scellé par la parole de la Cène, s'ajustait à une idée typiquement américaine, selon laquelle les « civilisés » sont appelés à retrouver, à force de nouvelles technologies, l'information exhaustive des « primitifs » dans leur village et la belle oralité de leurs mœurs communautaires.

Tous deux allaient bien plus avant que Pie XII dans l'apologie du providentialisme médiatique, ne le considérant plus seulement comme un auxiliaire nouveau de la Providence divine, mais comme son trait caractéristique. L'un ou l'autre de ces deux théoriciens, tous deux ensemble peut-être, ont inspiré à Jean-Paul II le dessein d'accorder à l'ère de la publicité télévisée la *Propaganda fides* du Saint-Siège et de transformer pour la bonne cause sa *persona* de vicaire du Christ en star médiatique acclamée par l'*ecclesia* de tout l'univers. Il put ainsi, s'élevant à ce monde second, l'emporter sur *Jésus-Christ superstar* que la génération américaine des *flower children* avait plébiscité comme son Dionysos générationnel, chef de file du refus de la conscription et de la résistance à la guerre au Vietnam. Il va de soi que Jean-Paul II était de très loin meilleur politique que ce fantoche de music-hall, lequel n'a pas plus survécu que l'Antéchrist soviétique à la concurrence victorieuse que lui firent le pape et Ronald Reagan.

Dernier avatar peut-être du bouddhisme tibétain que la Chine communiste, économiquement libéralisée, n'aura pas elle-même imposé, le Dalaï-Lama lui aussi a fait de son mieux pour identifier son message au *medium* des chaînes de télévision. La place modeste, mais déférente, qui lui est faite sur les écrans américains fournit un précieux alibi à la mauvaise conscience de Washington, bien décidé à ne pas sacrifier à la cause tibétaine la fructueuse symbiose du dollar avec le ywan, d'une économie de services avec la main-d'œuvre industrielle chinoise.

La philosophie de la technosphère médiatique – cathodique ou digitale, catholique ou anticatholique, optimiste ou pessimiste, retour à l'âge d'or ou passage au post-humain – reste à faire. La « médiologie » de Régis Debray s'y emploie en France. Aperçu sans la moindre sympathie par Baudelaire, Valéry et Benjamin, le phénomène est trop gigantesque et déconcertant pour pouvoir être compris d'une seule saisie. Giorgio Agamben, faisant un détour par la philosophie médiévale pour l'interpréter, trouve en route de grandes consolations : un médiéviste comme lui n'est jamais déçu de découvrir de nouveaux textes, de nouveaux auteurs de théologie, mais il en tire un éclairage sur l'aujourd'hui qui ne convainc que lui. À tout le moins, il est sûr que ni le pape, ni le Dalaï-Lama, ni l'Europe en congé d'Histoire, ne répondent au portrait-robot du Pouvoir contemporain que ce docte auteur trace à coup de métaphores théologiques, non sans céder à la tentation qu'un autre philosophe politique, Leo Strauss, appelait la *reductio ad Hitlerum*. Où s'exerce-t-il exactement, aujourd'hui, ce Pouvoir divin sécularisé, dont la gloire est administrée au monde par ses légions d'« anges » de la photographie, du cinéma, de la télévision, de l'Internet, des écrans portables ? A-t-il, comme son modèle divin, son centre partout et sa circonférence nulle part ? Ou bien faut-il le localiser en dernier ressort, en forçant la réserve d'Agamben, en Amérique, nation providentielle appelée par Dieu à gouverner le monde ? Nulle part les légions d'« anges » des nouvelles technologies de la communication et de l'image, coordonnées et hiérarchisées en réseau mondial, n'ont collaboré aussi constamment, quoique indirectement, à un art de régner.

Quel que soit donc le message – et la vertigineuse quantité de ces messages s'annule elle-même –, quel que soit le *medium* – et il en est maintenant pour tous les âges et pour tous les goûts, renouvelés et perfectionnés de mois en mois –, le même bourdonnement monotone et subliminal de ces chœurs angéliques répète à l'infini, comme les litanies de louange communes à toutes les religions (on ne l'entend jamais si bien qu'à l'arrière-fond perpétuellement triomphal de C. N. N.), la glorification de l'Amérique *Regina mundi*, et le privilège royal dont elle dispose de dispenser à sa guise gloire, glamour, fortune, rang, vie ou mort.

« Dieu est-il français ? » s'interrogeait en 1930, l'essayiste allemand Friedrich Sieburg, félicitant la France de se singulariser en préférant le bonheur personnel aux utopies de bonheur collectif et les vraies richesses à tous les ersatz. Il souhaitait que l'Europe se rallie à cette modération. Dieu est-il aujourd'hui américain ? À la différence du nôtre, surclassé, ce Dieu activiste a ôté de la Genèse le repos du Septième Jour, il crée le monde continuellement, et il n'aura de cesse que le monde entier ne soit refait à l'image de sa terre d'élection. Il suscite des rétractions identitaires ressemblant à des guerres de religion. Les dieux locaux se rebiffent. La Providence américaine et ses trompettes savent assurer la cohésion politique de leur propre peuple et l'expansion de son exemple, mais cette expansion demande des conversions radicales, difficiles et ressenties quelquefois comme des reniements. Le Dieu français de Sieburg n'en exigeait pas tant.

CHAPITRE 2

Le Modernisme à New York, de Duchamp à Warhol

1. Les États-Unis, conservatoire et ses conservateurs : Vitruve et Cicéron américains

L'Européen d'aujourd'hui, dont la mémoire est courte, est vaguement convaincu que tout le bazar et le bastringue dont il est étourdi ou qui l'excitent sont des exportations d'une Amérique toujours en avance d'une révolution, débordante d'énergie et d'invention, à la pointe d'un progrès mondial souhaitable ou inévitable, selon les points de vue : cela pousse les uns à l'agacement ou à la répulsion, les autres, à l'admiration et à la hâte d'emboîter le pas. L'ennui, c'est que l'Amérique moderne, moderniste, « contemporaine » et « virtuelle » qui nous éblouit et que nous nous flattons d'imiter, n'est qu'un des aspects du phénomène américain, et que cet aspect lui-même, relativement récent, est un paravent publicitaire, posé le long de ses côtes est et ouest, devant un paysage intérieur dont la tribu agitée de Manhattan connaît, honnit et redoute le statisme et la pesanteur.

Résultat d'un *fait* révolutionnaire beaucoup plus radical que la *Glorious Revolution* anglaise, les États-Unis sont devenus aussitôt, à l'image de l'Angleterre chère à Edmund Burke, conservateurs de leur propre et permanente révolution. Les considérables changements du droit et des mœurs qu'ils ont connus et connaissent, non sans violents conflits internes, passent très vite pour de simples suites logiques, le jugement de Dieu en leur faveur ayant été rendu, de l'acte fondateur, et parfaitement conformes à l'esprit qui animaient les *Founding Fathers*. Comme le cardinal Newman voyait le dogme romain, comme les juristes anglo-saxons voient leur *common law*, l'Amérique perçoit ses textes fondateurs sous l'angle d'une révélation continuée, se dépliant dans le temps, sans pour autant dévier de leur intention initiale et profonde. Le paradoxe de l'américanisme et sa santé méconnue, c'est qu'il dispose de principes et de repères assez solides et nombreux pour faire contrepoids à sa capacité de changement incessant. Il exporte ses changements, qui font vendre, mais il ne peut en faire autant de sa stabilité cachée, que négligent de voir, et d'exporter, ses clients et imitateurs étrangers.

À l'image du style architectural de sa capitale politique, Washington, la jeune nation révolutionnaire s'est montrée résolument conservatrice jusqu'à nos jours de formes néo-classiques importées de la France et de l'Angleterre du XVIIIe siècle, alors que nous ne voulons connaître que ses façades modernistes et post-modernistes. Cette Rome idéale que ni Boullée, ni Ledoux, ni Percier et Fontaine, ni Napoléon, n'ont pu faire de Paris, Washington et sa grande avenue triomphale remontant vers la coupole du Congrès en donne une idée. À l'envers du point de vue trompeur que nous adoptons volontiers sur les États-Unis, la Maison-Blanche, où siège le quartier général politique de la nation, est un manoir de style « georgien » (du nom du roi d'Angleterre George III (1738-1820)) qui cache, creusée dans ses sous-sols et dans ses vastes annexes, les bureaux, salles et réfectoires *high tech* appropriés au nombreux personnel de la présidence. Projetée sur les plans de l'architecte français Pierre-Charles L'Enfant (1754-1825), incendiée par les Anglais en 1806, la capitale fédérale prit, sous l'autorité de l'architecte des monuments publics Robert Mills, en fonction de 1836 à 1851, le visage néo-classique définitif et horizontal que, malgré toutes ses extensions, elle conserve jalousement aujourd'hui. Mills avait été l'élève, entre autres, de Thomas Jefferson qui, de son côté, fit ériger sur ses propres plans « à la grecque » le campus de l'Université de Virginie et son beau manoir de Monticello, décoré de meubles et objets d'art rapportés de Paris. Jefferson, successeur de Franklin auprès de Louis XVI, avant de diriger le Département d'État et d'être élu le troisième président des États-Unis, ne concevait pas d'autre style architectural pour une République qu'inspiré de la Grèce, de Rome et de la Venise de Palladio. Mills partageait entièrement cette faveur pour le style européen sévère, qui avait prévalu dans la conception de la Maison-Blanche dès 1792 (brûlée par les Anglais en 1812, elle fut restaurée par Mills) et qui s'imposa aussi pour les autres bâtiments officiels, donnant l'exemple aux autres capitales de l'Union. Malgré le succès, après la guerre de Sécession, du style néo-gothique (pour les universités privées) et de l'éclectisme historiciste du style Beaux-Arts (pour les banques), la sobriété républicaine du style néo-grec demeura une norme tant pour les édifices publics que pour les *mansions* de campagne. Les États-Unis avaient eu beau, presque à l'insu de l'Europe, passer au rang de première puissance industrielle et militaire du monde, pourvue du marché intérieur le plus nombreux et dynamique et pourvue d'industries déjà mûres de la publicité et du divertissement de masse dont l'Europe, jusqu'après la Seconde Guerre mondiale, n'avait encore qu'une faible idée : la colonne vertébrale de la nation resta fidèle aux formes d'architecture « à l'antique », quand son corps gigantesque se couvrait en abondance d'amples vêtements néo-gothiques ou de lourdes pelisses victoriennes et haussmanniennes.

L'architecture néo-classique avait fait l'unanimité des Lumières européennes de la seconde moitié du XVIIIe siècle, répondant aussi bien à l'orgueil de l'aristocratie dirigeante anglaise qu'aux velléités de la monarchie française de restreindre son faste et de rester en phase avec un patriotisme national devenu chatouilleux. Ayant conquis son indépendance en 1783, la république fédérale américaine, version moderne, protestante et rude des républiques antiques, ne jugea pas bon de revenir sur la version provinciale et modeste de l'architecture officielle et privée que les Anglais avaient exportée dans leurs colonies d'outre-Atlantique. L'université de Virginie et son propre manoir de Monticello, dessinés par Jefferson, le manoir de Washington à Mount Vernon, la modeste Maison-Blanche où résident les présidents américains, ont été conçus dans le droit-fil de Williamsburg (Virginie), la capitale des ex-colonies anglaises, rasée au sol pendant la guerre d'Indépendance.

Cette autre Troie, capturée et anéantie par les Insurgents, a été reconstruite comme la Buthrote de Virgile par Andromaque. Ce ne fut pas un geste élégiaque, mais l'un des chantiers du New Deal pour l'emploi conçus et financés par John D. Rockefeller, dont la Standard Oil avait traversé sans dommage la dépression de 1929. Le Rockefeller Center à New York, la cathédrale gothique-Art Déco et nombre de bâtiments universitaires du Quadrangle de l'université de Chicago sont dus, entre beaucoup d'autres, à ce géant humanitaire et ami des arts. À Williamsburg, une équipe d'historiens fouilla les archives, une armée d'archéologues et de botanistes fouilla le site, et la cité coloniale fut reconstituée à l'identique dans les matériaux originaux, avec son pimpant palais du gouverneur, ses demeures élégantes, ses maisons de bourgeois et d'artisans, ses temples, ses boutiques, ses tavernes, ses casernes, avec leur population en costume d'époque, ses voitures à chevaux, sa flore, sa faune, sa cuisine originale. C'est l'un des lieux de pèlerinage les plus visités des États-Unis, et les touristes américains y reconnaissent avec plaisir, mais sans nostalgie, l'archétype des villes coloniales de la Nouvelle-Angleterre ou des États du Sud. Le côté perpétuellement neuf de ce clone architectural, parfait décor en dur pour film en costumes, leur convient très bien. Le pathos des ruines, des reliques et même de la patine sont *unamerican*.

Ce *landmark* reconstruit, et ses nombreux jumeaux du XVIIIe siècle réchappés de la guerre d'Indépendance et de la guerre de Sécession, ont continué d'inspirer au XIXe siècle, au nord et au sud, et aujourd'hui encore au sud, un habitat néo-classique simple, privé d'ornements, ignorant les matériaux précieux (le bois et la brique peints en blanc brillant tenant lieu de marbre), et susceptible de variantes plus ou moins sommaires ou élégantes, mais toujours convenables à l'austérité de la jeune nation.

L'aristocratie esclavagiste et les petits Blancs du Sud vécurent dans des manoirs ou d'humbles maisons blanchies dont l'architecture, quelquefois vaste, jamais ambitieuse, dérivait des modèles palladiens que l'aristocratie anglaise, pendant son Grand Tour en Europe, avait admirés dans l'arrière-pays de Venise et de Vicence et plébiscités pour ses propres, et parfois monumentales, demeures de ville ou de campagne. Charlottesville en Caroline du Sud, Savannah en Georgie, sont les joyaux de l'urbanisme du Sud, mais au nord, dans la Nouvelle-Angleterre antiesclavagiste, le noyau ancien de Concord (New Hampshire) et plus d'une demeure de campagne du Maine répondent au canon néo-classique. Même lorsque celui-ci est oublié, un fantôme abstrait des petites maisons individuelles à véranda, fronton et colonnette, ponctuant les vieux quartiers du XVIIIe et du XIXe siècle de la Côte est, hante, du New Jersey à la Californie, les quartiers neufs de banlieues vertes, alignant à perte de vue des bungalows construits en série, à un seul étage, avec garage et jardinet, à l'usage de la classe moyenne (*lower middle class*). Cet immobilier pavillonnaire, perpétuant *ad infinitum* le premier symbole américain de la réussite, la maison individuelle achetée à crédit, est la cause involontaire de l'orage financier qui a éclaté à la fin de l'été 2008. Il est difficile d'être plus fidèle à ses origines.

Décidément, la Maison-Blanche, symbole du *restraint*, de la réserve digne et sobre, convenable au président d'une république que chaque citoyen des États-Unis peut devenir, est une espèce d'Idée platonicienne, dont les émanations plus ou moins appauvries, simplifiées ou amplifiées se sont diffusées, de façon plus ou moins dense ou clairsemée, mais récurrente, sur l'immmense territoire américain, surpeuplé par ailleurs par vagues successives d'innombrables idiosyncrasies architecturales, anciennes et modernes. Elles ne sont pas le moindre attrait de surprise que réserve toute percée en profondeur au-delà des deux façades maritimes des États-Unis.

De Vitruve à Frank Lloyd Wright : la villa de l'individualisme

Je me suis longtemps borné, dans mes pérégrinations et séjours nord-américains, à noter, partout où je le retrouvais, cette note persistante de classicisme architectural, dans les édifices publics comme dans les demeures privées, anciennes ou toutes neuves, pauvres ou pimpantes, au passage d'une banlieue verte ou d'un quartier déchu de petite ville. Comment la concilier avec la floraison tropicale de mastodontes « Beaux-Arts », gares titanesques, banques ou sièges sociaux de grandes corporations industrielles et commerciales, surchargés de citations romanes, gothiques, ou byzantines, qui ont envahi les grandes villes américaines (Washington excepté) dans les décennies consécutives à la guerre de Sécession, et qui font ressembler, ici où là, à Chicago, à Houston ou à New York, le centre-ville à celui, victorien et colonial, de Bombay ? Ces beaux monstres faisant la roue en largeur et en hauteur contrastent vivement eux-mêmes avec le « Style International », vitré et abstrait, introduit après 1930 par les architectes du Bauhaus et leurs disciples, dans l'Amérique urbaine du New Deal. Je m'en tirais par le constat d'une juxtaposition des contraires, commune à l'architecture et aux autres arts, et appropriée aux poussées successives, quasi géologiques, d'une nation dont l'unité résulte d'un acte de foi dans futur, et non d'une volonté d'harmonie.

Explication bancale : les générations successives d'ostentatoires monuments urbains n'ont pas effacé, en effet, la résilience jusqu'à nos jours, hors du noyau dur des grandes villes industrielles et commerciales, dans leurs banlieues, de la maison blanche à colonnettes et à fronton, dont le modèle remonte au Williamsburg verdoyant et colonial reconstitué par les Rockefeller et à cette autre attraction légendaire des touristes américains, le beau manoir virginien de Jefferson sur sa colline verte de Monticello, intact avec son verger, son potager, et ses communs, où vivaient ses esclaves et sa maîtresse noire, Sallie Hemmings. Ces images pastorales, blanches et vertes, qui se sont surimprimées dans mon souvenir et qui en remontent du nord au sud de la Côte ouest et du Middle West, voire de la Côte est, où les petites maisons à un seul étage, avec garage et jardin, font de Los Angeles une grille à perte de vue, s'imposent à moi, cet automne, sur fond de Manhattan. Ici, le classicisme vitruvien et palladien est peu représenté, sauf par Gracie Mansion, la demeure du maire de New York. C'est ici que les affirmations diverses et successives de la monumentalité urbaine se font d'autant plus insolentes qu'elles ont pris garde, dans Central et Riverside Parks, de résumer et enfermer dans leurs murailles, – au large, il est vrai –, la nature forestière qu'elles ont depuis longtemps vaincues. Rassasié, cette fois, de lectures sur les débuts de la nation et la biographie de ses Pères fondateurs, j'ai fini par comprendre un peu mieux à quoi tenait le contraste, qui m'a longtemps intrigué, entre les folies immobilières des grandes villes américaines et la répétition tenace, quasi compulsive de la classique villa avec jardin qui leur tourne résolument le dos, depuis trois siècles.

Un vif débat divisa les vainqueurs de la guerre d'indépendance. Les « Fédéralistes » préconisaient un gouvernement central limité, mais fort, et leurs adversaires souhaitaient des pouvoirs locaux forts arbitrés par un pouvoir central faible. Ratifiée par le congrès de Philadelphie en 1787, la Constitution fédérale fut complétée en 1791 par une première série d'amendements. C'était le fruit d'un compromis entre les deux partis, au prix d'un grand silence sur les « droits universels de l'homme », autres que ceux des citoyens blancs de la République, et donc sur le statut légal des aborigènes, des esclaves – et des femmes. Hors Constitution, et dans les rangs mêmes des « Fédéralistes », un autre débat, concernant l'économie politique souhaitable pour la jeune république, opposa Thomas Jefferson, le troisième président des États-Unis, et son secrétaire au Trésor, Alexandre Hamilton, tous deux rédacteurs et signataires du *Bill of Rights*. L'un envisageait une économie avant tout fermière, productrice abondante de matières premières vendues à l'Europe manufacturière, et l'autre, une économie mixte, faisant largement sa part à l'industrie manufacturière locale, au commerce international et aux banques.

Le classicisme architectural américain est jeffersonien, il est fidèle à l'idée que l'illustre homme d'État, architecte et planteur, se faisait de la jeune république, en expansion dans l'immense Louisiane qu'il acheta à Bonaparte en 1804 : une nation agraire de prospères fermiers, maîtres chez eux, indépendants, laborieux, sachant rendre productif leur personnel, esclave ou libre, et prévenus contre la corruption de leur propre liberté par l'excès de gouvernement, par l'excès des grandes villes et de leurs foules incultes et par l'excès non moins corrupteur de l'industrie et du commerce. Cette vision pastorale, terrienne, domestique des États-Unis, a été vaincue, dans les faits, par l'autre vision que se faisait de leur avenir Alexandre Hamilton, créateur de la Banque fédérale, partisan résolu d'une alliance entre le gouvernement central et les grandes corporations industrielles et commerciales, favorable au développement de grandes villes et à la vocation internationale d'un empire autant maritime que terrien.

Hamilton l'a donc emporté, avec Manhattan et Wall Street, dès les années 1830. Le vrai et définitif triomphe de l'Amérique hamiltonienne fut le *Gilded age* qui suivit la guerre de Sécession. Mais l'utopie agraire et l'utopie pastorale jeffersoniennes sont demeurées très vivaces au cœur du rêve américain, ainsi que l'atteste le naïf symbole de la villa vitruvienne, proche cousine, d'ascendance européenne, de la hutte indienne et de la *log cabin* du pionnier, solitaire dans le *wilderness*. Il est exact que les États-Unis ignorent la nostalgie. Mais ils n'ignorent pas l'élégie. Même au fond de la rude réussite urbaine du « self-made-man » américain, gît le rêve d'une récompense suprême et d'une « gentrification » parfaite : la retraite et le repos dans une demeure de campagne, occupée au *bird-watching* et à la lecture du *National Geographic Magazine*. À un tout autre étage, la littérature et de la poésie de la Nouvelle Angleterre, de Fenimore Cooper à Herman Melville, de Henry Thoreau à Harriett Beecher-Stowe, de Walt Whitman à Allen Ginsberg, la peinture des paysagistes de la Hudson School au XIXe et d'Andrew Wyatt au XXe, renvoient l'imaginaire américain à une nature et à une société rurales indemnes des vices et des souillures de la grande ville, lavés d'Histoire et purifiés comme par enchantement du crime de l'esclavage noir et de l'ethnocide indien. De ces sources populaires, littéraires et artistiques monte de l'Amérique suburbaine une nuée d'hostilité envers la « corruption européenne » de New York, maëlstrom où la libre citoyenneté républicaine et égalitaire, prédestinée aux espaces immenses et purs de la nature américaine, est vouée à dégénérer en aristocratie financière et sophistique. Le « Drame de la civilisation » de Buffalo Bill fut une tentative réussie de réconcilier l'individualisme farouche des « Indiens blancs » de la Frontière et les progrès de l'urbanisation et de l'industrialisation. L'actuelle vague et la puissante vogue« écologique », sur lesquelles surfe le président élu Barack Obama, appropriée à une société de services enfin délivrée de la grande industrie polluante et purifiée du racisme, est la version *high tech* du rêve jeffersonien, devenu enfin pleinement conciliable avec le pragmatisme hamiltonien.

Vue à travers les lunettes autant retorses que naïves de l'imaginaire pastoral américain, l'Europe est restée depuis le XIXe siècle l'arrière-pays de New York, avec ses cours monarchiques hypocrites et ses villes corrompues par l'industrie. Aussi, quand l'heure fut venue des grandes villes fumantes, industrielles et financières, l'architecture américaine emprunta à l'Europe, les traduisant à son échelle grandiose, l'éclectisme historiciste enseigné à l'École des Beaux-Arts de Paris, puis le fonctionnalisme abstrait du Bauhaus de Weimar et de Dessau, tandis que le rêve américain restait attaché à la villa palladienne qui avait eu les faveurs de la gentry anglaise du XVIIIe siècle. Entre ces deux grandes vagues, cependant était apparu, dans le Wisconsin et l'Illinois, un architecte « purement » américain, dont la célébrité géante en est venue, au cours de sa très longue carrière et depuis, à rivaliser avec celle de Jefferson : Frank Lloyd Wright (1857-1959). Wright n'a voulu ni du classicisme emprunté à l'Angleterre, ni de l'éclectisme historiciste emprunté à la France de Viollet-le-Duc, ni, après le New Deal, du fonctionnalisme emprunté à l'Allemagne de Weimar. Mais s'il a renié Jefferson, architecte de Monticello et asservi sur ce point à la « Vieille Europe », il a partagé avec le Père fondateur, en le poussant même aux extrêmes de l'individualisme de la Frontière, sa passion pour la nature américaines et son rêve d'une nation faite de petites villes rurales et de manoirs isolés, où le libre citoyen, fortune faite, s'est retiré sur ses terres, en grand seigneur démocratique.

Les chefs-d'œuvre de ce Gargantua américain sont des villas basses, enveloppées de verdure ou tendant même à se confondre avec le paysage. Comme Jefferson, il avait une vive répulsion pour les grandes villes, mais il croyait aux vertus de la voiture individuelle, qui permet de leur échapper et de vivre commodément en réclusion, dans une utopie naturiste d'îles de Robinson costaudes, confortables, ouvertes de toutes parts sur l'espace extérieur, voire englobant à l'intérieur une chute d'eau naturelle. C'est le cas de la célébrissime villa Fallingwater, pierres sèches, béton et verre, érigée dans la forêt de Pennsylvanie en 1936-1939 pour la famille Kaufman, l'un des *landmarks* les plus visités par les touristes américains. Wright détestait New York, il préférait le manoir qu'il s'était fait construire à Taliesin, dans l'Arizona, et où il vivait en communauté avec ses collaborateurs et ses élèves. Il accepta néanmoins sur le tard une commande new-yorkaise prestigieuse, par défi pour ses rivaux étrangers du Bauhaus[1]. C'est ainsi qu'il fit accepter par Salomon Guggenheim, en guise de Musée sur la Cinquième Avenue pour sa collection d'art européen moderne, un projet de garage à voitures en colimaçon qu'il avait depuis longtemps dans ses cartons. Sa gloire de « Bramante américain » ne devant rien à l'histoire de l'architecture européenne précéda et prépara celle de Jackson Pollock, qui prétendait lui aussi ne rien devoir à l'histoire européenne de la peinture, dans l'immédiat après-guerre 1940-1945. Elle contribua à la bouffée d'orgueil qui saisit en 1941 Henry Luce, patron de *Life* et de *Time*, dans son livre *The American Century*, et qui lui fit écrire : « Nous avons l'indéfinissable et immanquable signe du droit de guider le monde : le prestige. Et à la différence du prestige de Rome, de Gengis Khan ou de l'Angleterre du XIXe siècle, le prestige américain à travers le monde est le résultat de la foi dans les bonnes intentions aussi bien que dans l'intelligence et la vigueur en dernière analyse de l'ensemble du peuple américain[2]. » Excellent exemple de cette rhétorique célébrative qui a tant fait pour souder à la volonté de puissance « hamiltonienne » des États-Unis la bonne conscience, idyllique et élégiaque, de sa bonne volonté pastorale d'ascendance jeffersonienne.

La tradition rhétorique américaine

Si l'architecte romain Vitruve, revu par le Vénitien Palladio et l'Anglais Robert Adam, mais interprété à la baisse, est l'inspirateur lointain de l'architecture américaine classique, l'orateur romain Cicéron est le patron, non moins lointain et non moins passé au crible de l'Angleterre puritaine, de l'éloquence politique et parlementaire des États-Unis. Sortie des Lumières européennes comme Minerve du cerveau de Jupiter, la jeune république dispensa ses orateurs et ses essayistes politiques des

1. Voir Jane King Hession et Debra Pickel, *Frank Lloyd Wright in New York. The Plaza Years 1954-1959*, New York, Gibbs Smith, 2008.
2. *The American Century*, New York, Farrar et Rinehart, 1941, p. 321-334.

ornements dont, dans leur ordre, se passaient ses architectes. Elle avait besoin d'une rhétorique essentiellement argumentative et d'un cercle étroit de lieux communs pour que les opinions opposées s'énoncent sobrement et qu'un consensus majoritaire puisse se dégager. Républicanisme et puritanisme concordaient pour bannir le luxe inutile et le fard menteur, d'essence monarchique, aristocratique et catholique, de la parole comme de l'habitat. L'éloquence de la Révolution française est une débauche d'imagination, de passions et de figures à laquelle se livrent de chimériques talents littéraires, en comparaison des discours et des écrits des fédéralistes et de leurs adversaires, marqués au coin du sens commun.

Dans l'un des rares chapitres confus de *La Démocratie en Amérique*, Tocqueville ne sait comment concilier ces beaux commencements avec ce qu'il a vu et entendu au Congrès quarante ans plus tard. Il a trouvé les orateurs médiocres, inspirés par le souci de leur réélection et les petits intérêts de leurs électeurs plutôt que par l'intérêt général. C'était, il est vrai, sous la présidence d'Andrew Jackson, époque que les historiens américains taxent de « populisme ». En fait, l'éloquence politique américaine, tant celle des présidents que celle des *Congressmen* appelés à traiter des questions les plus diverses, d'intérêt national et international, n'a pas été privée depuis de discours de haute tenue, devenus classiques et gravés dans la mémoire américaine.

De George Washington à Abraham Lincoln, de Theodore Roosevelt à John Kennedy, l'anthologie des discours politiques des princes élus de la république américaine, et dont le joyau est l'appel à la nation lancé par Lincoln à Gettysburg, rend aujourd'hui encore familière à tout Américain *college educated* la tradition du grand style politique présidentiel, la seule dont la gravité s'autorise à faire appel à l'émotion, du reste toute morale et civique. Les candidats à la présidence s'essayent à ce grand style politique, et c'est à qui fera la preuve qu'il sait, lui et ses *ghostwriters*, trouver le ton et le tour justes dans la conjoncture, mais aussi réveiller l'écho des grandes voix de ses prédécesseurs. Ce genre oratoire est d'ordinaire déplacé dans toute autre bouche (Martin Luther King est l'exception), et les débats ordinaires des commissions du Congrès et, à plus forte raison, de la Cour suprême font prévaloir un style simple, tout d'argumentation, ponctué à point nommé de *jokes* qui détendent l'atmosphère. À sa façon, la prose écrite et impersonnelle du grand journalisme américain est restée moulée dans ce style nu du *matter of fact*.

Mais depuis que Tocqueville observait, aux États-Unis, le style de l'éloquence et de la délibération démocratiques, de puissants rhizomes modernes se sont développés sur cette tige originelle. L'art de persuader efficacement par l'argumentation s'est déplacé de la parole personnelle à la parole impersonnelle ; le taylorisme et le fordisme se sont étendus au discours publicitaire et promotionnel d'entreprise, conçu et mis en œuvre en équipe, et la parole a cédé le pas à l'image, mise au service de l'image de marque. Après le travail à la chaîne de production est apparu le travail à la chaîne de persuasion, usinée en amont par de nombreux spécialistes et projetée en aval par de nombreux agents et organes soigneusement coordonnés. À l'image des entreprises privées, les administrations fédérales de gouvernement et les *lobbies* qui font pression sur elles ont développé des antennes d'action psychologique. Même les « évangéliques » et les pentecôtistes américains se plient d'instinct (d'instinct de survie, car les sanctions de tout échec sont cruelles) à l'armature logique et technique qui est devenue, dans l'éthique du travail, aussi intrinsèque que l'intérêt et la comptabilité du rendement optimum. Dynamo et dynamisme sont les deux mamelles de toutes les Amériques, quelle que soit la « culture » des unes ou des autres.

Depuis longtemps, il est une Amérique très circonscrite, féconde en écrivains et en poètes goûtés dans le monde entier et qui valent par leur style autant que par l'imagination et la pensée. Cette Amérique a enfanté une littérature distincte de celle de l'Angleterre. Mais il est une autre Amérique qui massivement l'ignore, ne la lit pas et réserve d'énormes tirages à l'industrie du *dime novel* (roman de gare) formaté pour l'écran, à des mémoires et biographies de gens célèbres ou à des essais formatés pour le documentaire ou pour le *talk show*. Voilà pour l'*entertainment* majoritaire. Pour former les *business people*, les *College of Arts* américains, mais aussi les départements *of Rhetoric and Speech* de nombreuses universités, et les *Law Schools* où l'on étudie le droit, l'économie et les sciences politiques, perpétuent des concours d'éloquence et de dispute qui remontent en droite ligne aux colons de la Nouvelle-Angleterre du XVIIe siècle [1] ou, à tout le moins aux séminaires où étaient formés les prédicateurs calvinistes et méthodistes du XIXe siècle. Aussi l'Amérique, « dynamique » et taylorienne dans le travail, est-elle restée un tel conservatoire de rhétorique argumentative, d'ascendance protestante, que le renouveau de l'histoire de la rhétorique en général, tant antique que médiévale et humaniste, y a trouvé de nombreux et enthousiastes chercheurs, heureux de reconstituer la généalogie d'un trait diffus et habituel de la vie publique et professionnelle de la société américaine. Là encore, la continuité, quoiqu'elle ait pris avec la croissance de la nation des formes méconnaissables, est saisissante.

Même lorsqu'elle se veut littéraire, ironique et jouant avec la verdeur vernaculaire, la prose américaine des journaux et des revues *high brow* ne

1. Voir le grand livre classique de Perry Miller, *The New England Mind, The Seventeenth Century* (1939) et, sur la période plus récente, la monographie de Brian Fehler, *Calvinist Rhetoric in Nineteenth Century America : The Bartlett Professors of Sacred Rhetoric of Andover Seminary*, Lampeter (G. B.), The Edwin Muller Press, 2007.

renonce jamais à une clarté et à une précision qu'on est tenté de qualifier de « classicisme démocratique ». Seuls les poètes américains, oiseaux rares, s'en plaignent dans leur Kamchatka, comme aurait dit Sainte-Beuve, lui-même très soucieux de garder ses distances avec les « analogies » et les « correspondances » de la poétique baudelairienne. Le contraste est vif entre cette résistance générale de l'Amérique à laisser envahir la prose par l'obscurité, l'ambiguïté, l'ange du bizarre cher aux écrivains modernistes, et la faveur patriotique de plus en plus répandue avec laquelle ont été accueillis, dans les arts visuels, l'abstraction expressionniste, l'art « minimaliste » et, plus unanimement, le « second degré » facile du Pop art. Dans l'Amérique protestante, si la lettre, sur fond biblique, ne saurait être malmenée, l'image, elle, est taillable et corvéable à merci.

En passant l'Atlantique, les Américains ont laissé derrière eux la mémoire de la rhétorique gréco-latine et de sa descendance catholique qui prévalait en Europe continentale : ils ont ignoré cet art antique et polyédrique du discours, s'adressant du même mouvement à la raison, à l'imagination, à l'émotion, aux sens, et se proposant moins d'établir de nouvelles vérités que de faire découvrir avec délectation, comme neuves, des vérités déjà là, mais cachées, usées, oubliées. Inséparable de la poétique, cet art d'imiter tout en inventant, de trouver en retrouvant, d'être soi-même tout en s'inscrivant dans une tradition, d'être nouveau tout en restant ancien, a longtemps été la souche-mère commune de la fécondité et de l'extraordinaire variété de formes selon les lieux et les temps, les nations et les langues, de l'Europe. Le modernisme, comme l'a fait valoir Paulhan dans *Les Fleurs de Tarbes*, a sacrifié en se vulgarisant la résonance de longue durée à l'effet de surprise à court terme. Au XIXe siècle américain, les seules exceptions à l'interdit national jeté sur le « chant profond » sont les écrivains et les poètes dits de « Concord », Emerson, que goûta Baudelaire, Emily Dickinson, Nathaniel Hawthorne et Herman Melville, redécouvert dans les années 1930 par le grand critique Edmund Wilson. Le roman le moins lu, et resté inachevé, de Melville, *Pierre ou les Ambiguïtés*, est écrit dans une prose somptueuse et voluptueuse qui rivalise avec le poème mythologique de la jeunesse de Shakespeare, *Vénus et Adonis*. La Nouvelle-Angleterre n'a pas été uniquement une Église des premiers siècles trahie en Europe et reconstituée outre-Atlantique, elle aura été, aussi, deux siècles plus tard, l'*humus* d'une grande littérature originale d'ascendance européenne. Entre-temps, cette même Nouvelle-Angleterre, nation dans la nation, avait fourni à l'empire naissant une aristocratie de gouvernement d'une rares sagacité et continuité. Elle aura été pour les États-Unis protestants ce que la Castille a été pour l'Espagne catholique.

Les États-Unis n'ont jamais connu l'art de persuader que dans une version restreinte, rationaliste, dissociée de la poétique des lieux et des figures et arrimée à l'éthique civique et au principe d'égalité de la jeune république, pont entre éloquence politique et éloquence pastorale, entre raison d'État et opinions de parti. Éducatrice du prédicateur, de l'avocat, du magistrat, du politicien, du scientifique, de l'ingénieur, du technicien, la rhétorique américaine alimente un conflit incessant de points de vue et d'intérêts, tout en sachant célébrer à point nommé un consensus patriotique sur son petit nombre de lieux communs.

Tocqueville a noté la propension du discours américain aux idées générales [1]. Ce diagnostic apparente la « méthode philosophique » spontanée des Américains à la *Logique* de Port-Royal, à l'Idéologie de Destutt de Tracy et à la prose raisonneuse des doctrinaires du régime de Juillet. Cela revient aussi à constater que cette pente américaine aux idées générales se prive des sources vives qui ont nourri la variété formelle et la puissance de renouvellement imaginatif et émotionnel de la rhétorique gréco-latine et catholique, et qui ont encore alimenté le romantisme européen après le dessèchement des Lumières. L'individualisme américain, qui a cherché le régulateur collectif et impersonnel de son inquiétude dans les images formatées de la publicité et du show business, l'a aussi trouvé dans la rhétorique rationalisée et restreinte du discours argumentatif, justifiant les imputations de plat conformisme que le romantisme européen a multipliées, au cours du XIXe siècle, tant contre le bourgeoisisme américain (Stendhal) que contre son équivalent européen, les « idées reçues » héritées des Lumières et congelées en poncifs (Flaubert).

2. L'Amérique émotionnelle des prédicateurs et des femmes

Mais la prose de Capitol Hill et du grand journalisme ou l'éloquence de la Maison-Blanche, le grand genre et le style simple de la vie politique, ne doivent pas faire oublier le torrent de la prédication protestante, dont l'ardeur peut se constater aujourd'hui, intacte comme aux premiers jours, sur les chaînes de télévision privées où se succèdent les télévangélistes de toutes dénominations : chacun, comme le politicien en campagne, s'égosille pour attirer et retenir le chaland. Parce qu'elle a aboli les rangs, l'égalité est mère de la compétition. Mais la compétition dans la vie politique et économique a, en principe, pour contrepoids la vie ecclésiale, le repos du dimanche, la prière. En fait, ces contrepoids religieux à la compétition démocratique relèvent eux-mêmes d'une compéti-

1. Tocqueville, *De la démocratie en Amérique*, II, 2 : « Les hommes des siècles démocratiques aiment les idées générales, parce qu'elles les dispensent d'étudier les cas particuliers ; elles contiennent, si je puis m'exprimer ainsi, beaucoup de choses sous un petit volume, et donnent en peu de temps un grand produit. »

tion acharnée, d'un travail, d'un devoir, d'un *challenge.* Comme la religion, comme le délassement, la détente, le jeu, le festif profanes, bref l'*entertainment,* le sport, invention de l'aristocratie anglaise dans ses loisirs, est devenu une industrie et une économie de masse frénétiques, sous-traitant la technologie et la pharmacopée nécessaires au *coaching* de jeunes corps sportifs toujours plus compétitifs et mieux aptes à gagner de nouveaux records. Nulle part on n'arrête le progrès, même celui des muscles. Et il en va du dimanche, jour du Seigneur, comme du dimanche, jour de match et d'*entertainment,* comme de la semaine de travail ou de *business* ; il en va de l'âme religieuse comme de l'esprit joueur et du corps sportif, elle est soumise à la loi de la compétition et du rendement, elle est l'objet d'un infatigable *business,* dont les *megachurches* offrent aujourd'hui l'expression la plus voyante de la réussite.

D'emblée, la jeune nation avait aboli avec le retrait lignager, la perpétuation de l'aristocratie terrienne, et appliqué du même mouvement ce que l'on appelle le « désétablissement » des églises. Le financement par l'État, sur le modèle anglais, de l'Église épiscopalienne et de l'Église congrégationnaliste, filiales d'outre-Atlantique de la *High Church* et de la *Low Church* anglaises, cessa. Privé de l'autorité et du traitement de l'État, leur clergé dépendit du bon vouloir des fidèles, que purent leur disputer, à chances égales, des Églises rivales toujours plus nombreuses, ardentes à recruter et fidéliser leur propre clientèle : universalistes, unitariens, méthodistes, baptistes et, aujourd'hui, pentecôtistes. À chacune de se battre, dans une concurrence acharnée, pour obtenir sa propre part du marché. Le métier de pasteur s'accrut de celui de publicitaire et de *rise funder,* collecteur de fonds. Sauf que le marché religieux, si parallèle qu'il fût devenu au marché politique et au marché économique, avait malgré tout des acteurs et un public différents des deux autres. Les acteurs du marché politique et du marché économique, mobilisés à plein temps, sont par définition des mâles pourvus des dures vertus viriles pour livrer leurs batailles civiles, comme les guerriers de l'âge féodal pour leurs batailles militaires. Le mépris initial des *Founding Fathers* pour les manières féminisées des aristocrates français venus d'Europe à leur rescousse préfigure celui que les jacobins français déversèrent en 1792-1794 sur les « ci-devant », esclaves énervés des rois et des femmes, impuissants et dangereux pour la liberté politique. Ce mépris fondamental pour l'effémination est passé en Amérique de l'ordre politique à l'ordre économique, où le succès dans la lutte pour la vie revient aussi aux plus aptes, aux « battants », indemnes d'états d'âme débiles et débilitants. La démocratie économique et ses semaines de *hard work* compétitif sont affaire virile.

Les pasteurs, qui constituèrent, jusque très avant dans le XIXe siècle, la classe lettrée américaine, étaient souvent malgré tout, des « gens du dimanche ». Leur vocation religieuse les avait souvent sélectionnés parmi les jeunes gens « sensibles », reculant à l'idée d'une carrière occupée par la lutte pour la vie, et incapables, même s'ils devaient entrer en concurrence avec des rivaux d'autres confessions, de se prévaloir d'une virilité agressive comparable à celles des politiciens et des gens d'affaires. Ils ne s'adressaient pas à la même clientèle.

Dès l'époque révolutionnaire de la future nation, la grande majorité des chrétiens pratiquants qui assistaient au service du dimanche, et à plus forte raison qui fréquentaient le temple pendant la semaine, étaient les femmes au foyer. Dans les intervalles de leurs tâches domestiques, elles avaient le temps de sentir, de rêver, de prier et de lire, en communion avec leur pasteur préféré. Il leur revenait aussi de se livrer au *shopping* de la maison, ce qui fit, ou allait faire d'elles et de leurs enfants, au fur et à mesure de l'expansion du marché intérieur américain, la cible préférée des stratèges publicitaires leur prêchant l'évangile de la consommation et de l'*entertainment* profanes. Mais elles faisaient partie du premier cercle du pasteur. Celui-ci s'adaptait à ses paroissiennes, et sa théologie faisait place à une religion de l'émotion. Lorsque les paroissiennes se sentent des dons pour l'éloquence et la chose écrite, c'est avec leur pasteur qu'elles rivalisent, c'est lui qu'elles prennent pour modèle. Nombre d'historiens et d'écrivains américains du XIXe siècle ont été des pasteurs, ou ont porté un temps l'habit de *clergyman*. Nombre de romancières et femmes de lettres ont été filles de pasteur, ont pris de leur père le goût de l'étude et des livres, y trouvant l'ambition d'échapper, par la voie littéraire, à la condition et à l'image d'elles-mêmes subalternes qui leur étaient imposées. À l'anglaise George Eliot, auteur de *Scènes de la vie cléricale*, correspond aux États-Unis Harriett Beecher-Stowe, auteur de *La Case de l'oncle Tom*, construite autour de la figure d'une petite fille christique, Eva, qui meurt en sainte, donnant à tous, Blancs et Noirs, une leçon contagieuse de compassion.

Anti-monarchie, anti-aristocratie de cour, la démocratie américaine est fondamentalement construite autour du mythe du héros viril, bâti pour la conquête, et de son énergie combative : les Noirs, les Italiens, les immigrants de toute provenance ont dû prouver de haute lutte qu'ils étaient capables de tels champions. Les femmes, les intellectuels et les artistes ont dû à leur tour combattre, intériorisant et dépassant le modèle du pasteur, pour faire advenir de vive force, à une nation de gladiateurs politiques et économiques, parmi les chances alternatives de succès, une sensibilité compassionnelle au nom de laquelle pouvoir sortir de la pénombre, de la passivité et de la sujétion [1].

---

1. Voir le livre, fondamental sur la question, d'Ann Douglas, *The Feminization of American Culture*, New York, Knopf, 1977. Cette étude n'aborde pas la question de la Fron-

L'Amérique qui lit et les images

Fécondes en prédicateurs charismatiques, les sectes évangélistes américaines ont été et demeurent encore aujourd'hui plus iconophobes que les Églises établies de la Réforme européenne et leurs branches américaines « désétablies ». Mais leur iconophobie résolue ne s'adresse qu'aux arts visuels que le catholicisme latin et l'orthodoxie orientale associent à la vie de piété. La représentation publicitaire de Jésus aux bras ouverts, invitant à rejoindre une communauté voisine, est très fréquente dans les rues américaines. Mais c'est affaire de lieux publics, d'espace profane et de concurrence avec les images gloutonnes de la publicité commerciale. Dans les temples, l'art des « saintes images » est banni de la maison de Dieu, même si les services divins sont souvent conçus comme des shows, où projections vidéo, orchestre et troupe de majorettes, alternent leurs prestations avec la parole tonnante du pasteur. Le spectacle s'est substitué à la liturgie, comme la sentimentalité tient lieu de théologie. Foncièrement iconophobe et logocentrique lorsqu'il s'agit de religion, le goût américain s'est montré ardemment iconophile dans les sphères domestiques, politiques, économiques et à plus forte raison dans celle du divertissement. La famille américaine a été avide de portraits, la patrie américaine d'images de ses grands hommes et de la sublimité de ses paysages, la science américaine d'images documentaires (faune, flore, ethnologie...), la politique américaine de caricatures et de *cartoons*, la publicité américaine d'images de marque et l'*entertainment* du dimanche américain, d'illustrations amusantes ou touchantes de l'*American way of life*.

Norman Rockwell (1894-1978), le Hogarth du XXe siècle, auteur virtuose des images de couverture de l'hebdomadaire *Saturday Evening Post*, a été de loin l'artiste le plus unanimement populaire de l'histoire de l'art américain ; le premier il a osé, en 1962, mettre gentiment en boîte la sacralisation moderniste des *drippings* de Jackson Pollock [1]. Comme on le remarque aujourd'hui en terre musulmane, où la télévision n'est l'objet d'aucune *fatwa* alors que toute représentation du Prophète est criminelle, la photographie, le cinéma, auxiliaires dès l'origine de la science, de l'information et de l'*entertainment*, sont entrés d'emblée dans le patrimoine communicationnel américain, alors que les arts visuels européens, peinture et sculpture, exsudant paganisme, catholicisme, aristocratie, monarchie, idolâtrie et corruption morale, ne s'imposèrent que lentement, au titre de devoir culturel à remplir par une

---

tière, où les pasteurs devaient se montrer aussi « durs » que les pionniers, et les femmes aussi vaillantes et autonomes que les hommes.

1. Voir l'excellent essai de M. H. Bogart, « Norman Rockwell, Public Artist », dans *The Arts of Democracy*, ouvr. cit., p. 31-96.

minorité afin que la nation et ses musées ne demeurent pas en reste sur l'Europe. Le roman de Nathaniel Hawthorne, *Le Faune de marbre* (1869), en dit long sur la rétraction naturelle des Américains du XIXe siècle, hommes et femmes, même cultivés, artistes et fascinés par l'Italie, envers le fonds érotique et passionné du catholicisme italien et de ses arts, celui justement que Stendhal avait adoré.

Loin de contrecarrer l'essor et l'emprise croissants de la topique et des tropiques du *marketing* et de l'*advertising*, l'art de persuader des pasteurs protestants de toutes dénominations, sachant trouver le contact du public froid de la semaine comme du public chaud du dimanche, a été l'une des souches-mères de la publicité américaine, comme il l'a été de la littérature de best-sellers romanesques, dont les paroissiennes des diverses églises ont été au XIXe siècle les plus nombreux et abondants fournisseurs et lecteurs. Ils étaient étrangers aux Beaux-Arts, mais habitués des estrades et des planches. Orateurs de Dieu partout, même sur la frontière de la Ruée vers l'Ouest, ils avaient dû se faire ses *showmen* et ses *salesmen*, bien avant que leur ancien collaborateur, P. T. Barnum, ne mît au service de l'*entertainment* de masse et du plaisir qu'il donne d'être « charlatanisé » leur divination du public et leur sens du spectacle. Après tout, publicité et prédication, marketing des produits manufacturés et marketing de la consolation travaillaient avec la même ardeur au service du même Dieu chérissant l'Amérique.

L'excroissance « barnumienne » de l'*entertainment* et du *marketing* n'a pu elle-même se déployer qu'à l'intérieur d'une configuration tracée par le protestantisme : pas d'image à l'église, pas d'image de piété, pas de mariolâtrie ; la Bible seule, la prière, le chant et le travail peuvent procurer le salut. Mais place à l'image au service du travail, place illimitée à l'image dans la science, les techniques, le commerce, l'industrie du spectacle et leur publicité.

L'osmose du sacré et du profane, les emprunts de l'un à l'autre ont été faciles sitôt qu'ils ont eu en commun les images technologiques. Le cinéma a sans peine franchi l'aversion puritaine pour les représentations de la Bible et du Nouveau Testament, le *negro spiritual* et les *minstrels* noirs ont été happés par le *show business*, tandis que les évangélistes sont partis à la reconquête du terrain couvert par les *entertainers* et ont mis cinéma, télévision et music-hall au service d'une éloquence sacrée prêchant un Jésus tout sourires et toujours dispos. Aujourd'hui, pour leur public captif, d'ingénieux pasteurs déploient chaque dimanche, dans les temples des *megachurches*, kolkhozes non agricoles du capitalisme évangélique, d'enthousiastes « œuvres d'art totales » qui font monter la fièvre collective jusqu'à la descente, sur l'assistance, de langues de feu de la Pentecôte. La mise en scène est devenue flamboyante, le pathos a largement pris le pas sur l'ethos et le logos, mais le fond de la religion américaine est resté fidèle à l'esprit des *camp meetings* du XIXe siècle : plus d'émotion que de théologie, pas d'icônes, mais beaucoup de mélodrame spectaculaire.

3. Le tournant de 1913 à New York

Il fallut l'indépendance que donne la très grande fortune pour que de riches collectionneurs, à la fin du XIXe siècle, osent importer à grande échelle, en Amérique, l'art ancien de l'Europe catholique et princière, souvent mêlé à des copies et aux impressionnantes machines « pompier » de Gérôme et de Carrier-Belleuse. Sauf exception (Thomas Eakins, formé à Paris mais revenu à Philadelphie), les grands peintres américains de la fin du XIXe siècle, Whistler, Sargent, Mary Cassatt, ont grandi et fait carrière en France et en Angleterre. Mais les nouveaux Médicis de l'« Âge doré », émules de la noblesse anglaise du XVIIIe siècle, fascinés par le passé aristocratique de l'Europe et par ses héritiers auxquels ils mariaient volontiers leurs filles, purent, sur place, légitimer moralement leurs importations de collectionneurs par le devoir d'enrichir la mémoire de la jeune et libre nation des dépouilles du vieux monde tyrannique, où elles prendraient un sens neuf. Le luxe fabuleux des demeures estivales qu'ils se firent construire dans leur enclave de Newport, loin de susciter réprobation ou envie, remplissait d'orgueil la nation démocratique capable de faire aussi bien que le Versailles des Bourbons, la Hofburg des Habsbourgs, le Saint-Pétersbourg des tsars ou le Caserte des rois de Naples.

Inversement, le large succès populaire que rencontrèrent très tôt aux États-Unis les peintres de Barbizon, et qu'y connaît toujours l'impressionnisme français, au sens très large d'art du plein air et des simples loisirs, répondit, et répond encore, à l'imaginaire pastoral et naturiste qui n'a cessé d'attendrir l'Amérique urbaine harassée. L'école proprement américaine de paysagistes des premières décennies du XIXe siècle était restée, quant à elle, fidèle à l'esthétique du sublime héritée des Lumières et à l'argument biblique atténuant le deuxième commandement : « Les cieux et la Création racontent la gloire du Seigneur. » Cet art du paysage ne doit rien à Constable ni à son génie des lieux de la province anglaise, façonnés conjointement par la nature et par des siècles de culture, mais tout à William Turner et à John Martin, les peintres anglais de la nature cosmique reprenant ses droits sur la civilisation. Les écrivains « transcendantalistes » de Concord célébraient la nature comme recours contre les vices de la civilisation urbaine ; les peintres de paysage américains célébrèrent l'Éden, intact et indemne d'histoire, de l'Ouest, de l'Extrême-Nord ou du Sud tropical du Nouveau Monde. Privée, ou peu s'en faut, de musées, de modèles, d'académies au sens européen, la peinture américaine de la Création se donna, au moins dans ce genre, une tradition qui, dès le milieu du XIXe siècle fit mûrir de grands maîtres, Sanford Gilford, Jasper Cropsey, Samuel Morse, George Back, Frederic Church, le plus savant et célèbre d'entre eux [1]. Leurs vastes panoramas surplombants font l'effet de la lune observée à la lunette astronomique, un cosmos géologique écrasant et abstrait d'où Adam et Ève, trop minuscules, eurent bien de la chance d'être chassés. Le plus intimiste d'entre eux, George Innes, était un quasi-autodidacte dont les chefs-d'œuvre datent de son grand âge.

Un public existait pour cet art du sublime. Frederic Church organisa lui-même des *shows* payants de ses vastes toiles cosmiques. Le succès des « impressionnistes » français auprès des Américains du « Gilded Age », qui s'est maintenu intact jusqu'à nos jours, éclipsa celui des panoramistes indigènes. L'impressionnisme était lui aussi une réponse de la peinture à l'industrie. Mais il sauvait l'humanité des villes dans une nature hospitalière, parce que plus modeste et aménagée de longue main, semblait-il, pour les loisirs, les plaisirs et la vie intime des artistes, de leurs amis et de leur famille.

L'aversion pour l'Europe-Babylone n'a jamais cessé de se conjuguer aux États-Unis avec une fascination émerveillée pour les productions de l'ancien terroir européen. En 1927, le plus américain des peintres, et peut-être le plus universel de tous, Edward Hopper, peu loquace d'ordinaire, se hasarda à déclarer, appliquant à son art la dialectique du maître et de l'esclave : « Maintenant, ou dans un futur proche, l'art américain devrait se sevrer de sa mère française. » Modeste, ou humoriste, il prophétisait ou recommandait un sevrage qu'il s'était parfaitement imposé lui-même. Son séjour à Paris (1906-1907) fut le point de départ comparatif de sa découverte de l'Amérique. Nul autre peintre n'avait saisi avant lui ce que la lumière proprement américaine, si analogue à la lumière électrique, a de dévorant et l'espace proprement américain, à la fois vaste et compact, dilaté et claustrophobe, où il est vain de chercher à se faire un nid ; la ville, ses murs, ses rues, sa vie quotidienne, ses hôtels, ses bars nocturnes, qui devraient en protéger, en sont néanmoins hantés et comme gelés d'un incurable et inexplicable ennui. Comme l'a fait remarquer Robert Hughes, la grande époque du cinéma américain, dans le genre « noir », s'est imprégnée en profondeur du sentiment existentiel que ce peintre-poète du terroir urbain *middle class* a fixé sur ses toiles [2].

Hopper n'a cherché ni à entrer en émulation, ni à rivaliser avec l'Europe des arts. Peintre-poète, il s'est borné à voir, à sentir, à montrer

---

1. Voir le catalogue *Cosmos. Du romantisme à l'avant-garde*, sous la direction de Jean Clair, Musée de Montréal, Paris, Gallimard, 1999.
2. R. Hughes, ouvr. cit., p. 422-423.

comment c'est en Amérique lorsque l'on s'est délivré de l'amour-propre américain, de sa mythologie pastorale, de sa jalousie ou de son dédain pour l'Europe. New York ne l'a pas entendu ainsi. Pour se délivrer de l'ascendant européen, la grande échangeuse a voulu, dès les années qui précédèrent la Grande Guerre, dresser une « Jeune Europe » contre la « Vieille Europe », amorçant une stratégie qui tendait à faire basculer l'histoire de l'art de l'autre côté de l'Atlantique, où elle recommencerait à neuf, et où la « révolution » moderniste parisienne et européenne trouverait sa vraie patrie. L'entrée en scène du modernisme français, à New York, en 1913, fut le fait d'une coterie cosmopolite locale qui cherchait à élargir sa très faible audience et qui recourut pour ce faire aux techniques « barnumiennes » qui avaient fait leurs preuves. Un scandale national habilement préparé et provoqué réussit à acclimater, à rebrousse-poil, dans l'actualité américaine, « l'avant-garde » artistique de l'Europe « décadente », et à la faire reconnaître comme prédestinée à une Amérique jeune, sans ancêtres pesants, dynamique, industrielle, commerciale, publicitaire. Il fallut néanmoins parcourir bien des étapes et surmonter bien des résistances avant que n'émerge, dans l'après-guerre 1940-1945, une « avant-garde artistique » proprement new-yorkaise, des Frenhofer surgis de l'humus de Manhattan, lesquels ne tardèrent guère à se voir supplantés par des *showmen* sachant parfaitement intégrer leur production *pop* dans la puissante machine consensuelle du *marketing, advertisement, management* et *entertainment* de masse.

La moderne nation-Église américaine est pourvue d'un estomac de baleine : elle finit toujours par déglutir et faire siens les aliments à première vue les plus impropres et rebelles à son système digestif. La Rome d'Auguste s'était acclimatée au culte d'Isis. Aujourd'hui, la Vierge de Guadalupe, exhibée dans tous ses atours de velours brodé et de dentelle, et portée en procession publique le jour de sa fête par les nombreux « Hispaniques » immigrés dans tous les États-Unis, est-elle en passe d'entrer elle-même dans le panthéon de leur *pop culture* ? Elle serait en droit de faire valoir un droit d'aînesse, de suzeraineté et de retour, car les images de Marie ont régné sans partage, et longtemps, sur une bonne partie du territoire américain actuel, ex-Louisiane française, ex-vice-royauté espagnole, bien avant que l'Amérique protestante ne les conquît. Il aura fallu moins de temps et de détours, au début du XXe siècle, quoique avec un succès limité à une élite *college educated*, pour renverser les idoles de la tradition artistique européenne, se délivrer de la prétention européenne au meilleur goût, s'arracher à un classicisme académique d'importation et découvrir enfin que les images proprement américaines existaient sans qu'on s'en doutât, mais, à l'évidence, dans l'intarissable empire des signes de la publicité industrielle.

Sur le moment, en 1913, le coup d'éclat de l'Armory Show suscita une violente réaction de rejet. Elle ne découragea pas le groupe de new-yorkais, artistes et amateurs d'art, qui avait organisé l'exposition et tiré bénéfice du tintamarre de quolibets et de protestations qui l'avaient accueillie. Les organisateurs étaient bien décidés à affranchir l'Amérique de son complexe provincial envers la « Vieille Europe », et ils avaient de bonnes raisons de croire que la modernité du marché américain était mieux accordée à l'art révolutionnaire de la Jeune Europe moderniste que l'art académique ou même que l'impressionnisme. Les capitalistes modernisateurs de Moscou, qui collectionnèrent d'emblée les Fauves et les cubistes, partageaient cette conviction avec l'intelligentsia marxiste : le modernisme dans les arts ne pouvait que cadrer avec la modernité politique et économique. Appuyés par le puissant appareil de la mode, des grands magasins et de leur publicité, les initiateurs américains de l'exposition de l'Armory Show réussirent bien plus aisément la greffe que les tenants du modernisme littéraire : encore entre les deux guerres, la diffusion et la publication en Amérique du roman « culte » du modernisme, l'*Ulysse* de James Joyce, furent longtemps interdites et, dès avant 1914, les deux grands poètes modernistes américains, Pound et Eliot, s'exilèrent définitivement en Europe. Après la Seconde Guerre mondiale, le roman de Vladimir Nabokov, *Lolita*, subit à son tour, et pour quelque temps, le sort d'*Ulysse*. Dans l'Amérique protestante, les images, par définition profanes, se sont montrées plus ouvertes à l'expérimentation moderne que les mots, ancrés dans la lettre biblique.

En 1913, la volonté d'*outsiders* new-yorkais de convertir le marché américain à la nouveauté moderniste dans les arts coïncidait avec une grave crise de doute dans l'élite littéraire et politique issue de la Nouvelle-Angleterre qui gouvernait plus ou moins directement le pays depuis 1787. Cette aristocratie avait souvent dû céder le pouvoir nominal à des administrations conduites par des politiciens populistes venus de l'Ouest et élus par des majorités obtenues dans les nouveaux États de la « Frontière ». Mais elle restait aux principaux leviers de commande et incarnait l'esprit des institutions et des mœurs.

En 1905, le grand romancier Henry James, issu d'une ancienne famille de Boston, frère cadet du célèbre psychologue William James et installé en Europe depuis 1875, avait publié *The American Scene*, journal de son récent voyage du nord au sud des États-Unis. Ses romans et ses nouvelles ont souvent pour sujet le dialogue difficile, mais en définitive fécond, entre la jeune « innocence » américaine traversant l'Atlantique et l'attrayant mélange de corruption morale et de raffinement esthétique qui caractérise l'ancienne Europe. Dans son journal de voyage aux États-Unis, le romancier ne cache pas ses réserves devant l'Amérique nouvelle qu'il vient de découvrir après trente ans d'absence. Nouveau Rip van

Winkle, il est stupéfait par le changement de taille des villes qu'il visite et par la puissante musculature de la nation inconnue qui se dresse devant lui. Mais c'est dans le Sud, heureusement délivré de ses planteurs esclavagistes, en Floride, qu'il observe avec le plus d'effroi la nombreuse « catégorie d'hommes », celle du voyageur de commerce, qui occupe avec empire le premier plan du paysage social et se comporte avec la truculence cynique de barbares maîtres du terrain :

> Quelles réciprocités pouvaient-ils bien impliquer, quelles attentes pouvaient-ils bien susciter ? Que pouvait-il se passer, inconcevablement, quand de tels Grecs rencontraient des Grecs du même genre, quand de telles faces regardaient des faces du même genre, et que de tels grognements, en particulier, s'échangeaient avec d'autres grognements de même sonorité ? Avec quelles femmes pouvaient-ils vivre, et quelles femmes, vivant avec eux, avaient pu les laisser tels qu'ils étaient ? Quelles épouses, quelles filles, quelles sœurs, rendaient-ils, au bout du compte, crédibles ? Et quels étaient le langage, les manières, la diète ordinaire, quel pouvait être le monstrueux déjeuner du matin de dames recevant, de telles mains, la loi ou la licence de vivre [1] ?

Questions de mœurs et de manières allant au cœur du problème posé par l'ascension de la puissance industrielle et commerciale des États-Unis. Henry James renonça à la citoyenneté américaine en 1915, protestant prématurément contre la neutralité de son pays dans la guerre que la France et l'Angleterre livraient à l'Allemagne et l'Autriche.

Un autre Bostonien de ses amis, Henry Adams, dans les mêmes années, aura été le témoin encore plus anxieux de la métamorphose des États-Unis en un géant industriel et militaire dont l'exception appelle l'expansion, et dont l'énergie formidable n'est plus contrôlée par la prudence des derniers héritiers directs des Pères fondateurs d'une république fédérale de philosophes et de fermiers.

4. Henry Adams, la Vierge et la Dynamo

La guerre de Sécession gagnée par le Nord abolitionniste, suivie d'une montée en puissance presque sauvage de la démographie, de l'économie, de la richesse et de l'ambition nationale américaines, ne fit pas dévier les États-Unis de leur tradition officielle, classique-protestante, sauf que maintenant les architectes américains formés à l'historicisme de l'École parisienne des Beaux-Arts apprirent à adapter le néo-gothique de Viollet-

1. Henry James, *The American Scene*, New York, Scribner's, 1946, ch. XIV, p. 426.

le-Duc, le néo-baroque de Charles Garnier et encore, entre 1918 et 1940, l'Art Déco néo-classique, aux besoins des *skyscrapers* entassés dans l'île étroite de Manhattan, mais aussi des bâtiments industriels ou bancaires et des demeures fabuleuses érigés ailleurs à la mesure d'un mammouth économique en pleine croissance. C'est dans la foulée de cet « Âge doré » des années 1870-1890 que, contemporains des grands amuseurs publics P. T. Barnum et William Cody, les *tycoons* Pierpont Morgan et autres Henry C. Frick, prenant pour modèle les banquiers florentins de la Renaissance et les Fermiers généraux du XVIIIe siècle français, donnèrent l'exemple à leurs pairs, dans tous les États-Unis, d'un collectionnisme avisé et éclectique des trésors d'art et de livres achetés par leurs experts dans toute l'Europe.

Cet « Âge doré » et non d'or (*gilded*, et non *golden*), culmina pendant les mandats présidentiels de William McKinley et de son successeur Theodore Roosevelt, au cours desquels la puissance militaire et l'autorité politique des États-Unis, après avoir rompu l'isolement du Japon en 1853, s'imposèrent victorieusement à l'Espagne et même, en 1900, à l'Europe paralysée par ses rivalités, lors du siège par les Boxers du quartier des légations étrangères à Pékin. Le président McKinley, natif de l'Ohio, justifia sa décision d'annexion des colonies espagnoles de Cuba, de Porto Rico et des Philippines par un entretien qu'il avait eu, à la Maison-Blanche, avec Dieu, lequel l'exhorta à prendre cette mesure « afin de civiliser les sauvages et de christianiser les païens ». Il s'était hautement défendu de tels desseins, lorsqu'il avait déclaré la guerre à l'Espagne[1]. La génération d'anciens de Harvard, contemporains de cette ascension imprévue de l'État fédéral à un rôle providentiel mondial, eut, faute du Pascal que Tocqueville avait jugé impossible aux États-Unis, son Hamlet : Henry Adams (1838-1918).

Ce nom ne nous dit rien. Pour nous, les États-Unis, entre Jefferson et Franklin Roosevelt, entre Truman et George W. Bush, n'ont pas, ou peu, d'histoire. Ils doivent se contenter d'avoir eu un « problème » noir, des romanciers, un ou deux poètes, des prix Nobel scientifiques à foison, un cinéma, une musique, de la télévision, des chanteurs et des danseurs, du Coca-Cola, des McDo et des Disneyland, ce qui fait déjà beaucoup pour occuper l'imagination. Depuis 1840, on s'en remet à Tocqueville pour « penser » dans l'absolu l'exceptionnalisme de la démocratie américaine.

Notre américanophobie comme notre américanophilie s'étanchent surtout au Café du commerce. Or rien, me semble-t-il, ne fait mieux toucher le fond généreux et grave des États-Unis, que de lire et relire les derniers écrits, quasi inconnus en France, de ce « contemporain capital » du tournant décisif, des deux côtés de l'Atlantique, entre XIXe et

---

1. Voir Richard Hamilton, *President McKinley and America's New Empire*, Rutgers, 2008.

XXe siècles. Il a vécu assez longtemps pour voir débarquer à New York, en 1913, le modernisme européen, peintres et sculpteurs qui stupéfièrent l'Amérique par leur volonté de nouveauté et de rupture. Diminué par une attaque cardiaque depuis l'année précédente, Adams ne put s'intéresser à cet événement new-yorkais. En matière d'art, comme son contemporain et ami Henry James, il appartenait à une génération libérale qui, tout en restant attachée à la tradition académique européenne imitée par l'Amérique, en voyait les faiblesses et pressentait son déclin.

Face à la rapidité et à l'ampleur des changements des deux côtés de l'Atlantique, attestés par l'Exposition universelle de 1893 à Chicago, et par celle de Paris, en 1900, qu'il a longuement visitées l'une et l'autre, la mélancolie stoïque de ce vieil Américain d'ancienne souche et de longue mémoire, arrière-petit-fils et petit-fils de présidents des États-Unis, fils et collaborateur d'un père ambassadeur à Londres pendant la guerre de Sécession, n'est pas si étrangère, au fond, à l'étrange inquiétude qui venait de pousser une jeune génération d'artistes européens, afin de conserver dans le monde de l'industrie la primauté menacée de leur art, à le révolutionner de fond en comble.

Professeur à Harvard dans une noble et virile discipline, l'histoire politique des débuts du gouvernement fédéral, ami et confident des principaux responsables du pouvoir politique washingtonien de son propre temps, Henry Adams resta un contemplatif, oiseau rare dans l'active Amérique. Ce contemplatif fut aussi un grand voyageur cosmopolite, aussi à l'aise à Londres, à Paris, à Rome qu'à Washington, où il avait élu domicile en 1872. Il était à même de comparer l'état de la « Vieille Europe », toujours menacée d'une nouvelle guerre qui lui serait fatale, et celui de l'Amérique où les institutions et les élites que le XVIIIe siècle lui avait léguées étaient soumises à l'épreuve d'une croissance exponentielle, tant démographique qu'économique et militaire.

Des deux chefs-d'œuvre-testaments écrits en même temps par Henry Adams entre 1904 et 1912, l'un, *Mont-Saint-Michel and Chartres*, est une méditation d'historien de la multiple Amérique sur l'unité à laquelle avaient visé la théologie, la poésie, l'architecture et les arts franco-normands du XIe au XIIIe siècle et sur son irréparable échec, qui annonce les autres ; l'autre, *The Education of Henry Adams*, est une intense autobiographie intellectuelle à la troisième personne [1].

Agnostique, Adams a été fasciné par la focalisation des énergies dont la foi chrétienne s'est montrée capable dans le monde franco-anglo-normand du XIIe et du XIIIe siècle. Il se sent lui-même normand, il porte

1. La meilleure édition de ces deux œuvres, établie par Ernest et Jayne Samuels, figure dans le volume 14 de *The Library of America*, New York, 1983. Je suis coupable de la traduction des passages que je cite.

un nom normand, et sa généalogie lui fait découvrir dans la Normandie romane et gothique la souche-mère de la foi que ses ancêtres directs ont importée en Nouvelle-Angleterre au XVIIe siècle, foi qui est à l'origine du principe d'unité fédérale de la multiple Amérique, mais dont il est lui-même privé. Faute de foi, la remémoration érudite et poétique de la foi, à travers les arts visuels et les écrits de l'âge d'or du catholicisme médiéval, permet au moins à l'historien de revivre provisoirement, comme le ferait un grand acteur d'un rôle de Shakespeare, ce qu'a pu être une Europe *réellement* religieuse, dont toutes les énergies se portaient au service d'une même image féminine et adorable. Ce puritain de naissance parvient même, par sa méthode quasi ignacienne, à revivre par l'imagination le culte médiéval de la Vierge Marie, médiatrice féminine cruellement absente de la théologie protestante, qui ne veut connaître le Fils que dans sa participation au Père et au Saint-Esprit.

C'est bien le cas cette fois de parler de *Spiritual America* : aux yeux de Henry Adams, l'ascendance puritaine de la modernité américaine a affligé les Américains d'une sourde guerre des sexes et leur a rendu difficile cette cristallisation amoureuse dont la théologie catholique a fait un principe de vie mystique, et la littérature profane européenne, qui en dérive, le principe des mœurs courtoises et des manières galantes. Henry James, dans *The American Scene*, formule le même alarmant diagnostic : « L'échec des sexes, écrit-il, d'aller socialement du même pas se révèle aux États-Unis en toute occasion, ce qui suggère plus que toute autre chose dans le pays matière à "drame" intéressant [1]. »

Avec le modeste avantage de connaître les plus récentes péripéties de ce drame intéressant, nous sommes en droit de constater que la « libération sexuelle » des années 1960, loin de mettre fin au malentendu américain du couple (le sujet obsessionnel du grand romancier John Updike), s'est bornée à le déplacer : la forclusion de l'*éros* s'est tournée en taylorisation du couchage et l'*estrangement* des sexes en revendication identitaire des *genders*. La photographie d'art, franchement ou hypocritement pornographique, a puissamment contribué à cette métamorphose de la maussaderie américaine du couple en idéaux du *superman* et de la *superwoman*, en ingénierie du *body building* et en chirurgie de la transsexualité.

Adams a dédié à la Vierge de Chartres une admirable prière qui rivalise avec celles de Charles Péguy, son contemporain. Il est vrai qu'il l'a équilibrée par un poème, non moins inspiré, qu'il a intitulé *Bouddha et Brahma* et dédié à son ami l'ambassadeur puis secrétaire d'État John Jay. Son livre proprement dit commence par le Mont-Saint-Michel et par le premier étage roman du XIe siècle de l'abbaye, dressant contre les

1. *The American Scene*, ouvr. cit., p. 164.

périls extérieurs de l'océan et de l'âme une forteresse compacte, à l'image de Dieu le Père, de son archange militaire et de son Église militante. Un ordre dorique médiéval. Le contraste est saisissant avec l'éclosion de la cathédrale de Chartres, au siècle suivant, majestueuse merveille qu'on pourrait qualifier de « corinthienne », pour filer la métaphore grecque. Elle n'est pas seulement dédiée à Notre-Dame, mais conçue pour elle et *par elle*. C'est à elle que les plus nombreux chapitres du livre sont consacrés. Dans cette importance accordée à la mariologie du XIIe et du XIIIe siècle gothique, Adams s'inspire certainement de l'*Histoire de France* de Michelet, où ce grand romantique, que les hyperboles n'effraient pas, va jusqu'à écrire, à propos de la prédication du fondateur de Fontevrault, Robert d'Arbrissel : « La grâce prévalut sur la loi, il se fit sensiblement une grande révolution religieuse, Dieu changea de sexe, pour ainsi dire. »

Chartres pour Adams s'est voulu la demeure idéale de ce Dieu féminin et maternel. Mais les additions ultérieures de la cathédrale, comme les accrétions successives du Mont-Saint-Michel, attestent un fléchissement et un éclatement rapides de l'unité en multiplicité, de l'énergie en chaleur, autant de symptômes de décomposition prochaine de la chrétienté, – corps mystique fédéré par l'amour de Marie –, en confessions et nations rivales. L'énergie en gerbe qu'ont déployée les bâtisseurs de Notre-Dame de Chartres avait surgi de leur désir unanime d'obtenir la faveur de Marie, qui interposait son image gracieuse entre eux et la Trinité.

Surmontant un puritanisme américain dont il gémit sans cesse, Henry Adams n'hésite pas à montrer, paradis perdu, à l'arrière-plan de la « Vierge mère, fille de son Fils » de Dante, la Vénus de Lucrèce, l'Isis d'Apulée. Vénus céleste et terrestre, Mère et Amante, la féminité divinisée dans l'image de Marie fait participer ses fidèles du désir cosmique qui « fait mouvoir le soleil et les autres étoiles ». La Reine chrétienne du Ciel, honorée à Chartres, « Triclinium de la Trinité », a conçu la cathédrale à son goût, inspirant l'architecte et les maçons. Les imperfections apparentes de ce sublime bricolage sont d'heureuses trouvailles qui ont tenu le défi de la gravitation et du temps : elles surprennent d'abord, puis elles enchantent, comme autant de victoires de l'ingénuité féminine sur la logique et les calculs masculins. Attentif lecteur d'Émile Mâle, comme Proust et Péguy, Henri Adams put encore lire son *Art religieux en France à la fin du Moyen Âge* (1908), sans avoir à corriger, sinon sur quelques détails, son manuscrit partant pour l'impression.

Dans *Mont-Saint-Michel et Chartres*, de magnifiques chapitres sont consacrés à la poésie courtoise, aux grandes dames du XIIe et du XIIIe siècle, aux mystiques moniales des ordres contemplatifs et aux amours tragiques d'Abélard et Héloïse. Le livre culmine et s'achève sur un portrait et une lecture de saint Thomas d'Aquin, que le pape Léon XIII venait de proclamer « le sommet de la raison humaine éclairée par la foi ». C'est un superbe exercice d'admiration, construit autour de l'image classique de l'abeille, chère à Montaigne et à Swift. Comme l'abeille, Thomas n'invente rien de son propre fonds, mais construit son rayon de cire et compose son miel du suc des fleurs les plus odoriférantes de la tradition philosophique et théologique : « Le rayon de saint Thomas, écrit Adams, abritait Dieu et l'homme, l'Esprit et la Matière, l'Univers et l'Atome, l'Un et le Multiple, entre les murs d'une demeure hospitalière et harmonieuse. » Anticipant d'un demi-siècle sur *Architecture gothique et pensée scolastique* d'Erwin Panofsky (1951), il ajoute :

> L'immense structure de la *Somme théologique* reposait en fin de compte sur Aristote et Augustin, mais comme œuvre d'art, elle tenait debout par elle-même, comme les cathédrales de Reims et d'Amiens, qui n'ont pas plus qu'elle d'antécédent. Néanmoins, en dépit du fait que son style, comme celui de Reims, n'a jamais cherché à se conformer à la moderne économie domestique et reste mal vu de l'École des Beaux-Arts, elle révèle dans sa grande masse et son intelligence l'œuvre d'un génie extraordinaire, un système aussi admirablement proportionné et aussi complet que n'importe quelle cathédrale : succès qui est loin d'être fréquent en art aussi bien qu'en science.

Tout en rendant hommage à l'artiste Thomas, Henry Adams se livre à un examen critique de son beau système dogmatique. Il croit découvrir l'étroitesse du champ que le théologien catholique laisse à la liberté de Dieu et au libre arbitre humain, et il fait valoir la pression que la volonté d'unité et de cohérence de Thomas exerce à la fois sur le Créateur et sur ses créatures, au point, dit-il, que plus d'un théologien catholique a pu lui reprocher de frôler le panthéisme et que tous les mystiques catholiques se sont passés de lui :

> Si nous le voulions, ajoute-t-il, nous pourrions continuer à montrer, centimètre par centimètre, le déclin de cet art. Son essence – sa despotique idée centrale –, c'était celle de l'unité organique à la fois dans la pensée du bâtiment et dans le bâtiment lui-même. Depuis cette époque, l'univers n'a plus cessé de devenir plus compliqué et moins réductible à un contrôle central. Avec une obstination aussi tenace que s'il était humain, il a tenu à faire valoir et à augmenter ses parties ; avec une ruse aussi insaisissable que s'il était féminin, il s'est soustrait à la tentative de se voir imposer une volonté célibataire. Un peu de l'habitude d'esprit médiévale survit, mais même cette survivance doit céder devant l'évidence quotidienne d'une complication croissante et en expansion. La science moderne, comme l'art moderne, tend en pratique à laisser tomber le dogme de l'unité organique. La faute, dès lors, n'était pas dans l'homme, s'il ne demandait plus que l'art ou la science se plient à une

unité organique. L'unité centralisatrice tournait elle-même à la complication, à la multiplicité, à la variété et même à la contradiction. Toute son expérience, humaine et divine, assurait l'homme du XIIIe siècle que les lignes de l'univers convergeaient. Comment aurait-il pu croire que ces lignes courraient dans toutes sortes de concevables et inconcevables directions, et qu'au moins la moitié d'entre elles semblaient diverger de toute imaginable unité centralisatrice. Vaguement conscient que sa Trinité exigeait logiquement une quatrième dimension, comment ses scolastiques la lui auraient-ils fournie quand les mathématiciens d'aujourd'hui en sont réduits à inférer sa nécessité... Comment l'art pourrait-il affronter de tels problèmes, et comment s'étonner qu'il ait perdu son unité avec la philosophie et la science ? L'art est condamné à être confus pour exprimer la confusion, mais peut-être ainsi est-il plus véridique.

Par un stupéfiant retournement, l'effort déployé par Henry Adams pour s'identifier à la foi créatrice des bâtisseurs de cathédrales et des mystiques franciscains (son « côté Combray ») fait soudain place, dès lors qu'il a pénétré dans l'édifice « absolutiste » de saint Thomas, à l'abîme du doute et à l'anxiété du chaos, au tourment de l'intelligence moderne que rien, pas même l'art qui sauve le Narrateur du *Temps retrouvé*, ne peut guérir. Bien au contraire, se retournant sur la cathédrale du XIIIe siècle comme le peintre Francis Bacon se retournera sur le portrait du pape Innocent X par Vélasquez, il y reconnaît, cachée à première vue sous la prétention à l'ordre vertical et stable, sa propre anxiété « gothique » :

L'équilibre y est visiblement délicat au-delà de la ligne de sécurité ; le danger perce sous chaque pierre. Le péril de la lourde tour, de la voûte instable, des contreforts hasardeux, les incertitudes couvertes de logique, les disproportions du syllogisme, les irrégularités du miroir mental, tous ces cauchemars qui hantent la raison d'Église sont exprimés aussi fortement par la cathédrale gothique que s'ils l'étaient par le cri de la souffrance humaine, comme une telle émotion n'a jamais été exprimée auparavant, ni ne trouvera probablement de nouveau expression comparable. La jubilation de son espérance est projetée dans le ciel. Le pathos de la défiance envers soi et de l'angoisse du doute est enseveli dans la terre comme son ultime secret. Vous pouvez y lire tout ce que votre jeunesse et votre confiance se plaisent à y trouver ; pour moi, tout est dit.

The Education of Henry Adams est un titre d'une ironie noire, car cette autobiographie intellectuelle et politique d'un homme d'État manqué, descendant et ami d'hommes d'État, démontre la difficulté, sinon l'impossibilité moderne, d'une éducation. Il tait « le bloc chu d'un désastre obscur » sur lequel sa propre joie de vivre s'est brisée à jamais : l'inexplicable suicide, le 6 décembre 1885, de sa femme Marion « Clover » Hooper, belle, douée, cultivée, excellente photographe. Mais l'éducation qu'il avait reçue, la même que celle des Pères fondateurs, la même qui avait inspiré les institutions américaines et la conduite politique de ses parents et de sa génération, ne le préparait pas aux progrès à pas de géant de la grande industrie, du capitalisme, des troubles raciaux et sociaux, du darwinisme social et d'une science physique pénétrant les secrets de la nature pour en extraire toujours plus d'énergie.

Ces nouveautés ne font pas peur à ce lucide stoïcien ; il fait l'effort de les comprendre, de les relier entre elles, afin d'entrevoir la figure nouvelle qu'est en train de prendre le monde, aussi bien aux États-Unis que dans les diverses nations européennes où il a fréquenté et observé de près les principaux acteurs de la science, des lettres et du pouvoir. L'historien Adams (le premier grand historien de l'époque jeffersonienne) fait confiance aux institutions fédérales dont ses ancêtres ont contribué à doter l'Amérique : elles ont résisté à la médiocrité et à la corruption des hommes, elles ont laissé croître librement la puissance américaine, tout en intervenant avec assez de vigueur, tant à l'intérieur qu'à l'extérieur, quand il s'est agi de surmonter ses plus criantes contradictions et d'affirmer sa continuité et son autorité internationales. Ce principe d'unité et de continuité dispose désormais de l'autorité inouïe que lui confère la dynamo toujours plus puissante de sa science, de son industrie, de son économie. Mais Adams voit mourir autour de lui les derniers détenteurs des *arcana imperii*, secrets de l'empire détenus par la classe dirigeante libérale au sein de laquelle il est né. Il redoute le déséquilibre qui risque de s'aggraver entre la raison qui inspire le mécanisme fédéral américain et les énormes énergies matérielles et sociales, plus ou moins conflictuelles, surgies à la faveur de la liberté, mais difficiles à arbitrer et à dompter. Passé un certain seuil, la multiplicité américaine, devenue énorme, ne risque-t-elle pas de compromettre le principe fédéral qui jusqu'ici lui a valu de garder le cap ?

Son grand-père, le président John Quincy Adams, successeur de Jefferson, dans une lettre à Abigaïl, épouse, amie, confidente de toute une vie, écrivait : « L'Amérique est un grand corps difficile à manier. Ses progrès doivent être lents. C'est comme une flotte naviguant sous convoi. Les vaisseaux les plus rapides doivent attendre pour les plus lents, ou comme un coche à six chevaux, les plus ardents doivent être retenus, et les plus pesants aiguillonnés, pour que le tout puisse aller à un rythme régulier. » Mais, aux yeux du dernier héritier de la dynastie Adams, l'art politique de gouverner le multiple, dont ses ancêtres s'étaient fait forts, menace d'être écartelé par des forces centrifuges : les modernes chevaux-vapeur et les dynamos du *hard power* de l'Amérique du XXe siècle sont et seront plus difficiles à contenir que les animaux tirant le char de l'État que John Adams, homme d'État des Lumières, se flattait encore de savoir discipliner.

Mais ce qui valait pour les États-Unis valait bien davantage pour l'Europe, dont l'ancienne civilisation libérale et la tradition diplomatique ne suffiraient jamais à contenir des rivalités nationales poussées maintenant jusqu'à l'hystérie par les intérêts en conflit de leur puissance industrielle. Henry Adams les jugeait condamnées à recourir à l'ordalie d'une « guerre universelle » qui les ruinerait réciproquement. Prophétie qu'il n'était pas la seule Cassandre à faire en 1907, mais qu'il est des rares à avoir formulé en des termes aussi nets. L'Europe avait esquissé une unité possible au XIIIe siècle. L'échec de cet élan avait été consommé au temps de la Réforme. Désormais ses rivalités nationales, rendues mortelles par les industries d'armement, la poussaient au seuil de l'auto-destruction. L'Amérique avait frôlé cette apocalypse pendant sa guerre civile, mais la volonté générale dont ses institutions fédérales étaient l'expression avait triomphé de la sécession, prouvant sa vocation de grande puissance une bien que diverse. Mais saurait-elle se tenir à cette ligne imperturbable ? Et à quel prix ? Les visions du président McKinley, et son assassinat en 1901, faisaient craindre que la prudence de la Nouvelle-Angleterre et des Adams n'ait fait son temps.

Adams se livre à un parallèle entre le monde de la cathédrale gothique et celui que lui révèle, dans les modernes Expositions universelles, leur salle des Machines. Puissante et bienveillante, proche et lointaine, simple et mystérieuse, Notre-Dame attirait à elle et rendait fécondes les énergies de ses adorateurs médiévaux avec une grâce incomparable. La moderne déité, brutale, glaciale, abstraite, qu'Adams aperçoit dans les monumentales dynamos électriques exposées à Chicago et à Paris, nouvelles idoles, en attendant le réacteur atomique, que la découverte des rayons X par Röntgen en 1895 lui fait pressentir, n'en est qu'à ses débuts : l'énergie matérielle brute, à la limite infinie, que par sa science l'homme est à même d'extraire de la nature, est un dieu inédit et en devenir que son créateur humain fait croître à son service, alors qu'il pourrait bien être enchaîné et aliéné par lui :

> L'analogie la plus exacte avec la révolution de 1900, c'était celle de 310, quand Constantin dressa la Croix. En sept ans, l'homme s'était transporté dans un nouvel univers qui n'avait aucune commune mesure avec l'ancien. Il était entré dans un monde supérieur aux sens, dans lequel il ne pouvait rien mesurer sinon par des collisions de hasard entre mouvements imperceptibles à ses sens, peut-être même à ses propres instruments, mais perceptibles entre eux, et aussi à certain rayon connu au bout de l'échelle. Les rayons X étaient occultes, irrationnels, la révélation d'une énergie mystérieuse comparable à

celle de la Croix ; ils relevaient d'un ordre que la science médiévale aurait nommé « modes immédiats de la substance divine ».

Il est probable que ces pages ont été écrites à Paris, entre une lecture du *Coup de dés* de Mallarmé récemment publié et les dernières nouvelles du laboratoire de Marie et Pierre Curie. Mais elles portent surtout la trace de l'expérience quasi traumatique qu'a été pour lui l'Exposition de Chicago de 1893. Il y avait croisé le célèbre écrivain français Paul Bourget, débordant d'un enthousiasme qui lui fit écrire : « Chicago, l'énorme cité que nous voyons se répandre, la plante gigantesque que nous voyons croître sous nos yeux, semble ajourd'hui dans ce pays merveilleusement neuf en avance sur l'époque. N'est-ce pas plus ou moins vrai de l'Amérique ? ». Il s'était senti moins naïf que cet Européen raffiné. En même temps qu'il s'était trouvé dans la capitale du Middle West face à face avec les formidables idoles-dynamos de la salle des Machines, il avait pu écouter la conférence de l'historien Frederick Jackson Turner, « The Significance of the Frontier in American History [1] » et peut-être assister au célèbre show conçu pour l'occasion par William Cody, *Buffalo Bill Wild West and Congress of Rough Riders of the World*, tous deux au programme de l'Exposition. Tous deux, l'un par l'analyse glorifiante de l'érudit à l'intention d'un public cultivé et l'autre par la narration mythique d'un homme de spectacle réussissant à attirer deux fois par jour dix-huit mille spectateurs à chaque représentation, ils concouraient à faire de l'épopée de la Frontière et de ses virils héros, hardis fermiers ou redoutables chasseurs, un Exode moderne, providentiel et démocratique, une répétition nationale américaine de l'épopée biblique. Adams oscille entre l'orgueil et la terreur. La Providence du Dieu hégélien dont l'Amérique se veut l'instrument le plus doué et docile n'a rien de souriant. L'épopée de la Frontière aura été un modèle redoutable pour d'autres nations s'estimant à leur tour élues par le Dieu moderne pour prendre la tête de la civilisation et, à cette fin, se créant elles aussi, à coups d'invasions, de canons, de fusillades et de massacres, un *Lebensraum* en Afrique, en Arménie, en Pologne, en Ukraine, au Tibet et ailleurs.

Henry Adams ne partageait pas non plus l'ardeur de néophyte qui portait alors tant d'artistes et d'écrivains européens à se croire, au seuil d'un siècle machiniste, les premiers explorateurs d'une transcendance scientifique : la « Quatrième Dimension ». Faisant le lien entre le mythe

1. Sur cette conférence, son rapport avec le mythe simpliste et efficace de Buffalo Bill, et leur immense diffusion commune, voir Rosenberg, *Spreading the American Dream*, ouvr. cit., p. 14-37.

de la Frontière et la Dynamo, il voyait plus clairement où allait le nouveau siècle. N'ayant rien de commun ni avec la Vierge de Chartres ni avec la cathédrale érigée pour lui plaire, le Dieu moderne était une énergie froide et rationnelle, régissant une modernité terrible, concurrentielle et irrationnelle, non moins privée de compassion et d'amour. Adams ne se réjouissait pas sans trembler que ce Dieu moderne eût des affinités particulières avec le tempérament américain tel que la Frontière l'avait révélé à lui-même. Pragmatique et anti-érotique, à la différence de l'Europe médiévale et catholique, l'Amérique n'a jamais tenu pour une « force » ni Vénus ni Notre-Dame :

> Une Vierge Marie américaine n'oserait pas donner des ordres, une Vénus américaine n'oserait même pas exister [...]. Cette idée ne survivait en Amérique qu'au titre de l'art. Du coup, il fallait se tourner du côté de l'artiste. L'artiste n'était-il pas lui-même une femme ? Mais connaissait-on un artiste américain qui ait insisté sur le pouvoir du sexe, comme tout classique européen l'avait fait ? Lequel, à part Walt Whitman ?

On n'est pas loin, au fond, des observations du jeune Mark Twain sur l'incapacité américaine à doser action et repos, et son penchant à fuir son ennui dans une énergie déployée sans limite, grâce au rendement toujours croissant de ses machines, selon le mauvais infini d'une Apocalypse masquée en Progrès illimité.

À trente ans de là, en 1939, dans un essai intitulé *Freedom and Culture*, le philosophe John Dewey, lui aussi issu de la Nouvelle-Angleterre, formulait beaucoup plus clairement que Twain ou Adams le défi moderne (mais plus que jamais « contemporain » aujourd'hui), adressé à la démocratie américaine de libres citoyens voulue par ses Pères fondateurs. Plusieurs peuples européens fort civilisés avaient cru alors relever ce défi en s'abandonnant au totalitarisme de droite ou de gauche, précipitant l'Europe dans un nouveau cataclysme. Mais ce défi moderne, la démocratie américaine en est elle-même secouée de l'intérieur. Dewey est plus lucide et critique que ne l'étaient alors les surréalistes français, fascinés par une Amérique de cinéma. Thomas Jefferson, écrit-il, croyait dans la liberté de la presse et dans la généralisation de l'école pour informer et former une démocratie de citoyens libres, discutant et décidant entre eux de leurs propres affaires. Il serait épouvanté d'observer le contraste entre une science de la nature ayant fait d'immenses progrès, et la régression de l'information du public sur ses propres affaires et celles du monde. Des opinions partisanes et des idées générales improuvées sont assenées au milieu d'une foule de faits déconnectés entre eux, chacun étant d'autant plus sensationnel qu'il est isolé de tous les autres. Le télégraphe, le téléphone, la radio (la télévision est

« lancée » cette année-là à New York) reportent des événements qui ont lieu sur l'autre face de la Terre, et sur lesquels les individus qui en sont informés n'ont aucun pouvoir, sauf celui de réagir par une excitation émotionnelle passagère. Les influences qui affectent maintenant les actions des individus sont si lointaines qu'elles restent mystérieuses. Suspendus à de pauvres idées toutes faites, nous sommes à la merci d'événements qui nous affectent de façon imprévue, abrupte, violente.

> L'Américain moyen, écrit Dewey, est entouré aujourd'hui de produits intellectuels prêt-à-porter, comme il l'est de nourriture, d'articles et de gadgets de série. Il est privé de la participation personnelle que ses ancêtres pionniers avaient dans ses biens intellectuels et matériels. Ils savaient infiniment moins du monde en général, mais infiniment plus de ce qui les touchait personnellement [1].

C'est que les Pères fondateurs étaient des gentilshommes fermiers, dans un monde agricole et artisanal préhensible où l'exercice de leur liberté n'était pas un vain mot. Désormais, la disproportion vertigineusement accrue entre les faits incontrôlables et impersonnels et ceux sur lesquels l'individu garde un pouvoir de décision, ampute la liberté individuelle de la plus grande partie de son exercice. La machine, en comparaison de l'outil manuel, est une puissance impersonnelle. De la production dans le cadre familier de la ferme ou de l'atelier (et cela concerne directement les arts autant que l'artisanat), on est passé aux usines où des centaines ou des milliers d'ouvriers anonymes travaillent pour des patrons qu'ils ne connaissent pas, lesquels en répondent devant des actionnaires qui ne se connaissent pas entre eux. Le capital nécessaire à la production de masse a fait divorcer la disponibilité financière de la propriété personnelle. À ce degré de complexité qu'aucun logiciel ne peut maîtriser, le nombre indéfini et la ramification des facteurs qui interviennent entre une décision et ses conséquences rendent celles-ci aussi imprévisibles que les tremblements de terre. « La récurrence de crises de chômage à grande échelle et de réductions drastiques de la production, engendrant l'instabilité des conditions de l'employeur comme de l'employé, en est l'exemple le plus convaincant [...]. L'impuissance relative des formes politiques existantes à maîtriser le fonctionnement et les effets sociaux de l'industrie moderne a engendré un scepticisme général envers les institutions représentatives. » Ce qui a jeté plusieurs nations européennes dans un fascisme qui leur promet la sécurité mais qui leur tient la guerre, une guerre dont les États-Unis, mais Dewey ne pouvait le prévoir, seront les arbitres, et dont leur écono-

1. John Dewey, *Freedom and Culture*, New York, Putnam's, 1939, p. 46.

mie, encore en crise en 1939, sortira pour longtemps rétablie. Pour Dewey, qui vivra assez pour connaître la victoire américaine, il était clair, de toutes les façons, que la démocratie, plongée dans une « culture » dissolvante pour la liberté personnelle, vivait désormais dangereusement.

5. *Marcel Duchamp branché sur New York, et réciproquement*

Henry Adams acheva son autobiographie en 1907, deux ans avant l'arrivée à New York du Viennois Sigmund Freud, amusé à l'idée d'« apporter la peste » de la psychanalyse à l'Amérique puritaine, et dix ans avant que Marcel Duchamp, jeune peintre français échappé à la conscription, ne découvre, en débarquant à New York en 1917, qu'il était vraiment célèbre là où, déjà, il importait de l'être. En sens inverse, c'est en 1908 qu'Ezra Pound, quittant pour toujours son Missouri natal, débarque à Londres, avec l'ambition de devenir le Dante moderne, et c'est en 1914 que, frais émoulu de Harvard, T. S. Eliot parvient à son tour à Londres, prédestiné à devenir, sous le monitorat généreux d'Ezra Pound, le pape de la poésie moderniste de langue anglaise. Singulier va-et-vient transatlantique, ponctué en 1939 par l'émigration définitive aux États-Unis du poète anglais W. H. Auden, ressentie alors comme une trahison par le patriotisme britannique.

À première vue, le rapprochement ne s'impose pas entre Henry Adams, le vieil aristocrate de l'esprit WASP, retiré à Washington, d'un côté, et de l'autre le Dr Freud et le jeune Français qui va débarquer après lui à New York. Et pourtant ! Au cours du monologue intérieur de Henry Adams, plusieurs antennes de sa pensée anxieuse vont au-devant des thèmes de la pensée freudienne : l'idée de l'*éros* comme énergie réprimée ou sublimée, ou celle du clivage qui sépare, autant qu'il attire l'un vers l'autre, le désir masculin et le désir féminin. Le doute dont le grand historien de Harvard ne peut se défendre envers la capacité des Lumières libérales et du christianisme dont il a hérité à maîtriser les énergies irrationnelles que leur science a extorquées à la nature rejoint, par quelque côté, le scepticisme absolu et solipsiste auquel est parvenu très tôt Marcel Duchamp. Tel le sénateur vénitien Pococurante de Voltaire, le jeune artiste français n'a pas plus cru à la religion de l'art qu'à la religion tout court. Lui aussi va apporter aux États-Unis et à leur éthique du Travailleur, par son exemple, une « peste » dont l'incubation va durer un demi-siècle et qui ne se déclarera que sous des formes fort différentes de celle qu'apportait Duchamp. L'art comme art de vivre autonome, voluptueux et joueur, cette leçon française d'*otium* libertin, le capitalisme américain, méprisé par Duchamp, l'interprétera à sa façon et à son échelle, comme ouvrant un secteur amusant, inédit et fructueux de la Bourse. L'adoption par New York de l'un des *practical jokes* de Duchamp, le *ready-made*, lui permettra d'abolir le reproche muet que le grand art européen élevait encore contre les produits de série de la grande industrie américaine et contre le tapage de sa publicité.

Henry Adams, hémiplégique et mourant dans sa demeure washingtonienne, face à la Maison-Blanche, n'aura pas vu le Paris de Jules Laforgue et de Félix Fénéon, d'Alfred Jarry, d'Alphonse Allais et de Guillaume Apollinaire, qu'il avait entrevu, se brancher littéralement sur New York par la prise Duchamp. Il n'aura pas entendu l'humour du dandy blagueur jouer sur les cordes toutes prêtes à résonner d'excellents Américains et Américaines fatigués de l'éthique protestante et impatients de se déprovincialiser autrement qu'en collectionnant des chefs-d'œuvre consacrés. La rencontre entre cet élégant Français, qui deviendra citoyen américain en 1955, et New York est un événement majeur du XXe siècle transatlantique. Une fois avalées par la baleine blanche américaine, après un temps de latence dans une coterie new-yorkaise, puis déformées, systématisées et dégorgées, les épigrammes parisiennes de Duchamp sont devenues des brevets non déposés de la grande industrie nord-atlantique des images et de son étage noble, le commerce de l'« Art contemporain ». Le phénomène a longtemps été méconnu ou tenu pour négligeable en France, mais quand il se mettra à réverbérer à Paris, dès avant la grande rétrospective posthume de Duchamp, au Centre Pompidou, en 1977, l'effet sur les arts français sera ravageur.

Une légende, qu'il ne démentait pas, voulait que Duchamp, de physique racé, fût un Normand de vieille souche, comme Henry Adams l'imaginait pour lui-même. Il se bornait à être le fils d'un notaire auvergnat, installé à Blainville-Crevon, non loin de Rouen, un autre Thionville flaubertien. Dès la fin de ses études au lycée Corneille, le jeune Marcel imita ses deux frères aînés : il choisit la vie d'artiste à Paris contre la vie bourgeoise et provinciale, sans avoir à se révolter contre sa famille, à laquelle il resta toujours très attaché. Jacques Villon, l'aîné, le peintre, Raymond Duchamp-Villon, le cadet, le sculpteur, l'hébergèrent d'abord, l'un à Puteaux, l'autre à Montmartre, et leur père, dont il a peint en 1910 un magnifique portrait cézannien, subvenait sans largesse excessive à ses besoins.

La vie d'artiste, un célibat résolu, une excellente éducation littéraire, de non moins excellentes manières, une séduction physique s'exerçant sur tous, une intelligence et des dons hors du commun, firent de ce jeune bourgeois vite acclimaté à Montmartre et à Montparnasse le sujet parfait de la « liberté des modernes » selon Constant, et le dandy accompli selon Baudelaire, sceptique, stoïque, cachant une indifférence et une ironie supérieures sous les formes les plus charmantes et attentives. L'*otium*, le désœuvrement moderne, c'eût été lui, s'il n'y avait pas dans l'idée philosophique d'*otium* une notion de détachement généreux, parfaitement absente de son égoïsme froidement calculateur. Ses frères aînés s'étaient révélés sans difficulté de très grands, très intelligents, très féconds et très modestes artistes, à la façon des artisans d'autrefois. Il avait les mêmes dons qu'eux, il en fit la preuve précoce et il montra à plusieurs reprises, par la suite, quand cela lui chanta, une ténacité d'artisan et une ingéniosité de bricoleur d'ancienne souche. Mais, venant après un peintre et un sculpteur exceptionnels, comment se révéler soi-même une exception ? Il avait lu Max Stirner, il se voulait Unique. Il avait lu Paul Lafargue, il ne connaissait d'autre devoir envers la société que celui de la paresse et de la grève, versions belligérantes de l'*otium*. Il avait lu Mallarmé, le grand hérésiarque du romantisme, il en avait retenu que l'art n'est qu'un jeu de plus, mais que ce jeu parfaitement vain, pour ceux et celles qui s'y adonnent, réunit du moins autour de lui l'une des rares sociétés fréquentables. Bref, c'était le type même de l'individualiste moderne, se sachant et se voulant privé d'autorité, s'accommodant de se savoir voué à la passade, au fragment et à l'inachèvement, mais assez résolument hédoniste pour tirer le meilleur parti de ses défauts et esquiver leurs inconvénients.

Pour ses frères aînés, dans le sillage de Braque, de Picasso, de Matisse, le modernisme était une Renaissance ; leurs arts enfin restitués à leur essence retrouvaient leur rang et leur autorité face à l'« universel reportage » photographique et journalistique. Duchamp choisit de ne pas être naïf, de ne pas croire à une Renaissance des arts, mais plutôt à une révolution de la sensibilité dont Joris-Karl Huysmans avait écrit le manifeste dans *À rebours* (1884) et à une révolution de l'esprit dont le jeune Paul Valéry avait dessiné le programme dans l'*Introduction à la méthode de Léonard de Vinci* (1895). Scientifique amateur, les spéculations du Duchamp, dans l'air du temps, sur la « Quatrième Dimension », faisaient sourire Gertrude Stein. Elles ont été prises au sérieux depuis par Jean Clair, le plus érudit et sensible de ses interprètes : la « quatrième dimension » aurait été la version scientiste et érotique de l'ancienne ambition théologique de « vision intellectuelle », dépassant la vision « rétinienne [1] ».

Quoi qu'il en soit, le cadet des Duchamp s'est voulu presque d'emblée un Léonard en négatif, le Léonard déconstructif d'un mouvement artistique qu'il avait pris en route et dont il constatait que, aussitôt né, il avait éclaté en « -ismes » (post-impressionnisme, fauvisme, cubisme, futurisme...). Rien n'agaça plus Duchamp, jeune ou vieux, que les -ismes

1. Voir Jean Clair, *Sur Marcel Duchamp et la fin de l'art*, Paris, Gallimard, 2000.

et les coteries intolérantes qu'ils agglutinent, ruinant l'indépendance de l'individu-roi. Après la guerre, il se contentera de flirter avec certains dadaïstes, avec certains surréalistes, mais il se défendra résolument du dadaïsme et du surréalisme. Il vécut toujours dans un premier cercle d'amitiés dont il était l'aimant nonchalant, jamais le chef de file, et dont la périphérie s'accordait volontiers avec des affinités et des sympathies personnelles et diverses dans plusieurs camps, sans tomber dans le piège du cénacle, des coteries, du groupe.

Grand-père du dandysme, Chateaubriand, dans un passage prophétique des *Mémoires d'outre-tombe*, avait fort bien prévu que l'avenir de l'aristocratie dans la démocratie serait la vie d'artiste. Le décadentisme européen fin de siècle, dont Duchamp est l'un des plus lucides rejetons, avait accompli pleinement la prophétie. En 1884, le duc fictif de Huysmans, Des Esseintes, menant lui-même une vie d'artiste faute de fief et de serfs, montrait la voie *à rebours*. Le jeune Valéry réagit avec enthousiasme. Le chemin court vers l'aristocratie moderne et sa liberté d'esprit, pour les fils doués de la bourgeoisie grande et petite, était désormais *la vie dans l'art*. Pour Duchamp, ce fut la vie ironique, dans l'art traité comme comédie. Son *lifestyle*, comme celui des surréalistes, fit envie aux riches et aux snobs et mit les femmes dans son jeu.

Le *Nu descendant l'escalier* que Duchamp peignit en 1912 conjugue ironiquement la géométrie des cubistes avec la décomposition du mouvement que leurs rivaux, les futuristes, empruntaient aux photographies d'Edward Muybridge (un Anglais opérant en Californie) et du Français Étienne-Jules Marey. Cette synthèse avait quelque chose de provocateur pour les deux écoles. « Cubistes, futuristes, oui, je peux en faire autant. » « Et après ? » semblait proclamer le nouveau venu. Les artistes cubistes orthodoxes du groupe de Puteaux, parmi lesquels ses frères, entendirent d'une oreille blessée le défi de l'hérétique. Ils refusèrent de l'exposer au Salon des Indépendants, avant de l'agréer pour une exposition à Barcelone. Mais c'est à New York, deux ans plus tard, que Duchamp obtint une revanche qu'il n'avait ni cherchée, ni espérée [1].

Le 17 février 1913, l'*International Exhibition of Modern Art*, défi lancé par un groupe entreprenant de New-Yorkais à l'Académie nationale américaine des Beaux-Arts, ouvrit ses portes, présentant au public 1 300 œuvres d'artistes européens, romantiques, impressionnistes et modernistes, surtout français, dans les vastes locaux de l'Arsenal, sur Lexington Avenue. Les lieux eux-mêmes parlaient le langage conquérant et militaire de l'« avant-garde ». Le *Blitzkrieg* avait été soigneusement préparé par deux peintres médiocres, Arthur Davies et Walter Kuhn, l'un excellent trésorier, l'autre publicitaire expérimenté, par un homme d'affaires

1. Voir l'excellent Calvin Tomkins, *Duchamp, A Biography*, Henry Holt, 1996.

collectionneur, John Quinn, et par leur intermédiaire auprès des peintres modernistes de Paris et de Munich, le cosmopolite Walter Pach. Le photographe Alfred Stieglitz, grand admirateur de Wagner et excellent connaisseur du modernisme européen, leur apportait son autorité de quasi-chef d'école, celle de sa galerie 291 et de sa revue *Camera Work* [1]. Ces Américains, convaincus que la modernité était déjà américaine sans que l'Amérique s'en doutât, attendaient du modernisme européen qu'il éveillât la belle endormie à sa propre beauté ignorée.

Kuhn prit le parti de mettre en œuvre, au profit d'artistes encore inconnus outre-Atlantique, en chauffant à blanc la curiosité du public, les techniques de *marketing* et d'*advertising* éprouvées depuis longtemps par Barnum et peaufinées par le grand commerce américain : elles restèrent longtemps ignorées ou dédaignées à Paris, à plus forte raison par les organisateurs de Salons et les propriétaires de galeries parisiennes d'« avant-garde », les Ambroise Vollard, les Durand-Ruel, les Daniel Kahnweiler, les Paul Rosenberg. À New York, en 1913, affiches, logo, badges, catalogues, brochures, mais surtout campagne de presse de longue haleine dans journaux et magazines excitèrent à l'avance les esprits, leur faisant attendre de grandes surprises choquantes. Une très violente controverse à l'échelle du continent suivit le vernissage. Le scandale fut retentissant, inespéré. Comme prévu, il attira les foules.

Grand ami de Duchamp, Francis Picabia, le seul artiste européen présent en personne, attisa la curiosité générale par sa conduite exubérante et ses déclarations abracadabrantes. Les revues *Vogue* et *Vanity Fair* convainquirent les snobs et les grands magasins que le « cubisme » devait être le décor du XXe siècle. Collectionneurs et galeristes se convainquirent eux-mêmes que la nouveauté moderniste offrait une alternative excitante aux maîtres anciens et aux impressionnistes. Or il se trouva que l'œuvre la plus commentée, insultée, caricaturée, ou prise pour un féroce et succulent pastiche, tant par le public que par les critiques, fut le *Nu descendant l'escalier* de Duchamp. Les ennemis voient souvent clair et ceux du modernisme européen perçurent fort bien la note sceptique et polémique introduite par l'artiste dans son « tableau » moderniste et dans son titre. Ils en firent une preuve que l'Europe elle-même ne croyait pas à ses propres divagations décadentes. Ils contribuèrent largement à isoler et à mettre en exergue cette toile qui n'avait jusque-là retenu l'attention de personne.

---

1. On lira avec intérêt, malgré le ton d'enthousiasme journalistique dont ne se départit jamais l'auteur, les chapitres sur l'Armory Show et sur Duchamp d'Annie Cohen-Solal, *Un jour, ils auront des peintres. L'avènement des peintres américains (1847-1948)*, Paris, Gallimard, 2000.

L'artiste apprit cette célébrité avec flegme. Après avoir frondé les prétentions de ses aînés à faire renaître l'Art, ce logicien enthousiaste du hasard, amateur, depuis l'enfance, du fameux catalogue de la Manufacture d'armes et cycles de Saint-Étienne et visiteur assidu de l'annuel concours Lépine, inventa cette année-là à Paris le *ready-made*, qui supprimait l'écart entre « œuvre d'art » unique et objet industriel de série, mais qui faisait de l'artiste l'auteur désinvolte du *fiat* dont le geste et la signature, arrachant au néant tel exemplaire de la série, le déclarait un original, *son* œuvre. Il monta sur socle et signa... une roue de bicyclette.

Cette création en négatif, ce tour de prestidigitation qui suppose un public « mesmérisé » par l'artiste, aristocrate magicien ayant trouvé enfin moyen, après tant de siècles, de ne plus se salir les mains, fera des convertis lorsque Duchamp, le Bel Indifférent, en 1917, échappé à la conscription et appelé par ses admirateurs et collectionneurs américains, débarquera en fanfare à New York. Il arrive à pic pour contribuer à la seconde exposition d'art moderniste organisée par la « Société des artistes indépendants » pour enfoncer le clou posé par l'Armory Show en 1913. C'est l'occasion pour Duchamp de rencontrer le couple de riches mécènes oisifs qui sera sa providence et celle de ses œuvres, les Arensberg, et de faire scandale en prétendant exposer sous un nom d'emprunt un *ready-made* particulièrement bien choisi pour hérisser le puritanisme local : un urinoir de série produit par la firme J. L. Mott Iron Works et qu'il signa R. Mutt. C'était l'équivalent du pot de chambre prédit par Baudelaire dans le *Salon* de 1859. Il disparut, mais Alfred Stieglitz en avait pris un cliché, et on lui substitua plus tard d'autres exemplaires trouvés au marché aux puces. Ce clone a été en 2006 célébré par Alfred Pacquement, directeur du Musée d'art moderne de Beaubourg, et mis sur le même pied que la *Pietà* de Michel-Ange, sentence mémorable qui a fait jurisprudence : le vandalisme exercé sur cette icône « contemporaine » a été, la même année, sévèrement puni par la justice française [1]. Mais d'emblée, Duchamp et son urinoir fantôme, dûment photographiés et médiatisés, entrèrent, comme on dit, « dans la légende ». La « reproductibilité mécanique » dont s'est plaint Walter Benjamin avait déjà porté un coup à la distinction classique entre original et copie. Les *ready-made* selon Duchamp, même si son inventeur tenta d'en circonscrire la réaction en chaîne par leur tirage limité, portèrent à cette

1. Voir, sur cette exposition new-yorkaise de 1917, le chapitre du *Marcel Duchamp* de Bernard Marcadé, Flammarion, 2007, p. 171-181. Les études américaines sur Duchamp et sur les expositions qui l'ont fait connaître à New York ont le mérite de mettre en évidence leur contexte publicitaire, dont Duchamp a astucieusement joué et profité, tout en dénonçant hautement la publicité, de même qu'il a pratiqué plus tard le commerce d'art tout en méprisant la commercialisation de l'art. Sur le destin de l'urinoir, voir aussi François Jost, *Le Culte du banal, de Duchamp à la téléréalité*, C. N. R. S., 2007, p. 10-13.

colonne vertébrale de *l'œuvre d'art* le coup de grâce. L'urinoir avait prouvé entre autres que, l'objet « original » ayant disparu, sa photo pouvait en tenir lieu et permettre son clonage en plusieurs exemplaires.

De l'Armory Show au MoMa

Brillante ou fortunée, la coterie new-yorkaise affamée de Paris qui se rallia autour du « mystérieux » et « fascinant » Français n'avait rien de commun avec celle qui, dans les années 1920, autour d'Abby Aldrich Rockefeller, du professeur d'histoire de l'art de Harvard, Paul Sachs, et de son jeune élève, Alfred H. Barr, créa sur des bases foncières et financières entièrement privées le Museum of Modern Art de New York. Gertrude Stein, installée à Paris depuis l'avant-guerre 1914, muse du modernisme et mécène de Picasso et de la jeune génération d'artistes « cubistes » avec son frère Léo, répondit un jour à Alfred Barr, venu lui demander son soutien : *« A Museum can either be a museum or it can be modern, but it cannot be both »*, « Un musée peut être un musée ou il peut être moderne, mais il ne peut être les deux à la fois ». Alfred Barr passa outre.

L'équipe fondatrice du MoMa, notamment les amies new-yorkaises très fortunées d'Abby Rockefeller, était pénétrée des vues du sociologue Thorsten Veblen, un Bourdieu avant la lettre, exposées dans son livre célèbre *The Theory of the Leisure class* (1911). Le « vieil argent » des héritiers et rentiers de la classe prédatrice d'industriels américains, hommes et femmes, y était fustigé ; l'oisiveté urbaine de cette classe parasite prétendait à une noblesse « à l'européenne » en faisant ostentation du gaspillage, consommateur et insultant, de sa cuisine, de ses vêtements, de ses demeures, de ses collections d'art européen, de son luxe. Implicitement, cette satire de la « classe de loisir » apparue dans l'Amérique post-esclavagiste incitait les riches à dédier leur *conspicuous consumption* – leur gaspillage ostentatoire – à des œuvres d'intérêt social et à pratiquer un évergétisme moral et civique au lieu de jouer aux esthètes européens. La popularisation de l'art moderniste, sévère, difficile, dépouillé d'ornements flatteurs, passa dans les années 1920, à New York, pour l'une de ces œuvres de miséricorde, propres à racheter leurs mécènes, notamment les épouses sans profession, des stigmates d'un luxe insultant pour les classes laborieuses. Cette « moraline » n'était certes pas du goût de Duchamp. Elle servit amplement la cause du modernisme et elle le servit lui-même.

Nonobstant l'alibi éthique et civique, l'immédiat prestige mondain des vernissages et des copieux buffets du musée financé par Mrs Rockefeller et le lancement publicitaire de brillantes expositions, accompagné pour la première fois de pesants et doctes catalogues (celle qui fut consacrée à Van Gogh fit du pauvre Vincent, du jour au lendemain, une « star » à vocation mondiale), capitalisèrent et consolidèrent, pour ainsi dire, la conversion de New York au modernisme européen que l'Armory Show avait amorcée dès 1913. Dans l'état-major du musée figurait son jeune architecte Philip Johnson, élève de Mies van der Rohe. Quand ce célèbre architecte allemand, auquel Hitler préféra Albert Speer, émigra aux États-Unis avec plusieurs de ses collègues du Bauhaus, le musée en fit sa vedette. La Dépression avait ruiné la plupart des agences d'architectes formés à l'École des Beaux-Arts de Paris. Les commandes fédérales du New Deal allèrent aux nouveaux venus, prônés et illustrés par les expositions du MoMa. L'amitié du président Franklin D. Roosevelt pour Mrs Rockefeller et son mari John, grand mécène du New Deal, y fut pour beaucoup. En quelques années, l'architecture abstraite et les parois de verre caractéristiques du Bauhaus l'emportèrent, envahissant de tours miroitantes, vitrines du modernisme allemand, le paysage urbain américain [1].

Dans l'entre-deux-guerres, allant et venant de Paris à New York, le plus jeune des frères Duchamp, célèbre en Amérique, inconnu en France, artiste *honoris causa*, vécut agréablement en personne privée, de championnats d'échecs en parties de campagne, dans la compagnie civilisée d'artistes et de collectionneurs. Il put assister en 1939 au triomphe mondain, populaire et journalistique de Salvador Dalí à New York, où la galerie Julien Levy exposait les œuvres récentes du peintre moderniste catalan, exclu depuis longtemps du groupe surréaliste. Triomphe « médiatique » de celui que Breton avait qualifié d'« Avida Dollars », d'une tout autre échelle que ceux que lui-même avait connus dans la même capitale. Quant à lui, il faisait alors juste ce qu'il fallait pour entretenir sa légende de Léonard du modernisme, réparant, perfectionnant et reproduisant un inachevable « Grand Verre » entrepris depuis 1917, puis, dans le plus grand secret, une installation intitulée « Étant donnés », mise en scène voyeuriste inspirée par le *Chef-d'œuvre inconnu* de Balzac et par *L'Origine du monde* de Courbet, sans doute le pied de nez le plus prémédité qu'il ait adressé à l'art et à la religion de l'art. L'installation, démontée et transportée religieusement, rejoignit après la mort de son auteur l'ensemble des « œuvres » de l'« anartiste », collectionnées tout au long de leur vie par les Arensberg et léguées par eux au musée de Philadelphie. Louise était morte en 1957, et Walter, qui s'était brièvement rêvé poète « imagiste », dans le sillage d'Ezra Pound, avant de rencontrer Duchamp et de devenir son principal collectionneur, la suivit dans la tombe l'année suivante.

1. Voir Henry H. Reed, « Comment le modernisme a gagné New York », dans *Commentaire*, n° 98, été 2002, p. 373-380.

Duchamp et le Pop art, un demi-siècle après l'Armory Show

Le modernisme, avec sa volonté intransigeante de jamais-vu, plongeait ses meilleurs écrivains dans l'angoisse du papier vierge et la plupart de ses artistes dans celle du carré blanc. Duchamp a connu ce vertige tout en s'arrangeant pour n'en pas souffrir. Or, lassé de la posture héroïque et ravageuse du « maudit » romantique, désaccordée à des temps prospères, le post-modernisme américain des années 1960 va faire sien le dandysme duchampien, s'appropriant gaillardement, en guise d'œuvres, un abondant matériau tout fait et démocratiquement plébiscité par la majorité des consommateurs. On en viendra par la suite, pour varier les plaisirs, aux déchets, au *trash*. On puisera dans les innombrables canulars suggérés un demi-siècle plus tôt par les dadaïstes, mais en substituant à leur désinvolture de dandys l'esprit de suite et d'entreprise de l'homme d'affaires. En 1961, Claes Oldenburg, s'en tenant aux produits « propres » de la société de consommation, déclarait : « Je suis pour l'art des pompes à essence blanches et rouges, des enseignes lumineuses clignotantes, des biscuits, je suis pour l'art Kool, l'art Seven-Up, l'art Pepsi, l'art 39 cents, l'art 9 dollars 99. » Sculpteur-copiste, il intitula sa première exposition personnelle dans une galerie new-yorkaise : *The Store*, le Magasin. C'était une idée émise en passant par Aragon en 1918 !

Duchamp avait toujours refoulé les tourments du modernisme. Il justifiait la désinvolture de sa vie dans l'art par des essais inachevables (rappelons qu'il travailla pendant douze ans à son *Grand Verre*) et des *ready-made* de prestidigitateur. Quarante ans après son premier triomphe new-yorkais, il en connut donc un second qu'il n'avait pas plus cherché que le premier. Les peintres vedettes de l'expressionnisme abstrait et du *dripping*, qui s'étaient crus, naïvement et gravement, jusqu'au suicide de deux d'entre eux, les initiateurs héroïques d'une Renaissance américaine du grand art « à l'européenne », les Jackson Pollock, les Willem De Kooning, les Mark Rothko, les Arschyle Gorki, les Barnett Newman, se trouvèrent tout à coup, dès la fin des années 1950, dépassés, puis déposés, par les peintres et sculpteurs pop, les Robert Rauschenberg, les Cy Twombly, les Jasper Johns, les Roy Lichtenstein, les Claes Oldenburg, tous se réclamant de Duchamp, le survivant supposé de l'âge Dada, lui rendant explicitement hommage et recevant vaguement son onction en 1959.

Le patriarche n'avait jamais été dadaïste, mais il avait été jeune avec Tzara, dans l'après-guerre 14-18, et il l'avait fréquenté à Paris. Il trouvait plaisant de se voir traiter en ancêtre, à New York, par les nouveaux dadaïstes américains, dans l'après-guerre 40-45. Dada avait tourné en dérision Cézanne et le cubisme parisien. Les Pop artistes des années 1960 tournaient en dérision l'expressionnisme abstrait new-yorkais. Dès 1953, dans un geste dadaïste typique de Judas iconoclaste,

Rauschenberg, encore inconnu et apparemment respectueux, obtient de Willem De Kooning un dessin au fusain et à l'huile ; il va s'employer longuement à le gratter, avant de l'exposer triomphalement sous le titre : *Erased De Kooning Drawing.* Bruit, scandale, sacrilège. Le voilà lancé.

À plus vaste échelle que leurs gourous français, et sans bouder une commercialisation que Duchamp pour sa part aura toujours dédaignée, ils ont prouvé à une Amérique soulagée qu'elle n'avait plus à souffrir dans l'ombre du « grand art » européen et qu'elle détenait dans ses propres magasins, à portée de la main et à portée de tous, un art tout fait, amusant, gai, tirant l'œil, démocratique, pas trop fatigant non plus pour l'artiste qui s'amuse et sait amuser en faisant mousser, par simple « appropriation » et en combinant dans le même patchwork l'artefact de série, les photos de presse et, très vite, le prêt-à-porter usagé, les rebuts de la poubelle urbaine. C'en était fini de la différence infranchissable entre l'art « rare » des musées et les images ou objets produits en quantité par ou pour l'industrie, la publicité, le grand commerce, le divertissement taylorisé : la signature d'un artiste suffisait pour assigner ces derniers à l'ordre des premiers, avec au passage une différence prodigieuse de valeur marchande. Le *Star and Stripes*, recopié et signé en tous formats par Jasper Johns, tautologie innombrable, a eu, et pour cause, une audience et un rendement financiers infiniment plus démocratiques que ne l'obtiendra jamais *L'Écorchement de Marsyas par Apollon* du Titien, féroce supplice païen prophétique de la Passion du Christ, conçu par le peintre dans son grand âge, oublié depuis le XVIIe siècle et redécouvert au palais archiépiscopal de Kremsier, en Tchécoslovaquie, dans les années 1920.

Converti avant-guerre au modernisme, New York changea donc une autre fois de chapelle dès les années 1960, passant à la dénomination « contemporaine ». L'Amérique suivit, et le siècle à son tour l'a suivie à torrent. À la décharge de Duchamp, il faut reconnaître qu'il ne fut jamais dupe, même s'il se garda toujours de polémiquer *ad hominem*. L'un des mérites de son récent biographe français, Bernard Marcadé, est de rappeler certaines déclarations du célèbre humoriste vieillissant : elles ne laissent guère de doute sur ses sentiments envers le dernier acte de la comédie de l'art dont il avait été l'acteur distrait et le spectateur amusé. Il faut les rapprocher de celles d'André Breton dans les dernières années de sa vie, à la veille de 1968, conspuant « la surenchère du sensationnel » et « le rabais généralisé de la culture » ! À la télévision américaine, en 1960, Duchamp affirme : « Oui, il y a du racket, ou, si vous préférez, de l'escroquerie dans l'art moderne. La valeur esthétique se change en valeur monétaire. Il y a racket quand vous profitez du moment, quand vous pouvez faire beaucoup d'argent avec de la peinture en faisant beaucoup de tableaux et beaucoup d'argent [1]. » À Francis Steegmuller, il fait savoir en 1962 que « tous les artistes depuis Courbet sont des bêtes. Ils devraient être internés pour hypertrophie de l'ego. Courbet a été le premier à dire : « Acceptez mon art ou ne l'acceptez pas, je suis libre. » Depuis cette date, chaque artiste a eu le sentiment qu'il devait être encore plus libre que le précédent. Plus libre, plus libre, ils appellent cela la liberté. Les ivrognes sont mis en prison. Pourquoi l'ego des artistes devrait-il être autorisé à dégorger et empoisonner l'atmosphère. Ne sentez-vous pas cette puanteur [2] ? » Provocateur ? Et comment ! Mais d'une lucidité redoutable sur lui-même et sur le siècle qui idolâtrait en lui un exemple, alors qu'il ne prétendait à rien d'autre qu'à être un individu se faisant prudemment accepter, là où était encore toléré, même pour de mauvaises raisons, un espace de liberté et de loisir, la vie d'artiste, dans une société de plus en plus pharisienne et moutonnière. Pour Breton comme pour Duchamp, le changement d'échelle, quand il fut devenu patent, était intolérable. Les jeux de prince qui avaient eu sens dans le cadre quasi villageois, sursaturé d'élégances et de tensions subtiles, de Paris, et du New York branché sur Paris des années 30, devenaient une barbarie insupportable lorsqu'ils étaient pratiqués dans la piscine gigantesque d'un marché mondial, entre requins aux puissantes mâchoires.

6. Low brow, high brow

Je suis contraint de parler américain lorsque j'ai recours à l'antithèse *low brow, high brow*, intraduisible en français et, je crois, dans aucune langue européenne. Je suis conduit à dire, par exemple, selon ces catégories américaines, que Duchamp a commencé *very high brow* et a fini, non sans regimber, par servir de caution bourgeoise au *very low brow* du pop. En d'autres termes, le branchement de Duchamp sur le « dynamisme » du marché américain, heureux hasard qu'il a saisi au vol et qui l'a si bien servi, reposait sur un abyssal malentendu. Athée européen de la religion romantique de l'art, Duchamp a contribué malgré lui, mais mieux que personne, à exhausser la *pop culture* industrielle américaine au rang de matériau « précuit » pour les collections des musées et à effacer la frontière entre les arts modernistes et la production-consommation de série.

On peut trouver des équivalents à ces deux expressions. Culture savante et culture populaire ? Mais elles ne font pas aussi durement

1. B. Marcadé, ouvr. cit., p. 465.
2. *Ibid.*, p. 477.

antithèse. La « Bible des illettrés » médiévale et pré-moderne subordonnait l'image aux textes sacrés, privilège des clercs, mais elle s'en remettait à ses artistes, restés longtemps anonymes, du soin de parer les saintes images d'une beauté et d'une émotion à la hauteur du sens de textes qu'elles traduisaient et remémoraient, s'adressant aussi bien à la majorité des non-lecteurs qu'à la minorité des lecteurs. Quand nous regardons une cathédrale et ses vitraux, la *Maestà* de Duccio ou le cycle de Giotto à Assise, le mot « populaire » ne convient pas. Chacun sait que l'art de Cour du XVe au XVIIIe siècle européen est un escalier à double révolution, aussi bien dans la cuisine, la danse et la musique que dans les formes poétiques vernaculaires, des formes villageoises et paysannes « montant » dans le grand monde et, inversement, des retombées d'en haut recueillies et appropriées « en bas ». Liszt et Bartok n'ont pas été les premiers à emprunter au répertoire musical « populaire ». Et sans remonter à Reynaldo Hahn à tu et à toi avec Proust, lequel cite aussi volontiers la musique dite légère que Racine et Vinteuil, dans la France d'après-guerre encore, la chanson, le cinéma, le boulevard, l'opérette, le cabaret faisaient excellent ménage avec la meilleure littérature et même avec la philosophie. Les Français n'étaient pas encore sommés d'aimer Buren.

C'est l'industrialisation des loisirs qui a hiérarchisé durement « culture de masse » et « culture d'élite », poussant l'intelligentsia américaine de l'entre-deux-guerres à mépriser son propre cinéma, traité très vite en France comme un « septième art » susceptible d'une critique sérieuse comme les autres. Il a fallu une Pauline Kaël, à l'école française de Jean-George Auriol et d'André Bazin, pour créer dans les années 1950 une critique d'art cinématographique américaine, héritière lointaine des *Salons* de Diderot. Même Valéry, qui goûte aussi peu le cinéma que l'aurait fait Baudelaire, lui oppose des raisons esthétiques et non un dédain social. Cette hiérarchisation dure a été payée très cher : la « culture d'élite » a fini, cul par-dessus tête, à jeter son froc clérical aux orties et à baptiser, passant d'un extrême à l'autre, « grand art » doctement glosé les artefacts de l'industrie des loisirs de masse, lesquels n'ont plus rien de commun avec l'artisanat populaire.

Mais d'où vient la dureté quasi insultante du couple *low brow-high brow*, que n'atténue pas la notion de *middle brow* ? Il est difficile de savoir quand sont entrés dans la langue américaine les expressions « front haut » et « front bas », pour qualifier, disons, Shakespeare par opposition à Frank Capra, Mozart par opposition à Gershwin, Joan Sutherland par opposition à Joséphine Baker, l'Opéra par opposition au Radio City Music Hall, New York par opposition à Las Vegas. Mais attention, le « bas » et le « haut » dans cette affaire ne sont pas univoques. S'il s'agit des œuvres et des lieux eux-mêmes, la hiérarchie va de soi.

S'il s'agit d'un goût prononcé pour les uns, de préférence aux autres, le sens se renverse : *high brow* se rapproche dangereusement de *egg head*, « tête d'œuf », l'insulte adressée aux prétentions de l'intellectuel pédant qui ne jure que par l'Europe, tandis que *low brow* qualifie l'heureuse et modeste fierté patriotique de qui sait apprécier, à leur juste valeur, tous les produits du cru, sans faire la fine bouche des petits marquis européanisés.

La seule chose sûre, c'est que cette image est tirée de manuels du physiognomoniste Lavater et des anthropologues darwiniens du XIXe siècle, où des gravures opposaient, de profil, le *front haut*, droit et nu de Shakespeare, achèvement suprême et européen de l'évolution des espèces, au *profil bas* et aplati d'un hominidé velu, encore proche du singe et arrêté à mi-chemin de l'évolution de l'encéphale. L'image s'est sans doute érodée à l'usage. Elle n'en est pas moins chargée d'une rare violence de mépris et de ressentiment racial. On a écrit des livres entiers, non pas tant pour se défaire de la brutalité de cette antithèse, mais pour combattre la « haine de soi » que la notion de *low brow* entretiendrait parmi les universitaires américains, humiliés à la fois par les goûts spontanés de leur propre peuple et par le « bon goût » dont l'Europe se faisait fort. On a monté des expositions pour démontrer qu'en Amérique le « haut » s'est toujours alimenté du « bas », et que le « bas » n'a jamais rien eu à envier au « haut ». Mais ce n'est pas au sens de la gaillarde paysanne adoptée et adaptée au XVIIe siècle en France par la chorégraphie et la danse de cour.

Mon ami disparu, le philosophe Allan Bloom, dans un chapitre de son essai *L'Âme désarmée* (1987), avait touché un point très sensible de la psychologie américaine quand il avait dénoncé comme « corrupteurs de la jeunesse étudiante » les chanteurs de rock. Il tenait cette musique pop pour la mélodie wagnérienne du pauvre. Il la jugeait incompatible avec une éducation libérale. On venait à l'université pour se former l'esprit dans les « Grands Livres » classiques et devenir des citoyens éclairés et libres d'un régime représentatif, et non pas pour se gaver de drogue, en apnée dans le tintamarre des Rolling Stones ou des Led Zeppelin. Avocat de l'« âme américaine » désarmée et piégée par les industries de l'*entertainment*, Bloom a été bientôt accusé par son collègue Lawrence Levine d'élitisme anti-américain [1].

High culture et *low culture*, non moins intraduisibles en français, sont l'équivalent américain, en langage policé et savant, de *low brow* et *high brow*. Dans le sillage de Walter Benjamin et de Hannah Arendt, Susan

1. Voir Lawrence W. Levine, *The Emergence of Cultural Hierarchy in America*, Harvard University Press, 1994, livre qui s'est voulu une réponse à *L'Âme désarmée* d'Allan Bloom.

Sontag a soutenu que l'expression *high culture* désigne les œuvres manufacturées, originaux uniques et durables de l'art et de l'artisanat, par opposition aux produits de consommation éphémères fabriqués mécaniquement et en série, qui relèvent, eux, de la *low culture*. Cette distinction d'ordre qualitatif a l'avantage d'éliminer la notion physionomique de *brow*.

La réponse de Lawrence Levine à Allan Bloom est bizarrement une série d'élégies en mémoire d'une Amérique d'avant la guerre de Sécession, une Amérique préindustrielle, où des troupes itinérantes de théâtre et d'opéra jouaient à tour de bras, pour tous les publics, du Shakespeare et le répertoire lyrique italien, où les musées étaient des cabinets de curiosités instructifs pour tous, où les *copper bands* (orchestres de cuivres) joyeusement bruyants accompagnaient à la satisfaction unanime les cérémonies et les fêtes publiques : on avait donc affaire à une « culture populaire » abolissant, dans la fête partagée par toute la communauté, la hiérarchie des fortunes et la différence des classes. La « sacralisation de la culture », par et pour ceux qui « savent », à l'exclusion des autres, aurait installé, par contraste, dans la libre Amérique, au cours du XIXe siècle, une ségrégation de plus en plus rigoureuse et odieuse. Les chefs d'orchestre européens, tel Arturo Toscanini, allèrent jusqu'à exiger des programmes composés exclusivement de chefs-d'œuvre et des orchestres supérieurement entraînés pour l'exécution de partitions scientifiquement établies. Nous connaissons en France le refrain de ce sociologisme hyper-démocratique, qui tend, en conséquence du dogme de l'égalité numérique, à nous enfermer tous dans le même pandémonium de chambrée de bidasses et de « Nuits blanches ».

La réalité américaine dément cette conception niveleuse de l'égalité dite « culturelle ». Elle s'accommode fort bien d'une extrême diversité et de formes très différentes, chacune cooptée par son public et ne faisant pas de jaloux. Répondant aux attaques de Bloom contre les groupes rock, Lawrence Levine ne traitait que de musique (qu'il aimait écorchée, pourvu que *tous* l'écoutent) et du théâtre (qu'il appréciait à la taverne, pour peu que *tous* le voient). Il ne traitait pas des images.

Le MoMa s'était chargé de ce chapitre, encore plus controversé depuis le triomphe new-yorkais du Pop art, dans une exposition de 1991 intitulée « *High and Low : Modern Art and Popular Culture* ». Le chef du département de peinture et sculpture du musée, et commissaire de l'exposition, Kirk Varnedoe, écrivait dans un tonitruant galimatias :

> La présupposition fondatrice du modernisme était de remettre en cause la distinction entre art haut et art bas. L'exposition supprime la distinction entre « moderne » et « contemporain », et soulève les enjeux essentiels de la relation entre art et société. Dans notre programme fondateur sont inscrites les notions de passage des frontières et de destruction des hiérarchies conve-

nues... Notre intention dans cette exposition est d'examiner l'intime relation entre des formes aussi expressives socialement que les bandes dessinées, les graffiti, les publicités et les innovations du modernisme.

Duchamp et Warhol avaient, pour l'heure, gagné sur Picasso, qui ne s'emparait d'un guidon de bicyclette que pour le métamorphoser en « bucrane », retrouvant le premier geste mimétique de l'homme et imposant une vie antique et magique à ce produit utilitaire de série industrielle. S'il avait collé, avec Braque, des coupures de journaux sur ses toiles cubistes, ce n'était certes pas pour proclamer que le journal est de l'art qui s'ignore, mais pour prendre au piège et exorciser ce produit de l'industrie et de l'universel bavardage dans le silence et l'harmonie musicale et visuelle d'une composition poétique. Les *ready-made* de Duchamp et les sérigraphies de Warhol sont des pléonasmes qui assomment ; les collages et les sculptures de Picasso sont des métaphores qui enchantent. Néanmoins, la contagion de l'exposition du MoMa ne s'est pas fait attendre à Paris : le musée des Arts et Traditions populaires, conçu par Georges-Henri Rivière pour réunir et conserver les reliques de l'ancien folklore artisanal français et européen, le plus souvent du grand art pour les pauvres, s'est mis à collectionner systématiquement les « produits dérivés » tout crus de la « marchandisation » des tournois de football et du parcours du Tour de France, y compris les préservatifs estampillés pour l'occasion.

7. Andy Warhol, comédien et martyr du low brow

L'interversion du *high brow* en *low brow*, le transfert au musée du contenu du supermarché, sont à coup sûr des manifestations du patriotisme américain, impatient d'avoir tremblé longtemps devant le « bon goût » aristocratique et paysan de l'Europe et n'admettant pas que la « seconde nature » mécanique, industrielle et commerciale, dont l'a pourvu en quantité la Providence divine, cédât le pas devant le naturel et la qualité des arts des anciennes civilisations. Cela suffit pour comprendre le succès phénoménal du Pop art en général, mais non la figure singulière d'Andy Warhol, qui échappe de tous côtés aux limites de cette « école » et dont l'« œuvre » très inégale vaut beaucoup moins par elle-même que comme collection de *reliques* sacrées d'un saint et d'un martyr, non de l'art, mais du « siècle américain » dont il a joué la comédie sans flancher. C'est la personne ectoplasmique de Warhol, sa face de clown lunaire, sa moumoute colorée en hérisson et sa silhouette d'éternel adolescent indifférent et lymphatique, reproduites jusqu'à plus soif, y compris par ses soins, qui exsudent une aura d'ennui accablant et fascinant, dont tous les objets qui lui ont appartenu et les œuvres portant sa signature conservent une trace. Dans le succès vide de sa vie et dans son image vampirique se profile une dimension religieuse clandestine que les transgressions compulsives de ses sérigraphies et de ses films publiés suggèrent plus qu'elles ne l'imposent. Ce comte Dracula las et glacial de l'art comme marché n'en a pas moins été possédé par une activité d'homme universel du *bluff*, dont il a occupé toutes les vitrines : publicité commerciale, industrie de la mode et du *look*, peinture et sculpture de galerie et de musée marchandisées, photographie, cinéma, télévision, music-hall, presse *people*, boîtes de nuit, *gay culture*, *drug culture*, *rock culture*, *low culture*, snobisme et *glamour* des *stars* et des *royals*, collectionnisme en série, avidité et compétence financières en matière de *royalties*, culte et travail incessant de sa propre image. Ce parcours encyclopédique a fait de lui le résumé vivant et le produit quintessenciel de la « seconde nature » moderne américaine et de la vertigineuse négativité qu'elle recèle. Les « fleurs du mal » du décadentisme et du modernisme européens, les Algernon Swinburne, les Aubrey Beardsley, les Oscar Wilde, les Jean Cocteau et les Christian Bérard, les Alberto Savinio et les Giorgio De Chirico et même les Salvador Dalí, à plus forte raison les Marcel Duchamp, sont des modèles d'élégance morale, de raffinement du goût et de modernité réussie en comparaison de ce fragile zombie de Pittsburg qui semble avoir voulu prouver à New York, avec une ambition de *tycoon*, que sa propre énergie négative pouvait battre, sur son propre terrain, et en quantité, celle dont les vieilles capitales européennes avaient composé leur bouquet.

Andy Warhol avait été élevé dans le catholicisme uniate de la patrie ruthène de ses parents immigrés. Transporté à New York, il ne cessa jamais de prier devant une icône saint-sulpicienne de Jésus, en compagnie de sa mère Julia qui veillait sur lui, ni de participer souvent, avec elle, à la messe. Dans la phase la plus productive et permissive du studio de cinéma de la Factory, le bordel filmé comme un documentaire en continu par le « pape » voyeur de ce couvent sadien tourna souvent au blasphème de la Croix ; la série de ses sérigraphies d'accidents mortels ou d'exécutions sur la chaise électrique a été qualifiée pompeusement par le critique parisien Alain Jouffroy de « scènes saintes d'un monde sans Dieu ». Les sacrilèges catholiques sont d'une tout autre portée que les péchés protestants. Ouvertement ou secrètement, Warhol a été hanté toute sa vie par *evil*, le mal absolu, dont il parlait à la cantonade. Il se savait possédé, par procuration, des maux de son siècle, le voyeurisme, le clonage, l'évidement et l'avidité dévorante du rien et du vide, l'hystérie de l'impatience. Aussi, le soufre de son personnage et sa vie, plus que ses « œuvres », ont été humés avec sympathie à Paris, ancienne capitale catholique défroquée, par des narines attentives et exercées par Baudelaire, qui leur a appris à transposer les saintes volutes de l'encens dans les voluptueux effluves du boudoir : ceux de Huysmans, ceux de Proust.

Warhol à Paris

En 1970-1971, au cours des mois où Gabrielle Chanel agonise et meurt dans sa suite du Ritz, Warhol et les siens quittent New York pour Paris. Le prétexte est d'y tourner un film. Ils sont accueillis à bras ouverts par les deux coteries rivales de la haute couture, de la décoration et du luxe, celle d'Yves Saint Laurent et celle de Karl Lagerfeld [1]. L'axe de l'esthétique s'est résolument déplacé à Paris, des arts traditionnels et de la littérature au *mundus muliebris* de la mode. Avec un flair très sûr, le Pop artiste new-yorkais est venu chercher à Paris la consécration européenne de son talent, comme la fille de Picasso en attendait celle de son prénom, Paloma. Dans l'ancienne capitale royale des arts, ce n'est plus la peinture ou le théâtre qui starifient, c'est la couture, c'est la mode, c'est la décoration, les seules et dernières traditions de cour qui aient su se brancher sur la publicité, le *glamour*, le *gossip* et les grandes affaires à l'américaine.

La Factory de Warhol est une version new-yorkaise, plus artisanale qu'industrielle, mais obéissant comme l'autre à une seule éthique, celle du travail à la chaîne et du rendement, de la Babylone hollywoodienne. Kenneth Anger, dans un livre-culte publié en 1956 à Paris chez Pauvert, *Hollywood-Babylone*, et resté dix ans interdit aux États-Unis, en a décrit avec talent les coulisses. Derrière les films d'apparence morale, par-delà la première presse *people* qui, depuis l'avant-guerre 1914-1918, attise la curiosité du public pour la vie privée de ses stars, Kenneth Anger révèle la frénésie sexuelle et la débauche de luxe auxquelles se livrent en coulisse, dans une irréalité abolissant toutes limites, les idoles mâles et femelles, couvertes d'or et de diamants, de la vertueuse démocratie américaine. Warhol était depuis l'enfance un passionné des stars et de leur vie privée, il avait dévoré *Hollywood-Babylone* et voulait à tout prix en vivre lui-même un nouveau chapitre. Il partageait cette « culture » avec ses hôtes parisiens, en qui il voyait de surcroît les héritiers, plus ou moins titrés et raffinés, de ces autres Hollywood-Babylone qu'avaient été, à ses yeux peu historiens, le Versailles du XVIIe siècle et le Paris du XXe. Les vedettes des maisons de couture parisiennes, et leur entourage,

1. Voir la version brillamment journalistique que donne, de ce concile franco-américain des arts mineurs, Alicia Drake, dans *Beautiful people*, Paris, Denoël, 2008.

voulaient eux aussi, comme Warhol, vivre en dieux de Beverly Hills, mais en descendants directs de la domesticité de Marie-Antoinette et en lecteurs par ouï-dire, mais en langue originale, des *Fleurs du mal* et de *Sodome et Gomorrhe*. Le film *Marie-Antoinette* de Sophia Coppola est un écho tardif de cet accouplement fantasmé entre Hollywood-Babylone et la vie de château sous Louis XVI.

Les affinités électives étaient donc intenses entre l'équipe new-yorkaise et les deux équipes, rivales entre elles, de la grande mode parisienne. L'irréel ou le surréel cinéphilique fut le *medium* de leurs rencontres et de leur sardanapalesque coopération. Leurs génies s'amalgamèrent, et d'un côté comme de l'autre, même si le film prévu n'aboutit pas, cette hiérogamie fut féconde. Les décennies suivantes, des deux côtés de l'Atlantique, furent enivrées du cocktail franco-américain imaginé au cours de cette mémorable ambassade. Prophète des métamorphoses, le grave Malraux n'avait pourtant pas prévu ce genre de diplomatie « culturelle » transatlantique. Mais nos ingénieurs de la Culture, nous le verrons plus à loisir en temps voulu, ont fini par s'intéresser à ce phénomène, et sans se départir de l'orthodoxie sévère des *Voix du silence*, des passerelles ont été lancées entre les *lifestyles* branchés new-yorkais et parisiens, sous le couvert d'un « Art contemporain » aussi accueillant aux transgressions et aux blasphèmes qu'attentif à leurs postulations de « sacré » pour la galerie [1].

Warhol et New York

La formation de *designer* reçue par le jeune Andy Warhol à Pittsburg s'était faite sur les principes d'enseignement du Bauhaus, devenu sous l'influence du MoMa, d'Alfred Barr et des maîtres de cette académie moderniste émigrés d'Allemagne, dans la période du New Deal, la norme des écoles américaines de peinture et design. Rauschenberg lui aussi avait suivi dans les années 1950 l'enseignement d'un émigré du Bauhaus, Josef Albers, en Caroline du Nord et à New York. Le travail à la chaîne, dans les années 1930, était aussi en honneur en Allemagne que dans l'Amérique fordiste. Au Bauhaus, on refusait de dissocier le dessin industriel, publicitaire et commercial du dessin artistique. Sur ce terrain, comme en architecture, l'Amérique de Franklin Roosevelt devint *aussi*, dès les années 1930, l'élève de l'avant-garde techniciste de l'Allemagne de Weimar, dont l'Allemagne hitlérienne d'Albert Speer, avec ses usines d'armement, ne s'était séparée que pour la couvrir, post-moderne avant

1. Voir Catherine Grenier, Conseiller technique au ministère de la Culture, *L'Art contemporain est-il chrétien ?*, Nîmes, Jacqueline Chambon, 2003, analysé dans la seconde partie de cet essai.

l'heure, d'une feuille de vigne néo-classique. Le plus célèbre disciple américain de Mies van der Rohe, Philip Johnson, converti au post-modernisme à la fin de sa vie, en vint à imiter Albert Speer. Aujourd'hui, un *revival* de l'architecture néo-classique mussolinienne bat son plein en Italie.

La génération du Pop art exécuta, en langue vernaculaire américaine, le testament de Moholy-Nagy et des maîtres du Bauhaus. La légitimation par le Français Duchamp intervint après coup. Mais alors que les premiers Pop artistes s'imposèrent dans des galeries, Andy Warhol, pressé par la nécessité, possédé par une volonté acharnée de revanche sociale sur son enfance dans la *lower class*, connut ses premières rentrées d'argent et ses premiers succès new-yorkais dans le design commercial, la composition de vitrines pour les grands magasins de la Cinquième Avenue, les pages de publicité dans les magazines de mode. Son univers imaginaire et visuel était celui des bandes dessinées, des magazines de glamour, du cinéma hollywoodien et de ses stars, de l'image télévisée en couleur, alors flottante encore et de faible définition, comme ses futures sérigraphies.

Ce « retard » le servit. Il entra dans le Pop art en « radical », par l'appropriation de ce qu'il y avait de plus ordinaire et *low* dans les images commerciales, la boîte Campbell Soup, la boîte Brillo, mais aussi de ce qu'il y avait de plus trouble et *low* dans le sensationnalisme des images d'information et de publicité. Il perçut et il fit valoir, mieux que ses rivaux, au prix de sa propre fétichisation, ce que le *show business*, sous son euphorie apparente, cache de titillations perverses et d'appel morbide à la violence, au sexe brut, à l'ambition vorace du *standing*, à la névrose des modernes solitaires, bref à ce que Vance Packard, dans un essai célèbre intitulé *La Persuasion clandestine* (1957) a appelé « le côté le plus sombre de la psychologie humaine ». Départs, ruptures, suicides, folies et même une tentative d'assassinat dont le « pape » du Pop art fut l'objet, entourèrent la Factory d'une aura d'enfer.

Cette usine new-yorkaise n'en produisait pas moins à haute cadence des portraits photographiques sérigraphiés de Jackie, Marilyn ou Mao, et imprimait *Interview*, le premier magazine qui, imitant la presse à scandales hollywoodienne, traita en stars de cinéma les « artistes contemporains » et leur clientèle riche et célèbre. La Factory était aussi un studio de cinéma, d'un cinéma sans scénario, sans auteur, sans montage (au moins en principe), utilisant l'œil mort de la caméra pour enregistrer tautologiquement pendant des heures le même objet ou le même acteur toujours occupé à la même action : mangeant, dormant, fumant : « Avec mes films, on peut regarder une star aussi longtemps qu'on veut. Le spectateur peut manger, boire et fumer, tousser et regarder ailleurs, puis regarder à nouveau l'écran et mes films sont encore là. »

Vampire, « Andy » ne laissait du cinéma, vidé de narration et de fiction, qu'un cadavre. Il lui substituait la téléréalité, un double de la quotidienneté banale, le degré zéro de l'image. Il s'en faisait une idée totalitaire. Tout le monde assis à regarder tout le monde faire ce que tout le monde fait : « Je pense qu'on devrait être espionné tout le temps, [...] espionné et photographié. » La Stasi, la police politique de la R. D. A., telle que la montre en action le film allemand récent, *La Vie des autres*, avait exactement la même idée de l'« Art contemporain ».

Toute une Amérique détesta Warhol, une autre Amérique le révéra comme un martyr de sa propre arrière-conscience, voire un saint à l'envers, allant jusqu'au bout dans l'exploration, l'exploitation et la mise en exergue intimidante de la vacuité, de la stérilité et de la férocité glaciale qui entrent dans le dynamisme machinal de son *low brow* quotidien : la communication quasi aphasique, l'encéphalogramme plat, le voyeurisme sans désir et sans amour, l'enfer des images sans art. Un mot célèbre de l'ectoplasme : « Avec qui préférez-vous dîner ? – Avec la télé [1]. »

8. En avoir plus ou moins : les « lunettes scientifiques » et les illusions du Q. I.

Avec Warhol, le *low* se voulut assez fascinatoire pour anéantir le *high*. Mais d'où vient ce couple antithétique si obsédant en anglais d'Amérique ? Les « fronts hauts » et les « fronts bas », malgré l'*affirmative action* et le droit égalitaire sur lequel veille, dans son temple néo-grec de Capitol Hill, la Cour suprême de justice, continuent aux États-Unis de hanter plus ou moins ouvertement les esprits. La querelle dépasse aujourd'hui l'antique discipline physiognomonique, restée plus vivante que jamais au XIXe siècle, non seulement chez les physiologistes et les criminologues, de Lavater à Lumbroso, mais chez les artistes, caricaturistes ou non, soucieux de représenter dans leurs portraits ou leurs tableaux de genre et d'histoire des traits d'individus singuliers, mais représentatifs d'un type humain, voire d'une race. Au XXIe siècle, cette généalogie du *low* and *high* est refoulée, mais elle ressurgit ailleurs que dans la physiognomonie, la criminologie et la pseudo-anthropologie raciste. L'illustre savant américain James D. Watson, prix Nobel de biologie, découvreur avec Francis Crick de la double hélice du D. N. A. et initiateur du « Projet du génome humain », s'est mis au ban de la communauté scientifique pour avoir prétendu, dans une interview au *Sun-*

1. Toutes ces citations sont tirées de François Jost, *Le culte du banal, de Duchamp à la téléréalité*, C. N. R. S., 2007, p. 42-44.

day Times, que la génétique prouvait une hiérarchie entre les races, et notamment que la race noire était « mentalement inférieure » ! La biologie n'est pas seule à prendre ce genre de parti, qui a trouvé très tôt des adeptes parmi les lecteurs de Darwin. Les statisticiens chargés d'interpréter les résultats, à l'échelle nationale, des tests mesurant le degré d'intelligence, dits tests de Q. I., se partagent entre fondamentalistes, qui affirment un strict déterminisme génétique, et les environnementalistes, qui font la part des différences de milieu, d'éducation, de culture. Les premiers ont tendance à formuler des diagnostics aussi tranchants que James Watson. Il y a des gens nés pour la science, et d'autres prédestinés à piétiner dans un stade préscientifique du connaître. Il ne faut pas moins d'une inégalité de nature, « prouvée » scientifiquement, pour tourner, dans un régime d'égalité légale, l'absence d'une inégalité de convention.

Les tests de Q. I. sont beaucoup moins systématiquement pratiqués en France qu'ailleurs, du moins à ma connaissance. Aussi, sous la forme indirecte et biaisée de la « Querelle du baccalauréat », n'y font-ils pas l'objet d'une critique acerbe comme en Angleterre et aux États-Unis, où ces tests ont été, ou sont encore parfois, appliqués aux enfants à tel ou tel stade de leur scolarité. Pourtant, ils sont d'invention française. En 1905, les psychologues Alfred Binet et Théophile Simon, dans l'intention de repérer quels enfants scolarisés, et dans quel domaine, n'avaient pas « suivi » et avaient besoin d'un enseignement de soutien, mirent au point un questionnaire permettant ce genre de diagnostic. Le psychologue anglais Charles Spearman perfectionna ce questionnaire et créa en 1920 le premier test psychométrique d'intelligence, fondé sur une méthode d'analyse statistique. Un autre psychologue d'outre-Manche, spécialisé dans les questions d'éducation, Cyril Burt, fit généraliser aussitôt un test de ce type dans le système scolaire britannique pour tous les enfants de onze ans. Binet n'avait jamais prétendu que son questionnaire pouvait établir la caractéristique innée et définitive de l'intelligence des enfants. Burt était persuadé, au contraire, que l'intelligence était héréditaire, et qu'à onze ans il était possible de l'évaluer exactement, ce qui décidait de l'opportunité, ou non, de la poursuite ou de la teneur des futures études des jeunes examinés. En 1967, le *Sunday Times* rendit publique la découverte des manipulations opérées par Burt sur les résultats du test « 11 » de Q. I., afin d'étayer ses thèses sur l'intelligence héréditaire. Le scandale conduisit sur-le-champ à la suppression de ce test, à son remplacement dans les écoles anglaises, qui cessèrent d'être hiérarchisées selon ses résultats, par un système d'examens nationaux passés à sept, onze, quatorze et seize ans.

Les « tests de Q. I. » n'en passent pas moins pour scientifiques et, comme tels, sont parfois cités par des parents français enorgueillis dont les enfants, dans tel établissement étranger, ont passé le test et largement dépassé la mesure moyenne de 100. Dans d'autres pays, comme aux États-Unis, où le système d'enseignement est beaucoup moins contrôlé par le pouvoir central qu'en France ou même qu'en Angleterre, les tests de Q. I. font souvent partie des rites de passage de la scolarité secondaire, au risque que leurs résultats déterminent aussi fortement l'orientation et la future carrière des enfants que la conjoncture astrologique ou la lecture des lignes de la main, estimations non scientifiques et clandestines auxquelles les entreprises américaines ont néanmoins recours pour « profiler » plus finement les candidats à un emploi. D'où une vive polémique, dont témoignent deux ouvrages récents, l'un de Stephen Murdoch, *I. Q., l'idée brillante qui a fait faillite*, l'autre de James Flynn, *Qu'est-ce que l'intelligence ?*[1].

Murdoch, riche en informations historiques, est obsédé par le soupçon de vivre dans une société carcérale, sinon totalitaire, dont le test de Q. I. est un des instruments de contrôle. Plus mesuré, Flynn n'en conteste pas moins l'interprétation courante des statistiques du Q. I. dans les pays développés et particulièrement aux États-Unis. Ces statistiques suggèrent de façon concordante à la fois un progrès général et constant du quotient intellectuel de génération en génération, sauf pour certains groupes de jeunes gens, notamment les Noirs américains, dont les résultats depuis quelques années restent stagnants. Ce progrès général et rapide de l'intelligence de dix ans en dix ans est tel qu'il a obligé l'institution américaine privée qui a le monopole du Wechsler Intelligence Scale for Children (W.I.S.C.), le nom complet du test de Q. I. le plus fréquemment employé par les sociologues de l'éducation, à le rendre de temps à autre plus difficile. Sa première rédaction date des années 1970, et il a dû être révisé à la hausse trois fois déjà. On en est aujourd'hui à W.I.S.C. IV. James Flynn fait remarquer que les « fondamentalistes » qui tirent argument de ces statistiques pour conclure que les « Asiatiques », Japonais et Chinois, sont par nature plus doués que les Européens, lesquels à leur tour le sont plus que les Latinos et les Noirs, oublient de tenir compte de la différence du milieu social des enfants testés, ou même du type de test auquel ils ont été soumis. Une fois les données corrigées pour que les comparés soient comparables, cette hiérarchie de nature disparaît, ou s'atténue. Il fait valoir aussi que les tests de Q. I., rendus de plus en plus « difficiles » au fur et à mesure que « le niveau monte », favorisent des enfants élevés dans des familles où la « pensée abstraite », scientifique ou bureaucratique, est pour ainsi dire professionnelle, tandis qu'ils pénalisent les enfants qui n'y sont pas d'emblée

1. Voir Stephen Murdoch, *IQ : The Brilliant Idea That Failed*, Duckworth, 2007 ; et James Flynn, *What is Intelligence* ?, Cambridge, 2007.

familiarisés, tout en étant doués peut-être de qualités intuitives ou imaginatives que les tests de Q. I. ne prennent pas en considération. Ces enfants n'en sont pas moins classés parmi les « retardés mentaux », ils en porteront les stigmates et il se trouvera des « fondamentalistes » férus de biologie pour attribuer leur « retard » au patrimoine génétique de leur groupe social et racial. La tentation pointe l'oreille de cloner en abondance les surdoués et de laisser dépérir les lignées imbéciles.

En fait, les tests de Q. I. promeuvent les enfants qui portent les « lunettes scientifiques » d'une classe moyenne de services, de plus en plus nombreuse à privilégier la « cognition » abstraite. Leur révision régulière « à la hausse » rend toujours plus difficile chez les enfants d'autres milieux la reconnaissance de dons éventuels d'une autre nature, imprévus par les comptables du Q. I. et tenus pour signes d'infériorité génétique par les « fondamentalistes ».

J'ai toujours été frappé par la justesse de la remarque de Tocqueville, dans la seconde partie de la *Démocratie en Amérique*, selon laquelle les Américains sont cartésiens sans avoir lu Descartes [1]. Dans l'autobiographie de Henry Adams, c'est au chancelier Bacon, auteur au début du XVIIe siècle d'un fameux essai en langue anglaise sur le « Progrès de la science », et non au *Discours de la méthode* du Français Descartes, qu'est attribuée la paternité du projet scientifique et technique que l'Angleterre et les États-Unis ont exécuté. Descartes étant en France ce que le chancelier Bacon est pour le monde anglo-américain, Tocqueville a eu tout naturellement recours à la métaphore cartésienne pour faire comprendre à son public français la modernité américaine, exerçant sur une table rase, à l'état pour ainsi dire pur, sans être embarrassée par d'autres héritages, la méthode critique et analytique répandue par les philosophes des Lumières et appropriée à la science, aux techniques, mais aussi aux méthodes de travail du monde moderne.

9. De Giambattista Vico à John Dewey : l'imaginaire industriel et l'éducation de la liberté

La remarque de Tocqueville, comme la querelle qui agite aujourd'hui dans le monde anglo-américain biologistes généticiens et statisticiens du Q. I., se situe dans le prolongement du grand débat européen entre Anciens et Modernes du XVIIIe siècle et, comme lui, touche à la fois à l'éducation, à la définition de la culture et aux critères de hiérarchisation

1. Alexis de Tocqueville, *De la démocratie en Amérique*, II, 1, « De la méthode philosophique chez les Américains » : « L'Amérique est l'un des pays du monde où l'on lit, étudie le moins, et où l'on suit le mieux les préceptes de Descartes. »

des esprits. Le texte-clef de cette Querelle des Lumières est une conférence prononcée à Naples en 1709, intitulée *Sur la méthode des études de notre temps*, par Giambattista Vico [1]. Cet auteur italien, que le XVIIIe siècle a méconnu, dont les romantiques allemands et français ont senti la perspicacité, n'a jamais eu autant de commentateurs qu'aujourd'hui. Professeur de rhétorique, mais esprit universel, Vico admet volontiers que les sciences exactes des Modernes sont très supérieures à celles des Anciens. Italien, il attribue impartialement tant à l'Anglais Bacon qu'au Français Descartes le mérite d'avoir inauguré la méthode critique et analytique qui a conduit à des progrès scientifiques et techniques sans précédents dans l'Antiquité. Mais il reprend l'avertissement de Socrate, dans la *République* de Platon : ne pas enseigner trop tôt l'abstraction de la dialectique aux adolescents. Vico objecte aux Modernes d'avoir voulu introduire trop tôt et trop exclusivement dans l'éducation des enfants cette méthode « extérieure et supérieure à toute image corporelle », dont les mathématiques sont le langage, ce qui empêche l'épanouissement des facultés naturelles de sensation, d'imagination et de mémoire, toutes fraîches chez les enfants : on prévient ainsi l'acheminement des jeunes esprits au sens commun. À la différence de la cognition scientifique, qui se sert d'hypothèses toujours plus éloignées de l'expérience sensible, le sens commun dans les choses de la vie s'appuie sur un fonds de lieux communs éprouvés de poésie et de sagesse qui ne se périment pas, lestés par une antique expérience de la condition humaine et offrant à chacun des prénotions fécondes de prudence et de discernement. C'est par le mythe, la poésie et les arts, semant, sous l'attrait du sensible, de la narration et des figures, des avertissements salutaires, qu'il faut commencer à former les jeunes gens, avant de les introduire à l'abstraction de l'analyse scientifique et au renvoi sans fin à l'hypothétique qu'inaugure la pensée critique. Autrement, on initie prématurément les jeunes esprits à une « seconde nature » scientifique et technique, les laissant atrophiés dans l'ordre de la nature première, qui est aussi le socle commun de la vie en société. On prend ainsi le risque de défaire le lien social en le traitant comme s'il était une chose, d'abîmer et d'ostraciser de bons esprits, et de rompre le lien entre nature et culture qui fait des Belles-Lettres et des Beaux-Arts d'irremplaçables auxiliaires du bon sens, de la prudence en même temps que du goût.

À deux siècles et demi de distance, Vico anticipait sur la critique du modernisme littéraire et artistique développée dans *Les Fleurs de Tarbes* par Jean Paulhan, qui reproche au subjectivisme des écrivains modernes,

1. Voir *La Querelle des Anciens et des Modernes*, anthologie éditée par Anne-Marie Lecoq et préfacée par Marc Fumaroli, Paris, Gallimard, Folio, p. 432-449.

fascinés par le progrès scientifique et technique, de se faire les esclaves de la nouveauté hasardeuse et avare, reniant la générosité poétique et rhétorique qui, comme la religion, éduque l'esprit et le cœur en faisant appel à des genres, à des modèles et à des lieux communs qui font foi *en amont du discours*. Au lieu de contribuer au sens commun, l'individualisme de la littérature moderne se pique de le défier, à l'imitation de la science et de sa critique du témoignage des sens, se condamnant lui-même à l'anxiété et à la stérilité qui rongent un « moi » fragile se découvrant privé de toute autorité, alors même qu'il s'est voulu seul à faire autorité. Or c'est sur fond de sens commun, non sur les seules raison et cognition scientifiques, et à plus forte raison sur une subjectivité « d'avant-garde » dépourvue d'arrière-pays défriché, que se gouverne la prudence dans les choses de la vie et que se déploie la fécondité dans les choses de l'art, de la poésie et de l'éloquence. Vico avait rappelé que la *païdeïa* des Anciens, « imitant les médecins qui inclinent là où penche la nature », développait d'abord les facultés qui chez les enfants sont les plus vives, ne leur enseignant d'autre science que la géométrie, « qui ne peut être bien comprise sans une forte capacité de *former des images*, afin de les habituer, sans faire violence à la nature, mais graduellement et doucement, en suivant les dispositions de leur âge, à l'emploi de la raison ».

Dans des pages superbes de son essai *The Human Condition*, Hannah Arendt rejoint le constat de Vico. Un gouffre sépare la géométrie des Grecs, introduisant l'esprit à la contemplation de Formes purifiées de leur impermanence dans le temps, des mathématiques modernes, qui ne sont plus, comme la géométrie antique, le commencement d'une contemplation philosophique du monde, mais la science de l'entendement humain appliquée à tout ce que l'homme n'est pas, « la chose étendue » de Descartes dont elle se rend activement maîtresse, quitte à la retourner sur l'homme lui-même avec la même objectivité calculatrice et manipulatrice [1].

Les mythes et les figures de la poésie et des arts, aux yeux de Vico, ont le même avantage que la géométrie et ses corps idéaux : ils sont sensibles à l'imagination. Mais ils le sont aussi au cœur, ils émeuvent, ils passionnent, ils en appellent à l'expérience directe des sens et des émotions, mais pour la redresser et lui apprendre à reconnaître le permanent sous le fuyant et à le fixer dans la mémoire. Le permanent, c'est la vérité de la condition humaine, assise du sens commun, et non les prouesses cognitives de l'entendement humain et son emprise technique sur la nature. Vico suggère donc qu'il faut d'abord apprendre à l'homme, sous forme de mythes poétiques et de figures de l'art, qui il est réelle-

1. Hannah Arendt, *La Condition de l'homme moderne*, Paris, Calmann-Lévy, Agora, 1983, p. 336-337.

ment, dans sa grandeur et dans ses faiblesses, avant de l'initier à la raison scientifique et technique qui, en elle-même, ne connaît ni humanité, ni mesure, ni limite. Si l'imagination et les passions, les « folles du logis », n'ont pas été informées très tôt sur elles-mêmes et apprivoisées à un sens commun, elles deviendront, laissées à l'état sauvage, les persuadeurs occultes de la puissance sur la nature et sur lui-même que confèrent, à l'entendement humain, sa science et ses techniques.

Loin de rejeter dans un « retardement mental » les dons de nature communs à l'enfance, aux « sauvages », aux poètes et aux artistes, Vico, avait réclamé leur droit à être cultivés, *avant* que ne mûrisse, trop tôt la raison critique et analytique appropriée à l'abstraction des sciences modernes de la nature et à ses dérivés techniques. C'est à partir des sens, de l'imagination, des passions *cultivées* que l'on peut construire un monde commun et concret, qui compense l'abstraction de la connaissance scientifique et des prothèses techniques par lesquelles elle se transforme en pouvoir sur la nature et sur le monde humain. Pour autant, Vico ne condamne pas le type d'intelligence abstraite et critique que requièrent sciences et techniques modernes ; il veut que l'accès à ce mode du connaître soit préparé par étapes, sans prévenir prématurément la culture des sens, de l'imagination, de la mémoire naturels et la formation du sens commun. Les études devraient procéder selon une progression reproduisant, à l'échelle du développement personnel, celui de l'espèce, passée de l'âge poétique à l'âge des lumières scientifiques, sans sacrifier les puissances de l'esprit appropriées au premier âge à celles apparues dans le second. Un humanisme intégral – celui d'un âge de raison civilisé et scientifique jouissant d'un esprit d'enfance mûri, humanisme dont Goethe a peut-être été le suprême exemple –, tel serait le fruit complet de la formation souhaitée par Vico. Au fond, l'école selon Vico doit être d'abord la *scholê* des Grecs, le développement des puissances contemplatives naturelles à l'esprit humain et à son propre monde, avant d'être un entraînement de ses puissances critiques et analytiques, qui le rendent maître de l'univers sans l'être de lui-même ni de son propre monde.

La pratique des tests de Q. I. aurait semblé au philosophe napolitain encore plus ségrégationniste et insultante pour tout un pan de l'humanité qu'elle n'apparaît aujourd'hui à un spécialiste des sciences humaines aussi prudent que James Flynn. Il n'aurait pas moins été révolté contre l'idée actuelle de l'« Art » comme choc qui déstabilise, et qui suppose des spectateurs schizophrènes, ayant besoin de coups de pied et de poing non comme les ascètes chrétiens, pour châtier l'excès de leur imagination, de leurs passions et de leur corps, mais pour retrouver contact avec l'autre moitié de leur nature, atrophiée à force d'abstraction.

Si le « On » abstrait et impersonnel de la cognition scientifique et technique peut et même doit se passer de métaphores, le sens commun indispensable à la vie de relations et aux vraisemblances au sein desquelles il se meut est un discernement, un « esprit de finesse » qui s'exerce à partir de lieux communs symboliques et mythiques, féconds en métaphores, en figures, en énigmes secrétées par des siècles d'expérience commune. Les figures du langage, de la poésie et des arts ne sont jamais vraies ou fausses, mais plus ou moins vraisemblables, et en tout cas moins chargées d'illusion et d'erreur que les images forgées par les passions ou enfantées par l'imagination. Leur vraisemblance crée le terrain d'une persuasion et d'une interprétation réciproques indispensables à la vie sociale, publique et privée, de tous et de chacun, d'un tout autre ordre que l'établissement du vrai et du faux par la cognition scientifique, spécialité du savant et du technicien dans son laboratoire et sa vie professionnelle. Parallèlement à son plein accès à la raison analytique et critique, l'homme moderne doit pouvoir participer, avec une vive imagination éduquée et une sensibilité entraînée, au fonds commun d'expérience proprement humaine qui le relie à sa communauté, vivants et morts. Ce lieu de convergence des âmes, prudentiel, poétique, religieux, porte un nom latin : *otium*.

Faut-il se résigner à la violence abstraite des savants cartésiens, isolés dans leur satellite-laboratoire de Laputa, réformant d'en haut, selon leurs plans, le monde naturel terrestre, avant d'en faire autant pour l'homme ? Tels les montre à l'œuvre Jonathan Swift, dans le mythe platonicien moderne des *Voyages de Gulliver*, où le microscope et le télescope, prothèses techniques de la vue naturelle, introduisent dans le monde terrestre de telles disproportions abstraites et fantastiques que les hommes en sont déshumanisés et qu'il faut désormais chercher l'humanité dans le monde des chevaux, les Houyhnhnms. Du parti des Anciens, comme Vico, Swift, dans l'ironie noire de cette science-fiction, marque sa confiance, pour rendre cet anti-monde hanté par la démesure un peu moins invivable, dans l'antique art de prudence et dans la fécondité des arts du discours et des arts en général. Ils plongent leurs racines dans les dons intuitifs et imaginatifs de l'enfance, qui retrouvent l'étonnement dont Platon et Aristote firent le principe de la vie contemplative autant que celui de la prudence pratique. Il serait désastreux de les laisser opprimer dans l'œuf par une éducation spécialisant et polarisant trop tôt les esprits dans leur exercice exclusivement critique et abstrait, les rendant impropres à la vie commune et incapables de sens commun.

La lecture de Vico et de Swift appelle, je l'ai dit, le rapprochement avec Paulhan : l'auteur des *Fleurs de Tarbes* a commencé sa carrière littéraire par une étude d'anthropologue sur un genre fixe de dialogue, et sur les lieux communs prudentiels dont il se nourrit, traditionnel chez les Mérinas de Madagascar. Vico et Paulhan rejoignent eux-mêmes Martin Heidegger, l'un des maîtres à penser de Hannah Arendt, dont un des thèmes récurrents est la polémique contre « la technique moderne et l'appropriation scientifique du monde », lesquelles « s'apprêtent, avec ce qu'elles ont d'irrésistible, à effacer toute possibilité de séjour [1] ». Par « séjour », Heidegger, commentateur de la *Rhétorique* d'Aristote, entend l'*éthos* de lieux communs prudentiels et imaginatifs auquel renvoie le dialogue, interne à une ancienne communauté, dessinant les traits durables de son *être-là*, par opposition au fugitif « séjour touristique » organisé en tous lieux par les « appareils de l'information et de la communication ». C'est exactement ce que Valéry appelle la fin du « loisir intérieur ».

Giambattista Vico a trouvé de nombreux exégètes aux États-Unis. Et pour cause. La notation « cartésienne » de Tocqueville, en 1835, a été endossée, à plus forte raison, à la fin du siècle par Henry James et par Henry Adams : la modernité américaine, commerçante, industrielle, scientifique, technicienne, judiciaire, politique, brochant sur une tradition rhétorique protestante résolument argumentative, hostile aux mythes, aux figures et aux lieux communs anciens, ne s'embarrasse pas non plus de métaphysique ou de théorie. Pour autant, le pragmatisme américain n'est pas un utilitarisme étroit. Il n'a pas manqué d'apercevoir le risque qu'il y aurait à ne pas compenser par l'éducation le décalage alarmant entre nature et culture introduit par une civilisation urbaine, industrielle, scientifique et technique, moderne et abstraite à un degré sans précédent.

Contemporain de James et d'Adams, le philosophe pragmatiste John Dewey s'est persuadé très tôt que ce décalage fait courir aux Américains un risque de rétrécissement moral et civique, une sorte d'anémie symbolique. Aussi, dès avant la Première Guerre mondiale, a-t-il consacré le meilleur de son œuvre à une réforme de l'école américaine. Ses vues ont durablement marqué la pédagogie nord-atlantique. L'école, pour Dewey, est le lieu où l'enfant de l'Amérique moderne doit retrouver un équivalent physique et symbolique du milieu naturel, rural, familial et social disparu, où l'enfant de l'Amérique pré-industrielle, voire du village indien, devenait un adulte pleinement développé, maître de son corps et de ses actes parce que maître de son propre monde. Mais l'école doit aussi et en même temps faire mûrir cet enfant de la nature à la liberté qu'il lui faudra exercer dans l'Amérique moderne urbaine et industrielle. L'enfant à l'école éveille ses dons en communauté, au contact des choses et en coopération avec les autres. Tout doit partir de l'enfant lui-même,

1. Cité dans Valérie Allen et Ares D. Axiotis, *L'Art d'enseigner de Martin Heidegger*, Paris, Klincksieck, 2007, p. 62.

de sa liberté native, de son goût naturel pour le jeu et les activités manuelles, et parvenir insensiblement aux connaissances techniques et au travail en équipe de la société industrielle. Tout doit partir aussi du *présent* de l'enfant, et c'est par la *dilatation du présent* qu'il retrouvera de lui-même et s'appropriera, par cette voie active et progressive, la culture scientifique et industrielle qui a émergé de la culture artisanale. Son expérience scolaire de la liberté parmi des égaux et du passage de la nature à la culture doit former une personnalité complète, selon un tout continu, progressif et ouvert [1].

Cette pédagogie s'inspire de Rousseau (moins le tête-à-tête précepteur-élève et la tension entre individu libre et société corrompue) et ignore Vico. Elle vise à concilier l'éveil de l'agilité physique et mentale du pionnier (ou de l'Indien) et l'initiation aux disciplines indispensables à l'insertion dans la modernité urbaine. Chez son grand pédagogue, comme chez ses historiens et ses chantres de la Frontière, comme chez ses évangélistes, l'humanité américaine naît à elle-même dans un double mouvement complémentaire de retour à la nature primitive étudiée par l'ethnologue, et d'entrée libre et naturelle dans la « seconde nature » du savant, du technicien, du travailleur de la ville moderne, démocratique et industrielle. Ce court-circuit se retrouve en Europe chez les artistes et les poètes modernistes, d'autant plus d'« avant-garde » qu'ils régressent vers le village breton, méditerranéen ou russe, l'Asie, l'Afrique, la Polynésie, l'Amérique précolombienne. D'où l'affinité de New York pour eux, et les affinités électives que plusieurs d'entre eux ont trouvées dans *The Big Apple* (l'équivalent, pour Manhattan, de Paname pour Paris).

Chez Dewey, comme chez Rousseau, ce chassé-croisé réduit ou fait disparaître de la première éducation toute trace de l'entre-deux, c'est-à-dire la fine fleur des classiques civilisés et civilisateurs. Rousseau excluait les classiques français de la mince bibliothèque d'Émile ; pas de classiques non plus dans le *curriculum* de Dewey, l'étude de leur « canon » étant renvoyée à l'université. C'était prendre le contrepied de l'éducation européenne depuis la Renaissance, qui apprivoise très tôt l'enfant aux classiques, modèles de la bonne langue et de l'expression élégante, inséparables des mœurs polies et des bonnes manières, mais aussi modèles d'expression imaginative et de pénétration morale. L'enfant européen a longtemps appris à lire, à parler et à écrire dans la langue des classiques de la littérature, avant de plonger dans la langue

1. Voir, outre Dewey, *The Child and the Curriculum* (1902), *The School and Society* (1900), Chicago University Press, le chapitre « Dewey et l'expérience de l'enfant », dans le recueil *Conditions de l'éducation*, par Marie-Claude Blet, Marcel Gauchet et Dominique Ottavi, Paris, Stock, 2008. Merci à François Azouvi de m'avoir fait don de ce dernier livre.

d'usage et de se faire son propre style ; le futur artiste européen a appris à dessiner sur les exemples des maîtres de la peinture et du dessin, avant de dessiner devant le modèle humain ou sur le motif. Ce don à l'enfant d'une expérience éprouvée, qui lui évite d'avoir tout à reprendre à partir d'une table rase, a passé depuis Rousseau pour un viol de sa liberté.

En 1939, dans son livre *Liberté et culture*, le vieux Dewey a bien vu que sa pédagogie de citoyens vigoureux, intelligents et libres, telle qu'il l'avait conçue au début du siècle, était mise à rude épreuve par la concurrence auprès des enfants et des adolescents d'une industrie qui n'est plus seulement matérielle, mais culturelle, et dont les commodités technologiques s'emparent d'abord de l'imagination naïve de la jeunesse [1]. Il voit le péril aux États-Unis mêmes, tentés depuis le New Deal par une dilatation de l'État, mais d'abord dans les régimes totalitaires surgis en Europe depuis 1917. Mais, pas un instant, il n'envisage de chercher le remède à cette nouvelle, imprévue et radicale anémie symbolique de la liberté dans la pharmacopée de Vico : le contact précoce de l'intelligence et de l'imagination enfantines avec les poètes, les conteurs, les artistes de l'Europe pré-industrielle, afin de les pourvoir d'un viatique symbolique soustrait au conformisme de masse et à son corollaire tyrannique. Cette initiation précoce à la poésie et aux arts anciens peut donner des Goethe, des Poe, des Baudelaire, des Rimbaud, mais ce n'est pas, malgré tous ses mérites, l'objectif que se proposait le libéral Dewey.

L'Europe actuelle, si elle ne veut pas succomber au conformisme de la culture de masse, la sienne et l'américaine, péril à juste titre redouté par Dewey, ne peut éviter de se souvenir qu'elle a dû sa fécondité spirituelle, et sa liberté critique, à une éducation fondée sur l'amour des poètes et des conteurs classiques *contracté dès l'enfance*.

L'imaginaire de la communication et de l'*entertainment* américains – le nôtre s'est aligné sur lui – est de type taylorisé et moderne, et Dewey avait senti douloureusement que cet imaginaire préfabriqué exerçait un empire despotique sur l'enfance et l'adolescence justement parce qu'il cachait son caractère industriel et abstrait sous une profusion mystérieuse et chaotique de forêt vierge imaginale. Cette fabrique industrielle gargantuesque, dont les images, les archétypes, les mythes, la violence, constamment recyclés, sont des produits usinés et périssables conçus pour répondre à l'inconscient des foules, le philosophe éducateur de citoyens libres y avait découvert sur le tard une menace de déconstruction de l'individu, propice au conformisme collectif et aux propagandes des totalitarismes. Mais lui-même, parce qu'il ne s'intéressait pas à la source d'humanisation que la tradition européenne demandait aux clas-

1. John Dewey, *Freedom and Culture*, 1939.

siques, s'est senti tout à coup désarmé devant l'image industrialisée, formatée et commercialisée, indifférente aux figures, métaphores, mythes et symboles des arts du langage et des arts visuels tenant un discours de vérité au corps comme au cœur. Introjecté de l'extérieur, comme une prothèse artificielle, l'imaginaire préfabriqué tient lieu d'une imagination et d'une mémoire naturelles très tôt atrophiées par ce que les auteurs du *Manifeste communiste*, romantiques à leurs heures, assignèrent aux « eaux glacées du calcul égoïste » : des eaux où la cristallisation dont parle Stendhal dans *De l'amour*, lente éclosion en milieu saturé d'*otium*, a peu de chance de se produire.

Le miracle de l'Amérique, et il faut lui rendre cette justice, est néanmoins, malgré la massification moderne dont elle a été le plus complet théâtre, d'avoir résisté politiquement à la pente totalitaire inhérente à cette massification de la culture. Elle a été hospitalière aux poètes, aux peintres, aux philosophes, aux savants fuyant le totalitarisme vainqueur en Europe, elle s'est raffermie dans ses propres principes libéraux dans son combat contre deux totalitarismes. À la faveur de ses universités et de ses institutions d'éducation supérieure, elle a favorisé l'éclosion, même hors de Nouvelle-Angleterre, d'écrivains, de poètes, d'artistes, tandis que le meilleur de son cinéma s'élevait au rang d'un art universel. Elle ne s'identifie donc pas à sa puissante culture de masse, à quoi ses ennemis fascinés, comme ses amis flatteurs prétendent souvent la résumer et l'importer.

CHAPITRE 3

Une « civilisation de l'image » ?

1. Coup d'œil sur la difficile vocation américaine aux arts visuels

À première vue, il est paradoxal que les États-Unis, relayés maintenant par leurs satellites asiatiques et leur clientèle européenne, soient devenus le principal volcan industriel des images qui nous sollicitent. Leur fond anglais, protestant et iconoclaste ne les prédisposait nullement à devenir pour le monde contemporain ce que la Grèce antique fut dans l'univers romain, la Rome catholique dans l'univers de l'Europe classique, et Paris dans celui de l'Europe romantique, le grand atelier des Beaux-Arts, fruits et souches de civilisation. Si le public new-yorkais de 1913 a fixé son attention sur le *Nu descendant l'escalier* de Duchamp, c'est qu'il a d'instinct senti les affinités entre sa propre pente iconoclaste et la volonté du dandy français de tordre le cou à l'art de peindre, tant ancien que moderne.

De fait, ce que Robert Hughes a nommé « l'épopée américaine de l'Art [1] » commença au XVIIe par un long siècle aniconique, parfaitement accordé au projet que nourrissaient les premiers colons de la Nouvelle-Angleterre de recommencer sur une table rase l'histoire du christianisme, déviée en Europe par le *revival* de l'idolâtrie païenne dans le culte et les arts de l'Église romaine. Sur une seconde Terre promise, une communauté vraiment chrétienne inaugurait un monde vraiment nouveau, sans *otium* et sans image, sans monastère et sans château, sans une once de luxe, en guerre permanente et conquérante contre la nature humaine à purifier du péché et contre la Nature à purifier de ses fauves et de ses sauvages. Hermann Melville a allégorisé, dans *Moby Dick*, ce stade primitif et fondateur de l'Amérique anglaise dans la lutte à mort entre l'ascétique et fanatique capitaine Achab, et une Baleine blanche qui est à la fois la Nature vierge, indomptée, et l'image de sa propre nature niée, démesurée et coupable. Mais Melville et ses amis écrivains et poètes de la Nouvelle-Angleterre attestent que même les *Pilgrim*

1. Voir Robert Hughes, *American Vision, The Epic History of Art in America*, Knopf, 1997, le meilleur essai à ce jour sur ce sujet, malgré son côté triomphaliste.

Fathers, leurs ancêtres, et les pasteurs qui les dirigeaient, étaient des gens du Livre, dont les descendants furent des gens des Lumières, et les héritiers du XIXe siècle des gens de lettres romantiques. Leur lignée n'avait pas vocation aux arts visuels.

L'Angleterre aristocratique et impériale, qui resta jusqu'au XXe siècle, pour son ancienne colonie émancipée, l'œil cruel, détesté, redouté, mais respecté, au regard duquel les Américains devaient, bien malgré eux, soumettre leurs mœurs et leurs manières (d'où leur gratitude envers la bienveillance française de La Fayette et de Tocqueville), n'avait rien à leur reprocher sous l'angle des Beaux-Arts. La marâtre-patrie avait traversé au XVIe siècle, sous Henri VIII et son fils Édouard VI, enfant entouré de fanatiques, une longue phase d'iconoclasme et de destruction de monastères si radicale que la cour de Londres ne recommença vraiment à avoir ses propres peintres et sculpteurs qu'au cours du XVIIIe siècle. Les Anglais avaient d'autres talents à revendre, mais la grande peinture continentale, emblème d'une civilisation catholique où l'*otium* et les Beaux-Arts avaient retrouvé leurs antiques droits, resta longtemps pour eux un objet que l'on achète à l'étranger, que l'on importe et que l'on collectionne.

Cependant l'Angleterre protestante, selon la même pente que les réformés du continent, fut d'autant plus féconde en images satiriques gravées et en illustrations de livres imprimés qu'elle avait rompu avec les grands genres de l'art catholique de peindre. Le premier en date de ses grands peintres indigènes, Hogarth, fut lui-même avant tout un satiriste et illustrateur consommé. Les grands portraitistes et paysagistes arrivèrent ensuite. Reynolds fonda la Royal Academy et John Constable révéla aux Anglais les ressources de contemplation que leur avaient laissées, à leur insu, des siècles de catholicisme, la lente transformation de la nature en parc par le défrichement monastique, les cathédrales, les nobles ruines de couvents gothiques reconvertis ou reconstitués en demeures de campagne. Un siècle plus tôt, Ruysdaël avait traduit pour l'œil des Hollandais une nature autant inspirée des paysages italiens des frères Campagnola et de Titien que de leur propre plat-pays.

L'histoire de la peinture anglaise n'aura guère duré plus de deux siècles, de Hogarth à Francis Bacon et à Lucian Freud. Aujourd'hui la Royal Academy a élu parmi ses membres Tracey Emin, une plasticienne aux talents multiples, qui en 1987 fut la vedette, avec Damian Hirst, de l'exposition *Sensation*, posant Londres en rivale, en première division, dans la Coupe du monde de l'« Art contemporain ». L'installation de la championne, qui remporta tous les suffrages, consistait en son propre lit, défait depuis des lustres, sale, taché de sang et parsemé de préservatifs, relique intacte et sacrée de sa liaison orageuse avec une vedette rock, si du moins je ne m'abuse. De Francis Bacon, le peintre, à Tracey

Emin, la plasticienne, Londres est revenue à l'iconoclasme officiel du règne d'Édouard VI. Lucian Freud est un peintre allemand, quoique formé en Angleterre.

Malgré l'absence de tout humus pré-moderne, c'est par les biais anglais, la satire, le portrait, le paysage, que la libre République américaine entra à son tour dans la carrière des Beaux-Arts. De médiocres peintres anglais avaient initié les notables de la Nouvelle-Angleterre coloniale au modeste et moral plaisir du portrait de famille. Pendant la guerre d'indépendance, les Pères fondateurs se plurent à poser pour les portraitistes anglais, français ou locaux. C'est le sculpteur français Houdon qui les immortalisa. Les peintres indigènes, quand ils ne firent pas carrière de « peintres d'histoire » en Angleterre, comme Benjamin West, protégé du roi George III, se cantonnèrent encore longtemps, comme leurs collègues anglais, dans le portrait, le paysage, la nature morte, la scène de genre, la documentation scientifique ou naturaliste (Audubon) et la caricature dont la tradition culmine au XXe siècle chez Norman Rockwell.

Fils de Charles Wilson Peale, de Philadelphie, le premier Américain à créer et ouvrir un musée des Beaux-Arts (juxtaposé à un cabinet d'histoire naturelle et d'instruments scientifiques), le peintre Ronald Peale composa en 1822 un trompe-l'œil, *Vénus sortant de la mer* (Kansas City). Il y résumait dans un esprit comparable aux *practical jokes* visuels de Magritte la situation de l'art de peindre et de l'*otium* dans l'Amérique protestante Le tableau représente un drap déplié et suspendu à une corde, pastiche finement exécuté de l'une des nombreuses « Véroniques » de Zurbaran, connues par la gravure. Mais l'empreinte des traits du Christ est absente : ce trompe-l'œil *n'est pas* et ne peut pas être une icône dévotionnelle, susceptible de poindre le cœur, mais une pure et simple nature morte profane. Au-dessus de ce linge de bain se montre le bras nu d'une femme et, au-dessous, pointe l'un de ses pieds nus. Le linge, toile blanche, symbolise une autre interdiction : il *n'est pas* une image de Vénus, susceptible de délecter la vue ; c'est la pure et simple négation d'une nudité féminine. Ronald Peale symbolise par une « image interdite » les deux archétypes européens de la peinture, l'un ecclésial, la sainte Face, l'autre laïc, la Vénus nue. On ne saurait mieux dire silencieusement que l'art de peindre en Amérique se tient à l'étroit sur un mince fil tendu entre deux vastes régions censurées, la *vita contemplativa* chrétienne et l'*otium* à l'antique, la dévotion et la délectation qui se partagent les arts de l'Europe catholique. Ni le culte des « saintes images », dont la Mère du Christ et sainte Véronique au pied de la Croix offrent le modèle absolu, ni la jubilation, d'autant plus intense qu'elle est désintéressée, de la belle nature érotique au repos, dont l'emblème, depuis Giorgione et Titien, est la déesse de l'amour représentée nue, n'ont droit de cité outre-Atlantique.

De fait, quelques années plus tôt, le peintre néo-classique américain John Anderlyn, qui avait exposé avec succès au Salon de 1814, à Paris, une *Ariane nue endormie*, dans un paysage d'Âge d'or, fut unanimement conspué dans son pays natal. Aussitôt apparu, le nu féminin disparut de la peinture américaine jusqu'à la fin du XIXe siècle [1]. Henri Adams méditant la Vierge de Chartres, ou commanditant au sculpteur Augustus Saint-Gaudens une allégorie voilée du « Veuvage » pour la tombe de sa femme, était à même de comprendre les limites étroites entre lesquelles étaient coincés les arts visuels de sa puritaine patrie.

On reconnaît aujourd'hui la valeur des écoles de peintres de paysage qui apparurent aux États-Unis au cours du XIXe siècle et qui y brillèrent localement. Une partie de leur charme ou de leur force est due au fait que leur humus était mince, leur arrière-pays européen lointain et leur regard neuf sur des lieux vierges formant une antithèse violente avec l'industrie et l'urbanisation. Les premiers grands portraitistes américains apparurent à la fin du XIXe siècle. Formés en Europe, ils y prospérèrent, comme il en était advenu au siècle précédent du meilleur peintre d'histoire néo-classique né outre-Atlantique, Benjamin West. Si l'Angleterre se dota tardivement, sous George III, d'une Académie royale de peinture, étroit rhizome du système français des académies embrassant tous les arts, avec une antenne romaine, à plus forte raison la National Academy of Design, l'American Academy of Fine Arts et l'Art Union of New York, elles-mêmes rhizomes privés de l'officielle Royal Academy anglaise, ne constituèrent jamais une souche-mère d'artistes de toutes disciplines le moins du monde comparable à celle dont disposait Paris depuis le XVIIe siècle. La plupart des plus grands cabinets d'architectes du *Gilded Age* étaient peuplés d'anciens lauréats de l'École des Beaux-Arts de Paris, et l'on conçoit que la fragile ébauche d'académies de peinture dont disposait New York au début du XXe siècle n'ait pas tenu bon devant le *blitzkrieg* médiatique dont les expositions modernistes de 1913 et 1917 furent l'occasion.

En réalité, la faible vocation américaine pour les arts visuels était proportionnelle à l'appétit dévorant des Américains pour les images, qui se déclara dès que la photographie fut inventée en Angleterre et en France. Dès 1844, Matthew Brady est le Nadar new-yorkais et washingtonien, il prend la tête d'une affaire florissante de vente par correspondance de ses portraits, et grâce à la faveur de Lincoln, il sera, avec une nombreuse équipe, le reporter-photographe *embedded* (mêlé aux

1. R. Hughes, ouvr. cit., p. 104 et 140.

troupes) de la guerre de Sécession vue du côté nordiste. La popularité de la photographie décupla au fur et à mesure du premier essor industriel des États du Nord. La guerre de Sécession avait été la première guerre « totale » photographiée, alors que le siège anglo-français de Sébastopol, dans les mêmes années, était représenté dans *L'Illustration* et dans l'*Illustrated London News* par des gravures d'après les dessins de Constantin Guys, si cher, entre autres pour cette raison, à Baudelaire. Dès 1854, Carleton Watkins, attiré par la Ruée vers l'or en Californie, et employé dans un atelier commercial de photographie, reçut commande de clichés publicitaires destinés à d'éventuels investisseurs dans l'État de toutes les promesses qui venait d'être soustrait au Mexique. Il juxtaposait dans ses cadrages des paysages édéniques et vierges à des rails et à des wagonnets de premier plan suggérant un fructueux sous-sol ou de prometteuses forêts. Watkins comprit vite que ses « fac-similés des lieux mêmes » intéressaient d'autres clients, les touristes, et, en 1864, il envoya des épreuves de ses clichés les plus réussis de la Yosemite Valley au président Lincoln, à des politiciens et à des intellectuels de la Côte est. Le grand succès suivit. Il avait déjà ouvert sa propre galerie, concurrençant les peintres de panoramas et suscitant de nombreuses vocations photographiques. Il évolua du « vertige sublime » au lyrisme doucement pastoral, deux catégories de l'imaginaire américain qu'il contribua à attacher au mythe du Far West [1]. Cette concurrence très nuisible aux peintres paysagistes se transforma, au début du XXe siècle, en affirmation de la photographie comme « art » à part entière, autour du new-yorkais Alfred Stieglitz, de sa Galerie 291 et de sa revue *Camera Works*, qui patronnèrent l'entrée aux États-Unis de la peinture moderniste européenne. C'est dans ce sillage que se situa le photographe-paysagiste californien Ansel Adams, continuateur de Carleton Watkins. Il est l'auteur d'une sentence fameuse, souvent citée par les publicités immobilières pour les belles demeures de campagne : « Tout le monde ne fait pas confiance à la peinture, mais les gens croient aux photographies. » C'est l'argument qui faisait sortir de ses gonds Baudelaire, dès 1859.

La photographie n'a de généalogie ni païenne ni catholique, c'est une technique et non un art, et la Bible ne l'avait ni prévue ni condamnée. La *libido videndi* de protestants iconoclastes pouvait s'y adonner sans remords. Il en est allé de même en terre d'Islam, où les arts de la représentation sont, sauf exception, exécrés, mais où la photographie, le cinéma, la télévision ne soulèvent d'autre objection théologique que l'offense à la pudeur. Dès que le cinéma, photographie du mouvement, fut inventé, il bénéficia à son tour en Amérique du même appétit immé-

1. Voir l'essai de Mary Margaret Marien, dans le catalogue *Cosmos*, ouvr. cit., p. 80-84.

diat, presque soulagé, et il s'y déploya avec une extraordinaire vigueur au même rythme puissant et précipité que sa croissance démographique et industrielle, sans accuser le moindre retard sur les nations européennes. Avant même la Première Guerre mondiale, Hollywood et sa production d'actualités et de fictions étaient déjà en mesure de rivaliser victorieusement, dans toute l'Europe, avec Paris, Londres et Berlin. À la même époque, la revue française *Film* traitait du cinéma américain sous l'angle esthétique, et non sous celui du *gossip*, et, dans les années 1930, la très littéraire et parisienne *Revue du cinéma* de Jean-George Auriol se plaisait à recenser les films américains, à caractériser le talent de leurs metteurs en scène et à célébrer leurs *stars*. Il reconnaissait implicitement, mais volontiers, une sorte d'hégémonie de fait de Hollywood dans le « septième art », tant en quantité qu'en qualité. Les revues littéraires américaines étaient bien loin alors de voir dans leur cinéma autre chose qu'un *show business* de masse, à ranger, avec les *cartoons* et l'imagerie commerciale, dans la catégorie *low brow*. Ce n'était pas sur ce terrain que l'Amérique éduquée rêvait alors de damer le pion à l'Europe, mais sur celui de son grand art, la peinture, dont la révolution moderniste, affichant une volonté de rupture iconoclaste avec la tradition catholique des Beaux-Arts, semblait enfin ouvrir à New York une chance de devenir à son tour une capitale artistique, à l'autre pôle de la capitale des images « vulgaires », Los Angeles-Hollywood.

De son côté, Hollywood eut la chance ou l'instinct, dans la première moitié du XXe siècle, de rester indifférente, comme plus tard le peintre Edward Hopper, à tout souci de supplanter l'Europe et de se mêler, comme New York, d'avant-gardisme à l'européenne. Alors même que, sur le plan de la technique optique, les cameramen firent preuve en Californie d'une inventivité qui stupéfia les Européens, son cinéma plia ses intrigues aux règles et aux conventions, tant éthiques que narratives, de la poétique aristotélicienne la plus classique et la plus simplement recevable par tous les publics. À l'heure de *Terminator*, de *Rambo IV*, et des *reality shows* télévisés, on est tenté aujourd'hui de croire que le cinéma américain n'aura été un art que pendant quelques décennies du XXe siècle, aussi longtemps qu'il ignora le modernisme littéraire et l'excommunication que cette école européenne avait lancée sur l'art classique du récit et de la dramaturgie. Le voilà noyé aujourd'hui, dans son Eldorado californien, par un flux d'hyper-violence post-moderne où la Muse du cinéma, révélée à elle-même par J.-G. Auriol, peine à reconnaître ses petits.

2. La tautologie et le bombardement en nappe, figures majeures de l'art moderne de vendre

> *La poursuite de l'effet immédiat et de l'amusement puissant a éliminé du discours toute recherche de dessin et de la lecture, cette lenteur intense du regard. L'œil désormais goûte un crime, une catastrophe et s'envole.*
>
> Paul VALÉRY.

L'Amérique est devenue d'autant plus consommatrice d'images qu'elle a ignoré la prière devant les icônes, la méditation de tableaux de dévotion et le repos délicieux que donnent les tableaux de délectation ; elle est devenue d'autant plus dévoreuse de sexe qu'elle a été et qu'elle demeure peut-être inapte à la volupté, dont la notion même, d'ailleurs, est intraduisible en anglais. Dans son sillage, nous marchons dans les images, les images d'images, et dans le grand commerce mondial d'un « Art contemporain » qui, le plus souvent, se contente de mimer, de conceptualiser, de décaler, de glorifier, de muséifier le grand bazar surpeuplé d'écrans et de caméras racoleuses qu'il prétend « dénoncer ». Les pompes funèbres d'Accra enterrent les ancêtres dans des cercueils en forme de chaussures Nike ou de sacs Vuitton pour les acheminer plus vite dans le monde des esprits, tandis que les foires d'« Art contemporain » sont fières d'exposer le portrait de l'Homme nouveau, dont les yeux, la bouche et les oreilles sont clos par les pansements qui recouvrent leur récente ablation.

La tautologie, allant jusqu'au rabâchage, n'est plus le privilège de la propagande des modernes tyrans, qui n'hésitent pas à porter à l'absolu l'hypertrophie de l'*Ego*, tel Mao sur la place Tian'anmen, statufié assis, en contemplation éternelle de son portrait, non moins gigantesque, peint et dressé en face, à l'autre bout de l'immense terre-plein. C'est le même Mao qui est aussi, depuis sa sérigraphie, variée et coloriée jusqu'à plus soif, hier par la Factory d'Andy Warhol, et aujourd'hui (en mai 2008) par des copilleurs chinois du copilleur américain, la star absolue et mondiale de l'« Art contemporain » du portrait, aussi bien dans les galeries de Shanghai que dans celles de New York et de Paris, comme si cette effigie d'assassin à immense échelle travaillait encore, *post mortem*, à recouvrir, en mettant les bouchées doubles, le souvenir de Socrate et du Christ dans l'imaginaire conditionné de l'Occident chrétien et américain.

La tautologie est le marteau sans maître de la cacophonie persuasive du *marketing*, une mécanique tressautante analogue au mitraillage en nappe, devenu la technique imparable de toute stratégie militaire contemporaine. Le ressassement de l'incertain est en effet la seule méthode efficace pour le rendre provisoirement certain, écarter dans l'immédiat le doute et repousser à plus tard l'interrogation qui ne manquera de surgir sur le bien-fondé de ce paravent intimidant et futile.

Où échapper au ressassement ? Bébé, les chaînes américaines BabyTV et BabyFirstTV, retransmises *via* l'Angleterre par satellite et diffusées en France par CanalSat, s'offrent à occuper utilement vos loisirs dans vos premiers trois ans d'âge. Adulte, c'est à peine si les hôtesses de l'air consentent à ne pas vous imposer les écouteurs couplés à l'écran de télévision vissé sur l'accoudoir de votre siège. Il était agréable au cours d'un trajet en taxi de déployer le journal du jour ou de converser avec le chauffeur. Ce refuge date déjà. Pendant l'automne 2007, les taxis jaunes new-yorkais, dont les chauffeurs, indiens ou pakistanais, protégés par un vitrage pare-balles épais, ne cessent de parler dans leur micro, dans leur langue, à un compatriote invisible, là-bas, à Mysore ou à Lahore, se sont pourvus à l'arrière de leur siège d'écrans de télévision qui vous feront rester coi : il suffit de toucher l'endroit voulu sur l'écran et de tapageuses publicités en tout genre vous sautent aux yeux, « en boucle ». Ce « luxe » était réservé jusqu'ici aux limousines des V. I. P. ou louées pour les grandes occasions. Soyons justes : une autre touche, pour l'instant, permet d'arrêter ce torrent d'images criardes. Mais il est entendu que ce n'est qu'un essai : de nombreuses compagnies rivalisent d'arrache-pied à mettre au point, en vue d'un marché universel, un écran perfectionné, qui permettra au voyageur, fasciné et quasi captif, de choisir libéralement dans quel domaine il souhaite que la publicité irrésistible se saisisse de lui.

Cet art du siège et du pilonnage, frivole ou sanglant, du berceau à la tombe, est réfléchi par un « Art » non moins contemporain qui, à la remorque, comme l'autre, du taylorisme industriel et du fordisme militaire, ne se lasse pas, pratiquant l'*assembly line*, de dupliquer, de recopier, de singer ou de pirater la mécanique optique qui le fait vendre. L'image-pléonasme à prétention « artistique », reproduction au second degré de l'image publicitaire, de la bande dessinée, du jouet ou du gadget de série, a réduit l'« Art » dont elle se réclame, et la réception factice que ses promoteurs mobiliers lui organisent, à un degré zéro de la dérision, comparable au degré zéro du sérieux servile où se gela, pendant un demi-siècle, le réalisme socialiste de règle dans l'ex-U. R. S. S. et l'ex-Chine maoïste. À la différence de notre André Fougeron français, injustement frappé de *damnatio memoriae*, les Fougeron chinois sont recyclés aujourd'hui (décembre 2007) dans les foires d'« Art contemporain » et font des prix sensationnels dans les galeries de New York, de Londres, de Paris. De cette unification du « champ artistique » mondial, Andy Warhol, le Van Gogh de la boîte Brillo et de la canette Campbell Soup, a énoncé la théorie prophétique dès 1963, dans une interview à

Art News. Elle consonne fort bien avec l'éthique du *Petit Livre rouge* du Grand Timonier : « Tous se ressemblent, et se comportent de même façon, tous les jours davantage. Je pense que tous devraient être des machines. Je pense que tous devraient s'aimer. Le Pop art, c'est aimer les choses. Aimer les choses veut dire être comme une machine, parce que l'on fait continuellement la même chose. Je peins de cette façon parce que je veux être une machine. » Ce *De l'amour* pop, dans les « eaux glacées », dit tout.

Aragon avait répondu d'avance, en 1924, dans l'une des échappées les plus rimbaldiennes du *Paysan de Paris*, à ce manifeste de prolétarisation esthétique :

> Quelques-uns d'entre nous, avait-il écrit, qui prévoyaient cette domination magique, qui sentaient qu'elle ne tirait pas son principe du principe d'utilité, crurent reconnaître [dans « la force aveugle des machines »] les bases d'un sentiment esthétique nouveau, ils confondaient naïvement le beau et le divin. Mais voici que les raisons profondes de ce sentiment plastique qui s'est élevé en Europe au début du XIXe siècle commencent à apparaître, et à se démêler. L'homme a délégué son activité aux machines. Il s'est departi pour elles de sa faculté de penser. Et elles pensent, les machines. Dans l'évolution de cette pensée, elles dépassent l'usage prévu. Elles ont par exemple inventé les effets inconcevables de la vitesse modifiant à tel point celui qui les éprouve qu'on peut à peine dire, qu'on ne peut qu'arbitrairement dire, qu'il est le même qui vivait dans la lenteur [...]. Il y a un tragique moderne, c'est une espèce de grand volant qui tourne et qui n'est pas dirigé par la main [1].

La main impersonnelle perpétuellement à l'œuvre, qui tourne ce « grand volant », sait faire oublier sa « domination magique » en étourdissant d'images-chocs, dévidées à toute allure, les répits de la foule au travail dans *Métropolis*. Les jeunes gens modernistes, poètes et artistes, qui avaient perçu, avant et avec le jeune Aragon cette aliénation nouvelle, ont cherché à « démêler » de cet étourdissement des sens, du cœur et de la liberté, qui rend aveugle au Dieu ancien approprié aux « hommes qui vivaient dans la lenteur », un « sentiment plastique », une « beauté » appropriée aux arts des temps nouveaux. Cherchant le remède dans le mal, ils se sont mis en quête d'une homéopathie esthétique capable d'éveiller les sens, le cœur, la liberté, par des moyens tangents de ceux qu'emploie le « volant » machinal pour les obérer et les éteindre. Leur ruse, ingénieuse et généreuse, n'a pas résisté à la montée en puissance de la machine et à l'accélération du « volant » par le « On » à son poste de commande. Du point de vue tout poétique auquel se plaçait le jeune Aragon dans les années 1920, un Andy Warhol, un demi-siècle plus tard,

1. Dans Aragon, *Œuvres poétiques complètes*, Paris, Gallimard, Pléiade, 1992, p. 230.

est un traître, passé à l'ennemi. Son « art » ne se soucie plus de rivaliser victorieusement avec l'« universel reportage » imaginal que fait tourner la machine, il n'est plus que sa tautologie. Il reflète et célèbre la machinisation morne de la vue et lui interdit le repos. Il collabore avec l'aliénation moderne, il s'en fait l'auxiliaire, et la sorte de célébrité dont il se prévaut est calquée sur celle des étoiles filantes hollywodiennes.

Grand amateur d'échecs, Duchamp, ami du jeune Aragon, avait joué l'esthétique moderniste contre la servitude mentale moderne. Avec Warhol et les siens, l'« art » passait avec armes et bagages dans le camp de la servitude mentale moderne. Le modernisme avait cru pouvoir, selon le proverbe espagnol, enseigner comment manger la soupe du diable avec une longue cuiller. C'était maintenant le diable qui servait sa soupe à tout le monde et à même le bol.

3. Une rhétorique de la violence

La clef de l'histoire du modernisme dans les arts est à chercher dans *La Peau de chagrin* de Balzac. Comme le héros de ce roman, Raphaël de Valentin, le modernisme esthétique s'est endetté envers le démon de l'imaginaire machinique pour pouvoir un temps le flouer, mais le temps se rétrécissant l'a obligé à rembourser sa dette et l'a floué à son tour. Place au postmodernisme esclave et clown de la « contemporanéité ».

Ce qu'aucun théoricien américain n'avait songé à faire, l'apologie de la débilité contemporaine, il est revenu à un sociologue français, qui de surcroît se réclame de Tocqueville, Gilles Lipovetsky, de s'y employer et d'y persévérer. Dans *L'Ère du vide*, publié en 1977, il fait, avec une satisfaction non dissimulée, le portrait de la société « post-moderne » devenue selon lui, aux États-Unis et, à leur exemple, en Europe, une immense et gentille extension de la Factory warholienne. Il y a beaucoup de vrai dans ce portrait. Mais c'est un portrait-robot, dont les traits s'appliquent à l'écume aisée des villes « développées », et qui ressemble davantage à l'idée que cette écume se fait d'elle-même qu'à sa vérité comique et pathétique. Délivrée des religions et des idéologies, soulagée même de l'échappatoire des arts modernistes (fin des « avant-gardes »), la démocratie commerciale et technologique s'est pour ainsi dire gazéifiée. Ses citoyens, devenus bobos *cool*, évoluent en apesanteur dans un espace transparent, commode, confortable, flexible, où chacun peut choisir à la carte et en *self service* ce qui lui convient dans l'instant, se remodeler à sa guise d'une saison à l'autre, d'un âge à l'autre, et combler sans réserve sa vue d'images, son ouïe de musique *non stop*, son goût et son odorat de cuisines et de parfums de tous horizons, son tact de minimes chiffons et de peaux soignées. Ce que ces individualistes sans caractère, mais à fort pouvoir d'achat, ont perdu en compréhension, ils l'ont gagné en extension de désirs et en chances de les satisfaire. Ce « monde flottant » et pacifique a ses vertiges et ses marginalités violentes ? Il doit les assimiler intelligemment ou les réprimer durement. Ses mœurs privées sont en principe douces ? Elles n'en sont pas moins fascinées par leur contraire : la violence *hard*. Dans un essai plus récent, intitulé *L'Écran global*, le même sociologue et son coauteur s'emploient à glorifier et à justifier le cinéma américain qui, depuis les années 1980, pour tenir tête à la concurrence de la télévision et conserver sa clientèle, a monté de plusieurs crans l'hyperbolique violence de ses images. De l'image-action, un temps entrelacée d'images-temps, on est passé aux images-chocs bombardées à répétition. Saisi d'un véritable enthousiasme esthétique, Lipovetsky fait en ces termes le portrait de ce cinéma post-septième art :

> La violence vaut pour la violence, une violence faisant partie non tant de la réalité que de l'essence du film lui-même. D'où l'importance de son traitement formel : trouver, chaque fois, une nouvelle façon de la montrer en gros plan qui en accroisse l'impact visuel et émotionnel. La symphonie baroque qui ensanglante l'écran dans *Scarface*, la tête du gangster qui dessine, en éclatant, la carte d'un pays imaginaire (*Les Incorruptibles*), le sang qui gicle sous les coups explosifs de Jake La Motta, le taureau furieux de *Raging Bull* : la violence se donne à voir avec art et se fait admirer. Avec les risques que cela peut entraîner, prétend-on, pour ceux qui, confondant l'objet et sa représentation, se prendraient pour *Les Tueurs-nés* (*Natural Born Killers*) que montre Oliver Stone. Sujet privilégié pour débats télévisés : de l'effet de la violence sur le comportement des jeunes.

Les Français d'aujourd'hui ou bien haïssent l'Amérique, dont ils ne voient que les côtés folkloriques, ou bien l'adorent et somment la France de la concurrencer et même de la dépasser dans ce qu'elle a, à ses propres yeux, de plus contestable. L'apologiste français de l'*Écran global*, après avoir réduit le cinéma américain actuel à son écume, certes abondante, tient à laver de toute responsabilité morale les puissantes usines à rêves assassins nées de la rivalité et de la complicité entre les majors de Hollywood et les grandes chaînes de télévision. Nietzsche et Aristote sont appelés à la barre de la défense des Sophocle et des Dionysos des effets spéciaux hollywoodiens. La sentence de non-lieu est rendue par une esthétique post-hégélienne, tout le monde ayant le droit de s'offrir des émotions très fortes, mais d'autant plus inoffensives et fictives :

> *Il n'est pas sûr*, glosent les deux auteurs de *L'Écran global*, que la dénonciation morale vienne à bout du problème posé. La violence au cinéma agit *sans doute* davantage comme exutoire cathartique que comme modèle à suivre. En

> revanche, elle affecte la relation du spectateur avec ce qui lui est montré. La plus grande violence des films contemporains (et la plus intéressante aussi peut-être), c'est la violence faite au regard, à ses exigences de repères et au besoin qu'il a de se poser. En s'imposant en dehors de toute norme attendue, de tout point fixe normatif, de toute limite rationnelle, les images se chargent d'une agressivité faite pour créer un effet-choc. L'esthétique de l'agression et du coup de poing fait entrer le spectateur dans l'univers imaginaire du film, le fait frémir aussi bien devant un dinosaure antédiluvien, devant une guerre des mondes à venir que devant la misère des pauvres de Calcutta : même montage saccadé, même enveloppement sonore, mêmes effets spéciaux, même violence.

Une éducation esthétique au Kärcher ! Par ailleurs, la violence du cinéma américain contemporain serait un autre nom du sublime défini au XVIIIe siècle par Edmund Burke : le plaisir que donne le spectacle de la terreur. Burke voulait justifier Shakespeare et la Bible contre les réserves du goût français représenté par Voltaire. Nos auteurs français s'excitent à l'idée qu'un Dieu de colère, disposant d'armes absolues, se manifeste indirectement dans les archanges meurtriers de son cinéma. Enfin, toujours selon ces esthètes du Colt et de la Kalachnikov, émules de Marinetti donnant en modèle aux peintres et aux sculpteurs futuristes les blindés et les bombardiers italiens envahissant l'Éthiopie, la violence filmique ovationnée dans *L'Écran global* s'y voit attribuer un alibi sociologique dans sa prétendue ressemblance avec la société d'aujourd'hui : « Si le monde contemporain est violent, le cinéma l'est plus encore, qui l'intègre par excès dans son propre langage. » Mais on précise que cette ressemblance n'est pas une plate imitation. Les esthéticiens néoclassiques cherchaient dans le « Beau idéal » le dépassement par l'art de la beauté naturelle, son modèle. Nos chantres de l'imaginaire cinématographique américain récent ont inventé, pour faire comprendre comment il transcende la plate réalité sociale, le concept de « Violent idéal », version inédite et hyperbolique du sublime selon Burke. N'hésitant pas à se contredire, après avoir montré dans ses jeunes spectateurs des bourgeois hégéliens, sachant au spectacle s'émouvoir sans que cette émotion s'empare de leur volonté, ils décrivent dans les mêmes jeunes spectateurs des cobayes dociles du Dionysos fertile en effets spéciaux des studios de Hollywood :

> Chez un spectateur qui a été façonné, socialisé, alphabétisé en quelque sorte, par l'image, le spectacle de la violence a d'abord été ressenti comme un élément extraordinaire, provoquant en lui un impact d'autant plus fort qu'il était exceptionnel. À cette logique première de la rareté, s'en est substituée une autre, hypermoderne : la prolifération. Envahissant progressivement l'écran, s'y répétant à satiété, se banalisant dans cette répétition même, cher-

chant en permanence l'originalité spectaculaire, la violence se trouve prise dans les jeux d'une surenchère exponentielle à fin sensationnaliste. Ce n'est pas tant la violence qui caractérise le cinéma hypermoderne que son excroissance hyperbolique.

Autant dire que cette lourde et bouleversante hyper-violence est aussi son contraire, le comble de la frivolité et de la sécheresse de cœur. Loin de « purger » les passions meurtrières éventuelles de ses spectateurs, elle est un alibi les divertissant de la conscience qu'ils pourraient prendre de leurs propres penchants brutaux et meurtriers. La violence, dans l'art et le théâtre classiques, ne résulte pas de son étalage ou de son ostentation physiques, interdits par les bienséances, mais de la découverte, par le spectateur, de la source cachée de la violence dans le cœur humain. C'est ce qui fait l'efficacité éthique de la poésie chrétienne de Corneille, de Racine, et du Poussin des *Funérailles de Phocion*. Si nos esthéticiens sociologues ont raison, sommeil et somnolence devant l'écran de télévision deviennent des grèves de protestation tacite contre le frivole « jamais assez » de l'image industrielle, grèves involontaires, mais saines et vitales contre son agressivité. Autant de gagné pour le sens commun.

Les statistiques de l'audimat se préoccupent comme d'une guigne de mesurer l'effet produit, parmi nous ou loin de nous, sur les spectateurs jeunes, ne connaissant pas d'autre régime de l'image que celui de *L'Écran global*. J'ai conservé un article quasi publicitaire du *Monde* (26 juin 2006) où est décrit longuement et avec complaisance le jeu vidéo *GTA III Grand Theft Auto*, succès mondial, notamment en France où il a été classé « second produit culturel » en 2004, année de sa sortie, avec 1,2 million de copies écoulées, rapportant plus de 38 millions d'euros, juste derrière la trilogie *Star Wars* en DVD (41 millions d'euros). Le journaliste fait le portrait d'un sympathique consommateur, âgé de dix ans, qui ne s'endort jamais devant sa PlayStation : « C'est trop rigolo de tuer des gens. Il y a de la bagarre, du sang et on a plein de pistolets et de mitraillettes. » Interrogés, psychanalystes et sociologues, courtisans du succès, y voient la preuve d'une « demande » des « jeunes générations », dont ils louent l'esprit de jeu, la passion de « la liberté sans entrave », et même la sagesse inconsciente qui leur fait chercher dans ces jeux vidéo l'innocente « purgation » de passions meurtrières, bien naturelles à leur âge. Les enfants n'appartiennent-ils pas une classe d'âge longtemps opprimée, colonisée, et qui fait enfin sa révolution ? Les parents ont tort de se gendarmer : ils ne savent pas « accompagner » ce bienfaisant phénomène, dont rien ne prouve, jusqu'ici, qu'il influe en mal sur le comportement social des enfants, bien que tout suggère qu'il est le fidèle reflet de la société féroce des adultes. Parfait récital de la pensée débile dont la partition entière se retrouve chez les esthéticiens de *L'Écran global*[1].

Il y a cependant du vrai dans l'idée que la société des adultes croit se reconnaître dans la violence enseignée à ses propres enfants, ce qui explique en partie l'indifférence de beaucoup de parents devant une éducation par l'assassinat exalté et simulé. Plusieurs générations d'adultes ont été gavées, par le reportage photographique et télévisé, d'images de sang et d'horreur qui peuvent passer pour le dernier mot sur l'humanité. Les plus récentes ont été de surcroît blasées par des images de guerres lointaines, aseptisées, à moindres pertes, « réduites » à des tirs télécommandés qui désertifient un invisible théâtre d'opérations. La violence hypertrophiée du cinéma hollywoodien et des jeux vidéo américains ou japonais (inaugurée à cette échelle par le film « anti-Vietnam » *Apocalypse Now*, en 1979) est la petite piqûre de rappel des bombes A sur Hiroshima et Nagasaki, des bombardements par nappes et vagues successives des villes allemandes en 1943-1945, des arrosages au napalm de la guerre d'Indochine et du pilonnage humanitaire de la Serbie en 1999. Si le marketing américain sait appâter, le cinéma américain sait avertir subliminalement son public mondial que l'Empire a pour arcane une violence hyperbolique qui n'a rien de frivole.

On s'est souvent étonné que Baudelaire ait accordé un si haut rang artistique à Constantin Guys. L'explication de cette faveur ne tient pas seulement au rempart que, pour le poète, représentait Guys, reporter de la vie moderne *par le dessin*, contre le reportage photographique qui allait balayer cette forme d'art. Il a vu et goûté en Guys le Gabriel de Saint-Aubin du Second Empire, fou et virtuose de dessin dans le Paris de Napoléon III comme l'autre dans le Paris de Louis XV. Mais Baudelaire, je l'ai déjà suggéré en passant, n'admire jamais tant Guys que dans ses reportages dessinés de la guerre de Crimée, dernier conflit où l'ancien régime militaire tempéra la guerre totale selon Clausewitz, et où l'horreur coexista avec l'honneur, la violence avec le panache, le sang avec « la beauté qui dérive de la nécessité d'être prêt à mourir à chaque minute », de soldat à soldat et non de soldat armé à civil désarmé. On dirait qu'il a vu les photographies terribles de Matthew Brady sur le théâtre des opérations de la guerre de Sécession, guerre civile, fratricide, où se déployait une puissance de feu plus mertrière que celle dont disposait Napoléon.

---

1. Le gouvernement anglais (est-il le seul ?) s'est alarmé publiquement de cette contre-éducation par l'« Écran global ». Il a pris quelques mesures pour aider les parents à repérer et à écarter de leurs enfants les émissions et les jeux les plus déboussolants, *The Guardian*, 9 février 2008.

Les reporters de la guerre du Vietnam, des deux guerres d'Afghanistan et des deux guerres du Golfe ont vu, sinon montré, tout autre chose. Quelque chose d'innommable et d'indescriptible qui ressemble en effet à *G. T. A. III Grand Theft Auto.* Nous vivons dans une économie imaginale à la fois inflationniste par la planche à assignats remplissant de vent les poches de leurs possesseurs blasés, et déflationniste par l'excitation subliminale qui travaille leurs nouveaux riches, à la vue de liasses épaisses qui leur promettent une vie de cocagne ou les plaisirs sanglants de Barbe-Bleue. Les massacres en série commis par des adolescents dans des collèges des États-Unis, notamment celui de Columbine, dans l'État du Colorado, le 20 avril 1999, sont chaque fois précédés et quasi télécommandés par la consommation à haute dose, de la part des jeunes meurtriers, de jeux vidéo du type de ceux que décrit *Le Monde.* Dans un article subsidiaire à celui que j'ai cité, le même journaliste, sans crainte lui non plus de se contredire, évoque en passant des recherches prouvant que les attaques violentes des manifestants contre le C. P. E., sur l'esplanade des Invalides, le 23 mars 2006, *imitaient* à l'identique des scènes de *G. T. A. III.* Ce simple rapprochement a plus l'air de vérité que la thèse appliquant la *catharsis* de la tragédie grecque pour libres adultes à des spectacles pour enfants captifs invités à faire voler en morceaux sanglants, d'une pression du doigt, toute silhouette humaine qui bouge, quitte à retrouver leur cible intacte dans la séquence suivante. On n'a plus affaire à une fiction qui se donne sans équivoque pour telle, mais à un effacement de la frontière entre le réel et le virtuel, enivrant de toute-puissance méchante le narcissisme de jeunes volontés et les affranchissant d'interdits que Freud lui-même tenait pour les assises élémentaires de la santé mentale. La compassion pour la souffrance, dont Rousseau faisait le principe *naturel* de toute humanité, est elle-même éludée et élidée prématurément chez des millions d'enfants, sur les mêmes écrans où l'humanitarisme arrache des larmes de crocodile à des millions d'adultes. L'instinct de meurtre congénital aux descendants de Caïn est réveillé au fond de la mélancolie du jeune âge, et le passage à l'acte devient un jour possible, au bout d'une tentation longuement flattée par la libre industrie des images en mouvement et par la violence physique et morale célébrée, non moins librement, sur les chaînes de télévision et dans les salles de cinéma. L'idolâtrie, écrivait Tertullien dans l'Empire du IIe siècle, est « un assassinat de soi-même ».

Dans un premier temps, en 1999, lors du massacre du collège de Columbine, la presse américaine mit en cause les industries des jeux vidéo, puis se rabattit très vite soit sur la psychanalyse familiale des deux assassins, soit sur la législation des armes à feu qui avait, selon elle, armé leurs bras pour abattre plusieurs de leurs camarades et de leurs professeurs. Huit ans plus tard, dans le collège Jukela d'une petite ville d'Europe, Tuusula, en Finlande, un massacre analogue à celui de Columbine est commis par un élève de dix-huit ans, armé d'une carabine, qui après avoir semé la mort et répandu la terreur, retourne son arme contre sa tempe et se suicide. Le meurtrier avait, la veille, mis en ligne sur YouTube, une vidéo intitulée « Jukela High School Massacre », signé « Sturmgeist89 », représentant son collège et un tueur, le canon pointé sur son spectateur, avec ce sous-titrage « darwinien » : « En tant que sélecteur naturel, j'éliminerai tous ceux que je vois inadaptés, disgrâces de la race humaine et échec de la sélection naturelle. » La bande-son dévidait la même chanson du groupe rock KMFDM, *Stray Bullet*, diffusée en 1999 sur son site Web par l'un des deux jeunes tueurs du collège de Columbine. La compagnie qui diffuse les œuvres du groupe KMFDM, Metropole Records, s'est contentée de publier une déclaration d'« extrême tristesse ». Le maire de Tuusula a affirmé de son côté : « Dans notre ville paisible, rien de semblable n'a jamais eu lieu et n'aura jamais plus lieu. »

L'assassinat de soi-même, précédé par un massacre. N'y invite-t-elle pas, cette affiche qui depuis des mois obsède le voyageur, où qu'il aille, à New York, à Rome, à Marseille, à Copenhague, dans les aéroports, les gares, sur les murs et sur les écrans, prodigieuse campagne publicitaire mondiale et de longue haleine ? L'affiche s'adresse à l'enfance et à l'adolescence des deux sexes : elle représente tantôt un très jeune homme, tantôt une très jeune fille, sur fond rouge de métal en fusion aux États-Unis, sur fond bleu Yves Klein en Europe, silhouettes impersonnelles et solitaires qui se trémoussent des pieds à la tête, possédées par le bruit émanant d'un iPod bien en vue, ses deux griffes posées sur leur cerveau de profil, et son propre cerveau électronique serré dans leur main droite, avec son petit écran allumé dévidant des images de concert rock. L'idole-démon contemporaine, comme tout le reste, est en prodigieux progrès d'emprise et d'audience. Les statues et les scènes de cirque antiques où Tertullien, au IIe siècle, voyait des invites à se rendre au cœur des ténèbres avaient une emprise bien moins *réelle* sur leurs spectateurs.

Une emprise tout aussi réelle, ne se contentant pas d'inviter à l'*imitation*, mais l'incitant de façon immédiate et directe, est attendue de leurs fanatiques, sinon toujours obtenue, par les sites Internet (une centaine en langue anglaise) qui diffusent de par le monde, auprès de jeunes internautes musulmans la propagande du terrorisme, dans le langage, le rythme, et la musique rap de la « culture jeune » occidentale. Ravitaillés depuis l'Irak et le Moyen-Orient en images brutes qu'ils formatent et pourvoient de bandes sonores, les jeunes techniciens qui ouvrent et ravitaillent ces sites les mettent en scène selon les procédés les plus professionnels du moment. En montrant les exploits des *suicide-bombers* filmés en direct, en illustrant un entraînement à la fabrication d'explosifs et aux opérations de commando, en projetant des montages de films d'assassinats de civils par des soldats américains, toutes images tournées en Irak, ces sites émis de Londres ou du New Jersey éveillent la vocation et font l'éducation de redoutables guérilleros urbains. Ils présentent un évident danger *militaire*. Ce sont les images inversées du jeu vidéo, on ne peut plus « occidental » : *G.T.A. III*, *Grand Theft Auto*.

Non, c'est tout autre chose, dira-t-on, que les exhibitions sanglantes des artistes du *body art*, qui se mutilaient eux-mêmes, ou les « vidéo-tirs de foire », simples jeux pour enfants, ou les *blockbusters* misant sur l'hyper-violence, simples *entertainments* pour adultes, ou la publication et exposition fréquente de photos de guerre et de massacre, appels à la conscience des spectateurs pour qu'elle se révulse contre la guerre et les bourreaux. Il n'empêche que le champ magnétique (la « culture ») créé par la représentation « ludique », mais à grande échelle, de la cruauté, toute « sublime » qu'elle se veuille, est pour le moins aussi conducteur de fantasmes incitant à la haine et à la cruauté *réelles*, fort capables le cas échéant de pousser la volonté à l'action directe. La civilisation de l'image n'est une « ère du vide » que par prétérition : elle est envahie d'iconoclastes qui ignorent, nient, dénient avec une intolérance qui s'ignore que tout homme « créé à l'image de Dieu » puisse être « mon prochain ». Même lorsque le passage à l'acte meurtrier n'a pas lieu – c'est heureusement l'immense majorité des cas – ces vidéos « virtuelles », dévorées prématurément par des yeux d'adolescents, contribuent à leur immaturité prolongée dans leur vie de relations, les relations réelles étant remplacées très avant dans la vie adulte par des relations fantasmées et solitaires, ponctuées d'éphémères frissons [1].

Il ne faisait aucun doute, lorsque j'écrivais cela en mai 2008, que la « main invisible » du marché pût créer la prospérité économique et le progrès matériel, comme le prévoyait au XVIIIe siècle la fable des abeilles de Bernard de Mandeville, où l'égoïsme intéressé et manipulateur de chaque abeille contribue sans le chercher au bien commun de tout l'essaim. Il semblait bien déjà qu'elle connût de sérieuses défaillances en tout ce qui regarde l'éducation politique et morale des hommes à l'humanité, la seule chose selon Kant qui soit une fin en soi, qui ait une valeur intrinsèque, et qui mérite respect. Ni l'abeille ni l'essaim de Mandeville n'en ont l'idée.

---

1. Voir Gary Cross, *Men to boys*, Columbia University Press, 2008, sur l'infantilisation de l'imaginaire par la consommation de vidéos commerciales.

4. La souffrance des autres : leurres de la compassion contemporaine

> *Tout journal, de la première ligne à la dernière, n'est qu'un tissu d'horreurs, guerres, crimes, vols, impudicités, tortures, crimes des princes, crimes des nations, crimes des particuliers, une ivresse d'atrocité universelle. Et c'est de ce dégoûtant apéritif que l'homme civilisé accompagne son repas de chaque matin. Tout en ce monde sue le crime : le journal, la muraille et le visage de l'homme.*
>
> BAUDELAIRE, *Mon cœur mis à nu.*

À la vision terrible de la « médiatisation » en marche que se fait Baudelaire, on opposera la prodigieuse abondance de bons sentiments et les explosions de compassion dont débordent nos sociétés développées et qu'elles connaissent par accès. Il n'est pas d'homme politique en place ou d'homme d'affaires en vue, de vedette de cinéma ou de la chanson, qui ne prenne soin, par la parole et par le geste, de démontrer que le meilleur de lui-même, au fond, est le « cœur », avec ses ressources immenses de dévouement à toutes les formes de souffrance et de solidarité envers toutes les formes agissantes de compassion pour le malheur public et privé.

Rousseau veut que le premier mouvement naturel de l'homme ait été de s'apitoyer sur autrui en détresse et de lui porter secours, parce qu'il se reconnaît en l'autre et s'identifie à lui. Il accuse la société corrompue de son temps d'avoir faussé cette bonne volonté primitive et d'avoir glacé les cœurs sous les dehors amènes des bonnes manières. Dans notre société démocratique, à l'exemple de la société américaine, où l'acquisition de richesse privée est asymptotique d'un déploiement ostentatoire de générosité publique, tout se passe comme si la poursuite acharnée de l'intérêt personnel trouvait son contrepoids, sincère ou non, dans une dépense spectaculaire et collective d'émotions humanitaires et dans un évergétisme compassionnel à la mesure des moyens de chacun. Le dur et cynique envers de la fable de Mandeville aurait-elle pour endroit la douce parabole du bon Samaritain ?

Ce qui inquiète cependant dans ce meilleur des mondes par accès et dans la réversibilité de ses égoïsmes en émotions collectives et gestes caritatifs publics, c'est le caractère abstrait, sociologique, presque mécanique, de cet admirable système de contrepoids. Outre que les emportements compassionnels collectifs durent peu, les gestes humanitaires des vedettes de la politique, de la fortune et du spectacle ont eux-mêmes quelque chose d'apprêté et de concerté, qui incite parfois au soupçon de double jeu intéressé. La publicité commerciale n'hésitant pas elle-même, comme dans le cas déjà cité de Benetton, à faire de la sentimentalité humanitaire son auxiliaire, des Barnums doublés de Tartuffes jettent, sur les autres domaines d'exercice public de l'attendrissement, leur ombre portée : elle incite au scepticisme. Quoi qu'il en soit, l'hypocrisie, a dit La Rochefoucauld, est un hommage que le vice rend à la vertu. Ce n'est pas rien que ces bruyants hommages, seraient-ils biaisés, rendus par les foules et par les riches, puissants ou célèbres particuliers, à l'« humanité » au sens de Rousseau et de Kant. Leurs bénéficiaires de par le monde ont toutes les raisons de s'en féliciter.

Ce qui me trouble pourtant dans ce beau jeu de balancier, c'est son caractère spectaculaire et public. On le retrouve dans cet autre merveilleux système d'équilibre vanté par les apologistes de l'« Écran global » : l'hyperviolence, disent-ils, réprésentée par l'industrie des images et du spectacle contemporain, depuis les films et vidéos sanglants aux parties « rave » et « techno » tonitruantes et frénétiques, est le défoulement collectif et vicaire qui épargne à la société moderne et pacifique la plus grande part de vraie violence qu'elle refoule. Oui, peut-être, mais, là comme dans l'ordre humanitaire, on raisonne *grosso modo* collectivement, statistiquement, on parle encore et toujours de société, de public, jamais de personne intime, ni de vie intime. La bonté de cœur et la tranquillité des mœurs seraient-elles la résultante de grandes houles impersonnelles et quantifiables, voire d'une comptabilité statistique en partie double, où le volume de l'enrichissement est mesuré en face de celui des donations, et le degré de la violence visuelle et sonore en face du décompte des émeutes, des meurtres, des agressions, des viols et des vols qui n'ont pas encore eu lieu ?

Cette sociologie à l'estomac et ses abstractions excitantes peuvent satisfaire certains esprits. Elles en laissent d'autres sur leur faim, avec la certitude de manquer, au vu de ce genre d'évaluation, des traits essentiels de l'être-ensemble humain, vrais aujourd'hui comme en d'autres temps. Outre que ces vues partielles ne valent que pour les sociétés dites développées, dont elles flattent le narcissisme, elles négligent au passage, au profit d'un échafaudage d'époque, le fonds naturel des sentiments sociaux et l'éducation dont il est susceptible. La parabole du bon Samaritain est évangélique, et l'idée rousseauiste et kantienne d'humanité est d'origine chrétienne : le respect que l'on se porte à soi-même comme fin, tenable à la seule condition de traiter son prochain non comme moyen, mais comme fin, est une conceptualisation du conseil évangélique d'aimer son prochain comme soi-même. Mais l'anthropologie antique avait préparé le terrain à ces traits de lumière religieux et philosophiques modernes. L'*humanitas* selon Cicéron, fille de la *philanthropia* grecque, est une vertu naturelle développée par l'éducation. Bienveillance ou indulgence des grandes âmes envers les faibles, elle tient aussi de l'amitié entre égaux et de l'amour paternel, maternel, fraternel et filial, tous liens sociaux universels et antérieurs au lien politique. La *caritas* chrétienne suppose ces données naturelles, elle les lie toutes, pour ainsi dire, en gerbe, par la foi dans la vocation à la grâce de tous les humains, créés à l'image de Dieu.

On ne voit nulle part, ni dans « l'Art contemporain », ni dans la « culture » imaginale et sonore qui nous submerge, sauf rarissimes exceptions, des miroirs où nous apprendrions à reconnaître, et donc à laisser s'épanouir en nous, la semence, que nous portons tous, de l'humanité au sens où l'entendait Cicéron et que subsume la parabole évangélique. Jacques Lacan a nommé « stade du miroir » l'instant narcissique où l'enfant qui reconnaît son image dans un miroir naît au « moi », et à l'amour-propre. Il semble exclure de ce genre d'accès moderne à la conscience individualiste tout enfant né avant que le miroir vénitien devienne commun en Europe ! Alain, dans sa *Cinquième leçon sur les Beaux-Arts*, voit les choses à mon goût en meilleur anthropologue :

> Le sourire est appris, mais l'enfant ne sait pas d'abord ce que signifie un sourire (Et qui jamais le saura ?). L'enfant apprend à sourire ; il reconnaît son sourire dans le sourire maternel ; il éprouve qu'il a compris le signe en éprouvant qu'il l'a renvoyé. Il y a quelque chose d'inexprimable dans cette rencontre, ou plutôt en cette conformation, qui est physiologique ; toujours est-il que je retrouve la propre forme de mon signe dans ce signe même qui y répond ; l'imité est le modèle, et je vois l'autre tel qu'il me voit, ou plutôt je le vois me voir tel qu'il me voit. Telle est sans doute la première et la plus ancienne image de moi-même, le premier miroir si vous voulez [1].

Selon Alain, le « Je » naîtrait dans le sourire rendu par l'enfant à la mère qui lui sourit, et non dans le regard possessif de l'enfant au sein jeté sur un possible rival, comme le veulent saint Augustin et, dans un scénario plus moderne, le Dr Lacan. Aussi, sur les pas d'Auguste Comte, et comme l'avait fait Henry Adams, Alain admire-t-il l'Église d'avoir déféré à la piété populaire, contre la logique de ses théologiens, et laissé croître, avec le culte de la Vierge, la représentation, dans le miroir des arts, de la Vierge à l'Enfant, byzantine et latine, lieu commun de l'*humanitas* en bouton, héritière d'Isis et d'Osiris, d'Aphrodite et d'Éros, mais lieu commun aussi de la *caritas* évangélique et paulinienne. Avec cette différence toutefois, qu'Alain ne note pas : dans nombre de ces icônes ou de ces tableaux de dévotion, la Vierge et l'Enfant ne sourient pas, et leur attention n'est pas concentrée sur la joie de la Rédemption dont ils sont complices ; Marie, et parfois l'Enfant lui aussi, savent quelle

---

1. Alain, *Les Arts et les Dieux*, Paris, Gallimard, Pléiade, 1958, p. 498.

épreuve les attend, et l'ombre de la Passion passe dans l'échange de leurs regards.

Lieu commun naïf, la Vierge à l'Enfant ? Mais n'y a-t-il pas une parenté profonde et salutaire entre ce lieu commun chrétien que chaque grand artiste qui l'a traité a renouvelé de façon inimitable, et l'essence des arts « qui sont, écrit Alain, comme des faits de nature qui s'accordent avec la raison, disons mieux, qui sont plus la raison que la raison » ? Il en va de même de la Passion : lieu commun inépuisable que tant de grands artistes et artisans ont jugé accordé à la vocation de l'art lorsqu'il se tourne vers la nature mortelle des hommes, qui est de la représenter avec toute la lyre des sentiments humains, dont ne peut être exclues ni le deuil ni l'espérance.

L'absence de tels lieux communs, religieux ou laïcs, et la reddition des arts à la techno-sphère ou au « concept », rendent plus difficile l'éducation des sentiments et de l'imagination à laquelle concouraient les Beaux-Arts. La famille, quand elle est unie, et l'école, quand elle n'est pas faussée, peuvent sauver les jeunes générations. Mais l'une et l'autre ont affaire à la puissante concurrence de l'industrie et du commerce des images préfabriquées, qui songent moins à éduquer qu'à flatter, voire à inculquer, les passions tristes, peur et agressivité, dont il sera difficile de se guérir.

L'agnostique Alain va jusqu'à faire l'exégèse de la Croix, tant il est persuadé que les grands symboles offerts aux arts par la religion chrétienne concourent à leur propre et principal bienfait, l'apprivoisement des désordres de l'âme sensitive et leur acheminement à l'autonomie de l'esprit et à l'éveil des sentiments. Selon cette vue classique, on est conduit, outre au signe de la Croix, à un autre lieu commun de l'art chrétien, le Christ en croix, entouré des saintes femmes et de saint Jean endeuillés et endoloris, auxquels le spectateur s'identifie. Rousseau a allégorisé la source originaire de l'*humanitas* antique et de la *caritas* chrétienne dans le face à face entre l'« homme de la nature », solitaire et vagabondant dans les bois, et son semblable souffrant et mourant dans lequel il se reconnaît et auquel il porte spontanément secours. Ce semblable et ce prochain souffrant, qui révèle au passant son humanité, le christianisme l'a incarné et divinisé dans le Christ cloué sur la croix. Souvent, l'art chrétien, byzantin et latin, l'a représenté comme l'« Homme de douleurs », debout dans son sarcophage, la tête inclinée sur l'épaule droite, ouvrant ou croisant les bras en montrant ses plaies. Manet est le dernier peintre à avoir pris pour sujet l'« Homme de douleurs » pleuré par les anges.

De ces icônes, la foi médiévale recevait ce qu'elle appelait *compunctio*, ressort de la *conversio*. Ce genre de saisissement, Claudel en a été frappé dans Notre-Dame de Paris, comme Paul de Tarse sur le chemin de Damas. La *compunctio* était l'effet sur les illettrés que l'Église escomptait des icônes de la Passion : naïvement empoigné par ce que la représentation sensible de la souffrance humaine, qui pourrait être la sienne, lui apprenait du sacrifice de Dieu en sa faveur, le cœur du spectateur était conduit à s'en découvrir la cause, à en éprouver gratitude et repentir, à décider de sa conversion. Émotion, la *compunctio* chrétienne est inséparable d'un acte spontané d'intelligence théologique et d'un retour méditatif sur soi. Elle diffère de la compassion originaire de l'« homme de la nature », telle que la décrit le *Discours sur l'inégalité*, en ce sens qu'elle n'est pas un simple face à face entre égaux qui se découvrent mutuellement leur humanité : elle introduit un tiers, la divinité du Christ. Devant le sacrifice du Dieu-homme sur la croix, l'émotion naturelle qui point devant toute souffrance humaine devient réflexion sur le fait que cette souffrance-là est assumée par un Dieu *pour le salut de tous les hommes*. Elle donne à comprendre qu'il y a en l'homme quelque chose de terrible qui a exigé une aussi vertigineuse expiation, mais qui peut être racheté. Incommensurable à toute souffrance qu'un être humain puisse endurer, attribuable à une infinie compassion divine envers tous les hommes et envers chacun d'entre eux, le don de la Croix transporte en Dieu et divinise l'*humanitas* et la *caritas*. La *compunctio* chrétienne suppose au cœur de l'univers et envers l'homme un abîme de souffrance et de compassion divines auquel le monde du vivant tout entier prend part, et auquel chaque être humain est appelé à prendre part à sa mesure.

L'Occident latin a adjoint au XVe siècle, à l'art dévotionnel, un art de délectation, et avec l'ordre de la délectation, la question s'est posée de la représentation de son contraire, la souffrance et la mort. Ce sont là des spectacles que longtemps seul l'art dévotionnel a pu traiter, et que la peinture antique n'évoquait que sous le voile de l'allégorie ou par le biais de la litote visuelle qui, comme la litote poétique, dit le moins pour réveiller l'idée du plus. L'exemple le plus célèbre était celui du peintre Timanthe tant de fois imité par les peintres chrétiens depuis la Renaissance : Agamemnon représenté enseveli dans son voile pour laisser entendre la douleur inouïe du père contraint de présider au sacrifice de sa fille Iphigénie. L'art profane des XVe et XVIe siècles introduit toujours dans les tableaux d'Histoire souvent violents, des figures ménageant une distance entre le regard et la cruauté dont il est témoin. Cette distance ne diminue pas la cruauté, mais elle la soumet à la réflexion.

Transportées de l'église, de la chapelle ou de l'oratoire privé au musée, descellées de la liturgie eucharistique, les icônes du Christ souffrant ne relèvent plus aujourd'hui que de l'histoire de l'art. C'est un premier pas. Encore quelques autres, et l'« art contemporain », notamment mais pas seulement sous la forme de photographies et de vidéos, s'est mis à multiplier dans musées, galeries, et biennales, avec une monotonie de bombardement, les représentations brutes, sans figure de rhétorique visuelle, de la souffrance, de la misère physique, de l'agonie sanglante, de la mort, de la corruption. Le cinéma hollywoodien a cherché son salut dans l'hyper-violence. Les moyens dits « d'information » rivalisent avec lui à un rythme plus quotidien. Leur appétit commun est proprement ogresque : le fait divers individuel et local de la *Gazette des tribunaux* ou du Grand Guignol d'autrefois est concurrencé victorieusement, sur leurs pages et leurs écrans, par reportages et images de massacres, catastrophes naturelles et épidémies dont l'échelle et l'intensité semblent croître d'année en année selon un macabre « jamais assez ». Rien n'est épargné pour nous prendre à témoin de la barbarie humaine et du chaos des éléments. On croirait que les moyens de communication et d'information se sont donné mission d'éveiller jour et nuit notre compassion et notre angoisse.

La théologie en sait long sur les limites du connaître et du sentir humains. Seul un Dieu a pu avoir un cœur si gros et doué d'une empathie si inépuisable qu'il ait pris sur lui toute la misère du pauvre monde, dont on nous explique par ailleurs, cartes, photographies et preuves scientifiques à l'appui, qu'il s'entretue dans le sang, qu'il se fendille, se dessèche ou se noie dans la fonte des glaces. Seule une fiction euphorique et flatteuse, de force et d'effet égaux à ceux des informations qui nous rapportent la déliquescence de la planète et l'agonie de tant de nos frères et sœurs humains, peut nous faire croire que nous puissions, individuellement ou collectivement, endurer tant d'épouvante et de plaies d'Égypte. En réalité, faute de vivre à la fois selon ces deux régimes d'émotion contradictoires, ce glas incessant qui fait frémir notre sensibilité altruiste ou naturiste produit, autour de la plupart de nos cœurs, des cals épais qui les protègent et les dispensent de s'émouvoir autrement qu'en bonnes paroles écologiques et donations humanitaires affranchies d'impôt. Et nous nous replongeons aussitôt dans l'alléluia universel des publicités euphoriques, des clips paradisiaques, et de l'éternel sourire engageant, toutes dents en poupe, d'un escadron de majorettes frétillantes et ravies qui apportent sur la table un gâteau d'anniversaire : *Enjoy ! Happy birthday to you !*

5. Hugo et l'éclair photographique sur la face de la Lune

Quand s'est-il ouvert, cet abîme entre le monde sensible à notre portée, ficelé maintenant par tant d'images toutes faites qui s'emploient à nous occuper et flatter, et un monde infini hors de notre portée, toujours mieux connu par le « On » omnivoyant de la science, toujours mieux exploité à notre profit par nos techniques, toujours mieux montré sur nos innombrables écrans, mais que le « On », lui-même nous déclare menacé, au moins à l'échelle terrestre, la nôtre, par un imminent avenir catastrophique ? Entre cette rétraction de la vue et de la vie personnelles et quotidiennes et cette expansion d'un voir, d'un savoir et d'un pouvoir impersonnels, immenses et incontrôlables, point de moyen terme, d'intermédiaire, de médiation qui s'interpose. Qui a pressenti l'étrangeté naissante de cet abîme et en a redouté la fatalité à la fois frivole et terrible ?

La Révolution française avait stupéfié par sa Terreur. Ni la Terreur, ni l'épopée napoléonienne n'avaient touché aux organes vitaux d'une grande nation lettrée, agricole et artisanale, sursaturée de culture et de traditions de métier. Leur ébranlement politique avait revivifié sa foi chrétienne et laissé bien vivante leur ennemie, les Lumières confiantes dans la raison et le progrès. Le trauma de la Terreur et l'exaltation de l'Empire semblent même avoir ajouté à la fécondité comme naturelle de la France d'Ancien Régime une intelligence historique nouvelle de ses dons, faisant surgir une multitude de génies. Verrais-je seulement sous le jour où je la vois notre actuelle atonie littéraire et artistique si je n'avais pas assidûment fréquenté ces « nageurs entre deux rives » du début du XIXe siècle français, Germaine de Staël, Chateaubriand, Tocqueville, Balzac, Stendhal, Baudelaire, autrement visionnaires et autrement précoces que le grand tourmenté du *Gilded Age* américain, mon cher Henry Adams. Lui au moins, parmi ses inquiétudes crépusculaires, n'a pas vraiment douté de la *Manifest Destiny* de sa nation. Il avait la foi patriotique. Nos romantiques n'avaient pas cette espérance. Ils virent la France luttant avec l'Ange de la modernité comme Jacob dans la fresque de Delacroix à Saint-Sulpice, mais ils ne la donnaient pas gagnante.

Victor Hugo, dans *Notre-Dame de Paris*, avait fait dire à son archidiacre Claude Frollo, contemplant la cathédrale et sa Bible de granit, et montrant en même temps un livre sorti des premières presses de Mayence : « Hélas, ceci tuera cela. » L'image *durable* de l'architecte et du sculpteur gothiques, étayant la stabilité de la foi et de l'Église, sera supplantée par la reproductibilité technique de la lettre imprimée, mère de la libre pensée volatile, du journalisme, de la démocratie, seconde tour de Babel. Hugo, dont Malraux s'inspirera, amplifie cette idée reçue pendant tout un chapitre. Plus tard, dans une retombée de son *William Shakespeare* qui ne sera publiée qu'en 1901, sous le titre *Promontoire du songe*, il amplifiera la sentence fameuse de Pascal « Le silence éternel des espaces infinis m'effraie » en la transposant de l'ouïe à la vue. En 1834, raconte-t-il (quatre ans avant le « lancement » officiel du daguerréotype par Arago devant l'Académie des sciences), il rendit visite de nuit au célèbre astronome à l'Observatoire et il observa la Lune par une lunette grossissant quatre cents fois les objets. Il ne voit d'abord que du noir. Puis, son œil s'accoutumant, il voit quelque chose de réel et de blême imprégné de nuit. Il passe en revue tous les lieux communs poétiques et mythiques attachés au nom de la lune. De la vérité de la lune, rapprochée sur la rétine, et les renversant tous, « l'effet est terrifiant ». Puis, le Soleil se levant sur la Lune, « un éclair flamboya, ce fut merveilleux et formidable ». La surface de la lune passe du négatif au positif, « masque devenu visage », « paiement d'une dette de l'infini ». C'est presque un mythe de la photographie, « dessin de lumière ».

Hugo ignore, ou veut ignorer, la révolution perceptive qu'introduit cette vertigineuse augmentation de la portée naturelle de la vue, dont les diverses techniques photographiques (dont ses fils et lui-même se sont beaucoup servi pour grossir sa gloire) ont déjà mis, au moment où il écrit, en 1860, entre les mains de tout un chacun la menue monnaie, « payant la dette » du *regard de près* technique, à la vie quotidienne, aux visages et aux corps naturellement perçus. Il écarte son effroi initial, qui lui avait révélé une disproportion optique comparable à la disproportion énergétique dont nous sommes contemporains, entre le nucléaire de nature cosmique attiré dans l'atmosphère terrestre par la science, et la vie quotidienne à notre mesure, dans l'ancienne maison de nos cinq sens. Il ne veut pas s'étendre davantage sur l'intrusion de l'énorme dans le quotidien. L'épiphanie soudaine de la lumière solaire sur la face de la Lune devient pour lui la métaphore de l'éclair du génie et de la gloire *poétiques*, la sienne, et non celle du savant Arago, simple comparse. Il revient au génie du poète-mage de révéler les vérités enfouies dans les ténèbres, en avant-garde de la raison scientifique et technicienne. À l'aise au-dessus des gouffres, Hugo ne veut voir, dans le dépassement scientifique et technique de l'optique naturelle, qu'un emblème de la connaissance par le rêve de l'infini dans le fini, pleinement développée chez l'artiste et le poète de génie comme lui-même, et à l'état naissant chez tout le monde. Cette fois – *ceci* – les sciences et les techniques – *ne tuera pas cela* – la poésie, les arts, enfants du rêve irrépressible qui fait frémir la nature humaine. *Promontoire du songe* anticipe le futurisme, le constructivisme, certains aspects du surréalisme : bref, tout un modernisme qui a cru pouvoir dérober aux sciences et aux techniques les moyens de renouveler l'attrait des lettres et des arts. Poète assuré de sa seigneurie spirituelle sur la science et les techniques, Hugo est l'anti-Baudelaire.

Ce n'était pas tant la France en soi qui hantait les Romantiques, moins décidés que Hugo à toujours mettre la modernité de leur côté, que la forme de civilisation européenne de l'*otium* dont elle avait, du consentement universel, le dépôt. Cette grande idée de dépôt, encore intacte chez un Valéry et un Gide, sera repoussée par le modernisme de l'après-guerre 1914-18, et entièrement rejetée par celui de l'après-guerre 1939-1945. Ce qui a affaibli considérablement la personnalité de la France, et la physionomie de l'Europe, vis-à-vis d'une Amérique qui se tient pour dépositaire de la Providence et de la tradition du moderne, vis-à-vis de l'Inde, bien décidée à se moderniser en se réclamant toujours davantage de son héritage religieux et moral, et même de la Chine, qui fait déjà grand état de son archéologie, en attendant de porter bien haut devant le monde les traditions spirituelles que le maoïsme avait cru écraser. Le modernisme européen s'est voulu un primitivisme, au point que ses peintres ont souvent demandé à l'ethnologie et à la paléontologie les moyens d'oublier les siècles d'expérience dans l'art du dessin. Il nous en reste quelque chose de mortel, des gardes rouges qui tiennent le haut du pavé.

Rien ne pouvait mieux convenir à l'Amérique que ce reniement d'« avant-garde », qui rencontrait alors des résistances en Europe, mais qui convenait parfaitement à la conviction des Américains les plus avertis d'être à la fois les plus modernes et les moins corrompus par la « vieille » civilisation européenne.

Il est sans doute étrange que ce chassé-croisé ait eu lieu de façon aussi privilégiée sur le terrain de la peinture. Comme si l'art de peindre, dans « l'ère de la reproductibilité mécanique », de la photographie, du cinéma, de la publicité commerciale, de l'industrie des loisirs de masse, était le dernier titre de noblesse disputé, le symbole et la relique de l'ancien système des Beaux-Arts condamné. Il est vrai que, de tous les arts détachés de l'architecture, la peinture a joui, dès l'Antiquité grecque et romaine, et encore dans l'ère chrétienne, d'une éminence incontestable. Les peintres antiques, maîtres du sens le plus noble, la vue, étaient les seuls artistes, avec les architectes, à échapper au dédain qui frappait le travail artisanal [1]. Hegel qualifie au contraire la peinture d'art chrétien par excellence. La Renaissance a ravivé la primauté antique des peintres, mais ses académies de dessin et son allégorie du Parnasse n'en avaient pas moins maintenu leur art parmi les neufs Muses, en famille autour de l'architecture. Ce sont les Salons de l'Académie royale de peinture, dans le Louvre du XVIIIe siècle, qui ont décidément mis hors de pair la peinture, et fait de la critique d'art française un genre littéraire polé-

1. Voir les magnifiques pages de Hannah Arendt, dans *La Condition de l'homme moderne*, ouvr. cit., p. 126 et suiv. On les comparera avec fruit, outre aux pages célèbres de l'*Esthétique* de Hegel sur la peinture art chrétien, à celles de Charles Blanc en 1863, dans sa *Grammaire des arts du dessin*, où la peinture, que le christianisme a préférée à la sculpture, parce que miroir de la beauté de l'âme plus que de la liberté du corps, des sentiments plus que de la raison, est décrite comme l'art spécifique de la modernité chrétienne. Ce n'est pas un point de vue incompatible avec celui de Baudelaire. Voir l'édition de 1876 de la *Grammaire*..., p. 87 et suiv.

mique presque entièrement consacré aux peintres. Le célèbre mot d'Horace « La poésie est comme la peinture » (elles rendent toutes deux la présence à ce qui est absent ou perdu) fait place au XIXe siècle au couple peintre-poète critique d'art. Tour à tour, dans le sillage de Diderot, publié dans son intégralité au début de la Restauration, Stendhal, Balzac, Gautier, Baudelaire, Fromentin, les Goncourt, Huysmans, Fénéon ont porté la critique d'art à la hauteur et à l'autorité d'un grand genre en prose. Et cela, dans un contexte où les panoramas, la photographie, la presse illustrée attestent de toutes parts un croissant appétit bourgeois et populaire d'images commerciales, ce qui projette la peinture et ses Salons au cœur d'un débat où les questions de style et de goût brochent sur des questions de politique et de culture intéressant au premier chef les écrivains et les poètes, assaillis eux-mêmes par le journalisme.

6. Baudelaire et Kierkegaard

J'ai emporté avec moi à New York les deux volumes de l'édition Pichois, dans la Bibliothèque de la Pléiade, des *Œuvres* de Baudelaire. Décembre est là, sans neige. Je m'oblige à sortir autrement que pour gagner l'université toute proche. Je vais en métro, en bus ou en taxi dans des quartiers inconnus, à l'écart de la Ve avenue et de Greenwich Village. Au retour, je relis, ou je redécouvre Baudelaire. Je suis stupéfait. De toutes les intelligences françaises prémonitoires des années 1800-1870, c'est lui maintenant qui m'apparaît le plus lucide, « jusqu'à l'horreur », sur la moderne entropie des arts et la prolifération des images, le plus ironiquement et généreusement assuré de ce qui était à sauver du naufrage. Le plus grand poète sur le seuil de la modernité. J'ai commencé mon séjour en prenant Barnum pour guide, je l'achève en me livrant à Baudelaire.

Au lycée, j'apprenais *Les Fleurs du mal* par cœur. J'en sais encore quelques-unes. Elles ont germé en moi pendant tout ce temps. Je crois qu'elles m'expliquent plus qu'aucune autre influence ou généalogie, sinon les Évangiles que j'ai lus en grec à la même époque, avec un dictionnaire, sur les conseils de mon professeur qui estimait que leur langue « simple » était à la portée de jeunes élèves. J'ai lu trop vite et trop tôt sa critique d'art. Baudelaire est beaucoup plus qu'un critique d'art. Par une autre méthode que ses *Tableaux parisiens* et ses *Journaux*, ses *Salons* auscultent l'état d'esprit et l'état de santé de l'époque au stéthoscope de l'art des peintres. Il remarque en 1846 la multiplication de tableaux réalistes ou naturalistes et la faveur qu'ils rencontrent dans le public. Sévère, comme Pascal, pour la vanité d'une peinture qu'on admire pour copier « des choses dont on n'admire pas les originaux », il célèbre en Delacroix un Rubens *redivivus*, le peintre d'allégories, le peintre poétique et surnaturaliste, fidèle aux grands maîtres de l'art catholique et sachant comme eux faire descendre l'« intimité de l'âme » dans les entrailles de la nature. Un voyant parmi les myopes. En 1855, il fait voir en Ingres le disciple de David échappant en tout, sans le chercher, à l'académisme de son maître, et visité par « l'ange du bizarre ». En 1860, dans *Le Peintre de la vie moderne*, il vante en Constantin Guys le dandy magnifique qui, à l'âge de la photographie, porte haut et partout l'ancien art du dessin. Il lie son diagnostic spirituel du monde contemporain à la réceptivité dont il est ou non capable, de l'image comme *art*, conjuguant tradition et invention, fidélité et nouveauté, métier et originalité, éternité et actualité, infini et finitude.

Iconophile, il porte la violence de son exigence envers les arts visuels aussi loin que son contemporain Kierkegaard sa violence envers la foi chrétienne, dont le grand Danois attend qu'elle le sauve du conformisme religieux et moral de l'époque. La critique d'art du plus visuel des poètes français est aussi radicale que sa poésie. J'y trouve le même feu sacré que dans la prose labyrinthique du philosophe de Copenhague et la même appréhension douloureuse que chez Kafka de ce que Benjamin appelle « l'expérience inhospitalière et aveuglante qui est propre à l'époque de la grande industrie. » Et il ajoute : « Lorsque l'œil se ferme à celle-là, il s'ouvre à une autre expérience qui la complète comme une image persistante pour ainsi dire spontanée [1]. » Ayant fait des images des arts anciens le point de départ de sa poésie, Baudelaire poète peut se retourner vers l'art de son temps avec la même intransigeance critique, avec la même vigilance esthétique qu'il a appliquée à la poésie de son temps, avant de décider de la sienne.

Pour Kierkegaard, il est impie de commettre la foi dans le Christ, la fine pointe de l'intégrité de l'esprit jeté dans le monde, à des images, artistiques ou non, saintes ou non. Il y va du salut. L'intériorité chrétienne ne s'imagine pas, ne s'esthétise pas. L'une des preuves de l'hypocrite tiédeur du chrétien, c'est l'attention esthète qu'il accorde aux représentations artistiques du Christ.

Pour Baudelaire, il est impossible de confondre les vraies œuvres d'art, qui émanent de l'esprit et qui le nourrissent, à l'instar des vrais poèmes, avec les images psychologiques, les œuvres d'art naturalistes ou la photographie. Sa critique a pour enjeu le salut des arts comme le salut de l'esprit. Mais, pour le Français, comme pour le Danois, l'un et l'autre « criant dans le désert », l'ennemi est le même : le confort, religieux ou esthétique, du bourgeois moderne sans défense ou complice,

1. Walter Benjamin, *Œuvres*, III, Paris, Gallimard, Folio Essais, 2000, p. 332.

face au saccage symbolique préludant au saccage réel, de l'homme par l'homme. Et l'un et l'autre, malgré toutes leurs différences, ont en commun l'ironie noire et l'indignation fulminante des prophètes. Chez le poète des *Fleurs du mal*, qui a porté à l'art des peintres, des dessinateurs et des graveurs sa « primitive et unique passion », il y a, comme chez Kierkegaard, de l'archange saint Michel tenant, au jour du Jugement, la balance qui pèse les âmes sous les yeux du Christ juge. Ce catholique aime trop l'art d'incarner l'infini dans le fini pour ne pas se montrer impitoyable envers les serviles copies qui font une concurrence victorieuse aux glorieux originaux. Le « culte » qu'il porte aux œuvres d'art visuel ne s'adresse pas à n'importe quelle image. Il a un coup d'œil d'aigle pour distinguer celles qui flattent la vue pour faire écran à l'âme, de celles qui comblent d'autant plus la vue qu'elles parlent à l'âme.

Son *Salon de 1846* commence par un jugement aussi ironique et féroce que celui du luthérien Kierkegaard sur l'usage (nous dirions « culturel ») que le bourgeois moderne fait de la peinture, et sur l'empressement des peintres serviles à flatter cet usage et à le satisfaire. Il rejoint Kierkegaard dans son mépris pour les peintres qui osent prendre le Christ pour alibi de leur médiocrité, écrivant d'Ary Scheffer, dans son *Salon* de 1859, que son Christ est semblable à son Faust et que les deux images sont « semblables à un pianiste prêt à épancher sur des touches d'ivoire ses tristesses incomprises ». Envers cette déchéance de l'art dans l'épanchement sentimental, ou dans la servilité à la lettre des choses, il pousse la noirceur de son ironie jusqu'à faire un mérite, à ces inepties qui plaisent, de sauver le principe de la peinture et le prestige de cet art aux yeux des béotiens et des philistins. Et pourtant il est à ce point iconophile qu'il se montre reconnaissant à ce public aveugle, peintres ou clients de peintres, d'affluer au Salon où, du moins, le génie romantique de Delacroix trouve une chance de s'exposer, en concurrence loyale avec ses misérables rivaux. Son iconophilie, comme celle de Chateaubriand, est d'un catholique laïc pour qui le grand art est encore la seule relique digne et authentique, avec la grande poésie, qu'ait laissée derrière elle l'Église qui s'éloigne. Non sans recours à Lucifer, menacé de mort lui aussi et solidaire de Dieu, le grand art et la grande poésie modernes assument la succession du saint Sacrement, des saintes images, de la liturgie et des hymnes du catholicisme. L'intégrité de l'art est à la fois la morale et la religion du poète et de l'artiste. Kierkegaard, qui se voit seul et ultime à exercer et à enseigner le christianisme, n'a jamais songé à lui trouver une planche de salut terrestre dans la peinture, métaphore sulfureuse de l'Eucharistie romaine. Mais il était capable de comprendre, s'il les avait connues, que la poétique et la critique d'art de Baudelaire ne relèvent en rien de l'esthétisme et en tout de la théologie.

Baudelaire s'offre le luxe d'un dialogue imaginaire avec le bourgeois épris d'art lacrymal et de scènes de genre, le Monsieur Homais des Salons :

> L'art est bien infiniment précieux, un breuvage rafraîchissant et réchauffant qui rétablit l'estomac et l'esprit dans l'équilibre naturel de l'idéal. Vous en concevez l'utilité, ô bourgeois, législateurs ou commerçants, quand la septième ou la huitième heure sonnée incline votre tête fatiguée vers les braises du foyer et les oreillards du fauteuil.

Au moins ces Messieurs Homais, pour de mauvaises raisons, admettent-ils que le romantique Delacroix, avec son rival de l'autre bord, le classique de génie, Ingres, soient présent au Salon, à égalité avec des peintres plus conformes à leurs goûts. À Manet, qu'il admire, Baudelaire ne cache pas qu'il tient le raffinement intime de l'art de ce peintre, si analogue à son propre art de poète, pour le commencement de la fin de ce sursis pour le grand art. Ce que veut dire Sainte-Beuve, en qualifiant *Les Fleurs du mal*, de « Kamtchatka » poétique ou de « Folie Baudelaire », Baudelaire lui-même le reprend à son compte à l'adresse de Manet et de son art. Un écart, cette fois fatal, est en train de s'établir entre l'intégrité tout intime de l'art de Manet et l'optique majoritaire conditionnée par les images d'illustration et de reproduction.

Le pullulement de peintres médiocres, copistes de la nature ou flatteurs de la sensiblerie commune, trahissait l'art de peindre. Mais ces vices étaient encore comme des hommages rendus à la vertu. Sans doute le public des Salons ne voyait en Delacroix et Ingres, géants parmi les nains, que des illustrateurs bizarres de lieux communs célèbres, mais cette erreur les faisait respecter. En ôtant le masque, et en privilégiant l'art pour lui-même, comme une planche de salut personnel, Manet est compris des « sensibilités perfectionnées » comme celle de Baudelaire, mais, comme lui, il compromet son art auprès du grand public de l'ère industrielle. Cessant de se cacher sous l'illustration de lieux communs, les arts et la poésie se sont condamnés à la proscription et l'ostracisme. Tout le drame de la grandeur et de la décadence du modernisme dans les arts et la littérature a été pressenti et prévu par le Baudelaire poète et critique d'art [1].

1. Voir l'admirable exégèse du dialogue entre Sainte-Beuve et Baudelaire de Roberto Calasso dans *La Folie Baudelaire*, Milan, Adelphi, 2008, ouvrage que j'ai pu lire en manuscrit dès septembre 2007, ce dont je remercie vivement l'auteur.

7. Le Salon de 1859

Or, entre le Salon de 1846 et celui de 1859, un fait nouveau s'est imposé, un seuil a été franchi, et cette gigantesque rupture de barrage est contemporaine du retrait de Manet dans la perfection exquise d'un art ironique et intime pour *happy few*. Sur fond de la corruption de l'art et de son public, observable dès la monarchie de Juillet, une simple trouvaille technique a fait en peu de temps un chemin prodigieux et se pose maintenant en rivale universelle et irrésistible de l'art de peindre illustratif qui servait de rempart au grand art symbolique de Delacroix et d'Ingres. En 1851, le daguerréotype et le calotype, d'exécution lente et rare, sont dépassés par la photographie proprement dite tirée sur papier, dont la diffusion sociale se multiplie de dix ans en dix ans, jusqu'à l'invention américaine du Kodak en 1889. Dès 1851, dans le Crystal Palace construit à Londres pour abriter la première Exposition universelle, la photographie au collodion humide est l'une des principales attractions, prometteuse pour le bourgeois comme pour le peuple. En 1859, à Paris, le Salon de peinture, sculpture, gravure et dessin s'augmente à son tour d'une section qui a son entrée à part et qui est dédiée à la photographie.

En 1839, au sortir de la fameuse présentation par Arago du daguerréotype à l'Académie des sciences, le peintre Paul Delaroche avait déclaré : « À partir d'aujourd'hui, la peinture est morte. » Delaroche était un peintre d'histoire naturaliste. Il fut subjugué par plus fort que lui et certifia par écrit que les images de Daguerre étaient plus « naturalistes » que ses propres dessins [1]. Les photographes le prirent au mot et s'engagèrent aussitôt sur la voie ouverte. En 1859, les épreuves de leurs « tableaux vivants » étaient amplement présentes dans la section annexe du Salon. Baudelaire ne s'est pas borné à y voir ce qu'elles étaient, une caricature grotesque de l'art de peindre, déjà myope, d'un Delaroche, l'anti-Delacroix [2]. Son indignation et son angoisse ne se sont pas limitées à ces mascarades que le cinéma, trente ans plus tard, multipliera sous le nom de films historiques, avec l'ambition de poser à l'art et de se substituer à la peinture d'histoire. Avec près d'un siècle d'avance sur Valéry, il adresse au tableau vivant la critique que celui-ci réservera en 1939 au cinéma de fiction : un mélange pénible de « fac-similé » d'un réel rétro-

---

1. Voir Henri Zerner, « Delacroix et la photographie », dans *48-14, La revue du musée d'Orsay*, n° 4, 1992, p. 17-44.

2. Voir *Salon de 1846*, où les « portraits d'histoire » de Delaroche sont qualifiés de « puérils » et « maladroits » par opposition aux tableaux religieux de Delacroix, et à leur « universalité de sentiment », dans *Œuvres complètes*, éd. Pichois, Paris, Gallimard, La Pléiade, 1976, t. II, p. 436.

spectif et de conventions narratives au présent. Mais sa fureur s'adresse à l'essence même de la photographie, à la tentation qui lui est inhérente de confondre sa pauvre vérité et la vérité propre aux arts, notamment à la peinture. Le public est tout disposé à prendre au mot cette prétention et à céder à la fascination d'images qu'il tient pour le dernier mot du réel et le *nec plus ultra* de l'art [1].

Pour dénoncer cette nouvelle idolâtrie et son *credo* (« Je crois que l'art est et ne peut être que la reproduction exacte de la nature. Ainsi, l'industrie qui nous donnerait un résultat identique à la nature serait l'art absolu »), Baudelaire trouve des accents prophétiques comparables à ceux que Kierkegaard à la même époque dirige contre les représentations naturalistes du Christ par l'art académique. Le poète français va jusqu'à accorder sa colère au diapason de celle du Christ, dont il cite les paroles : « Ô race incrédule et dépravée, dit Notre Seigneur, jusques à quand serai-je avec vous, jusques à quand souffrirai-je ? » L'horreur dont il déborde à l'idée qu'un plébiscite est en train de proclamer : « L'art, c'est la photographie », ce naturalisme mécanisé, se donnant pour copie fidèle à l'image rétinienne et prétendant de surcroît s'adresser, comme les arts, à l'imagination et à la mémoire, révèle l'arrière-fond catholique de son culte des images et l'idée qu'il se fait de l'art de peindre et dessiner.

Seules méritent le nom d'images celles que l'art pourvoit de la dimension surnaturelle propre à l'âme humaine et que l'imagination créatrice de l'artiste introduit dans la lettre de la nature. « Refuge de tous les peintres manqués », l'industrie photographique est la « vengeance » des aveugles majoritaires sur l'art de peindre [2]. Dans aucun pays protestant, et bien sûr aux États-Unis, on n'a entendu proférer contre le naturalisme photographique une indignation publique comparable à celle de Baudelaire. Les théologiens catholiques n'ont rien vu non plus à reprendre dans la photographie. Le pape Léon XIII, restaurateur de Thomas d'Aquin comme Docteur de la foi, se laissa photographier officiellement en 1893. Baudelaire aussi, par Nadar et Carjat, mais avec quelle expression d'hostilité et de défi ! Le chapitre sur la photographie du *Salon de 1859* a tous les traits d'une bulle d'excommunication majeure fulminée par Léon X contre Luther ou par Sixte Quint contre Henri de Navarre. Il est du carat du *Syllabus* de Pie IX. Henri Zerner a eu raison de le rendre responsable du sentiment de sacrilège dont les peintres et les critiques d'art ont été pénétrés pour longtemps à l'idée que la photographie serve puisse être introduite dans le système des arts. Delacroix renonça vite

1. Voir le livre pionnier de Jérôme Thélot, *Les Inventions littéraires de la photographie*, Paris, PUF, 2004.
2. Baudelaire, *Œuvres complètes*, éd. cit., t. II, p. 617-618.

à ses velléités d'officialiser la photographie parmi ses auxiliaires d'atelier, et Charles Blanc, dans sa *Grammaire de l'art du dessin* (1863), véritable théorie du système académique des Beaux-Arts, reprend en termes plus modérés la condamnation de Baudelaire : « La photographie montre tout et elle n'exprime rien [1]. »

Autre acte de résistance inconcevable dans l'Europe protestante et aux États-Unis, celui de Dostoïevski. Pour condamner l'art occidental et justifier l'icône orthodoxe, il jette l'anathème sur une technique qu'il assimile, dans *L'Idiot*, au naturalisme artistique, et à ses yeux athée, d'un Holbein, partie pour le tout de l'art occidental. Le luthérien Kierkegaard, quant à lui, n'a rien trouvé à redire à la photographie. Il l'a ignorée. Il en veut à Hegel qui, en comptant le Christ au nombre des représentations artistiques possibles et un objet parmi d'autres du jugement esthétique, a profané l'écart qui sépare le sérieux de la foi du dilettantisme esthétique des images, de toutes les images produites par l'art humain. Le philosophe danois iconophobe, polémiquant contre son illustre collègue iconophile Hegel, se situe dans la tradition classique de l'iconoclasme biblique et chrétien, celle de l'idole incompatible avec l'adhésion du cœur, sans image, au Dieu invisible. L'entrée en fanfare de l'industrie de la photographie sur les plates-bandes de l'art de peindre l'a laissé parfaitement indifférent, si même il en a eu vent. Sa foi est d'un autre ordre que les images, quelles qu'elles soient.

Pour Baudelaire, au contraire, les images de l'art, comme celles de la poésie, ont vocation à faire descendre le divin dans le monde humain des sens et à sauver celui-ci en se mettant à sa portée. Le grand art, comme la grande poésie, est le rempart contre la mort de Dieu, que rend inévitable la foi sans image et désincarnée que postule le protestantisme. Le poète des *Fleurs du mal* est l'héritier d'une littérature et d'arts visuels laïcs dont il connaît (et cultive) les affinités qui les rattachent aux lettres et aux arts de l'Église romaine. Il pratique en virtuose la poésie néolatine chère aux régents jésuites du XVIIe siècle, exercice de haute école encore de règle alors au lycée, et où Rimbaud excellera aussi. À Paris, ami (et victime occasionnelle) du célèbre photographe Félix Nadar, admirateur de Delacroix (lequel n'a pas dédaigné d'essayer, il est vrai brièvement, la photographie de modèles nus comme auxiliaire de ses propres exercices de dessin [2]), il est aux premières loges pour observer, dans un contexte sursaturé de tensions anciennes et nouvelles, avouées ou inavouées, le succès foudroyant de la photographie et sa prétention à se poser en art visuel majeur, voire en rival, victorieux à long terme,

1. Voir Henri Zerner, « Delacroix, la photographie, le dessin », art. cit.
2. Voir le catalogue de l'exposition *Delacroix et la photographie*, sous la direction de Christophe Leribault, Paris, Musée du Louvre, 2008.

de l'art de peindre. La réaction de rejet de Baudelaire envers la photographie est aussi violente que celle de Kierkegaard contre l'art de peindre des sujets chrétiens ou que celle de Dostoïevski contre l'art européen, dont la photographie, matérialiste et athée, semble au romancier russe le dernier et le plus révélateur avatar. Pour le poète français, la technique photographique attaque l'essence commune à l'art du peintre et à l'art du poète, dont il n'a jamais douté qu'ils ne soient, l'un et l'autre, comme le montrent Rubens et Delacroix, Racine et lui-même, à la hauteur des grands sujets religieux chrétiens. Simple et partiel décalque de la nature, incapable de dépasser la surface des choses et des êtres et de révéler les abîmes et les altitudes de la réflexion symbolique de l'homme sur lui-même, la photographie est le mauvais infini industrialisé de l'illustration et de la représentation, un pléonasme perpétuel. Télescopique ou microscopique, son objectif à beau rendre archaïque l'étroite portée de l'œil humain, il ne sait que redoubler et multiplier les facettes innombrables et successives du monde phénoménal, sans jamais pouvoir arrêter l'esprit sur un symbole sensible de sa propre et permanente condition d'image de Dieu abîmée. Dostoïevski oppose, à son illusoire véracité, la vérité théophanique de l'icône, et Baudelaire, la vérité humaine de l'œuvre d'art.

Le poète français ne conteste pas l'utilité documentaire et scientifique de la photographie, argument qu'avait employé Arago pour faire voter par la Chambre l'achat du brevet du daguerréotype par l'État. Mais il récuse sa prétention, d'emblée impérialiste, à jouer le rôle d'art visuel universel, se substituant à la peinture inséparable de la poésie. Non sans désarroi et désespoir, il constate que cette exorbitante prétention comble encore mieux que la peinture naturaliste ou « pompier », les penchants du grand public majoritaire pour la reproduction et l'illustration pures et simples. L'imposture monumentale de la photographie va rendre l'air définitivement irrespirable pour l'art romantique de Delacroix, héritier de l'art catholique de Rubens, ou, pour l'art maniériste d'Ingres, héritier de la ligne florentine et de la couleur froide de Bronzino, à plus forte raison de l'art déroutant de Manet, résurgence de celui de Vélasquez. Les Phares s'éteignent au fur et à mesure que s'allument les lumières de la Photographie. C'est le point de vue inverse de celui de Hugo dans *Promontoire du Songe.*

Le naturalisme de la peinture commerciale envahissait déjà les Salons de peinture depuis 1830, où elle était plébiscitée par la foule. Le succès des panoramas, qui avait frappé Chateaubriand, était lui-même un symptôme de l'appétence du public moderne pour des images à la mesure de sa myopie spirituelle. L'invention de la plaque sensible permet maintenant à la foule de tourner le dos à ce qui subsiste d'art de peindre et de se livrer sans réserve à une gloutonnerie d'images-écorces que le naturalisme pictural, même plat et vulgaire, mais fait de main d'homme, ne repaissait qu'à défaut de mieux :

> Dans ces jours déplorables, une industrie nouvelle se produisit, qui ne contribua pas peu à confirmer la sottise dans sa foi, et à ruiner ce qui pouvait rester de *divin* dans l'esprit français. Cette foule idolâtre postulait un idéal digne d'elle et approprié à sa nature, cela est bien entendu [...]. Un Dieu vengeur a exaucé les vœux de cette multitude. Daguerre fut son messie. Alors elle se dit : « Puisque la photographie nous donne toutes les garanties désirables d'exactitude (ils croient cela, les insensés !), l'art, c'est la photographie ». À partir de ce moment, la société immonde se rua, comme un seul Narcisse, pour contempler sa triviale image sur le métal.

Cette page inaugure le long combat de l'art de peindre, de Manet à Cézanne, de Degas à Monet, du fauvisme au cubisme, lequel surgit dans les années 1906-1914, postérieures de peu à l'invention et à l'expansion immédiates du cinéma, en 1895. Réagissant à l'éventuel primat de l'image industrielle prophétisé par Baudelaire, ce combat n'hésite pas à emprunter à la science optique et à l'étude de clichés photographiques de quoi faire face à la révolution perceptive introduite par les techniques de l'image. Les peintres modernistes, et c'est le cas avant tout de ceux qui œuvraient à Paris, capitale des arts traditionnels, atteinte de plein fouet par le kaléidoscope photo-cinématographique, réussirent à prolonger, en faisant feu de tout bois, l'antique prestige et primauté de l'art manuel d'Apelle et de Poussin. Ils furent les Frenhofer d'un art assiégé par la photographie et sommé par elle de montrer ce que l'œil de verre photographique ne peut faire voir. Et comme le Frenhofer de Balzac, ils ont épuisé la peinture, ils ont consommé tous ses possibles afin de la sauver. Nous avons assisté, depuis les années 1960, à l'accomplissement de la prophétie balzacienne et baudelairienne, et à la quasi-disparition dans les catacombes, après la mort de ses dernières gloires modernistes, Picasso, Braque, Matisse à Paris, Nicolas de Staël à Antibes, Pollock et Rothko à New York, Bacon à Madrid, de l'art de peindre, chaînon déterminant de l'ensemble des arts visuels. « Sur le Racine mort, le Campistron pullule. » À sa place ont émergé et proliféré un « Art contemporain » et des « arts plastiques » entièrement asservis à l'image technologique, à la publicité et au grand commerce de luxe. La réduction « de l'art à l'industrie » et l'« invasion de la photographie » prévues par Baudelaire sont consommées. J'écris ces lignes à New York, où ce drame, il faut l'avouer, assez mystérieux, et encore plus mystérieux que peut le suggérer ce résumé, n'a été connu et compris que de l'extérieur, dans ses effets et non dans ses enjeux profonds, inhérents au richissime humus historique, religieux et artistique de la Vieille Europe. L'entrée en force de New York, à partir de 1913, avec ses puissants miroirs grossissants, dans ce conflit européen entre les arts et les images, n'en a pas moins eu une action décisive sur la suite de cette histoire de l'œil et de l'esprit « dans l'ère de la reproductibilité mécanique ».

8. Baudelaire yankee

> Les Fleurs du mal ? *C'est l'américanisme appliqué aux comparaisons du Cantique des cantiques.*
>
> Jules LAFORGUE.

La traduction nouvelle que mon ami le poète et essayiste Richard Howard a publiée voici quelques années, ici même, à New York, des *Fleurs du mal,* a connu, à sa façon un grand succès. Baudelaire en Amérique ?

Il a lu et cité avec approbation Emerson dans ses notes personnelles. Il a traduit le poète Longfellow. Surtout, il a traduit si superbement Edgar Poe que celui-ci est devenu un écrivain français. Cela n'a pas servi Poe auprès de ses compatriotes : l'Amérique, même la plus lettrée, à commencer par Henry James, a longtemps tenu l'auteur du *Principe poétique* et d'*Eurêka* pour un marginal, un *maverick* littéraire, mentionné au mieux dans les histoires du genre policier et très exagéré par l'extravagance française. La réception enthousiaste, quasi identificatrice, des œuvres de Poe l'Américain par Baudelaire – qui détesta l'Amérique pour le sort qu'elle avait réservé de son vivant à son « double » d'outre-Atlantique – est l'un des épisodes majeurs des relations si singulières et intenses, quasi passionnelles, entre les deux nations et leurs deux capitales. Nul mieux que Valéry, dans sa conférence sur la *Situation de Baudelaire,* n'a mieux fait comprendre le pourquoi du zèle déployé par le poète français au service de son frère américain.

En quoi américain ? Poe ne l'est pas seulement par la langue, que les traductions qu'il en fit contraignirent Baudelaire à apprendre à fond. Il l'est aussi par ce que Tocqueville a appelé le « cartésianisme sans Descartes » de l'Amérique, son génie froid et précis du travail et de l'organisation méthodique du travail en fonction de la fin pratique à obtenir, un génie d'ingénieur et d'enquêteur ne laissant rien au hasard. Telle est l'essence de leur modernité et de ce qu'ils nomment eux-mêmes leur *workalcoholism.* Mais alors que l'Amérique applique son génie logique, méthodique et pratique à la production de biens matériels de consommation, à la réussite industrielle et commerciale, à l'accès au confort et à la richesse, Poe le poète l'a transporté dans l'ordre de ce que Baudelaire appelle avec lui l'« imagination créatrice » et il l'applique à la production des œuvres de l'esprit, c'est-à-dire à la résistance armée des lecteurs de poésie contre leur conditionnement par le langage utilitaire et sa force de frappe :

> Pour la première fois, écrit Valéry de l'art poétique de Poe, les rapports de l'œuvre et du lecteur étaient élucidés et donnés comme les fondements positifs de l'art [...]. Les mêmes observations, les mêmes distinctions, les mêmes remarques quantitatives, les mêmes idées directrices s'adaptent également aux ouvrages destinés à agir puissamment et brutalement sur la sensibilité, à conquérir le public amateur d'émotions fortes et d'aventures étranges, comme elles régissent les genres les plus raffinés et l'organisation délicate des créations du poète [1].

En somme, sous le nom de « poétique », Poe avait élevé au suprême degré de réflexivité et d'universalité la rhétorique argumentative et pragmatique de la nation et il l'avait étendue, de la fabrication d'un efficace imaginaire de masse, à la discipline mentale et verbale indispensable au poète et à « son hypocrite lecteur, son semblable, son frère » pour qu'ils en réchappent. Ce transfert d'ingénierie du quantitatif au qualitatif, du frisson pour la foule aux illuminations du génie, ne pouvait guère qu'indigner contre Poe l'Amérique jacksonienne, convertie à l'industrie, au grand commerce et à la presse à sensation. La carrière littéraire comme la vie de Poe se déroulèrent sous le signe du « guignon » et de l'échec. Baudelaire, dont l'autre intercesseur de pensée et de style était Joseph de Maistre, ne s'est évidemment pas intéressé à la technique – démocratique ou démagogique, c'est selon – de manipulation du pathos collectif, où le cinéma américain, sans se référer à Poe, tout en s'inspirant de lui, passera maître, mais à l'« organisation délicate des créations du poète », soucieux d'être encore plus exact et efficace, « dans les genres les plus raffinés », que ses rivaux dans les genres de grande consommation. Un poète de l'*otium* et de la vie contemplative comme Baudelaire, tenté par la paresse, la luxure, l'ennui, la grève du dandy, trouva dans Poe l'entraîneur et le maître de précision dans la forme dont il avait besoin pour fixer les moirures les plus fuyantes de sa « sensibilité perfectionnée » dans des objets sonores irrésistibles pour ceux de ses lecteurs sentant comme lui, sans se l'avouer ou sans savoir se formuler. Le Barrès de *L'Homme libre* échangera le *Principe poétique* de Poe contre les *Exercices spirituels* d'Ignace. Valéry en fera autant lorsqu'il se réclamera de la méthode de Léonard et de celle de Descartes. Les grandes vocations contemplatives de la fin du siècle, réagissant contre la tentation décadentiste de renoncement évidente chez un Jules Laforgue ou un Georges

1. P. Valéry, *Œuvres*, édit. cit, 1957, t. I, p. 606.

Rodenbach, ont senti la nécessité, dans le sillage de Baudelaire, d'une discipline de fer qui permette à la littérature et aux arts de tenir tête haute, face à la rigueur des sciences de la nature et à l'efficacité des techno-sciences de l'image.

À l'abondance torrentielle et éloquente de Hugo, à la liquidité fluviale de Lamartine, Baudelaire a préféré la concentration intense et l'archet de violoncelle sur les cinq sens et les cordes secrètes du cœur. Et il a demandé à Poe d'être son entraîneur. L'Américain lui a enseigné une ascèse analytique de l'imagination, des sensations, des états intérieurs, et une maîtrise des effets émotionnels qui, d'un vagabond oisif, perclus de dettes, ont fait le poète sans précédent des *Fleurs du Mal*, le Racine de la modernité. Jules Laforgue a ironisé sur cet art efficace et vainqueur. « Baudelaire, écrit-il, chat, hindou, yankee, épiscopal, alchimiste. Yankee : ses "très" devant un adjectif, ses paysages cassants et ce vers : *Mon esprit, tu te meus avec agilité* [1]. » Du même mouvement, le poète français redécouvrait dans Poe quelque chose que ne pouvait soupçonner le poète américain, le secret de ses propres classiques, le secret de Racine et de Poussin, qui allait devenir après lui le secret paradoxal du meilleur modernisme, tant dans la poésie de Pound et d'Eliot, que dans la peinture de Picasso, de Matisse, de Delaunay, la conjonction entre la modernité « américaine » dans la méthode implacable de travail, la recherche « sans parti pris » de l'efficacité professionnelle, avec le souci de mettre cette rigueur obstinée au service de ce que cette même modernité empêchait de dire, quand elle ne le rendait pas coupable : la mémoire et la nostalgie de l'être dans l'intimité secrète de l'*otium*. Un *otium* moderne, déserteur et critique résolu de l'écume de la modernité, mais œuvrant contre elle avec ses propres armes. J'avoue que je verrais volontiers une « politique culturelle » française prenant pour maxime *Baudelaire yankee*.

La réception de Baudelaire en Europe et en Angleterre fut très rapide. Celle du « frère d'âme » de Poe fut beaucoup plus difficile et tardive en Amérique. En 1913, dans la revue de poésie *The Dial* (la base logistique aux États-Unis des deux poètes « baudelairiens » Pound et Eliot, partis pour l'Europe), le spécialiste universitaire américain du poète français, son futur traducteur, L. P. Shanks, pouvait écrire :

> L'idéal anglo-saxon est de mesurer la vie à l'action, à la réussite, à l'activité morale ou intellectuelle. Alors que, pour Baudelaire, la vie était matière à

1. Jules Laforgue, *Œuvres complètes. Mélanges posthumes*, Paris, Mercure de France, 1903, p. 118.

émotions d'art, un service des sens, une matière à humeurs intimes. Nulle part ailleurs en littérature cette attitude n'a trouvé un exemple plus complet [1].

Fasciné et épouvanté par l'*unhappy end* de la vie de Baudelaire, le professeur Shanks ne voit dans sa poésie ni le paradoxe d'une forme classique cristallisant et irradiant des émotions et des pensées qu'il trouve dissolvantes et dissolues, ni l'ancienne tradition catholique et monastique dont le poète français, tout original qu'il soit, est l'héritier tardif et laïc. T. S. Eliot était plus perspicace : pour se rapprocher du modernisme baudelairien, il se convertit au catholicisme. Le « problème de Baudelaire », pour l'excellent professeur Shanks, c'est la difficulté à faire admettre dans un *curriculum* américain, même et surtout le *curriculum* de John Dewey, cette figure christique et diabolique, aussi inacceptable à l'optimisme « anglo-saxon » que son message voluptueux et poignant de sentiments « négatifs ». Mais le problème de Baudelaire lui-même, creusé avec une persévérance et une intelligence toutes classiques, avait été justement de ciseler les formes les plus aptes à insinuer, dans la modernité et son éthique du travail vertueux, le contrepoint « pervers », mais non moins moderne, de l'« imagination créatrice », du « spleen » et de l'« idéal ».

Ni Baudelaire poète, ni à plus forte raison Baudelaire critique d'art, n'accompagnaient en 1913 les nombreuses œuvres d'art modernistes qui firent scandale en 1913 dans l'exposition de l'Armory Show. Certes, beaucoup des artistes français exposés étaient des continuateurs, conscients de l'être à des degrés divers, de Manet et de Baudelaire. Mais les organisateurs étaient, sauf peut-être le cosmopolite Walter Pach, plus intéressés par des formes « agissant brutalement sur la sensibilité » que par la poétique raffinée et « perverse » que supposaient certaines d'entre elles. Le chef de file de l'« avant-garde » artistique new-yorkaise au début du XXe siècle était le photographe Alfred Stieglitz, dont la galerie 291, imitant la galerie de Félix Nadar exposant les Impressionnistes en 1874, fut l'hôte éphémère, en 1917, du fameux urinoir de Duchamp. C'est un peu comme si Nadar avait usurpé le pontificat de Baudelaire. Les conversions new-yorkaises qui se multiplièrent à l'esprit du modernisme parisien obéissaient à des motifs fort peu baudelairiens. Les organisateurs de l'exposition de l'Armory Show en 1913 songeaient à servir le commerce d'art et le commerce social américains en leur annexant le modernisme français, et pas le moins du monde à importer en Amérique la

1. Lewis Piaget Shanks, « The Problem of Baudelaire », dans *The Dial*, avril 1913, vol. LIV, n° 643, p. 285. Je remercie Antoine Compagnon de m'avoir indiqué cette référence, ainsi que celle du précieux article d'Henri Peyre, « Baudelaire devant la critique actuelle » (1930), où l'influence de Poe sur le poète français est balayée au détour d'une phrase.

« peste » de l'*otium* moderne dont la poésie et la critique d'art de Baudelaire avaient été les véhicules en Europe.

9. Métaphysique et photographie

> *C'est ici, dans les régions incertaines de la connaissance, que l'intervention de la photographie – et même la seule notion de Photographie, prennent une importance précise et remarquable, car elles introduisent dans ces vénérables disciplines, une condition nouvelle – peut-être une nouvelle inquiétude, une sorte de réactif nouveau dont on n'a pas encore assez considéré les effets.*
>
> Paul VALÉRY, *Vues. Centenaire de la Photographie*, 1939.

La répugnance esthétique pour la pauvreté de sa matière ne suffit pas à expliquer l'horreur de Baudelaire pour la photographie. Il comprit tout de suite la conséquence *métaphysique* de la capacité inhérente à l'*objectif* photographique (la caméra cinématographique en a hérité) de se saisir des êtres comme de choses, sous l'angle impartialement égalitaire de l'inerte, de la mort et du temps chronométré. Il vit aussi d'emblée que là justement résidait le principe de sa fascination sur le « On » impersonnel de la foule moderne. Les spectacles de panoramas, la peinture naturaliste et « pompier » allaient dans le sens de l'Histoire et de la photographie. Mais avant la photographie, « on » restait en deçà de son propre anti-idéalisme et de son appétence à s'en tenir à la surface du perçu. La photographie comble ce désir de voir pour voir. Elle est congénitalement aveugle à ce qu'il y a de *divin* dans l'homme, au génie symbolique de la religion, de la poésie et des arts qui font apparaître son monde à lui dans le miroir de la nature. Avec toute sa conjonction d'ingéniosité optique et d'expérimentation chimique, dérivées du prodigieux progrès externe des sciences de la nature, la photographie représente une régression à l'image magique, à l'idole et au fétiche, artefacts qui se donnent pour le double réel de ce qu'ils représentent. Ce progrès dans l'ordre technique compromet et menace de ruine un autre progrès de l'humanité dans l'ordre de l'esprit, son accès à la réflexivité symbolique et aux arts capables de forger des fictions se donnant pour telles, portant le style de l'artiste et douées d'une vie seconde qui éveille l'imagination et parle à la sensibilité de leur spectateur. Contre le pléonasme de l'image photographique, contre l'abstraction de l'humain dont elle impose la fausse évidence, contre la misère symbolique à laquelle elle reconduit le regard, Baudelaire invoque le principe *métaphysique* des arts visuels menacés d'asphyxie par cet œil impersonnel : l'imagination créatrice, la plus haute pointe de l'esprit, la « reine des facultés » qui a « enseigné à l'homme le sens moral de la couleur, du son et du parfum », qui a « créé l'analogie et la métaphore », qui se donne à elle-même des *règles* qu'elle a tirées de son expérience et de celle du passé, qui sait embrasser dans le vrai le possible, s'apparentant ainsi à l'infini, et qui, divinatrice, en sait davantage sur la vertu et sur les mœurs que « le dur, cruel, et stérilisant » légalisme de la bigoterie puritaine. Raison plus que raison, elle éclaire le jugement moral de « pitié » et de « ciel » [1]. Développé, cultivé chaque fois que les hommes ont honoré assez longtemps l'*otium* pour le rendre fécond, cet organe (Du Bos, au XVIIIe siècle, l'appelait le « sixième sens ») résulte de ce qu'il y a de divin dans l'homme, le goût difficile du bonheur et la conscience douloureuse de la quasi-impossibilité, pour lui, de l'obtenir. Et c'est justement cet organe qui spiritualise tous ses sens, qui l'humanise et le divinise, dont un progrès technique, dans l'ordre capital de la vue, veut faire ablation en lui substituant l'objectif photographique et la « reproductibilité » de ses images. Tout l'édifice de « progrès » spirituel (un progrès qui a eu ses intermittences) et dont dérivent et dépendent la poésie et les arts, la « sensibilité perfectionnée » et l'« imagination créatrice », est emporté avec l'organe délicat qui les a rendus possibles. Ce n'est pas une nouvelle intermittence qui s'annonce, mais la longue durée d'une barbarie perfectionnée.

On peut trouver excessive la violence métaphysique avec laquelle Baudelaire refuse tout titre à la photographie de prétendre à l'art. On peut lui opposer rétrospectivement les noms de grands et rares photographes qui ont donné ses lettres de noblesse, symboliques et imaginatives, à cette technique. Mais, à la décharge du grand poète, on peut rétorquer que la photographie – comme après elle le cinéma – a mérité le titre d'art aussi longtemps que les lettres et les arts anciens sont restés brillants et glorieux, chacun des grands photographes (comme il adviendra, ou est advenu, des grands cinéastes) que l'on peut citer, s'étant formé une « sensibilité perfectionnée » et un regard à la source intime dûment identifiée par Baudelaire. Le poète a tenu la dragée haute aux photographes, et les plus poètes d'entre eux ont su se soustraire à la condamnation féconde – et statistiquement justifiée – qu'il avait jetée sur le prétendu « dessin de lumière ».

Dans le même *Salon de 1859*, et dans le même sens, Baudelaire se demande « pourquoi les peintures religieuses font de plus en plus défaut ». Manque de foi ? Mais le beau n'est pas suspendu à la croyance ! Plus d'un artiste athée a produit des chefs-d'œuvre religieux. Pourquoi ? La réponse est typiquement baudelairienne, et hardiment catholique : la

---

1. Voir les chapitres II et III du *Salon de 1859*, dans Baudelaire, *Œuvres complètes*, éd. cit., t. II, p. 614-623.

religion chrétienne est *aussi* la « plus haute fiction de l'esprit humain », et elle relève comme les arts, comme la poésie, de l'imagination créatrice. Le croyant sans imagination ajoute foi à sa religion, cette foi la lui fait connaître comme vérité, mais elle ne suffit pas pour qu'il sache l'incarner en dehors de lui-même, dans des œuvres d'art dignes d'elle. Plus que la foi, importe à cet égard l'imagination créatrice qui, à l'instar de celle de Delacroix, « a parcouru et sondé le ciel comme l'enfer, la guerre comme l'Olympe et comme la volupté », tous les possibles de la vérité proprement humaine, insondables pour la science et invisibles pour la photographie. La religion est l'un de ces possibles et non le moins vrai. Universelle, l'imagination créatrice du grand artiste l'introduit à l'*esprit* des symboles religieux, quand l'artiste qui a la foi, mais à qui manque l'imagination créatrice, peut ne s'en tenir qu'à leur *lettre*. Delacroix est catholique quand son imagination d'artiste s'empare de « la plus haute fiction de l'esprit humain » :

> Tout ce qu'il y a de douleur dans la Passion le passionne, tout ce qu'il y a de splendeur dans l'Église l'illumine.

Et Baudelaire de célébrer sa *Mise au tombeau*, chef-d'œuvre de l'art de peindre, mais aussi et du même mouvement, initiation au paradoxe suprême du christianisme, la terreur tragique liée à la plus grande espérance : c'est l'« impression poétique, religieuse, universelle » que donnent « ces quelques hommes qui descendent au fond d'une crypte le cadavre de leur Dieu, dans le sépulcre que le monde adorera, "le seul, dit superbement René, qui n'aura rien à rendre à la fin des siècles" ».

Cet oxymore théologique, le divin dans l'humain, que l'imagination et l'art suprême de Delacroix savent incarner aux yeux et rendre sensible au cœur, comment le pléonasme congénital et mécanique de la photographie pourrait-il en approcher le mystère ? L'œil mort de la caméra ne peut et ne sait saisir, Roland Barthes le constate dans *La Chambre claire*, que l'*être pour la mort* de ses modèles humains et l'*être pour la disparition* de tout ce dont elle se saisit. Photographe du mouvement, Étienne-Jules Marey inventa le « fusil photographique », qui assimilait la photographie à la chasse et son objet à la proie que le chasseur vise avec une longueur d'avance et tue. Le verbe anglais *to shoot*, commun au photographe et au cameraman de cinéma, généralise cette visée meurtrière que le français « tirer » ne traduit que faiblement. La suppression du mouvement vivant par l'objectif photographique, aussi bien que sa décomposition par le « fusil photographique » et son montage par le défilé des images cinématographiques à la faveur de la rétention rétinienne, réduit trop souvent le monde humain à un tableau de chasse, peuplé de cadavres en sursis et de fantômes réanimés artificiellement par secousses électriques. Ancien assistant d'Alfred Hitchcock, Michaël Powell a terminé en 1960, la même année que *Psycho*, un long métrage intitulé *Peeping Tom* (« Le Voyeur »), dont le personnage principal est un cinéaste dont la caméra est armée d'une baïonnette à ressort, ce qui lui permet de filmer de près l'agonie de ses victimes après les avoir poignardées. Ce film-culte en apprend plus sur les ressorts cachés du montrer et du voir photo et cinématographiques que les apologies verbeuses de l'« hyper-violence » par les auteurs de *L'Écran global.*

Dans la lettre du monde humain chosifié que la photographie configure et donne pour seule vraie, la rédemption n'a pas lieu, rien du divin ni du démon qui est en l'homme ne se montre sur la plaque sensible. Dans *L'Idiot* de Dostoïevski, où le *Christ mort* de Holbein obsède les protagonistes, c'est la photographie de l'héroïne, Nastassia Philippovna, passant de main en main, image de sa seule beauté physique et de sa prostitution, mais cachant sa souffrance et sa noblesse, qui préfigure et quasi dicte le dénouement en fait divers d'une intrigue en forme de « maelström vorace [...] où pourtant tant de ciel se reflète », pour le dire avec Baudelaire [1].

10. L'art, la poésie et la photographie devant la mort, la souffrance, le temps

La question ouverte par l'excommunication de Baudelaire, reprise par Walter Benjamin, n'a pas cessé d'être posée depuis, malgré les protestations des historiens de la photographie. Qu'advient-il de l'*humanitas*, au sens le plus élémentaire du mot, celui de la compassion naturelle à l'homme, selon Rousseau, pour son semblable souffrant, dans un monde où la perception des êtres humains est conditionnée par le regard non humain de la machine photographique ? Dans *Regarding the Pain of Others*, l'un de ses derniers écrits (2003), Susan Sontag revient sur l'image mécanique dont elle avait traité en 1977 dans *On photography.* Elle s'interroge sur la foi équivoque, du point de vue de la morale et de la connaissance, que l'on accorde au reportage photographique. Passant en revue l'histoire de ce témoignage visuel depuis Matthew Brady, et des images d'horreur reproduites à l'infini par les journaux, illustrant

1. Voir les analyses de Jérôme Thélot, dans « Le portrait photographique de Nastassia Philippovna », dans *Études romanesques, 10, Photographie et romanesque*, éd. par Danièle Méaux, Minard, 2006, p. 69-83, dans *Les Inventions littéraires de la photographie*, Paris, PUF, 2003, et dans *L'Idiot, commenté par Jérôme Thélot*, Paris, Gallimard, Folio, 2008. On trouvera beaucoup de grain à moudre dans le recueil *Littérature et photographie*, éd. par J.P. Montier, Liliane Louvel, Danièle Méaux et Philippe Ortes, Presses Universitaires de Rennes, 2008.

guerres, massacres, catastrophes et crimes modernes, elle observe que le fac-similé photographique de la souffrance et de la mort violente n'a cessé de prétendre *aussi* qu'il en appelait à la compassion du spectateur. Ces photographies, supposées infalsifiées et infalsifiables, ne se sont pas contentées de constater, elles ont prétendu convoquer la conscience morale de leur spectateur. Reprenant une objection de Valéry adressée à l'ambiguïté du cinéma – réalité disparue se donnant pour fiction – Susan Sontag ne cache pas sa gêne sur ces froids reportages se donnant pour vérité et censés susciter les chauds sentiments de douleur et d'indignation, de révolte. Chaque guerre, depuis 1914, donne lieu à un afflux, de la part des deux camps en conflit, de photographies terribles de civils, enfants, femmes et viellards, déchiquetés et ensanglantés par les armes de l'adversaire, et provoquant en sens contraire des vagues de compassion et d'indignation partisanes.

Susan Sontag est loin d'être la première à éprouver un embarras de ce genre. L'art du théâtre en a été le premier atteint. Au IVe siècle avant notre ère, Aristote se bornait à constater dans sa *Poétique*, avec son détachement de philosophe, que « les choses dont la vue nous est pénible dans la réalité nous donnent du plaisir quand elles sont bien représentées par l'art ». Mais cette réponse, et à plus forte raison celle, toute différente, de Nietzsche dans *La Naissance de la tragédie*, ne valent pas pour le reportage photographique et cinématographique : la caméra de reportage ignore la radicale différence d'optique entre l'expérience directe de la cruauté et sa représentation selon la perspective conventionnelle propre à l'art humain. Elle ne nous montre pas une fiction symbolique composée par un auteur et incarnée sous nos yeux par des acteurs, mais les traces d'un événement chaotique qui a réellement eu lieu.

Autre grand auteur antique à s'interroger sur la souffrance comme spectacle : saint Augustin. Au Ve siècle après J.-C., atterré par sa propre expérience du cirque et du théâtre, il se demande dans ses *Confessions* comment il se peut faire qu'au spectacle, l'homme spectateur se plaît à se repaître de spectacles douloureux et tragiques « dont pourtant il ne voudrait pas lui-même pâtir ». À son époque, la différence entre la cruauté réelle du cirque et l'art dramatique de la tragédie avait pratiquement disparu. Aussi, compromis par les combats de gladiateurs, par les spectacles tragiques interprétés par des condamnés à mort, et notamment les martyres chrétiens, le théâtre va connaître, jusqu'au XVe siècle, le même sort que la sculpture en ronde-bosse, compromise par l'idolâtrie et disparue jusqu'au XIIe siècle. La souffrance et la mort photographiées et filmées reconstituent quelque chose de très analogue à cet excentrement du théâtre hors de l'art dramatique et de ses explicites conventions, et aux émotions peu « cathartiques » que ces mises en scène de massacres faisaient naître chez les spectateurs du cirque antique tardif. Les vidéos d'exécutions sommaires d'otages filmées par des terroristes, en veine de défis et de ralliements fanatiques, rapportent aux extrêmes de l'antique barbarie du cirque l'ambiguïté inhérente à l'optique photographique.

En plein XIXe siècle, Kierkegaard observe de très loin (comme Kant, il n'est jamais entré dans un musée ou une exposition), avec une horreur augustinienne intacte, la curiosité esthétique de ses contemporains officiellement chrétiens, mais au fond indifférents, pour des tableaux dont les auteurs ont pris pour sujet la Passion du Christ, et donc la quintessence de la férocité de l'homme envers l'homme, incarnée et réfléchie dans la sainte Face du Sauveur crucifié. Ces tableaux ne sauraient retenir du Christ que son humanité qui passe, et nier sa « divinité immortelle » : ils nient l'« actualité éternelle » de l'homme-Dieu que seule la foi est capable de concevoir, au-delà de toute image [1].

Kierkegaard ne fait aucune différence entre ces représentations atrophiées du Sauveur dont il a ouï dire et celles d'un Rubens ou d'un Delacroix qui, aux yeux de Baudelaire, sont l'une des formes les plus hautes de la prière chrétienne. C'est que, pour le poète et critique d'art français, l'imagination créatrice du grand art religieux rend justice au

1. Sören Kierkegaard, *Exercices en christianisme*, trad. Vincent Delecroix, Paris, éditions du Félin, 2006, p. 302-303. « Je n'arrive pas à concevoir le calme avec lequel l'artiste s'est assis, des années et des années durant, appliqué au travail, pour peindre le Christ, sans qu'il lui soit venu à l'idée de se demander si le Christ souhaitait être peint, s'il souhaitait son portrait, aussi idéalisé qu'il ait pu être, représenté par son pinceau de maître. Je ne conçois pas comment cet artiste a pu garder son calme et n'a pas remarqué le refus du Christ, avant de jeter par-dessus bord les pinceaux et les couleurs exactement comme Judas ses trente deniers, bien loin de lui, ayant soudain compris que le Christ avait exigé seulement des imitateurs, et que celui qui avait vécu dans la misère et l'humilité, sans avoir d'endroit où reposer sa tête, vivant de cette manière non par le hasard d'un sort cruel, en souhaitant une autre condition, mais par un libre choix dans la force d'une résolution éternelle, n'a pas vraiment souhaité et ne souhaite pas qu'un homme, après sa mort, perdît son temps, peut-être sa félicité, à le peindre [...]. Cette artistique indifférence, son atelier l'a probablement démontrée dans l'image de la déesse de la volupté qu'on y trouve et qui avait préoccupé tout autant le peintre avant qu'il ne passât à la représentation du Crucifié. Cela n'est-il pas une relation au sacré qui va à l'encontre de la nature ? Cela n'empêche pas l'artiste de s'admirer lui-même et tous d'admirer l'artiste. Le point d'arrêt du religieux en a été complètement subverti. Le spectateur contemple le tableau en amateur d'art, se demandant si c'est réussi, si c'est un chef-d'œuvre, si le jeu des couleurs et des ombres portées est heureux, si le sang est bien rendu, si l'expression de la souffrance est artistiquement vraie. Mais l'engagement à imiter, il ne l'y trouve pas. L'artiste, on l'admire, et ce qui est de la souffrance réelle, la souffrance réelle du sacré, l'artiste en fait de l'argent et de l'admiration, tout comme lorsqu'un acteur représentant un mendiant, et près de s'emparer de la compassion qui à juste titre revient à une misère devant laquelle même le cœur dur recule en frissonnant, ne la juge pas vraie en comparaison de sa représentation théâtrale. »

Dieu-homme et, du même mouvement, à la part de divin qui est en l'homme ; elle rend un grand peintre capable de montrer dans la même figure la mort physique de Jésus et la résurrection prochaine du Christ. Sachant montrer le divin sous le voile de l'humain martyrisé, elle prévient la compassion, tempérée par l'adoration, de glisser au voyeurisme. Elle empêche la chosification du cadavre. La double nature du Christ est non seulement la pierre angulaire de tout l'édifice symbolique chrétien, mais aussi elle coïncide avec la double nature de l'art, qui n'imite la nature visible que pour mieux imprimer sur elle le sceau, le style et la signature de l'*humanitas*. Dans *Une charogne*, Baudelaire poète a réservé à un animal la vanité de la chair décomposée.

La New-Yorkaise Susan Sontag est trop soucieuse de ne pas être confondue avec l'Amérique évangéliste de la *Bible Belt*, la Ceinture biblique du Sud, du Centre et de l'Ouest des États-Unis, pour faire appel à cette apologie théologique de l'art de peindre. Elle écrit au centre d'un empire qui dispose de la maîtrise presque absolue de l'image technologique et de sa reproductibilité massive. Elle s'en veut la conscience morale, mais prudente et nuancée. Elle constate que nombre de ces photographies de souffrance et d'agonie – reliques « non faites de main d'homme », de surcroît plus ou moins truquées ou censurées, de boucheries d'hommes perpétrées « de main d'homme », reproduites et admirées dans journaux, magazines et livres illustrés –, ont fait la gloire de leurs auteurs et ont ému leur public, sans changer *le moins du monde* l'attitude essentiellement spectatrice, et vite amnésique, de celui-ci. La compassion de l'homme spectateur contemporain pour les images qui représentent l'homme torturé ou assassiné par l'homme, même quand cette compassion n'est pas mêlée de voyeurisme sadique, ne l'émeut qu'en passant et ne l'oblige pas. Susan Sontag veut croire néanmoins que la représentation photographique de la souffrance d'autrui peut faire « penser » ses spectateurs et leur laisser une gêne ; elle se rassure en rappelant que cette honte, devenue collective et massive, transformée en force politique, comme ce fut le cas au temps de la guerre du Vietnam, peut contribuer à arrêter une guerre. À quoi l'on peut objecter : étaient-ce bien la noble honte et la compassion pour les victimes du napalm qui ont rendu impossible la poursuite par le président Nixon de cette guerre commencée huit ans plus tôt par le président Kennedy, ou bien la crainte de la conscription par les jeunes gens *college educated* et par leurs parents de l'*upper class* dirigeante ?

On admire ces virtuoses oscillations de l'intelligence new-yorkaise, méditant au second degré sur le face à face entre le citoyen moderne, spectateur à l'abri, et les innombrables images technologiques qui lui montrent son semblable loup, pourvu d'armes à feu et autres engins mortels, aux prises avec ses semblables, agneaux dépecés tout vifs. La guerre moderne, comme la démocratie et la photographie, dénude l'homme et son monde des oripeaux religieux et artistiques dont ils se sont longtemps flattés, mais cette chirurgie, comme celle de Claude Bernard ne trouvant pas d'âme sous son scalpel, le dépouille aussi du même mouvement de l'être « à l'image et ressemblance de Dieu » que ces oripeaux symbolisaient et dont ils témoignaient à ses propres yeux. De l'ironique devise de Pascal moraliste « S'il se vante, je l'abaisse, s'il s'abaisse, je le vante », la première moitié est rabâchée du soir au matin par les moindres folliculaires, la seconde a été arasée sur l'ordinateur. Les impudiques et humiliantes images photographiques qui représentent nus (*naked*, et non *nude*, déshabillés et non nus, selon la distinction de Kenneth Clark) les grands malades, les mourants, les vieillards, l'homme et la femme ordinaires dans leurs fonctions animales tapissent les galeries et les expositions les plus huppées, et parent leurs auteurs d'une réputation flatteuse de courage et d'audace. Ces photographies d'art sont en réalité la menue monnaie du *Christ mort* de Holbein dont Dostoïevski pensait qu'il était un blasphème contre Dieu et contre l'homme. Dans *Le Rêve d'un Curieux*, dédié au photographe Nadar, son ami et son fréquent portraitiste, Baudelaire décrit en langage chiffré une séance de pose, qu'il compare à une agonie légèrement anxieuse et ne laissant de l'« homme singulier », une fois sa photo prise et sa mort par avance consommée, qu'une « vérité froide ».

C'est la seule présence, très furtive, dans la prodigieuse galerie de tableaux des *Fleurs du Mal*, de la photographie. Parmi ces tableaux une *Vanité* de Rembrandt jetée au milieu d'une *Fête galante* de Watteau, mais qui renouvelle un lieu commun des *Sonnets à Hélène* de Ronsard : le poète a le pouvoir de faire renaître le souvenir de la beauté par-delà le vieillissement et la mort. *Une charogne* fait voir et sentir l'horrible spectacle inopiné d'un cadavre animal en décomposition, croisé au cours d'une promenade ensoleillée du poète, en compagnie de sa belle et jeune amante du moment. Cette description d'un pourrissement avancé anticipe sur celle que fera Huysmans du Crucifié de Grünewald à Colmar. De même que Grünewald oppose au Supplicié verdâtre la gloire et la beauté du Ressuscité, Baudelaire oppose à cette « superbe » explosion des apparences, symbole de l'éphémère beauté de sa compagne, « la forme et l'essence divine » du souvenir de ses amours, éternisées par son poème. Ce contrepoint de haute rhétorique a pour arrière-plan, d'un bout à l'autre, l'art des peintres : la disparition de la forme de l'animal pourrissant et déchiqueté est comparée à une ébauche inachevée sur la toile d'un peintre et oubliée, mais qui s'achève dans son souvenir. On est transporté à l'autre pôle de la « vérité morte » de Nadar et de ses funéraires épigones de l'« Art contemporain », dans la vérité vivante et proprement divine de la conscience du poète. Là, le cadavre de l'animal mort n'est qu'une superbe gerbe de couleurs, et les obsèques futures de l'amie, une esquisse brillante d'ironie noire, l'un et l'autre motif entrelacés dans les mailles de plusieurs moments superposés de la durée du poète, et sous plusieurs glacis de souvenirs diversement sentis. L'intensité quasi jubilatoire de ce monde intérieur se joue du temps chronométré et de la mort, il fait pénétrer le lecteur dans une sphère symbolique où rien n'est négligé, ni l'éphémère, ni la mémoire, ni les apparences, ni l'être. La métaphore théologique du Dieu peintre, dont le pinceau est maître de faire apparaître, disparaître, reparaître et de restaurer son tableau, affleure et rejoint celle du Dieu poète, et de la toute-puissance de son Verbe. Il est probable que cette parade des pouvoirs de la peinture et de la poésie de dépasser les apparences et d'incarner victorieusement la vérité de la vie intérieure (tout le projet proustien) est destinée à faire ironiquement pendant à la misère de la photographie de Nadar, capable tout au plus de retenir d'un « homme singulier » une ombre plate et morte. Il faut se boucher le nez et se réciter *Une charogne* quand on est obligé de traverser, dans une exposition, les salles consacrés aux photographies d'Andres Serrano, de Nan Goldin, de Cindy Sherman, et autres stars de la morgue contemporaine.

Au moment où je relis ces pages, en septembre 2008, un « débat », qui sera vite oublié, s'est ouvert sur les écrans et dans les éditoriaux de journal sur la licéité de publier des photographies sanglantes de la guerre en Afghanistan, qui vient de faire plusieurs victimes dans le corps expéditionnaire français. On a tonitrué sur la liberté de la presse et sur les devoirs d'autocensure qu'elle devrait s'imposer en pareille circonstance. On a sans cesse frôlé, en se gardant bien de l'aborder, la question que s'est posée Susan Sontag, et qui tient à l'essence même de la photographie de témoignage et de reportage, à sa plasticité, à son industrie, à son commerce, et au rapport aléatoire auquel il condamne le public avec la sorte de « réel » biaisé, ou à tout le moins équivoque, qu'il construisent comme vrai à son intention.

11. Baudelaire et Dostoïevski

L'objectivité partielle, abstraite, instantanée, hors contexte, hors durée du cliché photographique devant la souffrance et la mort est d'un tout autre ordre que leur interprétation imaginative par l'artiste classique, qui voile la douleur d'Agamemnon ou de la Vierge pour mieux les faire entrevoir dans toute leur indescriptible étendue. Le décalque impersonnel du corps souffrant ou mourant pris par la caméra penche nécessairement du côté de l'expressionnisme le plus subjectif et le plus avide d'effet. Il est incapable de métaphore, d'allégorie, d'ironie, de remémoration, d'anticipation. Il ne peut mettre à distance l'atrocité et se prêter à l'exégèse de ce qu'il montre. Il est apte, tout au plus, à la falsification ou à l'atténuation. Quand elle n'est pas une photo de professionnel, ou une photo dite d'art, l'image photographique de tortures, comme ce fut le cas pour la prison d'Abou-Ghraib, peut être un témoignage de premier ordre, et susciter un bref sursaut salutaire. Quand la torture et la mort photographiées se veulent « œuvre d'art », le message est au fond toujours le même : le corps n'est d'un chiffon voué à être trituré, et la vie un simple retard sur sa décomposition imminente.

Le *Christ mort* de Holbein à Bâle, qui a tant troublé Dostoïevski, n'est pas expressionniste, mais pré-photographique, par son exactitude prémoderne, toute médico-légale, qui le rend plus terrible à contempler que le Christ paradoxal, cadavre lumineux contenant sa résurrection prochaine, de *La Déposition* de Rubens. Le prince Mychkine de Dostoïevski, suppléant à la pauvreté de l'image, entrevoit de la souffrance dans Nastassia Philippovna là où le portrait photographique ne montrait que sa beauté physique ; un autre protagoniste de *L'Idiot*, Terentiev, aperçoit un sens second derrière la froide description clinique du cadavre du Christ au tombeau par Holbein, un sens second qui lui est commun avec toute image photographique, « vaine forme de la matière [1] » : « Comment ont-ils pu croire, en regardant ce cadavre, que ce supplicié allait ressusciter ? » L'effet subliminal de la photographie – amplifiant à des proportions mondiales celui qu'a produit sur Dostoïevski le tableau pré-photographique de Holbein – est une implicite persuasion d'athéisme : il n'y a rien au-delà de la finitude du corps, « cette bête énorme, impitoyable et muette ». Le monde que construisent et que montrent le pinceau clinicien de Holbein et la machine photographique est celui de la « mort de Dieu ». Les tableaux figuratifs de Lucian Freud, portraits ou nus, ne disent jamais rien d'autre. Ce grand peintre, tout en restant peintre, a rendu les armes à la photographie.

Baudelaire, s'il avait connu le tableau de Holbein, eût partagé le trouble qu'a éprouvé Dostoïevski et que celui-ci fait partager aux protagonistes (et au lecteur) de *L'Idiot.* Dans sa diatribe contre l'industrie de l'image photographique, il a vu l'effet inévitable de son naturalisme sur la foi « dans la plus haute des fictions de l'esprit humain », mais il a aussi entrevu clairement le coup fatal qu'elle portait plus généralement à l'« imagination créatrice », et à son pouvoir métaphorique et allégorique de représenter le monde humain dans la richesse contradictoire de ses possibles. La religion, comme les arts, est minée subrepticement et à répétition par le déluge photographique. Le « désenchantement du

1. Mot de Mallarmé dans une célèbre lettre à Henri Cazalis de 1866, au moment de la « nuit de Tournon », citée par Jérôme Thélot, art. cit., p. 76.

monde », et la tentation massive de le prendre en horreur au moment même où l'abondance de ses images devrait en faire jouir, ont commencé avec Talbot et Daguerre.

Pour le poète français, l'art « surnaturaliste » de Rubens, comme l'art « romantique » de Delacroix, ne bloque pas le regard sur la littéralité du cadavre, il l'invite à y déchiffrer la figure prochaine d'un corps glorieux. Cette coïncidence des contraires est la pierre angulaire sur laquelle est construit tout l'édifice de la religion chrétienne, mais aussi tout le système des Beaux-Arts de la civilisation européenne.

Les images photographiques d'« actualités » sur lesquelles a médité Susan Sontag ne sont pas, de son propre aveu, sans équivoque. Ne sachant et ne voulant éduquer le regard et le cœur, elles sont incapables de détourner leur spectateur de ses éventuelles pulsions de voyeurisme, de sadisme, de curiosité perverse et complice. L'« autre », dont l'agonie est commémorée par l'instantané photographique, n'est jamais le prochain évangélique, mais un inconnu remplaçable dont la chair frappée à mort et fixée par l'objectif n'atteste rien d'autre qu'un « fait divers » sanglant, de quoi les guerres surabondent. Si Baudelaire a tant célébré, de façon pour nous surprenante, les reportages de guerre *dessinés* de Constantin Guys, c'est que ce grand artiste perspicace sait montrer, outre l'« hôpital » triste et terrible qui suit les combats, l'humanité, quotidienne ou éclatante, qui s'y manifeste aussi, humble ou *gentlemanlike* devant la mort. On retrouve le même sentiment contrasté de la guerre dans les homériques récits caucasiens de Tolstoï, notamment le dernier, *Hadji Mourad*, dont la Tchétchénie est déjà le théâtre. On peut supposer que l'œil vivant d'un Cartier-Bresson, grand lettré, et convaincu d'ailleurs, comme Baudelaire, de la supériorité du dessin et de la main sur la caméra et la pellicule, a suppléé à l'œil mort de la caméra pour montrer l'humanité sous un autre jour que tortionnaire, torturée, simiesque ou dégradée.

Mais Baudelaire ne pouvait prévoir qu'il serait lu et compris par de grands photographes. Il s'en tient à l'essence de cette technique, à sa pente générale. Ce que peuvent faire l'art du dessin et l'art du poète, montrer ce que l'esprit imagine et découvre quand l'œil a vu, le *tout* du regard, la photographie, collant à l'immédiat et à la surface, en est incapable. Aussi, le monde et l'humanité ont fini par ressembler à leur image photographique. La guerre de Tchétchénie actuelle, privée des sentiments d'honneur militaire qui, dans le récit de Tolstoï, entrecoupent, dans les deux camps, la férocité des combats au temps de Nicolas Ier, et on pourrait le dire d'autres guerres modernes, ressemble aux photographies uniformément sordides qui la font connaître, de temps à autre, à un monde atterré et atone.

Pour le spectateur de ces images partielles et partiales sous leur apparence de vérité brute, mais qui n'a pas de motif particulier, familial ou intime, d'en être affecté en profondeur, la pente irrésistible à l'amnésie rapide succède à l'observation, un instant émue, de ces instantanés atroces. Il en va d'elles comme de la mode sévissant de longue date chez les photographes d'« Art » d'aller toujours plus loin dans la représentation de la décrépitude physique, comme pour achever de nous convaincre que nous ne sommes rien que chiffons de chair. À ce genre de photographies, comme au meilleur reportage ou documentaire photographique de guerre, il manque le paradoxe que le grand art européen a su imprimer dans la mémoire et l'imagination de l'Europe chrétienne : la présence simultanée, dans le fait divers atroce de la crucifixion, ne cachant rien de ce dont la bassesse humaine est capable, de toutes les semences vives de « l'image de Dieu » dont l'homme porte aussi l'empreinte et la grandeur. En ce sens, et à moins de partager l'ostracisme protestant de principe contre la grande peinture religieuse, Baudelaire avait raison de faire de la *Mise au tombeau* d'un Rubens ou d'un Delacroix l'épreuve suprême, non seulement de l'art de peindre, mais du regard en général que nous portons sur le monde et sur l'humanité.

L'iconophobe Kierkegaard ne pouvait comprendre, mais sa critique de l'imagerie religieuse aide à saisir malgré lui, l'analogie structurelle entre la pudeur du grand art, classique ou romantique, à représenter brutalement l'horreur, et la surnaturalité divine qui préserve le Christ torturé de n'être qu'un cadavre qui fait honte. L'art de Rubens est en accord profond avec sa théologie. Sa théologie élève son art à son degré suprême d'intelligence et de maîtrise. L'imagination créatrice de Delacroix l'élève jusqu'au paradoxe théologique de l'Incarnation, et son art lui donne les moyens de le faire vivre aux yeux et au cœur. Prévenant toute tentation par le spectateur de s'identifier, de façon sentimentale et fade, sadique ou masochiste, à une image de supplice, l'art de Rubens, comme celui de Delacroix, l'oblige à être autre chose que le témoin immédiat, horrifié ou fasciné, mais vite distrait, d'un accident : il l'invite à découvrir, dans les yeux du Christ qui se ferment et dans sa chair qui rend l'âme, l'éveil et l'appel d'un regard et d'un corps glorieux qui sont aussi son partage. L'enjeu du grand art chrétien, c'est tout simplement la dignité humaine.

Dans l'iconoclasme du Christ sur la Croix, l'humanité est invitée à reconnaître à la fois le vandalisme qu'elle a infligé en elle-même à l'image de Dieu qu'elle porte en elle, et le don de grâce qui lui est fait de restaurer, avec sa ressemblance avec Dieu, la possibilité même de l'aimer, d'aimer son semblable et de s'aimer soi-même. Cette concentration et concaténation de figures de pensée est intraduisible dans le langage plat de la photographie. En revanche, l'art du peintre pourvu d'imagination créatrice, évitant les écueils du naturalisme, de l'expressionnisme et de l'idéalisation sentimentale, est à même de faire vivre aux yeux et de résonner au fond du cœur cette « haute fiction », possible pour l'esprit agnostique, certitude actuelle pour le croyant. Les postulations de la religion concordent ici avec les exigences les plus hautes du goût. Le paradoxe central du christianisme s'avère la pierre angulaire du grand art européen. Quand la photographie prend sa relève et fixe son objectif sur l'agonie, le supplice, la déréliction et la mort, elle ne sait que bloquer le regard sur l'horreur crue. Le XXe siècle aura été le Ier siècle photographique. Prenons garde au suivant, le Ier siècle digital.

Quant au Christ photographique (et cinématographique), il ne saurait être qu'un histrion jouant un rôle dans un film à sensation. Pasolini avait beau être poète, son *Évangile selon saint Mathieu* relève du tableau vivant et pompier du XIXe siècle. Mel Gibson est allé beaucoup plus loin dans l'abjection. Les limites de la technique photographique et cinématographique se montrent dès qu'elles prétendent radiographier le divin.

12. La sainte Face

Une singulière convergence réunit le poète catholique français au philosophe luthérien danois Kierkegaard et au romancier orthodoxe russe Dostoïevski. Le même souci presse ces puissants visionnaires de ne pas laisser éteindre l'esprit, clore ses contemplations, obérer son jugement (dont la religion et l'art sont les grands éducateurs, au même titre, mais avec un droit d'aînesse, que la science) sous la pression et l'oppression imaginales de modernes machines. Pour trois des Européens les plus prémonitoires des années 1850-1860, contemporains, mais qui s'ignorèrent, venus d'horizons entièrement différents, mais témoins tous trois de la première révolution industrielle, la question de l'image de reproduction et reproductible, de son effet sur les arts et sur la religion était posée en termes de salut. Cette question *métaphysique* est restée étrangère aux États-Unis. Iconoclaste et très peu portée aux arts visuels, la nation américaine n'a fait vraiment son entrée dans le monde des images, mais avec un extraordinaire emportement, que sous les espèces « neutres » de la photographie, puis du cinéma, acceptables pour les Américains de toutes dénominations religieuses et providentiellement favorables à leur *melting pot*. Elle fit son entrée, plus tardive et plus brève, à reculons, dans le monde du grand art pictural, et sous les espèces de l'expressionnisme *abstrait*. Entre la méfiance native envers les arts visuels, la conversion orgueilleuse à l'art abstrait et la production-consommation à grande échelle d'images technologiques, les États-Unis n'ont eu ni le temps ni le goût d'entrer dans la querelle des images qui a tourmenté l'Europe chrétienne d'âge en âge, ou même, dans son dernier chapitre, le conflit européen entre peinture et photographie. Nation en perpétuel mouvement, elle emporte précieusement, dans ses métamorphoses rapides et ses prodigieuses dilatations, son propre bagage méconnaissable et néanmoins invariable.

En Europe, le passé ne passe pas si aisément. Il est ancien, multiple, splendide, douloureux. Un poids jugé trop lourd, on nous le répète de toutes parts. Un poids de trop, comme si la parole du passé pouvait alourdir les montagnes que nous avons à déplacer. Nous ne manquons pas de petits Mao pour s'employer, aux points stratégiques, à faire taire cette importune. On veut ignorer que le propre d'un tel passé surabondant est de se réduire de lui-même, de déposer ce qu'il a consommé et de filtrer ce qui, en lui, est durable et fécond : la beauté. Il n'est pas nécessaire d'accélérer la critique du temps. Les figures, les œuvres, les objets qui lui ont survécu sont à même d'asseoir la demeure symbolique que les modernes, passagers impatients et désorientés, souhaitent, au fond, habiter et édifier sans toujours le savoir. À l'Europe, que je vais bientôt regagner, de se les réapproprier, au terme d'un siècle de démesure, et d'y trouver un équilibre entre mouvement et repos, histoire et mémoire.

La sainte Face est, par excellence, l'un de ces symboles européens qui ont traversé les siècles parce que chaque siècle le découvrait semblable et différent, à la fois image de la vulnérabilité humaine dans le temps et regard la convoquant à trouver l'étincelle divine cachée dans cette faiblesse. Elle ne doit rien à l'art humain de peindre. Son original mythique, « non fait de main d'homme », a disparu, et pourtant il est peu de très grands peintres et graveurs, depuis le XVe siècle, qui n'aient mesuré leur art à « copier » ce visage insaisissable, l'Autre de tous les portraits, et cependant les résumant tous, comme si tous avaient en commun de pouvoir se reconnaître et de se comprendre en lui, chacun dans sa singularité, dans cette Face toute à tous. Jan Van Eyck a tenté, s'inspirant d'une description apocryphe des traits de Jésus, de le fixer à l'huile sur bois. Memling et Roger Van der Weyden ont dépeint ce visage et ce regard, comme flottant à la surface du linge brandi par sainte Véronique. Au début du siècle suivant, Dürer et Parmigianino ont osé faire leur autoportrait superposé, pour ainsi dire, à la sainte Face, comme si elle était le seul miroir et le seul regard dans lequel leur « Je » trouvait sa véritable identité d'humilité et de fierté. À la National Gallery de Washington, je suis allé revoir le *Volto Santo* de Domenico Fetti, qui réussit, avec les moyens illusionnistes dont s'était servi Caravage pour rendre pétrifiante la tête de Méduse (Milan, Brera), à faire apparaître, sur la toile, en trompe-l'œil, une théophanie d'icône irradiant le regard d'un noble visage de chair émaciée. Un peu plus tard dans le XVIIe siècle, le grand buriniste français Claude Mellan, qui avait exécuté à Aix, pour le savant Nicolas Peiresc, une immense et minutieuse carte de la face éclairée de la Lune, observée au télescope, cadeau de Galilée, grava à Paris une sainte Face selon un savoir-faire qui n'a jamais été égalé. Du même trait ininterrompu courant en spirale depuis le centre de la composition, avec un simple jeu de pleins et de déliés, il fait surgir de ce réseau concentrique, symbole de l'infini divin, le visage et le regard humains du Christ couronné d'épines [1]. Ces deux prodigieux chefs-d'œuvre de la gravure au burin, qui hissent Mellan, dans l'ordre des arts visuels, à la hauteur des artistes suprêmes, sont le pendant, dans l'ordre du langage, de l'œuvre de Pascal et de ses deux pôles : la physique mathématique et l'apologie de la religion chrétienne. On pourrait même aller plus loin et rapprocher le *Discours sur les passions de l'amour*, attribuable à Pascal, et une autre gravure symbolique de Mellan, *La Souricière*, allégorie de l'Éros, de ses pièges, de ses chagrins, de son narcissisme avare, l'étoffe même du monde humain des sens et du désir inassouvi [2]. Dans les mêmes années, Zurbaran multipliait les saintes Faces à l'intention de sa clientèle de moines et de moniales. Le dernier en date, que j'ai naguère contemplé au musée de Stockholm, est aussi le plus inoubliable : sur un linge à large plis « cloué au mur », chef-d'œuvre de trompe-l'œil redoublant, pour ainsi dire, la toile réelle tendue et clouée sur son châssis, le visage du Christ se dessine en surimpression et en camaïeu. Cas unique, il ne se présente pas de face, mais de trois quarts, un œil tourné comme furtivement du côté du spectateur. On a l'impression déchirante qu'il n'a fait que passer dans ce monde de dissemblances, vérifiant seulement que quelqu'un, peut-être, se souviendrait de lui [3].

Le Mandylion grec

Parmi les reliques réunies dans la chapelle impériale du Pharos, du IXe au XIIIe siècle, et qui furent dispersées lors du sac de Constantinople

1. Voir dans le recueil *République des lettres. République des arts*, réuni par Christian Mouchel et Colette Nativel, Genève, Droz, 2008, Irving Lavin, « La sainte Face de Claude Mellan », p. 385-409.

2. Voir *Graveurs français du XVIIe siècle*, t. 17, Claude Mellan, par Maxime Préaud, Bibliothèque nationale, 1988.

3. Voir les recueils *The Holy Face and the Paradox of Representation*, éd. par Herbert L. Kessler et Gerhard Wolff, Villa Spelman Colloquia, Bologne, 1998 et *L'Immagine di Cristo, dall'acheropita alla mano d'artista, dal tardo Medioevo all'età barocca*, éd. par Christoph Frommel et Gerhard Wolff, Città del Vaticano, 2006, les ouvrages de Hans Belting, *Image et Culte, une histoire de l'art avant l'époque de l'art*, Paris, Cerf, 1998, de Gerhard Wolff, *Schleier und Spiegel, Traditionen des Christusbildes und die Bildkonzepte der Renaissance*, Wilhelm Fink, Munich, 2002, de Tiziana Maria di Blazio, *Veronica, il mistero del Volto*, Rome, Città Nuova, 2000, et surtout le catalogue *Il Volto di Cristo*, éd. par G. Morello et G. Wolff, Milan, 1992.

par les croisés latins en 1204, figuraient, selon le témoignage du Français Robert de Clary, les originaux de la sainte Face, autoportraits miraculeux laissés par le Christ à ceux qui avaient cru en lui de loin, sans l'avoir vu : le *Mandylion* d'Édesse et sa copie authentique, le *Keramion*. Le même témoin affirme que le suaire dans lequel Jésus avait été enseveli était conservé au couvent des Blachernes, voisin du palais. Toutes ces reliques de la Passion avaient été peu à peu rassemblées dans le saint des saints de l'Empire byzantin. La plupart furent pillées, vendues ou dispersées par les croisés, dont la Couronne d'épines, offerte à saint Louis, qui fit élever pour elle à Paris le reliquaire de la Sainte-Chapelle. Les autoportraits miraculeux du Christ – et les légendes qui s'y rattachaient – avaient été de puissants arguments, pendant la querelle byzantine de l'iconoclasme, en faveur des icônes. N'attestaient-ils pas que le Christ lui-même avait laissé des empreintes de sa Face, légitimant ainsi le culte des icônes ? N'avait-il pas institué ce sacrement de la vue comme il l'avait fait de l'Eucharistie, ce sacrement du goût ? En contemplant la trace authentique, la vraie image, la *Vera Icon*, diront les Latins, du visage et du regard qu'il avait montrés au monde pendant le temps de son Incarnation, ses fidèles apaiseraient leur deuil de ne plus pouvoir le voir sur la terre et leur désir de le voir dans sa gloire céleste. Il est curieux d'observer que cette argumentation en faveur des icônes fut élaborée en terre musulmane, par des théologiens à l'abri de la vindicte des chrétiens iconoclastes. Le nom même de Mandylion, que les Byzantins eux-mêmes donnèrent, au IXe siècle, à l'autoportrait du Christ d'Édesse, ville alors sous autorité musulmane, était une hellénisation du mot arabe *mandyl*, « serviette ». En 1204, les chrétiens occidentaux n'eurent pas le même respect qu'avaient eu les musulmans pour la relique suprême de l'orthodoxie grecque !

Le récit, multiplié par des variantes en plusieurs langues, de ce don adressé par le Christ au premier prince chrétien, Abgar, roi d'Édesse, en Anatolie, – lequel, invalide, avait sollicité de le voir en peinture pour guérir –, joua dans l'histoire de l'art chrétien le même rôle de « légende d'origine » que le geste de la fille du potier de Corinthe, dessinant le portrait de son fiancé, dans l'histoire des arts de l'Antiquité hellénistique et romaine. Le geste attribué au Christ avait été décisif à Constantinople pour faire pencher la balance en faveur de l'orthodoxie des icônes, véhicules dans leur ordre, comme l'Eucharistie, de la présence constante dans l'éternité, malgré son apparent retrait dans le temps terrestre, du Sauveur ressuscité et glorieux. Il n'est pas surprenant que tant de peintres, dévots ou non, chrétiens ou non, aient vu dans cette relique légendaire des traits et du regard terrestre du Christ un emblème de la modernité chrétienne de leur art, miroir assoiffé, comme l'œil humain, du monde sensible, mais l'embrasant du regard infini de l'amour divin pour sa Création et ses créatures.

La sainte Face et la Véronique latine

Le récit du Christ autoportraitiste n'avait pas eu une moindre efficacité en Occident romain qu'en Orient. Entre IVe et VIIe siècle, des apocryphes latins, comblant les lacunes du récit évangélique de la Passion ou amplifiant sa brièveté, y avaient introduit et fait vivre de nouveaux personnages. La légende orientale du roi d'Édesse devient celle de l'empereur romain guéri par l'ostension de l'autoportrait de Jésus. Dans le voyage du Mandylion de Jérusalem à Édesse, c'est l'apôtre Thaddée, dans la légende orientale, qui est le convoyeur choisi par le Christ, chargé d'une lettre félicitant le roi d'avoir cru sans avoir vu. Dans la version latine de la légende, c'est une sainte femme, Véronique (Bérénikè ou Vera Icon), qui reçoit du Christ, sur le chemin de la Passion ou au pied de la Croix, son autoportrait miraculeux. Au XIIIe siècle, Robert de Boron, dans son roman-poème *Joseph d'Arimathie*, adopte la légende de Véronique en langue française, en même temps qu'il pose les jalons de la légende du Graal, coupe remplie du saint sang confiée par le Christ à Joseph d'Arimathie, le fidèle entre les fidèles, qui prendra soin, avec saint Jean et Nicodème, de sa Déposition, de son enveloppement dans le saint Suaire, et de son ensevelissement dans un digne tombeau, clos par un rocher. Partout, dans ces légendes d'Est et d'Ouest, est affirmé le principe d'une visibilité perdurable, partie pour le tout dans le monde sensible, sainte empreinte de sueur sur un linge ou saint sang recueilli dans un vase, du passage terrestre du Sauveur. Autant de promesses du rachat du sensible, autant de dénis de sa déréliction par une divinité retirée hors d'atteinte des sens.

Roger d'Argenteuil, dans *La Bible en françois* [1], puis Jacques de Voragine, dans la *Légende dorée*, ont accrédité la légende latine de « Véronique » : elle a tendu au Christ un linge, il s'est essuyé le visage, et il lui a rendu le linge où la sueur et le sang de la *Via Crucis* avaient empreint ses traits. Ce linge avait guéri les malades comme le Christ l'aurait fait. Il perpétuait sa présence et son regard. La médiatrice et collaboratrice du don du Christ, parente de Marie et amie de Marie-Madeleine, qu'elle suivra en France, humanise la légende orientale. Elle la féminise aussi. Elle dessine dans le récit de la Passion, clef de l'histoire de la Rédemption, une niche pour la longue théorie de moniales, de béguines ou de laïques dévotes, qui, au cours des siècles, en Espagne, en France, en Italie donneront à leur vie le sens d'une veille et garde

1. Voir Michel Zink, *Poésie et conversion au Moyen Âge*, Paris, PUF, 2003, p. 256-302.

perpétuelle devant la sainte Face. Je suis tenté de suggérer que la légende de Joseph d'Arimathie, dépositaire du mystérieux saint Graal, dessine dans le récit de la Passion une niche, cette fois un *roman*, pour chevaliers chrétiens laïcs, dont la rédemption difficile est plutôt une aventure courant d'avance à l'échec spirituel (comme le dernier voyage d'Ulysse, chez Dante) qu'un pèlerinage au sens habituel. Il est clair que les deux objets sacro-saints, la sainte Face comme le saint Graal, sont asymptotiques du saint Sacrement. Mais alors que l'Eucharistie a été instituée par le Christ pendant la Cène, devant ses seuls apôtres, et que seule la parole sacerdotale et par elle-même efficace (indépendante de la personnalité du prêtre qui le profère) transsubstantifie le pain et le vin, selon un dogme promulgué en 1247, le Graal et la Véronique, quoique d'une double nature, matérielle et divine, n'en sont que l'image, ou l'écho. Ils sont des dépôts du Christ entre les mains d'une femme et de laïcs, non de clercs. Ces reliques ont été remises personnellement, non aux apôtres et à leurs successeurs, mais à un roi, une femme, un fidèle d'élection. Parties pour le tout de la présence du Christ, elles ouvrent la voie à une quête non exclusivement monastique de sa présence plénière.

Si le ciboire du Graal a pu inspirer les joailliers du calice et plus tard ceux de l'ostensoir du saint Sacrement, Véronique et le linge de la sainte Face ont ouvert la voie aux sculpteurs et aux peintres qui ont pris « copie » de l'original dont la sainte femme avait le dépôt, avant de se risquer à reconstituer, autour de ce miroir, toute la dramaturgie de la Passion. Personnage de fiction, Véronique est, avec saint Luc portraitiste de la Vierge, l'un des deux patrons de l'art gothique du XIIIe siècle, comme le *Mandylion* avait été l'archétype des icônes après la fin de l'iconoclasme byzantin, aux VIIIe-IXe siècles. Le don du Voile entre au XVIe siècle dans l'iconographie de la *Via Crucis* et Véronique elle-même au calendrier de l'année chrétienne. La critique historique des bénédictins l'en expulsera en principe au siècle suivant, mais elle gardera presque tous ses fidèles jusqu'à nos jours. La papauté, non sans ironie peut-être, a fait d'elle, à la fin du XIXe siècle, la patronne des photographes !

La légende lui attribuait un humble rôle de réceptrice du don de la « Vraie Image », mais le Voile de la sainte Face dont elle avait reçu la garde était une telle trouée divine dans le monde de la vue qu'elle fut l'objet d'un culte dans toute la chrétienté occidentale. Elle avait fait des miracles, en Palestine, et elle en fit à Rome quand l'empereur Titus ou Vespasien, en ayant eu vent, convoqua avec succès la Dame christophore et son linge prodigieux. Conservé et exposé aux pèlerins à Saint-Pierre de Rome, le *Volto Santo*, succédant à la relique « non faite de main d'homme » conservée dans le « saint des saints » de la basilique du Latran, objet d'un culte exclusivement romain pendant le haut Moyen

Âge, exerça un attrait croissant, à partir du XIIIe siècle, sur les pèlerins de toute l'Europe.

Dante, dans *La Divine Comédie*, célèbre en Giotto le peintre qui a inauguré un art neuf, libéré de la manière grecque des icônes. Cet incunable de la critique d'art chrétienne entre en résonance, dans le poème, avec les vers où Dante évoque par deux fois la Véronique de Rome, *Vera Icon*, qui conforte sa foi, pendant son voyage terrestre, *in via*, en chemin vers la vision bienheureuse et éternelle de Dieu dont le chrétien jouira *in patria*, dans la patrie céleste retrouvée.

Saint Paul avait écrit : « Nous marchons vers lui [Dieu] par la foi, et nous n'en jouissons pas encore par la claire vue » (II Co V, 7) et dans le même sens : « Nous ne voyons maintenant que comme en un miroir, et en des énigmes ; mais alors nous verrons Dieu face à face. Je ne connais maintenant Dieu qu'imparfaitement, mais alors, je le connaîtrai comme je suis moi-même connu de lui » (I Co XIII, 12). C'est dans le monde de la vue, et pas seulement dans celui de la parole et de l'ouïe que se déplie et se dilate la Révélation, depuis le fini des images jusqu'à l'infini sans image du face à face avec Dieu [1]. Le retour de l'homme, créé « à l'image et ressemblance de Dieu », mais qui a vandalisé cette image, au Christ qui lui a montré l'Image parfaite de son Créateur, passe par la restauration imparfaite, dans le temps, à la restauration parfaite, dans l'éternité. De l'Image parfaite, le Christ a laissé entre les mains de Véronique une trace immédiate, énigme dans le miroir, empreinte « non faite de main d'homme », qui prélude dans le monde terrestre à la restauration, dans l'autre monde, de la ressemblance vandalisée. C'est la mère, l'archétype de toutes les images mnémotechniques de l'art dévotionnel chrétien. Dans l'original d'Édesse, ou dans la copie « conforme à l'original » vénérée à Saint-Pierre de Rome et objet de pèlerinage, elle est un *memorandum* de la venue du Christ sur terre et la préfiguration de la vision plénière de Dieu promise au croyant au-delà de la mort. Dans la savante théologie trinitaire, comme dans le récit canonique des Évangiles synoptiques, le « génie du christianisme » a fait entrer subrepticement cette admirable légende d'origine de la sainte Face, comme il a développé, bien au-delà de la lettre évangélique, la figure de la Vierge-mère, elle aussi féconde en images symboliques, « sensibles au cœur », mais d'abord au sens naturel de la vue, autant de balises qui orientent l'itinéraire terrestre de l'« homme voyageur ».

Dante, pèlerin lui-même, doué d'une exceptionnelle « imagination créatrice », fait de la Véronique romaine, dans la *Vita nuova* (1294-1295) et

1. Sur le théologème de la vision face à face et sur son cheminement historique, on se reportera au grand livre de Christian Trottmann, *La Vision béatifique. Des disputes scolastiques à sa définition par Benoît XII*, Rome, École française de Rome, 1995.

par deux fois encore dans l'*Enfer* et le *Paradis* de la *Divina Commedia* (1307-1321), le « phare » terrestre, au sens baudelairien, de l'itinéraire chrétien de restauration et de retour. C'est un phare mystérieux, qui n'éclaire que faiblement, mais inextinguible, et qui lève un coin du voile sur la Face de Quelqu'un qui nous regarde et nous attend. Il ouvre les yeux et le cœur sur la fin encore invisible de notre voyage dans le temps terrestre. Dans l'Enfer, parvenu à la cinquième bolge où sont châtiés pour l'éternité les prévaricateurs, le poète leur attribue la plus lacérante des tortures morales, s'ajoutant à leur torture physique, la privation de la Véronique :

> L'un d'entre eux s'agrippa au bord, cherchant à retourner son visage vers le haut, mais les démons, qui sur le pont détenaient le couvercle, crièrent : « Ici la sainte Face n'a pas lieu ! » (*Enfer*, XXI, 20-22.)

Dans le Paradis, au moment où il va rencontrer Bernard de Clairvaux, et revoir Béatrice dans la Rose glorieuse de la Trinité, deux images successives « peintes de notre effigie » préfigurent la sainte Face, – moment où il entame par avance, à la vue de saint Bernard, le « transit de clarté en clarté » dont parle saint Paul (II Co III, 18) –, il se compare au pèlerin allant sur terre assister à une ostension de la Véronique romaine :

> Tel celui qui, peut-être de Croatie, vint pour voir notre Véronique et qui, affamé depuis longtemps, ne s'en rassasia pas, mais dit pensivement, pendant l'ostension : « Monseigneur Jésus-Christ, Dieu véridique, est-ce donc ainsi que fut faite votre ressemblance ? », tel j'étais, admirant la vivante charité de celui qui, dès ce bas monde, a joui de la paix d'En haut. (*Paradis*, XXXI, 103-108.)

Dante était passé de l'amour de loin pour Béatrice à l'amour de Dieu qui le fait pèleriner de l'Enfer au Ciel, où il retrouve Béatrice, relayant Virgile et l'accueillant sur le seuil de la présence divine. Dans le *Canzoniere* de Pétrarque, imprimé en 1470, le poète superpose encore davantage son élégie personnelle – l'amour de loin qui l'attache désespérément à Laure, – se repaissant du premier portrait profane mentionné dans les annales chrétiennes, celui de sa bien-aimée, œuvre de son ami le peintre siennois Simone Martini –, à l'élégie chrétienne du désir de Dieu, qui veut et va se repaître de la vue de la Véronique romaine pour calmer son impatience de la vision face à face du Christ :

> Le vieillard chenu et blanc se départ du doux séjour où son âge est bien entouré, sa petite famille qui le gâte voit son cher père lui manquer. Et le voici, traînant son flanc usé pour l'ultime journée de sa vie, n'en pouvant plus, aidé du bon vouloir, brisé par les ans et épuisé en chemin, qui parvient à Rome selon son désir, pour voir la semblance de Celui qu'il espère aussi voir

au Ciel. Ainsi, épuisé, je vais moi-même jusqu'aujourd'hui cherchant, Dame, autant que possible, en autrui, votre forme parfaite que je désire (*Rime*, 16).

Voyager dans la vue, partir du visible pour parvenir au seuil de l'invisible, des images rétiniennes et psychologiques pour parvenir au cœur divin du réel humain, tel est à la fois l'emploi du temps du chrétien et celui de l'artiste, pour autant que celui-ci mette au monde une œuvre qui parle aux sens le langage de l'esprit.

La sainte Face romaine a-t-elle été vandalisée par les lansquenets luthériens pendant le sac de Rome, en 1527, comme l'avait été le Mandylion pendant le sac de Constantinople par les croisés en 1204 ? En tout cas, son *aura* semble avoir décru au XVIe siècle, tandis que croît celle du saint Suaire de Turin. Cette relique était parvenue en France au XIIIe siècle, rapportée de Constantinople par un croisé. Elle resta longtemps obscure et controversée jusqu'à ce que la dynastie de Savoie l'adopte comme son palladium, la transportant d'abord à Chambéry, puis en 1574, sur les instances du cardinal Charles Borromée, le saint archevêque de Milan, dans la seconde capitale du duché : Turin. Le culte que lui porta Charles Borromée, et les nombreux ouvrages émanant de son entourage qui la firent connaître par la description et la gravure, achevèrent d'en faire un objet de pèlerinage. Un apologiste jésuite des images, Louis Richeome, renchérissant sur l'argument que Jean de Damas avait tiré au VIIe siècle du Mandylion d'Édesse, va jusqu'à écrire, en 1598, que le Christ a laissé de lui trois autoportraits, celui d'Édesse, du temps de sa prédication, celui de Véronique, du temps de sa Passion, et celui de Turin, du temps de son séjour au tombeau [1]. Étant lui-même dans la Trinité « peinture » et miroir de son Père, et ayant pris sur lui d'incarner cette image sur la terre pour la faire reconnaître des hommes, il a confié l'extension de sa présence à la fois à la parole imagée des évangélistes et aux images qui parlent en son nom : la Croix et ses autoportraits, miraculeusement auto-reproduits et répandus en plusieurs lieux saints du monde chrétien. L'art des peintres d'images saintes dérive si bien de ces originaux divins que leur support moderne, les fibres organiques de la toile, les pigments colorés, eux aussi d'origine organique, le chassis de bois en forme de croix (l'une des obsessions, aujourd'hui encore, de peintres espagnols tels que Saura et Tapiès) donnent un corps tout symbolique et vivant à l'image spirituelle qu'ils étayent. Aux yeux de Richeome, l'analogie est évidente entre la structure du tableau de

1. Sur Louis Richeome et ses *Trois discours pour la Religion catholique, des Miracles, des Saints et des Images*, Bordeaux, 1598, voir mon étude « De l'icône en négatif à l'image rhétorique : les autoportraits du Christ », dans le recueil cité, *L'Imagine di Cristo*, p. 413-448.

dévotion et la double nature de l'Eucharistie consacrée. Les images saintes de l'art, comme le saint Sacrement, attestent que le Rédempteur est apparu dans le monde du vivant et des sens naturels, non pour les nier, mais pour les prendre sur lui et les diviniser. Une telle théologie de la peinture fait mieux comprendre que le télescope de Galilée et le microscope de Leeuwenhoek, qui annulaient le témoignage des sens naturels, et le doute cartésien, qui lui substituait le calcul mathématique, aient ému une Église pour laquelle le monde que le Christ était venu sauver était celui d'Aristote, celui dont la connaissance repose sur le témoignage des sens naturels interprétés par la méditation religieuse et par la contemplation philosophique. C'est une émotion du tout analogue qui s'empara de Baudelaire lorsqu'il aperçut un dérivé de l'optique galiléenne et cartésienne, la photographie, substituant sa vérité à celle des cinq sens, de leurs synesthésies et de l'imagination créatrice. Ce n'était plus seulement le sens religieux du monde, mais celui que lui découvrent la poésie et les arts, qui s'en trouvait dévalué. L'univers « écrit en langage mathématique » et représenté par une optique annulant celle des sens naturels, se substituait aux symboles qui donnaient sens et arrière-pays au monde sensible, arène de l'humaine condition.

Le saint Suaire et la photographie

Le culte du saint Suaire resta pendant trois siècles un fait avant tout piémontais. En 1895 – l'année où l'invention des frères Lumière fut présentée au public à Paris, 35, boulevard des Capucines, l'ancien atelier de Nadar –, la presse européenne publia en première page une reproduction du négatif de la photographie du saint Suaire de Turin par un Turinois expérimenté, Secondo Pia, qui révélait les traits, pour ainsi dire en relief, des taches fauves laissées par le visage et le corps du Christ martyrisé sur le suaire où l'avaient enveloppé saint Jean, Nicodème et Joseph d'Arimathie. Telle était du moins l'interprétation des autorités ecclésiastiques qui avaient autorisé la diffusion du cliché, en principe destiné aux archives, mais à qui la découverte étrange de Secondo Pia avait fait changer d'avis. Le négatif, qui révélait en positif les traits empreints en négatif sur le Suaire, ranima et universalisa la piété locale, déjà intense, qui entourait la relique. Sa publication exacerba la controverse dont le Suaire n'avait jamais cessé d'être l'objet. Mais dans le contexte de la fin du XIXe siècle, à l'heure même où la photographie, en s'annexant le mouvement, multipliait la puissance et l'autorité de sa représentation du monde, n'était-ce pas aux yeux des croyants la réponse miraculeuse – et de surcroît « scientifique » – à ce monde qui avait cessé d'en être un et à qui les images photographiques ne montraient plus, comme dans la fameuse recollection bergsonienne qui précède l'instant de la mort, que le souvenir de ce qu'il avait été. Secondo Pia, l'auteur du cliché révélateur de la sainte Face, consacra toute sa vie à fixer sur plaques puis sur papier, les monuments et œuvres d'art du Piémont, avec le zèle de qui, s'attendant à les voir disparaître, se hâtait d'en retenir auparavant les reflets.

La querelle du Suaire, à rebondissement de génération en génération, sur sa date, sur sa nature (relique ou fabrication artistique d'un faux), dure toujours. Elle donne le vertige dès qu'on se plonge dans la bibliothèque à laquelle elle a donné lieu dans un grand nombre de langues depuis le XVIe siècle. Elle est comme la conque qui fait entendre un grondement océanique, ressac de la série de querelles emboîtées qui ont agité l'Antiquité et la chrétienté à propos des images et des arts visuels. Certains adeptes de la thèse du faux de génie n'ont pas manqué de l'attribuer à Léonard de Vinci ! Depuis Secondo Pia, la question du Suaire fait partie de la querelle moderne entre le David des arts et le Goliath des images technologiques [1].

Cette querelle n'a aucun sens à New York. C'est à peine si l'on se souvient que Susan Sontag s'est interrogée sur la sacro-sainte fiabilité et sur la moralité du témoignage photographique. J'ai beaucoup flâné dans cette ville où l'on ne flâne pas, mais où l'on marche beaucoup, à vive allure. En bus, dans le métro, je n'ai cessé de croiser des gens usés et fatigués, jeunes et moins jeunes, tassés sur eux-mêmes, pas assez sans doute pour intéresser les photographes de la déréliction humaine, mais trop peu présentables pour être remarqués par les photographes d'art et de glamour. À pied, j'ai poussé mes promenades dans les quartiers les plus délités ou les moins fardés de cette île fabuleuse où se concentrent tant d'échantillons d'humanité, les plus vrais et les plus faux. J'ai croisé tant de visages préoccupés et énervés que j'aurais aimé interroger, tant de profils perdus que j'aurais aimé voir de face, tant de bonnes gens vaquant à leur petit commerce ou à leur office et qui avaient l'air à leur affaire. Je n'ai jamais emporté mon Leica. Les vrais gens, à New York comme ailleurs, ont naturellement horreur que des inconnus les photographient. Et puis, j'avais toujours l'impression qu'ils avaient tous été plusieurs fois et souvent photographiés, sondés, comptabilisés, évalués, et que même eux, dans ces quartiers assez tristes et excentrés de la capitale de la modernité, appartenaient à un monde quotidien, un peu mangé par la publicité et les technologies miniaturisées, mais aussi

1. J'ai pu voir à New York, sur la chaîne C. B. S., un documentaire impartial et d'une très haute tenue (disponible en DVD), qui retrace les épisodes et expose les arguments *pro et contra* de la querelle du *Sindone*. Il n'a jamais été diffusé en France. La chaîne culturelle franco-allemande Arte a commandité et passé à l'antenne un film intitulé *Corpus Christi*, d'une inspiration toute différente.

étrangement archaïque ou intemporel qu'un bazar du Moyen-Orient, en regard de l'inimaginable république mondiale de savants cartésiens imaginée par Swift, plus réelle, solidaire et impavide que jamais aujourd'hui, dans ses laboratoires où elle s'est pourvue de prodigieuses prothèses cognitives, observant ce petit monde de très loin, avec les mêmes yeux de verre qui se promènent parmi les atomes ou les galaxies, maîtres de sauver des vies, maîtres aussi de les rendre soudain toutes caduques.

J'en ai oublié les musées et les galeries, les affiches et les portables leur menue monnaie. J'ai fini par apprendre par cœur et je me suis récité, dans l'avion de retour, en guise d'au revoir et avant de m'endormir, le poème-prière moderniste de Jorge Luis Borges :

Diodore de Sicile raconte l'histoire d'un dieu dépecé et dispersé ; qui en marchant au crépuscule ou en traçant une date de son passé, n'a jamais senti qu'il s'était perdu une chose infinie.

Les hommes ont perdu un visage, un visage irrécupérable, et tous voulaient être cet étranger (rêvé dans l'empyrée, sous la Rose) qui, à Rome, vit le linge de Véronique et s'écria plein de foi : « Jésus-Christ, mon Dieu, Dieu de vérité, ton visage était donc ainsi. »

Sur une route, il existe un visage de pierre et une inscription qui dit : « Le vrai visage de la sainte Face du Dieu de Jaēn ». Si nous savions vraiment comment elle était, ce serait pour nous la clef des paraboles et nous saurions si le fils du charpentier fut aussi le fils de Dieu.

Paul la vit comme une lumière qui le désarçonna ; Jean comme le soleil quand il resplendit dans toute sa force ; Thérèse de Jésus la vit souvent baignant dans une lumière tranquille, mais elle ne put jamais préciser la couleur de ses yeux.

Nous avons perdu ses traits, comme on peut perdre un nombre magique fait de chiffres ordinaires, comme on perd pour toujours une image dans le kaléidoscope. Nous pouvons les voir et les ignorer. Le profil d'un Juif dans le métro est peut-être celui du Christ ; les mains qui nous tendent quelques monnaies au travers d'un guichet répètent peut-être celles que des soldats un jour clouèrent sur la croix.

Peut-être un trait du visage crucifié est-il à l'affût dans chaque miroir. Peut-être le visage mourut-il, s'effaça-t-il, pour que Dieu soit tout le monde.

Qui sait si cette nuit, nous ne le verrons pas dans le labyrinthe du rêve, et si, demain, nous ne l'aurons pas oublié[1].

1. J. L. Borges, *Œuvres complètes*, Paris, Gallimard, 1999, t. I, p. 676 et suiv.

DEUXIÈME PARTIE

Un semestre parisien

CHAPITRE PREMIER

Le printemps à Paris

Il n'y a pas d'occupation aussi intéressante, aussi attachante, aussi pleine de surprises et de révélations pour un critique, pour un rêveur dont l'esprit est tourné à la généralisation aussi bien qu'à l'étude des détails, et pour mieux dire encore, à l'idée d'ordre et de hiérarchie universelle, que la comparaison de nations et de leurs produits respectifs.

Quand je dis hiérarchie, je ne veux pas affirmer la suprématie de telle nation sur telle autre. Quoiqu'il y ait dans la nature des plantes plus ou moins saintes, des formes plus ou moins spirituelles, des animaux plus ou moins sacrés, et qu'il soit légitime de conclure, d'après les instigations de l'immense analogie universelle, que certaines natures, vastes animaux dont l'organisme est adapté à leur milieu – aient été préparées et domptées par la Providence pour un but déterminé, but plus ou moins élevé, plus ou moins rapproché du Ciel, je ne veux pas faire dire autre chose qu'affirmer leur égale utilité aux yeux de Celui qui est indéfinissable, et le miraculeux secours qu'elles se prêtent dans l'harmonie de l'Univers.

Charles BAUDELAIRE, *Curiosités esthétiques,*
Exposition universelle de 1855.

Quelle serait une société universelle qui n'aurait point de pays particulier, qui ne serait ni française, ni anglaise, ni allemande, ni espagnole, ni portugaise, ni italienne, ni russe, ni tartare, ni persane, ni indienne, ni chinoise, ni américaine, ou plutôt qui serait à la fois toutes ces sociétés ? Qu'en résulterait-il pour ses mœurs, ses sciences, ses arts, sa poésie ? Comment s'exprimeraient des passions ressenties à la fois à la manière des différents peuples dans les différents climats ? Comment entrerait dans le langage cette confusion de besoins et d'images produits des divers soleils qui auraient éclairé une jeunesse, une virilité et une vieillesse commune ? Et quel serait ce langage ? De la fusion des sociétés résultera-t-il un idiome universel ou y aura-t-il un dialecte de transaction servant à l'usage journalier, tandis que chaque nation parlerait sa propre langue, ou bien les langues diverses seraient entendues de tous ? Sous quelle règle semblable, sous quelle loi unique existerait cette société ? Comment trouver place sur une terre agrandie par la puissance d'ubiquité et rétrécie par les petites proportions d'un globe fouillé partout ? Il ne resterait qu'à demander à la science le moyen de changer de planète.

CHATEAUBRIAND, *Mémoires d'outre-tombe.*

C'est le passé qui fait l'avenir et l'homme n'est au-dessus des animaux que par la longueur des traditions et la profondeur des souvenirs.

Anatole FRANCE, Préface au *Faust* de Goethe.

1. D'un affairement à l'autre

Me voici de nouveau à Paris, mes yeux encore éblouis par l'éclat électrique du soleil d'hiver new-yorkais, réfléchi sur les parois de verre et les tubulures d'acier des *skyscrapers*. Je garde encore sur ma rétine le net profil en dents de scie du *skyline* de Manhattan, si semblable aux graphiques de l'indice Dow Jones que publient les pages « Économie » des journaux. J'accommode avec plaisir, dans la lumière perlée d'une journée couverte de décembre, sur le gris éteint des toits d'ardoise ou de plomb des immeubles haussmanniens et sur leurs renflements horizontaux. Je me repose, passant le pont des Arts, devant l'étrave de l'île de la Cité, les deux bras du fleuve qu'elle fend, merveille de nature où ont cristallisé des siècles d'art de bâtir.

Si visuellement c'est la détente, politiquement, moralement, c'est le choc. Un trajet aussi rapide ne laisse pas le temps de se déprendre et de se reprendre. Mon immersion prolongée dans le spectacle, le rythme et le système de New York me rend d'autant plus attentif au spectacle, au rythme et au système de Paris, dont j'ai perdu l'habitude depuis quatre mois. À Manhattan, au pied de gratte-ciel d'une impartialité minérale, j'ai presque pris mon parti d'une coexistence pacifique (indifférence ou relativisme, comme on voudra) entre une révérence savante et attentive pour l'art ancien et moderne d'importation, et un emportement boursier pour les artefacts, euphoriques ou sinistres, de l'« Art contemporain » indigène ou étranger, mais plus ou moins calqué sur l'indigène. Sur le théâtre où Barnum et Buffalo Bill connurent leurs heures de gloire, le chaos de ces productions tapageuses trouve un sens fort, local et patriotique. Il atteste avec ostentation la vitalité irrépressible et la diversité multicolore de l'*American way of life*. Les reliques des arts de civilisations étrangères et anciennes, conservées dans les plus prestigieux musées new-yorkais, jouissent d'un respect tout aussi patriotique. Elles sont la réserve d'archaïsme, européen et mondial, que l'Amérique s'est offert le luxe de constituer et de préserver, mais qui n'a aucun rapport avec le présent et surtout l'avenir meilleur qu'elle s'affaire à forger pour elle-même et le reste du monde, norme et évidence énormes qui s'imposent par un poids disproportionné à nos moyennes capacités.

Je me suis amusé sur place à repérer, dans les collections du Museum of Modern Art ou à la fondation DIA, ce que sont devenues, transposées dans l'Amérique à haut rendement, les suggestions laissées derrière eux, en passant, par les Duchamp, les Dalí, les Breton, les Masson, les Max Ernst, pendant leur séjour là-bas un demi-siècle plus tôt. Mais il s'agit encore de passé, si récent soit-il. Dans de moindres musées ou dans les galeries d'art à la page, même ces attaches reconnaissables avec le modernisme parisien et européen ont disparu, et l'on se trouve en présence d'une multiplicité innombrable d'idiosyncrasies, chacune méritant un -isme à part, foule démocratique bigarrée qui joue des coudes et où seul un logiciel peut, en fonction des prix et de la notoriété, d'heure en heure, établir une hiérarchie mercantile provisoire. Dans ces classements Forbes, le rang varie du tout au rien, selon la *flexible* conjoncture.

Si les Américains, de loin et en principe, sont plutôt fiers de leur *Contemporary Art*, seule une minorité d'entre eux s'y intéresse vraiment, et une minorité moindre encore (mais, même infime en nombre, une minorité très riche, en Amérique, a beaucoup de poids) s'y passionne et achète. Le génie du lieu admet une offre plus vaste que la demande et le droit à l'erreur y est aussi largement reconnu que le droit au succès, sous réserve, toujours en principe, que l'erreur ne nuise qu'à celui qui l'a commise. Au supermarché comme sur le marché de l'art, le choix de ce qui est offert donne l'illusion d'intervenir, non en amont, où tout est mystérieux, comme tout ce qui compte en ces temps de transparence avant que le pot aux roses soit découvert, mais en aval, ce qui donne malgré tout au client, achetant clefs en main, une impression grisante de liberté. Je ne suis pas sûr que ce système privilégie le meilleur, mais il est cohérent avec lui-même, il est pratique, et il marche, cachant du mieux qu'il peut sa propension aux déconvenues brutales.

Dans le Paris de 2008, que j'observe avec des yeux neufs, c'est une Amérique d'exportation que je redécouvre, déformée, biaisée, inopérante, et néanmoins plaquée sur le génie du lieu et lui ôtant de son naturel. De ce cabotinage affairé qui croit lui faire concurrence, l'Amérique n'est nullement responsable. Beaucoup d'Américains perspicaces perçoivent, avec désolation ou avec ironie, ses ridicules, ses méfaits, sa stérilité. Ils attendent autre chose de Paris, partie pour le tout de la France, et de la France, partie pour le tout du « Vieux Continent ».

2. Conversation avec un gentleman du Connecticut

L'un de mes premiers interlocuteurs, à mon retour, est mon ami William Ritchey Newton, gentleman américain. L'espèce est beaucoup moins rare qu'on ne croit, mais elle ne passe pas au filtre des stéréotypes du roman, du cinéma, des *reality shows* ou des revues *glamour* et *people* qui répandent la légende, dorée ou noire, de la première puissance mondiale. Historien amateur, mais qui en remontre à plus d'un professionnel, Ritchey consacre son temps et ce qui lui reste de rentes à reconstituer méticuleusement, d'après les documents de l'administration royale, la vie interne du château de Versailles sous les trois derniers Bourbons. On ne peut être plus fanatique de la France. Il achève son séjour annuel à Paris, dans le quartier des Archives bien sûr, et j'ai tenu à le voir avant son départ.

De la cour du Grand Roi, les tragédies de Racine ont extrait des *Fleurs du mal.* Saint-Simon, quant à lui, a écrit la *Comédie humaine* de Versailles. Ritchey est nourri de Racine et de Saint-Simon. Mais, en bon Américain, *Phèdre* et les *Mémoires* l'ont rendu curieux de ce que Racine et Saint-Simon ne connurent que de haut et dont ils ont dédaigné de laisser la moindre trace dans leur hautain et troublant langage : la vie *pratique* de ce théâtre, l'économie de sa scène officielle comme de ses profondes coulisses, une économie au sens grec – la bonne marche d'une maison – la même que celle dont la Dame romaine de la « Villa des Mystères » était experte au Ier siècle avant J.-C., ou celle dont Louis XIV prenait soin en personne dans son château. L'économie, comme toute chose – la science, les techniques, le travail, les loisirs –, a changé d'échelle aujourd'hui, et d'abord en Amérique. C'est devenu une affaire gigantesque, impersonnelle et mystérieuse, dont personne ne peut se flatter, sinon après coup, d'expliquer, à plus forte raison de contrôler, la bonne marche et les pannes imprévues. Ritchey en sait quelque chose. Son extrême prudence n'a pu prévoir ni prévenir la quasi-ruine de sa petite fortune, dans un krach du début des années 1990. Comme une sorte de repos après ses inexplicables déboires boursiers, il a été tenté par l'étude d'une gestion à l'ancienne, préhensible par un seul homme, le roi, et offerte à la rétrospection par un seul homme, lui-même, dans un fonds d'archives lui aussi préhensible au prix d'un travail de longue haleine, mais à portée d'un historien expérimenté. Curiosité satisfaite avec une persévérance méthodique et un succès tout américains.

L'*otium* de cet anti-Babbitt, né dans le Connecticut, mais qui a fini par émigrer dans le Tennessee, où le climat est chaud et les impôts légers, est consacré depuis vingt ans par la studieuse folie de tout savoir et faire connaître, volume après volume écrits directement en français, du Grand Hôtel de la monarchie française, au temps où il affichait complet. Bien qu'il parle fort bien notre langue, sa conversation n'est pas plus facile que la lecture des romans de Henry James. Comme le romancier bostonien, il protège son ironie sous une réserve aussi pudique et détournée que délicate. Pour le pousser dans ses retranchements, j'évoque les traits d'« américanisation » de Paris. Le sujet le gêne. Je me garde bien d'aller jusqu'à le sonder, comme manifestement il le redoute, sur l'opportunité de transformer Versailles en vitrine de son compatriote Jeff Koons, comme le bruit en court déjà dans les journaux. C'est là une affaire franco-française, et il tiendrait pour grossière toute tentative de lui faire prendre directement parti sur ce sujet. Brusquement, il baisse la garde et vide d'un trait toute sa pensée sur la question générale que j'ai, pour la première fois, introduite entre nous :

> Les Français exagèrent, me dit-il. On dirait qu'ils sont incapables de percevoir la différence d'échelle et d'optique entre eux et nous. Ce qui est *matter of fact* pour nous ne devrait pas l'être pour vous. J'ai de plus en plus l'impression que l'on joue ici la fable de la grenouille et du bœuf. Cela vous rend ridicules, caricaturaux, à côté de la plaque. Nous faisons dans le gros. Vous avez toujours excellé et vous devriez encore exceller dans le détail, même si le détail n'apparaît pas dans les statistiques et les questions par oui ou par non. Croyez-vous que nous donnons dans le panneau ? Oui, nous nous prévalons de notre énorme supériorité dans tout ce qui s'achète et se vend, notre pragmatisme le veut, mais en même temps nous nous étonnons *in petto* que cela vous éblouisse et intimide, et que vous cherchiez désespérément dans *Forbes*, dans *Time Magazine*, dans les listes du Nobel, ou dans les évaluations de Shanghai, quel rang vos universités, vos grandes écoles, votre science, votre littérature, vos arts, et même votre Q. I. national, tiennent selon les gros critères de statisticiens. Au fond, même si nous prétendons le contraire pour vous déstabiliser, nous savons mieux que vous ce qui sépare le *high* et le *low*, le qualitatif du quantitatif, le vrai luxe et le luxe de série. Nous le savons mieux que vous tout simplement parce que ce n'est pas dans nos cordes nationales. Nous avons toujours rêvé d'acheter ce que l'argent ne peut acheter, et il arrive maintenant que nous y parvenions. Nos universités privées et nos bibliothèques sont excellentes, nos instituts de recherche, nos grands musées le sont aussi. Nos revues de qualité sont bien meilleures que les vôtres. Pourquoi ? Vous dédaignez votre propre fort, qui est justement la qualité. Vous vous abîmez à nous imiter dans ce que nous avons de gros, et vous laissez dépérir ce qui a toujours fait votre supériorité, le raffinement. Vous nous avez impressionnés et aiguillonnés, tant que avez joué à votre échelle, dans les niches où vous étiez irremplaçables et imbattables. Depuis que vous

avez mis sur le marché Johnny Hallyday, faute d'Elvis Presley, Luc Besson, faute de Stanley Kubrick, vous avez pris une mauvaise pente.

Je ne l'avais jamais entendu parler d'un trait si longtemps. Il avait fort bien compris que je brûlais de l'interroger sur Jeff Koons à Versailles, et, en clair, il m'avait répondu qu'à des yeux américains c'était aussi grotesque et impossible qu'à New York un récital de Madonna au Metropolitan Opera ou une exposition d'Art-poubelle à la Frick Collection. Le lendemain, il repartait pour Detroit, d'où il gagnerait en voiture sa maison à fronton et colonnes, ses livres et son jardin, au large de Nashville, la Bethléem d'Elvis Presley.

3. Pot de terre contre pot de fer : service public et main invisible du marché

Dans les jours qui suivent, tout en reprenant mes conversations et mes promenades parisiennes, j'assiste de loin à une mobilisation générale sur la scène officielle. En cet hiver 2007-2008, la « main invisible » du marché a fait un signe funeste, et l'émoi est grand dans les altitudes de l'État comme dans les échos de la presse. Ce n'est rien en comparaison des gestes de noyé qu'elle fera à l'automne de la nouvelle année. Mais l'agitation est à peine moindre. Il paraît qu'au *Kunst Kompass*, évaluation doctement compilée par des statisticiens allemands, la présence des artistes français contemporains dans les expositions et dans les collections étrangères refoule la France, « mère des arts », au cinquième rang mondial, ou pire, et cela, malgré les subventions et les initiatives multipliées depuis des décennies par le ministère de la Culture et le « CulturesFrance » des Affaires extérieures. Vive est l'alarme. L'honneur et l'intérêt nationaux sont blessés. On en oublierait presque l'urgence de rendre sélectif, payant, compétitif, notre système d'enseignement et de recherche, urgence pourtant infiniment plus vitale pour la nation. Personne n'a l'air de douter que la France doive placer son honneur et son intérêt dans un « Art contemporain » qui n'est après tout, vu de New York, que la danseuse d'une infime minorité mondiale de milliardaires, et qui n'a rien de commun ni avec les arts qui ont fait sa gloire dans des temps après tout pas si anciens, ni avec les artistes non « contemporains » qui œuvrent dans l'ombre, aujourd'hui, en France.

Il n'empêche. Le nouveau détenteur du maroquin de la rue de Valois, ex-président de Versailles, Christine Albanel, se voit contraint d'annoncer un « Plan de sauvetage du marché de l'art français ». J'en constate bientôt les effets, bien que j'aie du mal à comprendre pourquoi ils portent tous sur le marché intérieur et le public français, alors que la crise, en voie d'aggravation depuis longtemps, porte sur le marché mondial et sur la désaffection de ses opérateurs comme de ses clients envers l'« Art contemporain » *français*, septième art compris.

Quoi qu'il en soit de cette introversion de tir, le branle-bas organisé d'en haut multiplie les offensives groupées visant le public d'en bas : au Louvre, au jardin des Tuileries, au Grand Palais, au palais de Tokyo, à la Bibliothèque nationale de France, au Centre Beaubourg, en attendant les Grosses Berthas prêtes à tonner à la rentrée de septembre 2008, calées dans plusieurs châteaux et hauts lieux patrimoniaux, et non des moindres, Versailles, Fontainebleau, la chapelle de Brou et bientôt l'antenne du Centre Beaubourg, toute neuve, à Metz. Et j'en passe. Certes, ce zèle n'est pas nouveau, mais l'ardeur des zélotes officiels vient encore de franchir un seuil.

Mélange des genres, exagération, dirait mon ami Ritchey. À New York, un Jeffrey Deitch travaille à son compte lorsqu'il organise l'*Art parade* annuelle de Greenwich Village. Le MoMa, le Guggenheim et le New Museum sont des affaires aussi privées que les puissantes galeries de Chelsea qui essaiment à Berlin ou à Shanghai, répondant à la demande d'un public ciblé. Ici, ce ne sont pas nos rares fondations privées qui sont sur la brèche, faisant le marché, la réclame et l'offre pour le public intéressé à l'achat des *commodities* de l'« Art contemporain » : ce sont les représentants de l'État dans plusieurs directions ministérielles, ou à la tête de nombreux établissements publics. Ils se sont imposé l'« ardente obligation » de démarcher le public hexagonal et de créer artificiellement une demande. Ce public n'a pourtant pas son mot à dire sur la starification et la cote boursière des « artistes contemporains », aussi peu que les petits porteurs dans les décisions des conseils d'administration des grandes affaires. Ce n'est pas lui, non plus, qui achète.

Cet étrange devoir d'État est particulier à la France. Une légende nationale veut même qu'il lui soit consubstantiel. Mais la légende s'est mise à bafouiller, elle se contredit : tantôt elle glorifie la tradition française du mécénat royal, dont la « politique culturelle » de la Ve République serait l'héritière, tantôt elle accuse d'aveuglement cette tradition, perpétuée par la IIIe et la IVe République, qui aurait ignoré les impressionnistes et les modernistes, dont la même légende oublie de dire qu'ils détestaient le mécénat de l'État et méprisaient ses Académies. La « politique culturelle » n'en aurait pas moins le devoir depuis un demi-siècle de réparer ce prétendu crime et de soutenir sans défaillance un « Art contemporain » supposé continuateur des « avant-gardes » artistiques du XIXe et du début du XXe siècle. Tel est l'immuable programme officiel que vient de rappeler à ses devoirs le *Kunst Kompass* allemand.

En fait, le devoir artificiel et à contre-emploi que s'assignent, une fois de plus, nos hauts fonctionnaires culturels n'a rien de commun ni avec le mécénat d'Ancien Régime, qui favorisait l'éclosion dans ses académies d'un style approprié au règne, ni avec le mécénat de la IIIe République, qui, à sa façon, et en dépit de l'opposition d'artistes indépendants se défendant très bien tout seuls, appuyait, lui aussi, le surgissement d'un style officiel national. Les notions d'Art nouveau 1900, et d'Art Déco 1927 ne suffisent pas à caractériser l'œuvre contemporaine d'artistes aussi singuliers que, pour l'un, Gustave Moreau ou Edgar Degas, pour l'autre, un Braque, un Picasso, un Matisse ou un Dufy, pas plus que les notions d'« Art rocaille » ou d'« Art néo-classique » ne s'ajustent, pour l'un, à l'œuvre d'un Chardin ou d'un Fragonard, et pour l'autre, à celle d'un Girodet ou d'un Prud'hon. Un style d'époque n'est pas une tunique de Nessus. Ces étiquettes n'en recouvrent pas moins les traits caractéristiques et constants qui distinguent, aussi bien dans les commandes publiques que dans les décors privés, les œuvres des artistes et les objets du haut artisanat de la France fin-de-siècle et de la France des « Années folles », selon un phénomène quasi saisonnier qui s'était déjà produit dans la France du XVIIe siècle et, plus nettement encore, dans celle du XVIIIe. Chacune de ces familles successives de formes avec leur « air d'époque » a représenté un moment du goût de la nation et de l'État, jouissant de la faveur générale, tant du public que des particuliers. Pour autant, même sous la monarchie absolue, l'Académie royale qui avait mission de formuler le style d'un règne n'était pas une bureaucratie jdanovienne. Elle accueillait dans ses rangs des artistes singuliers et inclassables et elle ne disposait que d'un monopole de principe : d'excellents peintres et sculpteurs formés dans un autre cadre, celui de l'ancienne corporation de saint Luc, qui organisait ses propres expositions, avaient leur propre clientèle. Si la plupart de ces artistes relèvent d'un style commun, c'était le fait d'un plébiscite dont l'adhésion n'était pas imposée par l'autorité royale. À plus forte raison était-ce le cas sous la IIIe République, où les commandes officielles ne donnaient pas le ton et n'y prétendaient pas.

Les caprices de la mode ne suffisent pas à expliquer ces styles différents, qui avaient pris du temps pour cristalliser, et qui en prendront encore avant de céder à une autre famille de formes. Parce qu'ils avaient des constantes (même l'arabesque, les conques et les vagues marines du style rocaille dessinent un monde qui se tient), ils ont fort bien résisté dans la longue durée. Comme il y avait eu une Renaissance italienne de l'art gréco-romain entre le XIIIe et le XVe siècle, il y eut un regain du « rocaille » français sous le Second Empire, propulsé par l'érudition et le talent des frères Goncourt. Le public français actuel accourt dès qu'une exposition (et il n'en manque pas, heureusement, ni au musée du Louvre, ni au musée d'Orsay, ni au Grand Palais, ni dans les musées de province) lui offre un aperçu ou un panorama de tel ou tel régime de formes ayant prévalu en France, non sans cousinages en Europe, donnant un air de famille aux arts majeurs comme aux arts décoratifs de la même période. Autant que la singularité pérenne du chef-d'œuvre, ces parentés stylistiques communes à la plupart des peintres, sculpteurs, stucateurs, ébénistes d'un même règne ou d'un même moment surprennent, retiennent et enchantent : elles contraignirent assez peu la fantaisie et le savoir-faire des artistes qui y contribuaient pour éviter l'ennui qui naît de l'uniformité, et, aujourd'hui, elles soulagent de l'impuissance à tout style à laquelle nous nous sommes habitués, elles tranchent avec bonheur sur la cacophonie subjectiviste, multiculturelle et agressive des images et des objets contemporains au milieu desquels nous évoluons. Cette cacophonie est préférable, il est vrai, au cauchemar que furent le néoclassicisme national-socialiste ou le réalisme socialiste jdanovien ou maoïste. Elle n'en reste pas moins une cacophonie pour l'oreille comme pour l'œil et pour l'esprit. Pourquoi sommes-nous devenus incapables d'un style, sinon en nous imposant des camisoles de force ? Je ne trouve pas de réponse chez les historiens de l'art.

Me voilà bien, avec mes questions à contretemps ! Sur le fond de branle-bas officiel en faveur d'un « contemporain » entendu dans un sens très spécial, même les expositions d'art « ancien » organisées par nos conservateurs de musée font l'effet de concessions, consenties à regret à ces experts, à leur science, à leur goût et à un public lui aussi demandeur, tous traîtres au *melting pot* mondial dont l'« Art contemporain » se prétend l'alchimiste. En 1948, le peintre expressionniste abstrait newyorkais Barnett Newman, posant à l'historien d'un art européen enfermé selon lui dans le dilemme entre le sublime et le beau, déclarait :

> Je crois qu'ici, en Amérique, quelques-uns d'entre nous, délivrés du poids de la culture européenne, sont en train de trouver la réponse en niant complètement que l'art ait le moindre rapport avec le problème de la beauté et de l'endroit où la trouver. La question qui se pose maintenant est : comment, vivant dans un temps dépourvu d'une légende ou d'un mythe qui puisse être appelé sublime, si nous refusons d'admettre aucune exaltation à des relations de formes pures, si nous refusons de vivre dans l'abstrait, comment pouvons nous créer un art sublime [1] ?

Deux ans plus tôt, le même Newman avait trouvé des maîtres en « relations de formes et de couleurs pures » chez les Indiens Kwakiutl du Nord-Ouest américain. Un modernisme se voulant tout américain, et résolument subjectiviste, s'identifiait au sublime des tribus primitives, étiolées dans leurs réserves, mais érigées sur le tard en académies de

1. Cité dans *Art in Theory, 1900-1990, An Anthology of Changing Ideas*, éd. par Charles Harrison et Paul Wood, Oxford, Blackwell, 1993, p. 574.

peinture abstraite non européenne. Une débauche de discours théoriques jouant sur les concepts de peinture-événement, peinture-surface, peinture-action, de déclarations d'artistes et querelles entre critiques, a accompagné cette génération solidaire de peintres américains. Sa « sophistication » conceptuelle a, du même mouvement, porté l'abstraction new-yorkaise au sommet du grand art de tous les temps et su faire valoir par le grand journalisme, les industries de luxe, la décoration commerciale et le patriotisme américain sa mystique « protestation » contre le matérialisme. L'incompréhension niaise des ignorants et des naïfs (les présidents Truman et Eisenhower, derniers en date), dûment chapitrée par rétorsions successives depuis 1913, dut enfin s'incliner devant la réussite commerciale et publicitaire de l'abstraction new-yorkaise [1]. Soudain, le Pop art mit fin au double jeu de cette ambition post-européenne d'un « sublime abstrait » prétendant représenter l'essence individualiste des États-Unis et la révolte contre le système économique et social qui leur est cependant consubstantiel. Renonçant à toute posture contestataire, le Pop art a fait acclamer un système franc et amusant de *ready-made*, transporté des supermarchés aux galeries et aux musées, encore plus strictement américain que la révolte individualiste de l'*action painting* et du *all over*.

Pour autant, le postulat de *tabula rasa* dont partait Newman était plus que jamais celui des Pop artistes. Les dadaïstes européens avaient été les premiers à s'en réclamer et l'autorité de deux écoles successives d'artistes new-yorkais qui l'adoptèrent lui fit traverser une seconde fois l'Atlantique, après un demi-siècle. Nous avons intériorisé ce postulat du « poids de la culture européenne » dont il faut, à tout prix, nous délivrer. Quand nous délivrerons-nous de ce slogan qui a fait la fortune de New York, mais qui interdit à Paris, à l'Europe de tenir les deux bouts de la chaîne, sa mémoire de la beauté à renouer, sa volonté politique à affermir et affirmer ?

L'affairement officiel que j'observe ici a pour premier souci de nous habituer à un « Art » qui a rompu avec tous les arts au sens traditionnel de l'Europe, tant académiques qu'anti-académiques, un « Art » dont la polyvalence et la plasticité indéfinies, remplaçant le « sublime abstrait » de l'après-guerre par la prolifération du vide, du laid et du banal, sont aussi incompatibles que lui avec l'idée même de style. Cet esprit de croisade et de mission est apparu dans le sillage du ministère des Affaires culturelles, créé en 1959, pourvu d'une Délégation « au développement

---

1. Voir Éric de Chassey, *La Peinture efficace, une histoire de l'abstraction aux États-Unis (1910-1960)*, Paris, Gallimard, 2001. Une polémique fort instructive a opposé à Jean Clair, auteur de l'essai *De la pénicilline et de l'action painting et de son sens* (1990), toute une pléiade de thuriféraires français de Pollock en rajoutant sur Clement Greenberg, tous cités et synthétisés, enrichis de références bouddhiques, dans l'essai de Fabrice Midal, *Jackson Pollock ou l'invention de l'Amérique*, Éditions du Grand Est, 2008.

culturel » et d'une Délégation « aux arts plastiques ». Leurs fonctionnaires ayant pris sous leur aile un « Art contemporain » dont les origines et le développement leur échappaient, leur zèle n'en devint pas moins, et de plus en plus ouvertement, la raison d'être de ces deux administrations, voire du corps tout entier de ce ministère. Il n'a plus cessé de gagner en volontarisme, de mandat présidentiel en mandat présidentiel, et il a gardé un tour activiste et fiévreux, comme si l'« Art contemporain » naturalisé *français*, et artificiellement stimulé à Paris, méconnu par le marché mondial, mais adopté comme son fer de lance par la France « culturelle », pouvait un jour connaître, hors de France, le succès unanime qu'ont connu et connaissent toujours nos impressionnistes et nos modernistes, notre Art nouveau et notre Art Déco. Pour y parvenir, il faudrait que les Français eux-mêmes se rendent enfin en masse aux mérites de l'« Art contemporain » *mondial*, à force d'en être bombardés. Sganarelle voulant vendre Dieu à l'impie Dom Juan n'a pas emprunté de plus impraticables détours.

J'assiste donc à une croisade de plus, à une nouvelle mission patriotique pour un drapeau et une cause qui ne sont pas les nôtres. Faut-il croire que ces nouveaux apôtres, dans une conjoncture décevante, escomptent mettre de leur côté l'amour-propre endeuillé des Français, en leur faisant miroiter, faute de mieux, une revanche sur le terrain de l'« Art contemporain », après tant de déboires récents dans l'emploi, l'éducation, l'immobilier, la Bourse, l'indice de croissance, la Coupe du monde, les Jeux olympiques, l'Exposition universelle ? Tout se passe comme si un *blitzkrieg* victorieux et compensatoire, sur un marché intérieur resté jusqu'ici timide et décevant, entendait enfin et une fois pour toutes balayer *en France* les dernières objections et les restes d'abstention empêchant encore l'« Art contemporain » français, au *box office* des salles de vente londoniennes et new-yorkaises, de compter parmi les champions de « l'Art contemporain » mondial !

À New York, on vend en professionnel, à qui est disposé à acheter, public ciblé plus ou moins étroit, plus ou moins vaste, telle ou telle gamme de produits. À Paris, on est beaucoup plus idéaliste et ambitieux : on veut convaincre le « plus grand nombre » qu'il doit admirer et goûter l'« Art mondial contemporain », dont la seule vue multipliée, faute de pouvoir s'approprier la chose, trop coûteuse pour la bourse vulgaire, suffirait à élever le « quotient culturel » de ses spectateurs français, tout en déclenchant magiquement, chez les acheteurs étrangers impressionnés, le réflexe favorable à la variante *française* de l'« art mondial », telle qu'elle est patronnée par l'État, et boudée jusqu'ici, pour cette raison même, à New York, à Londres, à Bâle, à Miami, à Hong-Kong.

Cette pression et cette oppression, insistantes et orchestrées, exercées sur l'ensemble du public français sont le fait d'une camarilla officielle beaucoup plus solidaire et autoritaire que n'ont besoin de l'être les nombreux galeristes et les maisons de vente new-yorkais, qui jouent (ou qui jouaient, jusqu'à l'octobre noir de 2008) sur le velours d'une clientèle riche, peu regardante et à sa façon « motivée ». La dissymétrie est saisissante. Ici l'offre publique déborde la demande, du moins en ce mois de mai 2008 où j'écris. La coterie au pouvoir qui patronne à Paris l'« Art contemporain », émule du marché mondial et singe de ses « tendances », veut faire croire que le public français souffre d'un regrettable, mais surmontable « retard » sur le « dynamisme créatif » des Américains, toujours en tête du mouvement de l'« Art » et lui ouvrant sans cesse de « nouvelles frontières ». Et si nous allions être en retard même sur la Chine ? La foire d'« Art contemporain » de Shanghai, digne émule de Bâle et de New York, ne saurait manquer, en septembre prochain, d'attirer les richissimes amateurs du monde entier. Le *ketman* de Czeslaw Milosz, dans *La Pensée captive*, n'a jamais fait autant loucher les esprits vers un objet aussi vain, un alibi aussi incongru.

4. L'art « abstrait » d'après-guerre et l'hégémonie proclamée de New York

On se croirait revenu au temps du « Défi américain », où les patrons français, s'affolant à l'idée de demeurer en reste sur les techniques de management et de marketing de leurs pairs d'outre-Atlantique, mirent les bouchées doubles. Mais il s'agissait alors d'industrie, et l'émoi fut sans doute salutaire. Maintenant, il s'agit d'Art. Il est vrai que cet « Art » n'a plus qu'un rapport nominal avec ce que l'on appelait ainsi jusque dans les années 1960, dans la dernière époque où des arts au sens propre prospéraient à Paris, plébiscités à l'ancienne par le monde entier : Richier et Giacometti, Vieira da Silva et Bazaine, Bissière et Poliakoff, Riopelle et Estève, Fautrier et Dubuffet, sans oublier le grand Nicolas de Staël, qui se suicida en 1955, précédant de peu à Antibes, dans cette fin tragique, Pollock (1956) et Rothko (1970) outre-Atlantique. Si étroite, fragile, endeuillée et (Dubuffet et son « art brut » exceptés) si modeste, que fût cette « abstraction lyrique » parisienne de l'après-guerre 1945, elle était en phase avec l'« expressionnisme abstrait » new-yorkais des mêmes années, au moins aussi anxieux, au fond, que son pendant parisien, mais placé au bon endroit. Les Parisiens n'avaient derrière leurs épaules ni une grande victoire militaire, ni des critiques aussi barnumiens que Clement Greenberg et Harold Rosenberg, ni surtout l'autorité suprême en matière de gloire, le magazine *Life* qui dès 1944, sur deux pleines pages montrant Sartre, louchant solitaire au-dessus de sa tasse de café et de ses papiers à la terrasse déserte du Flore, l'avait mis sur orbite comme l'Intellectuel français, les résumant tous et incarnant à lui seul l'intelligence de Paris libéré. Avec deux autres pleines pages du même magazine montrant Pollock debout sur une immense toile couchée et l'ensemençant de giclées de couleur, le peintre se vit projeté sur grand écran mondial, entraînant ses collègues new-yorkais dans son sillage. Du jour au lendemain, avec sa silhouette virile et sa tenue d'ouvrier, il était devenu le pionnier d'une nouvelle frontière de la perception et du geste pictural, celle que se devait de franchir dans les arts l'Amérique victorieuse [1]. Dès avant la fin des années 1950, Harold Rosenberg et Clement Greenberg, qui, tout en se haïssant, avaient préparé de longue main le terrain à ce sensationnel lancement mondial en annonçant à l'Amérique qu'elle avait enfin percé dans la grande peinture, durent en rabattre. L'expressionnisme abstrait new-yorkais des Barnett Newman, des Clyfford Still, des Jackson Pollock, des Mark Rothko, que Greenberg célébrait, à grand renfort de dialectique hégélienne, comme l'aboutissement de l'histoire de la peinture européenne et le second départ, le vrai, du modernisme, dédaignant de jamais mentionner l'abstraction lyrique parisienne, en était déjà à son chant du cygne. Rosenberg et Greenberg vécurent assez pour voir le Pop art enterrer en ricanant les géants américains d'un modernisme tardif. Greenberg ne se tira de ce démenti cinglant qu'en embouchant d'autant plus fort la trompette patriotique de la Renommée : *right or wrong*, New York était de fait et désormais la capitale mondiale de l'art.

On a affaire désormais, en Amérique et ailleurs, non plus à cette forme supérieure de l'artisanat, la peinture, qui connaissait en 1945-1950, des deux côtés de l'Atlantique, une sorte de Vendredi saint laïc, mais à une activité semi-industrielle, toute commerciale et carnavalesque, dont le wagon s'est rattaché à la locomotive à grande vitesse de l'industrie du luxe. Dans le domaine du luxe industrialisé proprement dit, il semble que, nous autres Français, nous soyons passés sans encombre à l'échelle de la grande industrie globalisée. On me dit beaucoup de bien des performances mondiales de L'Oréal, de LVMH, de nos grands vins, de nos truffes, de notre gastronomie. Il est irritant que le wagon « Art contemporain » à nos trois couleurs, tout arrimé qu'il soit à une puissante locomotive ministérielle, ne suive pas avec le même entrain.

Est-il donc si déshonorant que nous réussissions mal dans le domaine de l'« Art » globalisé, alors que nous avons si longtemps brillé, d'un éclat incontesté et quasi hégémonique, sans recourir à la publicité ou la propagande, dans le domaine des arts au sens classique du terme ? Nous avons largement acquis le droit au repos, et même au recul salutaire, au moins

1. Voir le catalogue *Repartir à zéro 1945-1949, comme si la peinture n'avait jamais existé*, sous la direction d'Éric de Chassey et Sylvie Ramond, Hazan-Musée des Beaux-Arts de Lyon, 2008.

dans cet ordre. Dans les années 1960, en coïncidence fortuite avec la création du ministère français des Affaires culturelles, le marché des arts et la notion d'art ont changé non seulement d'échelle, mais de sens. Sur l'arène où la peinture avait prétendu résumer presque à elle seule, avec l'appui d'écrivains, l'essence du modernisme dans les arts, ceux-ci, déjà dispersés, évoluant chacun pour soi, ont été écrasés par l'apparition d'un conglomérat « pluridisciplinaire » et « plastique » dont le statut est encore plus équivoque que les arts « pompiers » vomis par les impressionnistes et les modernistes, mais dont le succès commercial, soutenu cette fois par une machine publicitaire et un très riche public planétaires, a franchi tous les seuils financiers jusqu'ici respectés par les chefs-d'œuvre les plus insignes des arts traditionnels. L'octobre noir de 2008, en peu de semaines, a renversé cette « tendance » montée aux étoiles dans la dernière décennie. Nous verrons si, de ce mal peut sortir un grand bien pour la « pesante culture » européenne, et notamment la française.

Il n'y a nul déshonneur, à mon sens, quand on a eu chez soi Delacroix, Manet, Cézanne, Seurat, Braque, Matisse et Picasso, à laisser aux Américains les poids lourds d'Andy Warhol, de Jeff Koons et de Cindy Sherman, aux Anglais les poids d'or de Damian Hirst et de Tracey Emin, et aux Chinois les innombrables épigones des précédents, poussés comme des champignons depuis quinze ans. Je dirais même : au contraire. Il est glorieux de rester élégant et même invisible parmi de tels pachydermes. Comment un Jacques Truphémus, un Gérard Titus-Carmel, un Claude Garache, un Raymond Mason, un Sam Szafran, un Avigdor Arikha, un Claude Abeille, des Lalanne et autres nobles artistes-artisans à l'ancienne dont Paris n'est nullement privé *aujourd'hui* et qui ne manquent pas eux-mêmes de collectionneurs, de galeristes et d'amis fidèles, pourraient-ils se travestir, sans se renier, en industriels de l'« Art », du format Koons ou Hirst, et se prêter à des opérations financières et publicitaires comparables ? Ils n'y songent pas. Comment la version modérée et toute contemplative du modernisme qu'incarne parmi nous le poète Yves Bonnefoy, si attentif aux arts visuels et dont l'œuvre a été souvent associée à des peintres et à des dessinateurs vivants, on ne peut plus contemporains et domiciliés en France, pourrait-elle coïncider avec une « politique culturelle » rêvant d'une « part de marché » pour les « plasticiens » qu'elle couve et protège ?

Nos croisés officiels de l'« Art contemporain », tant mondial que français, tiennent ces sincères pour des cas désespérés. Il leur faut une *Star Academy* plasticienne locale. Tant que nous n'aurons pas mis en orbite un Koons ou un Hirst français, nous ne jouerons pas dans la cour des grands ! On passe sous silence le fait que nos impressionnistes et nos modernistes non seulement ne rivalisaient avec personne, mais qu'ils se sont imposés au monde sans l'aide de personne, tout seuls !

Il y aurait pourtant mieux à faire, et moins chimérique, à Paris, en France, en Europe, que de se hausser du col sans trêve pour atteindre vainement à un genre de supériorité où nous n'excellerons jamais aussi bien que Chelsea ou Shanghai et qui, de surcroît, est peu enviable. Nous n'avons rien à attendre de ce Godot, bien que nous ayons perdu un temps, un argent et des bavardages infinis à le convoquer, non sans ridicule. La « bulle », qui avait grossi démesurément la baudruche, menace à l'automne 2008 de se vider d'air, comme s'est décomposé au Met le requin de Damian Hirst dans son formol. L'« artiste » en question, avec un flair boursier époustouflant, a vendu au prix fort, l'avant-veille du désastre, sans même passer par sa galerie, chez Sotheby's, à Londres, son fonds d'usine, avant de licencier techniciens et ingénieurs. Le Michel-Ange de la taxidermie a évacué le premier l'« Art contemporain », faisant date juste à l'heure où la Bourse allait signifier à celui-ci de déloger.

En attendant que le reclassement ait lieu, si reclassement il y a, j'ai assisté au curieux spectacle de nos princes « culturels », faisant tout pour forcer la main d'un public demeuré jusqu'ici rétif, passif ou indifférent, et pour présenter leur dernière campagne de France en faveur de l'« Art contemporain » sous le jour d'une bataille dont notre amour-propre nationale dépendait.

La situation est fort étrange. L'« Art contemporain » aux États-Unis relève, pieds et poings liés, des libres mécanismes du marché, avec ses emballements et ses retombées. Son surgissement et ses vagues successives ont été l'œuvre de musées et de fondations privés, mais surtout de galeries privées, championnes du *marketing* et sachant convaincre une clientèle fortunée. Leurs « têtes chercheuses » vont déterrer des « créateurs » disposés à répondre, à point nommé et de toutes pièces, aux « tendances » de l'heure, comme les courtiers en Bourse supputent leurs placements de minute en minute et les stylistes échafaudent leurs collections de haute couture, de mois en mois.

En France, il est arrivé qu'on ait vu dans cet alignement de l'« Art contemporain » sur la norme capricieuse du marché un complot washingtonien réussi qui aurait « dérobé » à Paris le privilège de « l'Art moderne » [1]. On pourrait rétorquer, au cas où ce serait vrai, qu'il y a un précédent français et glorieux : le « vol » par Colbert, dans les années 1660, au profit de Paris, de l'hégémonie artistique, incontestée jusque-là, de la Rome pontificale. Le ministre de Louis XIV avait donné pour mot d'ordre à son administration : « Il faut transporter Rome à Paris. »

1. C'est la thèse de Serge Guilbaut, *Comment New York vola l'idée d'art moderne*, Jacqueline Chambon, 1988.

En fait, la propagande ou le mécénat d'État américains, U.S.I.S., C.I.A. ou N.E.A., qui ont contribué, après 1945, pendant la période la plus âpre de la guerre froide, au prestige et la diffusion à l'étranger des artistes de la libre Amérique, n'ont fait que trompeter à l'étranger un succès commercial et critique acquis sur place, à New York. Il ne devait rien aux organismes de Washington, et beaucoup au zèle patriotique de deux critiques habiles et rivaux et à *Life Magazine*. Le gouvernement fédéral et ses agences n'ont d'ailleurs jamais fonctionné comme des courtiers commerciaux. Les galeries new-yorkaises, imbattables dans le *marketing*, suffisaient à la tâche. Si les organismes gouvernementaux se souciaient de « vendre » quelque chose, c'était l'image des États-Unis à l'étranger, c'étaient les mérites de l'*American way of life*, dont les vedettes de la peinture new-yorkaise (Jackson Pollock) ou californienne (Robert Diebenkorn) ou de la grande musique (Aaron Copland) ou de la musique de jazz (Dizzy Gillespie, Duke Ellington), étaient des attestations de poids, mais entre autres preuves des avantages de la liberté à faire valoir et goûter en Europe. Beaucoup plus persuasifs, en fait, auprès du grand public européen sonné par la guerre, et aspirant à la prospérité, comme le pauvre Blaise Cendrars de *Pâques à New York*, se montrèrent les symboles quotidiens de la réussite économique américaine : les images appétissantes d'une société de consommation et d'*entertainment*, les nourritures terrestres des supermarchés, les majorettes, Marilyn Monroe et le *rock'n'roll* [1].

5. Paradoxes du service public

À Paris, aujourd'hui, c'est-à-dire hier, au printemps 2008 embaumé d'optimisme, les zélotes les plus ardents de l'« Art contemporain », même s'ils ont des relais dans l'économie privée (fondation Cartier, fondation Arnault, Christie's France, Sotheby's France, les galeries parisiennes branchées) et dans la presse spécialisée (*Beaux-Arts*, *L'Œil*, *Connaissance des arts*, *Artpress*) ou d'information (*Le Monde des livres*, les pages « culturelles » de *Libération*, *Le Figaro littéraire)*, sont avant tout de hauts dignitaires du ministère de la Culture, administration sans

1. Voir l'étude brillante de la réussite de cet habile *Kulturkampf* par l'historien autrichien R. Wagnleiter, *Cocacolonization and the Cold War. The Cultural Mission of the United States in Austria after the Second World War*, trad. Diane M. Wolf, Chapel Hill, 1994, et l'essai utile de Richard Kuisel, *Seducing the French, The Dilemma of Americanization*, University of California Press, 1993, qui rappelle, entre autres, la bataille menée en 1950 par la compagnie Coca-Cola, qui bénéficia de pressions diplomatiques de Washington pour arracher au gouvernement français la vente libre de la fameuse boisson-symbole de l'*American way of life*, dont la composition chimique est restée secrète.

équivalent aux États-Unis qui n'ont jamais eu de système officiel des Beaux-Arts, ni royal, ni républicain. Or notre ministère, né dans les ruines de l'ancien système français des Beaux-Arts, et qui ne comporte pas moins aujourd'hui de onze mille agents (estimation timide), a *aussi et d'abord* pour mission proclamée et réclamée devant toutes les instances internationales de préserver la différence entre les « biens culturels » en général, le patrimoine artistique national en particulier, et les marchandises ordinaires (*commodities*) soumises à la loi du marché et à ses fluctuations, vouées comme elles à la consommation et à l'évacuation rapides.

Cette mission protectrice, que les Américains qualifient de protectionniste, découle du *service public* que le ministère assure à l'intérieur de la nation. Musées publics, théâtres publics, opéras publics, bibliothèques publiques, archives nationales, patrimoine architectural public, conservatoires nationaux de théâtre, de danse, de musique sont de son ressort, offrant à tous ceux qui le souhaitent l'usage et la jouissance d'un vaste ensemble de spectacles, d'œuvres d'art, de livres et de manuscrits, de monuments et de savoir, financé par l'État et dont la conservation et l'exposition incombent à des agents compétents de l'État. Cet ensemble est par définition, depuis ses origines royales, exclu du marché et de son jeu fluctuant de l'offre et de la demande commerciales. Il s'accroît, il rajeunit, il ne diminue pas : il est en quelque sorte la mémoire commune de la nation, en voie d'incessante augmentation et dont chacun doit pouvoir jouir et user librement pour l'éducation de ses enfants et dans son propre loisir. Délié de ses contextes historiques, il demeure une vaste, vivante et stable ressource d'entraînement de la mémoire, de l'imagination et du jugement, à contre-courant de l'*entertainment* commercial et de la vaporisation pseudo-individualiste qu'il fomente. Son incontestable popularité démontre que le sens commun français en perçoit d'instinct la légitimité et la fécondité.

Si la notion de chef-d'œuvre a un sens, c'est à l'intérieur de l'ensemble du patrimoine national, avec lequel elle a en commun la durabilité et la qualité de repères incontestables, indemnes de l'usure du temps et de la variation des modes. S'il y a une « exception française », c'est bien celle de patrimoine, et il faut la défendre avec bec et ongles. À un moindre degré parfois de tradition et d'organisation, les autres nations européennes protègent leur propre patrimoine millénaire. Nous avons simplement l'avantage de le faire depuis plus longtemps, ce qui nous oblige (ou devrait nous obliger) à donner l'exemple à tout le « Vieux Continent », sans nous laisser impressionner ni par le Nouveau, qui a un autre agenda, ni avec ce que l'on appelle pompeusement « création contemporaine », comme si le fait d'être « contemporaine » (au sens sélectif qu'on lui donne en haut lieu, mais qui, même en ce sens arbitraire, n'exclut pas le risque que court toute œuvre nouvelle de ne pas s'imposer et de ne pas durer) lui donnait d'avance le droit acquis par les chefs-d'œuvre de figurer d'emblée et à égalité dans le patrimoine public.

Héritage immense de l'ancien système des Beaux-Arts et du domaine royal, intangible à l'image de l'État qui en assure la gestion et qui se fait, en principe, un devoir de le faire partager par « le plus grand nombre », l'existence d'un tel ensemble est tout à l'honneur de la nation française, un honneur, pour le coup, fort bien entendu. Il arrive aux Américains de l'admirer et de l'envier, lorsqu'ils regrettent, par exemple, que leurs musées, de droit privé, soient maîtres de vendre, selon la conjoncture financière ou selon la mode du moment, des chefs-d'œuvre qui leur ont été légués et dont ils privent leur public, ou lorsqu'ils se plaignent de la programmation timide de leurs concerts et de leurs opéras, ou encore lorsqu'ils constatent qu'il faut faire campagne, sans grande chance de succès, pour sauver de la démolition telle église ou tel monument public ou privé de notable qualité artistique, aucun organisme à l'échelle fédérale n'exerçant la fonction vigilante de notre administration des Monuments historiques. C'est cette conception française du patrimoine, étendue à l'échelle mondiale, qui a inspiré en 1972 la législation de l'UNESCO sur la préservation des sites et des monuments d'intérêt universel.

À cet égard, le sens français, hérité de l'État royal, de beautés artistiques et naturelles qu'il faut *immobiliser*, parce qu'elles n'appartiennent à aucune génération et bénéficient à toutes, jusqu'à la fin des temps, est l'une des « valeurs » les plus incontestables dont nous puissions nous prévaloir. Reste à démontrer que cette « valeur », qui va à contre-courant de l'esprit *mobilier* du marché global, n'est pas en contradiction criante avec la « politique culturelle » dont la France contemporaine croit bon de s'enorgueillir *aussi*. L'idée patrimoniale suppose un acte de foi civique dans l'éducation, celle des artistes comme celle du public. La politique culturelle est un pari publicitaire sur la consommation et l'évacuation. Toute la question est là.

Pour peu en effet qu'on ait bien en tête la haute tenue intellectuelle et morale de cette mission de conservation et d'éducation que s'assigne l'État français, et qu'on se remémore sa lente genèse, hâtée au XIXe siècle en réaction contre le vandalisme de la Révolution, on est toujours davantage surpris qu'elle puisse maintenant passer au second plan. Le nouveau mot d'ordre auquel les musées nationaux doivent se plier, notamment les plus visibles et les plus fréquentés, tous parisiens, Louvre, Orsay, Picasso, qui ont obtenu une relative autonomie administrative tout en continuant à se voir financer en grande partie par l'État, c'est de s'aligner, pour une proportion considérable de leur budget, sur la rentabilité du secteur privé. On croit faire ainsi un pas vers l'Amérique, alors qu'en Amérique la distinction des genres n'est jamais perdue de vue : les *trus-*

tees qui gouvernent (et souvent financent eux-mêmes) les musées et autres institutions privées, artistiques ou charitables, sont mieux placés que personne (au moins en principe, les exceptions n'ont pas manqué), pour savoir la différence entre le *non profit* d'intérêt public qu'ils subventionnent et le *profit* d'intérêt particulier d'où ils tirent et augmentent leur fortune personnelle.

D'où la nécessité où se mettent nos établissements publics, néophytes du *marketing*, passés à un hermaphroditisme statutaire, de multiplier les opérations publicitaires susceptibles d'attirer le plus nombreux public payant et de faire du bruit dans la presse et les médias. Après tout, pourquoi pas ? Cela ne va pas quelquefois sans « dommages collatéraux », notamment la délocalisation de longue durée de leurs œuvres d'art à l'étranger, en échange de rentrées de devises. Cela entraîne aussi une politique de *fund raising* auprès de mécènes qui attendent, en échange, un « retour sur image » qu'il faut concilier avec les finalités scientifiques et pédagogiques d'un musée national. Jusqu'ici, nos musées ont su tenir adroitement les deux bouts de la chaîne et leur mécènes privés ont gardé la réserve généreuse qu'observe le plus souvent l'évergétisme américain : les « évergètes », à Athènes, étaient les citoyens les plus riches qui tenaient à honneur de financer les spectacles publics et l'érection des monuments religieux ou civiques. Revenons nous aussi à l'Antiquité.

Autre péril : la liberté obtenue par ces grands établissements rompt leur solidarité financière traditionnelle avec l'ensemble des musées nationaux de province, beaucoup moins bien placés qu'eux pour attirer un nombreux public. Cette sorte de civisme patrimonial semblait naguère tout naturel, l'ensemble des musées nationaux étant placés à égalité sous la tutelle de la Direction des Musées de France et la péréquation budgétaire, – ainsi qu'une programmation concertée –, était assurée par la Réunion des Musées nationaux. La création de musées-établissements publics individualistes et « globalement concurrentiels » a mis à mal la communauté patrimoniale, amputé la Direction des Musées, et atrophié la R.M.N. [1]. Un ensemble vivant, que n'avaient réussi à ébranler ni la « révolution culturelle » de Malraux ni celle de Lang, se retrouve démembré et grinçant. Il ne continue à parler d'une seule voix que lorsqu'il s'agit de promouvoir l'« Art contemporain » officiel.

La gauche n'ose guère s'émouvoir de la sortie de grands musées nationaux du cadre patrimonial et de leur entrée en concurrence sur l'âpre marché mondial avec les grands musées étrangers de taille analogue. N'est-ce pas son propre Barnum culturel, Jack Lang, qui a amorcé cet individualisme des grands musées, tout en dénonçant par ailleurs les

1. Voir l'article de Philippe Dagen et Michel Guerrin, « "Picasso et les maîtres" : au profit de qui ? », dans *Le Monde* du 29 décembre 2008, p. 2.

horreurs du marché et de la marchandisation des « biens culturels » ? Quant à la droite économiste, elle applaudit sans trop comprendre. N'a-t-elle pas applaudi à la transformation de la France du Général, « une certaine idée », en *Entreprise-France* larguant « le poids du passé » et relookée pour faire figure sur la scène globale ? L'équilibre est difficile à maintenir pour les musées-entreprises, entre leur nouvelle vocation au *business* et leur traditionnelle vocation au service public patrimonial *non profit*, qui reste par ailleurs le lot de l'ensemble des musées nationaux non parisiens. Changement de « culture », nous dit-on. Cela signifie, en clair, passage de l'idée patrimoniale classique à une « culture » de marché, au demeurant bancale, puisque l'État reste son principal bailleur de fonds. Tout aussi bancale d'ailleurs est la notion d'une Entreprise-France qui supposerait, comme le marxisme, l'extinction utopique de l'État, ou comme le veut le libéralisme américain, un État fédéral se restreignant à l'essentiel, alors que l'État français, se prenant pour l'incarnation de la Main invisible, s'occupe de tout, est présent partout, tranche de tout.

Les musées, et en général les institutions et monuments patrimoniaux ne peuvent aller trop loin dans leur métamorphose en *culture engines*, genre Guggenheim, sans péril de renier leur vocation et de trahir leur essence. On change aujourd'hui de culture comme on change de chemise. L'ennui, c'est que ce nouveau modèle, inventé hors État, et dans le marché-roi, est tenté de ne voir, dans les notions de patrimoine et d'œuvres de l'esprit, que des freins à son « dynamisme » sans principes. Les notions de patrimoine et d'œuvres de l'esprit (que pour ma part je me garderais de noyer dans la notion trop extensible de « biens culturels ») ont en commun avec la notion d'État de ne pas changer facilement de chemise, et de ne pas traiter les gens en clients, mais de les servir. Pardon, mais le latin des païens m'a enseigné que *ministerium* signifie proprement service, et le latin des chrétiens, que *ministerium* rime avec *mysterium*, le service de vérités dérobées aux modes. Le patrimoine français retrouvera la fidélité à son idéal classique de service, poussé jusqu'à une sorte de sacerdoce laïc, sans quoi il faut brader ce pesant gêneur.

Quel plus grand service à rendre aux citoyens actuels d'une nation qui se veut intelligente que de leur offrir, outre une école et des universités excellentes qui les forment à penser par eux-mêmes, hors du politiquement correct sociologique et statistique, des écoles d'art, des musées, des théâtres et des salles de concert exemplaires ? C'est là qu'ils apprennent à former leur goût et à sentir par eux-mêmes hors du cercle des modes qu'encourage le marché, sans préjuger de l'éclosion de personnalités indépendantes et de laboratoires de formes qui échappent à la fois à la loi du marché et aux institutions patrimoniales.

Cet automne 2008, la savante et sévère exposition *Andrea Mantegna* du Louvre, et dans le même temps la merveilleuse exposition de pastels français de la fin du XIXe siècle au Musée d'Orsay obtiennent un grand succès de public. Les chefs-d'œuvre imposent leur hégémonie et dans ces temps inféconds, ménagent un avenir. La même faveur accueille l'exposition de portraits de Van Dyck au musée Jacquemart-André et « Delacroix et la photographie » au musée Delacroix. Cette dernière exposition fait pénétrer le public dans l'atelier d'un grand artiste, et une autre encore, à l'École des Beaux-arts dans le grand atelier où, durant un siècle et demi, se formèrent plusieurs générations d'artistes français et étrangers, parmi les plus grands.

Cela fait une grande différence avec New York, où la notion d'éducation de l'artiste, et celle d'atelier où œuvre l'artiste, n'inspiraient aucune des nombreuses expositions que j'y ai vues l'an dernier. Riche d'une nombreuse collection de tableaux du XIXe américain, l'hôtel particulier de style Beaux-Arts, enclavé parmi les mastodontes de la Ve Avenue, siège de la première Académie de peintres des États-Unis (Thomas Eakins en fit partie), est au bord de la faillite. Ses expositions étaient excellentes, mais le public rare, les mécènes encore plus rares. Ces œuvres et ces artistes, jugés depuis l'*Armory Show* de 1913, à la remorque de « la Vieille Europe », ne sont pas assez *sexy*. Quand aura eu lieu la liquidation de ce petit joyau démodé, enté sur les mètres carrés les plus chers du monde, il ne restera plus trace à New York, sauf chez mon ami John Dubrow, du très ancien *métier* de peintre. Il est vrai que l'Académie new-yorkaise n'a jamais été une École. Elle n'a jamais non plus essayé d'intéresser le public new-yorkais ni à la façon dont ses académiciens s'étaient formés, ni au métier lui-même, ni à ceux qui le pratiquent encore aujourd'hui, ce qui peut-être aurait surpris et l'aurait sauvée. C'est à quoi justement s'attache l'exposition de l'École des Beaux-Arts, puisant dans ses propres archives. Elle révèle tout à coup, à de jeunes visiteurs étonnés et intéressés, à quels exercices méthodiques du dessin étaient entraînés les architectes, peintres, sculpteurs, et graveurs formés dans cette École où ont été formés tant d'architectes célèbres et tant d'artistes américains. Au musée Delacroix, un autre coin du voile est levé, pour un public d'aujourd'hui, sur les exercices quotidiens de dessin auxquels un peintre aussi glorieux et « arrivé » que Delacroix se livrait chaque jour pour lui-même, et pour lesquels, un temps, il s'appuya sur la photographie de modèles. Enfoncé, ou du moins entamé, le dogme anti-artistique d'une créativité et d'une expression partant de zéro, doctrine dont se sont gardés la plupart des grands modernistes, mais qui passe depuis cinquante ans pour le dernier mot sur l'art !

Quoique prévenue, empêchée, déviée, la soif de beautés soustraites au flux des sensations en solde et au pays de Cocagne des clichés est toujours vive, elle est naturelle aux humains qui ont un droit élémentaire à ne pas être jetés vivants, comme les esclaves de Tibère à Capri, en proie aux images-murènes, et de ne pas être nourris, comme les animaux élevés à la chaîne, d'images jetables. C'est une question de plaisir, c'est aussi une question de dignité. La beauté et les beautés savent composer un monde à l'intérieur duquel nous nous découvrons, avec nos sens et notre esprit, appelés au bonheur. En organisant avec tant de soin de telles expositions, les musées nationaux, grands et petits, se montrent des rivaux à la hauteur de ceux de New York et de Londres. Peut-être même font-ils mieux lorsqu'ils osent rappeler que les arts, comme le génie, sont une longue patience et supposent l'existence curieuse d'écoles, d'ateliers, de maîtres, de modèles, de conventions, de règles, autant que de génies à même de s'en jouer.

Mais il leur arrive aussi de faire autre chose, l'emportant de beaucoup en nihilisme primaire sur le New Museum de Brooklyn, le Guggenheim de New York ou le Saatchi Museum de Londres. Une *culture engine*, comme toutes les machines, s'use vite, comme la « culture » qu'elle usine, et se remplace par un nouveau modèle. Le sort réservé à l'aile droite du splendide Palais de Tokyo est caractéristique de ce transfert de l'industrie et du commerce dans le désordre qui s'intitule « Art contemporain ». Intérieurement démembrée et remodelée plusieurs fois, elle sert de décharge toujours plus « performante » à une « avant-garde » de néant. Choyée par une critique complaisante ? Non, même pas, mais par des fonctionnaires des « arts plastiques » qui se détrônent les uns les autres et satisfont tour à tour leur clientèle aux dépens du public, un public jeune, qui apprend dans cet anti-musée ce que peut être un anti-atelier où l'on s'éclate en tribu. La « culture » que fait consommer ce genre de machine à entonner des déchets n'éduque, ne mûrit et ne fait croître personne : elle fait régresser ses consommateurs au stade de l'enfant freudien, pervers polymorphe.

Les recettes de l'« Art contemporain » au sens officiel et mondial, partout où il se vend, s'achète et fait sa réclame, c'est la provocation, l'outrance, le néo-dadaïsme épate-bourgeois dont s'enchantent les beaubourgeois superlatifs du nouveau Village global. Son essence est destructrice et déséducative : il a, comme Dada, la vocation d'agiter, déstabiliser, renverser, au lieu de fixer des repères qui ne trompent pas et dont notre monde déboussolé est cruellement sevré. Du moins, partout ailleurs, à New York comme à Shanghai, fabrication, vente et achat de ces pauvretés se passent à l'intérieur de la sphère commerciale privée. Sauf en France, où ces mêmes pauvretés, qualifiées de « créations », rangées au premier rang des « biens culturels », se voient choisies, exposées et promues par l'État au même titre, voire avec la même emphase que les chefs-d'œuvre universellement reconnus qui font la fierté de la nation et qui font partie de son patrimoine inaliénable. Cette annexion et cette promotion contre nature du « contemporain », soumis par définition aux aléas du marché et de la mode, et se moquant de soutenir l'épreuve du temps et des générations, par un ministère qui se proclame patrimonial, tout en ayant renoncé, depuis 1968 (j'y reviendrai), à son ancien rôle de formation de peintres, de sculpteurs, de graveurs, d'architectes capables d'œuvrer à l'ornement *durable* de l'État et à offrir au public des objets qui l'arrêtent, relèvent de la prestidigitation duchampienne vulgarisée. Tel le musée dans les murs duquel un urinoir de série devient comme par enchantement une œuvre d'art originale et signée, l'ex-Fille aînée de l'Église et la Mère des droits de l'homme, une fois qu'elle a adopté, exposé, sacré et consacré dans son giron un « Art contemporain » qui, ailleurs, est rangé parmi les *commodities* soumises aux lois du marché, s'emploie à le faire regarder par le public français avec autant de révérence que la *Fontaine de Neptune* ornant le parc de Versailles, ou l'*Apothéose d'Hercule* de François Lemoyne ornant l'un des salons du château, ou même les vitraux qui luisent aux fenêtres hautes de la cathédrale de Chartres.

Il va de soi pourtant que cette promotion officielle et française des produits de l'« Art contemporain », ce soutien ostensible qu'il reçoit de la puissance publique nationale et de son intervention appuyée, va à l'encontre du caractère *fun* et *trash*, fugitif et marchandisé, qui fait justement le succès mondial d'un « art » se refusant à en être un et s'adressant en premier lieu à un public fortuné, affranchi du sérieux pour le moins *durable* de l'État comme de l'Église. Un public dont l'individualisme nouveau riche se pique d'acheter à des prix mirobolants du *kitsh* clinquant et glamour qui durera aussi peu que le *kitsh* gluant et sale, l'un et l'autre lui convenant justement *parce qu'ils ne dureront ni l'un ni l'autre pas plus que lui.* Le zèle « culturel » intempestif de l'État français, dans un domaine où la sorte d'autorité dont il dispose, et *qui lui vient de sa durée*, indispose plutôt la clientèle qui achète ce qui l'amuse *parce que cela ne durera pas*, nuit beaucoup plus qu'il ne sert le succès commercial de l'« art » qu'il prétend faire admirer et respecter d'un public qui n'achète pas, qui n'en a pas les moyens et qui, par ailleurs, n'en a pas envie, quoique l'on fasse tout pour déclencher en lui le respect intimidé de ce qui n'est rien, mais coûte cher.

Le temps est passé où un mécénat pontifical ou royal donnait un surcroît de commandes et de prestige à des artistes dont leurs pairs et le public avaient d'eux-mêmes plébiscité l'excellence. Leurs commanditaires attendaient des œuvres qui durent, et ils se piquaient eux-mêmes de montrer que, contre toute attente, ce qui demeure peut l'emporter sur ce qui passe. Heureusement des œuvres de cette sorte demeurent, contredisant le prestige artificiel imposé dans l'immédiat à chaque velléité de ce mouvement perpétuel, voué à une rapide entropie, qu'on appelle « Art contemporain ».

L'époque même, beaucoup plus récente, de la guerre froide, où les agences du gouvernement américain faisaient valoir, en faveur de la liberté occidentale, et par des voies indirectes, la brillante école d'expressionnistes abstraits émergée à New York en 1945, est elle aussi passée. Depuis le Pop art, l'« Art contemporain », tel qu'il a été lancé à New York, dès la fin des années 1950, est à double titre, un produit du marché, une commodité commerciale, un *fast food* du regard pourvu d'un label de luxe (l'« Art »), exposé dans ses propres bazars spécialisés, tout en se comportant lui-même, sans façons, comme un simple secteur du marché, parmi d'autres, coté en Bourse. Il est suspendu entièrement à la conjoncture économique et financière, et sa valeur purement marchande en dépend. Outre ses galeries, il a sa clientèle, ses apologistes, ses foires, ses musées. Il s'en va, en cette fin d'année 2008, comme toute chair qui n'est que chair, au moment même où cet éphémère s'imaginait avoir devant lui encore un peu de temps, Monsieur le Bourreau. Partir, disparaître, c'est ce qu'il a de mieux à faire et on lui dira adieu sans le moindre regret, au moins ici. Quand entendrons-nous l'État français murmurer enfin : « Et dire que je me suis donné tant de mal, depuis tout ce temps, pour quelque chose qui, après tout, n'était pas mon genre ! »

Un tel *business* à l'échelle planétaire a ses défauts, trop visibles, mais *il le sait*. En France, on veut nous faire croire qu'il tient lieu de ce qu'on appelait les Beaux-Arts, qu'il succède en droite ligne aux chefs-d'œuvre de l'avant-garde moderniste et même qu'il est *notre* version des « arts sacrés » de tous les temps et de tous les lieux. Cela revient à rejeter dans les catacombes les artistes français, bien vivants pourtant, qui restent étrangers à ces discours et à ces gesticulations. J'en ai cité plusieurs qui servent d'autres possibles du regard, sans faire de tapage, sans trahir les arts traditionnels. Il en est sûrement d'autres. Cela revient aussi à intimider tout jugement de goût osant faire le tri, dans la superproduction contemporaine, entre les écornifleurs et les artistes sincères, rares par définition et plus difficiles que jamais à dénicher, en dépit ou à cause de l'abondance confondante d'« information » truquée. Il en va de l'« Art » voyant et voyeur dans ses vitrines, comme du *business* de la *rock music* ou des *rave parties* qui s'adressent à un autre public, mais dont le succès commercial et les gigantesques enjeux financiers sont assurés et assumés par les grandes compagnies de disques et de D. V. D. Ce grand commerce n'a aucun besoin de label ou de soutien officiels et intempestifs pour se faire une clientèle et rouler sur l'or.

Je me suis étonné, pendant les années Lang du ministère de la Culture, et je l'ai écrit, de voir et d'entendre le ministre, si éloquent dans ses condamnations de l'impérialisme culturel américain, se transformer si volontiers en V. R. P. célébrant les mérites de formes d'*entertainment* d'origine américaine se défendant fort bien, sans lui, sur le marché français, mais qu'il jugeait bon de subventionner sur les mêmes crédits publics allant au Conservatoire de musique ou aux Opéras nationaux. Qu'elles vivent leur vie, tant mieux, ces *rockstars*, qu'elles prospèrent avec tout leur attirail électronique et leur machine publicitaire, même si leur hystérie n'est pas l'idéal d'éducation que l'on peut souhaiter aux jeunes gens de quelque nationalité que ce soit. Mais comment un ministre socialiste, si pointilleux sur l'« exception culturelle » française et sur la « diversité culturelle » mondiale, si ardent de surcroît à dénoncer les méfaits du marché *en soi*, pouvait-il en même temps marquer, au nom de l'État, tant de faveur à des produits typiques du marché de l'*entertainment* et les ranger parmi ces « biens culturels » que l'État se doit de sanctuariser ? Rentré dans le rang, Jack Lang continue de célébrer les *teknivals* et autres *rave parties* tonitruantes et festives. Il s'enorgueillit d'avoir « créé », en plasticien d'État, la fête de la Musique, *rave party* à l'échelle nationale, et d'avoir été imité dans plusieurs capitales européennes. Les millions de somnambules qui se pressent chaque année à ces célébrations du dieu Bruit et de ses acolytes, Agitation et Bousculade, sont l'argument massue en faveur de cette invention toute barnumienne, qui n'a pas pourtant traversé l'Atlantique.

Les successeurs de notre *Homo festivus* national, et leur administration, tentent de rivaliser avec lui dans l'organisation des loisirs de nos concitoyens. Ils sont plus graves, et leurs desseins sont entravés par des budgets plus restreints qu'aux beaux temps où « Dieu » régnait sur la France. Pourquoi se donnent-ils tant de mal, pourquoi mobilisent-ils avec tant d'emportement l'autorité des admirables vitrines publiques dont ils disposent, pourquoi veulent-ils en ajouter de nouvelles, pour imposer au public français un « Art contemporain » qui, hors de France, et d'abord dans l'Amérique d'aujourd'hui, n'a nul besoin de l'État pour trouver des amateurs et qui, même en France, ne manque pas de mécènes et de collectionneurs privés fort actifs ? Qu'est-ce qui les pousse à faire monter artificiellement la cote de l'« Art contemporain », quitte à jeter dans la balance musées nationaux d'art ancien, bibliothèques publiques, jardins et parcs publics, façades de monuments publics, tous transformés en étals des produits d'un « Art contemporain » dont la physionomie proprement française est loin d'être visible et moins encore établie ? Pourquoi ne pas laisser cette branche de l'industrie globale de l'*entertainment*, plus *low* esthétiquement que *high*, et pour un temps plus *high* boursièrement que *low*, s'essayer en France comme elle le fait ailleurs, en Amérique, en Angleterre, en Allemagne, en Chine communiste, avec ses ressources publicitaires propres, qui ne sont pas minces ? En quoi l'« Art contemporain » produit en France, s'il en est, aurait-il des traits si spécifiquement *français*, si nationaux, que l'État français doive se démener autant pour le faire valoir ? Comment se fait-il que le même ministère de la Culture, qui a sacrifié, lors de l'ouverture du Centre Pompidou, l'École dite à bon droit *de Paris*, à des *ersatz* français du Pop art new-yorkais (*Nouveau Réalisme, Nouvelle Figuration, Support-Surface*), se soit mis en tête, alors que l'« Art contemporain » était devenu en apparence un affriolant marché mondial, de se consacrer avec tant d'acharnement à la publicité et à la promotion en France d'un « Art contemporain » mondial, sous prétexte de promouvoir ses éventuels épigones locaux ?

*6. La délocalisation de l'*Urbs Parisiorum

Ces questions, que je me pose depuis plusieurs années, s'imposent à moi avec une insistance nouvelle depuis mon retour de New York. Je me promène dans Paris pour me réapproprier la ville avec un œil neuf, et j'aperçois partout, comme jamais, les signes visibles, dans les rues, sur les places publiques, sur les grilles des parcs et dans les jardins publics, dans les musées et dans les bibliothèques, d'une appropriation rivale, infatigable et frénétique de la cité par un « Art contemporain » devenu art officiel, après avoir ostracisé tous les autres. Je découvre que les colonnes de Buren brisées, rayées et pieusement restaurées, cimetière de Saturne, dans la cour du Palais-Royal, ou la hideuse pagode multicolore qui sert de sortie du métro Palais-Royal, côté Comédie-française, deux « installations » naguère célibataires, ont fait d'innombrables petits. Avec un affairement auprès duquel celui des galeristes privés fait pâle figure, le fonctionnariat de la Culture a posé sa patte contemporaine partout où il a trouvé un interstice public encore vacant. L'ubiquité de la présence visuelle de l'« Art contemporain » dans le Paris historique est maintenant comparable à celle de la publicité des affichages Decaux. Or je dois me rendre à l'évidence : ces affichages commerciaux, tout insistants qu'ils soient, jurent à un moindre degré avec le paysage urbain de la capitale française que ces innombrables rogatons, installés ici et là, en plein air ou à l'intérieur, comme pour nous persuader que l'« Art contemporain » campe désormais à demeure dans la capitale conquise et qu'il nous est demandé, c'est un devoir civique, au moins de nous accoutumer, au mieux de nous affectionner, par la méthode Coué, à son envahissante et systématique ostentation.

Pour mon bonheur et le nôtre, Paris garde, quasi intacte, l'empreinte de mille ans de talent architectural, urbanistique et artistique, et la qualité de sa lumière quasi marine, quelle que soit la saison, même en temps de pluie, n'a été affectée, depuis Manet et Caillebotte, ni par la pollution ni par le réchauffement climatique. Rarissimes sont devenues les villes du monde qui ont pris, et qui ont gardé, cette évidence et cette beauté de faits de nature. Elles le doivent, jusque dans le fin détail, à des siècles de décisions artistiques qui, de style en style, ont obéi selon leurs propres voies à un même principe : la convenance au site, à sa lumière, à sa météorologie, à ses propres précédents, mais aussi au souci de ne décevoir personne, ni les vivants, ni les morts, ni les générations encore à naître. Rome, Florence, Venise, Vienne, Prague, Copenhague, Stockholm, Cracovie, Budapest ? Oui, sans hésiter, et j'en passe. Pardon Bordeaux, pardon Vicence, pardon Trieste, pardon Bâle et Zurich, pardon Bamberg, pardon Édimbourg. Je vous adore toutes, et tant d'autres encore, sans compter les villages, les hameaux, les fermes, les châteaux. Mais quoi ? Je ne peux jouir de vous toutes à la fois, et si je dis Paris, c'est à titre de partie pour vous toutes. Le gris perle de Paris est unique. C'est une ville pour graveurs, pour burinistes et pour pastellistes sachant l'art du dessin et celui de la moirure. De ses âges et styles successifs, romain, roman, gothique, Renaissance, classique, rocaille, néo-grec, Empire, la Ville a gardé des traits auxquels l'urbanisme d'Haussmann a donné la vie organique d'un beau visage et d'un corps élégamment drapé, sur lesquels se sont posés, depuis, comme autant de joyaux, un collier de Gares, la broche de la tour Eiffel, les pendentifs Art nouveau du Grand et du Petit Palais et les parures Art Déco des palais de Tokyo et de Chaillot.

Paris est une noble personne, mais c'est aussi une noble demeure, dont la distribution généreuse et nombreuse associe à ciel ouvert les salles, les enfilades, les galeries, les passages, les communs les plus divers, néanmoins merveilleusement accordés entre eux et non simplement juxtaposés, d'un théâtre urbain hospitalier et commode, aussi bien pour ses acteurs que pour ses spectateurs. Je sais bien : en plus d'un arrondissement, sur plus d'une majestueuse avenue, les façades et le décor intacts cachent un évidement interne, et les appartements y ont fait place aux bureaux, qui se vident eux-mêmes à six heures du soir, privant de vie vespérale des quartiers entiers, comme à Wall Street ou sur le Loop de Chicago. Je veux faire semblant de ne pas trop remarquer ces furtifs attentats immobiliers qui ont sourdement atrophié la vie nocturne de la ville.

Il y a plus grave, et tout aussi discret. Nombre d'hôtels particuliers du XVIIe et du XVIIIe siècle, qui donnent leur physionomie suprêmement élégante à plusieurs rues du quartier Saint-Germain ou du faubourg Saint-Honoré, ou de la place Vendôme, ou de l'île Saint-Louis, une fois vendus par l'État ou par leurs propriétaires privés à de riches amateurs, sont exposés à être traités comme l'aile droite du palais de Tokyo, évidés et remodelés pour faire place à d'autres formes de l'« Art contemporain », auquel ces contemporains voluptueux sont accoutumés dans leurs résidences principales et qu'ils souhaitent retrouver à l'identique dans leur pied-à-terre parisien : piscines, saunas, salle de *body building*, vastes salles de bain *high tech* avec jacuzzi, salle de cinéma, et naturellement vastes et profonds parkings. La façade restera intacte, noble image de marque pour le nouveau propriétaire, comme les vitrines de grandes compagnies de fripes campées orgueilleusement rue du Faubourg-Saint-Honoré. Mais il restera peu de chose de la distribution intérieure conçue avec soin par l'architecte, et du décor conçu et réalisé par peintres, sculpteurs, ébénistes et artisans supérieurs du Paris d'autrefois. En passant devant ces beaux hôtels, on pouvait rêver à loisir au marquis de Carabas si bien logé par Perrault et à la Marianne introduite par Marivaux sur de tels balcons et sous de tels toits, ou encore à Baudelaire s'essayant au haschich sous les combles de l'hôtel Pimodan (redevenu l'hôtel de Lauzun), en compagnie de Jeanne Duval et de leurs jeunes amis écrivains. Peut-on faire confiance aux architectes des Monuments historiques pour veiller au grain et empêcher de trop irréparables gâchis dans ces demeures classées ? Nous autres passants, nous défendons aussi le droit à rêver de nos successeurs. Si les Monuments historiques flanchent, que la Ville de Paris tienne bon !

7. Éloge de la beauté de Paris

Je me rends compte, malgré ces mauvaises nouvelles du Paris caché, que dans mes promenades de piéton, je prends à Paris un plaisir nouveau. Je l'attribue à l'image très vive que je garde, cette fois, du *skyline* de New York, au bout de quatre mois de promenades dans Manhattan, Brooklyn, le Bowery ! Il y a du sublime à contempler, depuis les frondaisons de Central Park West, l'alignement de gratte-ciel qui se dressent en hautes falaises, sur trois côtés, au-dessus du toit des arbres. Il y a aussi du sublime dans l'affrontement entre le *frontline* à pic de Chicago et les eaux du lac Michigan qui, jusqu'à l'horizon, sont parfois aussi tempestueuses que l'océan. Le sublime de New York est fait d'une disproportion énorme entre la taille de ses arbres, pourtant fort anciens et fort vigoureux, et celle des monuments verticaux qui les encerclent et les dominent. À Chicago, il est fait du face à face entre une longue rangée de tours de Babel et le plus originaire des éléments, l'eau du Déluge.

Par contraste, la beauté du paysage urbain parisien, fort bien pourvu en platanes d'ancienne souche sur ses boulevards et dans ses parcs, tient à la proportion entre cette abondante végétation, que la pollution ne semble pas atteindre, et les immeubles qui se dressent à leur arrière-plan, jamais plus haut que d'un tiers, ou de la moitié. On est en ville, il est vrai, et, dans toute ville, la nature n'est là qu'en hôte de l'art humain.

Mais ici, c'est un hôte traité en ami de la famille. Tout se passe à Paris comme si l'art de bâtir, de siècle en siècle, avait tenu à ne pas humilier la nature, mais à garder une mesure gracieuse envers les dimensions de ses productions les plus nobles et proportionnées au corps humain. À New York, on dirait, à l'inverse, que les techniques du bâtir, alliées à la spéculation immobilière sur une étroite presqu'île, se sont enhardies à affirmer leur supériorité écrasante sur la nature et sur ses plus beaux enfants. À Greenwich Village, ou dans les charmantes rues transversales de la Cinquième Avenue et de Madison, à la hauteur du Metropolitan Museum, on retrouve ce qu'a dû être le New York colonial d'avant 1860, un peu quais d'Amsterdam, un peu mews de Londres. Mais les arbres qui ont prospéré dans ces rues étroites cachent les façades de brique ; ils ont été plantés trop proches d'elles pour que soit ménagé à l'œil et à la marche un espace aéré et bien calculé, propre à créer pour le piéton un rapport agréable et une harmonie sensible.

Or nos corps, ce par quoi nous tenons de la nature, sympathisent avec les arbres qui ont un tronc, des bras, une peau, des cheveux comme nous et de surcroît une taille à notre portée, tout en étant dispensés de s'agiter comme nous. Marchant sur le boulevard Saint-Germain ou sur l'avenue Trudaine, l'une des plus belles de Paris, entre la rangée de troncs et les façades d'immeubles, je respire avec bonheur cette correspondance et juste distance entre la colonnade régulière de ces fiers végétaux et l'alignement souvent courbe de leurs bénins tuteurs de pierre. Je sens mon corps rassuré, grâce à ces intermédiaires installés à une digne place et dans une position honorable, sur sa propre taille dans le monde de la ville immense, qui a fait de son mieux pour atténuer son abstraction et me ménager des abords satisfaisants pour l'esprit et réconfortants pour le corps. Les arbres tiennent à Paris le rôle que les fontaines jouent à Rome, les canaux à Venise : celui de la belle nature ignorante, mais traitée affectueusement par l'art savant de bâtir. Dans les rues parisiennes plus anciennes et dépourvues de végétation, les arabesques des balcons et des encadrements de portes rompent la symétrie. Là encore, grâce à l'ornement, l'art reste galant envers la nature.

Comment ne seraient-ils pas troublés et anxieux, les enfants ayant grandi contre nature au pied de hautes barres de béton, tristes et abstraites comme un dépôt d'archives, un columbarium ou une sculpture de Richard Serra, entre lesquelles les arbres sont voués à rester étiques et les pelouses foulées et pelées ? Ils n'ont même pas le sublime de Chicago à se mettre sous la dent ! Je sais de quoi je parle : j'ai grandi moi aussi au pied d'un de ces rayonnages, un peu moins brutal que ceux que j'ai vus ici dans plus d'un dortoir périphérique. J'en avais horreur et je serais peut-être devenu très malheureux si, dans le jardin de la villa de mes parents, de l'autre côté de la rue, ne se dressait un vieil et immense olivier où je grimpais comme dans les bras d'un grand-père, m'enfouissant dans sa chevelure qui me cachait le monstre d'en face, et passant à lire des heures et des heures charmantes, assis dans les branchages. « Il n'y a personne, écrivait Alberti dans son traité d'architecture, qui soit assez misérable et obtus, assez grossier et inculte, pour ne pas se sentir touché par les choses les plus belles, pour ne pas repousser celles qui sont imparfaites ou négligées, et ne pas être en mesure d'indiquer, reconnaissant des défauts dans l'ornementation de quelque élément, ce qu'il faut faire pour conférer à l'objet élégance et dignité [1]. » Avec une admirable ingénuité, il écrit ailleurs : « On peut s'étonner et se demander pourquoi la nature nous fait sentir à tous, ignorants comme savants, ce qu'il y a de juste ou de vicieux dans la conception des choses et leur exécution, en particulier dans ces questions où le sens de la vue l'emporte en acuité sur tous les autres [...]. Pourquoi il en est ainsi, nous ne le comprenons pas tous. » La beauté n'est pas un absolu comme le sublime : elle est une convenance naturelle que chaque fois, selon le lieu, les circonstances et les destinataires, l'esprit obtient par une voie différente que les règles ne suffisent pas à déterminer d'avance ; elle répond à un instinct universel de la nature humaine qui, privée de ce plaisir, ou empêchée de le connaître, s'assombrit et s'ensauvage. Cette vieille vérité est toujours jeune, même si elle demande trop de tact, d'esprit et de générosité pour ne pas être désavouée avec mépris par l'esprit de géométrie, surtout lorsqu'il se joint à celui de lucre et à la mégalomanie.

Débouchant de la rue des Saints-Pères, un matin d'avril 2008, j'entrevois à travers les feuillages des arbres longeant le quai Anatole France, côté Seine rive gauche, la façade du Louvre sur l'autre quai, rive droite ; la dénivellation la fait paraître moins haute d'un tiers que les arbres. Je traverse le carrefour, et je m'engage sur le pont du Carrousel décalé sur la gauche en regard de la rue.

Rien ne rivalise, ni la *Victoire de Samothrace* ni aucune des statues qui se dressent isolées dans le hall Puget du Louvre, avec les deux hautes figures féminines allégoriques et symétriques, presque deux anges, drapées à l'antique et levant les bras, qui m'accueillent et me saluent au-dessus des deux guichets du palais, au fur et à mesure que j'avance sur le pont du Carrousel. Ces deux statues de pierre se tiennent debout *in situ*, elles saluent à la bonne hauteur sur un seuil, comme le font beaucoup plus humblement les crucifix encore fréquents aux carrefours de nos chemins de campagne. Elles ne sont pas délocalisées comme leurs

1. Leone Battista Alberti, *L'Art d'édifier*, traduction Pierre Caye et Françoise Choay, Paris, Seuil, 2004, p. 277. Voir Michel Paoli, *L'Idée de Nature chez Leone Battista Alberti*, Paris, Champion, 1999, p. 285-214.

consœurs du musée. À leurs pieds, des Amours qui jouent. Au-dessus d'elles, un haut-relief de bronze conjugue, à un cheval de race au galop, un splendide éphèbe nu qui le chevauche en amazone. L'idée qui a inspiré l'architecte et le sculpteur vient d'Alberti. Dans son *Art d'édifier*, l'humaniste florentin fait des beaux éphèbes d'Athènes, célébrés par les auteurs romains comme modèles donnés par la nature à l'art pour remplir sa mission de beauté, qu'il définit ainsi : « La beauté est l'harmonie, réglée par une proportion déterminée, qui règne entre l'ensemble des parties du tout auquel elles appartiennent, à telle enseigne que rien ne puisse être ajouté, retranché, ou changé, sans le rendre moins digne d'admiration [1]. »

Jeunesse, beauté, hospitalité, élégance, il est difficile de recevoir un accueil plus approprié à l'île des Arts où l'on va pénétrer en franchissant les guichets du Louvre : le vaste et majestueux Musée, et plus loin la Comédie française, les galeries et le théâtre du Palais-Royal et plus loin, l'Opéra de Garnier, la Bibliothèque nationale, les Boulevards et les Passages aux toits de verre que hante le souvenir de Baudelaire, du jeune Aragon, de Benjamin l'Admirable.

Ce groupe de statues dressé est dessus des guichets du Louvre, côté Seine rive droite, est la plus sublime affiche en dur qui ait jamais été conçue : elle annonce et énonce le programme le plus complet et ininterrompu de réjouissances qui aient jamais été réunies en un même lieu. Ici, l'invitation magnifique de pierre et de bronze ne flatte pas, ne ruse pas, ne bluffe pas : elle tient depuis un siècle et demi ce qu'elle annonce à tous les passants du monde entier qui, par centaines de millions, grands et petits, riches ou pauvres, savants et ignorants, connus ou inconnus, ont franchi la Seine sur le pont du Carrousel, avec sous les yeux le plus beau paysage urbain du monde, l'étrave de l'île de la Cité, les tours et la flèche de Notre-Dame, celle la Sainte-Chapelle, les deux bras du fleuve, la coupole de l'Institut, avant d'entrer dans le quartier des Muses et des Amours.

Les Heures en bas-relief, nobles jeunes femmes enlacées par couples qui scandent, dans les hauteurs, la Cour carrée du Louvre, forment un cercle céleste harmonieux et immobile qui substitue, au temps de l'horloge, l'éternel retour de la beauté. On s'étonne que l'attention des visiteurs du musée, tant sollicitée à l'intérieur, ne le soit pas à l'extérieur sur les merveilles de sa propre architecture. Mais à quoi bon faire valoir ? Cette allégorie interne à la Cour carrée ne s'adresse qu'à ceux qui la méritent. Obliquons, traversons la cour Napoléon et le jardin des Tuileries. De l'autre côté de la Concorde, sur les hauts toits du Grand Palais merveilleusement restaurés, les chars de bronze du Soleil, l'un s'élevant du côté Seine, l'autre du côté Champs-Élysées, font écho à

1. Alberti, trad. cit., p. 279.

l'Apollon citharède dressé debout sur le fronton de l'Opéra, qui pourtant date de trente ans plus tôt : le dieu du temps cosmique et du chœur des Muses règne, parmi les nuages, au nord et à l'ouest, dans le ciel de Paris. Dans l'intervalle, place de la Concorde, les fontaines, les colonnes rostrales, l'obélisque, les statues allégoriques assises des grandes villes françaises, de nuit ou à l'aube, en l'absence de circulation automobile, composent un surtout et un décor de table pour un banquet des dieux qui invite chacun à s'attabler et à combler l'appétit du regard. Ce fabuleux « immobilier urbain » de l'ancienne place Louis-XV, comme tant de portes d'hôtels particuliers élégamment cintrées, tant de heurtoirs ouvragés, tant de balcons, tant d'atlantes, tant de chapiteaux des trois ordres, tant de colonnes et de pilastres finement ouvragés, tant de formes de fenêtres, fait comprendre pourquoi Paris *n'est pas* un musée, comme la *jet set* et les technocrates nous en serinent le reproche depuis cinquante ans. C'est le contraire d'un musée, c'est aussi le contraire d'un parc à thème. Sur fond de mythologie classique et de science de l'antiquité, les chefs-d'œuvre des Beaux-Arts et du haut artisanat dit « décoratif » trouvent à Paris le site et le sens naturels qui les dispensent de leur transfert au musée. Luxe rare et vraiment démocratique, ils font corps avec l'architecture externe de la ville et signifient avec elle, pourvus de la même majesté que les inscriptions et la même grâce définitive que les bas-reliefs. Rien des pauvres substances de synthèse, usinées et coloriées, dont la chimie du pétrole gave et frustre notre usage quotidien, rien de ce verre fumé qui tient lieu maintenant de mur, bien que classique symbole de vanité et de fragilité. Le tailleur de pierre, le ferronnier, le menuisier, l'ébéniste, collaborant en équipe avec le sculpteur, le mosaïste, le vitrier et, dans les églises, le peintre, ont répondu en détail au dessein d'ensemble de l'architecte et donné une allure forte ou gracieuse à chaque demeure, celle des hommes comme celle de Dieu. Le passant anonyme à Paris, pour peu qu'il ouvre les yeux et ne les couvre pas d'une caméra, est mieux traité qu'un roi voyageant incognito.

New York incite à la marche, voire à ce sport pathétique, le *jogging*, Paris à la flânerie. Tout en répondant avec plaisir à ces gestes bienveillants et immuables qui lui sont destinés, l'imagination du promeneur se plaît à se représenter ces maîtres d'œuvre aussi à l'aise dans l'art de bâtir que dans tous les autres, et prenant soin de faire chanter à l'unisson le chœur des Muses, autant pour honorer leur commanditaire actuel que pour faire belle figure aux yeux des passants d'aujourd'hui, de demain et de toujours.

Tant pis si je m'expose aux mots-couperets : « Nostalgie ! », « Passéisme ! ». Je dis non à l'insulte et je dis oui à Paris contre ses bourreaux. Le bon usage des pierres de Paris n'est qu'une figure du bon usage de la France actuelle, à la fois méconnaissable et reconnaissable, palimpseste où un ancien texte tenace, aux yeux de son lecteur attentif, refait surface sous le brouillage neuf, banal ou criard, dont il a été trop souvent recouvert par des mains distraites, hâtives ou ignorantes. C'est vrai ici, c'est vrai partout en Europe, où les morts savent se faire vifs et s'adressent à nous avec la même autorité et dans le même langage que les dames de Pompéi resurgies des laves et des cendres du Vésuve. L'événement architectural européen fut en 2006 l'achèvement de la Marienkirche de Dresde, reconstruite avec tout son décor d'anges baroques, miracle invraisemblable pour qui a vu, dans les lendemains de la chute du mur de Berlin, le champ de pierres noircies (mais déjà numérotées) qui restait seul du bombardement de 1945. L'événement architectural de l'année 2008 à Paris aura été la restauration et l'ouverture au public du collège des Bernardins, dans le Quartier latin, chef-d'œuvre gothique d'une splendeur comparable à la nef romane de Vézelay, et caché depuis 1793 sous plusieurs couches de maçonneries utilitaires. Retour fort opportun de mémoire, auquel le pape Benoît XVI en visite a donné tout son sens, en rappelant savamment, sous ces voûtes rendues à la lumière, la contribution des moines médiévaux aux assises profondes de l'Europe : contemplation, mais méthodique, travail manuel, mais réhabilité, discipline du corps accordée aux disciplines de l'esprit. À chaque pas, Paris invite au voyage dans le temps vers les sources qui ont rendu possibles une telle présence et une telle demeure.

Le promeneur qui tombe en arrêt devant les allégories des guichets du Louvre, ou qui est frappé par la correspondance voulue entre la flèche de la tour Eiffel et celles que Viollet-le-Duc a érigées au-dessus de la croisée du transept de Notre-Dame et du chœur de la Sainte-Chapelle, le devient aussi aux êtres qu'il croise, à un beau visage attentif de vivante statue-colonne qui se penche au-dessus d'une table de café pour mieux convaincre ses compagnons et qui, se sentant regardé, se retourne et sourit, au port de Vierge drapée d'une jeune femme lointaine qui passe, là-bas, au carrefour, tranchant sur la foule en blue-jeans et sur les gesticulateurs suspendus à leur portable, en proie à leurs spectres. Entre flâneurs et flâneuses, oiseaux rares, mais non espèce disparue, un visage, un mot, un geste, une manière d'être, une démarche, une façon de sourire, et une complicité tacite s'établit soudain, parmi les affairés inattentifs, dans un bref coup d'œil ou un bref éclat de rire. On n'est jamais longtemps seul à Paris. Pour qui a appris à lire les signes et à faire le tri entre les signes neufs et les signes d'ancienne trempe, surtout lorsque ceux-ci, involontaires et inconscients de l'être, sont plus jeunes que jamais, c'est une joie de chaque jour de vivre dans ce vieux pays et de marcher sur un humus si fécond, de le retrouver sous les couches de béton, de verre fumé et de bêtise dont il a été ci et là recouvert, à la rencontre de vieux arbres humains de toutes essences et de leurs jeunes rejetons inattendus et vigoureux.

Si Picasso a pu retarder d'un demi-siècle l'asphyxie de l'art de peindre, c'est qu'il n'a jamais quitté Paris, la capitale des anciens arts européens, même pendant l'Occupation, sauf pour les vieilles pierres de châteaux ou de forteresses du Midi méditerranéen. Il a toujours préféré des cadres anciens pour ses tableaux. Le génie des arts anciens lui était nécessaire pour étayer sa *furia* et lui faire tenir la tête haute, une dernière fois, dans l'arène, et de la brandir, plus intimidante que jamais, devant les gobe-mouches de la modernité. Aragon, nihiliste animé d'une foi enthousiaste en lui-même et en l'amour (un amour un peu trop voulu), avant de devenir la figure de proue française de la foi stalinienne et de s'en repentir sur le tard, n'a jamais renié les pages inspirées du *Paysan de Paris*, où il chante comme personne la Cythère parisienne, ses aires sacrées et consacrées à la Vénus de Lucrèce, ses passages-temples et ses jardins. Ce n'est pas le tout de Paris, polythéiste en diable, mais c'est l'un des hommages les plus ardents qui lui aient été rendus depuis Restif. Valéry est moins partial, mais non moins éloquent, dans les deux proses de *Regards sur le monde actuel* qu'il a dédiées à la « fonction » et à la « présence » de Paris, qu'il qualifie de « capitale de la qualité ». Nul alors n'aurait songé à contester ce jugement, qui porte aussi bien sur les arts, l'artisanat et les lettres que sur la science et l'industrie, aussi bien sur les grands esprits que sur les petites mains.

Il en reste quelque chose. Malgré les fêtes de la Musique cacophoniques, les Nuits blanches ignobles, les *hit parades*, les installations, l'audimat, la politique *people*, le génie du lieu chante, non seulement dans ses pierres, mais, dans ses « pierres vives ce sont hommes », et la beauté du chant des pierres prédispose aussi à entendre celle-là. Quiconque a des antennes, d'où qu'il vienne, se réjouit d'habiter ici, et sait n'y jamais manquer de bonne compagnie. Plus d'un esprit, en proie à une obsession ou à un chagrin, a retrouvé son assiette au bout d'une longue promenade dans Paris, par temps clément. C'est un repos. C'est chaque fois une surprise et quelquefois une promesse. Cela n'empêche pas le travail bien fait. Paris enseigne un mode d'emploi pour les autres capitales de même trempe dont l'Europe, heureusement, abonde. La fonction de Paris, aujourd'hui, est d'enseigner à l'Europe ce qu'elle a été, ce qu'elle peut être. Paris n'est pas notre propriété, mais celle du continent européen.

Saisi d'un sentiment analogue à un retour d'Amérique du Nord, Jean Clair cite les propos d'un jeune peintre américain ayant comme lui parcouru Paris par temps gris :

> Je me suis promené sur les quais de la Seine. Chaque chose semblait à sa place vraie. La lumière sur le fleuve, la beauté des pierres, l'harmonie de chaque forme offerte, des peupliers, des façades, des ponts… À chaque pas,

j'avais l'impression en regardant mieux, de découvrir un nouveau détail, aussi parfait que le précédent, le dessin d'une corniche, un balcon de fer forgé, le profil d'une cheminée, l'habit d'une passante, ou tel livre rare que j'avais désespérément cherché. Tout cela était d'une beauté impérieuse et très vite presque insupportable [1].

Cette beauté serait donc trop « objective » ? Elle offenserait et dérangerait l'inquiétude et l'instabilité intimes qui, selon Tocqueville, sont la marque de l'individualisme démocratique, le ressort de sa précipitation ? Je crains que ce *Nauseo, ergo sum*, « J'ai le mal de mer, donc je suis », qui rend intolérable et offensant pour ce jeune Américain la stabilité et l'harmonie d'ensemble des quais de la Seine, lui interdisant toute attention à leur détail, soit la version naïve de l'agacement envers la Ville qui ronge aussi la plupart de nos propres « responsables culturels ».

À Rome, à la Rome des papes, dont le Paris de Richelieu et de Louis XIV s'est voulu le rival victorieux, la capitale française a emprunté son sens de la majesté, mais aussi son génie de la mémoire et de la synthèse, accueillant aux fêtes populaires comme aux triomphes solennels, à la vie unanime des places publiques comme aux délices privées et intimes de la maison, du quartier, du parc, aux grand-messes concélébrées comme aux vêpres. Malgré une histoire politique heurtée et souvent tragique, *fluctuat nec mergitur*, une tradition féconde pendant plusieurs siècles a fait correspondre tous les arts et concorder tous les styles d'urbanisme et d'architecture pour créer et renouveler sans cesse à Paris un terreau de civilisation, aussi favorable à l'agrément de la vie commune et quotidienne qu'à l'épanouissement des lettres, de la vie de société, de la science. De fabuleux et nombreux musées, héritiers du mécénat royal comme le Louvre, ou entièrement dus à des legs privés comme les Arts décoratifs, attestent que Paris, si souvent capitale d'une nation en guerre, et trois fois occupée par l'ennemi, n'a jamais pour autant failli à sa vocation aux arts de la paix, ornement et nourriture de la vie civile et civilisée. Cette postulation parisienne reste vivante dans le savoir et la conscience de ses conservateurs de musées et de bibliothèques, mais aussi dans la ferveur d'un public fier d'habiter ou de revenir dans une capitale de la beauté et des beautés. Malgré destructions, évidements et coups de poings multipliés par des architectes plus soucieux de leur image de marque que du milieu urbain où ils l'impriment, malgré l'envahissement de ses parcs et de ses places par un « Art contemporain » tout aussi déplacé, et malgré les embarras de circulation et la pollution, c'est encore un

1. Jean Clair, *Brève défense de l'art français, 1945-1968*, Caen, L'Échoppe, 1989, p. 57.

bonheur largement partagé que de vivre et de travailler dans l'enceinte du Paris historique.

8. *Pourquoi Paris ne renouerait-il pas avec lui-même ?*

Une sorte de preuve par l'absurde en a été donnée en avril 2008 dans l'exposition de photographies intitulée, de façon malencontreuse, « Les Parisiens sous l'Occupation », à la Bibliothèque municipale. Il aurait fallu l'intituler « Paris malgré l'Occupation ». L'uniforme nazi et les drapeaux à croix gammée, que l'objectif d'André Zucca n'a pu éviter de montrer, rappellent que la capitale française était alors prise en otage, et que le vainqueur, maître des lieux, était libre de s'y montrer insolent et féroce. La vie publique (et ce qu'elle cachait) était entièrement capturée par l'occupant et ses sycophantes. Le photographe était l'un d'entre eux. Il gagnait sa vie en travaillant pour l'hebdomadaire de propagande allemande *Signal*, comme Marguerite Duras gagnait la sienne en distribuant le papier, devenu rare et contingenté par les Allemands, aux éditeurs et aux journaux parisiens. La couleur de ces clichés Agfa (un luxe dû par le photographe à ses employeurs) choque. On préfère à bon droit le noir et blanc de Doisneau, de Brassaï ou de Modiano. Mais ce que saisit l'objectif de Zucca, pour son propre répit et non pour publication dans *Signal*, ce sont les consolations furtives que trouve la vie quotidienne des Parisiens dans la « forme de la ville », dont on constate qu'elle n'a pas essentiellement changé depuis : ses proportions, ses pleins et ses déliés, son équilibre virtuose dans l'extrême diversité créent un séjour qui ne laisse le dernier mot ni aux occupants ni à leurs méfaits. Un surplus, une marge, un charme indélébiles restent en réserve pour les passants, serait-ce pour quelques jours ensoleillés, serait-ce pour un instant de *Carpe diem*. Autant de soustrait au Saturne goyesque du malheur en marche.

Depuis, les librairies sont devenues plus rares, les boutiques de fripe se sont multipliées, les terrasses de cafés et de restaurants ont diminué en nombre, mais restent toujours aussi animées : les promeneurs des quais de Seine, en ces jours de printemps 2008 où j'écris ces lignes, je viens de les croiser, plus nombreux, mais toujours aussi flâneurs. Mes amis gémissent que le gros du marché de l'art ancien (les chefs-d'œuvre, concentrés dans les musées, se font très rares dans les salles de vente) et de l'« Art contemporain » soit passé à New York et à Londres. Je réponds que Paris reste, de loin, la capitale du marché de l'art au moins dans trois ordres étroits, mais supérieurs, celui du mobilier et des arts décoratifs du XVIIIe siècle et des années 1930, celui du dessin ancien et celui du livre ancien, rare et précieux. Leurs salons annuels, et le public qui les fréquente, attestent que le règne de la quantité ne l'a pas encore emporté sur rareté et qualité, dans une capitale qui, de siècle en siècle, n'a jamais cessé d'inventer de nouveaux styles et d'essayer toutes les figures de la beauté. Pourquoi l'État ne renforcerait-il pas les privilèges réels et reconnus de Paris, au lieu de chercher à lui en inventer qui ne lui conviennent pas ? Je me laisse aller à imaginer le musée du Manuscrit enluminé et du Livre ancien, rivalisant sans difficulté avec la Pierpont Morgan Library, qui pourrait un jour ouvrir ses portes dans les salles et les galeries de l'ancienne Bibliothèque nationale, rue de Richelieu. Il serait articulé à un musée de l'Imprimerie et de l'Estampe, deux arts nés ensemble, qui puiserait à la fois dans le fonds, unique au monde, de gravures conservé sur place, et dans le fonds non moins exceptionnel, dans son ordre, de l'ex-Imprimerie nationale, fonds aujourd'hui entreposé dans d'obscurs dépôts. Quant aux Arts décoratifs, qui ont retrouvé récemment leur propre musée élégamment redistribué sous l'œil exigeant de leur présidente, Hélène David-Weill, ils attendent de leur département au Musée du Louvre, en voie de complète restauration comme l'a voulu Henri Loyrette, tout l'éclat et le charme qui achèveront d'initier le public aux joies que donne aussi la perfection dans les boiseries, les tapisseries, les meubles, la vaisselle, les luminaires, les objets d'art, les bijoux. Et pourquoi l'École des Beaux-Arts, qui curieusement n'a pas changé de nom, ne remettrait-elle pas l'art du dessin, dont elle conserve une admirable collection avec ses adjuvants, moulages d'antiques et photographies, au cœur de la formation des jeunes artistes ? Elle pourrait faire surgir des peintres, des dessinateurs, des sculpteurs et de nouveau des architectes, rompant hardiment avec la fossilisation mondiale de leurs arts. Le modernisme a fait oublier cette vieille vérité, qui attend de redevenir jeune, qu'on n'apprend pas à dessiner un corps humain, ni un arbre en se plaçant devant « le motif » (cela viendra en temps voulu), mais en étudiant et en imitant les secrets des maîtres qui ont dessiné des corps et des arbres *vivants* pourvus d'une vie seconde, merveille qui ne s'improvise pas et qu'ils n'ont obtenue eux-mêmes qu'en héritiers de lentes et subtiles trouvailles de leurs prédécesseurs. Les arbres et les corps propres au monde de l'art ne se déduisent pas spontanément des arbres et des corps que nous apercevons au passage dans la nature. C'est le génie métaphorique et l'intelligence poétique de plusieurs générations d'artistes qui ont fait croître et verdir la végétation fictive de *La Fête à Saint-Cloud* de Fragonard.

Mais les rêves de nos princes les précipitent dans d'autres directions. D'année en année, depuis bientôt un demi-siècle, la beauté de Paris et le miel de chefs-d'œuvre que ses musées offrent à l'appétence du public français et étranger irritent, ouvertement ou sourdement, les beaux et les moins beaux esprits de l'état-major « culturel » de l'État, de la Ville et de leurs nombreux satellites publics et privés. Les acheteurs d'hôtels anciens tiennent à leur façade et satisfont leur vandalisme derrière elle. Nos maîtres en veulent à la façade de la ville tout entière et travaillent à sa perte. Le généralissime Gamelin, livrant une seconde guerre de 14 en 1939, n'était pas plus assuré de l'emporter sur l'ennemi. Les colonels de l'armée culturelle française n'ont plus qu'une idée en tête, compléter la ligne Maginot qui sauvera en France l'« Art contemporain » de la concurrence mondiale et de ses *raiders* hostiles. Cela suppose que la capitale française, obstinée à ne pas ressembler à ces villes contemporaines qui font rêver, Hong-Kong, Pékin, Shanghai, Sidney, Seattle, soit redessinée ou à tout le moins sérieusement rhabillée pour leur ressembler et devenir attractive pour la clientèle des nouveaux riches amputés d'imagination et affamés de clichés. Il sied que la ville adapte son *skyline* au dispositif stratégique de l'État culturel et se métamorphose en écrin approprié au Graal dont l'État est en quête, comme s'il résumait le génie national et incarnait son identité : l'« Art contemporain » à la fois mondial et *français*. Amoureux du Paris de Balzac, Baudelaire écrivait, dans *Le Cygne* :

Et mes chers souvenirs sont plus lourds que des rocs.

On dirait que nos « décideurs culturels » (c'est un métier, et très couru) se récitent plutôt, tous les matins, avant de se rendre à leurs réunions décisionnaires, ces vers d'Aragon, publiés en 1926 :

La ville où vous viviez, la voilà qui s'éloigne
Toute petite dans le souvenir,
Passez-moi les jumelles que je regarde une dernière fois
Le linge qui sèche aux fenêtres.

En juin 1940, le critique d'art américain Harold Rosenberg, jargonneur ne s'embarrassant pas de poésie, écrivait dans la *Partisan Review,* sous le titre « La chute de Paris » :

> Paris représentait l'Internationale de la culture. À ce titre, la ville contribuait par sa propre physionomie, par le don délicieux de ses cafés sur les trottoirs, de ses rues animées de nuit, de ses enseignes, de ses uniformes de postiers, de son argot, de ses concierges bavardes. Mais, malgré cette couleur locale de surface, l'art du XXe siècle à Paris n'était pas parisien, et à beaucoup d'égards, il était beaucoup plus accordé à New York et Shanghai qu'à cette cité de parcs et avenues du XVIIIe siècle. Ce qui s'est produit à Paris démontrait clairement et pour toujours qu'une culture internationale pouvait exister. Et de surcroît que cette culture avait un style bien défini : le Moderne [1].

1. Cité dans *Art in theory, 1900-1990, an Anthology of changing ideas,* éd. par Charles Harrison et Paul Wood, Blackwell, 1997 (1re éd., 1992), p. 542.

Cette oraison funèbre prononcée en juin 1939 anticipait de trente ans celle, plus tranchante encore, que prononcerait en 1969, en tête d'un catalogue d'exposition new-yorkais qui fit du bruit à Paris, son vieil ennemi et complice Clement Greenberg, secondé par Henry Geldzahler, alors directeur du département d'art contemporain du Metropolitan. Ce qui échappait alors à Harold Rosenberg, derrière les concepts-écrans de « culture » et de « moderne », mais ce que savait mieux que personne Pablo Picasso, c'est que la capitale française n'était pas un décor « vieillot » : une dialectique puissante unissait Paris, héritier dans sa forme même du système entier des Beaux-Arts européens, et toujours fécond en artistes et artisans traditionnels, au dernier grand sursaut des arts anciens dont elle venait d'être le théâtre, bravant et surclassant par sa propre modernité celle de l'industrie des images, photographie et cinéma. Combinant peu à peu ces deux pôles apparemment opposés de résistance, Paris avait su mûrir dans ses murs, entre 1906 et 1939, un style au sens le plus classique et ancien de ce terme. New York put croire en 1945-1955 qu'elle allait, par la seule peinture, donner à son tour un style au XXe siècle, l'expressionnisme abstrait, la pointe extrême du modernisme. Pollock, Rothko, Newman en avaient fait la capitale artistique du sublime. Le sublime est inhabitable, il fait vite place au banal. Dès 1960, il est devenu clair que New York ne serait que la capitale commerciale du Pop art et le *melting pot* de tous les goûts du jour broyés dans le *shaker* de l'« Art contemporain ». La vitalité de l'expressionnisme abstrait s'épuisa en peu d'années. New York débordait d'énergies, mais ces énergies n'étaient pas organisées pour créer un style, ce qui suppose dans la même ville et dans un même temps la coopération de tous les artisanats et de tous les arts avec un mécénat avisé et un public de goût exigeant et exercé. Tous les styles ont pour commun dénominateur la passion de la beauté.

9. Paris et New York ne jouent pas dans la même division

On ne peut comparer que les comparables. Dans une dynastie, on ne peut succéder qu'à un proche parent. New York et Paris sont d'origine et de lignée différentes, et les mots changent de sens en traversant l'Atlantique. Le modernisme artistique parisien, pour les talents de toutes nationalités, sculpteurs, peintres, graveurs, graphistes, gens du spectacle, ébénistes et couturiers qui affluaient, au XXe comme au XVIIIe siècle, dans la capitale française, avait eu la chance unique d'avoir sous ses yeux, sur place, un académisme, lui aussi vivant et doué dans tous les domaines de l'art. Les concurrents et contestataires de cet académisme *continuaient* ce qu'ils avaient en commun avec lui, les arts anciens, au moment même et du fait même que leur « avant-garde » faisait feu de tout bois pour les rendre irrésistibles et intimidants, malgré leur ancienneté, à la sensibilité moderne. La tradition académique passait dans les ateliers modernistes pour impuissante, dès lors qu'elle ne savait pas intimider avec assez de « beauté explosante fixe » la prestidigitation visuelle du cinéma, le rival commun, ni à plus forte raison, s'emparer de lui et le dompter. À Paris ne se contentaient pas de coexister, mais interagissaient, le système des Beaux-Arts, la révolution des arts modernistes, et le cinéma qui y était né et qui y avait reçu d'emblée les lettres de noblesse d'un « septième art ». Paris était l'arène d'une ardente corrida esthétique dont Picasso avait besoin pour exalter sa corrida intérieure. Et, de surcroît, le premier style Art Déco de 1927 et le second de 1937, réussirent une admirable synthèse de modernisme et d'académisme, et ni New York ni Shanghai n'ont eu et n'auront jamais ni les moyens ni la vision d'un tel succès de diplomatie de l'esprit et du goût.

Le sens de ce succès esthétique dépassait de loin la force et les faiblesses matérielles de la France d'alors, il survivrait intact à la démonstration historique de l'aveuglement de ses hommes d'État et de l'ineptie de son état-major militaire. C'est en effet l'ordre spirituel dans lequel ce succès de style avait cristallisé, et où la fine pointe de l'esprit européen s'était reconnue, qui faisait son privilège. Un privilège qui n'est pas donné même aux plus riches ni aux plus puissants ni aux plus habiles des cités, des nations, et des empires, mais qui réunit les lieux qui en ont été visités dans une même famille que le temps ne séparera jamais : Athènes, Rome, Florence, Venise, Vienne, Prague, Kyoto, capitales de l'*otium* où s'est livrée et où a été gagnée la plus dure des batailles, la seule qui compte aux yeux de l'Éternel, celle dont l'enjeu est le meilleur style, celui qui a le pouvoir de faire surgir et de fixer le divin dans les œuvres des hommes. Aveuglé par son fanatisme d'un « Moderne » énorme et mondial, Harold Rosenberg n'a pas vu que la « cité du XVIIIe siècle au charme désuet » avait été capable de sécréter, sur ses anciennes souches et sur de nouveaux frais, en plein XXe siècle d'idéologies de la puissance brute, un style aussi achevé que celui des années 1770-1789, synthèse lui-même du « rocaille » et du « retour à l'antique. »

La « forme de la ville » qui a trompé l'histoire du XXe siècle n'en est pas moins aujourd'hui un cauchemar pour des stratèges « culturels » qui envient leurs rivaux étrangers *free lance* d'opérer dans des villes toutes neuves, surgies hâtivement sur une table rase ou sur un champ de ruines. La forme monumentale et élégante de Paris est coupable d'inviter silencieusement le promeneur à contempler et à savourer à sa guise, en toute saison, de près ou de loin, en détail ou à vol d'oiseau, le fruit de vingt siècles de l'art humain de bâtir et d'habiter, où tant de solitudes pensives ou de compagnies brillantes ont trouvé un milieu nutritif. Le plaisir d'y habiter ou d'y séjourner aujourd'hui est un fond sur lequel on repose sans même y songer. Pour en prendre plus vive conscience, il faut gagner, au nord-est de la ville, les quartiers les plus populaires et les plus denses en Parisiens venus d'Orient, d'Extrême-Orient ou d'Afrique. Rien de commun avec les alignements de barres de béton que l'on croise au-delà du périphérique, abstraites et irritées de l'être, ni avec les zones dangereuses qu'il faut à tout prix éviter dans Sao Paulo ou Chicago, peuplés « de citoyens d'une métropole crue moderne parce que tout goût connu a été éludé dans l'extérieur des maisons et dans le plan de la ville. La morale et la langue y sont réduites à leur plus simple expression. Ces millions de gens n'ont pas besoin de se connaître. [...] Je vois des spectres nouveaux ». Ce n'est pas moi qui décris, c'est Rimbaud.

Ici au contraire, un tissu serré de rues, de boutiques, de bistros, de cafés, y enveloppe et développe une vie urbaine au moins aussi sociable et naturelle que dans les beaux quartiers. Toutes les nations se sentent d'autant plus chez elles et entre elles à Paris que la ville, parce que belle ou aimable en elle-même, donne une leçon permanente d'urbanité. Il faudrait songer à s'inspirer de cette leçon d'urbanité dans l'urbanisme et à l'étendre aux cités qui ont tout sacrifié à la quantité, à l'abstraction, au profit et à l'utilité immédiate, plutôt qu'à pousser Paris dehors pour le remplacer par une utopie de mégapole « contemporaine ». Les architectes qui font la loi oublient trop souvent que leur métier n'est pas d'ériger de monumentales vrilles biscornues et abstraites signées de leur nom et conceptualisées sur ordinateur, mais un monde urbain conçu pour que ses habitants, au pire supportent d'y vivre et, au mieux, se plaisent à y vivre ensemble. Je me sens du parti du prince Charles d'Angleterre, dont la fondation patronne sur place et dans le monde l'aménagement de quartiers et de villes conviviaux, au grand scandale de la presse parisienne qui persifle cette atteinte réactionnaire au dogme de la mégapole *contemporaine*, et donc sublime ou sacrée telle quelle, avec ses tours et ses *favelas* [1], en oubliant le « joli crime piaulant dans la boue de la rue » (encore Rimbaud) que ce genre de non-lieu a toutes chances d'inspirer.

La beauté et l'hospitalité de Paris, qui ravissent les uns et impatientent les autres, passent, aux yeux de ces gens à la page, pour faire de la capitale française une autre Venise, une Muse d'autrefois qui retiendrait les Français par la manche et les détournerait de se joindre à la furieuse marche du temps en avant. Harold Rosenberg et Robert Kagan ont fait des disciples en France. Pour ces anti-américains fanatiques d'une France américanisée, Venise et Vénus ne font qu'un avec l'attachement des Français à leur patri-

1. Voir l'article ironique de Grégoire Allex, « Le prince Charles veut exporter son modèle d'urbanisme "à l'ancienne" » dans *Le Monde*, 27 octobre 2008, p. 4.

moine, et l'Amérique est le nouveau dieu Mars auquel il nous faudrait ressembler, à force de *body building*, pour arriver au moins second dans la course aux exploits. Ce fantasme géopolitique est taillé dans la même toile d'araignée lunatique que l'ambition de nous convertir tous au génie taylorisé des « géants » de l'« Art contemporain ». L'enseignement des lieux hérités, au lieu d'apparaître comme un principe de fécondité et même une boussole pour les jeunes générations d'ancienne ou de nouvelle souche, passe aux yeux de ces cinéphiles de série B pour un principe coupable de distraction et de flânerie, freinant la participation française militante à l'excitante aventure d'une globalisation des esprits. Ce qui est vrai en économie n'est pas nécessairement transposable dans un ordre qui relève de tout autres « logiciels », ou, plus exactement, qui ne relève pas de quelconques logiciels, mais d'une appréciation et d'un choix personnels de ce qui convient de meilleur à l'homme moderne, abstrait de la nature et inconscient de l'effet sur sa propre nature, sur ses sens, sur leur coordination, sur sa conscience et sa vie de relations, des prothèses commodes dont il s'est pourvu : parcellisation intérieure, grégarisation et autisme. Jamais l'éducation n'a eu à répondre à un tel défi. Jamais la pratique précoce des lettres et des arts au sens ancien n'a été un luxe aussi élémentaire et aussi vital.

10. Un Paris-Shanghai pour damer le pion à New York ?

La coalition habituelle de « décideurs culturels », de « droite » et de « gauche », de fonctionnaires de l'État et d'entrepreneurs privés rêve de et travaille à nous délivrer de l'embarrassante résilience de ce vieil et universel appétit, qui plomberait notre dynamisme économique (version de droite) et frustrerait les déshérités (version de gauche) des tours d'habitation et « installations » qui leur réussissent si mal, ici et ailleurs.

Ces nuées et l'activisme qu'elles inspirent ne sont retenus que par la crainte de tuer la poule aux œufs d'or : l'attraction exercée par la capitale française, sur le public international du grand tourisme, et le respect qu'elle inspire à tous les êtres un peu sensibles, un peu cultivés, du monde entier, toutes langues et ethnies confondues. De notoriété publique, cette attraction et ce respect sont l'une des plus sûres de nos sources de richesse, et celles-ci se multiplieraient si nos universités et nos instituts de recherche étaient rendus appétissants à l'image de Paris pour un plus grand nombre d'étudiants ambitieux. Qu'à cela ne tienne ! Ne peut-on contourner l'obstacle et compter, de la part de la foule touristique affluant à Paris, sur un regard *en gros*, peu difficile pour les verrues et les amputations de détail ? Le cynisme de ce raisonnement est loin d'être invraisemblable. Régulièrement, ces derniers mois, revient à la surface le projet de « casser » le charme dangereux qu'exercerait Paris sur les Français eux-mêmes, en peuplant la capitale de totems verticaux qui l'aligneraient enfin sur les capitales vraiment « globales ».

Projet que Le Corbusier a toujours nourri en vain, tant en 1942 qu'en 1945, pour les quatre arrondissements centraux répartis de chaque côté de l'île de la Cité : il trouva par deux fois des oreilles attentives à ce projet de destruction du cœur de Paris et d'érection à sa place de quatre tours défiant le ciel dans un « jardin paysager » : par deux fois, en 1942 et 1945, ne manqua que le nerf de la guerre, l'argent. Georges Pompidou donna un commencement de réalité à ce rêve en faisant disparaître les halles de Baltard, et François Mitterrand l'a enfin « concrétisé » en faisant ériger plus loin, et faute de mieux, dans le XIIIe arrondissement, les quatre tours prévues, un demi-siècle plus tôt, par l'Attila de La Chaux-de-Fonds, et réalisées par l'un de ses épigones, Dominique Perrault. Maintenant, par un nouvel effort, il s'agit de dresser des menhirs aux quatre coins de la capitale. Si l'on en juge par les prototypes divulgués par la presse, ces tours ressembleront à celles qui envahissent New York depuis l'attentat du 9/11, vrilles brisées, ziggourats instables et clinquantes, châteaux de cartes appelant la foudre. Je rêve de la forêt de Macbeth se mettant en marche pour empêcher ces insolents de la narguer.

Il faut vider la ville de sa forme singulière et stable pour la remplacer par de l'informe abstrait, universel et global. Et si les quais de Seine étaient remplacés par un fantasme de plage subtropicale, à la Miami ? Et si Paris tout entier, pour une nuit, damait le pion à l'*Art parade* annuelle que New York circonscrit à Greenwich Village, devenant l'immense décor multiple et festif d'une installation d'« Art contemporain » ? Et si le Quartier latin cessait de l'être, par les volontés conjuguées du marché qui a installé McDo là où étaient ouverts des bistros d'étudiants, des boutiques de fripes là où étaient ouvertes des librairies, et d'une volonté officielle déménageant les écoles pour les regrouper en « pôles d'excellence » dans des banlieues « en voie d'urbanisation » ? Touche après touche, Paris ne cesse d'être ôté de Paris. Persévérante, inventive et rusée, la délocalisation, le décalage et le déménagement dont la capitale est victime progressent à pas de loup, sachant diviser pour régner et se gardant de dresser contre elle tout le monde à la fois. Elle plie, mais ne rompt pas. C'est un travail à la chaîne de tous les jours, prévenant l'œuvre du temps alors même que, par le blanchiment devenu obligatoire, on s'emploie par ailleurs à l'effacer.

Exemplaire aura été la délocalisation de la Bibliothèque nationale, nichée depuis le XVIIIe siècle rue de Richelieu et depuis, agrandie plusieurs fois sur place : il suffisait d'attendre encore quelques années, ce dont les réserves de la bibliothèque étaient capables, et le palais Brongniart, à deux pas de là, propriété de la Ville de Paris, siège d'une Bourse rendue inutile par l'informatique et qui allait fermer ses portes, lui aurait fourni une magnifique et vaste annexe. (Même remarque, au Quartier latin, pour l'École polytechnique déménagée et le couvent de Saint-Sulpice récupéré par l'État, deux occasions successives et manquées de loger noblement une ou deux universités.) La vanité d'un président, la vocation à la science-fiction de son « conseiller spécial », la jalousie que son ministre de la Culture portait à ce conseiller, et la lâcheté d'un certain nombre de hauts fonctionnaires ont mis en branle un mécanisme cahotant, mais irrésistible, qui a eu raison du site originel et traditionnel de la Bibliothèque nationale. Les imprimés déménagés du Palais-Mazarin, superbement agrandi par Labrouste au XIXe siècle, ont été transportés dans les sous-sols des quatre tours de verre érigées à la mémoire de « Corbu », sur la rive gauche de la Seine, dans un ancien quartier d'entrepôts. Le jour viendra où l'on fera le bilan du déracinement de la société savante qui se retrouvait, de génération en génération, rue de Richelieu, et de la perte de substance qui a résulté de sa métamorphose en Bibliothèque universitaire baptisée tautologiquement B. N. F. Pour le moment, dans la noble salle de lecture de l'ancienne B. N., vidée des livres qui meublaient ses murs, vidée de ses lecteurs, sous les élégantes arcatures vitrées de Labrouste, les tables où j'ai étudié pendant des dizaines d'années sous des lampes à corolles vert d'eau, assis parfois à côté de Michel Foucault, parfois de Simone de Beauvoir, sont devenues le théâtre d'une « installation » d'« Art contemporain », mise en scène par le *designer* des colonnes rayées de la cour du Palais-Royal, batterie d'écrans vidéo proposant aux badauds le courrier du cœur, style *Marie-Claire*, d'une autre artiste officielle choyée par le ministère de la Culture et par la presse spécialisée : un *shaker* de littérature de gare, de nouvelles technologies et de rayures Buren.

Dans ce qu'il est convenu maintenant d'appeler « Culture », le diktat de déménagement joue à plein, avec une impériosité d'autant plus ardente qu'elle rencontre une désapprobation tacite, désorganisée et méprisée, mais troublante comme l'œil qui rendait insomniaque le Caïn de Victor Hugo. Le remords d'avoir sous les yeux les fruits d'une ancienne fécondité dont on a pris soin de détruire les chances de poursuite (entre autres, le choix fait par Malraux en 1968 de casser, au lieu de réformer, le cycle classique des enseignements artistiques, notamment en architecture) se fuit dans la détermination froide de les faire passer pour des évidences et de les signaliser, en nous les imposant, à coups d'avortons d'un « Art contemporain » ne signifiant rien en lui-même, sinon la rupture définitive et répétitive avec l'ancienne fructification et l'entrée dans un monde machinal de leurres. Nous disposions, jusqu'au milieu du dernier siècle, de traditions qui avaient fait leurs preuves, jusque dans les révoltes qu'elles avaient suscitées. Il fallait les revivifier au lieu de les renier. En France, qui aurait pu s'offrir le luxe d'être moins suiveuse, l'origine de cette désertification que nous appelons aujourd'hui « Culture », ce n'est pas l'« impérialisme yankee », c'est cet acte de rupture applaudi à droite et à gauche de l'opinion française, et dont les conséquences en chaîne n'ont plus cessé de s'accélérer et de s'aggraver. Les trotskistes et néo-dadaïstes de Mai 68 n'en demandaient pas tant. Mais l'école, l'université, le lycée publics sont devenus trop souvent eux-mêmes des conservatoires du refus de transmission dont Mai 68 fit son mot d'ordre de « révolution culturelle ».

11. Le quartier général de la délocalisation

> *Pour que la peinture soit séditieuse, il faut qu'elle le veuille absolument, tandis qu'il est impossible de bien écrire sans rappeler au moins indirectement, des vérités qui choquent mortellement le pouvoir.*
>
> STENDHAL, *Promenades dans Rome.*

La tendance inexorable à vider l'*Urbs*, et à lui substituer petit à petit, ici et là, un non-lieu en expansion, s'est étendue par étapes aux musées d'art ancien, qui en sont venus à délocaliser au loin une partie de leur patrimoine pour lui substituer sur place de l'art virtuel et de l'anti-art « contemporains ». Comme si les « espaces » dédiés aux envahisseurs du néant n'étaient pas encore assez vastes et assez spectaculaires et qu'il fallût encore, à leur prolifération intimidante et bruyante, faire le sacrifice des derniers lieux où l'on eût droit de s'arrêter, de contempler, d'apprendre, d'admirer, d'aimer.

La coexistence est de règle à New York, pour le meilleur et pour le pire, régie par la « main invisible » du marché, main de fer gantée de velours. Une main de fer sans velours pèse sur Paris, maniée par un état-major qui fait passer au second plan le service public de la conservation et de la transmission pour se consacrer à la « démocratisation » de la moins populaire des « cultures », l'« Art contemporain ». Comme cet état-major doit regretter de ne pas avoir les pouvoirs et les ressources du Comité central du Parti communiste chinois, qui en un rien de temps a détruit le vieux Pékin pour en faire une exposition universelle de l'« Art contemporain » architectural ! Du moins dispose-t-il d'un appareil bureaucratique à deux têtes, l'une siégeant rue de Valois, l'autre à l'Hôtel de Ville, l'un centralisé, l'autre décentralisé, double système nerveux qui déploie ses ramifications neuronales dans toutes les régions, non sans synapses dans plusieurs autres ministères : le docteur Knock n'était pas mieux obéi. Il bénéficie de la complaisance des milieux d'affaires et de la faveur quasi unanime de la presse. Décisionnaire à l'égard du public à qui il faut en imposer, il n'en est pas moins soumis, de l'intérieur, à la pression et au chantage de sa propre clientèle syndiquée, veillant jalousement sur l'orthodoxie de la doctrine et de la pratique des hiérarques, et toujours prête à lancer ses troupes à l'assaut, dans toute la France, à la moindre menace d'hérésie budgétaire ou de déviation idéologique. Cette masse de manœuvre d'« opérateurs culturels » et d'« intermittents du spectacle » peut compter sur les syndicats d'enseignants logés rue de Grenelle, toujours prêts à pousser écoliers et lycéens à se transformer en acteurs de théâtre de rue et en intermittents des études pour défendre avec eux la cause de la « Culture », érigée, à peu près à la manière du Sport, en idéologie à la fois globale et jalousement nationaliste. La manifestation de rue, et ses artisanats annexes, aura été en France, de 1968 à 2007, une des formes d'« art vivant » la plus fréquemment pratiquée, la plus appréciée des médias, la mieux enseignée et transmise dès l'enfance. Elle est chère aux pédagogues de la « créativité » comme aux plasticiens de l'« Art contemporain », deux groupes de pression alliés qui ont pris l'habitude de tenir en respect et de maintenir dans le droit chemin, grâce à la masse de manœuvre dont ils disposent, les ministres et les hiérarques locaux qui se mêleraient d'en dévier.

Il est difficile à ce conservatisme du monôme et de la criaillerie, à cette mobilisation perpétuelle au service de la déséducation et de l'ensauvagement, de créer un climat favorable à l'éclosion d'œuvres mûries et de personnalités originales. Il semble même que le système « contemporain » soit conçu pour empêcher une aussi scandaleuse éventualité. On cite Patrice Chéreau, Ariane Mnouchkine, deux metteurs en scène de talent universellement reconnu. Est-ce un hasard si ces deux fleurons de la « décentralisation théâtrale » des années 1950 ont été, tous deux, durement chahutés en 2006 par les « intermittents » en Avignon, comme l'avait été Jean Vilar, trente-cinq ans plus tôt, au même endroit, par les soixante-huitards ? De l'atelier « créatif » de Mai 68, le second *Fiat lux* culturel de la Ve République, hurlé par la rue après celui qui, en 1959, avait été proféré par un ministre illustre devant l'Assemblée nationale, n'ont émergé que la gloire discrète d'un préfet de police, Maurice Grimaud, et la starification à long terme d'un député européen, Dany le Rouge. Le monde qui nous regarde, ayant meilleure mémoire de nous-mêmes que nous, ne s'y trompe pas et, sans vergogne, enfonçant le clou, nous oppose ce que nous sommes à ce que nous avons été. Ce regard moqueur de l'étranger aiguillonne la nervosité et l'activisme de l'état-major culturel, déjà sous surveillance de ses propres troupes.

Le mot d'ordre initial, formulé par Malraux en 1959, était prométhéen, mais généreux : favoriser « l'accès de tous aux chefs-d'œuvre de l'humanité », et d'abord dans les frontières de l'Hexagone. Il n'y avait aucun besoin en 1959 de faire valoir Braque ou Matisse, Picasso ou Giacometti, « artistes vivants » qui se défendaient fort bien tout seuls. Après 68, cette ambition d'augmenter les lumières de tous les Français dans l'ordre des arts, au sens encore classique du mot, a été peu à peu et subrepticement remplacée par l'obsession de « promouvoir », d'une façon privilégiée et en priorité, un non-art dit « contemporain » ou « vivant », *made in France* si possible, tant auprès d'un public français qui renâcle que d'une riche clientèle française et étrangère dont les préférences vont aux vedettes mondiales de ce même « non-art », tel l'immense Jeff Koons, découvertes et élues par le marché international, et non par un quelconque appareil culturel d'État [1].

L'ennui est qu'il faut aussi – l'« Art contemporain » étant censé n'avoir pas de patrie – exposer et encenser en France ces vedettes élues ailleurs, sous peine de se couper du marché mondial qui les a plébiscitées et qu'on se flatte de conquérir un jour pour nos propres champions. C'est la quadrature du cercle, mais la difficulté, les contradictions et même le scandale d'un tel dessein excitent des hauts fonctionnaires dont la carrière est suspendue à ce jeu, que ce jeu amuse et qui voient dans l'« Art contemporain », comme les galeristes dont ils sont complices et rivaux, une affaire beaucoup plus distrayante que l'enseignement de l'histoire de l'art et l'initiation du public à la connaissance et à la jouissance des œuvres d'art de tous les temps. Le « patrimoine » est devenu l'otage de ces calculs d'ambition et de cette stratégie promotionnelle. Il est mis au service d'un *marketing* officiel des « créations » de la « contemporanéité » nationale et mondiale. Une « exception française » à l'envers de celle sur laquelle avaient veillé, avec un zèle tout autrement éclairé, la monarchie, la Convention jacobine et tous les régimes qui se sont succédé au XIXe siècle.

Typique aura été l'utilisation en 2003 du palais des Papes et en 2008 du Louvre pour peaufiner le lancement mondial d'un Jan Fabre, Flamand plus ou moins francophone, et, en 2008 encore, le choix de Versailles pour la mise en orbite globale, accouplée pour l'occasion à l'une des stars américaines les plus en vue dans le ciel de l'« Art contemporain », Jeff Koons, de l'unique « plasticien » français vivant qui ait eu l'honneur insigne, en 2006, d'une exposition personnelle au Guggenheim de New

---

1. Voir l'expression sans ambages de cette ambition dans le manifeste de Pierre Cornette de Saint-Cyr et Alain Seban, publié dans *Le Monde* du 29 août 2008, sous le titre : « La France se doit de soutenir ses artistes : créer un second lieu d'exposition, sous l'égide de Beaubourg, contribuerait, enfin, au rayonnement international des créateurs. » Cette volonté de « promotion » par l'État d'« artistes vivants » officiels rejette dans l'ombre le vrai problème de Beaubourg : l'exiguïté de son musée d'Art moderne, obligé de reléguer dans ses réserves l'essentiel de sa vaste collection d'art moderniste entravant ainsi sa visibilité pour tous.

York, Daniel Buren. Maintenant les rayures de Buren zébreront un escalier de Versailles, et la galerie des Glaces restaurée sert provisoirement de vitrine aux jouets néo-dadaïstes usinés pour Jeff Koons, et signés par lui. À quand Richard Prince dans la chapelle de la Sorbonne ? Tracey Emin et son lit défait dans l'hémicycle du Palais-Bourbon ? Que de sacrifices pour obtenir à nos champions d'« Art contemporain » officiel une place au soleil global ! Peut-être faudrait-il, sur ces exemples, en vue d'obtenir que notre équipe nationale de football parvienne en finale de la Coupe d'Europe, proposer que les matches intermédiaires ait lieu sur un stade installé au-dessus du Grand Canal du parc de Versailles, une nuit de grandes eaux dans le parc, ou délocaliser Roland-Garros sous les balcons de Chambord pour faire triompher de leurs rivaux, à coup sûr, sur le même théâtre de nos anciennes gloires, nos braves tennismen tricolores. Après avoir « dynamisé » la mode, le Rock, le Tag, il serait temps que la Culture en fasse autant pour le Sport.

Au chevet d'un « Art contemporain » national et mondial font donc cause commune les grandes affaires privées, les dignitaires de la culture d'État, leur clientèle revendicative de « promoteurs culturels », de plasticiens officiels, d'intermittents du spectacle, leurs relais dans les organes d'information acquis d'avance à la cause, mais aussi les syndicats d'enseignants qui font des « arts plastiques » le symbole d'une pédagogie de la « créativité », substituée à tout enseignement « réactionnaire » qui se « bornerait » à transmettre et apprendre. La révolution politique n'est plus à l'ordre du jour ? Elle n'a plus de parti, ni communiste, ni socialiste révolutionnaire ? Applaudie par les gens d'affaires, considérée rituellement par la « classe politique » et l'administration de la Ve République, toutes opinions confondues, comme un bijou de la Couronne, défendue comme sa planche de salut par un gauchisme toujours vivace, une Révolution culturelle permanente en tient lieu, avec ses chefs, ses militants, ses troupes subventionnées, ses trompettes disciplinées, ses compagnons de route, tous rangés sous la bannière et les slogans d'un « Art contemporain », d'un « Art vivant », de la « création ». Des affinités profondes conjuguent l'« Art contemporain » de droite, conçu par et pour la spéculation boursière, à l'« Art vivant » de gauche, créé pour tenir lieu de spéculation révolutionnaire.

12. Misère de l'« Art contemporain » mondial délocalisé à Paris

Le malheur, c'est que cet « Art » n'est vraiment « vivant » et « contemporain », et d'ailleurs sous des formes infiniment plus éclectiques, que dans son site naturel, à Manhattan, dans le voisinage de Wall Street et de Greenwich Village, et accessoirement à Londres, à Dusseldorf et à

Bâle. Paris n'en est qu'un relais de troisième ordre et c'est pourtant à Paris qu'une nomenclature toujours sur la brèche en a fait une obsession, un dessein à plein temps, presque une raison d'être. Elle n'est qu'un cas particulier du milieu nutritif transnational où prospère l'« Art », auquel il a manqué jusqu'ici son David Lodge ou son Tom Wolfe, mais elle prend malgré tout à Paris des traits administratifs et sociaux qui la singularisent.

Il y a mieux, ou autre chose, que David Lodge ou Tom Wolfe, écrivains à l'ancienne. Nos plasticiens polyvalents français ont agrégé l'« écriture » à leurs innombrables activités créatrices, et ils pratiquent l'auto-fiction et l'ego-exégèse avec autant d'emportement que la vidéo, l'installation, le Body art et la critique d'art à l'estomac, se rendant eux-mêmes leur propre Vasari, leur propre Huysmans. Alain Fleischer, l'un des plus doués, il faut l'avouer, de ces génies universels de la plasticité, a publié plusieurs volumes d'autobiographie et d'épais recueils d'essais dont il y a beaucoup à retenir. Daniel Buren a publié déjà ses *Œuvres complètes* en plusieurs tomes, qui lestent de leur poids lourd le minimalisme de ses éternelles rayures, prolongement de celles qu'affectionne l'Américain Frank Stella. Lisant au mois d'août 2008, parmi les « romans » de la proche rentrée littéraire parisienne, celui de la grande prêtresse de la revue *Artpress*, Catherine Millet, *Jour de souffrance*, j'y vois se dessiner le portrait-robot involontaire du zélote, version parisienne et féminine, de la secte française « contemporaine ». Dans un précédent ouvrage, Mme Millet, sectatrice du *Body art* porno, s'était faite le reporter de ses propres performances. Dans son dernier livre, où elle tourne, à la suite de Sophie Calle et de Christine Angot, à l'autre extrême, le courrier du cœur, elle se livre aussi à un ego-portrait involontairement révélateur. Défroquée du christianisme de son enfance et de l'Éducation nationale de sa jeunesse, elle aurait pu faire carrière dans l'enseignement laïc, mais la grisaille prévisible de ce métier était trop semblable à celle de « l'environnement sans beaucoup de potentiel » *(Ipsa dixit)* qu'elle avait expérimentée dans sa famille. Par la critique, la gestion et la pratique autodidacte de l'« Art contemporain », elle s'est introduite dans la *jet set* intellectuelle branchée du Ve arrondissement, ses vernissages, sa mondanité bohème, son marché des amants, ses dîners officiels, ses voyages à la *Dokumenta* de Kassel et au *Prospekt* de Düsseldorf, ses conférences et colloques à Seattle ou à Tokyo. On ne peut raisonner plus froidement son « parcours », ni se plier à une « règle du jeu », entre Kama Sutra et Lacan, plus tordue et plus glacée que la cérébrale « jalouse » de *Jour de souffrance*. Une vraie *success story* parisienne à la remorque de New York ! Cette lecture me donne une vive nostalgie de Simone de Beauvoir, le vrai talent du couple qu'elle formait avec Sartre. *Les Mandarins*, dans le genre le plus difficile qui soit, le roman d'une république des lettres, est une manière de chef-d'œuvre en comparaison de l'épineuse bluette de Mme Millet. Le seul défaut des *Mandarins*, mais c'est une paille terrible dans le métal, c'est l'assurance sans humour ni trouble avec laquelle l'auteur et ses personnages veulent ignorer qu'ils sont en partie des usurpateurs, ce que leur masquent le prestige dont ils jouissent dans les réflecteurs de New York, voire de Chicago, et l'intimidation qu'ils exercent sur une classe politique locale se cachant derrière Malraux pour traiter avec cette étrange tribu d'« engagés » et d'enragés, dont la sophistique altière lui échappe.

Nous, nous avons une nomenklatura culturelle. Non contente de ses petits succès locaux, de ses plaisirs multiples et des souffrances inédites dont elle s'octroie le privilège, cette assez vaste coterie s'emploie à faire table rase dans les esprits, de peur qu'ils ne s'avisent de l'imposture. Faute de pouvoir procéder plus rondement, à la Mao, sa petite révolution culturelle permanente se loge néanmoins dans le décor d'anciennes célébrités françaises (Versailles, Fontainebleau, le Louvre, Brou), et se prévaut d'avant-gardes parisiennes non moins anciennes et fameuses : Manet et Courbet, le modernisme cubiste et surréaliste, Picasso et Matisse… Faites-vous observer le gouffre béant qui sépare la serre chaude où sont apparus à Paris, de génération en génération, grands artistes et chefs-d'œuvre, du microclimat asphyxiant, affairé et prétentieux qui s'agite si fort aujourd'hui pour faire croire à un « Art » qui ne croit plus aux arts ? On crie au blasphème, on s'indigne de ce découplage, pourtant évident.

Cette volonté acharnée et intéressée de faire quelque chose de rien au nom de ce qui a été et dont on ne veut plus a des effets rétroactifs sur « l'accès du plus grand nombre aux chefs-d'œuvre de l'humanité et particulièrement de la France » qui fut le programme fondateur de la « Culture » en 1959. Une opération concertée de détournement du « patrimoine » français gage et joue, sur sa valeur or, des assignats qui gaspillent le crédit qui nous reste à des opérations apparemment brillantes, mais du même tonneau, dans leur ordre, que celles du courtier de la Société générale, Jérôme Kerviel, la vraie vedette mondiale parisienne du printemps 2008. Ce *yuppie* à la française, clone de Jeff Koons jeune, a prêté un instant son visage à l'esprit banqueroutier de l'époque, qui n'est pas réservé aux investissements dadaïstes dans un système de crédit qui ne l'est pas moins. Nous avons eu pour quelques jours un John Law miniature, bien de chez nous, surclassé à l'échelle américaine, quelques mois plus tard, par un John Law gigantesque, Bernard Madoff.

13. Ressouvenir du système français des Beaux-Arts

J'y reviens depuis vingt ans. Mais, cette fois, un autre vent souffle, il faut aller au fond des choses, et l'erreur a trop duré, sur sa lancée. Le moindre petit journaliste américain, qui n'y comprend goutte, se permet maintenant de nous rire au nez. En elle-même, et de loin, l'erreur que je dénonce peut sembler mineure, ou marginale. Une simple question de goûts et de couleurs, qu'il serait malséant de trancher, et à plus forte raison de grossir. À y regarder de près, la question mal posée de l'« Art contemporain » en Europe, et plus spécialement en France, est cause et conséquence de toute une cascade d'erreurs optiques qui faussent notre jugement et débilitent notre volonté. Les questions dites d'« esthétique », de peu de poids pour les esprits formés trop tôt aux sciences, même et surtout celles qui se disent « humaines », touchent au fond des choses quand on prend la peine de les dévider. La propagande superfétatoire pour l'« Art contemporain vivant », l'ubiquité insistante de son exposition, ne sont pas seulement, et ce serait déjà beaucoup, et trop, l'indice d'une indifférence ou d'une hostilité envers toute forme d'éducation de la raison et du cœur par les humanités (langues, lettres, arts, histoire, philosophie) et pour toute forme d'enseignement qui ne soit pas d'actualité, d'utilité ou de profit immédiats. Cette hostilité latente ou ouverte, de la part de nos néo-dadaïstes d'État, envers « la parole du passé » – inconnue à ce degré dans les États-Unis utilitaristes – a bloqué ou freiné jusqu'ici la prise de conscience par les Français des faiblesses accumulées, et cette fois bien réelles, de leur système d'enseignement et de recherche. La déséducation a été souvent présentée en France comme un progrès, une libération, une purification peut-être ? Mais, plus grave encore, ce détournement public d'attention du côté de vanités a contribué à fausser notre optique sur nous-mêmes, sur l'Amérique véritable, sur les possibles de l'Europe ancienne et nouvelle. Il a étayé un souverainisme mal placé, qu'obsède un « modèle » américain en grande partie imaginaire, au lieu d'être ambitieux pour le modèle européen qui se cherche et qui finira bien par se trouver sans nous, si nous continuons à remâcher des humiliations infondées et des ambitions déplacées. Il n'est donc pas inutile de débrider cette plaie apparemment mineure. Elle empoisonne notre sens commun, comme elle ruine notre vocation à la beauté.

Restons donc dans les arts, les images, et l'« Art » dit « contemporain ». Qu'est-ce qui se cache derrière l'obstination militante en faveur de cet « Art » ? Quel remords ? Quelle haine ? Pourquoi cette irritation et cette impatience envers Paris, théâtre si complètement symbolique, pourtant, de ce qui fit aimer et admirer la singularité de la France parmi les nations, l'autorité étonnante qu'elle a attribuée aux lettres et aux arts, l'esprit de conversation qui a régné dans sa capitale, les disputes sur les mœurs et les goûts qui l'ont agitée, et qui en ont fait un lieu de proportions modestes, mais exceptionnellement conducteur pour les choses de l'esprit.

Le théâtre urbain où s'est déployé cette conversation – je l'arpente tous les jours – porte lui-même la marque indélébile, dans son urbanisme, son architecture et son décor, sur sa scène publique et dans ses murs privés, du fécond système des Beaux-Arts mis au point par la monarchie pour ses bâtiments publics, modèles à leur tour pour les bâtiments privés. Ce système a traversé le XIXe siècle et il est resté fécond pendant toute la durée de la IIIe République. Alain en a fait la philosophie, et il faudra y revenir. Car le bonheur d'être Français, l'un des bonheurs d'être Européen, même lorsque le regard est bouché par de confus gribouillages à la Cy Twombly et des barreaux à la Buren, c'est la chance de pouvoir discerner sous ce pénible écran une figure antérieure visible aux rayons X de la mémoire, une belle figure qui réjouit l'esprit comme un souvenir d'enfance. Bonheur pour les uns, rage pour d'autres. L'esprit de ressentiment grince des dents et mord, dès que cette forme profonde montre son visage et nous sourit. Rien ne nous empêche d'ouvrir les fenêtres et de la laisser voir au monde. Ne nous laissons pas intimider par les grimaces. Prenons le sourire pour boussole et allons à sa rencontre et à celle de l'intelligence qui nous fait ce signe. Voyageons.

La perspicacité politique des Bourbons, instruits par les guerres civiles du XVIe siècle et par la Fronde, est à l'origine d'un système singulier qui a duré trois siècles, et dont l'empreinte indirecte est partout présente autour de nous, à Paris comme en province. La splendeur de Bordeaux, de Lyon, de Nancy lui est due. Il atteint à une sorte de perfection, sans rivale en Europe, sous Louis XIV. Tout en préparant son installation dans le château et la ville administrative de Versailles, le gouvernement royal a installé à Paris, dans le palais du Louvre, de 1663 à 1701, une constellation d'académies, complétant les deux premières fondées sous Louis XIII et la minorité de Louis XIV ; elles réunissaient par cooptation les talents les mieux attestés du royaume, dans toutes les branches des lettres, des arts, des sciences et de l'érudition. Ces académies avaient pour première mission de fournir au gouvernement royal les meilleurs experts et la meilleure expertise dans les domaines de leur compétence : c'était le cas notamment de l'Académie de peinture, sculpture et gravure (laquelle sera flanquée en 1671 d'une Académie royale d'architecture). Cette Académie, sous la direction du peintre Charles Le Brun, aura en quelque sorte la maîtrise d'œuvre du décor intérieur de Versailles, tandis que la Petite Académie, une commission de l'Académie française, pourvoyait au programme iconographique et aux inscriptions à la gloire du monarque. L'Académie d'architecture, créée pour servir à l'État royal de vivier de grands maîtres d'œuvre pour ses bâtiments officiels, le restera jusqu'à la Révolution, favorisant la maturation de fortes personnalités, voire de dynasties dans cet « art des arts » où le roi Louis XIV se piquait lui-même d'être expert : les noms de deux Mansart, des deux Blondel, de Gabriel, de Soufflot sont restés glorieux. Un grand bon sens avait conçu ce système de « corps », qui fut fécond, sans pour autant se donner l'efficacité d'une machine, sans imposer non plus à des membres aux talents divers et aux caractères jaloux, de n'être que rouages.

Placées sous la tutelle du ministre de la Maison du roi, qui avait aussi la supervision de l'opinion parisienne, ces académies royales avaient une autre fonction, moins immédiatement perceptible : leurs membres cooptés jouissaient parmi leurs pairs, dans leur profession, de l'estime générale ; les académiciens français, parmi lesquels figuraient des prélats et des grands seigneurs augmentant le prestige social de la Compagnie, avaient été eux-mêmes, avant d'être approuvés par le roi et élus par leurs confrères, plébiscités par les « très bonnes compagnies » parisiennes que nous appelons « salons » depuis le XIXe siècle. L'Académie de peinture et celle des inscriptions accueillirent elles aussi, dans leurs rangs, au titre d'« amateurs », ministres et grands seigneurs dont le nom, la personnalité et souvent les compétences ajoutaient à l'éclat des travaux des savants et aux chefs-d'œuvre des artistes. Les académiciens étaient rarement des courtisans, mais *ex officio* ils faisaient partie du personnel de l'État. Le rang officiel que leur conférait leur appartenance à une académie royale renforçait leur influence dans leur milieu professionnel, et, dans le cas des académiciens français, leur poids dans le monde et le grand monde parisien. Les sociétés parisiennes de conversation étaient naturellement frondeuses et redoutées par le gouvernement royal. La présence habituelle en leur sein d'académiciens royaux qu'elles avaient elles-mêmes plébiscités, voire de leur ministre de tutelle (ce fut le cas du très répandu marquis de Maurepas de 1715 à 1748, membre « amateur » de plusieurs des académies placées sous sa responsabilité), sans en faire des émanations de la Cour, les maintenait néanmoins de loin dans son orbite.

Le mordant et le piquant de la conversation parisienne, dès avant la Fronde, avaient donné des preuves du danger qu'elle faisait courir à la stabilité politique. Son appétit de nouvelles et de nouveautés était insatiable. Paris au XVIIe siècle était déjà la capitale de la « curiosité », passion encyclopédique, mais aussi du luxe, des modes, du divertissement, de la frivolité, du « papillonnage ». Nulle part en Europe la métamorphose du vêtement et de ses accessoires, d'une année à l'autre, n'était si rapide. Les changements d'opinion se succédaient au même rythme, faisant taxer de légèreté le caractère national. Les académies étaient là, en partie, pour circonscrire, contenir et *fixer* cette impatience nerveuse sur des objets d'autant plus dépourvus de péril pour l'État qu'ils étaient loin d'être des broutilles ou des calembredaines : le langage, les mœurs, les sciences, les règles et les plaisirs des arts.

Louis XIV, avec encore plus d'habileté que Richelieu, qui reprochait à Corneille, le dramaturge alors à la mode, de « manquer d'esprit de suite », sut modérer le mouvement des esprits parisiens sans le figer ni le comprimer. C'est le roi qui dicta lui-même la mode vestimentaire, secondé par ses courtisans. Il apprit aux bons becs de Paris « jusqu'où aller trop loin ». Les arts et les lettres, sous son règne, devinrent un principe régulateur de l'imagination et des humeurs, à l'image de la majesté royale. Ils contribuèrent à créer autour du trône, bien au-delà de l'étiquette et des rites de la cour, une stratosphère animée, que la météorologie de l'actualité politique et militaire n'agitait pas trop et qui en imposait aussi bien au vif-argent de l'esprit parisien qu'aux cours européennes.

À l'intérieur du vivier des commandes royales, l'Académie française, l'Académie de peinture et sculpture et celle d'architecture n'étaient pas du tout réduites à ce « silence de l'abjection » que Chateaubriand reprocha publiquement à Napoléon-Tibère d'imposer à tous ses subalternes. Les académiciens – parmi lesquels les professeurs préparant au concours de Rome – ne se privaient pas de débats et de conflits, tout circonscrits qu'ils fussent par le sens des convenances envers l'autorité souveraine, mais aussi par leur commune adhésion aux règles, aux conventions, aux critères inhérents à leur art : l'interprétation de ce fonds commun n'en donnait pas moins lieu à des différends délicats et passionnés entre gens de métier. La publication complète des comptes-rendus manuscrits de ces *Conférences* à la Montaigne, entre artistes de goûts opposés, mais qui se respectent entre eux, a commencé [1]. Elle couvrira toute la durée de l'Académie royale d'Ancien Régime, jusqu'en 1792. On est émerveillé par la gravité sans pédantisme et sans métaphysique de ces échanges de vues et de ces essais oraux ; ils révèlent chez ces artistes de plusieurs générations et chez les amateurs avertis qu'ils ont admis parmi eux une intelligence exquise de leur art comme une demeure, un monde qui existe en soi, en dehors d'eux, selon ses règles propres, mais que chacun habite de façon différente. Un « donné » incontestable et stable reste en facteur commun de tous, sans rien de dogmatique, se prêtant à des interprétations opposées et ouvertes, mais poliment formulées, de tempérament et de goût. Il n'y avait place, dans les académies royales, ni pour le plagiarisme servile du Pierre Grassou de Balzac, ni pour le prométhéisme subjectif de son Frenhofer. À bien

1. *Conférences de l'Académie royale de peinture et de sculpture*, édition critique intégrale sous la direction de Jacqueline Lichtenstein et Christian Michel, t. I, 1648-1681, Paris, É.N.S.B.A., 2006.

des égards, il en allait dans la monarchie française comme dans l'Église romaine, où le « donné » de la tradition partagée par tous n'empêchait pas le grouillement de querelles entre écoles théologiques et familles monastiques, contenues le plus souvent par le magistère romain en deçà du schisme ou de l'hérésie.

Sous Louis XV, le « club de l'Entresol » réuni à titre privé par l'abbé Alary, et que fréquenta Montesquieu, était à l'évidence la semence d'une éventuelle Académie royale des sciences politiques : il fut interdit par le cardinal Fleury, Premier ministre de Louis XV. Ce geste était dans la ligne arrêtée par Louis XIV. Paris pouvait causer librement de tout, sauf des arcanes de la politique, du seul ressort du gouvernement royal, et de ceux de la religion, du ressort du roi, de l'archevêque de Paris et du Parlement. La concentration et l'attention sur le reste n'en étaient que plus vive. L'Europe était aussi gourmande des innombrables brochures et ouvrages polémiques qui alimentaient les conversations à Paris que des gravures de mode de la saison et des volumes successifs de l'*Encyclopédie* de Diderot et d'Alembert. En dépit, mais aussi à cause des institutions qui encadraient quasiment de l'intérieur ses passions, la France fascinait l'Europe autant par la stabilité de son État que par la vivacité des polémiques et la rapidité des changements d'humeurs et de goûts dans sa capitale. Étroitement associée aux académies royales, à leurs querelles de personnes et de doctrine, la conversation dans les compagnies privées de la capitale ne fonctionnait pas seulement comme soupape de sûreté politique, mais aussi et surtout comme première instance dialogique d'évaluation et d'estimation, dans tous les domaines de l'esprit et des arts où manquent les instruments de mesure carrés, où l'avis des experts est lui-même très partagé ou opposé, et où le suffrage des « honnestes gens ayant des clartés de tout », selon la définition de Pascal, ratifie ou incline, en matière de talents, de justesse et de goût.

Le Paris d'Ancien Régime est ponctué de querelles de goût qui embrasent tous les chapitres des lettres, des arts et des sciences et qui passionnent toute l'Europe : Anciens contre Modernes, Latin contre Français, perspective géométrique contre perspective aérienne, Dessin contre Couleur, Cartésiens contre Newtoniens, Homéristes contre contempteurs d'Homère, Musique italienne contre Musique française. Toutes sont nées dans le sein des académies royales, mais la conversation parisienne s'en est aussitôt emparée, toutes ont suscité des duels de plume *pro et contra*, série de frondes ardentes et innocentes que le pouvoir royal s'est bien gardé d'entraver et dont il a même tenu grand compte pour faire ses propres choix, généralement conciliants et heureux. Ces querelles, quoique débordant de loin les enceintes académiques où elles ont pris naissance, obéissent à la règle du jeu civilisé des disputes académiques. Voltaire, dans ses campagnes menées depuis Ferney contre le fanatisme des préjuges et les décisions iniques de justice qu'ils déterminent, rompt la règle du jeu, mais il lui rend hommage indirectement en laissant dans l'anonymat ses brochures les plus violentes et *ad personam*, et en se gardant de mettre jamais en cause l'autorité royale.

Le parti janséniste et Jean-Jacques, en revanche, sont restés incoercibles aux règles non écrites de la querelle académique et mondaine : presse clandestine et brochures jansénistes ont alimenté un virulent ressentiment bourgeois et populaire envers les pouvoirs, oppresseurs de « la Vérité persécutée » et Rousseau, de livre en livre, ruinant avec une froideur analytique indignée et passionnée le fondement des mœurs monarchiques, discrédite aussi ses « superstructures » : la conversation polie et le système des Beaux-Arts. La querelle Voltaire-Rousseau atteint elle-même un degré de virulence inconnue des querelles du siècle des Lumières. De son côté, *L'Esprit des lois* de Montesquieu met publiquement en question le régime monarchique français, plus dangereusement que ne l'aurait fait l'Académie qui avait eu vocation de devenir le club de l'Entresol. La réserve politique de Paris n'aura duré qu'un siècle.

Et pourtant même la Révolution et ses fanatiques, même l'Empire et sa police n'ont pas brisé le gyroscope esthétique que la monarchie avait élaboré pour soustraire aux passions politiques une région moyenne appropriée aux choses de l'esprit. Après une brève interruption entre 1792 et 1794, le système des académies est reconstitué par le Directoire, réorganisé par le Consulat, et rapproché de sa forme première par la Restauration. Sans doute, « le coup de pistolet dans un concert » des disputes politiques est désormais toujours prêt à partir, quel que soit le sujet dont on parle. Mais la conversation parisienne est réapparue, tel un phénix, en 1815. Elle ne peut plus esquiver, dans l'ère démocratique, comme elle l'avait fait au XVIIIe siècle, sa Némésis, la discussion politico-religieuse, dont la violence l'interrompt, toujours capable de la faire chavirer et préludant à une nouvelle révolution ou à une guerre plus meurtrière que les précédentes. Le « mal du siècle » moderne enregistre en profondeur la fin de l'équilibre entre mouvement et repos qu'avait réussi à sauvegarder pendant un siècle l'ingéniosité politique et esthétique de la monarchie bourbonienne. Le « moi » de l'écrivain et de l'artiste romantiques, renvoyé à lui-même, est hanté par le principe de trouble et de doute qu'il y découvre et qui lui rend d'autant plus lacérante la houle politique et historique où il se voit emporté. Il s'oppose au « moi » bourgeois et placide qui ne veut voir que progrès sous l'apparent chaos de cette nouvelle mobilité.

Mais, comme la danse mondaine, dans *L'Âge d'or* de Buñuel, se déplace en bon ordre et reprend pied sur une autre piste, au fur et à mesure qu'un feu mystérieux a rendu la précédente impraticable, sitôt la violence éloignée, la conversation parisienne fait valoir de nouveau ses droits, le pistolet politique est rengainé ou ne tire que des coups à blanc : son bruit reste étouffé et l'attention des compagnies se reporte sur les querelles et débats littéraires, artistiques, philosophiques et scientifiques qui nourrissent un *otium* alliant au repos, sur un fonds commun reçu, le mouvement et la dispute qui le font vivre.

La modération politique de la IIIe République naissante, échaudée par le souvenir de 1793, lui conseilla de concilier la violente lutte de partis, inhérente à un régime parlementaire et aux aléas du suffrage universel, avec le gyroscope stabilisateur que l'Ancien Régime avait inventé, que la Révolution avait voulu abolir, mais qui avait retrouvé sa vitesse de croisière sous la Restauration, la monarchie de Juillet et le Second Empire. La conversation civile, elle aussi, a repris ses droits de milieu réceptif privilégié, à mi-chemin entre vie privée et vie publique, pour les lettres, les arts, les sciences. Le système académique des Beaux-Arts est de nouveau là pour l'alimenter et la freiner. À charge, sous la IIIe République, de confier à l'Instruction publique gratuite et obligatoire – concurrente de l'Église, qui avait précédé de longue main l'État laïc dans le préceptorat des jeunes roturiers doués – le soin de ménager aux talents venus du peuple les voies d'accès au tribunal parisien de l'esprit français, et d'irriguer celui-ci de sang neuf. Les grandes consciences de la République, Victor Hugo et Ernest Renan, se portèrent garantes de cette synthèse et Paul Valéry s'y rallia sans réserve, dans l'entre-deux-guerres 1918-1939, alors qu'une critique violente d'extrême droite et d'extrême gauche se proposait de la subvertir, l'une pour défaut d'autorité politique, l'autre pour empiètement obtus sur l'infini de la liberté subjective.

Cette critique politique des deux extrêmes contre le « juste milieu » républicain et académique s'est exacerbée dans les années 1930 ; des deux côtés, elle s'est souvent amalgamée à la critique proférée par le modernisme artistique et littéraire, anti-académique et antibourgeois, de plus en plus virulente depuis la monarchie de Juillet, et devenue radicale dès l'avant-guerre 1914-1918.

14. Le schisme dans les Beaux-Arts

Un schisme est intervenu dans le système des Beaux-Arts français au cours du XIXe siècle. On le tient pour un fait. Il a même une date, comme l'hérésie de Luther, déclarée par un affichage en 1517 : là, c'est l'exposition de l'*Olympia* de Manet, en 1863, une œuvre dont on a du mal aujourd'hui (les reproductions du tableau et les photos de nus s'interposant) à comprendre en quoi il a pu surprendre plus que les Vénus nues de Titien. C'est un mystère qui reste à éclaircir. J'ai longtemps été tenté de le sous-estimer. Ne se résumerait-il pas au conflit entre une conception académique et

« politique » des arts, au service de la *Polis*, de la Cité, comme ils l'avaient été au service de l'Église jusqu'à la Renaissance et à celui de l'État royal jusqu'à la Révolution, et une conception « subjective » faisant des arts le fruit d'une démarche individuelle, s'adressant à un public privé plus sensible à la nouveauté des œuvres et à la personnalité singulière de leurs auteurs qu'à leur aptitude à un quelconque service public.

Les Beaux-Arts académiques et la commande publique

L'enseignement académique du XIXe siècle a rendu possibles des chefs-d'œuvre publics, tel l'Opéra de Charles Garnier, dont le décor peint fut confié au peintre Paul Baudry, grand prix de Rome, maître de ce genre de programme difficile après avoir étudié, sur place, à Rome, le Michel-Ange de la Sixtine, le Raphaël des *Stanze*, l'Annibal Carrache de la galerie Farnèse. Inversement, quand le décor peint de la salle des séances du Conseil d'État ou certains murs de la nouvelle Sorbonne furent confiés à un peintre impressionniste, Henri Martin, il apparut clairement que le petit format et la technique intimiste d'un peintre de ce style ne pouvaient sans ridicule changer d'échelle et de fonction sur les murs d'un édifice officiel. Les *Nymphéas* de Claude Monet à l'Orangerie sont une exception qui confirme la règle. Le plafond de Chagall pour l'Opéra Garnier ou celui de Masson à l'Odéon, voulus un demi-siècle plus tard par Malraux, forcent à l'évidence le talent de ces peintres de chevalet, qui supportent mal l'échelle monumentale. L'académisme artistique et littéraire a buté sur la subjectivité moderne, mais le modernisme, malgré l'ambition politique de ses variantes futuristes et constructivistes, ou la velléité du Bauhaus de servir un État totalitaire, ou même la prétention dadaïste de mobiliser l'attention publique par le scandale dans les démocraties commerciales, s'est montré incapable, de par son essence subjective, de créer des lieux communs visuels, des « séjours » durables et hospitaliers pour tous, comme en furent capables encore un Garnier et un Baudry à l'Opéra de Paris, ou leurs collègues américains, formés à la même École parisienne, dans la somptueuse Congress Library de Washington, et plus proches de nous encore, en 1937, les architectes, sculpteurs et peintres académiques du palais de Tokyo, du palais de Chaillot ou du Rockefeller Center de New York. La vie privée s'est déchirée de la vie publique, l'art d'appartement et de collection a divorcé de l'art civique et de l'art religieux.

De fait, l'écart entre artistes officiels et artistes retirés pour ainsi dire dans la sphère privée était inconnu des époques où les arts dévotionnels savaient être à la fois publics et privés, et de celles où les arts de Cour étaient aussi, moyennant réduction d'échelle, un modèle pour les demeures privées et pour leur décor. Cet écart avait commencé à se creuser sourdement au XVIIIe siècle, où les demeures privées demandent un traitement architectural qui leur soit propre et se pourvoient de collections de tableaux de genre hollandais, doublement insolites puisque les peintres de l'Académie royale, à l'exception de Chardin, dédaignent de pratiquer ce réalisme domestique, quasi absent des Salons officiels. Alors que les arts dévotionnels, de l'architecture à l'orfèvrerie, s'ajustaient les uns aux autres dans l'église pour servir le culte et la liturgie, le Salon de l'Académie royale isole et exalte la peinture d'histoire et le portrait, objets quasi exclusifs, avec le théâtre, des débats sur le Beau.

Mais c'est sous la monarchie de Juillet, puis le Second Empire, régimes démocratiques derrière leur façade bourgeoise ou impériale, que le schisme se déclare dans le système des Beaux-Arts, et il ira s'aggravant sous la IIIe République, au fur et à mesure que ce système cesse d'être arrimé à un État laïc aussi transcendant à la mobilité des opinions qu'avait pu l'être la monarchie des Bourbons, ce qui incite nombre d'artistes de grand talent à s'en détacher. « Avant-garde » en ordre dispersé de l'individualisme démocratique, ils sont plus soucieux que l'académisme officiel d'obvier au nouveau régime collectif de l'image qu'introduisent la presse illustrée, la publicité, la photographie puis le cinéma. La grandeur de Baudelaire critique d'art, mais d'abord poète dont la « sensibilité perfectionnée » n'ignore rien de la modernité qui travaille Paris, est de pousser ce souci jusqu'au sens tragique. Il s'est fait le premier interprète (après toutefois le Balzac de *Pierre Grassou* et du *Chef-d'œuvre inconnu*) de l'*ère critique* dans laquelle étaient désormais entrés tant les arts visuels académiques que les arts visuels romantiques (résumés par la peinture), menacés de mort les uns et les autres par l'invention de Daguerre, arrivée à point pour donner au goût bourgeois dans le monde de la vue l'empire définitif sur la foule. Le poète-critique d'art a bien vu que l'art de peindre doit désormais, « Enfer ou ciel, qu'importe », « trouver du nouveau » pour tenir tête aux images mécaniques irrésistibles qui happent le public. Mais il a vu aussi que, si cet aiguillon les conduit à des sommets d'ironie et de perspicacité esthétiques, il peut être aussi, à plus ou moins court terme, le principe de leur extinction par anémie. Dans les arts visuels comme en poésie, Baudelaire est un classique, son idée de la Beauté est harmonique et immobile. L'hyperbolique discipline classique de la forme qu'il demande aux classiques et à Poe, il se sait contraint de la mettre au service des modes de voir et de sentir de l'hystérie moderne, intimes, inquiets, oscillant dangereusement entre l'extrême de la violence et l'extrême de la neurasthénie, ruineux pour la santé classique de la poésie et des arts.

Les artistes sensibles à la brèche où Baudelaire a écrit et vécu dangereusement ont fait sécession de l'Académie des Beaux-Arts. Mais Baudelaire s'est porté candidat à l'Académie française, et, à la différence des frères Goncourt et de Huysmans, il n'a jamais attaqué de front l'Académie des Beaux-Arts, où il voyait plutôt une alliée contre la photographie. Il a même regretté que les peintres se privent du sévère entraînement de l'œil et de la main qu'exige la peinture d'histoire, et son ami Manet, le grand schismatique, rêvait d'être exposé au Salon. Ce n'est donc pas à Baudelaire qu'il faut faire remonter le schisme dans les Beaux-Arts français, alors qu'il est légitime de lui attribuer l'ostracisme de la photographie et de sa prétention à se hausser à l'art. Il y a pourtant eu schisme. Il a fait des artistes des « égotistes » – pour reprendre la qualification sévère de Courbet par Duchamp, typiquement autoaccusatrice ! – donc des ennemis naturels du mécénat d'État, et, en politique, des anarchistes de droite ou de gauche, voire des mystiques ou des révolutionnaires. La légende selon laquelle ce serait l'incompétence du secrétariat d'État aux Beaux-Arts, esclave de l'Académie, qui aurait empêché l'État de se convertir à temps à l'impressionnisme et au modernisme, ne tient pas debout. C'est une projection rétrospective et justificatrice de la « politique culturelle » de la Ve et de sa propre prétention à faire mettre l'État au service d'un « Art contemporain et vivant » défini au préalable par ses propres soins.

J'ai longtemps cru pourtant que l'explication, un peu courte, un peu trop générale, par la faille croissante entre des arts académiques appropriés à la commande publique, et des arts d'« avant-garde » se destinant exclusivement à une clientèle d'amateurs privés, était la seule à pouvoir éclairer le schisme. L'exposition de l'hiver 2008, *Figures du corps*, à l'École des Beaux-Arts, m'a orienté dans une autre direction[1].

La querelle du Dessin et du Coloris, l'Académie et les écrivains critiques d'art

> *Plus on possède d'imagination, mieux il faut posséder de métier pour accompagner celle-ci dans ses aventures et surmonter les difficultés qu'elle recherche avidement. Et mieux on possède son métier, moins il faut s'en prévaloir et le montrer, pour laisser l'imagination briller de tout son éclat.*
>
> BAUDELAIRE, *Salon de 1859.*

Cette exposition, que nourrissent les seules archives et collections richissimes de l'École des Beaux-Arts, donne à voir dans une lumière crue l'importance centrale et prédominante que n'a cessé d'occuper dans

1. Voir le catalogue *Figures du corps à l'École des Beaux-Arts*, sous la direction de Philippe Comar, Paris, É.N.S.B.A., 2008. Voir également Morwena Joly, *La Leçon d'anatomie : le corps des artistes de la Renaissance au Romantisme*, photos de Giovanni Rica Novara, Paris, Hazan, 2008.

l'enseignement académique du XIXe et du XXe siècle, jusqu'à la veille de la guerre 1939-1940, l'étude de l'art du dessin, en facteur commun de l'architecture, de la sculpture, de la peinture et de la gravure. Au même moment, l'exposition du musée Delacroix sur « Delacroix et la photographie » met l'accent sur les exercices incessants de dessin auxquels se livrait le peintre « coloriste » des *Massacres de Chio*, qu'on aurait tendance à opposer schématiquement à l'« académique » Ingres, qui a dit, d'une sentence fameuse : « Le dessin est la probité de la couleur ». Malgré son enthousiasme pour Delacroix, Baudelaire a vu chez Ingres un coloriste froid, mais infiniment raffiné. Le grand « coloriste », le second Rubens que fut Delacroix, aux yeux de Baudelaire, s'est révélé, comme Rubens lui-même au Luxembourg, un admirable peintre de commandes publiques (au Louvre, à l'Assemblée nationale, au Sénat), alors qu'Ingres, le « dessinateur », le peintre par excellence de l'Académie, est resté un peintre de chevalet, laissant inachevé le grand décor prévu pour le château de Luynes. L'antithèse Dessin = Académie = Art civique/ Coloris = Subjectivité = Avant-garde pour amateurs privés ne tient pas en toute rigueur, même si ce lieu commun classique du discours sur la peinture n'est pas sans fécondité explicative.

Ces deux expositions, qui ont fait entrer de nombreux jeunes gens dans les coulisses de l'art du XIXe siècle (un aspect de leur patrimoine qui aura été une surprise pour beaucoup), entrent elles-mêmes en résonance avec le livre de mon amie Jacqueline Lichtenstein, *La Tache aveugle, Essai sur la relation de la peinture et de la sculpture à l'âge moderne*[1]. L'auteur met en évidence que la querelle entre Dessin et Coloris, qui agita l'Académie royale et les amateurs d'art parisiens au XVIIe et au XVIIIe siècle, continue de plus belle au XIXe siècle. Les écrivains-critiques d'art romantiques, dans le sillage des *Salons* de Diderot, dont la publication intégrale fit sensation au début de la Restauration, se rangent du côté du philosophe des Lumières. Ils tiennent avec lui que la peinture et la couleur, synesthésie des quatre autres sens, sont synonymes de bonheur, alors que la sculpture, synonyme du dessin, est un art abstrait. En 1846, Baudelaire le qualifiera d'« ennuyeux » chez les modernes. Il en fera plus tard un « art divin », mais en se reportant à la statuaire égyptienne et grecque, à celle de Michel-Ange et des classiques français du XVIIe et du XVIIIe siècle, Puget et Coustou, tous inventeurs de « fantômes immobiles » qui font « passer la créature passagère à l'éternité ». Cette passion de Baudelaire pour la sculpture non picturale, l'attention intense qu'il accorde à Ingres et à sa ligne maniériste, l'enthousiasme qu'il éprouve pour Guys, le peintre et dessinateur de la vie moderne, montrent amplement son intérêt pour le dessin, dans ses

1. Paris, Gallimard, 2003.

différentes capacités, interprète de formes idéales aussi bien que d'ondulations et de mouvement. Il n'empêche que, sans aller jusqu'à la partialité violente et polémique des Goncourt et de Huysmans, à la génération suivante, envers l'exclusivité de la peinture-couleur, Baudelaire se tient dans la ligne de Diderot. Si sa poésie elle-même est « peinture », c'est qu'elle accorde la primauté à la couleur, fusée qui déclenche en feu d'artifice l'étoilement de tous les sens, comme il arrive dans *La Chevelure*, « Un port retentissant où mon âme peut boire/À grands flots le parfum, le son, et la couleur » : synesthésie où « se répondent » à la fois l'ouïe, le goût, l'odorat, le tact et la vue. La lecture baudelairienne de Delacroix est celle qu'il souhaite pour ses propres poèmes, elle identifie d'emblée « romantisme », « modernité » et « couleur », une couleur « plaintive et profonde comme une mélodie de Weber ». En 1855, *La Chasse aux lions* de Delacroix lui fait écrire : « Jamais couleurs plus belles, plus intenses, ne pénétrèrent jusqu'à l'âme par le canal des yeux ». « L'intimité », « la spiritualité », « l'aspiration vers l'infini », ces traits essentiels de l'âme et de l'art modernes pour Baudelaire passent à ses yeux par la « couleur », aurore boréale de tous les sens. C'est dans le climat de la couleur que l'« imagination créatrice » peut se mouvoir librement, en « reine d'un vrai, dont le possible est l'une des provinces apparentées à l'infini ».

C'est bien l'auteur des *Salons* de 1846 et 1857 qui inaugure le parti pris des Goncourt, de Huysmans, de Fénéon, de Mirbeau pour un colorisme de combat, mais le poète lui-même, magnanime et équanime, avait refusé de sacrifier au culte exclusif de la couleur Ingres et l'art « austère » du dessin.

Pour achever de comprendre le schisme qui se préparait, et qui est en grande partie l'œuvre d'influents écrivains-critiques d'art, il faut se retourner du côté de l'Académie et de l'École des Beaux-Arts, et écouter la voix de leur interprète le plus autorisé sous le Second Empire, Charles Blanc. Sa *Grammaire des arts du dessin* (1863), plusieurs fois rééditée, est un chef-d'œuvre d'intelligence, qui dès son titre annonce non la couleur, mais l'idée directrice inverse : le dessin, commun dénominateur des arts visuels, liés les uns les autres en un système complet, où il n'est pas question d'isoler sur un pavois la seule peinture, et où entrent tour à tour, dans leur ordre d'apparition historique, l'architecture (et l'art des jardins), la sculpture, la glyptique, la peinture et la gravure. D'emblée, la définition du dessin et de la couleur par Charles Blanc entre en polémique polie, implicite, mais implacable, contre le primat diderotien et baudelairien de la touche colorée.

> Le dessin, écrit Charles Blanc, est le sexe masculin de l'art, la couleur en est le sexe féminin [...]. L'union du dessin et de la couleur est nécessaire pour engendrer la peinture, comme l'union de l'homme et de la femme pour

engendrer l'humanité, mais il faut que le dessin conserve sa prépondérance sur la couleur. S'il en était autrement, la peinture court à sa perte, elle sera perdue par la couleur comme l'humanité fut perdue par Ève. Les couleurs varient suivant le milieu où elles se trouvent, elles sont modifiées par tout ce qui les environne. Le rose, à côté d'un rouge violent, paraît gris ; un ton n'est pas dans l'ombre ce qu'il est à la lumière, telle draperie qui est bleue le jour deviendra verte le soir. Il n'en est pas de même de la forme, qui conserve son caractère quels que soient le lieu et le moment où on les regarde [1].

Goethe avait dit de la couleur qu'elle est la souffrance de la lumière. Pour Baudelaire, il revient à l'art du peintre de sauver, *en la perpétuant*, la couleur (et avec elle tout le sensible, qu'il rattache lui aussi, mais pour l'exalter, à la féminité, à l'imagination, à la mélancolie, à la musique) de sa souffrance dans le temps, où l'âme se trouve exilée de l'être et de l'éternel. C'est la métaphysique proustienne du « petit pan de mur jaune ». Tranchant, Charles Blanc ne voit de salut pour la couleur, qui, dit-il, « joue dans l'art le rôle du sentiment », que dans la mesure où elle est soumise au dessin « comme le sentiment doit être soumis à la raison. »

Le directeur de l'École des Beaux-Arts, et futur académicien français, ne veut rien entendre, ou n'a aucune idée, d'une quelconque « rédemption » du sensible par l'art. Il s'en prend à Diderot, le chef de l'hérésie coloriste du XVIIIe siècle, et à son sensualisme, qui avait fait dire au philosophe que « le dessin donne forme aux êtres, mais c'est la couleur qui leur donne la vie », ou pis encore, que « la couleur est un don plus rare que le dessin, car elle ne s'apprend pas ». Autant d'erreurs métaphysiques aux yeux de Charles Blanc, qui tire argument du fait que la nature (il invoque zoologie et botanique) est très supérieure à l'art « dans cette région inférieure [propre à la féminité, aux animaux et aux plantes] qu'est le coloris ».

Charles Blanc, dont les analyses de l'art de Delacroix et d'Ingres sont pénétrantes, et qui en sait long sur les secrets de métier des divers arts, est en dernière analyse un rationaliste. Même s'il ne fait pas grand cas de la photographie, pléonasme du réel, la science est à ses yeux l'alliée des arts et du dessin. Il repousse les vues de Diderot, mais il tient en haute estime les travaux du célèbre chimiste Chevreul sur l'optique des couleurs, qui eurent malgré lui (souvent à travers lui) une grande influence sur les impressionnistes et post-impressionnistes. Mieux que personne, il insiste sur l'erreur du réalisme, qui confond imitation et copie serviles, qui ignore aussi bien la supériorité de la vraisemblance

---

1. Charles Blanc, *Grammaire des arts du dessin*, 3e édition, Paris, Renouard, 1876, p. 21-22.

artistique sur la vérité sans art que la force du style sachant investir dans la nature les puissances humaines de la pensée et du sentiment. Sa *Grammaire* est un chef-d'œuvre de haute culture, qui a été lu et étudié par plusieurs générations de peintres et d'amateurs, et pas seulement dans le monde académique. Les choses se compliquent. Je ne peux oublier que c'est à Charles Blanc que nous devons un peu *La Grande Jatte* de Seurat, car c'est lui qui fit venir Piero della Francesca à Paris, sous la forme d'excellentes copies demandées à un pensionnaire de la Villa Médicis. Aimer Baudelaire n'empêche pas de respecter Charles Blanc.

L'enseignement académique du dessin et les sciences de l'homme

Ce détour par la querelle du dessin et du coloris au XIXe siècle n'est pas le seul bienfait que je dois à l'exposition de l'École des Beaux-Arts. Le panorama qu'elle présente de l'enseignement du dessin à l'École jusqu'en 1939 est certes partiel. Il omet l'étude d'après les maîtres anciens, qui ne se bornait pas à la copie ; les élèves les plus doués, les lauréats du grand prix de Rome, peaufinaient pendant plusieurs années, en Italie, leur style de dessinateurs et leur science de la composition. Un Paul Baudry y étudia Raphaël, Michel-Ange, Annibal Carrache et acquit le métier et le talent qui ont fait de lui l'admirable décorateur de l'Opéra.

L'exposition de l'École des Beaux-Arts se consacre de façon exclusive à l'enseignement du dessin d'« académies », masculines pour la plupart et pendant longtemps, d'après les moulages d'antiques (peu représentés), d'après le modèle vivant (évoqué par une impressionnante documentation photographique), mais aussi d'après des statues anatomiques de plâtre peint ou de cire, dites d'écorchés. Le catalogue fait abondamment état aussi de séances de dissection de cadavres. À première vue, l'on se retrouve dans le droit-fil des académies de dessin italiennes de la Renaissance, et parmi tous leurs accessoires pédagogiques. Précurseurs, Raphaël, Michel-Ange et Vinci se livrèrent à des dissections. Le médecin flamand Vésale publia, dans sa magnifique *Fabrique du corps humain* (1543), un recueil de planches gravées d'écorchés, à l'intention des peintres autant que des chirurgiens. Tournant les pages in-folio de cet ouvrage, le lecteur assiste à un véritable défilé d'athlétiques modèles debout, faisant valoir avec élégance leurs muscles et leurs organes internes, sous toutes leurs coutures. Il fallait passer par là, et lever le voile de la peau, pour comprendre ce que cachait de science du corps humain la splendeur mâle des statues de héros et de dieux antiques, afin de l'attribuer à la nudité héroïque du Christ en croix. Le corps du second Adam était considéré comme l'Idée parfaite de la beauté. Les représentations gravées ou peintes, par Albrecht Dürer, du premier couple, Adam et Ève, dans leur splendeur physique préalable à la Chute, visaient aussi à proposer un idéal humain de beauté, tant masculin que féminin, et de beauté nue, non déshabillée : la honte de se voir nus n'a pas encore frappé le premier couple ; les deux créatures magnifiques créées à l'image et la ressemblance de Dieu, les deux formes divines ne vont pas tarder à se vandaliser elles-mêmes, à souffrir, à vieillir, à mourir, mais pour l'instant les voici immortelles. Vésale montre les coulisses masculines de cette beauté académique.

Au XIXe siècle, dans l'école de l'Académie, le primat du dessin et l'objet primordial de son enseignement, l'académie masculine, restent intacts, mais on est passé de l'idéalisme platonico-chrétien de la Renaissance à une anthropométrie médicale et scientifique où « l'Homme parfait » n'est plus qu'un instrument de mesure et un critère de référence dans toutes sortes de séries, races, âges, degrés de santé et de maladie, d'intelligence ou de retardement mental. Nous ne sommes pas loin des origines scientifiques du *high brow* et du *low brow*. Les professeurs de dessin anatomique qui se succèdent à l'École des Beaux-Arts, de Jean-Joseph Sue, qui y crée un théâtre d'anatomie en 1795, à Henry Meige qui y enseigne la « pathologie artistique » de 1922 à 1936, sont des scientifiques avant d'être des dessinateurs : médecins, physiologistes, phrénologues, anthropologues, ethnologues, aliénistes, criminologues, ils sont plus intéressés par l'utilité du dessin d'anatomie (et très vite, de la photographie), en vue de leurs taxinomies sourdement ou ouvertement sexistes, racistes, eugénistes et même policières (on cherche le type physique et le portrait-robot du criminel-né) qu'à une quelconque idéalisation ou stylisation artistique. Pasteur, Darwin, Charcot, Richer, ainsi que les photographes de la décomposition du mouvement, Muybridge et Marey, sont tour à tour invoqués ou convoqués par un enseignement qui fait grande consommation de cadavres entiers ou démembrés, et où il n'est plus question que d'explorer et de hiérarchiser les différents types de l'humanité, race animale. « L'homme créé à l'image et ressemblance de Dieu », dont les archétypes sont Adam avant la chute et le Christ en croix, encore présents tous deux à l'École au début du XVIIIe siècle, a disparu de l'éducation laïque et scientiste du parfait dessinateur.

Il n'est pas surprenant qu'une école transformée en morgue, en salle d'opérations et en Salpêtrière ait été qualifiée par Baudelaire, en 1846, d'« asile de jour ouvert rue des Beaux-Arts [1]. » Le poète de la « sensibilité perfectionnée » ne pouvait pas plus éprouver de sympathie pour les

1. Cité dans l'excellent chapitre « L'hôpital de la peinture », de Jacqueline Lichtenstein, dans *La Tache aveugle, Essai sur les relations de la peinture et de la sculpture à l'âge moderne*, Paris, Gallimard, 2003, p. 187.

lunettes scientifiques, substituées dans cette école à l'œil naturel et à l'interprétation imaginative des sensations, que pour la chambre noire et l'objectif mécanique de Daguerre et de Nadar. Dans les deux cas, l'exactitude physiologique dans le « rendu » du corps humain, traité en « chose étendue », inerte ou en mouvement, ôte au dessin la vie, l'esprit, l'âme. Il est instrumentalisé par des sciences humaines et sociales. Aussi, le primat de la couleur, et, avec elle, de l'« intimité », de la « spiritualité », du « possible apparenté à l'infini », devient une protestation de peintre et de poète contre un art du dessin asservi aux sciences et assiégé par la « vérité » photographique.

L'enseignement professoral du dessin n'était pas le tout du *curriculum* de l'école, mais il y occupait une position centrale, stratégique et obligatoire, tant pour les futurs architectes et sculpteurs et graveurs que pour les peintres. Tous les élèves n'avaient pas la chance d'aller, s'il était encore temps, réveiller ou laver leur imagination et assouplir leur main parmi les chefs-d'œuvre de l'Antiquité et de la Renaissance. Nombre d'entre eux, dans le dernier tiers du siècle, avaient lu *Les Phares*. Certains peut-être y avaient trouvé leur vocation. Rubens, la référence suprême du parti « coloriste » dans l'Académie du XVIIIe siècle, l'était redevenu au XIXe pour les peintres et pour les poètes « modernes » qui exécraient l'enseignement orthodoxe du dessin académique et les « pompiers » (au sens propre) qui lui servaient de modèles. Baudelaire a résumé leur religion de la couleur en commençant *Les Phares* par « Rubens, fleuve d'oubli, jardin de la paresse », véritable manifeste d'un *otium* consacré à la « sensibilité perfectionnée ». Après dix ans passés dans cette école où il côtoyait quotidiennement un amphithéâtre de médecine, un asile d'aliénés et une morgue, on comprend mieux qu'un Matisse, élève de Gustave Moreau, ait retrouvé la joie de peindre en se faisant « fauve », puis en inventant toute sa vie de nouveaux pièges colorés, délectables au bonheur et à l'intelligence de la vue. Huysmans critique d'art est tout autant fidèle à Baudelaire lorsqu'il se déchaîne contre l'hypocrisie des peintres formés à l'école de la clinique, mais qui enjolivent de « fadeurs » leur « faux naturalisme » pour « amadouer » le chaland. Il les nomme les « garde malades de l'art ». Lui-même n'avait été si loin dans le naturalisme littéraire que pour en revenir et pour trouver, au fond humain, trop humain, de la « chose étendue » en décomposition – tel le Crucifié de Grünewald –, le principe divin d'une transfiguration – celui de l'Ascension du peintre d'Issenheim. Le dessin étant passé du côté de la raison scientifique, la couleur est restée du côté de la chair, des sens, de l'imagination, du mythe, du symbole, de la foi mystique dans la résurrection et la transsubstantiation.

Le modernisme dans le piège de l'action politique

Le schisme intervenu dans les Beaux-Arts français opposait deux modernités, celle d'une académie et d'une école officielles, qui se voulaient « modernes », au sens propre du terme, cartésien, scientifique, technique et évolutionniste, et celle d'écrivains-critiques d'art indépendants qui, sans être spiritualistes au même degré que Baudelaire, postulaient de la peinture ce qu'ils demandaient à la littérature, « moderne » au sens figuré, qu'elle ne fût ni un savoir objectif ni un service social, mais un exercice spirituel libérateur de l'oppression sociale moderne. Les peintres de Barbizon avaient les premiers pris le large, Manet se convertit à Vélasquez lorsqu'il le découvrit dans la collection espagnole de Louis-Philippe ; les impressionnistes, puis les nabis, puis les fauves, suivirent le chemin d'une modernité résolument antimoderne.

Mais il ne faudrait pas exagérer ce schisme, qui est autant un fait d'histoire littéraire que d'histoire de l'art. Sans doute les artistes ont-ils été influencés par les critiques d'art, mais d'un atelier à l'autre les échanges n'ont pas manqué. Après tout, le cubisme, qui se réclamait de Cézanne, lequel se réclamait de Poussin, et dont un des deux protagonistes, Picasso, avait reçu une très solide éducation académique à Barcelone, ne pouvait laisser indifférent le vieux fond platonicien de l'idée académique. L'Art Déco sortira d'un implicite compromis entre le cubisme et l'Académie.

En sens inverse, dans les années 1930, le schisme entre modernité scientifique et technique et modernité poétique et artistique devient à la fois plus confus et plus violent. Exacerbé par le traumatisme de la Grande Guerre, puis par celui de la Grande Dépression de 1929, il est encore aggravé par les fêlures de plus en plus visibles dans l'Europe issue du traité de Versailles. Il se forme alors des mélanges détonants d'esthétique subjectiviste, de scientisme et d'utopie politique, de droite et de gauche, auxquels écrivains et artistes, académiques ou anti-académiques, se rallient sans trop savoir ce qu'ils font ni où ils vont. La plupart de ces conglomérats idéologiques tendent pourtant au même dessein qui hante depuis le XIXe siècle les savants professeurs de dessin de l'École des Beaux-Arts : faire surgir par tous les ingrédients modernes, sport, eugénisme, hygiène physique et sociale, catalysés par une bonne révolution, un « homme nouveau » sain, viril, à la hauteur de la modernité dont le « vieil homme » européen a perdu le contrôle. D'innombrables -ismes artistiques participent de ces projets, ennemis et semblables, de destruction et de refonte de l'humanité européenne « dégénérée » ou « aliénée » [1].

1. Voir le catalogue de l'exposition *Les années trente, la fabrique de « l'homme nouveau », sous la direction de Jean Clair*, Gallimard-Musée des Beaux-Arts du Canada, 2008.

Ces -ismes totalitaires associent les arts à des engagements politiques : technocratie, fascisme, soviétisme. Ils entrent comme autant de couleurs idéologiques dans l'arc-en-ciel moderniste. Le modernisme, comme le Satan de Baudelaire, s'appelle légion et il est constamment en lutte contre lui-même. Il ne conçoit d'Art qu'affranchi des lieux communs qui scellent les communautés politiques réelles, et il rêve d'une communauté politique utopique dont le lien serait cet Art sans précédent. Contrairement à un préjugé fort répandu et encouragé par le vocable lui-même, il n'est pas un rejeton du progressisme des Lumières appliqué avec retard aux arts, mais bien au contraire une réaction en rangs dispersés contre le décadentisme « fin de siècle », qui s'était contenté d'opposer un ennui passif et distant à la modernité industrielle et démocratique. Tout en s'appliquant à rester en phase avec la science et les techniques, il s'est voulu un sursaut de salut pour les arts traditionnels, poésie et peinture, derniers refuges de l'individu assiégé. Mais, en cherchant à surclasser l'industrie et le commerce des images techniques, il a emprunté dangereusement leur volonté de choquer et de changer sans cesse. Pour lui rendre justice, il faut le voir comme les deux jumeaux du *Maître de Ballantrae* de Stevenson, jouant au plus fin avec leur double et finissant par succomber l'un par l'autre.

Hommage funèbre au modernisme

Du moins, le modernisme, ou plutôt les modernismes artistiques et littéraires n'ont jamais renoncé à mettre en exergue ce qui rend les arts, comme la poésie, incompatibles avec les techno-sciences, l'industrie, le commerce, le journalisme : l'invention de signes soustraits à la vision et à la parole quotidiennes, soustraits tout aussi bien aux prothèses techniques du regard qui prétendent montrer la vérité que manque l'œil naturel. Dans les années 1920-1930, le « détournement » de la photographie par Man Ray, de l'imagerie d'illustration par Max Ernst, du naturalisme cinématographique par Buñuel, Dalí ou Cocteau, caractéristique des stratégies modernistes, anticipées par Baudelaire, visent à dompter le Satan des techniques et l'obliger à servir le Dieu des arts et de la réflexivité poétique.

Le modernisme n'a pas été une exclusivité « de gauche ». La critique du modernisme elle-même ne se résume pas à la grossière répression nazie exercée sur l'« art dégénéré », dont le concept remonte au titre célèbre du livre de Max Nordau (1892), lequel prétendait analyser en clinicien scientifique, dans les arts « fin de siècle », les symptômes d'une dégénérescence mentale menaçant la survie de la race supérieure. Mais on oublie que la critique moderne du modernisme a pris en France des formes infiniment plus libérales et généreuses, tendant à affranchir l'Académie de l'académisme scientiste, et à lui faire retrouver sa vocation originelle de pont entre la singularité du talent personnel et la tradition qui l'attache à une communauté humaine et à la nature. Alain, philosophe des Beaux-Arts et Paul Valéry, leur poète et exégète, incarnent ensemble un anti-modernisme moderne, alarmé, mais gardant son sang-froid, et prévenu contre toute dérive politique du côté du fascisme, du national-socialisme, ou du socialisme scientifique. Dans les lettres parisiennes, un Léon Daudet, héritier spirituel des Goncourt, lieutenant de Charles Maurras à *L'Action française*, met son talent critique au service de Proust et de Céline, deux modernistes apparemment fort incompatibles. Autre droitier, ami de Carl Schmitt, un Bernard Faÿ se lie intimement à la Muse américaine du modernisme littéraire et artistique, Gertrude Stein, et rencontre chez elle à Tristan Tzara [1]. Le chef de file italien du futurisme, Marinetti, se ralliera d'emblée à la révolution fasciste de Mussolini. Les modernistes russes se rallieront à la révolution léniniste et serviront un temps l'État soviétique. Parmi les artistes modernistes les plus en vue de l'époque, ni André Derain en France, ni Giorgio De Chirico, ni Mario Sirani en Italie, ne se réclament, c'est le moins que l'on puisse dire, de la gauche politique. Faute de roi, de nombreux modernistes, les moins politiques des hommes, s'en sont remis à un chef politique dont la volonté puisse prendre sur elle le destin politique, à droite, d'un peuple particulier, à gauche, du prolétariat universel, l'un ou l'autre « régénéré » par « la joie dans le travail ».

L'anti-rationalisme moderniste d'André Breton, pape du surréalisme, a pu faire de lui tour à tour un communiste, puis un antistalinien déclaré et résolu. Le subjectivisme absolu dont se réclame le jeune Aragon de *Feu de joie*, du *Mouvement perpétuel* et du *Paysan de Paris* a fait de lui un caméléon à la fois politique, esthétique et sexuel, fidèle à lui-même, dans tous ses va-et-vient d'un point de vue extrême à un autre.

En réalité, le modernisme littéraire et artistique, anti-académique, anti-bourgeois, antirationaliste, est alors un facteur commun des « non-conformismes » de droite et de gauche. Il est rongé et déchiré par la politique, tout en cherchant désespérément à lui échapper et à retrouver, souvent trop tard, son autonomie artistique. De son côté, la résistance esthétique au modernisme, dans la même période des « années folles » 1919-1939, ne se résume pas à la persécution patronnée par Alfred Rosenberg à Berlin ou par Joseph Staline à Moscou. Dans la France de la IIIe République, elle trouvait ses assises classiques dans des institutions académiques certes entamées de l'intérieur, mais encore bien vivantes, et elle bénéficia en Valéry et en Alain d'interprètes prestigieux, princes incontestés d'une République des lettres fidèle à l'esprit du XVIIIe siècle. Le philosophe catholique Jacques Maritain, qui publia dès 1919 une

1. Voir l'essai sur Bernard Faÿ, à paraître, d'Antoine Compagnon qui m'en a confié les bonnes feuilles et que je remercie.

première esquisse d'*Art et scolastique*, traité d'esthétique thomiste paru en 1920, rêvait, lui, de rendre à l'Église le magistère dans les arts qu'elle avait exercé jusqu'à la Renaissance du XVIe siècle. Tous trois font vigoureusement barrage à l'esthétique du rêve et à la poétique du mouvement perpétuel ; contre l'hégémonie du cinéma, ils exaltent dans l'architecture, la sculpture et la peinture des arts du fixe, et dans la danse un art du mouvement qui, comme la musique, se résout en une immobilité supérieure.

Paris, dont on a voulu faire rétrospectivement et exclusivement la capitale de la « révolution » dadaïste et surréaliste – et qui l'était bel et bien, mais à l'échelle artisanale, tout autrement que New York le deviendra à partir des années 1960, à l'échelle industrielle, fut tout aussi bien, pendant le répit de vingt ans entre les deux guerres mondiales, le conservatoire fécond de tous les arts et artisanats issus de la Renaissance européenne, dont elle inventait le dernier grand style. C'est à Paris, dans un milieu sursaturé à parts égales d'arts, de poésie et de sciences, que la photographie puis le cinéma étaient apparus. En ce sens, le Paris de l'entre-deux-guerres était un *unicum* parmi les capitales d'Europe et du monde, toutes plus ou moins emportées par le cyclone de révolutions politiques ralliant à elles des avant-gardes artistiques avant de les étouffer. À Paris, un grand ressac heurtait toutes les traditions et toutes les modernités. L'elfe Cocteau pouvait y faire avec grâce le va-et-vient entre la Révolution et le Conservatoire, entre la Rive gauche avant-gardiste et la Rive droite boulevardière de la Seine.

Le paysage spirituel du Paris de cette époque est infiniment plus moiré que ne le laisse croire la camisole manichéenne projetée après coup sur lui, dans le sillage de la Seconde Guerre mondiale. Les compagnies parisiennes où se côtoient, entre 1919 et 1939, modernistes et antimodernistes, gens de gauche, gens de droite et « centristes » *in speaking terms*, n'ont pas encore été triées en deux camps par le « jugement de Dieu » de 1945.

15. Paul Valéry, poète des Beaux-Arts

> *C'est ici, dans ces régions incertaines de la connaissance, que l'intervention de la photographie – et même la seule notion de Photographie, prennent une importance précise et remarquable – car elles introduisent dans les vénérables disciplines une condition nouvelle – peut-être une nouvelle inquiétude, une sorte de réactif nouveau dont on n'a pas sans doute assez considéré les effets.*
>
> Paul VALÉRY, *Vues, Centenaire de la photographie.*

Figure majeure de ces années inquiètes, mais fécondes [1], Paul Valéry avait eu une jeunesse aimantée par les maîtres du modernisme littéraire, Baudelaire, Mallarmé, Rimbaud, le Huysmans d'*À rebours*. Droitier en politique, antidreyfusard par goût de l'ordre, il le resta lorsque son mariage l'eut fait entrer, sous les auspices de Mallarmé, dans la famille élargie Rouart-Morisot-Manet, qui lui permit de fréquenter Edgar Degas et qui l'introduisit dans le premier saint des saints pictural du modernisme artistique. C'est après la guerre de 14-18, ce grand moment national d'union sacrée, que Valéry, enhardi par l'accueil fait à *La Jeune Parque* et à *Charmes*, éclairé par sa fréquentation de Degas et du milieu Rouart, est devenu un interprète très écouté des arts visuels. Il était parti de Léonard – à lui seul une Académie de la Renaissance – et il parvint alors à la mûre conscience que la poésie et les arts ne sont pas seulement des exercices du loisir privé, mais les organes régulateurs de l'activité réflexive et contemplative de l'esprit, dont la IIIe République tant décriée sur sa droite et sa gauche politiques a compris, respecte et fomente l'actualisation dans ses institutions académiques, tant décriées elles aussi par les avant-gardes artistiques. À partir de 1921, en plaquettes et en revues, il publie ses « pièces sur l'art », notamment les deux dialogues, à la manière de Platon, sur l'architecture et la danse : leur dispersion apparente ne voile pas leur profonde cohérence avec l'ample pensée politique que développe, en 1931, *Regards sur le monde actuel*.

Nulle part il ne pose à l'orateur officiel de la IIIe République. Dans deux de ses *Regards*, qui portent sur la notion de dictature, il suggère même indirectement combien cette tentation d'abdiquer la volonté générale et de la remettre à un seul homme peut devenir irrésistible lorsque trop de velléités politiques et d'instabilité morale poussent à cette démission. Dans un autre propos, daté de 1939 et publié en 1945, il multiplie les allusions aux despotismes contemporains qui étouffent et stérilisent la liberté de l'esprit, sans manquer pour autant de voir, dans cette dérive totalitaire, le cas le plus extrême de l'esclavage auquel la mécanisation et l'accélération de la vie et de la vue modernes en général exposent les esprits.

Cette usure moderne du libre jugement et des exigences du goût par l'excès d'images industrielles, Valéry l'essayiste le constate, après que Valéry le poète a fait du regard, de son appétit mobile et insatiable, de son accès à la conscience de soi dans le miroir, de son repos dans l'immobilité de l'œuvre d'art, l'étoffe même du langage poétique et du sentiment humain de vivre dans un temps et un lieu habitables, irréductibles au temps chronométré et à l'espace interdit à nos sens de la science. Aussi son jugement sur la photographie à prétention d'art est-il aussi hostile que

1. Voir Michel Jarrety, *Paul Valéry*, Paris, Fayard, 2008.

celui de Baudelaire ou de Benjamin, et il n'hésite pas à voir en elle un rouleau compresseur auquel l'art des peintres ne survivra pas :

> Adieu peinture, à la longue [...]. Nous voici dans l'instant, voués aux effets de choc et de contraste, et presque contraints à ne saisir que ce qu'illumine une excitation de hasard, et qui la suggère [1].

Dans une causerie rarement citée [2], il adopte en 1938, sur le cinéma, une position très analogue, quoique plus modérée dans la forme, à celle que Baudelaire avait prise sur la photographie. Le raffinement du goût, l'approfondissement des formes d'art, fait-il remarquer, ne peuvent être recherchés et élaborés que « dans un cercle d'abord très restreint ». Or un film ne peut être fait pour quelques-uns, il s'adresse à plusieurs millions de spectateurs. Le cinéma relève de la sociologie impersonnelle du divertissement collectif, il ne peut être un laboratoire esthétique à la mesure personnelle. Valéry ajoute une objection plus décisive, qui rejoint et aggrave celle qu'il avait opposée au roman : le cinéma reproduit du réel « saisi d'une manière immédiate par la caméra » tout en se réclamant de la fiction et de la convention qui instituent un mode d'être complet en lui-même et propre aux arts. La technique de la photographie en mouvement joue sur les deux tableaux, celui de l'image et celui du signe, et les compromet l'un et l'autre, l'un par l'autre. Elle s'empare de l'esprit des foules dans une région louche et trouble, qui n'est ni celle de la poésie et des arts, toute de conventions respectées et acceptées, ni celle de la science, toute d'observation exacte du réel échappant à la prise naïve des sens. L'exigence esthétique, chez Valéry, est conaturelle à l'exigence cognitive. L'une et l'autre se sentent menacées d'écrêtement par les techniques modernes de divertissement et de persuasion par l'image, qui vivent de la confusion des ordres. Le poète veut bien admettre que le cinéma ait ses artistes, mais il ne croit pas que leur art du mouvement et de l'éphémère, dont les œuvres sont empreintes sur une matière pauvre et friable, puisse leur valoir une signification traversant les siècles.

Valéry n'est pas moins lucide sur l'omnipotence menaçante de la publicité. Il voit bien que la France est envahie comme l'Europe et l'Amérique par ce que l'on n'appelle pas encore *mass media*, qui offrent aux totalitarismes les moyens sans précédents de faire marcher les foules et d'écraser la liberté de l'esprit. Mais il constate que rien de tel n'est advenu ni

---

1. Paul Valéry, « Propos sur l'intelligence » (1925), dans *Œuvres*, Paris, Gallimard, Pléiade, p. 1044, cité dans le remarquable chapitre sur Valéry de Paul Edwards, *Soleil noir, Photographie et littérature*, Presses universitaires de Reims, 2008, p. 116.

2. Dans Jarrety, ouvr. cit., p. 1016.

en Amérique ni dans la France des deux Poincaré, de Jean Zay, de Léon Blum, d'Anatole de Monzie. Dans la « stratosphère » de l'Institut de coopération intellectuelle de la S.D.N., où il est assidu, et du Centre méditerranéen d'études, qu'il préside et où il s'entretient avec ses pairs européens, Valéry représente la France, mais au titre de l'Esprit, non en ambassadeur d'un régime ou d'une nation. Jamais il ne laisse entendre que la IIIe République, même si, *in petto*, il souffre de la faiblesse de sa volonté politique, ait failli le moins du monde à la liberté de l'intelligence française, à la fécondité des arts français, ou à la « fonction » et à la « présence » spirituelles de Paris. C'est toujours sous cet angle, celui de sa place dans la république des lettres, des sciences et des arts, qu'il envisage la France contemporaine, même s'il laisse entendre que ses *otia* de serre chaude ne sauraient la garantir, pas plus qu'Athènes, ou Rome, ou Venise, contre une paralysie mortelle dans l'ordre politique. Le régime lui a marqué sa gratitude pour ce *quitus* diplomatique, et Valéry a pu exercer, au cours de ces années angoissées, une sorte de magistère public de la République des lettres et des arts, au-dessus de la querelle entre académisme et anti-académisme, entre tradition et modernisme, et de surcroît un rôle de médiateur éclairé avec la république des sciences.

Au-dessus de la mêlée des goûts, il s'est employé à faire converger modernisme et classicisme. Il avait débuté par un portrait de Léonard. Dans les années d'après-guerre 14-18, il a multiplié les esquisses d'un portrait de Descartes, autre « homme universel », le plus moderne des classiques français. Dans les lendemains de la victoire de 1918, cette convergence entre classicisme et modernisme, chère aussi à son ami André Gide, avait rencontré une aspiration largement partagée [1]. Picasso, au cours d'un séjour à Rome, redécouvrait l'Antiquité avec un œil neuf ; l'Académie des Beaux-Arts assimilait le cubisme et faisait sa part du feu du modernisme. Paris, ses architectes, ses artistes, ses ébénistes, ses couturiers, ses écrivains, ses cinéastes achevaient de tricoter son dernier grand style classique, l'Art Déco. En Léonard, le jeune Valéry s'était fait une « idole », trouvant en lui le modèle d'un « moi » qui, au lieu de s'obéir, trouve sa liberté et sa singularité en s'imposant à soi-même d'être à la hauteur du non-moi, l'univers à décrypter, et la réflexion sur ce décryptage : bref, un Monsieur Teste des arts visuels.

En Descartes, il reconnaît un autre « magnifique et mémorable moi » dont la volonté méthodique s'est dilatée jusqu'à comprendre et interpréter les lois qui régissent la nature. Mais son admiration va à l'ambition et à la volonté héroïques de Descartes, beaucoup plus qu'au monde

1. Voir Kenneth Silver, *Vers le retour à l'ordre, l'avant-garde parisienne et la Première Guerre mondiale*, 1914-1925, trad. Dennis Collins, Paris, Flammarion, 1991.

« quantifié » et « mécanisé » que le cartésianisme a rendu possible. Le poète se montre fasciné par la *Dioptrique*, qui explique comment se forme l'image rétinienne, mais sans préjuger de la vision et de la signification que l'esprit (et notamment celui de l'artiste) en retire. Cette distinction entre image et signe est au cœur de sa poétique, de son esthétique et de la vigilance que lui inspire la confusion dont vivent photographie, cinéma, publicité.

À ses yeux, la science et ses instruments optiques peuvent prêter main-forte aux arts, à condition que ces techniques ne posent pas à l'art. Valéry a gardé de la peinture, qu'il a approchée de très près avec un grand maître, Degas, comme il l'avait fait pour l'art du poète avec Mallarmé, l'idée qu'il s'agit d'un exercice supérieur de l'esprit, classique en ce qu'il se reconnaît des maîtres et veut retrouver leurs secrets, radicalement « moderne » par la recherche implacable d'une beauté inédite qui le fuit toujours. Brillant et ironique photographe, Degas l'a éveillé au conflit métaphysique qui oppose la peinture au cliché photographique, l'œil contemplatif et la main sensible à l'œil excité et au déclic de la caméra.

Dans *Degas, danse, dessin*, dont la publication s'étale de 1933 à 1936, il ose regretter, après Baudelaire, que la hiérarchie des genres, l'étude de l'anatomie, celle de la perspective, et les longues recherches préparatoires à la peinture d'histoire académique aient disparu, comme ont disparu en poésie les formes fixes du sonnet ou du chant royal. L'art de peindre moderne s'est restreint, il a renoncé à l'universalité qu'il avait ambitionnée, de Léonard à Poussin. La modernité dans les arts, qu'il entend comme Baudelaire au sens de réaction voulue à la moderne décadence du métier artisanal et à la complaisance subjective de soi à soi, ce serait le retour à l'académie, à son enseignement, à ses conventions dans toute leur rigueur et leur ambition originelles : elle interdit au « moi » artiste de suivre sa pente à l'égocentrisme et le prévient de cacher cette défaillance sous d'intimidants effets de réel ou de choc. Faute de cette Académie léonardesque, il admire Degas d'en avoir réinventé pour lui-même la discipline, passant sa vie « à analyser les conditions classiques et objectives d'élégance, de simplicité, de style », ne cessant de s'en approcher tout en sachant qu'il en est toujours loin. Les danseuses de Degas, modèles préférés du peintre avec les chevaux de course, sont pour le peintre ce qu'était pour Chateaubriand Mme de Coislin, dont le mémorialiste écrit « qu'elle était naturellement de la Cour, comme d'autres plus heureux sont de la rue, comme on est cavale de race ou haridelle de fiacre » : autant d'images d'un second naturel exercé selon une règle de fer, mais autant de symboles aussi de l'œuvre d'art classique, singulière et traditionnelle, contemporaine en tout temps, point fixe dans le fleuve d'Héraclite et frein au donjuanisme du regard. Le luxe de « jansénistes de l'art » tels que Degas, Mallarmé ou

Racine, Valéry sait bien qu'il l'exerce et le symbolise lui-même. Afin de conférer à cet arcane un supplément d'éclat et de rareté, il pousse au noir, sans avoir besoin de se forcer, les tentations dont la modernité techno-scientifique et commerciale enlace et « intoxique » les arts et avec eux la vie de l'esprit :

> L'individu se meurt, écrit-il, incapable de soutenir l'état de dépendance excessive que les innombrables connexions et relations qui organisent le monde moderne lui imposent [1].

Du moins était-il assuré de trouver de nombreux lecteurs pour percevoir le péril et pour s'en prémunir. Dès 1921, il avait publié en revue deux dialogues, imités de Platon et devenus immédiatement célèbres, *Eupalinos ou l'Architecte* et *L'Âme et la Danse.* Comme les « dialogues des morts » de Fénelon, *Eupalinos* se déroule dans le monde des ombres, symbole classique de l'*otium* contemplatif et réflexif, analogue à la salle de théâtre où Socrate et ses amis, dans la mise en scène de *L'Âme et la Danse*, assistent à un ballet et le commentent. Valéry s'y livre sous le masque à deux apologies vertigineuses, l'une du mouvement dans l'immobilité, l'architecture, « le plus complet des arts », l'autre de l'immobilité dans le mouvement, la danse « qui marche en donnant le sentiment de l'immobile ». Deux « méthodes » inventées par l'esprit humain pour s'arracher au Temps, à l'Histoire et à l'ennui rationnel qui le ronge, l'ennui croissant de « voir les choses comme elles sont », et pour retrouver et capturer, à force d'artifices, ce qui lui échappe, ce qui n'est pas lui, la joie de l'éternel retour de la vie dans la nature éprouvé dans son propre corps. Le génie des temples et des cathédrales, l'esprit de la liturgie sont à l'œuvre dans ces deux arts apparemment incompatibles, mais capables l'un et l'autre de fixer de la beauté, du divin dans l'ici-bas friable. Les deux arts dont les dialogues de 1921 radiographient l'« âme » sont la partie pour le tout d'un « système des Beaux-Arts ». Valéry n'a négligé d'envisager, sous le même angle, aucun des autres, tous « vénérables », poésie, peinture, arts du feu, artisanats, dans ses préfaces et essais « sur commande ». Il a donc voulu célébrer *tous les arts et l'art comme un tout.* Ils ont en commun d'offrir les meilleures médecines à la maladie du « connaître », c'est-à-dire « l'ennui de n'être point de ce que l'on est », maladie dont on ne souffre vraiment que dans l'extrême lucidité et la vacance de l'*otium*, et qui ne trouve sa vraie libération que dans l'*otium*, lorsqu'il se consacre à ces exercices supérieurs d'objectivation du *moi* : l'invention poétique et artistique. Exercices apparentés à l'amour, à la mystique, à la science dans la mesure où la science est, comme chez Descartes, le contraire du scientisme et

1. Paul Valéry, *Œuvres*, Paris, Gallimard, Pléiade, t. II, p. 1229.

non une simple servante de l'industrie. Dans et par l'ordre des signes et des symboles, soustrait aux flux des images, la fine pointe de ce qui fait de nous des individus libres, séparés, mais en expansion, nous réunit, sans s'annuler ni s'abîmer, à la communauté de nos semblables et à la vie du Tout.

La critique infatigable par Valéry de l'économisme, de l'utilitarisme, du scientisme et du technicisme qui asphyxient, prolétarisent et barbarisent le « monde actuel », le privant de « demi-dieux », bref son antimodernité, est dirigée contre le traitement de cheval que le monde moderne, fils cependant de « demi-dieux » tels que Léonard ou Descartes, applique à l'« ennui », la maladie constitutive de l'homme des villes, mais aussi le principe de sa possible divinisation. Le monde tel que l'ont refait, sans le vouloir, les « demi-dieux » de la modernité, prévient cette éventualité, l'occupe, la disperse, l'humilie et l'écrase, dans le travail comme dans le loisir, inversant le sens du mot « culture » au point d'en faire un synonyme d'aliénation. Si Paris reste aux yeux de Valéry, avant 1939, la capitale des arts et de l'esprit, c'est qu'il offre aux individus qui le hantent la chance de rester, grâce à la culture des lettres, des arts et des sciences, éveillés, libres et vivants : elle doit cette chance à plusieurs siècles de tradition sans cesse renouvelée. Cette chance laissée à l'esprit ne suffit pas à garantir la France, en tant que communauté politique, de la dérive qui emporte, et l'Europe avec elle, son ancienne civilisation.

Cette prémonition de Cassandre, dont Valéry s'est fait publiquement l'interprète dès 1927 dans l'essai qui prêta son titre à *Regards sur le monde actuel*, il la partageait avec les meilleurs esprits de l'Europe, qui cherchaient de tous côtés comment dénouer cette crise latente où beaucoup d'entre eux croyaient voir le nécessaire prélude à une « décision » régénératrice et salvatrice, révolutionnaire et totalitaire. Le détachement avec lequel Valéry analysait le malaise de la civilisation européenne ne suggérait aucun dénouement politique de ce genre, guérissant le mal spirituel par le pire politique. Le poète était résolu à ne jamais sacrifier son idéal de *cultura animi* pour sauver une civilisation matérielle actuellement en crise. Ce que Valéry entend par « esprit » ne se laisse ni asservir ni leurrer, ni par les passions politiques ni par leurs utopies passionnées. L'esprit que ses dialogues incarnent dans la figure de Socrate ne conçoit d'adhésion à une communauté que lorsque celle-ci se constitue, avec lui et comme lui, en spectatrice et en élève des arts qui la civilisent.

À cet égard, il « rencontrait » (au sens de Montaigne) le philosophe Émile-Auguste Chartier[1] dont l'autorité d'écrivain, sous le nom de

1. Voir la biographie de Thierry Leterre, *Alain, le premier intellectuel*, Paris, Stock, 2006, qui sacrifie trop l'œuvre à l'homme.

guerre d'Alain, s'affirma dès 1920 par la publication de son *Système des Beaux-Arts*, conçu et écrit dans les tranchées au plus fort de la guerre. Le succès de l'ouvrage se répéta lorsque la même philosophie prit une autre forme dans ses *Vingt leçons sur les Beaux-Arts*, en 1931. Valéry et Alain furent présentés l'un à l'autre en 1928 ; il s'ensuivit une relation durable, mais froide de la part de Valéry, qui jouait à une autre altitude. L'admiration d'Alain pour Valéry allait si loin qu'il publia un commentaire de *La Jeune Parque* et de *Charmes*.

Les correspondances entre leurs vues esthétiques, pourtant jaillies de sources très différentes, sont nombreuses. À la fois neuves et anciennes, elles semblent s'étayer l'une l'autre. Les contemporains le sentirent ainsi. C'était comme si, pour ces deux grands esprits, le poète héritier de Ronsard, de Racine et de Mallarmé, et le professeur de philosophie, héritier des Grecs, de Descartes et d'Auguste Comte, mais lecteur de Baudelaire, la France avait désormais comme suprême raison d'être son privilège de dépositaire fidèle et féconde de la plus haute et complète tradition européenne de beauté, d'où elle tenait le principe supérieur de son unité morale et de son salut spirituel.

Les deux princes de l'esprit, l'un officiant Rive droite, l'autre enseignant Rive gauche, où Valéry élu au Collège de France finit par devenir son voisin, furent entendus. Lors de l'Exposition universelle de Paris, en 1937, les pavillons massifs et agressifs de l'U.R.S.S. et de l'Allemagne hitlérienne se trouvèrent enveloppés et comme démentis par les nombreux et élégants pavillons français, célébrant dans le dernier grand style classique de l'Europe les charmes d'une nation civilisée, dont pourtant la science et les industries n'avaient rien à envier à personne. Valéry fut chargé de rédiger les inscriptions destinées aux frontons du nouveau palais de Chaillot. Picasso peignit *Guernica*, un « tableau d'histoire » moderniste dans la tradition de *L'Enlèvement des Sabines* de Poussin, du *Dos de Mayo* de Goya, et de *L'Exécution de Maximilien* de Manet, pour le pavillon de la République espagnole agonisante. Rares étaient ceux, en France et ailleurs, qui subodoraient à quel point l'état-major et le Quai d'Orsay n'étaient pas à la hauteur de ce tour de force de diplomatie esthétique, réussi sous l'égide du secrétariat aux Beaux-Arts. Encore enchanté par cette fête de l'esprit qui avait été aussi une grande fête populaire, le monde, toujours enfant, n'en croira pas ses yeux quand, deux ans plus tard, les actualités lui livreront les images des modernes Athéniens fuyant sur les routes l'invasion de leur Ville lumière par la Sparte nazie, mitraillés par d'ultra-modernes Stukas.

Professeur de khâgne au lycée Henri-IV et au collège Sévigné, Alain ne fit aucune carrière, ni universitaire ni politique. Il s'est voulu au service du système pyramidal d'instruction publique parachevé par Jules Ferry, auquel il devait d'être devenu ce qu'il était. Une des lacunes du système d'éducation laïc (par opposition à l'Église romaine et à son enseignement religieux), c'était le peu de place que ses programmes, tout à l'écrit et à la lecture, laissaient aux arts du spectacle et aux arts visuels. Élie Faure l'avait regretté et, pour y remédier, avait entrepris son *Histoire de l'art*, dont le premier volume parut en 1909. Alain, éducateur et républicain dans l'âme, généreux selon Descartes, s'est proposé à son tour de remédier non en historien, mais en philosophe, à ce « divorce entre les Beaux-Arts et la pensée ». En deux ouvrages successifs et concordants, il s'est donné pour fin, dans un style de causerie apparemment familière, de montrer à ses lecteurs comment les arts du spectacle et les arts visuels (les plus anciens, avec la poésie, dans la généalogie de l'humanité) faisaient couronne avec l'art de la prose (le plus récent dans l'évolution), contribuant ensemble à la « robustesse » de toutes les facultés de l'esprit.

On ne peut imaginer une entreprise plus étrangère à celle d'André Breton et de ses amis dadaïstes et surréalistes, dans les mêmes années où sont publiés tour à tour le *Système* et les *Quinze leçons* d'Alain. Ces jeunes bourgeois réchappés de la guerre, merveilleusement doués et cultivés, éprouvaient comme le philosophe qui avait connu à Verdun l'horreur du sang versé, le sentiment qu'une houle étrange secouait leur monde. Alain demandait à la philosophie, alliée aux arts et à la poésie, le gyroscope guérissant l'esprit de ce nouveau mal du siècle. Tristan Tzara et les dadaïstes, suivis par André Breton et les surréalistes, demandaient au vertige d'un monde en train de basculer la liberté de s'affranchir enfin d'un « ordre » et d'une « nature » mensongers et, au surplus, ignobles. La résistance de Maritain et d'Alain, et surtout celle de Valéry, qui suivait de plus près l'action et les publications de ses jeunes confrères en poésie, à ce courant d'anarchie littéraire et artistique constitue l'autre pôle d'une grande et féconde querelle, la dernière, qui a divisé et occupé la vie des lettres et des arts pendant les derniers vingt ans de la IIIe République.

16. Les poètes surréalistes et l'image

Dadaïstes et surréalistes, frères et bientôt ennemis, réunirent dans l'après-guerre 1914-1918 un réseau parisien de sympathisants assez nombreux dans le monde de la librairie et des galeries d'art, et une clientèle assez fortunée dans le monde tout court, pour pouvoir vivre et évoluer aussi commodément, pour le moins, qu'un Valéry et un Alain dans leurs propres cercles mondains, littéraires et politiques. L'atmosphère dans laquelle s'est jouée la querelle des Anciens et des Modernes entre 1919 et 1939 est, de part et d'autre, celle de l'*otium*. Si la préoccupation économique n'est absente ni des activités éditoriales de Valéry ou d'Alain, ni des fréquentations de Breton, de ses amis poètes et peintres, elle reste à l'arrière-plan de leur vie affective et intellectuelle, dont aucun texte, du côté surréaliste, ne donne une meilleure idée que les magnifiques coulées de prose du *Paysan de Paris* d'Aragon, comparables aux plus inspirées de Diderot et de Restif de La Bretonne. Dans le Paris littéraire et artistique de l'entre-deux-guerres, l'affairement de carrière, les calculs de « coups » financiers, et la toute-puissance d'une industrie des loisirs de masse, sont très loin encore d'avoir dévoré le milieu nutritif des lettres et des arts, l'*otium*.

Un monde sépare l'éditeur avisé et perspicace que fut Gaston Gallimard pour Valéry ou Malraux, le généreux mécène que fut le couturier Jacques Doucet pour Breton, Aragon ou Suarès, ou les marchands du calibre de Vollard ou Kahnweiler pour Picasso, des industries du luxe et des galeries stratégiques qui ont construit la fortune du New York artistique de l'après-guerre.

Les jeunes talents réunis dès 1916 sous l'enseigne Dada, à Zurich, en marge du champ de bataille militaire et en réaction contre la bêtise de la guerre, voulaient revenir, comme leur enseigne l'indiquait, au stade pré-discursif, sauvage et ravageur de l'expression poétique et artistique. Leur contestation terroriste visait à subvertir toutes les formes d'une civilisation dont l'« humanisme » hypocrite se livrait sans remords à des sacrifices humains. L'un des fondateurs du mouvement, Hugo Ball, écrivait en 1916 :

> Ce que nous célébrons est à la fois une bouffonnerie et une messe de requiem. Ce que nous appelons Dada est une arlequinade, faite d'un rien où toutes les plus hautes questions sont impliquées, un geste de gladiateur, un jeu avec de misérables débris, la mise à mort d'une posture de moralité et de plénitude. Le dadaïste aime l'extraordinaire, et même l'absurde. Il sait que la vie s'affirme par des contradictions, et que cette époque, plus que toutes les précédentes, vise à la destruction de toutes les impulsions généreuses. Toute sorte de masque est donc le bienvenu pour lui, tout jeu de cache-cache dans lequel se trouve un pouvoir inhérent de duper. Le direct et le primitif lui apparaissent dans cette immense anti-nature, comme étant le surnaturel lui-même. La banqueroute des idées ayant détruit le concept d'humanité jusque dans ses couches les plus profondes, les instincts et les arrière-fonds héréditaires sont en voie d'émerger pathologiquement. Puisque ni art, ni politique, ni foi religieuse ne semble en mesure de barrer ce torrent, seules restent la blague et la pose saignante [1].

1. Cité dans *Art in theory 1900-1990*, ouvr. cit., p. 246.

Le nihilisme de Tristan Tzara, dans le premier *Manifeste* du mouvement qui prétendait ne pas en être un, était encore plus radical. Il le publia en 1918 à Zurich, et il le fit réimprimer, avec d'autres, en 1924, à Paris, où il prit ses quartiers, tantôt proche de Breton, tantôt rallié au P.C., tantôt poète lyrique assagi, jusqu'à sa mort en 1963 :

> Dada ; connaissance de tous les moyens rejetés jusqu'aujourd'hui par le sexe dégoûtant de compromis et de bonnes manières ; Dada : abolition de la logique, danse de ceux qui sont impuissants à créer ; Dada, abolition de toute hiérarchie sociale et de toute équation établie pour la sauvegarde des valeurs par nos valets ; Dada : tout objet, tous les objets, les sentiments, les obscurités, les apparitions et le heurt précis des parallèles sont des armes pour la bataille ; Dada : abolition de la mémoire, Dada ; abolition de l'archéologie ; Dada, abolition des prophètes ; Dada, abolition du futur ; Dada, foi absolue et indiscutable dans tout dieu qui est le produit immédiat de la spontanéité [1].

André Breton, dont la vocation de poète s'était déclarée sous l'empire de Paul Valéry et qui ne rompit jamais tout à fait le fil qui l'attachait à lui, fit sa jonction avec Tzara et Dada en 1919. Les deux hommes et leurs amis écrivains et artistes multiplient alors les « interventions » à grand fracas dont la presse se fait largement l'écho. Ils se séparent provisoirement en 1921. Ayant fait ses classes de chef de file, Breton crée les linéaments d'un substitut à Dada, mouvement qu'il trouvait à juste titre sommaire, et d'ailleurs dissous alors en tant que « mouvement », avant de resurgir hors de France dans la vulgate néo-dadaïste des années 1960, en facteur commun d'un « Art contemporain » américain, allemand et anglais. Il publie en 1924 le premier *Manifeste du surréalisme*, suivi d'un second en 1930, puis d'un troisième en 1942. Chef de file, Breton s'est vite imposé comme chef d'école littéraire et artistique d'une rare fécondité et d'une non moins rare intégrité, allant parfois jusqu'à l'intolérance sectaire. La conclusion du troisième *Manifeste*, celui de 1942, décantée de l'abondante limaille philosophique et des mesquines chicanes de circonstance qui encombraient l'aimant des deux premiers, leur reste essentiellement fidèle :

> Le grand moyen dont l'homme dispose [pour reconnaître en lui-même ce qui le dépasse dans la nature telle que la science l'explore], c'est l'intuition poétique. Celle-ci, enfin débridée dans le surréalisme, se veut non seulement assimilatrice de toutes les formes connues, mais hardiment créatrice de nouvelles formes, soit en posture d'embrasser toutes les structures du monde, manifesté ou non. Elle seule nous pourvoit du fil qui remet sur le chemin de

1. *Ibid.*, p. 253.

la Gnose, en tant que connaissance de la Réalité suprasensible, « invisiblement visible dans un éternel mystère »[1].

Programme qui n'a rien à envier pour l'ambition à celui que Valéry attribuait à Léonard en 1896, mais dont la réalisation ne se confie pas à l'intelligence, ni aux règles qu'elle s'impose avec une rigueur obstinée, mais à un état second et irrationnel dont l'éros est le déclencheur et dont les véhicules sont le rêve, la magie, l'imaginaire, l'inconscient. Il est difficile d'être plus antimoderne (s'il est vrai que la modernité est technicienne, rationnelle, industrielle, financière) que ce hiérophante de l'état poétique, cherchant l'expérience du sublime et du merveilleux par-delà le faux réel construit par les habitudes serviles de la perception et de la parole utilitaires. En même temps, il est difficile d'être plus moderne, s'il est vrai que la modernité est aussi un subjectivisme rejetant toute contrainte et toute règle, même celles qu'elle pourrait s'imposer à elle-même pour s'objectiver dans une œuvre. La poésie pour Breton n'est pas le livre, au sens de Mallarmé, ni le poème, au sens de Valéry, l'art du vers portant le langage au degré d'une constellation de signes, mais le poète lui-même écrivant, en état second, dans un flux d'émotions et d'images. La peinture n'est pas une œuvre d'art méditée et voulue, mais le peintre lui-même projetant sur un support, quel qu'il soit, les images franchissant pour lui les frontières de la perception commune. Ces frontières étant posées et gardées par une société aliénante et aliénée, Breton n'a cessé d'attendre d'une révolution véritable l'extension à tous les hommes de l'accès poétique au surréel dont lui-même et ses fidèles avaient ouvert les portes. Des portes non pour les arts, mais pour une vie bouleversante dont un flux d'images colore la fugacité. « C'est comme si, nous dit Yves Bonnefoy, rien de ce qui est, ou plutôt avait paru être, ne pouvait prétendre sous sa figure aperçue à la réalité substantielle, à la durable capacité d'identité à soi-même. Et c'est donc comme si nos représentations n'ayant pas de stabilité, le monde en effet était plastique, prêt à se transformer, malgré ses prétendues lois, en quelque chose de toujours neuf. Dans les poèmes d'André Breton, la citrouille se transforme en carrosse sans la moindre difficulté[2]. » En 1928, Breton publie l'un de ses essais les plus inspirés, *Le Surréalisme et la Peinture*, où il dit tout le mal qu'il pense de la musique et tout le bien qu'il attend des peintres, lorsqu'ils se montrent explorateurs de « l'inconnu des images ». À propos des tableaux d'Yves Tanguy, il écrit :

1. André Breton, *Manifestes du surréalisme*, Paris, Gallimard, Folio-Essais, 1979, p. 172-173.

2. Yves Bonnefoy, *Breton à l'avant de soi*, Tours, Farrago-Léo Scheer, 2001, p. 25.

> Que sont au juste de telles images ? À ces limites où l'esprit se refuse à tout compromis extérieur, où l'homme ne veut plus tirer argument de son existence propre, dans ce domaine des formes pures où toute méditation sur la peinture nous introduit, là où la balle de plume pèse autant que la balle de plomb, où tout peut voler comme s'enfouir, où les choses les plus adverses se rencontrent, s'affrontent sans catastrophe, où l'on sait qu'une tête jeune restera une tête jeune, où le feu consent à prendre sur l'eau, et si l'on se passe même du secours des visions, si l'on ne pille pas les épaves du rêve, que va-t-on chercher et que trouve-t-on ? [...] Figures de notre suspicion, belles et lamentables ombres qui rôdez autour de notre caverne, nous savons que vous êtes des ombres. La grande lumière subjective qui inonde les toiles d'Yves Tanguy est celle qui nous laisse le moins seuls, à l'endroit le moins désert [1].

Le « moins seuls » et le « moins désert », certes, pour le voyant surréaliste, sorti de la caverne bourgeoise et de ses illusions, mais exilant le spectateur, non initié à la Gnose, de tout lieu commun symbolique où se poser et s'accorder avec d'autres regards. Dans le même essai, Breton dénonçait l'« œuvre d'art » et fixait pour fins à la peinture de servir le « vécu » et non le « visible [2] », de mépriser toute « imitation de la nature » et de ne se référer qu'à un « modèle purement intérieur ». Le tableau, la sculpture, la photographie surréalistes ne sont donc pas des « œuvres d'art », dont la stabilité inviterait son spectateur à sortir de son trouble pour retrouver par le haut son équilibre, serait-ce par homéopathie, mais des « œuvres plastiques », des « image de passe », comme on dit des « mots de passe », ouvrant la porte ou brisant le miroir qui nous enferme dans notre fausse patrie d'habitudes, nous mettant sur la voie, d'image en image, qui conduit plus près de l'expérience extatique du vrai réel, et plus loin du sommeil de plomb de la prétendue réalité et de ses « lois ». Cette opération magique, initiatique, gnostique, suppose, selon Breton, une ascèse héroïque assumée par une poignée de moines et moniales amoureux réunis dans une idéale abbaye de Thélème.

L'on est stupéfait, aujourd'hui que cette ambition a été « récupérée », « instrumentalisée » à l'échelle d'une publicité de masse et d'un marché mondial de l'« Art contemporain » qui l'a vidée de toute sa grandeur, de lire sous la plume de Breton la dénonciation violente de « cette bête grotesque et puante qui s'appelle l'argent », et de « la dégradation de l'esprit européen » qui ose « attribuer une valeur marchande aux œuvres plastiques [3] ». Quand il écrivait ces lignes, à Paris, les jeunes successeurs

---

1. André Breton, *Écrits sur l'art, Œuvres complètes*, Paris, Gallimard, Pléiade, 2008, t. IV, p. 403.
2. *Ibid.*, p. 352.
3. *Ibid.*, p. 372.

de l'ancien mécène de Breton et d'Aragon, le couturier Jacques Doucet, étaient déjà devenus les *rock-stars* de l'industrie du prêt-à-porter, les idoles du journalisme américain et les modèles pour les sérigraphies criardes d'Andy Warhol. Parodiant l'emploi des poètes des « années folles », ils demandaient (et obtenaient) pour leur magistère de la mode, pour leurs « œuvres plastiques » et pour leurs photographes l'autorité de la poésie et la gloire des arts.

On a de quoi s'étonner d'autant plus que, dans le cercle du dadaïsme et du surréalisme des années 1919-1930, à peu près tous les « concepts » qui ont fait la fortune, depuis les années 1960, du Pop art new-yorkais et autres familles d'« arts plastiques » contemporains, avaient été inventés au passage par la génération parisienne de « voyants » qui appareillait, dans l'après-guerre 1914-1918, pour la « beauté absolument moderne » invoquée par Rimbaud. Il est difficile d'imaginer un chassé-croisé plus ironique et plus noir, sinon celui qu'a laissé entendre Valéry, d'un Descartes revenant, et observant sur la planète ce que trois siècles ont fait de sa méthode pour rendre « l'homme maître et possesseur de la nature ».

Lié à Breton, puis à Tzara, le jeune Aragon connaît alors sa saison d'« illuminations ». Il se fait l'interprète, dans sa poésie et dans sa prose, d'un subjectivisme plus absolu que celui de Breton et plus réfléchi que celui de Tzara. Dans le poème « Lever », du recueil *Feu de joie* [1], il écrit :

> *Que sais-tu si j'envie être libre et sans place,*
> *Simple reflet sur un verre.*

Cette fluidité et plasticité d'un « moi » Don Juan que rien ne fixe (« Vous pouvez toujours me crier Fixe, capitaines de l'habitude et de la nuit, je m'échappe indéfiniment sous le chapeau de l'infini [2] »), dans un état de métamorphose et trahison permanent (« Le temps me sert de pis-aller [3] »), réceptif à « l'écume du hasard, de l'illusion, du fantastique, du rêve [4] »), découvre à son « courant de conscience » un miroir-sœur dans l'image cinématographique : « La joie pure du cinématographe n'est pas à la merci des variations atmosphériques [5]. »

Dès 1918, dans un article intitulé « Sur le décor » publié dans la revue *Le Film*, Aragon sème, avec un demi-siècle d'avance, pour les grasses

1. Aragon, *Œuvres poétiques complètes*, éd. cit., t. I, p. 15.
2. *Ibid.*, p. 129 : « Les débuts du fugitif ».
3. *Ibid.*, p. 108 : « Poésie ».
4. *Ibid.*, p. 85 : « Une vague de rêves ».
5. *Ibid.*, p. 38 : « Bulletin météorologique ».

récoltes futures des Rauschenberg, Johns et Warhol, toutes les conséquences de la « révolution perceptive » introduite par le cinéma[1] :

> Avant l'apparition du cinématographe, écrit-il, c'est à peine si quelques artistes avaient osé se servir de la fausse harmonie des machines et de l'obsédante beauté des inscriptions commerciales, des affiches, des majuscules évocatrices, des objets vraiment usuels, de tout ce qui chante notre vie, et non point quelque artificielle convention ignorante du corned-beef et des boîtes de cirage.

Et il ajoutait, prophète de *Campbell Soup* :

> Ces étalages de boîtes de conserve (quel grand peintre a composé ceci ?), ou ce comptoir avec l'étagère aux bouteilles qui rend ivre à sa vue, tout cela crée une neuve poésie pour les cœurs dignes de vraiment sentir.

Dans *Le Paysan de Paris* (1924), anticipant au passage et d'une même saisie prophétique la géopolitique américaine du pétrole et le Pop art de Claes Oldenburg, il écrit, avec un lyrisme non dénué de noire ironie :

> Devant qui s'arrêtera-t-elle donc, la pensée contemporaine, le long de ces routes où des dangers nouveaux la limitent, devant qui humiliera-t-elle la vitesse acquise et le sentiment de sa fatalité ? Ce sont de grands dieux rouges, de grands dieux jaunes, de grands dieux verts, fichés sur le bord des pistes spéculatives que l'esprit emprunte d'un sentiment à l'autre, d'une idée à sa conséquence dans sa course à l'accomplissement. Une étrange statuaire préside à la naissance de ces simulacres. Presque jamais les hommes ne s'étaient complu à un aspect aussi barbare de la destinée et de la force. Les sculpteurs sans nom qui ont élevé ces fantômes métalliques ignoraient se plier à une tradition aussi vive que celle qui traçait les églises en croix. Ces idoles ont entre elles une parenté qui les rend redoutables. Bariolés de mots anglais, et de mots de création nouvelle, avec un seul bras long et souple, une tête lumineuse sans visage, le pied unique et le ventre à la roue chiffrée, les distributeurs d'essence ont parfois l'allure de divinités de l'Égypte ou des peuplades anthropophages qui n'adorent que la guerre. Ô Texaco, Motor Oil, Eco, Shell, grandes inscriptions du potentiel humain ! bientôt nous nous signerons devant vos fontaines, et les plus jeunes d'entre nous périront d'avoir considéré leurs nymphes dans le naphte[2].

Si le *ready-made* inventé par le peintre Duchamp (un ami et complice d'Aragon, qui lui dédie plus d'un poème de ses premiers recueils) changeait alors le sens de l'objet industriel, par un transfert de contexte, la

1. Aragon, *Écrits sur l'art moderne*, Paris, Flammarion, 1981, p. 5.
2. Aragon, *Œuvres poétiques complètes*, éd. cit., t. I, p. 229-230.

« neuve poésie » des mêmes objets révélée à Aragon par les effets de cadrage, de *close up* et de montage cinématographiques parvenait par une autre voie à un « effet d'étrangeté » magique [1]. L'*estrangement*, comme ses acolytes la délocalisation et le décalage, agents de l'imagination dérivant dans l'« infini », est le véhicule pervers et enivrant de la poétique moderniste, version surréaliste. Le « degré zéro de l'écriture » sera sa version non moins automatique, mais repentante, mélancolique et lasse.

En 1931, Fernand Léger, dans un article de la revue *Plans*, proposait le scénario d'un film utopique aussi « collé au vécu » que les futurs et interminables documentaires tournés dans la Factory de Warhol, les téléfilms du type *Loft Story*, ou les enregistrements policiers de la Stasi selon *La Vie des autres* : « Vingt-quatre heures d'un couple quelconque… » Des appareils mystérieux et nouveaux permettent de prendre « sans qu'ils le sachent », avec une inquisition visuelle aiguë, pendant vingt-quatre heures sans rien laisser échapper, leur travail, leur silence, leur vie d'intimité et d'amour. « Projetez le film tout cru, sans contrôle aucun. Je pense que ce serait une chose tellement terrible que le monde finirait en appelant au secours, comme devant une catastrophe nationale [2]. » *Sleep* de Warhol et la téléréalité américaine, suivie par l'européenne, ont banalisé l'hypothèse de Léger, et le monde n'a pas appelé au secours, comme le supposait, à la fin de son cauchemar, l'excellent peintre des années 1930.

Le dérèglement rimbaldien « de tous les sens », amplifié par la génération de Breton en subversion générale de la perception normale au profit d'une libération poétique du regard enchaîné, était aux yeux des surréalistes le fourrier de la révolution appelée à libérer le monde du joug bourgeois et de ses institutions mortifères. Un extraordinaire idéalisme démocratique exaltait ces égotistes dédaigneux de « générosités vulgaires ». Une Histoire qui rit sous cape a voulu qu'ils devinssent, malgré eux, les fourriers de l'industrie de la publicité, du luxe et de l'*entertainment* de masse dont l'Amérique a inventé le marché et à laquelle elle s'est employée à convertir le monde entier.

Une autre plaisanterie historique aura voulu que le génie inventif de jeunes poètes et peintres qui ne déposèrent pas le brevet de leurs inventions, ait fait la fortune d'artistes, de galeristes et de spéculateurs appliquant à l'échelle américaine, puis mondiale, leurs brillantes trouvailles au marché de l'« Art contemporain ». Mais Paris, entre les deux guerres, n'est pas une chasse gardée du surréalisme, même si l'*agit prop* du

1. Cité et commenté par François. Jost, *Le Culte du banal*, ouvr. cit., p. 34-37.

2. *Ibid.*, p. 27. Il faut ajouter que Valéry lui-même a fait ce cauchemar prémonitoire, ainsi que le rappelle, dans l'ouvrage cité, Paul Edwards.

groupe, en public ou dans les salons du grand monde, multiplie les opérations « coups de poing ». Essayant la mouvance surréaliste, Picasso lui-même revêt le frac et traverse sa « période mondaine ». Hospitalière au modernisme poétique et artistique, la capitale française n'en est pas moins réceptive aussi à ses princes de l'esprit classique, aussi inquiets pour l'avenir qu'hostiles aux équivoques subjectives par lesquelles une brillante jeunesse le célèbre autant qu'elle le prédit.

17. Alain, l'image, l'œuvre et l'objet d'art

Solidaire de Valéry, Alain est un philosophe attentif à la poésie comme l'avaient été Platon et Descartes, et aux Beaux-Arts, comme il veut que l'aient été Kant et Hegel. Publiciste, il se garde de polémiquer ouvertement contre le modernisme. Tout au plus, il laisse tomber en passant que peut-être, ces derniers temps, a-t-on un peu trop souvent cherché dans la folie et la sauvagerie des normes pour sains d'esprit. Dans l'*Histoire de mes pensées*, il écrit : « Avoir poussé assez loin la critique de l'imagination et sondé le creux des images, poursuivies jusqu'à les faire rentrer dans le corps humain, qui est leur lieu, et n'être pas dupe de cette fiction de fictions. » L'inconscient n'est pas son fort, ni le « courant de conscience » ni le culte de l'image psychologique dont le dadaïsme et le surréalisme, prenant le contre-pied de Baudelaire, ont fait une religion laïque, fertile en oracles et révélations éphémères. Alain partage l'aversion de Baudelaire et de Valéry pour la photographie et la publicité, prothèses d'une imagination créatrice atrophiée. Quand Baudelaire parlait d'« image », il entendait « œuvre d'art », gravure ou peinture, et non projection fantasmagorique et fuyante. Il n'était pas dupe de la modernité, il était résolu à la tromper, en la prenant au piège de ce qu'elle nie, la musique savante du poète et l'œil profond de l'artiste.

Bon lecteur des *Curiosités esthétiques*, Alain corrige ce que le mot d'« image » peut comporter d'équivoque psychologique et de tautologie optique. Dans les arts de l'immobilité comme dans les arts du mouvement, dans les arts visuels comme dans les arts de la parole, il oppose à l'image l'« œuvre » et l'« objet ». L'œuvre d'art telle qu'il l'entend ne doit rien au flux de l'imaginaire psychologique, au sens que Sartre lui donne en 1940, dans l'essai portant ce titre et où il se demande si l'œuvre d'art est « objet » ou « image ». Elle ne doit rien non plus, sinon de façon très indirecte, au flux vague, errant, mobile, de la perception optique que flattent le naturalisme, l'expressionnisme et à sa façon le surréalisme. Elle est un objet qui dure, une réalité seconde posée par l'esprit et qui le pose, un antidote au torrent insensé des images du monologue intérieur et des images rétiniennes qui assaillent distraitement l'œil de l'extérieur.

L'imagerie, dit le philosophe appuyé sur ses classiques, Platon, Pascal, Descartes, Kant, est fille de l'imagination, la « folle du logis », qui n'est pas « un pouvoir contemplatif de l'esprit, mais l'erreur et le désordre entrant dans l'esprit en même temps que le désordre du corps ». Quand elle se veut fille passive du rêve et de la rêverie, l'imagerie n'est aussi que l'ombre fugitive et ambiguë de la mémoire sensorielle et des troubles du corps. L'œuvre d'art, fille de l'esprit (c'est le point essentiel sur lequel le poète Valéry « rencontre » le philosophe Alain), « termine et efface les rêveries, par sa réelle présence, et pour l'artiste aussi bien ». Pour façonner un objet, l'artiste ne se borne pas à « imaginer sans précaution », à subir la dictée immédiate (et inconsciente) du corps, de ses émotions, de ses passions, de sa rétine. Il juge et il agit. Alain aurait souscrit à l'analyse trinitaire de l'activité inventive de l'artiste qu'énonce Bossuet dans l'une de ses plus sublimes *Élévations sur les mystères* :

> Je suis un peintre, un sculpteur, un architecte ; j'ai mon art, j'ai mon dessein ou mon idée ; j'ai le choix ou la préférence que je donne à cette idée par un amour particulier. J'ai mon art, j'ai mes règles, mes principes, que je réduis autant que je puis, à un premier principe qui est un, et c'est par là que je suis fécond. Avec cette règle primitive et ce principe fécond qui fait mon art, j'enfante au-dedans de moi un tableau, une statue, un édifice qui dans sa simplicité est la forme, l'original, le modèle immatériel de ce que j'exécuterai sur la pierre, sur le marbre, sur le bois, sur la toile où j'arrangerai toutes mes couleurs. J'aime ce dessein, cette idée, ce fils de mon esprit fécond et de mon art inventif. Et tout cela se tient ensemble et inséparablement uni dans mon esprit, et tout cela dans le fond, c'est mon esprit même, et n'a point d'autre substance ; et tout cela est égal et inséparable.
>
> Lequel des trois que l'on ôte, tout s'en va. Le premier, qui est l'art, n'est pas plus parfait que le second, qui est l'idée, ni le troisième qui est l'amour. L'art produit l'un et l'autre, et on suppose qu'il existe, quand il les produit. On ne peut dire ce qui est plus beau, ou de commencer, ou de terminer, ou d'être produit ou de produire. L'art, qui est comme le père, n'est pas plus beau que l'idée, qui est fils de l'esprit ; et l'amour qui nous fait aimer cette belle production est aussi beau qu'elle : par leur relation mutuelle, chacune a la beauté des trois. Et quand il faudra produire au-dehors cette peinture ou cet édifice, l'art, et l'idée, et l'amour y concourront également et en unité parfaite, en sorte que cet ouvrage se ressentira également de l'idée et de l'amour ou de la secrète complaisance qu'on aura pour elle.
>
> Tout cela, quoiqu'immatériel, est trop imparfait et trop grossier pour Dieu. Je n'ose lui en faire l'application ; mais de là, aidé de la foi, je m'élève et

prends mon vol ; et cette contemplation de ce que Dieu a mis dans mon âme quand il l'a créée à sa ressemblance, m'aide à faire mon premier effort [1].

L'artisan à cet égard, dans sa modestie, donne l'exemple à l'artiste ; il s'affranchit de l'esclavage où l'enfoncerait l'instabilité de sa fantaisie dans un travail libérateur qui le rend maître de « l'inflexible ordre matériel » sur lequel néanmoins il s'appuie : « Si le pouvoir d'exécuter n'allait pas beaucoup plus loin que le pouvoir de penser et de rêver, il n'y aurait point d'artistes. » Dressant Rimbaud poète contre Rimbaud adolescent, Alain affirme : « Nul n'est moins artiste que le voyant, je dis même en poésie et en éloquence. Le voyant est celui qui dit qu'il voit le plus, et c'est sans doute celui qui voit le moins. Et je dis que le voyant, de même que le fou, n'est pas artiste du tout, parce qu'il n'a pas cette exigence de l'œuvre, réelle et achevée parmi les choses. »

Résumant la *Critique du jugement* de Kant contre ses interprètes subjectivistes, Alain écrit : « Ce qui plaît dans l'œuvre d'art, c'est une réussite de raison dans une œuvre de nature. » Et il commente : « Les arts sont comme des faits de nature, qui s'accordent avec la raison, disons mieux, qui sont plus raison que la raison. »

La beauté, même si elle s'objective sous les formes les plus différentes selon les arts et selon les artistes, n'en est pas moins un fait qui s'impose à tous les esprits et qui les rend à eux-mêmes, les « purifiant de leurs fureurs ». Toute de travail aux prises avec la matière du côté de l'artiste, l'esthétique d'Alain, quand elle se retourne du côté du spectateur de l'œuvre d'art, est une profonde méditation sur l'*otium*, comme l'horizon même auquel tend l'esprit harassé de tous côtés, de l'extérieur comme de l'intérieur, par l'agitation des images intimes et le tourbillon des images extérieures. Parce qu'elle est l'immobilité même, mais qui invite le spectateur au mouvement réglé pour découvrir les entrecoupements de cette immobilité réglée, l'architecture, pour Alain comme pour Valéry, est l'art des arts, dont il condamne la corruption moderne : « Par le progrès des transports et de l'industrie, y a-t-il trop de liberté ou, pour mieux dire, de fantaisie, dans les maisons neuves, où l'architecte règle les matériaux qu'il emploie d'après l'idée qu'il a ; aussi son idée est toujours trop visible, abstraite et pauvre. » De la sculpture, art qui s'est tardivement détaché de l'architecture, il écrit : « Comme la force propre des arts du mouvement (danse, théâtre, cérémonie) est de nous entraîner selon leur loi, ainsi la force des arts en repos est que leurs œuvres répondent à qui les interroge et s'arrête, l'immobilité regardant l'immobilité ». Et il généralise de façon saisissante : « Ce n'est pas une faible puissance dans les arts que de représenter toujours l'immobile et le mou-

1. Bossuet, *Élévations sur les mystères*, VII, Paris, Vrin, 2003.

vement même par l'immobilité [...]. Peut-être n'y a-t-il que les belles choses qui posent l'esprit. » Ce trait de lumière dévoile le secret de Piero, de Raphaël, de Poussin, des plus grands parmi les grands peintres. Et Alain de rappeler l'anecdote du vieux Goethe à Weimar, interrompant une conversation trop animée pour aller retrouver son équilibre interne devant une chose de beauté. Pour l'artiste comme pour le spectateur de son œuvre, les arts, fruits de l'œuvrer qui guérit l'ennui, sont aussi l'apprivoisement de l'ennui d'autrui, et sa voie d'accès à un *otium* souverain de lui-même.

Prenant d'avance le contre-pied de Malraux, de son « musée *imaginaire* » et du métamorphisme de ses photographies, Alain insiste sur le pouvoir de durer inhérent à l'essence de l'œuvre d'art autant que sur sa foncière immobilité :

> Le pouvoir de durer n'est pas un caractère accessoire : la solidité nous invite à prendre temps et à revenir. Aussi, ce qui plaît d'abord même dans les ruines, c'est cette puissance de durer, plus sensible encore par les blessures du temps. Nous avons plus d'une raison d'aimer les vieilles choses, mais cette résistance de la forme parle aux yeux déjà ; au lieu qu'un métal mince ou une corniche de plâtre sont des mensonges que l'on devine d'après la forme des ornements, et dont le temps fait justice, car ces choses sont des ruines laides [1].

L'importance qu'Alain accorde aux fêtes, aux cérémonies, aux *arts de la vie publique*, indique assez que, pour lui, leur effet purificateur sur l'inquiétude personnelle est inséparable de leur effet apaisant sur le corps politique qu'ils élèvent en le rendant, unanime et apaisé, à l'esprit de communauté. Le contraire de la promiscuité de nos « fêtes » de masse, gluantes et dépourvues de joie, de nos hystéries collectives et éphémères à prétexte sportif, politique et spectaculaire, vite suivies de gueule de bois. Indirectement, l'esthétique classique d'Alain regarde et souhaite la République française avec les yeux de Platon et d'Aristote sur l'antique « république athénienne », l'idéal originaire de Gambetta. Il écrit, dans sa *Dixième Leçon sur les Beaux-Arts* :

> Nous avons, par les fêtes, cérémonies et spectacles, exposé de diverses manières ce plaisir de société, ou plaisir d'accord et d'humaine résonance, qui soutient vraisemblablement tous les arts, même solitaires. Le commun langage rassemble énergiquement, sous le nom d'Humanités, ces œuvres que l'on lit en solitude, mais dans l'approbation et le concert d'une foule choisie.

---

1. Toutes ces citations d'Alain sont extraites de son « Système des Beaux-Arts », dans le recueil *Les Arts et les Dieux*, Paris, Gallimard, Pléiade, 1958.

18. Entre Thomas d'Aquin et Baudelaire : Maritain, inspirateur de l'« Art sacré »

Décidément, dès que l'on creuse un peu, on ne s'ennuie pas à Paris. À New York, on juxtapose, on saute d'un secteur à l'autre du patchwork, chacun est d'un vif intérêt, mais point de figure qui se dessine pour les relier au fond du temps, sinon l'éternel grand récit patriotique de la *Manifest Destiny* et de la fine pointe de la flèche de l'Évolution. À Paris, d'une promenade et d'une conversation à l'autre, d'une visite d'exposition à une orgie de lectures, je vois se dessiner du fond du temps les lignes de perspective qui donnent sens, loin derrière les paravents Decaux, à la confusion apparente. Certes, j'ai lu autrefois *Les Arts et les Dieux* d'Alain, je croyais en avoir retenu quelque chose, mais maintenant, dans le fil de ce voyage dans les arts et les images, je relis cette « Pléiade » avec des yeux neufs, et la pensée d'Alain prend son sens dans le réseau de phares parmi lesquels je cabote, dans un clair-obscur propice aux rencontres, aux relais, aux surprises. Alain et Maritain ! Je n'avais jamais jusqu'ici songé à les rapprocher.

Grand lecteur de Rousseau et disciple d'Auguste Comte, Alain était adepte comme ses maîtres d'une « religion de l'esprit ». Dans ses écrits sur les arts, il rend souvent hommage au catholicisme, qui a fait fond sur la cérémonie, la fête et les arts visuels pour civiliser socialement autant que pour convertir intimement les humains. Un de ses écrivains favoris, qu'il lisait sous le feu à Verdun, était Paul Claudel. On aurait pu croire qu'il trouverait du renfort chez le philosophe catholique Jacques Maritain, demandant en 1920, après s'être détourné du bergsonisme, à saint Thomas d'Aquin une théorie métaphysique du Beau et de l'Art pour faire contrepoids aux « erreurs » de l'esthétique moderne. Mais Maritain rêve de rendre à l'Église romaine son magistère médiéval sur les arts, tandis qu'Alain a pris acte que le catholicisme, en tant que « système des Beaux-Arts », a été supplanté de longue date par l'État monarchique dès l'ancienne France et par la République dans la France moderne. Malentendu sans recours. Mais malentendu admirable et incompréhensible pour un André Breton, volontiers tourné du côté des alchimistes et des astrologues du Moyen Âge tardif. Un tel malentendu montre quels recours proustiens de mémoire, dans le XIIIe siècle gothique, ou dans le XVIIe de Descartes, l'intelligence française d'alors peut encore déplier pour se penser et se choisir, face au destin de la modernité commerciale, technique et politique.

Sur bien des points pourtant, les thèses d'*Art et scolastique,* dont la seconde et définitive édition paraît en en 1931, semblent bien rejoindre les analyses d'Alain et les suggestions de Valéry[1]. D'emblée Maritain distingue les arts d'ordre spéculatif et les arts d'ordre pratique, qui ont tous en commun « une œuvre à faire », les seconds « ayant pour loi les exigences et le bien de l'œuvre, qui est tout pour leur art ». Il ajoute : « L'ennui de vivre s'arrête à la porte des ateliers. » Et encore : « C'est une œuvre d'homme qu'il s'agit de faire, il y faut la marque de l'homme, *animal rationale* [...]. Pétrie et préparée, formée, couvée, mûrie dans une raison avant de passer dans la matière, elle gardera toujours la couleur et la saveur de l'esprit. » Cette dichotomie entre l'idée et sa matérialisation, qui retrouve celle de Bossuet, est trop abstraite pour coïncider avec la conception que Valéry et Alain se font de l'engendrement de l'œuvre d'art, mais enfin l'« œuvre » selon Maritain comme selon Alain prend le pas sur l'image, l'imagerie et l'imaginaire. La vertu propre à l'*artifex* est l'intelligence, et son art pourvoit l'artisan le plus humble d'une certaine perfection de l'esprit. Le Beau, attribut transcendant de Dieu, ne peut être perçu directement par l'intelligence humaine : « Le beau connaturel à l'homme, c'est celui qui vient délecter l'intelligence par les sens et par leur intuition. Tel est aussi le beau propre à notre art, qui travaille une matière sensible pour faire la joie de l'esprit[2]. » Est-on si loin d'Alain résumant à sa façon la *Critique du jugement* de Kant et les *Cours sur l'esthétique* de Hegel ? « Le beau, écrit Alain, nous éclaire d'une vive lueur par ce miracle de la nature montrant et soutenant l'idée. L'école du jugement ce serait donc le beau, le seul témoin de Dieu, exactement l'image de Dieu, et l'objet premier de tout culte. Hegel ne parle pas légèrement lorsqu'il nous laisse deviner que la religion est réflexion sur l'art, et que la philosophie est réflexion sur la religion. »

Sauf que Maritain ne fait mention à aucun moment de la nature, même sous l'angle de la Création, comme partenaire de l'artiste, alors que les Beaux-Arts, pour Alain, « déchiffrent la nature par une supposition sans preuve, et même souvent démentie, qui est celle d'un architecte qui a fait la nature selon l'esprit ».

La divergence devient patente lorsque l'on voit Maritain osciller entre une célébration de l'art comme acheminement à la beauté transcendante de Dieu, et les rappels insistants à la faiblesse humaine, impuissante à faire entrevoir le Beau absolu par les arts visuels. Ni Valéry ni Alain ne font à l'art tant d'honneur, ni aux arts tant d'indignité. L'écart s'aggrave encore lorsque Maritain se lance dans une célébration nostalgique de la communauté gothique, mère des cathédrales, à jamais disparue, et dans

1. Les citations qui suivent d'*Art et scolastique* sont tirées de la 3e éd., Paris, Louis Rouart, 1935. J'ai tiré parti de l'ouvrage d'Aidan Nichols, *Redeeming Beauty, Soundings in Sacral Aesthetics*, Ashsgate Studies, Aldershot, 2007.
2. Maritain, ouvr. cit., p. 37.

des philippiques contre la Renaissance, dont la « féroce beauté » et l'orgueil esthétique ont brisé cette utopie communautaire et pavé la voie à la sécularisation moderne, à l'académisme, au machinisme, à l'idolâtrie de l'or.

Comme le fera Malraux, Maritain fait commencer la corruption des arts visuels avec l'humanisme du XIVe siècle, le retour à l'antique du XVe et les académies du XVIe. Cette idée de la Renaissance comme le vrai Moyen Âge obscurantiste est profondément étrangère à Valéry et Alain. Ils postulent tous deux, dans la Renaissance, l'origine d'un processus de civilisation mû par les arts visuels et les arts du langage, et qui a favorisé les secondes noces de l'esprit et de la nature. Ce qui va entièrement à rebours de la pensée néo-thomiste et cléricale de Maritain. Celui-ci, faute d'espérer la restauration d'un mécénat d'Église qui a permis la conjonction de la spéculation théologique et du « faire » artisanal, et qui a porté si haut la communauté gothique, s'en remet, « pour porter l'âme au-dessus du créé » dans une civilisation athée, à la subjectivité des « poètes maudits », Baudelaire et Poe, « à qui l'art moderne doit d'avoir repris conscience de la qualité théologique et de la spiritualité despotique de la beauté [1] ». Ce n'est pas mal vu. Est-ce une raison pour rejeter aux enfers « l'académisme » qui a prévalu, selon Maritain, depuis François Ier et Louis XIV (à l'exception, on ne sait pourquoi, de Claude Lorrain) ? Cela du moins le met à l'aise pour apprécier Cézanne, Rouault, les « futuristes », les « cubistes », dans l'art desquels il reconnaît les trois conditions métaphysiques assignées au Beau par Thomas : l'« être », la « proportion », la « clarté ». Même dans l'édition augmentée de son essai en 1931, il ne dit mot du surréalisme, dont le chef de file, Breton, est aussi hostile que Voltaire à « l'Infâme », tout en prétendant donner accès au surréel par le jeu d'images moins trompeuses que celles de l'Église et ses vaines promesses de salut éternel.

Art et scolastique prend par avance le contre-pied du *Surréalisme et la peinture* d'André Breton. Après avoir canonisé Cézanne et le cubisme, l'essai de Maritain inspira une variante monastique et exigeante du modernisme artistique, l'« Art sacré », contemporaine du ralliement d'une partie de l'épiscopat et du clergé de paroisse aux technologies de communication de masse et au cinéma [2]. Le conflit ouvert dans la société civile entre les arts « vénérables » et les techniques modernes faisait rage aussi dans l'Église romaine, touchée jusque dans sa liturgie, qui par tradition faisait appel à un haut artisanat travaillant des matières et des textiles nobles, concurrencés maintenant par les fibres de synthèse, les

1. *Ibid.*, p. 52 et n. 73.

2. Voir Michel Lagrée, *La Bénédiction de Prométhée, religion et technologie XIXe-XXe siècles*, préface de Jean Delumeau, Fayard, 1999.

métaux industriels et la production de série. Moderniste comme Braque et Matisse, l'« Art sacré » souhaité par Maritain était aussi antimoderne qu'eux.

En 1935, deux dominicains, Marie-Alain Couturier (un peintre lié à Matisse avant d'entrer dans les ordres) et Raymond Régamey (un protestant converti, ancien conservateur du Louvre), fondèrent la revue *L'Art sacré*, appelée à une grande influence. Évitant de poser la question de fond des technologies de communication, ils se proposaient de rendre à l'Église son vrai visage, à la fois ancien et accordé au meilleur de l'art moderne, et de la délivrer de l'imagerie saint-sulpicienne. Ils ont réussi à rendre odieux ce kitsch catholique et commercial qui avait accompagné au XIXe siècle l'essor des sociétés industrielles. Par une ironie dont l'Histoire est féconde, ce même kitsch « détourné » fait fureur aujourd'hui, sous couleur transgressive, dans les galeries d'« Art contemporain » les plus chères et les plus branchées. Le visage ancien et purifié de l'Église, *L'Art sacré* le demanda avant la guerre à des artistes tel Maurice Denis, fervent catholique, mais non à Rouault, qui ne l'était pas moins. Après la guerre, les deux dominicains cherchèrent l'« Art sacré » plus hardiment hors de l'Église, parmi les modernistes abstraits de la seconde École de Paris : Bazaine, Manessier. Paré de l'autorité de Thomas et de Baudelaire, Maritain avait vu dans le cubisme l'une des formes d'expression, intentionnelle ou non, d'une foi implicite. Ce rare point d'eau spirituel dans le désert d'un monde matérialiste et sécularisé, ses disciples voulurent y voir le rocher de Moïse de la chrétienté moderne.

Après 1945, la revue accentua ses attaques contre l'académisme et les « bondieuseries ». Le père Régamey n'hésita pas à formuler la thèse selon laquelle l'art moderniste abstrait était l'un des plus « dépouillés » de toute l'histoire chrétienne, bien qu'il soit apparu hors de l'Église et peut-être même pour cette raison. La revue convainquit la Province dominicaine de France de passer d'importantes commandes à des athées avoués, l'église paroissiale d'Assy à Le Corbusier, le décor de la chapelle du couvent de dominicaines de Vence à Matisse. Le magistère romain, en 1952, condamna ces initiatives. L'église de pèlerinage de Ronchamp et le couvent dominicain de L'Arbresle n'en furent pas moins commandés à Le Corbusier et menés à bien, parmi de croissantes controverses. La revue cessa de paraître en 1968.

Ses préférences pour l'art byzantin et l'art roman trouvèrent un vaste écho, que *Les Voix du silence* amplifièrent. Ses critiques contre les « bondieuseries » ne réussirent que trop bien auprès du clergé paroissial. Plus d'un curé se délivra chez antiquaires et brocanteurs, aussi bien du kitsch saint-sulpicien que du mobilier, des boiseries et des vêtements liturgiques des XVIIe et XVIIIe siècles, jugés superfétatoires ou compromettants. Et en échange, faute d'un artisanat « cubiste » de substitution, beaucoup d'églises de campagne ou de paroisse se meublèrent en plexiglas et en formica, et se pourvurent en vêtements liturgiques de nylon, voire de sainte vaisselle d'aluminium. Les hautes fenêtres gothiques de la cathédrale de Nevers s'ornèrent de vitraux « abstraits » de couleurs criardes. Ce grand déménagement qu'il n'avait ni prévu, ni naturellement voulu, désespéra le père Régamey [1].

Lui, et la revue qu'il avait fondée avec le père Couturier, avaient cherché à exorciser la méchante sorcière, jeteuse de sorts, qui, depuis la Révolution française, avait desséché le lien naturel ayant, pendant des siècles, associé l'Église romaine aux arts, la privant du rôle qu'elle avait joué, bien avant les monarchies séculières, de principal mécène, client et inspirateur du cycle entier des artisanats et des arts. L'étrange asphyxie qui a étouffé la respiration artistique du catholicisme était devenue plus évidente qu'ailleurs en France. Elle avait commencé en catimini dès les Salons du XVIIIe siècle, et elle s'était aggravée au cours du même XIXe siècle qui a vu, par ailleurs, s'imposer l'hégémonie de grandes nations protestantes dont le christianisme se passait de médiations artistiques. Dans *À rebours* (1884), le livre-culte du modernisme, le héros de Huysmans, Des Esseintes, s'attarde longuement sur ce dépérissement des arts dans l'Église de France, laissant présager le retour qu'opérera un peu plus tard Huysmans lui-même converti, à l'art monastique du XIe siècle et à la peinture dévotionnelle du XVe siècle nordique.

Huysmans, puis Maritain et ses disciples de l'« Art sacré », émerveillés par les fruits spirituels du mécénat d'Église dans la France et l'Europe romanes et gothiques, butent sur la Renaissance, et sur le pas qu'avait pris alors l'État en France comme principal mécène des arts dans la vie publique. Le règne de Louis XIV et la fécondité de ses académies avaient encore accentué la prééminence sur l'Église de l'État, commanditaire et mécène d'un art illusionniste, hédoniste et glorificateur du pouvoir temporel. La figure du père Régamey est d'autant plus symbolique et attachante que, né dans le calvinisme, ce dominicain s'est converti à l'Église de Rome en partie parce que la foi romaine était l'amie des arts, ce qui l'a conduit à découvrir à quel point cette ancienne amitié n'était en France qu'un brillant et lointain souvenir. À contretemps, il a combattu pour restituer à l'Église quelque chose du rôle de mécène d'un art dévotionnel et ascétique qu'elle avait exercé en France jusqu'au XVe siècle. L'art sacré a traversé l'Atlantique, comme le cubisme et le surréalisme. La célèbre Chapelle de méditation de Dallas (Texas), dont les murs sont recouverts de grandes toiles abstraites de Rothko, et la fondation DIA, à Beacon Point (New York), que j'ai visitée l'an dernier, sont des transplants outre-Atlantique du grand dessein des deux dominicains. L'une et

1. Voir A. Nichols, ouvr. cit., p. 121.

l'autre sont les fruits du mécénat de la famille franco-américaine De Ménil, inspirée par le père Couturier.

Entre les deux guerres, et encore à la Libération, Paris pouvait se permettre la coexistence en son sein d'un Valéry et d'un Alain, penseurs laïcs du système des Beaux-Arts de la République laïque, d'un Maritain et d'un Couturier, apôtres d'une Église qui saurait patronner de nouveau, selon ses propres fins, l'artisanat et les arts, et d'un André Breton théoricien de la subversion des arts, tant d'État que d'Église, et de leur substitution par les images magiques et oniriques, clefs poétiques de la révolution politique et d'une inversion nietzschéenne de toutes les valeurs. L'Église romaine, tant qu'elle régna sur les arts, n'avait jamais découplé leur fonction dévotionnelle de leur fonction morale et civile. Se voulant purement dévotionnel, l'« Art sacré » des pères Couturier et Régamey ne pouvait renouer cet antique couplage. Au contraire, en demandant à l'abstraction moderniste un modèle *esthétique* de vie spirituelle, il mélangeait les ordres et les genres. Il tombait dans l'erreur que Kierkegaard avait reprochée à Hegel et aux hégéliens : faire de l'esthétique la mesure de la foi appropriée aux citoyens des États modernes. Mais surtout il butait sur le fait que les arts et les artisanats « vénérables », modernistes ou académiques, dévotionnels ou non, d'Église ou non, avaient leurs jours comptés. L'« élitisme » monastique était aussi exposé que celui, tout laïc, d'un Alain ou d'un Valéry. Ce n'est pas un hasard si la revue *L'Art sacré* s'est interrompue en 1968, l'année où Malraux a définitivement brisé le moule des Beaux-Arts français. L'ère de l'« Art contemporain » et de l'élitisme des pétrodollars entrait dans son âge d'or.

En France, dans les années 1930, on avait pu croire avec Maritain que Cluny et Cîteaux pouvaient renaître sous d'autres formes. On avait pu croire tout aussi bien, avec Valéry, que les disciplines académiques célébrées par Diderot dans ses Salons pouvaient être relevées.

Et de fait, le passage des arts d'Église aux arts de la monarchie s'était opéré peu à peu, sans rupture. Entre les uns et les autres, les points communs étaient nombreux, et entre autres, leur double finalité, publique et privée. L'art des Académies royales visait à la fois la délectation des particuliers et la célébration des valeurs communes à la monarchie et à la nation. Si l'art de Watteau en vint à tomber dans le discrédit en France, dans les années 1750, c'est qu'il fut accusé de délecter sans instruire, et d'enchanter une vie privée délestée de toute vertu civile. Deux siècles plus tard, tout laïcs qu'ils fussent, ou plutôt parce que laïcs, Valéry et Alain ont tenté, non sans un certain succès, de rendre aux Beaux-Arts français de l'entre-deux-guerres la pleine conscience de leur double rôle d'école du jugement personnel et d'école des mœurs civilisées, double rôle que l'Église romaine avait assigné aux arts tant qu'elle en avait tenu les rênes, et que la « république athénienne » souhaitait et encourageait, sans préjugé rigoriste ni aspiration ascétique ou mystique.

Ce n'est pas à la légère qu'Alain, dans le sillage d'Auguste Comte, veut voir dans la philosophie laïque des Beaux-Arts une « religion de l'esprit » qui tient les promesses de la religion romaine sans passer par le « sacrifice de la raison ». À propos de l'art de peindre, Alain fait valoir qu'il n'est art qu'à condition de ne pas imiter servilement la nature, mais d'achever ce qu'elle comporte déjà d'art, de ne pas être une école de brutalité, mais de sentiments. Dans une page superbe qui vaut pour toutes les époques capables d'un style et d'une haute fécondité artistique, il décrit ainsi le milieu nutritif et le *consensus* de non-dits où les arts du silence trouvent leur miel et qu'ils contribuent à vivifier :

> Le propre du civilisé à chaque époque est d'accepter un certain ordre de puissance et de devoirs qui font naître en chacun des opinions, des jugements, des espérances, une manière d'aimer et de vouloir, enfin toute une vie secrète qui fait pourtant harmonie avec d'autres. Un certain air les exprime mieux que les signes ; et quoique la politesse et la prudence ne donnent à l'échange que la plus vile monnaie, néanmoins, tous ces sentiments, dans l'ordre humain de chaque jour, sans se comprendre pourtant, se répondent. En bref, les contraintes de politesse font que les sentiments retiennent toujours leur première expression, et, en revanche, apprennent à pressentir, à servir, à contrarier ce riche fond de désir et de courage qui vaut toujours mieux que ce qu'on montre, ne serait-ce que par le bonheur qui est leur parure d'enfance. L'amour se nourrit de ces richesses supposées, et ne se trompe pas autant que les signes sans politesse le donneraient à croire dans la suite. Car il est vrai pourtant, quoique cela soit trop méconnu, que la franchise, sans aucun cérémonial, n'exprime guère que l'humeur, ou la fatigue, enfin ce qui est le moins naturel ; d'où il résulte que les drames réels n'ont presque jamais de sens ; l'esprit s'use vainement à les déchiffrer [1].

Alain, disciple d'Auguste Comte tient le même langage que Gracián, disciple d'Ignace de Loyola, trois siècles plus tôt.

19. Malraux et la fin du système français des Beaux-Arts

Le Musée imaginaire d'André Malraux n'a jamais compté parmi mes livres de chevet. J'ai aimé les Beaux-Arts de loin et de confiance, bien avant de franchir pour la première fois, aux Offices, à Florence en 1949, la porte d'un musée. J'avais dix-sept ans et je n'avais jamais vu de tableau, sinon dans les reproductions sépia du *Larousse universel* en

1. Alain, *Système des Beaux-Arts*, ouvr. cit., p. 407.

deux volumes. Ce jour-là, je connus le bonheur de passer de l'image à l'original, de l'ombre à la proie. Le portrait de Lucrezia Pantiatichi par Bronzino m'avait fait rêver en reproduction. Face à l'original, dans la Tribune des Offices, statue vivante de grande dame, parée comme une châsse, ses yeux immenses me fixant, je pris peur. M'approchant, malgré tout, je lus en minuscules caractères, gravés en français sur son mince collier d'or ouvragé que l'on voyait à peine sur la photo du Larousse, la devise : *Amour-dure-sans fin*, plusieurs fois répétée, comme un rosaire. Ce fut comme si elle avait pris la parole. Cette fabuleuse beauté de marbre brûlait de passion comme un ostensoir. Je la reconnus : une ancêtre, au XVIe siècle, de la Sanseverina, feu et glace. Je découvris plus tard qu'elle avait inspiré à Henry James *Portrait of a Lady*, roman qui commence par la découverte de ce fantastique tableau, chez ses hôtes anglais, et comme une prophétie de son propre destin, par la jeune héroïne américaine. L'effigie immobile et silencieuse de Bronzino vivait d'une vie seconde et poignante. Elle avait comme moi son secret. Je ne l'ai jamais plus quittée.

Je n'ai ouvert qu'en 1965, quinze ans plus tard, dans sa seconde et définitive version séparée, *Le Musée imaginaire*. Après lecture, j'étais bien décidé à n'y jamais revenir et de m'en tenir à mes classiques d'alors : Alain, Berenson, Burckhardt, Chastel, Focillon, Panofsky. J'étais bien loin d'imaginer que cet essai aurait la vie aussi dure, et me contraindrait à revenir à lui plusieurs fois par la suite. Aucun de mes classiques de la littérature sur les arts, que je tenais, et que je tiens toujours, pour beaucoup plus fiables que *Le Musée imaginaire*, ne m'a obligé à le relire avec une telle obstination. Ce livre-culte fait partie des graves radotages dont est enragé un temps amnésique et frivole.

J'ignorais alors l'*Histoire de l'art* d'Élie Faure (1909-1922), contemporaine pourtant du *Système des Beaux-Arts* d'Alain, mais qui n'était pas entrée dans la Bibliothèque de la Pléiade. J'ai découvert plus tard combien cette *Histoire* ainsi que *L'Esprit des formes*, du même Élie Faure, avaient compté pour la génération d'André Malraux, et pour Malraux lui-même, qui s'est bien gardé d'en faire état nulle part. On y entendait déjà en simple récitatif le *Sursum corda* de l'art que *Les Voix du silence* reprendront et transposeront en musique pour grand orchestre et chœur wagnériens :

> Si quelques-uns d'entre nous entendent seuls cet appel aux heures d'incompréhension et d'affaiblissement, écrivait Élie Faure dans la préface du premier volume de son *Histoire*, *L'Art antique*, paru en 1909, c'est qu'ils représentent à ces heures l'effort idéaliste qui ranimera l'héroïsme endormi des multitudes.

Dans les années 1960, la voix d'Élie Faure était entièrement éclipsée par celle du *Musée imaginaire* et par ses additions successives, publiées à grand fracas chez l'éditeur Skira. Les « classiques » que j'opposais à Malraux, à la différence d'Élie Faure qui avait connu une immense audience avant guerre, ne dépassèrent jamais le cercle des lecteurs avertis, voire des spécialistes. Beaucoup plus sensationnel que l'*Histoire de l'art*, *Le Musée imaginaire* et ses suites visèrent et obtinrent d'emblée, à leur tour, un très large public : leur vulgarisation à coups de formules saisissantes l'emporta sur celle d'Élie Faure, à peine moins universaliste (il omet l'Afrique), mais chronologique, analytique, comptant sur l'attention soutenue de lecteurs du XIXe siècle, alors que le montage, la vitesse et les formules de Malraux, l'essayiste comme le romancier, répondaient à l'attente du public du cinéma, de la radio, de la publicité, du sport, né comme lui avec le XXe siècle. Et surtout, chose dont je ne tins pas assez compte alors, l'essai-gigogne, à l'emporte-pièce et à succès de Malraux était devenu en 1965 un document quasi officiel, une lecture obligée pour les candidats à l'épreuve de culture générale de l'École nationale d'administration, et une sorte de Petit Livre rouge dont allait se réclamer, *ad vitam aeternam*, la « politique culturelle » de la France : un classique d'État.

Malraux lui-même, en 1965, n'était plus seulement un romancier et un essayiste d'art très célèbre qui avait rejeté depuis longtemps Élie Faure dans un profond oubli : les premières moutures du *Musée imaginaire* et de ses suites avaient paru sous forme d'articles de la revue *Verve* à la fin des années 1930. En 1965, depuis six ans, il occupait, rue de Valois, le fauteuil de ministre des Affaires culturelles de la Ve République. Il le resterait encore quatre ans. Les vues formulées par Malraux en 1947 n'étaient plus simplement de brillantes opinions sur l'art, caracolant en marge de la savante collection *L'Univers des formes* publiée chez Gallimard : elles avaient acquis une autorité de doctrine canonique pour la nouvelle administration dont l'écrivain avait pris la tête en 1959 ; elles le demeureraient sous tous ses successeurs, Tables de la Loi d'une « exception culturelle » française plus admirée qu'imitée dans le monde entier. Ni l'*Histoire de l'art* d'Élie Faure, ni le *Système des Beaux-Arts* d'Alain, pourtant si intimement accordés l'un et l'autre à la fécondité des arts sous la IIIe République, ni à plus forte raison les livres et les articles de Focillon, de Panofsky ou de Chastel, ne tenaient leur autorité ni du succès public ni de cette force de loi.

En 1965, sans apercevoir ce scellement du livre dans l'édifice de la Ve République, je tenais naïvement pour nulle et non avenue sa théorie d'un musée de papier où se donnent rendez-vous les fantômes photographiques des buffles de Lascaux et des *ignudi* de la Sixtine. Elle me paraissait flatter outrageusement la tendance d'une époque où les arts visuels cédaient la place au « livre d'art », façon Skira (le contraire du livre d'artiste, façon Vollard), au « catalogue d'exposition » et à la « diapositive », bref à leur propre reproduction spectrale. On appelle « fantômes », dans les bibliothèques de prêt, les fiches qui occupent la place vide des livres empruntés. Imaginez une bibliothèque de fantômes : vous aurez, me disais-je, le « musée imaginaire » de Malraux, amplification aux quatre points cardinaux, en noir et blanc, des pages sépia du *Larousse universel*. Non content d'avoir substitué leur image morte à la vie et à la vue sensibles de l'œuvre et de l'objet d'art, Malraux se voulait le ventriloque de ce congrès de spectres qu'il avait convoqué depuis les ténèbres de l'autre monde et dont il prétendait, dans celui-ci, entendre et interpréter les voix. Le Walter Benjamin de *L'Œuvre d'art à l'époque de la reproductibilité technique* et de la « perte d'aura » avait à mes yeux entièrement raison contre l'André Malraux apologiste et orateur du musée universel et démocratique de la photographie d'œuvres d'art.

Au surplus, l'éloquence vaticinante et la posture prophétique de Malraux, orateur officiel de la Ve République, m'insupportaient à l'écrit comme à l'oral. Il avait le front de proclamer Mao le « de Gaulle chinois » ! Dès 1937, il avait célébré un Dieu-Méduse, haïssant les hommes de chair, ses créatures, et préférant leurs créations : « Il n'y eut jamais sur terre qu'un seul peuple digne d'être sauvé, le peuple des statues. » Il montrait un goût aussi prononcé pour prêter sa parole oraculaire aux morts récents qu'à la donner aux photos de tableaux, de statues et d'œuvres d'art de tout temps et de tout lieu. Moïse, convoqué sur le Sinaï, reçut du Dieu de la Genèse l'ordre de ne jamais chercher à le voir et de ne laisser forger aucune image qui fît écran à sa sacro-sainte invisibilité. Dieu savait alors se défendre, lui et sa Création, contre la pente humaine à les imiter et à les caricaturer en idoles. Sur le Sinaï des images où Malraux était monté sans attendre d'y être invité, Dieu, le Buisson ardent et les Tables de la Loi étaient remplacés par l'étalement de milliers de clichés photographiques et par l'invocation de milliers de noms propres, connus ou moins connus, pêle-mêle, appelés de partout où la main humaine avait dessiné une figure ou modelé une forme ayant traversé le temps et voyagé jusqu'à nous. Des photos célèbres le montraient chez lui, à quatre pattes, devant des myriades de reproductions, tel un Jackson Pollock parcourant et aspergeant sa toile déjà balayée de couleurs giclées.

La voix rauque et haletante avec laquelle Malraux faisait parler, pour la foule indistincte des vivants, cette autre foule, non moins indistincte, de clichés et de noms propres surnageant de l'Hadès des civilisations englouties et des religions défuntes me faisait beaucoup moins penser à l'Ulysse d'Homère évoquant, dans un cercle de sang frais, les spectres désolés de sa mère, d'Achille et du devin Tirésias qu'à un exercice rhétorique de pastiche ou de parodie, il est vrai virtuose : transposez en prose *Les Phares* de Baudelaire en les augmentant selon la longue durée de *La Légende des siècles* de Hugo et en branchant l'électricité sur son *Promontoire du songe*. Je trouvais méphitique cette tentative de sous-titrer et d'accompagner au grand orgue, pour le public moderne du cinéma et des albums de photographies, « quarante siècles nous contemplent », comme s'il s'agissait d'un film muet ou d'un spectacle « son et lumière » consacré aux pyramides de Gizeh. Autant faire entrer de force, dans la caverne de Platon, emmêlés au mobilier funéraire et rituel de dizaines d'autres époques et de centaines de civilisations, les arts de la Grèce et de Rome, anciens et modernes, où je m'obstinais, pour ma part, à voir une théorie sans rivale de génies ailés païens et d'anges chrétiens sachant guider le regard de l'âme hors de la grotte aveugle et de sa lanterne magique. Le mot beauté, dans *Le Musée imaginaire*, n'apparaît qu'une fois, et entre guillemets, par opposition au mot pseudo-théologique, tant de fois martelé, de « création ».

L'essai, paru en 1947, avait inauguré le second avatar de Malraux homme public. Entre 1941 et 1943, replié sur lui-même, méditant une défaite française et une guerre mondiale qu'il n'avait pas prévues, il ébauchait *Les Noyers de l'Altenburg* qu'il n'acheva jamais, le romancier-reporter de la révolution universelle, le héros de la guerre civile espagnole combattant Franco, se tut. Il reprit la parole en héros de la France libre boutant hors du territoire national l'envahisseur nazi et en romancier épique de l'art mondial. La « métamorphose » des dieux et des œuvres d'art qu'il avait méditée, en même temps que sa conversion au patriotisme, dans sa retraite des années d'Occupation, prit le pas sur la révolution universelle, auréolant sa propre métamorphose de la Libération. Aragon et Éluard avaient conduit Picasso au puissant Parti communiste ; Malraux emmena le cortège mondial et millénaire des images de l'art dans le camp de la résurrection nationale française dont le général de Gaulle avait pris la tête, effaçant et rachetant la honteuse « révolution nationale » du maréchal Pétain.

Au cours du premier avatar d'André Malraux, dans l'entre-deux-guerres, le jeune écrivain avait découvert l'art et l'histoire de l'art dans la lecture d'Élie Faure et dans les auteurs allemands que son épouse Clara traduisait pour lui, ou lui faisait connaître. Il avait fréquenté les surréalistes, et beaucoup retenu de leur fascination pour l'image en général et pour l'image filmique en particulier. Ces curiosités déclenchèrent indirectement sa vocation révolutionnaire. En 1924, sur la foi de photographies, le jeune essayiste qui venait de débuter à Paris par deux bluettes prometteuses, *Lunes en papier* et *Royaume farfelu*, avait monté une expédition au Cambodge pour arracher quelques statues d'apsaras au site d'Angkor-Vat et les vendre à un antiquaire américain. Surpris quasiment sur le fait, arrêté et condamné à trois ans de prison par les autorités coloniales françaises, dénoncé comme pilleur de temples par la presse de Saigon, Malraux s'était tiré d'affaire grâce à Clara, qui, rentrée d'urgence à Paris, avait alerté le milieu littéraire et fait publier une supplique en faveur de son mari, signée par Gide, Mauriac, Maurois, Aragon, Breton, Arland et Gaston Gallimard. Aujourd'hui, où le pillage des sites archéologiques est devenu une industrie clandestine difficilement, mais durement, réprimée par la plupart des législations et polices du monde, la naïve tentative de vol du jeune Malraux ne passerait pas aussi aisément.

Il fallut cette grave mais brève alerte pour l'initier à l'injustice coloniale. Sitôt libéré de prison et revenu à Paris, il décide de rentrer presque sur-le-champ à Saigon, où il fait de l'*agit-prop* contre les pouvoirs locaux qui l'avaient empêché de renflouer ses affaires. En liaison avec le mouvement clandestin Jeune Annam, il anime pendant un an un journal d'opposition, *L'Indochine*. Quand il revient à Paris, vaincu par le harcèlement colonial après douze mois d'escarmouches, il a accumulé assez d'expérience d'un Extrême-Orient impatient de l'impérialisme européen pour en nourrir quatre romans dont le retentissement en France sera vif : *La Tentation de l'Occident* (1926), *Les Conquérants* (1928), *La Voix royale* (1930) et *La Condition humaine* (prix Goncourt 1933). Tous quatre étaient largement inspirés pour le fond par Joseph Conrad (*Sous les yeux d'Occident, Nostromo, Au cœur des ténèbres*) et, pour la technique narrative cinématographique de la récente fiction anglo-américaine (D. H. Lawrence, William Faulkner, Dashiell Hammett), publiée elle aussi en traduction chez son nouvel éditeur. Gaston Gallimard, lui confie aussi la direction d'une collection de livres d'art.

Sa légende d'électron libre de l'orage révolutionnaire mondial culmina dans la guerre d'Espagne, en 1936-1937. Sans avoir la moindre expérience du pilotage, il s'engage au côté du gouvernement républicain à la tête d'une escadre aérienne improvisée. Bref et inefficace renfort, dont il fait la matière épique d'un roman-reportage-scénario, *L'Espoir* (1937), transposé pour le cinéma dans un documentaire-fiction, *Sierra de Teruel*. Le montage définitif et la projection du film, inspiré par l'Eisenstein de *Que Viva Mexico*, ne purent intervenir qu'en 1945. À deux reprises, en Espagne comme en Indochine, il avait réussi à transfigurer des expéditions hâtives et décevantes en images exaltantes de la liberté humaine affrontée à la mort et au destin. La débâcle militaire française de 1940 et la brève épreuve personnelle qu'il en avait faite exigèrent de lui une extension générale de cette métamorphose de l'échec temporel en victoire spirituelle. Cette fois, c'est toute l'histoire de l'art mondial, convoquée en concile dans un « musée imaginaire », qui est appelée à figurer et à transfigurer toutes les déroutes du monde en autant de témoignages de « la plus haute idée de l'homme ».

Dans l'histoire du christianisme, la gnose fut une hérésie néoplatonicienne que l'Église des premiers siècles eut du mal à repousser : elle supposait une Création matérielle impie, modelée par un démiurge méchant, dont l'âme humaine était la prisonnière et la victime, et dont elle devait s'échapper, avec les hypostases émanées de l'Un, pour rejoindre hors de ce monde écrasant et féroce le dieu tout spirituel et irresponsable d'un monde raté. La théosophie originelle et originaire du modernisme, dont aucune de ses familles, et surtout pas le surréalisme, n'est indemne, tenait de la gnose. Breton s'en réclame lorsqu'il demande à l'image et à la parole poétique l'accès à un réel véritable que le réel ordinaire avilit et saccage ; Aragon veut être envahi par le « divin », dont l'amour et la poésie ont seuls le secret. La tentation est vive pour le gnostique moderne et athée d'aligner sa religion sur la révolution marxiste qui affranchira le prolétariat de l'imposture et de l'oppression bourgeoises. Malraux n'était ni poète ni mystique de l'amour. En 1924, il avait découvert dans la Révolution mondiale la grande aventure moderne. Il lui fallut en être un peu pour en écrire beaucoup. Quand il s'en déprit pour se rallier à l'aventure gaulliste, plus étroitement circonscrite, il trouva dans la gnose de l'art la dimension cosmique qui risquait désormais de manquer à son inspiration d'écrivain. Révolution universelle d'hier et refondation nationale d'aujourd'hui prirent leur sens métaphysique dans le combat éternel, toujours recommencé, de l'homme contre ce qui, dans la nature et dans l'histoire, nie et cherche à anéantir, sous le poids du destin et de la mort, le dieu possible qu'il porte en lui-même et qui meurt avec lui. De la grandeur cachée de ce combat éternel, les images de l'art sont les seules à porter trace et témoignage.

À la différence de la gnose surréaliste, volontiers ironique, joueuse et aspirant à la joie, celle de Malraux est foncièrement grave et funèbre, de couleur stoïque et tragique. Alain avait résumé la philosophie esthétique kantienne, hégélienne et comtiste dans une admirable synthèse qui rangeait la religion parmi les Beaux-Arts, auxquels il réservait le rôle d'assises de la civilisation et d'école profonde de l'imagination et des passions. À rebours, la gnose de Malraux fait de l'art une religion, la religion des reliques et du deuil de l'homme-Dieu, la seule dont le triste mystère puisse rassembler et dresser debout l'humanité, quand toutes les autres défaillent à l'espérance et quand les civilisations elles-mêmes sont vouées à se défaire. Dans « l'immense dérive de nuages qui emporte les civilisations vers la mort », « c'est l'homme que les astres nient, et c'est à l'homme que parle Rembrandt ».

Entre sa première édition de 1947 et la définitive en 1965, *Le Musée imaginaire* donna lieu à des allongeails successifs et abondants, *La*

Création artistique, puis *La Monnaie de l'absolu*, publiés ensemble en 1949 sous le titre *La Psychologie de l'art*, à Genève, chez Skira. En 1951, un nouvel allongeail, *La Métamorphose d'Apollon* et la refonte de l'ensemble donnent lieu à une nouvelle édition, cette fois chez Gallimard, sous le titre *Les Voix du silence*. En 1957, une suite des *Voix*, en deux volumes, paraîtra chez le même éditeur sous le titre *La Métamorphose des dieux*[1]. Ce sont les proportions du *Mahabharata*. Malraux romancier épique des révolutions était devenu le hiérophante gnostique de l'Art mondial, des origines à nos jours. Les vertigineux romans métaphysiques rivaux qu'a engendrés la gnose aux premiers siècles du christianisme, mais que l'on ne connaît qu'à travers les théologiens qui les ont combattus, assomment. J'avoue n'avoir jamais eu la force de m'aventurer, autrement qu'en diagonale, dans les suites de l'épisode initial de la gnose de l'art. Les tables tournantes de Hugo, transportées de Guernesey à Boulogne, avaient tout révélé du premier coup au nouvel Élie Faure. Fonctionnant à plein régime à Paris, entre 1947 et 1957, au cours de la décennie qui suivit la Libération, elles ne pouvaient guère que se répéter, par modulations successives, jusqu'à cette péroraison indépassable des *Voix du silence* : « Il est beau que l'animal qui sait qu'il doit mourir arrache à l'ironie des nébuleuses le chant des constellations et qu'il le lance, au hasard des siècles, auxquels il imposera des paroles inconnues. »

D'ailleurs, toute leur doctrine me faisait horreur. Les arts nivelés et réduits à leurs reproductions photographiques, mais élevés en bloc au rang d'une unique révélation gnostique, la beauté noyée dans le sacré, l'éternité monnayée en métamorphoses, la religion ravalée au pathos de la finitude et la démocratie canonisée dans tous ses avatars, tant libéraux que communistes, au nom de l'égalité de tous devant le destin et la mort : *Le Musée imaginaire*, dans la version définitive que je lus en 1965, intégrait des morceaux de bravoure de *La Monnaie de l'absolu*, et une mise à jour de la version originale de 1951. Selon la volonté même de l'auteur, ces remaniements et augmentations en faisaient un *vade-mecum* de toute son immense épopée métaphysique. Il n'était pas indispensable d'écouter plus avant les « voix du silence » ni de s'engager plus longtemps dans les méandres de la « métamorphose des dieux ». Hallucinées, harassées, je les laissai vociférer sur une terre noircie et ruinée, invoquant éclairs et orages.

Nous sommes en 2008. Même en 1989, quand je relus *Le Musée imaginaire*, quinze ans plus tard, pour le chapitre « Malraux » de *L'État culturel*, je ne pouvais imaginer ce que les arts et les musées deviendraient

---

1. Pour l'histoire labyrinthique de cette aventure éditoriale, voir Malraux, *Écrits sur l'art*, in *Œuvres complètes*, Paris, Gallimard, Pléiade, t. VI, 2004, notamment p. 1287-1410.

dans le monde « globalisé » dont les contours ne commencèrent à se dessiner qu'après la chute du mur de Berlin, après la décomposition quasi instantanée de l'empire communiste russe et la fin de la guerre froide Ouest-Est. Le relisant aujourd'hui pour la troisième fois, pour écrire ce chapitre sans me laisser influencer par mes agacements antérieurs, je ne retire rien de mon initiale sévérité. Mais je dois avouer que le marketing mondial des images que l'on nomme maintenant « Art contemporain », la dérive des musées en supermarchés multinationaux des images et l'expansion mondiale des écrans portables d'images numérisées font apparaître Malraux, son *Musée imaginaire* et sa gnose de l'art dans une tout autre lumière, anachronique et nostalgique de grandes illusions dissipées. De l'art, Malraux avait fait pour l'artiste une création « anti-destin », « anti-nature » et pour tous ceux qui communiaient sous les espèces de ce sacrement une forme désespérée de salut. Telle était néanmoins la religion universelle qu'attendait selon son grand prêtre une humanité instruite, ou en voie de l'être, de la « mort de Dieu » et livrée à l'angoisse de sa propre, fragile et éphémère liberté. Le « musée imaginaire » était le temple virtuel de cette foi sans la foi d'une Église universelle sans Dieu. L'État laïc français pouvait faire sienne cette sacralisation de l'« art » qui conférait une « aura » inédite à ses musées et faisait de leur personnel à la fois les desservants désintéressés d'un culte civil et le clergé missionnaire de sa « démocratisation », d'abord « dans un seul pays », comme le communisme, puis dans le monde entier. Dans un passage du *Musée imaginaire* qui en révèle l'inspiration antibourgeoise, anticapitaliste, jacobine et marxiste, le futur ministre avait écrit :

> Le respect que l'art inspire à un nombre toujours croissant d'hommes l'écarte de la possession privée, fait du collectionneur un usufruitier. Même pour les œuvres anciennes, la collection est l'antichambre du musée, et en Europe, comme au Japon et en Amérique, les grandes collections, de moins en moins transmises et de plus en plus léguées, aboutiront à lui. À un musée qui cherche sa forme, et sera sans doute aussi différent du nôtre que celui-ci l'est des galeries d'autrefois. Et qui ne trouvera peut-être cette forme que lorsqu'il aura cessé de confondre l'œuvre d'art avec l'objet d'art, lorsque le Musée imaginaire lui aura enseigné que son action la plus profonde repose sur sa relation à la mort.

Le communisme de la religion gnostique de l'art devait donc l'emporter sur l'individualisme accapareur des bourgeois et les calculs égoïstes de l'économie de marché. Le prêtre-prophète a été cruellement démenti et le clergé qui avait cru en lui s'en est trouvé cruellement décontenancé. Les temples de l'art prévus, prêchés et célébrés par Malraux, sans cesser de se réclamer comme lui de la « démocratisation » et même en vue de l'accélérer, ont dû faire de telles courbettes aux lois du marché globalisé du divertissement culturel qu'ils en sont devenus de simples rouages, au surplus mal et tardivement rodés, leur sacrifiant ce « respect » qu'ils devaient, selon Malraux, inspirer à « un nombre toujours croissant d'hommes » ! Et la « relation à la mort », sur laquelle les nouveaux musées et les foires d'« Art contemporain » fondent ce que Malraux appelait l'« action la plus profonde » sur le public les dispense d'exposer œuvres d'art ou objets d'art ; ils étalent d'horrifiques jouets et des gadgets usinés. Entre le New Museum du Bowery, à New York, et le nouveau musée du Palais de Tokyo, à Paris, entre la Foire d'art contemporain de Bâle et celle de Miami, c'est à qui ira le plus loin dans l'installation éphémère de déchets, d'immondices, d'abjections, de photographies scatologiques et criminologiques, toutes voies négatives et dépressives prétendant donner accès à un « sacré » dont l'« art » aurait seul le secret, mais dont seule la clientèle milliardaire des nouveaux riches de la « nouvelle économie » globale a les moyens et le plaisir de s'offrir la jalouse et capricieuse possession. On imagine le burgrave Malraux se retournant dans son cercueil de la crypte du Panthéon et grognant à haute voix : « Je n'ai pas voulu cela ! »

De fait, le « nous » de Malraux, dans ses essais sur l'art d'avant-guerre et dans leur reprise à grande échelle en 1947-1957, est encore celui d'une génération transatlantique de connaisseurs, de collectionneurs et d'amateurs modernistes, dont le regard et le goût, élargis à un vaste univers de formes inédites, mais d'autant plus blasés, s'étaient aiguisés au cours de l'après-guerre 1914-1918. Dans les années 1930, les avant-gardes littéraires et artistiques de gauche et de droite, exorcisées des étroitesses bourgeoises et des conformismes académiques, exorbitées de tous les lieux communs, étaient plus ou moins convaincues de n'avoir conquis le Graal de la « beauté absolument moderne » que pour en faire un cadeau intact au « peuple », enfin libéré lui aussi de l'oppressive et vulgaire bourgeoisie, soit par la révolution libérale du type New Deal, soit par la révolution prolétarienne communiste, soit, pour une minorité alors très vivace même en France, les Céline, Blanchot, Brasillach, Rebatet, Drieu (avec lequel Malraux, comme Aragon, avait des atomes crochus), par la révolution nationale-socialiste de Mussolini, de Hitler, de Franco. Les extrêmes en politique se rejoignaient tacitement sur ce point : la libération des mœurs et du goût dont une élite individualiste avait déjà le privilège était inséparable de l'affranchissement révolutionnaire des masses, au bout et au sein desquelles les individus d'avant-garde retrouveraient à leur tour le sens de la communion avec le peuple, perdu par la bourgeoisie. Nul plus que Malraux n'avait tenu plus ferme les deux bouts de la chaîne entre le Paris des idées et le Canton des émeutes, entre le Paris des intellectuels et la Sierra de Teruel des guérilleros ; il persévéra jusqu'à la fin, entre le salon choisi de Verrières-le-Buisson et les maisons de la culture pour tous.

Il ne se doutait pas que le marché, mieux que le marxisme ou la « participation » gaullienne, était depuis longtemps à même, aux États-Unis, de résoudre en pratique la quadrature du cercle que les intellectuels modernistes d'extrême gauche et d'extrême droite résolvaient en imagination : un individualisme illimité concourant à court ou à long terme au communisme ou au populisme illimité.

Les « artistes », les « vrais créateurs » que, dans *Le Musée imaginaire*, Malraux prend souvent à témoin de sa propre relecture des chefs-d'œuvre de la tradition artistique européenne n'étaient rien de moins que Braque, Picasso, Mondrian, Kandinsky, Chagall, Fautrier, tous « génies » qui avaient rendu la peinture à son essence et révélé rétrospectivement le « style sévère de l'humanité » commun à cette autre lignée de « génies », Masaccio, Piero della Francesca, Georges de La Tour, Vermeer, géants isolés de leur temps parmi les nains, mais mystérieusement accordés à la Grèce archaïque, aux rois de Chartres, au meilleur de l'Égypte, du Japon, de la Chine et de l'Afrique dans le même dépassement de la « fiction », de la « représentation » et de la « narration » Cependant, les vivants piliers modernistes du « style sévère », Malraux n'hésite pas à les désigner sous le nom collectif d'« École de Paris ».

Son « musée imaginaire » peut bien rameuter, dans ses lunes en papier, grâce à la moderne photographie et au moderne montage cinématographique, les chefs-d'œuvre (notion qui ne va pas de soi pour Malraux) des millénaires et du monde entier, Paris en 1947 reste pour Malraux, comme il l'était pour le monde en 1937, l'alambic où s'élabore et se condense, à partir de tous les matériaux iconographiques convoqués depuis Lascaux et Sumer par la mémoire et la curiosité de l'archéologie européenne, la quintessence des siècles, tandis que la Russie, l'Amérique, l'Asie et l'Afrique préparent, dans le sang et la boue, l'accouchement d'une humanité nouvelle, solidaire et chorale, libre et égalitaire, appelée à communier un jour dans la même gnose moderne et moderniste des images, et à y trouver, comme Malraux, la preuve suprême de sa dignité à la fois personnelle et collective devant le destin et la mort. C'est à Paris qu'avait eu lieu le saut qualitatif de « conscience » du modernisme. C'est à Paris qu'une « queste passionnée », une « recréation de l'univers en face de la Création » avaient rassemblé tous les âges de l'humanité, les « interrogeant » sur ce qui la rassemble vraiment contre l'éternel désastre. C'est à Paris aussi que le musée avait donné à l'« art » le sens inédit de témoignage athéologique de sa propre précaire et tenace dignité que l'homme se rend à lui-même.

Capitale du modernisme, du cinéma, du « musée imaginaire » du XXe siècle, Paris, mère des révolutions politiques aux XVIIIe et XIXe siècles, pouvait désormais laisser la tâche ancillaire de la révolution sociale aux peuples du monde qui en avaient repris le flambeau. Toujours en avance de plusieurs longueurs, plus que jamais fille aînée de l'Église de l'Esprit, la capitale française avait désormais pour vocation de pourvoir le monde nouveau en gésine, de la religion athée, stoïque, imaginative et passionnée à laquelle il aspirait, dont toutes les autres religions formaient l'Ancien Testament, et dont lui-même, succédant à Nietzsche et à Rimbaud, était le prophète, hanté par la mort et frappé toujours plus durement par elle. Il pouvait en effet brandir la tête de Méduse : il l'avait lui-même de plus en plus souvent affrontée. Il avait souffert le deuil de la patrie, et tour à tour une suite atroce de deuils personnels s'était abattue sur lui, sans qu'il se plaigne, comme le loup du célèbre poème d'Alfred de Vigny : ses deux frères, sa seconde compagne Josette Clotis, leurs deux jeunes fils, sa troisième compagne Madeleine, puis la dernière, Louise de Vilmorin. Outre l'espérance gaulliste, il n'avait trouvé consolation religieuse que dans la « monnaie de l'absolu » des images de l'art.

Cette « monnaie », il n'entendait pas se la réserver. Passeur entre la révolution moderniste de l'esprit et les révolutions politiques, entre l'élite d'avant-garde et les peuples en voie de secouer leurs chaînes, Malraux, comme l'Église médiévale l'avait demandé à la « Bible des illettrés », attendait du langage universel moderne, les images photographiques et cinématographiques, la « métamorphose des dieux » anciens en un ciel d'orage où l'humanité démocratique saurait reconnaître et assumer la seule noblesse qui lui restait, la force de regarder en face son néant.

Logomachie, mythomanie ? Je l'ai cru, je le crois. Mais quand Paris vivote et « peopolise », quand New York et Londres poussent les enchères d'un « Art contemporain » idiot que se disputent des milliers de riches philistins russes, chinois, américains, voire européens, en veine d'« image » pour leur gigantesque portefeuille boursier, quand l'ère de l'image digitale triomphe de celles de la presse à imprimer, de la photographie et du cinéma, quand un postmodernisme débile tourne en dérision toutes les anciennes naïvetés, et, au premier chef, celles, esthétiques et politiques, du modernisme, quand l'âge des révolutions libératrices est remplacé par celui du « choc des civilisations » et des fondamentalismes religieux et raciaux, on a peine à croire qu'un Don Quichotte de l'étoffe de Malraux ait pu exister, vivre, penser et écrire à cette altitude de tragédien romantique, concevoir un tel dessein qui inspira le respect quasi universel, et même – persuadé comme il l'était que, pour lui, l'action est la sœur du rêve – donnant l'impression qu'il était à même de commencer à le réaliser.

Il est vrai qu'un miracle en sa faveur s'était produit pendant l'Occupation, la Résistance et la Libération. Le grand rêve religieux et révolutionnaire de Malraux, romancier et aventurier du siècle, sans perdre de vue son horizon universel, avait alors mûri et focalisé pour ainsi dire sur la France éternelle de Michelet et de Hugo. Il avait rejoint, sans le savoir, un autre grand rêve géopolitique et à sa façon religieux, celui qu'avait mûri le général de Gaulle à Londres, à Dakar et à Alger, celui de la France libre et du rôle qu'elle était appelée à jouer, en s'allégeant de son lest bourgeois, impérial et colonial, sur la scène du monde issu de Yalta, un monde impatient lui aussi de secouer le joug des deux blocs, l'« anglo-saxon » et le « soviétique ». De Gaulle revenu aux « affaires » en 1958 donna à Malraux le pouvoir de mettre en œuvre le « musée imaginaire ». La France régénérée de la Ve République pouvait et allait devenir la figure de proue de l'art moderniste démocratisé.

Le Musée imaginaire a été publié en 1947. Après avoir été ministre de l'Information du gouvernement provisoire formé par de Gaulle en 1945, André Malraux était alors délégué à la propagande du R.P.F., le rassemblement fondé pour soutenir la cause du général de Gaulle pendant sa « traversée du désert » et son irréductible résistance au « régime des partis » de la IVe République. Les éditions suivantes (1949, 1953, 1957) en firent la première partie de l'épopée en constante expansion, *Les Voix du silence*, suivies des *Métamorphoses des dieux*. Malraux n'était plus délégué à la propagande du parti gaulliste, mais il restait fidèle parmi les fidèles du Général attendant son heure. Polyédrique et métamorphique, son éloquence de romancier et d'essayiste avait toujours évolué entre plusieurs eaux, religieuse, anthropologique, esthétique, et n'avait jamais cessé de plonger dans un imaginaire géopolitique. Maintenant sa géopolitique était alignée sur celle du Général, mais, en échange il lui offrait une religion « culturelle » exaltante pour un mouvement gaulliste nationaliste et modernisateur qui n'y comprenait goutte, mais séduisante aussi pour la gauche et l'extrême gauche marxistes, qui se voulaient, à leur façon, dépositaires à la fois de la tradition nationale et du modernisme littéraire et artistique. Pour Aragon le communiste comme pour le gaulliste Malraux, Picasso, Braque, Matisse, Masson, étaient les interprètes français du même « génie » de l'humanité en voie de se libérer de la bourgeoisie et de Dieu.

En ce sens, l'épopée de l'art parisien et mondial enfantée pendant quarante ans par Malraux était devenue un atout politique de poids pour le parti dont il était le propagandiste officiel : elle pourvoyait d'avance le nationalisme gaulliste sur le chemin du pouvoir d'une dimension spirituelle universelle, compensatoire, le jour venu, de la perte, par la France, de son empire temporel mondial. Lorsque parut, en 1947, la première édition du *Musée imaginaire*, la bataille pour la sauvegarde de l'Indochine française était loin d'être encore perdue, Diên Biên Phu (mars-mai 1954) était encore à venir ; l'Algérie française, comme nos deux protectorats d'Afrique du Nord et l'Union française d'Afrique noire, n'étaient nullement ébranlés ; leur légitimité n'était mise en cause ni par l'opinion métropolitaine ni par l'opinion internationale. La IVe République semblait assumer, quoique sur la défensive, l'héritage impérial de la IIIe, dont Malraux, dès les années 1920, avait dénoncé l'injustice et prophétisé la décadence. Sur cette cause patriotique du moins, ni de Gaulle, ni le R.P.F., ni Malraux, au moins en public, et moins que jamais en 1958, ne se désolidarisaient du « régime des partis », tout en ne se privant pas de dénoncer son incapacité structurelle à bien servir l'empire où, naguère, la France libre du général de Gaulle avait trouvé ses meilleurs appuis.

Il faut croire cependant que Malraux, hanté par l'idée et le pathos spenglériens de la décadence et réceptif à cette autre forme de fatalisme qu'est le Diamat (Marx, Lénine, Trotski, Mao), anticipait par-devers lui sur les événements qui allaient, en peu d'années après Diên Biên Phu, balayer l'empire colonial français, ramener le Général au pouvoir dans un régime taillé à sa mesure et réduire la surface de la France à l'Hexagone, ou à peu près. Il faut aussi, dans cette hypothèse, lui faire crédit d'avoir prévu, de longue main, une parade de sa façon à cette amputation inévitable et à son sens souhaitable. Par sa conception d'une religion laïque de l'Art universel nivelé dans le temps et dans l'espace, mais se prêtant à toutes les « métamorphoses », il dotait d'avance d'une dimension spirituelle une France dont la contraction était encore imminente, mais qui serait alors délivrée du poids de colonialisme et d'impérialisme dont l'accusaient l'Amérique, le tiers-monde et une partie notable de l'électorat métropolitain. Redevenue en somme, comme en 1793, la patrie universelle des Droits de l'homme, la France serait pourvue, par l'auteur du *Musée imaginaire*, d'une sorte de pontificat spirituel sur un univers que les grandes puissances temporelles de l'Ouest comme de l'Est se disputaient, sans savoir répondre à leurs aspirations profondes, plus religieuses encore que politiques et économiques. Légitimant toutes les traditions religieuses et toutes les fiertés nationales, mais pour mieux les préparer à reconnaître leur vérité ultime et commune : la condition humaine dénudée par l'égalité et par la mort, la gnose de l'art extraite par Malraux du décadentisme et du modernisme parisiens les rassemblerait dans le temple du « musée imaginaire », dans la communion de « voix du silence » et dans le partage de tous les dieux métamorphosés.

Une gnose d'essence et de vocation universelles, mais dont le Vatican laïc aurait son siège à Paris. Propagande ? Sans doute. Sous le règne actuel de la communication de l'image et par l'image, cette propagande prend rétrospectivement l'allure d'un noble testament trahi.

La troisième édition, revue et augmentée, mais cette fois sous le même titre que l'originale, *Le Musée imaginaire*, et distincte des *Voix du silence*, parut en 1965. L'accent est replacé sur le « musée » et sur l'« image ». Les « voix », trop explicitement mystiques, passent à l'arrière-plan. Malraux était alors, depuis sept ans, ministre des Affaires culturelles du général de Gaulle. Monarque élu de la Ve République depuis 1958, de Gaulle avait déclaré Malraux, *urbi et orbi*, son « ami génial » et il avait fait découper par son Premier ministre, Michel Debré, pour son ancien délégué à la propagande, un ministère à sa taille. À sa parution et par la suite, *Le Musée imaginaire* et ses suites avaient rencontré les réserves minoritaires des conservateurs de musée et des historiens de l'art, ils avaient même essuyé la recension sévère d'Ernst Gombrich et ravageuse de Georges Duthuit. Mais, à partir de 1959, l'œuvre de Malraux athéologien de l'art était devenu hors d'atteinte de la critique. Le *Musée imaginaire* passa dès lors pour le bréviaire officiel de l'administration « culturelle » créée par le Général en 1959, par et pour Malraux, et il l'est resté depuis.

Cette administration inédite fut improvisée en remplacement du secrétariat d'État aux Beaux-Arts dont s'étaient contentées la IIIe et la IVe Républiques. Il aurait perduré sous le nouveau régime s'il n'avait pas fallu inventer un grand ministère, taillé pour la personnalité hors du commun de « l'ami génial » du chef de l'État. De simple prophète du « musée imaginaire », Malraux en devint tout à coup le pontife. En la personne de Malraux ministre, la religion de substitution moderniste-révolutionnaire que Malraux romancier avait imaginée dans les années 1940, dans les années terribles de l'humiliation française, devenait celle d'un régime, de la nation, de l'État redressé. Elle ne pouvait manquer de passer aux actes.

La réalisation du Musée imaginaire (avec, à l'arrière-plan, pour les initiés, la gnose des *Voix du silence*, et au premier plan, pour le peuple, le réseau des « maisons de la culture ») s'imposa à l'État, à partir de 1959, comme une « ardente obligation » à la fois nationale, mondiale et démocratique plébiscitée par l'Assemblée nationale à l'appel de l'éloquent ministre. Les monarques successifs de la Ve République se sont employés personnellement à métamorphoser les musées, et à multiplier, sous d'autres noms, les « maisons de la culture » polyvalentes, imaginées par Malraux sur le modèle moderniste des débuts du régime soviétique. Tour à tour, le Centre Pompidou de Piano et Rodgers, le Grand Louvre de Peï, la Très Grande Bibliothèque de Dominique Perrault et le musée des « Arts premiers » de Jean Nouvel ont plus ou moins ouvertement prolongé et augmenté l'œuvre laissée inachevée par Malraux et dont les linéaments étaient esquissés dans *Le Musée imaginaire*. Jusqu'à l'exposition « Traces du sacré », à Beaubourg, en 2008, la « politique culturelle » de la Ve République a été inspirée par l'idéologie de ce texte-phare, et elle-même, à son tour, a inspiré sinon l'imitation ou l'émulation, du moins l'envie, l'admiration, de nombreux pays européens. La question qui se pose aujourd'hui est de comprendre pourquoi ce texte d'inspiration spenglero-marxiste, élitiste par sa gnose moderniste de l'art, et ultra-démocratique par son projet missionnaire de conversion unanime du peuple à la « culture », a créé les conditions de réception d'une culture de masse individualiste à l'américaine, au lieu de poser les jalons d'une seconde Renaissance moderniste, comme Malraux se l'était à l'évidence proposé, à l'échelle cette fois de la France, et non plus d'une élite parisienne, avant de faire tache d'huile dans le monde entier.

La doctrine d'abord contestée du « musée imaginaire » aurait été vite oubliée si elle n'avait pas trouvé, à la faveur du pouvoir donné à Malraux par la France gaulliste en 1959, une chance exceptionnelle de passer de la théorie à la pratique, du rêve à la réalité. Le rêve d'une religion universelle de l'Art était en principe tout aussi exaltant que celui d'une révolution politique universelle : son application, depuis un demi-siècle, à l'échelle française a été aussi décevante que l'application du second à l'échelle du monde. Loin de créer un « contre-modèle » solide et convaincant au marché capitaliste de l'*entertainment*, comme les gaullistes et les marxistes français l'espérèrent de Malraux ministre et de ses successeurs socialistes, la « politique culturelle » inaugurée par l'auteur des *Voix du silence* parvenu au pouvoir, en d'autres termes la démocratisation du grand art du modernisme, s'est révélée, au cours de son demi-siècle d'exercice, un accélérateur de cela même qu'elle se proposait d'écarter des frontières françaises : l'afflux d'une culture de masse mondialisée et nivelée par le bas et le torrent des images publicitaires et commerciales déracinant tout ce qui pouvait subsister en France, dans l'après-guerre 1940-1945, de vraie culture commune enracinée comme une seconde nature par des siècles de civilisation. Sur la base d'une société encore largement rurale, l'enseignement primaire et secondaire des humanités avait soutenu la pratique spontanée, du haut en bas de la société française, de ce qu'Alain a nommé le « système des Beaux-Arts », où il incluait aussi bien l'agriculture, l'art des jardins, la cuisine, la couture, l'artisanat des ustensiles et du mobilier, la fête et la cérémonie, que la culture des Belles-Lettres, de la conversation, de la politesse, de l'architecture et des arts majeurs. Une civilisation se sachant mortelle peut-être, mais plus soucieuse de vivre et de rester fidèle à elle-même que de s'exposer sans cesse et sans déflecteur au masque sidérant de Méduse.

La célébrité internationale de Malraux, le poids incontestable de son œuvre de romancier et d'essayiste d'art, l'étrangeté d'un itinéraire politique qui l'avait conduit de la guérilla à un ministère d'État, son génie journalistique et son sens des « coups » qu'on n'appelait pas encore « médiatiques » ont épaté et d'abord fait illusion. Le monde fut étonné. Ce sorcier de la parole et du geste n'était-il pas capable de déclencher une révolution d'un type nouveau, un *Kulturkampf* pacifique dont la France serait le premier laboratoire à grande échelle et la première bénéficiaire unanime, avant d'en étendre l'expérience et les bienfaits au reste du monde ? Dans la version pathétique qu'en proposait le ministre-hiérophante, la haute culture moderniste allait cesser d'être un privilège d'élite ou de coterie. Distribuée démocratiquement à tous les Français par l'État, partagée et assumée par tous, elle deviendrait le principe d'une Renaissance inédite, d'une créativité de tous et pour tous. Aujourd'hui encore, ce sont les ambitions proclamées par cette utopie ministérielle de luxe pour un peuple d'avant-garde qui servent implicitement de référence aux journalistes américains pour juger sans pitié les résultats de l'effort de collectivisation, poursuivi pendant un demi-siècle, dans le sillage de Malraux, du modernisme littéraire, artistique et musical, et pour les comparer férocement, statistiques en mains, au bilan, dans tous les domaines de l'esprit, d'une Amérique indemne de ministère de la Culture.

Curieusement, ce sont deux mécanismes inventés et mis en œuvre bien avant 1959, donc sous la IVe République et son secrétariat aux Beaux-Arts : la « décentralisation théâtrale » et l'« avance sur recettes » cinématographique, qui ont servi de principales vitrines au nouveau ministère des Affaires culturelles de la Ve. Les Centres d'art dramatique multipliés en province, le T. N. P. et le Festival d'Avignon de Jean Vilar, puis le Festival de Nancy animé par Jack Lang ne devaient rien à Malraux, qui ne s'est jamais intéressé à l'art dramatique, sauf à l'idée de tragédie grecque selon Nietzsche. Les nombreux enfants de la balle, de la famille de Jacques Copeau et d'André Barsacq, avaient été pris en charge par le directeur du théâtre de la IVe République, Jeanne Laurent, comme la « Nouvelle vague » cinématographique fut d'abord patronnée par une « avance sur recettes » inventée en 1948, sous la IVe, pour contrebalancer le *dumping* du cinéma américain. Ce « théâtre public » et ce cinéma subventionné n'en furent pas moins versés au crédit de la « politique culturelle du « ministère Malraux ». Ils demeurent les arguments les plus solides, avec la loi Lang sur le prix unique du livre, en faveur non de l'utopie « malrucienne », mais de la régulation du marché des arts et lettres par l'État.

En revanche, c'est bien à l'initiative de Malraux, grand partisan par principe du « nettoyage » des tableaux anciens et grand admirateur de l'architecte et peintre moderniste Le Corbusier (auteur de *Quand les cathédrales étaient blanches*), que fut lavé Paris, noirci par un siècle de fumée, donnant l'exemple à toutes les capitales et villes européennes. C'est encore au ministère de Malraux, rompant violemment avec le classique principe de convenance, que l'on doit la commande à deux peintres modernistes, Chagall et Masson, d'un nouveau plafond pour l'Opéra de Garnier et l'Odéon de Boffrand. Ces exemples célèbres de juxtaposition contre-nature d'art « moderniste » et d'architecture « traditionnelle » ont posé la règle générale du goût à l'envers qui a prévalu depuis dans la plupart des restaurations patrimoniales de l'État : à tout monument d'art ancien rénové, superposer un « signe fort » de modernisme en contradiction stridente de style avec son aspect original. L'exemple donné à Paris a été largement suivi, mais non partout. Il justifie aujourd'hui, rétrospectivement, qu'une exposition de l'artiste commercial Jeff Koons soit organisée dans le château de Versailles, traité en vitrine. Un épigone de Dada chez le roi qui fut le soleil de De Gaulle ! Le surréalisme officiel en remontre au *Musée imaginaire*.

C'est encore à l'initiative de Malraux ministre que les conservateurs du Louvre se virent contraints de laisser *La Joconde* et la *Vénus de Milo* voyager à Washington et à Tokyo, inaugurant une diplomatie « culturelle » de prestige qui, aujourd'hui, justifie rétrospectivement la délocalisation de longue durée des collections patrimoniales du musée à Abu Dhabi et à Atlanta, en échange non plus de prestige, mais de dollars, ou à Lens, petite ville du Nord de la France frappée par le chômage où l'on espère, d'un Louvre-bis, l'effet touristique produit à Bilbao par le Guggenheim-bis de Frank Gehry. La religion moderniste et démocratique de l'Art, contaminée par le marché de l'« Art contemporain » dont la vraie capitale est New York, n'hésite plus à envisager les œuvres d'art ancien, elles aussi, comme de simples *commodities* économiques. Mais Malraux, qui les sacralisait en photo, avait déjà donné l'exemple de traiter leurs originaux en simple monnaie d'échange diplomatique franco-américain ou franco-japonais.

Cet exemple, censé affirmer l'« exception française » aux yeux des grandes puissances alliées, avait surtout des effets internes en France. À l'échelle du conflit de prestige et d'image propre à la guerre froide, et malgré l'absence de tout ministère américain de la Culture, les États-Unis projetaient sur l'U.R.S.S., mais aussi sur l'Europe de l'Ouest et de l'Est une force de frappe « culturelle » autrement efficace et beaucoup mieux camouflée que les petites opérations de commandos, assez mondaines, imaginées par Malraux sur Washington et sur Tokyo. Un réseau capillaire faisant coopérer l'U.S.I.S., la C.I.A. (« C'est notre ministère de la Culture », avait dit en 1965 George Kennan, le grand théoricien de la guerre froide[1]), le Département d'État, Radio Free Europe, les *think tanks*, les fondations et entreprises privées, organisa le *marketing* à grande échelle de l'*American way of life* sous ses facettes les plus riantes : tournées mondiales de Duke Ellington, diffusion de la *pop* et de la *country music*, promotion de l'expressionnisme abstrait new-yorkais, expositions de photographies d'art représentant la vie quotidienne de la grande nation libre et opulente, cinéma et légende des stars, excellentes revues d'idées libérales. *High and low :* l'Amérique sut vendre, avec un extrême succès, une image de haute culture moderniste en phase parfaite avec celle d'une science, d'une technique, d'une économie, d'un régime politique et d'une culture de masse vraiment démocratiques et modernes. Les Français eux-mêmes, malgré la pression en sens contraire de l'extrême gauche, de l'extrême droite et d'une certaine rhétorique gaulliste, furent ébranlés, séduits et conquis.

À s'en tenir à l'intérieur de la France, il est curieux de le constater, les dix ans de Malraux ministre ne lui ont pas permis d'accorder le traditionnel musée du Louvre à son rêve de « musée imaginaire ». Dans son essai, il regrettait que le Louvre fût un palais qui « fige » les œuvres d'art et qu'à ce titre il ne pût accueillir... l'art africain. Il revint à l'un de ses successeurs, Jack Lang, inamovible sous les deux septennats de François Mitterrand, d'entreprendre la transformation du palais du Louvre en un *mall* à l'américaine et à un successeur de Mitterrand, Jacques Chirac, d'y introduire, malgré la résistance du directeur du musée, Pierre Rosenberg, une collection d'art africain. De surcroît, la première série provinciale de maisons de la Culture polyvalentes voulues par Malraux (cinéma, théâtre, musique, danse, expositions d'arts plastiques et de photographies) dicta dès les années 1960 leur devoir moderniste et démocratique aux musées parisiens, appelés comme ces maisons prototypes, à devenir des supermarchés d'État où chacun, le plus grand nombre possible, ferait son *shopping* « culturel » parmi les nombreuses variétés offertes. L'évolution en ce sens ne devint évidente que dans les années 1980, sous Jack Lang. L'étude par les artistes ou la contemplation par les amateurs des chefs-d'œuvre originaux des Beaux-Arts, anciens et modernes cessa d'être la principale finalité du musée. Comme les maisons de la Culture, ils devinrent, selon le vœu irréalisé de son vivant par Malraux, les lieux où « le plus grand nombre » devait entrer en contact, de quelque nature que fût ce contact, mystique ou

1. Cité par Michael Kammen, « Culture and the State in America », dans le recueil *The Arts of Democracy, Art Public Culture and the State*, éd. par Casey Nelson Blake, University of Pennsylvania Press, 2007, p. 75. La citation exacte est : « Le bruit autour de l'argent de la C.I.A. est injustifié. Notre pays n'a pas de ministère de la Culture, et la C.I.A. a dû faire de son mieux pour en tenir lieu. Il faut l'en féliciter et non la critiquer. »

distrait, avec l'art moderniste, et avec les arts anciens traités en faire-valoir de la créativité moderniste. L'exposition « Picasso et les maîtres », au Grand Palais, ce novembre 2008, résume cette fonction de simple prétexte réservée désormais aux chefs-d'œuvre de la peinture prémoderne qui ont allumé la fantaisie du vieux pape moderniste. C'est pendant le proconsulat de Malraux sur les arts que s'est répandu l'emploi généralisé, en français, du mot « culture », véritable *chewing-gum* sémantique se pliant à toutes sortes de mastications, et prédestiné, en dépit de la gravité du ministre, à aligner tôt ou tard le *high* sur le *low* et la métaphysique de la « mort de Dieu » sur le rock'n'roll.

De Gaulle savait le prix de la fidélité de Malraux. Il l'a néanmoins tenu à l'écart de ce qui à ses yeux et à ceux de son « ami génial » était les choses vraiment sérieuses. Il entrevoyait qu'un malentendu qu'il valait mieux ne pas approfondir les séparait. Le modernisme dans les arts n'était pas son fait. Et puis, tout en réunissant les arts de toutes les époques et de tous les peuples en un même temple virtuel, *Le Musée imaginaire* de Malraux introduit dans l'art européen une fragmentation et une césure radicales. Il canonise, il rend absolument exemplaire, il érige en critère absolu du goût, réversible sur toute la myriade d'images cosmopolites qu'il étale à la vue, la rupture *moderniste* intervenue, selon lui, dans l'art européen de Manet à Pollock, de Cézanne à Picasso. Déjà en 1937, il déclamait cette énormité : « Les gratte-ciel commencent avec Cézanne[1] ! » C'est à partir de cette rupture, qui a fait, selon lui, de l'« Art » résumé à peinture et sculpture, le contraire de la nature, le contraire de la fiction, le contraire de la « représentation », que se définit, par une longue série de négations, ce qu'il appelle le « grand style sévère de l'humanité », reconnaissable en Afrique, en Asie, au Japon, en Amérique précolombienne, mais rarissime dans la tradition européenne, tombée selon lui dans l'« irréel » illusionniste depuis la Renaissance et l'Âge classique, à l'exception de quelques rares « phares » (Piero, Vermeer, Claude, Rembrandt, Goya). Cette déviation était devenue, toujours selon lui, encore plus impardonnable et scandaleuse dans le vulgaire mensonge de l'art bourgeois et académique des XIXe et XXe siècles français et européens. Rien de moins que cinq siècles d'erreur esthétique, dont la Grèce et la Rome classiques sont les premières coupables, redressée *in extremis* avant 1914 par un modernisme qui nous alignait enfin sur le « style sévère » de Lascaux, de l'île de Pâques et de Sumer.

L'arbitraire dogmatique de ce schéma, apparemment accueillant à toutes les formes d'art, mais ignorant résolument la solidarité, classique en Europe, entre les divers arts, renie en fait et rejette, dans un impitoyable iconoclasme et autodafé, des pans entiers de l'histoire de l'art

---

1. Voir Malraux, *Œuvres complètes*, ouvr. cit., t. II, p. 1194.

français et européen, tant ancien que moderne. Cette théorie selon laquelle une rupture fondatrice a rejeté dans les ténèbres cinq siècles parmi les plus féconds de l'Europe et de la France des arts est un mythe redoutable dont Malraux a été l'interprète le plus tranchant et éloquent. Avec les arts corrompus par l'imitation de la nature et par la fiction, sauf exception géniale, c'était en effet tout l'humus de conventions, de lieux communs, de signes, de gestes, de symboles visuels constitutifs d'une communauté hautement différenciée, et dont ces arts, dialoguant entre eux, étaient l'émanation et le miroir, qui était jeté à la poubelle de l'Histoire. Une telle théorie, que les artistes et les poètes modernistes eux-mêmes n'avaient jamais formulée avec cet aplomb, entrait en contradiction violente et rétrospective avec les grands interprètes des Beaux-Arts de la IIIe République, le Paul Valéry de *Degas, danse, dessin*, et du dialogue *Eupalinos ou l'Architecte*, l'Alain du *Système des Beaux-Arts* et des *Vingt leçons sur les Beaux-Arts*, et même le Jacques Maritain d'*Art et scolastique* qui au moins sauvait l'unité gothique des arts. Ni Valéry, ni Alain, ni Maritain n'étaient plus là pour répondre à Malraux. Mais leurs anciens rivaux dans le Paris d'avant-guerre, toujours vivants, ne se laissèrent pas éblouir. Le plus efficace critique de Malraux, Georges Duthuit, était un proche parent et un ami de Breton, et Aragon lui-même publia une réfutation dédaigneuse de la religion révolutionnaire de l'art échafaudée par Malraux. Mais ni l'un ni l'autre n'étaient à même de dire que la grande querelle esthétique à laquelle ils avaient participé dans le Paris des années 1919-1939 avait été d'une tout autre tenue, elle s'était donné de tout autres enjeux, et elle avait engendré de tout autres fruits, que la géopolitique culturelle propagée par Malraux ministre, et appuyée sur la vision des arts éclatée et bigarrée de Malraux essayiste, inadmissible elle-même pour tout être sérieusement cultivé, quelles que fussent ses préférences d'époque et de style. La version tardive, torrentielle et dogmatique du modernisme que Malraux s'est proposé de démocratiser n'était plus qu'une idéologie politico-religieuse, elle évacue la passion et la dimension de la beauté qui avaient été la raison d'être aussi bien de Valéry que des poètes surréalistes, des grands prix de Rome comme de Picasso, Braque et Matisse, et qui avaient fait de Paris pendant de longs siècles une arène esthétique fascinante pour toute l'Europe.

Pour plus de sûreté, et sous couleur d'une « sclérose » qu'il n'avait rien fait depuis 1959 pour guérir, Malraux ministre a froidement détruit en 1968 la souche-mère de la tradition européenne des arts, apparue en Italie au XVIe siècle et transportée à Paris au XVIIe siècle : d'un trait de plume, il a supprimé le système d'enseignement académique des Beaux-Arts (architecture, dessin, peinture, sculpture, gravure) et démembré ses trois anciennes instances, l'Académie des Beaux-Arts, l'École des Beaux-Arts, l'Académie de France à Rome. De cet ensemble, solidaire, Alain avait développé la philosophie dans son *Système des Beaux-Arts*, publié dans les années 1920. Au sein de ce « système », le Louvre (le musée en général) trouvait tout naturellement sa place et sa fonction principale, comme l'avait souhaité David, lors de la transformation du palais royal en Musée national en 1793 : contribuer à la formation des jeunes artistes et de leur futur public en leur offrant la suite des chefs-d'œuvre de chacun des arts. Cette pédagogie par l'exemple avait été intelligemment complétée en 1937, à l'intention des futurs architectes, par l'ouverture du musée des monuments français au palais de Chaillot, au voisinage du musée de l'Homme créé par Paul Rivet et l'École française d'ethnologie. Ce système avait encore montré sa fertilité lors de l'Exposition universelle de 1937, à Paris, où une nouvelle version française de l'Art Déco s'était imposée, tant en architecture qu'en sculpture, en arts décoratifs qu'en peinture, faisant voisiner et même collaborer grands prix de Rome et artistes modernistes.

Ce système avait ses racines historiques dans la Florence et la Rome de la Renaissance et, quoiqu'il eût essaimé dans la plupart des capitales d'Europe, c'est indéniablement à Paris, depuis Colbert, et de régime politique en régime politique, qu'il avait mûri le plus complètement, dans la capitale la plus lettrée d'Europe, assurant à l'École de Paris, sans discontinuer depuis le XVIIIe siècle, une puissante attraction sur les artistes et apprentis artistes (architectes compris) de toute l'Europe et des États-Unis. Le système académique français avait sans doute connu de nombreuses réformes, il avait suscité au XIXe siècle la révolte de nombreux artistes, parfois les plus doués, il n'en était pas moins la souche-mère d'un univers artistique parisien sursaturé, comparable seulement en 1900 et 1930 à celui de Rome sous Jules II Della Rovere en 1500 ou sous Paul V Borghèse en 1600. Ce qui opposait les peintres académiciens et leurs confrères modernistes, au fond, c'est que les premiers se concevaient comme des artistes publics, capables de répondre à des commandes d'État et de satisfaire les attentes, le goût et le bien-être du plus grand nombre, alors que les autres, s'adressant à un public blasé d'amateurs privés, concevaient leur art comme une aventure personnelle dans le monde des formes, faisant fi de tous les lieux communs entravant leur parcours, et n'ayant pour référence de perfection que leur propre « ego » créateur. C'était ce subjectivisme aristocratique de gauche et de droite que cherchèrent à contenir un Valéry, un Alain, un Maritain, beaucoup plus « républicains », dans leur esthétique classique, que ne l'étaient les jeunes révolutionnaires : à leurs yeux, l'œuvre d'art, si singulière qu'aient été sa conception et sa genèse, devait en définitive parvenir à un degré de beauté dont l'évidence s'impose à tous et devienne un lieu commun pour tous.

À la place de cet organisme mûri au cours d'une longue histoire, et qui avait donné tant de maîtres et de chefs-d'œuvre à la France et au monde (notamment aux États-Unis, ses architectes et ses peintres les plus appréciés jusqu'en 1930), il n'a laissé qu'un désert, où une seule oasis bien irriguée par le dollar et par la publicité resta inventive : la haute couture, la mode, et leurs génies de l'éphémère. Il est vrai que la création sur mesure, pour Malraux, en 1959, d'un ministère des Affaires culturelles avait déjà été un acte de violence, faisant voler en éclats le secrétariat d'État aux Beaux-Arts, héritier républicain de la Surintendance des bâtiments royaux de la monarchie. Intelligemment rattachée au ministère de l'Instruction publique, cette administration nouait en quelque sorte l'éducation des artistes, des musiciens, des comédiens, des danseurs, les musées nationaux, les bibliothèques publiques, les théâtres et opéras de l'État à l'enseignement des humanités et des sciences dans les écoles, lycées et universités de la République. Un tel système compréhensif avait été plusieurs fois réformé, plus que jamais il avait besoin de l'être en 1958-1968. Au lieu de cela, il fut défait et désarticulé par Malraux.

Cette mise en pièces d'un ensemble organique ayant fait ses preuves et n'ayant pas, à ce degré de cohérence libérale, d'équivalent au monde, a eu pour effet de dissocier brusquement ce qui devait rester associé et d'hypertrophier, à long terme, un ministère lui-même improvisé de pièces et de morceaux pour caser Malraux, à des fins proprement chimériques que ni le général de Gaulle ni Michel Debré, son Premier ministre d'alors, n'envisageaient et ne partageaient vraiment. Le Général accorda un blanc-seing à son fidèle lieutenant. L'enseignement de l'architecture, l'art des arts, coupé de sa propre histoire, coupé des autres arts, fut soustrait à l'École des Beaux-Arts et transféré, loin de la bibliothèque et du fonds d'archives graphiques restés rue Bonaparte, dans des Unités pédagogiques d'architecture (U.P.A.), voués à des locaux lugubres. Sous la tutelle du ministère de l'Équipement, on n'y connut plus guère, pour maîtres à penser, que Le Corbusier, le Bauhaus et Bourdieu. D'un excès de traditionalisme, qui avait néanmoins ses exigences, ses vertus, sa mémoire, on est passé à un technicisme amnésique, vaguement drapé de sociologie.

Amputée de l'architecture, l'École des Beaux-Arts et l'Académie de France à Rome ne furent plus désormais que des façades derrière lesquelles des pensionnaires, choisis sur dossier par un jury ministériel nommé par la Direction des arts plastiques, se demandent pourquoi on les paye pour se trouver là. Le dogme moderniste devenu doctrine d'État n'a pas manqué de déteindre jusque sur l'enseignement des lettres et des humanités classiques. Après que le canon littéraire s'est restreint au seul XXe siècle, il tend à se réduire au dernier tiers du siècle, renvoyant les

Grecs, les Latins, les médiévaux, les classiques et les romantiques aux études spécialisées de l'université. Le solide fonds commun d'humanités que le lycée de la IIIe et de la IVe République donnait dès l'adolescence à la conversation française a fondu comme neige au soleil sous la Ve République. Il a subi le sort que le roman moderniste de l'art écrit par Malraux réservait à l'ensemble de la tradition artistique européenne et française, de Giotto jusqu'à Ingres, Corot, Garnier, Bourdelle, une vraie traversée du tunnel.

Cézanne était la critique vivante de l'académisme, mais il l'était au nom de Poussin, une académie à lui tout seul. Picasso, formé par son père à Barcelone, comme l'avait été Mozart par Léopold, aux rigueurs de la discipline académique, est devenu en France une corne d'abondance de formes rivalisant en nombre et en évidence organique avec les productions de la Méditerranée pendant trois mille ans. Idéologue à retardement du modernisme, Malraux a exagéré jusqu'à l'absurde, dans *Le Musée imaginaire*, la volonté de rupture des artistes modernistes. Aucun des peintres de la première ni de la seconde École de Paris (qu'on a aussi appelée « École de Chartres ») ne lui demandait le démantèlement de l'éducation artistique académique auquel il a procédé, créant ainsi un *no man's land* pour ce qu'il appelait pompeusement la « création » et qu'il concevait *ab nihilo*. Son modernisme tardif de conférencier voulait que l'acte créateur, seul digne de ce nom (l'artisanat, mère des arts de l'Europe, étant relégué par lui parmi les superstitions), fût un geste de défi purement métaphysique, toujours inouï, adressé à la nature hostile et exprimant sous quelque forme qu'il se donnât, la conscience de soi de la fugacité humaine. Où, et à quelque époque que ce vain défi eût été proféré, il s'était su précaire, éphémère, sujet à métamorphoses, exposé au temps et à la ruine des civilisations et des religions à l'intérieur desquels il avait fait semblant d'avoir sens, sinon fonction.

Ce modernisme discursif et tardif dessinait sa propre ligne de crête rétrospective de tous les arts dans tous les âges, rejetant dans les ténèbres extérieures les arts hérétiques qui avaient fait la tradition vivante et inventive de la civilisation européenne, qualifiés, sauf l'exception du génie, d'arts de l'« irréel », le réel n'étant pas pour Malraux le surréel merveilleux de Breton ou d'Aragon, mais l'éclair de conscience qui révèle l'esprit à lui-même et qui l'incite à signifier qu'il est à la fois dieu et poussière. Messages d'orgueil et de détresse, l'objet artistique, l'œuvre d'art, le monument architectural perdent tout ancrage dans la nature ou dans la surnature. Ils renoncent à la stabilité et à la présence, ils ne sont qu'*images*, sujettes à ce que Malraux appelle métamorphoses, aussi instables et changeantes selon les temps et les lieux que les plans du cinéma et les phosphènes de l'œil compressé. Alain, dans ses réflexions sur les arts, avait prévu cette dérive et ce péril. Il insistait sur la différence ontologique entre l'œuvre d'art immobile, arrêtant sur son objet l'immobilité contemplative et scrutatrice du spectateur, et l'image psychologique qui fuit. L'image est toujours insaisissable, sans consistance ; elle ne peut pas être l'objet d'une contemplation, elle se ramène à très peu de chose en dehors de l'émotion passagère et mécanique qu'elle suscite ; cette erreur dans laquelle elle nous entretient sur elle-même est peut-être la forme la plus redoutable de l'esclavage auquel elle nous soumet. Il ne peut y avoir de civilisation des images, mais tout au plus un marché houleux des images. Il y a civilisation et civilisés partout où des œuvres d'art fixent l'imagination et purgent les passions en représentant la nature et la nature humaine à l'esprit, dans des objets qui existent et durent par eux-mêmes, à distance du spectateur qu'ils regardent.

Réagissant au décadentisme et au symbolisme, le modernisme des lettres et des arts du début du XXe siècle a été partagé entre la fascination pour les techniques de l'image en mouvement et de la vitesse motorisée, et une volonté héroïque de se sauver de l'« universel reportage » photographique et cinématographique par l'expérimentation de formes inédites. Cinéaste dans l'âme, Malraux a surtout retenu du modernisme son abandon à l'image en mouvement et à la dérive du regard dans le rêve qu'elle entraîne. La notion clef de l'esthétique de Malraux est celle de « métamorphose », dont le sens et la source sont à rechercher du côté d'Aragon qui écrivait en 1924 :

> Le vice appelé *Surréalisme* est l'emploi déréglé et passionnel du stupéfiant image ou plutôt de la provocation sans contrôle de l'image pour elle-même et pour ce qu'elle entraîne dans le domaine de la représentation de perturbations imprévisibles et de métamorphoses : car chaque image à chaque coup vous force à réviser tout l'Univers. Et il y a pour chaque homme une image à trouver qui anéantit tout l'Univers. Vous qui entrevoyez les lueurs orange de ce gouffre, hâtez-vous, approchez vos lèvres de cette coupe fraîche et brûlante. Bientôt, demain, l'obscur désir de sécurité qui unit entre eux les hommes leur dictera des lois sauvages, prohibitrices. Les propagateurs de surréalisme seront roués et pendus, les buveurs d'images seront enfermés dans des chambres de miroirs. Alors les surréalistes persécutés trafiqueront à l'abri de cafés chantant leurs contagions d'images [1].

Il est arrivé au sombre Malraux ce qui est arrivé à ses anciens amis de jeunesse surréalistes, plus humoristes : il a légitimé par le haut ce que le marché et ses technologies étaient en train de diffuser par le bas. Comme eux, quoique dans un esprit de deuil stoïque, et non d'ivresse

---

1. Aragon, *Œuvres poétiques complètes*, Paris, Gallimard, 2007, *Le Paysan de Paris*, « Le Passage de l'Opéra », p. 190-191.

dionysiaque, il a fait de l'image le vecteur de la « culture » démocratique moderne, à rebours du principe cézannien : « Faire du Poussin d'après nature. » Il a assez régné et vécu pour canoniser l'expressionnisme abstrait new-yorkais : Jackson Pollock fait son entrée au panthéon moderniste dans la version 1965 du *Musée imaginaire*. Malraux n'a pas eu le temps d'aller au-delà du *dripping*. Mais comment ne pas voir que sa version durcie et tardive du modernisme, devenue académisme officiel, a frayé le terrain, au moins en France, pour le triomphe des « arts plastiques » dans l'enseignement et de l'« Art contemporain » dans les salles de vente, les foires, les musées, les palais nationaux ? Réclamant « l'imagination au pouvoir », les enfants de Mai 68 qui le conspuèrent étaient en fait ses meilleurs disciples, rigolant de ses grands airs de mage pontifiant.

Il n'a pas cherché ni voulu, et il n'était pas assez prophète pour prévoir, le sens que donneraient à sa gnose démocratique de l'Art, qui s'arrêtait pour lui au « style sévère » de Braque, de Picasso et en dernier lieu de Pollock, la société de consommation et la fantasmagorie de son marché des divertissements. Pierre Restany, le théoricien et le « gourou » pédantesque des « Nouveaux Réalistes » français qui voulurent rivaliser, dans les années 1960, avec les Pop artistes new-yorkais, et qui furent les affichistes de 68, était nourri des pages de Malraux sur la création artistique. En Mai 68, la Ve République décontenancée découvrit le décalage entre l'appétit « individualiste » de bien-être et de confort faciles à l'américaine qu'elle avait contribué à répandre et l'élitisme de l'esthétique moderniste que Malraux avait, à retardement, cherché à la fois à canoniser et à démocratiser. Il a suffi d'une victoire électorale, en juin suivant, pour que l'on renonce à s'interroger sur ce qui s'était vraiment passé entre la génération des non-conformistes des années 1930 et la génération des Nouveaux Réalistes, des situationnistes et des maos.

Ce qui s'était passé était en fait la conséquence d'une erreur majeure dans un domaine où Malraux se voulait, comme de Gaulle, un oracle : la géopolitique, et en l'occurrence la géopolitique « culturelle » qui lui avait été laissée en propre. La IVe République avait montré que la France d'après-guerre pouvait se relever et se moderniser économiquement, briller dans les sciences et les techniques sans renier ni sa tradition littéraire et artistique ni sa tradition d'enseignement précoce des humanités. La Ve République et sa technocratie modernisatrice ont endossé le dogme de Malraux et feint de croire qu'il fallait refonder sur sa chimère moderniste les arts et l'éducation français, projetant ainsi sur le monde une France et un Paris « absolument moderne ». C'était ruiner ce qui faisait notre réelle singularité et notre identité, tout en déclenchant un combat ésopique et transatlantique entre le pot de terre et le pot de fer. Les États-Unis et New York étaient beaucoup mieux à même que la

France et Paris de se présenter au monde comme le fer de lance du modernisme le plus performant, tout en se prévalant de la culture de masse la plus attrayante, en harmonie avec leur économie, leur sociologie, leur système politique. Sur le terrain du modernisme, choisi par Malraux, la France n'avait plus à se flatter que d'une ancienne préséance ; à plus forte raison ne pouvait-elle entrer en compétition sur le terrain du post-modernisme, où elle n'eut à offrir que des philosophes hantant de leur *Theory* les universités américaines. Au lieu d'apparaître comme une unique synthèse de traditions et de vraie modernité, elle n'était plus qu'une planète secondaire et prétentieuse dans une galaxie moderniste, puis post-moderniste, dont le soleil était outre-Atlantique. Ce n'est pas par hasard si le philosophe du post-modernisme le plus goûté des universités de l'Ouest américain, Jean-François Lyotard [1], a consacré son dernier livre à une biographie romancée de Malraux, où n'est jamais mentionné son bilan de ministre. C'est la gnose de l'art du *Musée imaginaire* qui est présentée, en elle-même, comme la vraie contribution française au nihilisme post-moderne.

Y avait-il en 1959 une autre option, une autre stratégie ? La IVe République a eu raison de ne pas abîmer la souche-mère des arts et des lettres français : son système éducatif qui faisait la part belle aux humanités, son système des Beaux-Arts qu'eussent approuvé Aristote, Vitruve et Quintilien et son système de protection et de restauration du patrimoine national. C'était là un ensemble à la fois profondément européen et garantissant la continuité de la véritable exception française. Assaillis de l'extérieur comme de l'intérieur, ses brefs gouvernements n'ont ni pu ni su le réformer et revivifier à temps, comme s'y était employée la IIIe à ses débuts, en l'accordant aux exigences et aux circonstances nouvelles. Elle a eu tort. Pourquoi se priver d'imaginer ce qui aurait pu se passer si elle avait su elle-même sortir de son imbroglio ?

Cet ensemble français, certes « archaïque » et « sclérosé », comme le répétèrent d'emblée, dès 1958, les ministres de la Ve et Malraux, n'en était pas moins dans son principe, dans sa philosophie, sinon dans sa réalité dolente encore de la défaite et de l'Occupation, le fruit d'une très longue histoire, autant européenne que française. Il était propice, si on le réformait comme le préconisa Alphonse Dupront en mai-juin 1968, à rebours des ukases de Malraux et des compromis d'Edgar Faure pris à la hâte dans les mois qui suivirent, à modifier sa lettre sans toucher à son esprit, l'adaptant à la conjoncture nouvelle de l'Europe et du monde d'après-guerre.

Il aurait fallu pour cela mesurer, dès 1950, les forces, mais aussi les faiblesses du système éducatif et du système des arts aux États-Unis. De

1. Voir Jean-François Lyotard, *Signé Malraux*, Paris, Grasset, 1996.

leur système éducatif, il aurait fallu transposer ce qui faisait déjà sa force (indépendance des universités, sélection corrigée par l'attribution de bourses d'études et de prêts bancaires sans intérêts, conjonction d'un financement public et d'un financement privé, symbiose de la recherche universitaire et de la recherche d'entreprise) et en éviter les faiblesses (enseignement primaire et secondaire massifié, sauf dans des établissements rares et privilégiés).

De leur système des arts, souvent embryonnaire à l'échelle fédérale, mais fécond en fondations privées selon une législation peaufinée dans les années 1950 par le Congrès, il fallait importer cette formule souple et libérale. Il aurait fallu prévenir l'initiative que prit l'administration Kennedy en 1963 et que mit en œuvre l'administration Johnson en 1965 (trois ans avant que Malraux ne soustraie à l'Académie des Beaux-Arts son École à Paris et la Villa Médicis à Rome) : la création d'un *National Advisory Council for the Arts*, un bon modèle pour l'éventuelle réforme du recrutement et du fonctionnement de l'académie des Beaux-Arts française. Ce sénat d'artistes et de conservateurs de musée coiffait deux autres institutions nouvelles : le *National Endowment for the Arts* et le *National Endowment for the Humanities.* La composition brillante du *National Advisory Council* annonçait clairement la couleur : comme l'avaient fait déjà fait l'U.S.I.S. et la C.I.A., c'était sur le modernisme dans les arts et dans les formes musicales proprement américains que les deux présidents démocrates, Kennedy et Johnson, entendaient s'appuyer pour relever l'image publique de haute qualité qu'ils souhaitaient donner de leur pays [1]. Il était clair, dès 1965, qu'un mécénat public du gouvernement fédéral, élaboré par le N.E.A., examiné par les commissions *ad hoc* du Congrès, allait favoriser l'expressionnisme abstrait en peinture. le minimalisme en sculpture, l'école sérielle en musique, autant de formes du *high art* attestant la fécondité, même dans cet ordre traditionnellement laissé à l'Europe, du système politique et économique américain. Une Académie des Beaux-Arts française réformée en profondeur, où auraient figuré les meilleurs artistes de la seconde École de Paris et les représentants les plus remarquables de la tradition académique en architecture et dans les autres arts, où auraient siégé un Olivier Messiaen, un Jean Bazaine, un Germain Bazin et un André Chastel, aurait pu ouvrir des avenues inconnues aux arts français et s'ouvrir à leurs confrères européens.

Même en matière de cinéma, où Malraux passait pour expert, et où sa notion métaphysique de « création antidestin » était particulièrement

1. Voir dans le recueil *The Arts of Democracy*, déjà cité, l'excellente étude de Donna M. Binkiewicz, « A Modernist Vision : The Origins and Early Years of the National Endowment for the Arts "Visual Arts" Program », p. 171-196.

déplacée, son action de ministre fut errante. La IVe République avait inventé un système ingénieux pour alimenter, sur les recettes des films américains projetés en France, le Fonds de soutien au cinéma français. Elle avait prévu, sur crédits ministériels, des récompenses substantielles pour les meilleurs films français, visionnés avant leur passage en salles par un jury. André Malraux ministre remplaça ce jury par une Commission d'avance sur recettes, jugeant sur leur scénario des films à financer. Il fit de cette commission une sorte d'Académie française *bis*, où entrèrent Julien Gracq, Raymond Queneau, Roger Nimier. L'effet fut superbe, mais éphémère. La nouvelle méthode condamnait à des paris hasardeux. Nommés pour un temps, et privés de cooptation, les écrivains se dispersèrent, et la commission consultative tourna peu à peu à la coterie. Elle ne fut jamais que le fantôme d'une Académie du septième art, alors que le jury créé en 1948 aurait pu en être l'amorce.

Il fut question, dans les années 1960, du rachat de Parke Bernett-New York et de son réseau mondial de maisons de vente d'œuvres d'art, par un grand marchand français. Le ministère Malraux, indifférent à l'intendance, ne fit rien pour presser l'affaire, dans un temps où Paris venait encore en tête du volume des transactions. Acheté par Sotheby's, Parke Bernett conféra à cette ancienne maison londonienne une puissance globale. L'ouverture, par sa rivale Christie's, d'une salle des ventes à New York, fit définitivement basculer outre-Atlantique le centre du marché de l'art mondial.

Assez d'histoire-fiction. Henry Geldzahler, conservateur du département d'art moderne au Metropolitan de New York jusqu'en 1977 et ami des peintres abstraits de l'École de New York (en privé, il préférait David Hockney), fut aussi l'un des plus influents membres à Washington du N.E.A. C'est lui qui organisa en 1969, au Metropolitan de New York, la retentissante exposition *New York Painting and Sculpture (1940-1970)*, dont le catalogue proclamait, sous sa plume et celle du critique Clement Greenberg, que le règne de Paris était terminé et que la relève était prise désormais par New York. La réaction de Georges Pompidou à ce manifeste, qui était aussi un défi, fut de décider la création à Paris du Centre Beaubourg, en intention vitrine parisienne et officielle de l'art français, mais vite devenu par la suite une chambre d'écho affaibli de l'art tel qu'on l'entend à New York. Le match Paris-New York sur le terrain du modernisme, puis du post-modernisme, était perdu d'avance par la France. Geldzahler et Greenberg n'avaient aucune peine à prouver que New York, ses galeries et les riches collectionneurs qui y affluaient, ses puissantes maisons de vente, ses antennes européennes à la *Dokumenta* de Kassel et à la Foire d'art contemporain de Bâle, étaient en effet devenus les maîtres du marché et de ses préférences.

Si Paris avait voulu vraiment se singulariser, la capitale et la République françaises auraient dû oser se placer sur un terrain où New York, les États-Unis et leur surenchère moderniste n'auraient pas eu d'avance partie gagnée. Celui de l'éducation, et de l'éducation de qualité. À la tête d'un ministère arraché à celui de l'Éducation, Malraux, survivant des années 1930, prophète après coup d'un modernisme essoufflé, incarna un autre parti : l'offre « culturelle » de l'État, d'esprit moderniste et élitiste, d'ambition sociologique, et condamnée par cette contradiction interne à s'aligner tôt ou tard sur le marché des loisirs. En s'engageant en ordre dispersé dans un esprit de polémique contre ses propres traditions et de vaine rivalité avec la foi américaine dans le « choc du nouveau », l'État culturel français, qui se donnait pour l'alternative à la culture de masse « à l'américaine », « l'accès du plus grand nombre aux chefs-d'œuvre de l'humanité », a fini par devenir le contraire de ce qu'il prétendait être, faute d'assises conceptuelles autres que le « musée imaginaire » : le relais provincial de cela même qu'il rêvait de concurrencer, voire d'enrayer. D'une nation pourvue d'une très longue expérience et dont les meilleures têtes avaient su prendre, à toutes les époques, les bonnes décisions, on attendait plus de recul, plus de doigté, plus d'à-propos, plus de vraie fidélité à soi-même, plus d'esprit de responsabilité envers l'Europe nouvelle. C'est ce recul critique et cette modération que le monde, et l'Amérique elle-même, attendaient de la France, et c'est sa propre échappée dans une voie vaine qui a déçu et qui a fait qu'elle ne s'aime plus elle-même. C'est ce que l'on appelle en anglais *to go berserk.*

À brouiller les repères et les institutions classiques des lettres et des arts français, à répandre l'illusion que le simple contact contagieux avec la « création artistique » pouvait tenir lieu d'éducation de l'intelligence et du cœur, Malraux a malgré lui favorisé la facilité consommatrice dont avait besoin un marché des loisirs qu'il avait pourtant en horreur. Sa théorie des « métamorphoses » de l'Art, avec un grand A, son refus d'endosser la notion de chef-d'œuvre (elle figure dans son programme ministériel, jamais dans ses livres), sa répugnance envers la catégorie du « beau », son indifférence envers l'éducation et les humanités, auxquelles il substitue le seul *Fiat* métaphysique de la « création » ont légitimé le relativisme esthétique et la révolution permanente d'un anti-Art, lequel n'a eu aucune peine à tourner en ridicule ce qui restait de sublime dans le « chant des constellations » des *Voix du silence* et ce qui flottait encore de stoïcisme dans l'idée de « style sévère de l'humanité » que suggérait au passage le *Musée imaginaire.*

Mais, au fond de ces facilités de doctrine qu'ont masquées le talent et la fascination personnels exercés par Malraux, et que l'ironie historique a démasquées, c'est leur principe en définitive qu'il faut dénuder. Ce principe, porté chez lui à un rare degré de conviction, est présent, et à l'œuvre, dans un registre plus éteint, chez Maurice Blanchot, chez Georges Bataille et chez nombre de leurs épigones littéraires d'après-guerre. Il est pétri d'orgueil national déçu, recru de gloire et de grandeur perdues, pénétré de deuil et d'amertume, il cherche une compensation à cette coupe de fiel dans un enthousiasme chimérique et lugubre qui sonne faux. Ce complexe a frappé le naturel chanteur de l'esprit français d'une extinction de voix. Il faudrait faire l'inventaire des formes, subtiles ou non, philosophiques, littéraires, politiques, qu'a prises en France la compensation de la défaite de juin 1940 et de toutes les cruelles conséquences qu'elle a déclenchées. La grande réalité de la construction européenne, la vraie victoire effaçant toutes les défaites, la sérénité, la raison, la générosité qu'elles auraient dû nous rendre, n'ont pu l'emporter sur le *pathos* polymorphe du complexe national de compensation. De toutes les formes de ce complexe auxquelles nous nous sommes complu, le tonneau des Danaïdes de la politique culturelle aura été la plus illusoire et la plus démoralisante, elle a coagulé autour d'elle toutes les autres. Elle a empêché la sublimation à laquelle aurait dû nous inciter la fin de l'éternelle guerre civile européenne. Par notre triste et égoïste passion de compenser vainement notre mythique grandeur, nous avons failli à ce que l'Europe unie et le monde attendaient de nous, entrer dans le jeu de la Communauté européenne et contribuer à en faire *aussi* une République des lettres, des sciences et des arts, renouant avec la seule tradition dont nous n'ayons pas à nous repentir, le zèle pour la beauté, pour la vérité, pour les qualités du cœur.

Médusé et médusant, Malraux ne croyait qu'au *Saturne* de Goya et au *Cri* de Nolde. Il confondait esthétique et sidération. Valéry nous manque, qui était capable dès 1935, sans chercher d'alibi et sans se livrer aux plaisirs moroses de la compensation, de diagnostiquer exactement la dérive à laquelle nous aurions dû, et à laquelle nous devons, plus que jamais, résister :

> Dans aucun temps ne s'est marqué, exprimé, affirmé, et même proclamé plus fortement le mépris de ce qui assure la perfection propre des œuvres, de ce qui leur donne par les liaisons de leurs parties et l'unité et la consistance de la forme, et de toutes les qualités que les coups les plus heureux ne peuvent leur confier. Mais nous sommes instantanés. Trop de métamorphoses et de révolutions de tous ordres, trop de transmutations rapides de goûts en dégoûts et de choses raillées en choses sans prix, trop de valeurs trop diverses, simultanément données, nous accoutument à nous contenter du premier terme de nos impressions. Et comment de nos jours songer à la durée, spéculer sur l'avenir, vouloir léguer ? Il nous semble bien vain de résister au « temps » et d'offrir à des inconnus qui vivront dans deux cents ans des modèles qui puissent émouvoir. Enfin tout nous paraît si précaire et si instable en toutes choses, si nécessairement accidentel, que nous en sommes

venus à faire des accidents de la sensation et de la conscience la moins soutenue, la substance de bien des ouvrages [1].

L'ironie de Rimbaud, en termes moins choisis, fustigeait avec encore plus d'avance ce que nous avons consenti à devenir : « Conscrits du bon vouloir, nous aurons la philosophie féroce ; ignorants pour la science, roués pour le confort, la crevaison pour le monde qui va. C'est la vraie marche. En avant, route [2] ! »

20. Comment promouvoir un « Art contemporain » national et mondial, révolutionnaire et marchand ?

La « valorisation » du rien par de la théorie bavarde est une industrie florissante à New York où la promotion de l'« Art contemporain » américain, dans tous ses états, n'a jamais manqué depuis l'après-guerre ni de philosophes, ni d'esthéticiens, ni de sociologues, ni même de prédicateurs humanitaires. Dans le désert où la beauté et la délectation du beau ne poussent pas, le concept et la morale pullulent. De son côté, Paris n'avait jamais été à court d'écrivains passionnés de peinture. La critique d'art, le genre du « Salon », y ont prospéré depuis le XVIIIe siècle. Des poètes et des écrivains du rang de Baudelaire ou de Huysmans leur ont donné une autorité dont se sont parés les épigones pédantesques du New York des années 1940-1950. Dernier en date, l'art abstrait des peintres et sculpteurs de la seconde École de Paris, dans les années 1950, avait trouvé sans peine des essayistes et des poètes attentifs (Paulhan, Tardieu) et au moins un philosophe sensible à l'expérience esthétique (Merleau-Ponty) ; l'« Art sacré » qui se rattachait à cette école eut ses théologiens. Le renvoi au grenier de l'École de Paris, qui coïncida avec l'ouverture en fanfare du Centre Pompidou en 1976, le prurit idéologique qui suivit l'échec politique de Mai 1968 et l'obsession croissante d'un américanisme anti-américain ont achevé de liquider la dernière symbiose parisienne entre les lettres et les arts, celle des années 1950. Après ce chant du cygne, trop de philosophie, trop de sociologie, trop d'idées, trop de concepts, trop de gloses, trop de calculs tactiques et stratégiques, de plus en plus de « plasticiens pluridisciplinaires » et de moins en moins d'artistes et d'œuvres d'art ont paralysé les mains et tourneboulé les cerveaux. La philosophie post-sartrienne de la déconstruction, les structuralismes, les néo-marxismes, les sciences humaines

1. Paul Valéry, *Œuvres*, Paris, Gallimard, Pléiade, 1957, t. I, p. 1290-1291.
2. Arthur Rimbaud, *Illuminations*, « Démocratie », dans *Œuvres*, Paris, Gallimard, Pléiade, 1954, p. 204.

ont fait pencher la balance du côté du discours théorique, aux dépens d'« arts plastiques » qui pensent beaucoup trop pour se donner le temps et la peine d'œuvrer et de faire. Impressionnés par les dissertations d'agrégés de philo aguerris, alors qu'eux-mêmes, dans ce qui devrait être leur art, sont désormais autodidactes et au mieux bricoleurs, les jeunes « plasticiens » se sont convaincus que leurs propres assertions, relayant celles des maîtres à penser du siècle, feraient d'eux plus aisément des maîtres que l'antique alliance artisanale de l'œil et de la main, vantée par un Claude Lévi-Strauss, seul à le faire. On n'en était pas encore venu, ou revenu, aux assertions « spirituelles » et à leur poids de « sacré », mais le déséquilibre entre le fait artistique et le discours qui en tient lieu était bel et bien déjà en 1968 la norme et même l'essence de l'« Art contemporain » officiel. Au nom de la Révolution, politique, économique ou culturelle (toute révolution est bonne à prendre), il y eut à Paris des peintres pour brader l'art de peindre et de sculpter avec autant et plus de zèle que le faisaient au même moment leurs contemporains new-yorkais au nom de la logique économique et démocratique. Toutes voiles de l'utopie révolutionnaire dehors, contre New York, Paris se mit sournoisement à l'heure de la *barnumization* « contemporaine » des arts que New York venait de plébisciter, toutes voiles dehors du marché et de son pragmatisme. Après la mythomanie de Malraux, la prestidigitation de Jack Lang : celui-ci agita le chapeau, fit claquer l'écharpe et, à la place du lapin de la « culture » socialiste, française et tiers-mondiste, jaillit une pâle Pop culture commerciale décalquée d'outre-Atlantique.

Tous les efforts de l'état-major culturel français, substitué à l'Académie des Beaux-Arts, et ceux de la presse à sa dévotion, ont consisté depuis à raccorder tant bien que mal le wagon de l'« Art contemporain » parisien à la locomotive de l'« Art contemporain » new-yorkais et à faire savoir aux Français et au monde que Paris dispose d'un « Art contemporain » à la fois national et mondial, à la fois révolutionnaire et marchand, à la fois parisien, new-yorkais et mondial. C'est une ardente obligation nationale, à laquelle il faut beaucoup sacrifier, notamment notre fâcheuse réputation d'avoir eu du goût, d'avoir aimé le travail bien fait et d'avoir usé et abusé de ces deux erreurs pendant plusieurs siècles. Aussi, à deux reprises, l'État a conjugué ses différents services pour louer des galeries new-yorkaises où des « plasticiens » officiels français ont été exposés. Le retour sur investissement a été nul. Ni la vitrine de Beaubourg, qui a si bien servi les « contemporains » américains auprès du public français, et si peu les « contemporains » français auprès du public américain, ni ces deux délocalisations provisoires dans des galeries privées de Manhattan n'ont réussi à rattacher vraiment le wagon « Art contemporain français » à la locomotive new-yorkaise.

Une grande lueur d'espoir est néanmoins apparue en 2004 : le Guggenheim de New York a choisi lui-même d'exposer à grande échelle les rayures du Français Daniel Buren, auxquelles Jack Lang avait offert, vingt ans plus tôt, l'écrin du Palais-Royal, comme on lui offre aujourd'hui l'écrin de Versailles. Par ailleurs, un autre Français, François Pinault, grand collectionneur d'« Art contemporain » américain et anglais, devenu propriétaire de Christie's International, l'un des arbitres, à New York, du marché mondial de l'« Art contemporain », projeta d'exposer sa collection dans le vaste site libéré par les usines Renault, sur l'île Seguin. Le projet n'a pas abouti. Mais des synergies encore inédites se dessinent. L'« Art contemporain » officiel français obtiendra-t-il enfin sa part de marché ? Le château de Louis XIV et ses fastes, chers aux cœurs américains, prêtent en ce moment leurs lambris au plus commercial des industriels de l'« Art contemporain » new-yorkais, Jeff Koons, dont François Pinault est l'un des plus ardents collectionneurs et dont le président de l'établissement public de Versailles est un ancien collaborateur. Est-ce par ce détour que l'« Art contemporain » français conquerra le marché new-yorkais ?

Pour la publicité théorique de l'« Art contemporain » en général, et pour les bricolages historiques qui font de lui l'héritier légitime des avant-gardes du XIXe et du XXe siècle, nous ne manquons pas en France de ressources. Nous faisons bon accueil aux théoriciens-publicitaires américains. Ce sont tantôt des épigones de la philosophie continentale européenne, tel Jeffrey Deitch, que l'on traduit et dont on tient compte, ne serait-ce que pour leur influence directe sur les « artistes » vedettes du marché mondial, tantôt des exégètes ingénieux de la cote des « artistes » sur le marché, tel Arthur Danto. Mais, malgré l'extrême abondance et radicalité du forum proprement parisien de penseurs « post-modernes » et l'incontestable audience qu'il a connue à l'étranger, cette abondance théorique n'a pas suffi à dessiner pour l'« Art contemporain » proprement français une niche qui le mette clairement en évidence et à part dans la vitrine de l'« Art contemporain » mondial. La haute couture, le prêt-à-porter, la joaillerie, le luxe, les cosmétiques, où nous tenons le haut du pavé, cherchent à y suppléer, mais sans beaucoup s'avancer. Ce n'est pas faute de théoriciens de la mort de Dieu, de la fin de la métaphysique, de la fin du sujet, de la déconstruction, de la société du spectacle, voire de la « culture-monde » au joug de laquelle il faudrait ployer le col. Mais le jargon qui a posé les jalons du « post-modernisme » et cherché dans la prolifération du discours une compensation à l'évanescence des œuvres n'a servi, ni en groupe ni individuellement, les « arts plastiques » français, à l'exception d'une poignée d'architectes, tenus par profession, bien ou mal, à faire tenir debout quelque chose. La clientèle privée internationale a boudé les versions françaises de l'« Art contemporain », trop visiblement patronnées par l'État et traitées en art officiel, surclassées de surcroît, en Europe même, par des rivales plus vivaces et plus nationales. C'est ainsi que l'« Arte povera » italien, quoique indemne de soutien étatique, l'a emporté par son ascèse néo-franciscaine, qui parle à la mémoire italienne, sur les plasticiens français de « Support-Surface », amateurs sommaires de meccano, en dépit de l'appui officiel dont ce groupe de « plasticiens » avait bénéficié d'emblée lors de l'ouverture du Centre Pompidou.

Il est arrivé à nos philosophes, notamment au critique le plus radical de l'« extrême contemporain », Jean Baudrillard, de se montrer redoutables aussi pour l'« Art contemporain » que flatte au contraire la philosophie analytique anglo-américaine. Baudrillard a pu écrire :

> En croyant « libérer » l'objet des contraintes de la figure, pour le rendre au jeu de la forme, [l'avant-garde] l'a enchaîné à l'idée d'une structure cachée, d'une objectivité plus rigoureuse, plus radicale que celle de la ressemblance. [1]

Cette critique de l'abstraction et de ses nouvelles contraintes a entraîné une génération de jeunes « plasticiens » français à se « libérer » à son tour en s'enchaînant à la « réalité » et à ses images, à coups de citations de bandes dessinées et de clichés télévisuels, d'installations de déchets et d'objets quotidiens, voire de souvenirs d'enfance autobiographiques et attristés, jouets usés et photos jaunies, frileux « concepts » qui reprenaient en mineur les affirmations majeures du Pop art américains en faveur du caractère artistique et mondial de la quotidienneté commerciale américaine.

De son côté, profond exégète de l'art de Francis Bacon, un Gilles Deleuze a beaucoup écrit sur le cinéma, avant que le cinéma, ayant fait son temps, ne cède la place à la télévision. Il a été de ceux qui ont le mieux compris l'emprise de l'image en mouvement sur la psychologie collective. C'est lui qui a observé que le cinéma américain excella jusqu'en 1945 dans l'« image-action », faisant de la narration filmique le miroir d'un monde du travail industriel où repos et recul n'ont pas de place, dans les mailles serrées de gestes et d'actions articulant le récit. Après la guerre, les cinéastes italiens du Néoréalisme inventèrent ce qu'il appelle l'« image-temps », impliquant retrait, interrogation, pause, doute, critique. Hollywood à son tour, dans les années 1950, introduisit des pauses réflexives dans ses narrations filmiques. Ce fut sa dernière grande époque : Nicholas Ray, Robert Aldrich, Howard Hawks, Alfred Hitchcock, Robert Altman. La « nouvelle vague » cinématographique française prit le relais. L'heure du crépuscule approchait, comme en

---

1. Jean Baudrillard, *Cool Memories III*, Paris, Galilée, 1995, p. 126.

firent le constat Fellini dans *Ginger et Fred*, Robert Altman dans *The Last Show* : le montage de l'image télévisée réduit chaque plan à quelques secondes, favorisant toutes les manipulations de l'information, pulvérisant l'attention et supprimant la notion même d'« image-temps ».

Cette réflexion, pourtant française, semble formulée sur une autre planète que celle où vivent les « plasticiens » français de la même époque. Le *Nouveau Réalisme* parisien, dans les années 1960, rompit avec la contemplative « École de Paris » et se posa déjà en rival du Pop art new-yorkais, pour se retrouver vite contesté et « dépassé » par le militantisme révolutionnaire et l'agit-prop anticapitaliste et antiaméricain de la *Figuration narrative* ou *Nouvelle Figuration*. Trois « plasticiens » de ce groupe prétendirent en 1966 faire scandale en exposant, à la galerie Creuze, un « assassinat » en peinture de « Duchamp dans son escalier », bande dessinée américaine antiaméricaine, Pop art dirigé contre le père putatif français du Pop art américain. D'un groupe à l'autre, on avait régressé vers l'« image-action ». Révolutionnaires engagés à gauche et à l'extrême gauche, concevant la « figuration » comme de l'*agit-prop*, la *Figuration narrative* atteignit son sommet dans l'anonymat des mazarinades murales conçues en équipe à l'École des Beaux-Arts en mai 68 : elle ne survécut guère à la fin de la fronde. Tel d'entre eux est devenu académicien des Beaux-Arts, et le quarantième anniversaire de leurs brèves heures de gloire révolutionnaire leur a valu, en ce printemps 2008, une majestueuse commémoration officielle dans les galeries du Grand Palais.

La préface du catalogue triomphaliste de la monumentale exposition du Met, *New York Painting and Sculpture (1940-1970)*, donnait Paris pour « fini ». Georges Pompidou fut agacé. Le Premier ministre, puis successeur de De Gaulle à la présidence, n'aimait pas Rimbaud et aurait préféré Dunoyer de Segonzac, si ses fréquentations parisiennes ne l'avaient depuis longtemps initié à l'art moderne en vogue et aux spéculations dont il est l'occasion. Le catalogue new-yorkais fut pour lui un trait de lumière, dans le sillage du coup de tonnerre de 1964. En cette année funeste pour l'amour-propre national, le peintre Bissière, grande figure de l'École de Paris, présenté au pavillon français de la Biennale de Venise, n'obtint pas du jury le grand prix attendu, qui alla à Robert Rauschenberg, l'inventeur du Pop art, présenté au Pavillon américain. Le Président se souvint que la première exposition de la *Figuration narrative*, rivale explicite du Pop art new-yorkais, avait eu lieu cette même année 1964 au musée d'Art moderne de la Ville de Paris. Il se dit que ce groupe de jeunes artistes d'extrême gauche, en rupture avec l'École de Paris comme c'était le cas des artistes du Nouveau Réalisme (Martial Raysse, Nikki de Saint-Phalle), appréciés et achetés dans son propre milieu, formeraient ensemble le fer de lance de l'art français contre l'hégémonie revendiquée si haut outre-Atlantique, pour peu que l'État leur donnât une vitrine permanente parisienne.

Un conseiller écouté du président, Sébastien Loste, travaillait, dans ses loisirs, à une *Histoire des Expositions universelles*, dont il avait fort bien perçu toute l'importance dans le dialogue transatlantique France-Amérique. L'idée du Centre Beaubourg jaillit du frottement entre le souci présidentiel et l'érudition de son conseiller. Le Centre serait une Exposition universelle permanente à Paris des arts et des techniques, en même temps qu'un musée d'Art moderne et contemporain et une bibliothèque. La décision de la mettre en œuvre, et d'abord au concours, devint officielle le 2 décembre 1969. Relayé à l'étranger par les services culturels du Quai d'Orsay et en province par la Direction des arts plastiques de la rue de Valois, le nouveau centre mettrait en vedette les deux jeunes écoles parisiennes rivales et d'autres lancées pour l'occasion, comme le groupe Support-Surface. En 1972, en préfiguration de ce que pourrait faire le Centre en construction, le président Pompidou inaugurait au Grand Palais une exposition intitulée « Douze ans d'Art contemporain », organisée par François Mathey. Paris allait damer le pion aux prétentions new-yorkaises. Cette stratégie régalienne a fait d'emblée long feu. L'écurie new-yorkaise du marchand Leo Castelli et celle, parisienne, de son ex-épouse Ileana Sonnabend surent faire monter leurs champions aux étoiles. L'exposition Mathey fut gâchée par une manifestation très inopportune d'artistes « refusés ». Mais la chimérique « mission Pompidou », loin de se décourager, a survécu au président, et elle a pris peu à peu, mine de rien, le dessus sur la « mission Malraux », plus sévère, plus républicaine, et qualifiée désormais à voix basse de « quichottesque ».

Le Pop art, dont l'un des thèmes les plus caractéristiques, adopté par Rauschenberg, est la bannière étoilée, affiche son enracinement national dans l'Amérique de la consommation et des marques. L'« Arte povera » italien avait dû son autorité internationale à son enracinement dans la pauvreté des *Fraticelli* d'Assise et à la ferveur des collectionneurs catholiques de la péninsule. Ce sont des initiatives privées allemandes qui ont imposé une école de peinture contemporaine résolument expressionniste et « germanique » : Richter, Baselitz, Kieffer, Neo Rauch, si différents entre eux, en appellent tous à la mémoire esthétique de leurs compatriotes, et plus que jamais lorsqu'ils la provoquent avec la violence – caricaturale d'un Otto Dix. C'est l'Irako-Londonien Charles Saatchi qui a réussi à faire vendre à New York les British Young Artists : ils se réclament tous, dans leurs outrances, de la traditionnelle *english excentricity*, quoique dans la version populacière qu'en donnent, à leur façon *super british*, les tabloïds de la presse de Fleet Street. On se demande à quelles réminiscences indigènes peuvent renvoyer les stries blanches et noires de notre vedette française d'« Art contemporain » Daniel

Buren, et quel trait commun le rattache aux autres plasticiens moins célèbres, élus par nos propres hiérarques culturels ? C'est là que le bât blesse. Car, même « global », l'« Art contemporain » qui trouve une clientèle mondiale n'est pas si « déraciné » qu'il veut s'en donner l'air.

Le gouvernement communiste chinois n'a pas dépensé un yuan ni manifesté la moindre sympathie pour l'« Art contemporain » post-maoïste, dont le triomphe commercial est entièrement dû au zèle privé de galeries européennes et américaines branchées sur les mégapoles chinoises. Mais même les « plasticiens » chinois se font connaître pour tels. Mao, les supplices chinois, les yeux bridés de leurs pin-up et autres traits nationaux, faciles à identifier dans le monde entier, leur servent de labels outranciers d'origine. Outre l'absence, ne disons pas d'un style mais des traits distinctifs nationaux (les carreaux bleu-blanc-rouge de Jean-Pierre Raynaud s'y sont en vain essayés, pour tenir tête à l'insolente bannière étoilée de Jasper Johns), un autre handicap, dans ces affaires d'« Art contemporain », et il est de taille, les empêche de « percer » : leur pilotage d'en haut, par de hauts fonctionnaires de l'État et quelques conservateurs de musées nationaux. Le marché et sa clientèle se veulent libres.

Même au degré zéro où est descendu l'« Art contemporain » mondial, le succès ne se télécommande pas : l'ancien jeu aristocratique des goûts a fait place au jeu de l'offre et de la demande, à sa roulette et à ses martingales. Nos surintendants des plaisirs démocratiques, maintenant que l'art ancien est presque entièrement concentré dans les musées, hors marché, devraient s'employer à faire de ces musées de véritables oasis d'*otium* pour un monde moderne recru de négoce. Ils le devraient. Ils préfèrent avoir l'air de jouer dans la cour des grands galeristes, des managers de maisons de vente, des patrons des industries du luxe. Mais ils représentent l'État. Il leur faut un alibi. Un alibi français.

21. L'« Art contemporain », le marché et le sacré

Les vedettes philosophiques se sont succédé à Paris, mais aucune n'a pris la relève de Diderot, d'Alain ou de Merleau-Ponty, qui eurent chacun la chance d'être contemporains d'une École de Paris toute faite. Les idées d'un philosophe, si grand soit-il, ne sauraient donner lieu à ce précipité hors duquel les œuvres d'art ne sauraient fleurir et fructifier : il y entre du talent, de la maîtrise manuelle, un non-dit et des lieux communs partagés par les artistes et leur public, et une culture de l'*otium*, religieuse ou profane. La philosophie ne peut que se retourner sur le fait artistique, qui lui préexiste en silence et dont son discours ne peut en aucun cas tenir lieu.

Faute de mieux, la dispute qui oppose actuellement à Paris les philosophes politiques autour de la « sortie de la religion » et du « retour à la religion » peut offrir une raison d'être à l'« Art contemporain » français, et une inflexion nouvelle au discours apologétique dont il a grand besoin pour s'imposer en France même, sinon hors de France. Les diagnostics de Marcel Gauchet sur la société démocratique et son individualisme ont trouvé une oreille favorable chez les journalistes spécialisés dans l'« Art contemporain », qui citent volontiers sa sentence : « Pour beaucoup de gens, aujourd'hui, vivre dans l'art est une manière de vivre religieusement sans se l'avouer [1]. » Étant avéré que la promotion en France et à l'étranger de l'« Art contemporain » français n'a guère bénéficié de l'effervescence de la philosophie et des sciences humaines des années 1960-1990, l'état-major et les troupes de cette armée fantôme lui cherchent une stratégie, voire une inspiration de rechange qui le sorte de sa relative obscurité et le conduise à la victoire commerciale.

En direction du marché mondial, des synergies se dessinaient avec New York quand la récession financière américaine, voire maintenant transatlantique et mondiale, a ruiné ces faibles espoirs. Notre « année de la Chine » avait mieux qu'entrouvert à nos plasticiens Shanghai, Pékin et la bourse des millions de millionnaires chinois, si seulement les stupides Tibétains ne s'étaient pas mis en travers. Mais, en direction du marché intérieur, toujours résistant ou, chose pire, ouvert exclusivement aux vedettes étrangères, que faire ? Ne pourrait-on pas tirer profit et argument du vide laissé par ce que les uns décrivent comme une « sortie démocratique de la religion » ou de l'élan, en sens contraire, de ce que les autres définissent comme un « retour à la religion » ? La National Gallery de Londres n'a-t-elle pas, en 2000, attiré les foules par une exposition intitulée *« Seeing Salvation : The Image of Christ »*, composée de chefs-d'œuvre de l'art chrétien qui ont représenté les traits humains du Fils de Dieu, tous tirés de ses propres collections ? Beaucoup moins respectueuse, tout attentive aux transgressions et aux détournements de l'imagerie picturale catholique, l'exposition *« Corpus Christi »*, consacrée en 2002, à Jérusalem et à Paris, à la photographie d'art à sujet « chrétien », faisait place à de très nombreux « plasticiens » contemporains, retrouvant et détournant, sur des thèmes christiques, la veine des « tableaux vivants » des photographes du XIXe siècle, auteurs de cartes postales ou d'images pieuses. La chaîne de télévision Arte a diffusé un documentaire très suivi, portant le même titre que cette exposition. Un Pop art blasphématoire, mais d'autant plus catholique en négatif, ne servirait-il pas la diffusion plus large de l'« Art contemporain » français ? Par ce biais stratégique, on est revenu, mais cette fois au sein de la

1. Cité dans *Mouvement*, n° 47, avril-juin 2008, p. 68.

bureaucratie culturelle laïque et républicaine, aux questions que se posaient les dominicains de la revue *L'Art sacré* et leurs lecteurs catholiques dans les années 1930-1950. Malraux a signé l'arrêt de mort du Système des Beaux-Arts. La politique culturelle essoufflée ne pourrait-elle pas, faute de revenir au mécénat d'Église, prendre au mot *Le Musée imaginaire* et situer l'« Art contemporain », qu'elle patronne, sous le signe de la recherche universelle du « sacré » ?

Questions sans doute incongrues chez les fonctionnaires de l'État laïc, responsables de l'accès de tous ses citoyens aux « chefs-d'œuvre de l'humanité, notamment de la France » en vue de leur éducation esthétique. Mais était-ce bien une éducation esthétique qu'attendait Malraux ? Ne visait-il pas une initiation métaphysique par les arts ? Par ailleurs, si l'État est laïc, la société française a été très longtemps et majoritairement catholique, et la mentalité française, toute changée qu'elle soit par la modernité et la « mort de Dieu », continue plus ou moins consciemment à en porter l'empreinte ou à en conserver le dépôt. Ce dépôt réclame d'autant plus d'être reconnu que les idéologies révolutionnaires qui en tenaient lieu sont tombées en déshérence et ont elles-mêmes cessé de faire foi. Le laïcisme le plus anticlérical ne peut s'empêcher d'être alarmé par la multiplication des sectes et par l'emprise de l'islam sur un secteur de plus en plus nombreux de la population française. Où sont les lieux communs français auxquels faire adhérer ces nouveaux venus ? Trop de voix autorisées ont proclamé que notre art pendant des siècles nous a trompés, que, nos mœurs, nos manières, notre esprit n'étant que les fruits moisis d'une idéologie empoisonnée, il fallait en faire table rase. Mais comment empêcher que les nations, comme la nature, ayant horreur du vide, la France nominale, évidée de ses mœurs, de ses manières, de son esprit, voire de sa langue, n'attire dans ce creux des inconnus, menaçants au premier chef pour ceux-là mêmes qui leur ont créé le champ libre ? Le rêve de Maritain et de la revue *L'Art sacré* est oublié. Mais, au nom d'un « sacré » agnostique, celui qui inspirait l'éloquence de Malraux, peut-être même celui qui inspirait Georges Bataille ou Jean Genet, le rêve de donner à l'État culturel et à son mécénat une dimension quasi ecclésiale, aux artistes contemporains français patronnés par l'État une généalogie et une « image sacrale », s'insinue et progresse, en plein triomphe mondial du néo-dadaïsme américain et anglais, du néo-expressionnisme allemand et du kitsch néo-maoïste chinois.

Il ne saurait être question de revenir « en arrière ». Il faut aller de l'avant à pas de loup, tant sont embusqués de toutes parts les nouveaux inquisiteurs toujours prêts à sortir en trombe des fourrés au moindre geste « politiquement incorrect ». Le sérieux officiel, même aujourd'hui, n'oserait pas les audaces que se permettent des musées privés, comme celui de la Mode, patronnée par l'Association des arts décoratifs, ou des fondations privées, comme celle d'Yves Saint Laurent et de Pierre Bergé, de faire entrer de plain-pied la haute couture ou la photographie érotique dans l'« Art contemporain ». L'« Art contemporain », même et surtout lorsqu'il est sacrilège, est « politiquement correct » aux yeux de tous les partis, même les plus prudes. Un gisement de post-catholicisme français, latent ou « en recherche », qui a fait le succès de plus d'une « bonne presse » publiant des auteurs post-modernes, des essais provocateurs ou des traductions fantaisistes d'auteurs sacrés, est prêt à voir dans l'« Art contemporain » blasphématoire un « art sacré » qui s'accorde à son propre tangage spirituel, celui des années 1950 étant devenu aussi banal que les machines à habiter de Le Corbusier et les bondieuseries saint-sulpiciennes.

22. Un « art post-moderne » dans une nation post-chrétienne ?

Demeure en effet cette très ancienne habitude et ce très ancien appétit catholiques de voir, de trouver dans une église consolation et appui à la réflexion et à la prière dans la vue en commun, à l'autel, de la cérémonie liturgique et des gestes sacerdotaux, et aux murs, sur les colonnes, des représentations peintes ou sculptées du Christ, de la Vierge, des scènes de l'histoire sainte. Pulsion d'enfance, ou de famille, qui a persisté, en jachère d'objet, même quand, pour beaucoup, la pratique dévotionnelle a disparu et l'église n'a plus été visitée. Cette passion catholique des images saintes s'est reportée sur les œuvres d'art profanes, et l'on peut expliquer ainsi le souci des monarques et des cours catholiques de combler, à des fins politiques, dynastiques et dévotionnelles, l'ancien appétit d'images de leurs sujets. Le même Rubens, avec le même art, a pu surmonter l'autel de la cathédrale d'Anvers d'une eucharistique descente de Croix et glorifier dans la galerie du Luxembourg à Paris ou au Banqueting Hall de Whitehall à Londres les vertus héroïques du roi Jacques Ier Stuart et de la régente Marie de Médicis.

La Convention jacobine a tranché la tête de Louis XVI, mais elle a traité en prince le peintre David. Il a été chargé des pompes et de l'ordonnance de la fête de l'Être suprême, première tentative républicaine de donner aux pompes publiques de la république laïque les attraits de procession de la grand-messe catholique. Le Directoire a acquitté David de tout soupçon, le Consulat et l'Empire l'ont adulé. Il occupait la place de Raphaël auprès de Jules II, de Le Brun auprès de Louis XIV. En pays catholique, la France issue de la Révolution anticléricale avait besoin des arts visuels pour continuer à se sentir gouvernée chez elle. Vandale d'un côté, iconophile d'un autre, le jacobinisme a fait du Louvre une cathédrale universelle des arts, sans autel ni liturgie. David a fini par trouver dans le *Sacre de Napoléon à Notre-Dame* le motif catholique de son plus ambitieux chef-d'œuvre, et comme tous les grands peintres de la Renaissance catholique, il a peint un portrait de pape ! La IIIe République avait de qui tenir, et elle n'a pas manqué de bienveillance envers les arts, sachant par ailleurs que le vieil humus catholique poussait de lui-même, sans qu'elle eût à insister, poètes, philosophes et artistes à rivaliser de zèle pour les arts de la vue.

L'image industrielle, qui a conquis les peuples protestants avant de conquérir les peuples musulmans, a entamé chez les peuples catholiques cet antique appétit pour les arts. Les variétés technologiques innombrables qui flattent d'images l'œil contemporain nivellent et effacent les traces mnésiques les plus profondément gravées. Mais elles laissent obscurément insatisfaits ceux qui, sans le savoir, ont hérité des siècles, l'habitude de lever les yeux vers un crucifix, un retable, un bas-relief, une statue, une mosaïque, un vitrail, et d'y reconnaître avec émotion un lieu commun céleste où leur regard a déjà, et souvent, après et avec tant d'autres, fait halte et bu à la coupe de la « sensibilité perfectionnée ». Le voltairien et jacobin Stendhal a découvert en Italie les bienfaits de la contemplation des œuvres d'art à sujet religieux, plus développée de l'autre côté des Alpes qu'en France : il lui attribue le naturel passionné et imaginatif des Italiens, leur sens des vrais bonheurs terrestres aiguisé par l'expérience visuelle des « saintes douceurs du ciel » dont leurs artistes leur ont donné le goût. À Paris, que cet expert en art de voir et de vivre trouve au fond trop janséniste pour être bon catholique, et trop affecté par l'esprit courtisan pour s'offrir le luxe du naturel, il a tourné en ridicule les habitudes d'ennui distingué que les Français ont contractées dans l'art de cour monarchique. Il écrit par exemple de la tragédie « classique », dans son *Racine et Shakesperare*, qu'elle donne à ses spectateurs le plus grand plaisir possible « qu'y prenaient leurs ancêtres » !

L'œuvre d'art classique, comme l'œuvre d'art dévotionnelle, réveille du déjà vu, mais pour le montrer sous un autre jour, sous une forme qui en ravive et renouvelle le sens. L'œuvre d'art romantique ne s'appuie qu'en coulisse sur le déjà vu, mettant en exergue le « mouvement qui déplace les lignes », selon la formule de Baudelaire. L'œuvre d'art moderniste prétend détruire tout échafaudage mémoriel et s'imposer comme « chue d'un désastre obscur », ce qui la rend d'abord difficile d'accès, hors d'un milieu complice et fervent d'émotions rares. Mais le cinéma, et nommément le cinéma américain, qui conquiert l'Europe et la Russie dès les années antérieures à 1914, s'est chargé de créer, pour un immense public, un *sensorium* inédit qu'à lui seul le modernisme, s'il s'était réduit aux arts traditionnels, n'aurait pu répandre, et sans lequel il n'aurait pas conquis la révérence universelle qui en a fait le classicisme à l'envers des modernes.

Produit de l'industrie taylorisée de l'*assembly line* (le travail à la chaîne d'une nombreuse équipe de techniciens beaucoup plus indispensables et nombreux qu'au théâtre), le film de fiction américain a réussi très tôt le paradoxe de s'appuyer sur des universaux de l'imaginaire et sur une dramaturgie classique accessible aux publics nationaux les plus différents, tout en faisant passer, dans cette langue en gros familière à tous, une manière de voir, de sentir, de se comporter qui attaquait et renversait en détail tous les divers systèmes de rites et de conventions qui donnaient forme, jusqu'alors, à la vie religieuse et civile de chaque peuple [1].

En surface, les mythes et les schèmes narratifs du film hollywoodien muet répondaient aux habitudes du récit romanesque et de l'intrigue de théâtre. Mais, en profondeur, le montage imperceptible, la succession brève des plans, les changements incessants de prospect et d'aspect optiques (objets et visages en très gros plan, en *close-up*, en plongée ou contre-plongée, en plan américain, etc.) renversaient les modes « classiques » de perception et introduisaient une mobilité et une rapidité « anormales » dans la construction et la déconstruction des images sur la rétine. Les cinéastes modernistes de la Révolution russe (Eisenstein, Poudovkine, Vertov), puis ses metteurs en scène de théâtre (Meyerhold), s'emparèrent immédiatement de ces techniques de cadrage et de montage, croyant y voir une révolution de la perception coextensive à la révolution politique et économique des soviets. Mais les angles de vue sur les acteurs, sur leurs gestes, sur l'espace où ils interagissaient déconstruisaient aussi les « bonnes manières », européennes ou asiatiques, et abolissaient leurs modèles théâtraux, par la proximité « indécente » de leur peau, de leur corps, de leur visage, par la brusquerie ou l'impolitesse de leurs attitudes (vus de dos, vus d'en bas), par l'absence de différence entre l'allure libre des hommes et celle des femmes et, pour comble, par la suppression de hiérarchie entre eux et les objets parmi lesquels ils se mouvaient. Ce voyeurisme à facettes d'œil d'insecte répandait un acide plus que mordant sur tous les systèmes « classiques » de comportement, aussi bien que sur les façons classiques de voir et de sentir. À plus forte raison cet acide dissolvait-il l'esprit de tous les rituels, tant civils que sacerdotaux, qui avaient jusqu'alors prévalu, de la tribu

1. Voir le livre, lui-même classique, de David Bordwell, Janet Steiger et Kristin Thomson, *The Classical Hollywood Cinema : Film Style and Mode of Production to 1960*, 1985, et sa discussion dans Miriam B. Hansen, « The Mass Production of the Senses : Classical Cinema as Vernacular of Modernism », dans *Modernism/modernity*, VI, 2, Johns Hopkins University Press, 1999, p. 59-77.

saharienne aux plus anciennes monarchies européennes, dans les cérémonies publiques et les actes officiels. Ce registre de conduite symbolique était particulièrement mis à mal par le genre comique du *slapstick* hollywoodien, dont le succès mondial fut phénoménal, et par la critique hilare à laquelle sa rapidité haletante soumettait les codes de la lenteur, que respectaient, pour faire respecter leur autorité et leur dignité, les personnages investis d'un pouvoir. Les sans-culottes jacobins de 1793 n'eurent qu'une action éphémère sur les manières, et ils n'en atteignirent que l'écorce. La démocratisation par le film hollywoodien des attitudes et des manières de voir opéra à une tout autre échelle et à une tout autre profondeur. Ce ne sont pas seulement les cinéastes soviétiques qui comprirent la révolution du regard et du geste introduite par les cinéastes d'Hollywood. Ce furent aussi les metteurs en scène soviétiques de théâtre d'avant-garde, Meyerhold et Vakhtangov, cherchant une parade pour leur art dans un style de jeu calibré pour épouser les nouvelles catégories perceptives et comportementales projetées par le cinéma américain.

Le rapport aux objets en était tout autant modifié que le rapport aux êtres. Il est douteux que Duchamp eût inventé les *ready-made*, si le cinéma américain, encore muet, ne lui avait révélé par le *close-up*, qu'un objet utilitaire, par simple changement d'optique, peut devenir aussi mystérieux que les pommes de Cézanne. Aragon fut le premier à écrire, dans la revue *Film*, qu'une boîte de *corned-beef* jusque-là banale, mais qui remplissait brièvement l'écran en vedette américaine et par le procédé de la « nuit américaine », se parait tout à coup d'une aura magique et se métamorphosait en totem contemporain. S'il est vrai que les habitudes de conduite et de perception contractées et transmises pendant des siècles par la famille et par l'école, réfléchies par le théâtre dit à l'italienne et la peinture d'histoire (ce que Norbert Elias a nommé le « processus de civilisation »), furent attaquées, au sens chimique du verbe, par l'image cinématographique, si la cérémonie officielle et les arts de la scène furent eux-mêmes corrodés, à plus forte raison la pierre angulaire de l'édifice religieux catholique, notamment la liturgie eucharistique, archétype de stabilité symbolique pour les fidèles de cette confession, se trouva assiégée dans son ritualisme sacerdotal par un mode d'être au monde, de voir le monde et de le montrer aussi banalisé qu'instable et imprévisible.

Décrivant un montage (intitulé à bon droit *Le Monde agité*), qu'il a réalisé à partir des centaines de films muets des premiers temps du cinéma, pour la plupart américains, Alain Fleischer fait ressortir la vision moyenne du monde que le septième art a imposée d'emblée :

> La psychologie individuelle se fond dans une psychologie de masse : partout, depuis toujours, se produisent les mêmes situations avec les mêmes

protagonistes, dans les mêmes rôles. Partout, depuis toujours, les hommes vivent les mêmes histoires faites du même stock limité de situations. La terre entière flirte, une moitié de la terre échange un premier baiser avec l'autre moitié. Les gens se poursuivent de toutes parts, d'une ville à l'autre du Nouveau Monde. Partout des couples se disputent puis se réconcilient, des hommes se querellent, se battent, se font la guerre, s'entretuent. Il y a toujours des séparations, des départs. Arrive toujours la saison des mauvaises nouvelles, des deuils, des catastrophes. Et puis, vient aussi, toujours, le moment où il faut trouver une suite au pire : l'oubli, la consolation, la réconciliation, une époque nouvelle. La terre entière se tourne vers l'avenir. La terre entière danse. Le spectateur de telles images, d'un tel récit ne peut plus s'identifier traditionnellement à un personnage et à son interprète, il doit accommoder sa perception, changer d'échelle pour s'identifier à des situations générales, collectives. Chacun, chaque individu doit s'identifier à la foule qui lui ressemble. Les destins se superposent. Les mêmes histoires arrivent à tout le monde, toutes les vies ont d'inévitables points communs, d'incontournables passages obligés : les premiers feux et les illusions de l'amour, l'usure du temps et les déceptions, les revers de fortune, les drames, les apaisements, la résignation et la sagesse imposées par la chute finale de tous les êtres dans le néant [1].

Ce surgissement dans et par l'image cinématographique d'un monde social et moral malléable, auquel est imprimé un mouvement à la fois incessant et récurrent, coïncida dans l'imaginaire de ses spectateurs avec la diffusion, par la presse et le livre, de spéculations mathématiques et physiques qui remettaient en cause les cadres classiques et stables de la perception de l'espace et du temps. Elles étaient renvoyées à l'ordre de l'illusion et de l'apparence, plus radicalement que ne l'avait fait au XVIIe siècle, l'invention du télescope et du microscope. D'habiles vulgarisateurs en appelèrent à une « quatrième dimension » à laquelle l'esprit scientifique allait donner accès, et des théosophes nourris d'hindouisme et de bouddhisme s'employèrent à la spiritualiser [2]. Caméras en plongée et contre-plongée capturaient le mouvement au ralenti ou en accéléré, révélant la relativité inconnue des gestes et des choses, leurs relations chaotiques et leur évanescence, rendant aléatoires tous les repères traditionnels d'un « séjour » commun, tant terrestre que cosmique.

Concurrencés par la photographie et par le cinéma, les arts traditionnels cherchèrent à les concurrencer en rejetant leurs échafaudages classiques (perspective « légitime » et représentation de la nature). Ils demandèrent aux catégories nouvelles de la perception, vision à

---

1. Alain Fleischer, *Les Laboratoires du temps. Écrits sur le cinéma et la photographie 1*, Paris, Galaad éditions, 2008, p. 170.

2. Voir les suggestions de Jean Clair dans *Sur Marcel Duchamp et la fin de l'art*, Paris, Gallimard, 2000, p. 120-122.

facettes, décomposition du mouvement, immédiateté et simultanéité des sensations, et leur envers, le renvoi abstrait à l'invisible et à l'immatériel, une modernisation radicale, matérialiste ou spiritualiste. Le projet moderniste réunit architectes, peintres, sculpteurs, graveurs, artisans et artistes de toutes disciplines et de plusieurs pays, attachés à sauver leur art du déluge des images industrielles en leur prêtant, par des voies aussi ingénieuses que diverses, des traits inédits qui les maintiendraient dans le courant et à flot de la nouvelle évanescence du monde.

Valéry et Alain, dans les années 1920, l'un et l'autre alarmés par les mêmes phénomènes de déstabilisation, insistèrent au contraire sur le principe d'immobilité, de stabilité objective et de concentration attentive qu'il fallait restaurer dans les arts pour qu'ils fissent contrepoids esthétique et métaphysique au principe de fuyante mobilité qui emportait et dispersait tant la conscience personnelle que la vie sociale modernes. Dans cette restauration classique des arts, ils voyaient non pas un repli frileux, mais la vraie réponse au défi du subjectivisme qu'alimentaient et exaspéraient les nouvelles images et leur industrie. La parade moderniste, qui consistait à sauver l'essence des arts traditionnels en les dispensant de leur fonction d'ancrage de l'esprit, leur paraissait en somme une conduite de Gribouille, assurée provisoirement du succès, mais fatale à long terme pour les arts.

On se demande aujourd'hui, expérience faite, si leur antimodernisme n'était pas prémonitoire. Au modernisme, qui portait très haut le sens des arts, a succédé le torrent du post-modernisme et un « Art contemporain » qui ont réhabilité en fanfare le figuratif et le narratif, mais à la remorque des industries de la publicité, de la mode et de la culture-divertissement. Cet art sans art, dans sa version pilote usinée à New York ou à Londres, a renié toutes les exigences et les ambitions du modernisme. Sous-produit du grand commerce de luxe mondial, il est l'emblème du succès et la mesure de la fortune dont se prévalent les magnats de l'économie globale, mais il atteste aussi leur fascination pour les *lifestyles* délurés et la « créativité » dévorante des vedettes de cet « art ». Quand Andy Warhol et sa Factory, quand tel grand couturier et sa coterie peuvent passer pour les Léonard de la culture globale contemporaine, on doit moins s'étonner de voir surgir une génération de banquiers et d'hommes d'affaires, saisie par la contagion, et remplaçant la prudence par la fièvre, l'intelligence par l'hallucination, le narcissisme, la mégalomanie. C'est déjà beaucoup d'avoir « allumé » les nouveaux maîtres du monde. Mais chercher, comme on le fait en France, à convertir le grand public à cette euphorie auto-destructrice, à ses symboles et à ses stars, c'est une « exception française » d'un nouveau genre dont la légèreté confine au sabotage. Surtout si l'on recourt, pour arracher cette conversion massive à un peuple désorienté, à la tricherie énorme de présenter l'« Art contemporain » comme un substitut « décalé » du « sacré » sur lequel ses ancêtres naïfs se reposaient.

23. Une apologétique catholique de l'« Art contemporain »

Il ne manque pas en France de professeurs de philo, d'esthétique ou d'histoire de l'art tout disposés à travailler à l'« inversion des valeurs » que réclame l'air du temps. Les échafaudages conceptuels ne leur coûtent rien. En un rien de temps, ils vous échafaudent dans un numéro spécial de revue, en s'y mettant à vingt, une généalogie et une esthétique authentiquement contemporaine de l'horrible pur et dur, du jouissif sans entraves, au lieu et place de l'expérience esthétique démodée et de l'ancienne généalogie, chrétienne, classique ou romantique, du désir de beauté ou de sublime, points de départ abandonnés de la « chasse au bonheur » d'un Stendhal ou de la quête de salut d'un Huysmans [1].

C'est à une plume anglaise [2] qu'il revient, dans ce concert de beaux esprits, de crever le rideau de fumée qui enveloppe, dans la conversation mondaine, l'éclatante ascension, sur le marché mondial, de la cote des British Young Artists cornaqués par Charles Saatchi. Elle nous apprend que, dans la tradition de Barnum poussée aux extrêmes par un trait du caractère national britannique, ces plasticiens aux dents longues ont joué savamment du résonateur qu'à leurs audaces calculées régalait la presse tabloïd londonienne. Ces feuilles spécialisées dans le sang, le sexe et la mort et prospères des forts tirages que ces tranches de vie lui valent auprès d'un public à la fois scandalisé, émotionné et fasciné, non seulement leur ont fourni les thèmes de leur propres productions-chocs, mais assuré leur réclame gratuite auprès de ce même grand public captivé. Auteurs d'installations et de vidéos faits divers, préfabriquées dans la même veine que le deuil de la princesse Diana, les exhibitions sadomaso de Madonna ou les séries télévisées du type « Massacre à la tron-

1. Voir le recueil d'essais publié hors série par *Art Press* sous le titre « Représenter l'horreur », Paris, mai 2001. Plusieurs d'entre eux sont consacrés à trouver de grands ancêtres dans l'art chrétien européen pour légitimer l'inversion « contemporaine » de l'admiration en horreur, d'autres à retracer l'histoire de la photographie de charniers (les photographies du charnier d'Hiroshima, publiées en mai 2008, n'étaient encore ni citées ni contestées), à donner une dignité artistique au cinéma *snuff*, dans la même veine apologétique que les auteurs de *L'Écran global* en faveur du cinéma hyper-violent, à qualifier de « jouissance nouvelle » ce que l'auteur appelle « nécroscopie », à quoi s'ajoutent le témoignage du groupe chinois ultra-contemporain qui s'intitule « Cadavre », et un essai sur les actionnistes viennois « Fiction et torture », etc.

2. Voir dans le hors-série d'*Art Press*, Lucy Steeds, « Massacre à l'anglaise : bain de sang dans l'art britannique récent », p. 80-85.

çonneuse », ces plasticiens sont assurés d'une énorme publicité bruyante, de gros titres et de photos de première page dans des journaux auxquels rien d'inhumain n'est étranger. Damian Hirst, avec ses cadavres éventrés dans le formol, ses fauteuils de gynécologie plongés dans des bocaux à poissons, s'est montré le champion de ce concours anglais d'horreur lubrique. La tradition nationale anglaise du roman gothique (Mary Shelley et *Frankenstein*, Bram Stocker et *Dracula*) ou du musée de cire, plus ou moins Grand Guignol, de Mme Tussaud – tradition passée aux États-Unis, puisque Barnum la flattait déjà dans le sens du poil dans son *American Museum* – crée un humus favorable au « cabinet des horreurs » des « plasticiens » *made in Britain.* Cela ne les empêche pas – iconoclasme Henri VIII et Édouard VI oblige – d'affubler de temps en temps leurs caricatures abjectes de titres tels que *Mother and Child* ou *Adam and Eve* qui projettent sur leurs moignons sanglants le ricanement du blasphème et le clin d'œil adressé à l'histoire de l'art chrétien. De là à voir dans ces produits lancés par le marketing le plus expert et devenus des valeurs-or que se disputent collectionneurs et spéculateurs, des exercices de « sacré » pour âmes nostalgiques de la foi chrétienne, il y a plus d'un pas à franchir. En France, on s'y emploie.

Déjà, dans le milieu « Art contemporain », être devenu capable de regarder l'horrible, l'ignoble, le hideux comme plus que beau, *fascinant et intéressant*, c'est avoir passé l'épreuve qui fait entrer dans le « saint des saints » des élégances du nihilisme contemporain. En Angleterre, on ne cherche pas plus loin. En France, pays d'ancienne tradition catholique où l'art religieux est resté modéré dans le pathétique à toutes époques, et où la délectation a très longtemps été la finalité majeure de l'art profane, la tentation est grande chez ses thuriféraires bien-pensants de lui chercher des justifications moins sommaires. Le porte-à-faux moderne d'un catholicisme dans lequel le plus grand nombre n'a plus foi, mais dont la forme vide et vague persiste et hante plus ou moins encore beaucoup de gens, ne réclame-t-il pas une traduction hors des lieux de culte, dans les « espaces » où l'« Art contemporain » expose ses « travaux » ? Sa barbarie à première vue scandalise, mais, à meilleure vue, ne trahit-elle pas le malaise spirituel qui, partagé à la fois par les plasticiens et par le public, ne se reconnaît plus dans les formes « traditionnelles » de l'Église ? L'image catholique, à la différence de l'icône byzantine, a laissé une large marge de liberté à l'artiste, lequel depuis le XIIIe siècle n'a pas hésité à « imiter la nature » pour donner au surnaturel une présence plus proche, plus émotive non seulement aux mystères joyeux et glorieux, mais aux mystères douloureux de la vie du Christ et de ses imitateurs, les martyrs. Il y a du sang, des plaies, des instruments de torture, dans les représentations que l'art catholique a multipliées de la Passion et de la crucifixion du Sauveur. Il y a un sacrifice, une agonie, un cadavre au cœur de l'Histoire de la Rédemption, dont le Crucifié paie le prix pour attester l'amour, en la personne offerte de son Fils et de son Image, que Dieu porte aux hommes. Si l'Incarnation divine ne se soustrait à rien de ce qui réjouit les hommes, elle ne s'épargne rien non plus de ce qui les afflige et les avilit. Elle porte tout à l'infini. La poétique de l'art chrétien s'est ingéniée à en faire autant.

Ôtons la Rédemption, ôtons Dieu et l'amour : il ne reste de l'Incarnation que l'agonie et le cadavre. Dans la représentation clinique (et de profil) que Holbein a donnée du Christ mort au musée de Bâle, le prince Mychkine et le Rogojine de Dostoïevski, l'un pour s'en effrayer, l'autre pour se confirmer dans son athéisme, ont vu la mort du Dieu chrétien. Cette académie verdâtre, vue de biais, ressemble à tous les corps sacrifiés que les religions, par toute la terre, ont vainement offerts à leurs faux dieux, et démentant la résurrection du Fils du Dieu d'Abraham, d'Isaac et de Jacob. Le naturalisme médical d'Holbein, l'idée qu'il donne du Christ mort comme point final d'un fait divers, certitude pour Rogojine, angoisse pour Mychkine, révèle à Dostoïevski la vérité secrète de la peinture catholique, comme le monologue du Grand Inquisiteur lui révèle celle de la papauté romaine. Le Christ de Holbein est à ses yeux l'archétype des anti-icônes de l'art occidental. Serait-il aussi l'incunable lointain des anti-icônes de l'« Art contemporain », de leurs blasphèmes, de leur ardeur à signifier la décomposition, la poussière et le déchet, à résumer l'éternité par l'urine et le formol, à aller jusqu'à l'hyperréalisme de l'horreur, ou bien l'ancêtre des *performers* contemporains pratiquant l'automutilation ? Autant de symptômes vifs d'une foi inébranlable dans la mort, irrésistibles pour les modernes Rogojine, mais qu'il est possible de rendre fascinants, aussi, pour les modernes Mychkine, si on les leur présente sous l'angle du « sacré ».

24. Pour une généalogie catholique du « sacré » dans l'« Art contemporain »

La foi morte dans la mort pourrait bien en effet, dans les images et les gestes « détournés » d'un art néo- ou post-chrétien, faire signe d'adieu, voire de nostalgie, à une foi qui fut vivante dans la résurrection. La seule hypothèse d'un tel arc électrique purifierait l'« Art contemporain » de ses compromissions trop voyantes avec la publicité tapageuse, les spéculations boursières, les flatteries envers les instincts louches du public riche. En France, le terrain « théorique » pour un tel rendez-vous, hors des chemins battus par le clergé, a été préparé de longue main.

Au XIXe siècle, la « crise des Lumières » avait du même mouvement disqualifié le « rire affreux de Voltaire » et entériné tristement la « mort de Dieu », qu'une prose du poète allemand Jean-Paul, rendue célèbre dès 1809 par la traduction qu'en avait donnée Mme de Staël, faisait proclamer par le Christ lui-même. L'« agonie du romantisme » avait suscité le désir paradoxal et la recherche d'une religion sans religion, voire d'un surnaturel sans Dieu. Dès les lendemains de la Première Guerre mondiale, avec le surréalisme ou dans ses marges, anthropologues, ethnologues, sociologues, voire théologiens (Rudolf Otto) ont prêté à un Georges Bataille, à un Roger Caillois, à un Mircea Eliade les catégories laïques, scientifiques, neutres, de « sacré » et de « sacrifice », que ces prolifiques auteurs ont contribué à répandre dans l'après-guerre 1940-1945, non sans les associer à la catégorie nietzschéenne de « dionysiaque ». « Sacré » et « sacrifice » pouvaient passer pour les dénominateurs communs de toutes les religions, les transcendant toutes, le christianisme étant celle qui les a le plus occultés, et le catholicisme la forme de christianisme qui, tout en les conservant, les a conjurés et affadis. « Sacré » et « sacrifice », tous deux à la frontière du divin et de l'humain, de l'humain et de l'animal, sont des notions ambivalentes. Le « sacré » oscille entre deux extrêmes, l'impur et le pur, le repoussant et le fascinant, l'animal et le divin. Le « sacrifice » est l'acte impur qui restaure la pureté, la mise à mort repoussante (viande humaine ou animale, feu, sang, fumée) qui était censée apaiser les dieux et les rendre propices. Et si l'« Art contemporain » était la version nominaliste, post-chrétienne, post-religieuse, de ces sacrifices pratiqués par toutes les religions connues ? Du modernisme, c'est le seul enseignement que retire l'exposition beaubourgeoise *Traces du sacré.* On n'y soupçonne pas la longue mémoire, le grand amour des arts et de l'œuvre d'art, des artistes modernistes, on ne retient que leurs aspirations primitivistes, orientalistes ou pseudo-nietzschéennes, à un sacré qui, frelaté et drogué, s'est dégradé depuis en rêveries *New Age.*

Georges Bataille (détesté et cruellement traité par Breton dans son *Second Manifeste* de 1930) a poussé avec le plus de persévérance, notamment dans son traité intitulé *L'Expérience intérieure,* écrit en 1942, sous l'Occupation, l'hypothèse selon laquelle le contact direct avec le « sacré », dans sa radicalité préchrétienne, est d'autant plus authentique qu'il est retrouvé par l'athée rationaliste à l'étroit dans les barreaux de sa raison : « Ne peut-on, écrit-il, dégager de ses antécédents religieux la possibilité demeurée ouverte, quoi qu'il semble à l'incroyant, de l'expérience mystique ? La dégager de l'ascèse, du dogme, et de l'atmosphère des religions ? La dégager en un mot du mysticisme au point de la lier à la nudité de l'ignorance [1] ? » Cette « expérience » qui se veut

1. Georges Bataille, *Œuvres complètes*, Paris, Gallimard, 1973, t. V, p. 422 (*Par-delà la poésie*, 1943).

libératrice ne peut être que négative et transgressive, recherchée sinon obtenue par une inversion systématique de la santé, de la raison, de la beauté, de l'amour, toutes valeurs que le catholicisme non janséniste a liées à la prière, aux sacrements, aux œuvres, aux arts pour exorciser l'horreur triste du sacré et donner accès, à la fine pointe de l'âme et du corps glorieux, au regard du Dieu d'amour. Les « saintes douceurs du ciel » auxquelles aspire le *Polyeucte* de Corneille, ces noces spirituelles catholiques qui font de Dieu le degré suprême du bonheur auquel l'âme humaine aspire irritaient Claudel qui les trouvait trop platoniciennes. Elles font horreur à Bataille. « Dans la piété vulgaire, écrit-il, Dieu lui-même est domestique achevé [1]. » Le Dieu en creux de son « athéologie » suppose la mise à mort préalable de cette idole domestique, rendant au « sacré » une liberté sauvage qui déchiquette de souffrance et d'agonie son libérateur athée, exauçant les vœux de sa propre « part maudite ». Sens commun et bonheur, même et surtout transportés du naturel au surnaturel, sont anathèmes à la sourcilleuse et tortueuse théologie négative et masochiste de Bataille. Les planches d'écorchés du célèbre traité d'anatomie de Vésale sont encore trop élégantes et dansantes, trop « Renaissance » pour sa mystique d'une autodestruction acharnée à se jeter dans le « sacré » – comme Empédocle dans les laves de l'Etna.

Cette catégorie anthropologique a donc exercé et exerce toujours une fascination irrésistible sur nos contemporains post-modernes, qui ont à la fois le goût des extrêmes et très peu de goût pour la dimension religieuse de l'existence commune. Commode, elle leur permet à la fois de cantonner le « religieux » dans l'abyssal, le sublime, et de le réserver à ce titre aux violents, aux « mystiques », bref aux autres, à d'étranges étrangers. Elle les autorise aussi à regarder de haut le christianisme en général, et le catholicisme en particulier, qui en effet ne brillent que rarement par le sacré. Le sacré suppose une dénivellation en falaise avec le profane et une distance foudroyante, à tout le moins sanglante, entre le divin et l'humain, entre l'invisible qui tonne et le visible qui se couche à terre. C'est un *mysterium tremendum*, dans la définition de Rudolf Otto, un « mystère terrible », dans la traduction française qu'en donnait, avec trois siècles d'avance, le janséniste Boileau. Les mystères douloureux, joyeux et glorieux de l'année chrétienne sont liés à un Dieu qui s'est fait homme, qui a pris face humaine, qui est sorti de sa transcendance sacrée et qui a remplacé tous les sacrifices sanglants, dont il a accepté d'être la dernière victime, par un sacrifice non sanglant, le banquet eucharistique. Si l'on en croit René Girard, le christianisme a remplacé le sacré par ce que l'on pourrait appeler le Saint, *the Holy, das Heilige*, héritier purifié du *hagios* grec, une modalité du divin compatible

1. G. Bataille, ouvr. cit. t. V, *L'Expérience intérieure*, p. 134.

avec l'humain, et qu'exemplifie la double nature du Christ, dépourvue de l'intouchabilité dangereuse et vengeresse que suppose le latin *sacer*.

Le Christ n'est pas « sacré » : Marie, sa mère, l'a tenu dans ses bras, il s'est laissé toucher par l'hémorroïsse, par Marie-Madeleine, par Jean, par Thomas, et lors de la Cène, il a pris place au côté de ses apôtres, comme il l'avait fait avec les invités des noces de Cana, du repas chez Simon et du banquet chez Levi. Il est parfois difficile de dire si les tableaux, nombreux, qui représentent à la fois un voyageur parmi d'autres et Dieu ressuscité des morts sur le chemin et dans l'auberge d'Emmaüs, sont des tableaux religieux ou des tableaux de genre, à la façon hollandaise. Cette ambiguïté est consubstantielle au christianisme, fidèle à l'esprit et à la lettre du récit évangélique et en affinité profonde avec l'art de peindre occidental. Les trois banquets évangéliques de Véronèse (l'un d'entre eux a brièvement alarmé le clergé vénitien par son exubérance) montrent le Christ convive parmi d'autres de ces fêtes prodigieuses, la dimension divine de sa présence se manifestant indirectement par l'extraordinaire épanouissement du visible, du sensible, du charnel, étoffes, vaisselle, joyaux, superbes créatures, animaux de race, que cette présence honore et qu'elle rachète, exaltant à la joie d'être là, dans ce dimanche de la vie, du même mouvement qu'elle justifie l'art du peintre capable de faire voir une telle hospitalité réciproque. Le Dionysos de la villa des Mystères, lui aussi en visite, ne déclenchait pas la jubilation sans partage des Noces de Cana parmi les préparatifs d'un mariage.

Le christianisme n'est pas une religion du sacré, du séparé, mais d'une sainteté qui s'est incarnée pour pénétrer de grâce et laver de ses suies la vie ordinaire de tous les hommes et de toutes les femmes, préfigurant et préparant ainsi la joie plénière de revoir face à face le saint des Saints, dans la plénitude de sa demeure éternelle. En ce sens, François d'Assise est le type même de la sainteté chrétienne ; on ne trouve la moindre trace de sacré, pas plus que dans le récit des quatre évangélistes, ni dans sa légende, ni dans son histoire, ni dans son iconographie, qui a joué un rôle si décisif dans le décollage de l'art de peindre occidental. Sur les pas du saint stigmatisé comme un « second Christ », on ne trouve qu'humanité, humour et amour, mais ennoblis par le sentiment de la double nature du Fils de Dieu. La grandeur et la majesté divines s'imposent d'autant plus intimement à la conduite ordinaire de la vie qu'elles ont eu la générosité de se rendre visibles sous les traits humains les plus humbles et humiliés, donnant lieu à ce que François de Sales appelait « la civilité de la maison de Dieu, le défaut duquel nous réduit à la roture et fait que nous traitons avec Dieu ou en enfants ou en sauvages ». En d'autres termes, en le reléguant dans le vertige du sacré.

Ce fut dans la droite ligne de la religion chrétienne, triomphant des scrupules iconoclastes d'empereurs jaloux, que de demander aux

« saintes images » de la peinture et de la mosaïque, figures de cette double nature du Christ, de faire connaître à tous, lettrés et illettrés, l'histoire sainte de l'Incarnation. Et c'est dans la droite ligne du catholicisme romain d'avoir patronné sans discontinuer un art de peindre qui ne fût pas « sacré » et théophanique, comme l'était l'icône byzantine, mais qui, malgré ses règles et ses dons purement humains, était appelé aussi bien à faire voir le divin dans l'humanité du Christ et de ses saints que les ombres et les lumières de l'humanité ordinaire.

La régression opérée par Bataille du catholicisme de Montaigne, de Rubens et de Claudel vers le « sacré », jointe au souvenir très vivant à Paris d'Antonin Artaud et de son théâtre de la cruauté, contribua à enflammer, après 1968, l'imagination de « plasticiens » parisiens comme Michel Journiac (*Messe pour un corps*, 1969) ou Gina Pane (*Azione sentimentale*, 1972). Ils multiplièrent les « performances » en galerie où ils donnaient de leur propre corps « stigmatisé » un spectacle se donnant pour « christique », « eucharistique », « martyrologique ». Ces sacrifices charlatanesques prétendaient édifier le public d'art sur le corps, sa pathologie, son débat avec la mort, ses travestissements, sa capacité de souffrance, en référence implicite avec des motifs prélevés dans l'iconographie et la liturgie catholiques. Journiac et Pane furent les « pionniers » français, mais aussi les derniers « martyrs », du *Body art* qui avait déjà fait des ravages en Amérique et des « actionnistes » viennois qui avaient joint dès la fin des années 1960 la parole aux actes, abolissant tous les « mensonges de la représentation », et poussant l'art du coutelas jusqu'à leurs propres os, dans de vraies boucheries autophagiques ouvertes dans des galeries d'art. Les deux « plasticiens » parisiens, à leur tour, avaient élevé la performance sanglante à un rang insurpassable, qui correspond dans l'« Art contemporain » au sommet de l'art chrétien, la représentation des mystères douloureux de la Passion. Pas plus que les sommets du *Body art* américain ou autrichien, ils n'auront fait long feu. Sacher-Masoch avait indiqué des recettes moins naïves.

Antonin Artaud était un acteur de génie. Jerzy Grotowski, qui le découvrit sur le tard, était comme son ami Peter Brook un directeur d'acteurs et un metteur en scène d'une exigence aussi exacte qu'un maître de danse conjugué à un directeur spirituel. L'expression de l'excès du corps sur l'âme n'allait pas à ses yeux sans la rigueur obstinée par laquelle tout art s'élève au-dessus de la vie éteinte où est plongé son public, sauf à se contenter de dilettantisme et de kitsch. L'ennui, avec les *performers* de galerie, c'est qu'ils donnent le sentiment d'aller aux seuls extrêmes qui ne demandent aucun talent, aucune discipline, et autorisent toutes les indulgences. Ne sachant rien faire d'autre ni de mieux, ils gesticulent des horreurs, comptant sur l'intimidation et la compassion pour faire oublier qu'ils sont incapables de décoller du fait divers. On appelle en néo-français « plasticiens » des défroqués de tous les arts qui prétendent les subvertir tous à la fois, ne sachant ni dessiner, ni peindre, ni sculpter, ni danser, ni chanter, ni marcher, ni jouer, inversion caricaturale de l'homme désaliéné de Marx et de son usage du temps libre, rien de plus que ce dont seraient capables leurs spectateurs s'ils étaient possédés du même culot de charlatans. Il y avait la même différence entre les charlatans du *Body art* et le théâtre de Grotowski qu'entre Francis Bacon et Damian Hirst. Je ne vis pas dans la familiarité de l'œuvre peinte de Francis Bacon, mais même si je n'adhère pas à son univers hanté par la torture et la terreur, j'admire l'art et la rigueur avec lesquels il porte à la dignité du symbole, comme l'a fait Grotowski au théâtre, par un court-circuit de beauté et de tragique, son sentiment souffert de la condition de l'homme moderne. Francis Bacon est le dernier des grands peintres modernistes ; il ne relève pas de l'« Art contemporain ».

Lecteur de Bataille, mais aussi de T. S. Eliot, continuateur de Stanislavski, Grotowski était tellement sensible à l'objection d'exhibitionnisme adressée au *happening* qu'il exigeait de ses *performers* un entraînement monastique dans toutes sortes de disciplines du corps et de la voix, leur donnant pour modèles les acteurs du Kabuki japonais ou de l'Opéra de Pékin. Il revenait à la précision virtuose et maîtrisée du moindre de leurs gestes et mouvements de muscle de rétablir, dans ses spectacles, la distance esthétique que paraissait abolir un dispositif scénique, supprimant la séparation entre la scène et la salle et créant une extrême proximité physique entre les acteurs en mouvement et le petit nombre de spectateurs au milieu desquels ils évoluaient. Ce réformateur de l'art du théâtre était un moderniste au sens paradoxal et baudelairien de ce terme, aussi décidé à sauver le théâtre et la présence réelle du corps, l'essence de l'art dramatique, contre l'évidement de cette présence par les spectres cinématographiques, que l'avaient été les peintres du début du siècle à sauver la peinture et la perception humaine du monde, l'essence de l'art des peintres, de la concurrence des fantômes photographiques. Pour réveiller le spectateur moderne de la désappropriation de son propre regard et de son propre corps qu'induit son habitude de l'image cinématographique, l'acteur devait être celui ou celle qui accepte de *réincarner*, avec une précision et selon un rythme liturgique, la passion de l'infini qui fait tressaillir et vivre, dans ses limites finies, le corps humain. L'acteur-poète *rend l'âme* au spectateur en lui montrant la sienne en action, aux prises avec un corps qu'elle habite, mais auquel elle a appris à se faire le signifiant exact, par toutes ses ressources physiques et vocales, de leur terrible et double nature.

Ce fut un événement étrange, en novembre 1969, que la courte série de représentations d'*Apocalypsis cum figuris*, le dernier *autosacramental* du théâtre-laboratoire du Polonais Grotowski, dans la nef de l'église néo-gothique de Washington Square, à New York. Il avait été donné quelques mois plus tôt à Paris dans la Sainte-Chapelle. S'il n'y avait pas pour en témoigner des articles décontenancés, mais séduits, parus dans le *New York Times* et le *New York Post*, on croirait à une légende inventée (j'étais là, pourtant), comme celle, peut-être forgée, qu'a répandue Blaise Cendrars, et selon laquelle, il aurait écouté *La Création* de Haydn dans une église presbytérienne de New York, en avril 1912, avant d'écrire la nuit suivante, en trois réveils successifs, *Pâques à New York*, dans une misérable chambre d'hôtel.

La capitale des images publicitaires, des *musicals* de Broadway et du Pop art était l'hôte, en 1969, d'un rejeton puissant et charnel, sincère et savant, moderne et ancien, de l'art catholique d'une Pologne alors éteinte en apparence sous le gel soviétique, et cela dans le quartier de New York où toute une famille de peintres, vingt ans plus tôt, en émulation avec l'Europe moderniste, avait réussi, au prix pour certains de leur vie, à pourvoir brièvement l'Amérique d'un grand art contemplatif *abstrait*. Tragique, magnifique et nu, de tous ses muscles de tigre, de toute sa voix d'écorché vif, Ryszard Cieslak était le Christ, Elizabeth Albahaca était la violence tragique de l'amour de Marie-Madeleine dans les *Déplorations* italiennes et flamandes du XVe siècle, en contrepoint avec le chœur des autres acteurs se mouvant en une tempête mugissante de la même respiration, des mêmes silences. De petites vieilles Polonaises en fichu, penchées vers le sol, faisaient, sans s'émouvoir, la toilette méticuleuse de l'église, dont les lampadaires de Washington Square illuminaient les vitraux, tandis que, dans la pénombre, le Crucifié, abandonné du Père, s'abandonnait à Marie-Madeleine, dans une étreinte si absolue qu'elle aurait pu sauver un monde autrement insauvable. Quand tout fut fini, personne n'osa applaudir.

Ce n'est que bien des années plus tard que je lus *Pâques à New York*, le premier poème de Cendrars :

C'est à cette heure-ci, c'est vers la neuvième heure
Que votre Tête, Seigneur, tomba sur votre Cœur.

Je suis assis au bord de l'océan
Et je me remémore un cantique allemand.

Où il est dit, avec des mots très doux, très simples, très purs
La beauté de votre Face sous la torture

Dans une église, à Sienne, dans un caveau,
J'ai vu la même Face, au mur, sous un rideau.

Et dans un ermitage, à Bouré-Wladislasz,
Elle est bossuée d'or sous une châsse.

De troubles cabochons sont à la place des yeux
Et des paysans baisent à genoux Vos yeux

Sur le mouchoir de Véronique. Elle est empreinte
Et c'est pourquoi Sainte Véronique est votre Sainte.

C'est la meilleure relique promenée par les champs,
Elle guérit tous les malades, tous les méchants.

Elle fait encore mille et mille autres miracles
Mais je n'ai jamais assisté à ce spectacle.

Peut-être que la foi me manque, Seigneur, et la bonté
Pour voir ce rayonnement de votre Beauté.

Pourtant, Seigneur, j'ai fait un périlleux voyage,
Pour contempler dans un béryl l'intaille de votre image

Faites, Seigneur, que mon visage appuyé sur les mains
Y laisse tomber le masque d'angoisse qui m'étreint.

Faites, Seigneur, que mes deux mains appuyées sur ma bouche
N'y laissent pas l'écume d'un désespoir farouche.

Je suis triste et malade. Peut-être à cause de Vous,
Peut-être à cause d'un autre. Peut-être à cause de vous.
[...]
Seigneur, l'aube a glissé, froide comme un suaire
Et mis tout à nu les gratte-ciel dans les airs.

Déjà un bruit immense retentit sur la ville
Déjà les trains bondissent, grondent et défilent.

Les métropolitains roulent et tonnent sous terre
Les ponts sont secoués par les chemins de fer.

La Cité tremble. Des cris, du feu, et des fumées,
Des sirènes à vapeur rauquent comme des huées.

La foule enfiévrée par les sueurs de l'or
Se bouscule et s'engouffre dans de longs corridors.

Trouble, dans le fouillis empanaché des toits,
Le soleil, c'est votre Face souillée par les crachats.

[...]

Seigneur, je rentre fatigué, seul et très morne,
Ma chambre est nue comme un tombeau.

Seigneur, je suis tout seul et j'ai la fièvre
Mon lit est froid comme un cercueil.

Seigneur, je ferme les yeux et je claque des dents.
Je suis trop seul, j'ai froid, je vous appelle.

Cent mille toupies tournent devant mes yeux.
Non, cent mille femmes. Non, cent mille violoncelles.

Je ne pense plus à vous, je ne pense plus à vous [1].

La ville, que le poème montre aussi comme l'aimant où affluent les pauvres du monde entier, venus y chercher survie et pitance sur « d'immenses bateaux noirs », et où la seule charité que ces immigrants demandent, et que le poète demande en leur nom, effrayé, triste, mais compréhensif, est, à n'importe quel prix, « l'aumône de quelques gros sous ici-bas », comme lui-même demande enfin un peu de petit bonheur, un peu de Broadway.

Le *Théâtre pauvre* selon Grotowski, petite communauté fondée sous le nom pompeux de « laboratoire » dans la toute petite ville polonaise d'Opole au temps de Brejnev, est le titre aussi d'un livre publié en français. C'est le « discours de la méthode » d'un artiste décidé à rendre le théâtre capable de dire la messe pour l'Europe de la « guerre froide », de ressusciter la tragédie antique pour une Europe amputée, lobotomisée, en proie à la « tristesse du siècle ». Grotowski s'est retiré de la scène à l'heure de la chute du mur de Berlin, comme s'est retirée l'utopie d'un « art sacré » moderniste, conçue par Jacques Maritain dans les

1. Blaise Cendrars, *Du monde entier au cœur du monde. Poésies complètes*, préface de Paul Morand, Paris, Gallimard, Poésie, 2006, p. 31-41.

décombres de la Première Guerre mondiale, et devenue sans objet à l'heure d'une autre chute de mur, celle de Mai 68.

Mais le souvenir de la liturgie et des arts catholiques hante toujours sinon un « Art contemporain » commercial, du moins le discours vaguement théoricien que cette misère sans art a grand besoin que l'on tienne sur elle. La messe catholique, la crucifixion, le martyre, ou la spiritualité de sainte Thérèse d'Avila servent, ici et là, de faire-valoir à une « corporéité » opprimée que l'« Art contemporain » se pique de nous rendre toute crue, libérée de tout égard, mais privée aussi de toute grâce et de tout style. La boucherie, l'attentat, la clinique et l'alcôve, surpris par la photographie ou fouillés par la psychanalyse, se passent de la symbolique liturgique et des signes sensibles de l'art.

La pudeur naturelle, cet attrait dont même l'Antiquité païenne parait la beauté nue, passe pour un symptôme de répression. Tout art digne de ce nom a respecté la différence entre l'image rétinienne des corps (une abstraction, comme l'image photographique) et les corps comme répertoires vivants de signes donnant à voir, en acte, les passions et les pensées de l'âme. Cette différence a cessé d'être perçue et comprise. À la limite, et avec le cadre qui isole l'œuvre d'art du monde fuyant des phénomènes, a disparu la différence élémentaire entre travail des jours ouvrables et repos du jour de fête, quotidienneté de la semaine et dimanches de la vie, prose et poésie, propre et figuré, réalité plate et décollage de la métaphore. L'art antique, apollinien ou dionysiaque, est toujours de l'art et jamais une idiosyncrasie. L'art chrétien, l'art moderne et même l'art moderniste sont construction avant d'être expression ; ils supposent un transport, une métaphorisation, ils ne supportent pas la tautologie brutale et facile qu'encourage la photographie, et dont celle-ci ne se protège d'elle-même que par l'éducation de l'œil et de l'esprit du photographe dans les lettres et les arts, chose infiniment rare. De tout cela, et pas seulement du poids provisoire du régime totalitaire imposé à la Pologne, Grotowski avait fait la raison d'être et la substance critique, ironique et tragique de son « théâtre pauvre ».

25. Interlude américain : Piss Christ, *le sacré et la compassion à New York, 1989*

Le court épisode parisien, rouge sang, du *Body art*, cas extrême de tautologie, pas plus d'ailleurs que les empreintes laissées sur ses toiles, à la même époque, par les jolis modèles d'Yves Klein, nus et enduits de bleu acrylique, n'a réussi à poser autre chose qu'un éphémère scandale mondain. On l'aurait à peu près oublié, si ses prolongements américains n'avaient, dix ans plus tard, à une échelle infiniment plus vaste, suscité une véritable « guerre de cultures » dont l'écho a largement résonné dans le monde et donné des idées aux hiérarques français de la Culture, toujours en peine de diffuser l'« Art contemporain » qu'ils patronnent.

En 1989, trois querelles d'importance ont éveillé dans tous les États-Unis, contre et pour l'« Art contemporain », soit la fureur des ligues familiales, des pasteurs évangélistes et de nombreux élus municipaux ou parlementaires, soit la faveur passionnée de toute une Amérique *college educated* et affranchie. Ils ne sont pas passés inaperçus en France. En revanche, trois ans plus tôt, une exposition de haute tenue scientifique, « *The Spiritual in Art : Abstract Painting (1890-1985)* », organisée au Los Angeles County Museum, et répétée à l'Art Institute de Chicago, ne rencontra aucun écho à Paris. Bien que cette généalogie américaine de l'art abstrait de Kandinsky, de Mondrian, de Malevitch ne fît aucune place à l'École de Paris des Jean Bazaine, des Alfred Manessier, des Vieira da Silva, elle aurait pu donner l'idée de réhabiliter cette famille de grands artistes inspirés par les vitraux de Chartres, et dont le Paris du ministère de la Culture, du Centre Pompidou et de leurs vassaux ne voulait plus entendre parler. Il n'était pas encore question d'associer dans un musée d'État l'« Art contemporain » laïc à un spirituel quelconque, et le « sacré » était tout au plus le domaine réservé des Églises. Tout en révélant l'humus théosophique sur lequel avait germé l'art symboliste fin de siècle, puis au siècle suivant l'art abstrait des peintres de l'Europe du Nord, l'exposition « *The Spiritual in Art* » conférait aussi des lettres de noblesse et même une sorte de grandeur classique aux peintres new-yorkais de l'expressionnisme abstrait, quelque peu rejetés dans l'ombre depuis les années 1960 par le Pop art. Un Rothko, un Pollock étaient des ambitieux pour leur art. Chacun de leurs tableaux est une nouvelle métaphore visuelle du *Fiat lux* de la Genèse ou du jeu invisible des énergies cosmiques.

Dans un ordre moins *high brow*, l'année 1989 fut donc aux États-Unis fertile en scandales. Tout commença par l'injure faite à un « plasticien » américain, de naissance afro-hispanique et de religion catholique, Andres Serrano, qui reçut, au début de l'année, un prix pour la photo couleur, floue et rougeâtre, d'un crucifix plongé, selon ses dires, dans sa propre urine mêlée à son propre sang. Le prix avait été décerné par un jury du Southwestern Center for the Contemporary Arts. La compétition avait été financée par le National Endowment for the Humanities (N.E.H.), organisme fédéral minuscule (en comparaison de notre ministère de la Culture) dont le siège est à Washington. La presse nationale se fit l'écho de l'indignation contre l'auteur de *Piss Christ* et des poursuites judiciaires de pasteurs et de ligues familiales dont il fut assailli. D'éminents *congressmen* s'élevèrent contre un emploi aussi répréhensible de l'argent public. C'était le procès des *Fleurs du mal* à l'échelle américaine et pour un bien misérable objet.

Serrano n'est ni Flaubert ni Baudelaire, mais il se défendit habilement :

> J'ai régulièrement interrogé la religion dans mon travail. Ma relation complexe à ma propre éducation catholique influence aussi ce travail, et m'aide à redéfinir ma propre relation à Dieu. Et même si je ne suis plus catholique aujourd'hui, je me considère comme chrétien et je pratique ma foi à travers mon travail.

La sœur catholique Wendy Beckett, interrogée au cours d'une émission vedette sur une chaîne TV nationale, se déclare solidaire du « plasticien » au travail ; elle affirme que cette image, loin d'être blasphématoire, nous interpelle tous, nous reprochant ce que nous avons fait du Christ dans notre société. Catholique sans Église, Serrano n'en est pas moins catholique pour cela, au contraire ; il n'est pas agenouillé sur un prie-Dieu, mais il cherche Dieu dans l'urinoir de Duchamp. De surcroît, il a le sens catholique des images et de leur puissance d'expression de l'introuvable. Au fond, suggère ce témoin de moralité, l'indignation déchaînée contre Serrano émane de chrétiens protestants et iconoclastes, aveugles à la signification religieuse des images. La « guerre des cultures » a fait affleurer une « guerre de religion » entre iconoclastes évangélistes et iconophiles catholiques et duchampiens ! Personne, dans les deux camps, ne s'est demandé si le premier défaut de *Piss Christ* n'était pas sa nullité artistique.

D'un jour à l'autre, la hargne énorme de ses accusateurs fait de Serrano un martyr. Sa célébrité soudaine lui permet d'exposer à New York une *Piss Madonna and Child*, puis une série successive de photographies représentant parias, cadavres, et victimes du sida. Il est aujourd'hui une sorte de Mère Teresa de la photographie compassionnelle.

Une aventure analogue, la même année 1989, est arrivée à Robert Mapplethorpe, peu après la mort du sida de ce grand et déjà justement célèbre photographe, épris de tous les attraits néo-classiques de la nudité masculine, antique et canovienne, à commencer par la sienne. Une exposition posthume de ses œuvres, subventionnée par le N.E.H., programmée par le musée Corcoran de Washington, suscite par avance une levée de boucliers des ligues de pudeur et doit être annulée. C'est le début d'une seconde tempête nationale : les deux camps redoublent de poursuites judiciaires et d'appels médiatiques à l'opinion. Dès août de cette année cruciale, l'agitation monte encore quand tombe la nouvelle que la subvention fédérale accordée à l'exposition « *Witnesses :*

Against our Vanishing » est retirée : elle était prévue pour novembre et organisée dans la galerie Artists Space à Soho par la photautobiographe Nan Goldin. L'exposition de photos était en fait un reportage compassionnel sur l'épidémie de sida, mais elle contenait aussi *Piss Christ* d'Andres Serrano et des inscriptions insultantes contre le maire de New York, l'archevêque du diocèse et Jesse Helms, alors redoutable *Chairman* du groupe républicain au Sénat, démissionnaire pour concussion depuis.

Étourdi par le scandale qu'il avait suscité en désolidarisant l'État de l'exposition protestataire contre l'inaction des autorités publiques, le directeur de la section « Art contemporain » du N.E.H., John Frohnmayer, crut bon, pour calmer les esprits, de rendre visite à Artists Space. Il est accueilli par des huées, mais la visite a lieu, et l'excellent homme est bouleversé par cette suite de clichés crus, pathétiques ou obscènes, représentant les ravages du sida, de la drogue et de l'alcool, des corps exsangues et ruinés. Ému comme s'il avait parcouru en prière un chemin de croix, il voit d'un tout autre œil la photo de Serrano qui conclut l'exposition. Il décide sur-le-champ de rétablir la subvention et fait amende honorable envers *Piss Christ* :

> Même si les évangélistes crient au blasphème, l'intention d'Andres Serrano a pu être, en plongeant le crucifix dans l'urine, de prendre position contre la commercialisation du Christ. Étant lui-même un catholique qui s'est éloigné de l'Église, il se bat avec ses doutes et sa foi, et il s'interroge sur le rôle de la religion dans sa vie [1].

Le haut fonctionnaire Frohnmayer rejoignait la bonne sœur Wendy Beckett. Tous deux laissaient prévoir que le Téléthon américain avait déjà donné gain de cause à l'« Art contemporain » au titre de témoignage christique. Saisi par le président Bush (le père de G.W.), le Congrès se déchargea sagement sur les tribunaux pour juger en dernier ressort de l'obscénité, ou non, des œuvres primées ou exposées avec de l'argent public.

En fait, à part l'enjeu symbolique de toute reconnaissance officielle, l'argent public ne joue qu'un rôle mineur dans la carrière d'artistes ou de plasticiens américains : elle est faite par les galeries et par leur riche clientèle. La spectaculaire « guerre de cultures » commencée en 1989, au cours de la présidence du premier Bush, eut pour principal effet, comme la controverse autour de l'Armory Show en 1913, de convaincre la partie cultivée de l'opinion que l'« Art contemporain » et ses vedettes représentaient bel et bien l'énergie, l'audace et le cœur de la nation ; s'il arrivait au marché de l'art de faire des erreurs, il s'avérait qu'il était

1. Cité par A. de Kerros, ouvr. cit., p. 45.

encore le meilleur et le plus éclectique des juges entre le bon grain et l'ivraie.

Avec les clichés de Nan Goldin ou d'Andres Serrano, on est loin à première vue des performances *live* de Michel Journiac ou de Gina Pane, à plus forte raison du masochisme sanglant des « actionnistes » de Vienne. En réalité, ces performances et ces « actions » étaient faites pour être photographiées et leurs photographies vendues comme œuvres d'art. Un même naturalisme de planche anatomique, une même attraction pour le spectacle de la souffrance et de la décomposition des corps étaient au travail chez les uns et chez les autres. Si christianisme il y avait, c'était un christianisme iconoclaste réduit à la Croix ou un christianisme monophysite réduisant le Christ en croix à l'homme Jésus, privé de sa qualité d'Image du Père, de son annonciation, de sa nativité, de sa transfiguration, de sa résurrection, bref un Christ romantique dont l'agonie et la mort ont évidé le monde de Dieu et laissé l'homme occuper à sa place un emploi disproportionné à ses capacités et à sa mortalité [1].

Parler, à propos de l'« Art contemporain », de « christianisme », à plus forte raison de « catholicisme », c'est infliger à ces mots la même inflation dont sont affligés aujourd'hui les mots « culture », « art » ou « sacré » et en faire leur synonyme, tout étant dans tout, et réciproquement. C'est un peu comme si l'on cherchait le fonds religieux du XVIIe siècle chrétien dans la « possession de Loudun », sombre affaire de sorcellerie décrite par Michel de Certeau [2] et qui suscita en son temps une telle excitation que nombre de dames et gens de Cour affluèrent de Paris à Loudun pour assister au spectacle. Personne n'a songé, ni alors ni depuis, à mettre dans le même sac « chrétien » Jeanne des Anges, la religieuse « possédée » qui se produisit alors sur les planches, assistée d'un exorciste jésuite, et une Jeanne de Chantal, une Marie de l'Incarnation ou même une Marguerite-Marie Alacoque, qui inaugura le culte du Sacré-Cœur, à plus forte raison une Thérèse d'Avila. « Christianisme » est devenu à son tour un mot-valise autorisant allégrement tous les malentendus, tous les amalgames, toutes les annexions. C'est trop d'honneur qu'on lui fait, mais aussi trop d'indignité, car chacune de ses doloristes manifestations présumées augmente le soupçon nietzschéen (évident dans *Pâques à New York* de Cendrars) qu'il est aussi la *cause* d'un monde aussi malheureux. Pour le meilleur et pour le pire, il y aurait « christianisme » partout où il y a de la souffrance et du deuil, et Dieu sait si ces malheurs sont communément répandus chez les puissants

1. Voir Xavier Tiliette, *Jésus romantique*, Paris, Desclée, 2002, et Jean-Louis Vieillard-Baron, « La christologie des incroyants : du Jésus romantique à la spiritualité romanesque d'aujourd'hui », dans *Science et esprit*, 60/1, 2008, p. 21-38.

2. Michel de Certeau, *La Possession de Loudun*, Paris, Julliard, 1970.

comme chez les misérables, chez les bourreaux comme chez leurs victimes, chez Judas comme chez Jésus. Même les missionnaires les plus enclins à croire que tout paganisme est une « préparation évangélique » plus ou moins éclairée n'ont jamais rêvé d'un terrain aussi commode à leur œuvre de conversion, commodité il est vrai fatale pour la foi paulinienne dans la Résurrection.

Maintenant, dès qu'il y a du sang qui coule et des cris de douleur, et il en surgit partout, hélas, attestés par d'innombrables reportages, les nouveaux athées, plus dévots que les dévots, se hâtent d'en faire un « tableau vivant » évoquant un lieu commun de l'iconographie chrétienne, voire une approche, directe ou non, d'on ne sait quel sacré « chrétien ». Et gare à qui mettrait en doute une évidence à la fois compassionnelle et irritée dont la multiplication quotidienne plonge le monde dans la piscine d'urine bénite teintée du sang d'Andres Serrano ! Autant remettre en cause le droit de tous, chacun portant son lot de tristesse « chrétienne », à une égale considération attendrie et révoltée. Notre sensibilité de commande collective est d'autant plus facilement émue et ostentatoire qu'en nous apitoyant sur nous-mêmes, pour ainsi dire par habitude, elle nous dispense de voir les ressorts d'égoïsme et les calculs de profit ou d'ambition qui capitalisent ces grandes émotions passagères et compromettent l'authentique amour du prochain, qui heureusement n'en agit pas moins et se cache pour agir.

26. Et pourquoi l'« Art contemporain » ne serait-il pas chrétien ?

Reste que la présomption de « sacré » qu'ont introduite dans la culture, et dans l'« Art contemporain » dont elle est le fleuron, les performances, les photographies, les installations « christiques » ou pisschristiques, et la gravité dévote avec laquelle ces « recherches spirituelles » ont été accueillies, commentées, glosées, honnies en Amérique et en Europe, même par un clergé catholique ravi de se trouver à leur occasion consulté et mêlé à l'actualité médiatique, ont fait leur chemin dans les esprits des hiérarques français de la Culture. Cela a pris du temps. Entre 1986, année de l'exposition californienne « *The Spiritual in Art* », et 2008, où le Centre Pompidou inaugure une exposition « Traces du Sacré », près d'un quart de siècle, s'est écoulé.

Le chemin de Damas français de la Culture aura été long et tortueux. On est parti, en 1989, de l'effet de réminiscence efficace produit en Amérique, sur un public non catholique, par des images sacrilèges mais compassionnelles, pastichant l'iconographie catholique devenue universelle dans l'ère de la reproductibilité technique. Cet effet n'était-il pas prévisible et répétable sur un public tel que le français, dont la mémoire contient en abondance le souvenir récent de messes, de retables sur les autels, ou dans les musées, d'imagerie de la Passion ou de l'Eucharistie ? On n'en est plus à « écraser l'infâme ». Dès longtemps préoccupée par l'écho insuffisant de l'« Art contemporain » français à l'étranger et de l'« Art contemporain » mondial en France, la Culture (créée par Malraux sous le signe d'une religion laïque de l'art) avait commencé à s'interroger.

Il est revenu en 2003 à Catherine Grenier, une conseillère technique du ministre de la Culture Renaud Donnedieu de Vabres, de prendre officiellement le vent depuis longtemps levé et d'indiquer le cap à prendre au vaisseau de l'État culturel, dans un rapport à son ministre, devenu depuis essai et publié sous le titre *L'Art contemporain est-il chrétien ?* [1]. Se plaçant sur le seul terrain, le plus superficiel, de l'iconographie, l'auteur conclut hardiment, du réemploi par de nombreuses vedettes de l'« Art contemporain », de thèmes empruntés aux mystères douloureux de la liturgie et de l'art catholiques, à l'intention plus ou moins inconsciente qu'elle lui attribue : non plus seulement le « retour au religieux », mais, allons-y franchement, un retour en force au catholicisme, dont les « plasticiens », notamment français, italiens, espagnols, mexicains, seraient les témoins tout naturels, puisque sortis du sérail clérical après en avoir connu les détours. Mme Grenier néglige d'indiquer que ces « rencontres » thématiques évitent avec soin tous les mystères joyeux et glorieux de l'iconographie et de la liturgie catholiques : ni la nativité, ni l'enfance, ni la prédication et ses miracles, ni la résurrection, ni l'ascension, ni la pentecôte n'ont la moindre chance d'affleurer dans un « Art » qui ne veut se souvenir que de la Passion et de la crucifixion, descellées de leur dimension divine. Si « rencontre » ou « retour » il y a, c'est sur la base étroite d'un catholicisme calvinisé et jansénisé de flagellants mélancoliques. La Croix sans la Gloire. La tristesse rabâcheuse de « la mort de Dieu » sans la moindre joie d'en être délivré et, à plus forte raison sans la jubilation de savoir qu'à la fin, c'est la joie qui est divine, c'est la joie qui l'emporte.

Mme Grenier n'est pas trop difficile sur la teneur de la prétendue rencontre entre l'« Art contemporain » et la foi de sainte Thérèse d'Avila. Elle ne disconvient pas que ces « plasticiens », en adoptant ce qu'elle appelle généreusement une « esthétique catholique », ne le font pas dans un esprit de conversion (hypothèse inconvenante chez un fonctionnaire de la République laïque), mais avec l'espoir d'assurer à leurs productions une « compréhension large » auprès de « profanes » de « culture » vaguement catholique. On ne saurait dire, en termes plus galants, qu'ils ont fait un choix de *marketing*. Sévèrement sélectionnée et « détournée » par eux, appauvrie mais encore reconnaissable, une « imagerie »

1. Catherine Grenier, *L'Art contemporain est-il chrétien ?*, Jacqueline Chambon, 2003.

présente et active dans toutes les mémoires, catholiques ou exposées au catholocisme, médiatise leur propre message, si message il y a, ou, à tout le moins, l'expression de leur propre expérience du souffrir. Aussi, l'« Art contemporain tout entier » aurait intérêt à adopter cette méthode pour « favoriser une diffusion maximale » auprès du grand nombre, baigné depuis des générations dans des « saint-sulpiceries [1] ». À en croire cette experte en communication, l'« Art contemporain » même en terre d'hérésie recuite, a pu faire des miracles en prenant pour porteur l'imagerie catholique : elle n'en veut pour preuve que l'Anglais Damian Hirst, encore lui toujours lui (cent millions de dollars pour une « Vanité » incrustée de diamants), dont les squelettes cloués sur croix de plexiglas connaissent un succès de vente mondial auprès de clients non chrétiens. Le Pop art n'a réussi aux États-Unis qu'en adaptant son message à une imagerie de supermarché aussi populaire en son genre que les stations du chemin de croix dans les rues ou dans les églises du monde autrefois catholique. Et le *Body art* et ses photographes ont réussi leur percée médiatique en « détournant » une iconographie de la Passion présente à tous les esprits, même protestants ou même hostiles au Christ. Pourquoi le ministère de la Culture n'encouragerait-il pas un « retour au catholicisme » si, manifeste dans l'« Art contemporain », dès lors que ce « retour » peut favoriser en France une large popularisation de cet Art, sans pour autant courir le moindre risque de faire une fleur à une Église de toute façon hors course ? L'année dernière, un tailleur napolitain a eu la même idée de réclame christique pour vanter le seyant de ses robes de mariées. De façon plus tortueuse que dans les *megachurches* américaines, la Culture officielle française a fini par découvrir que le Christ « fait vendre ». Enfoncés et oubliés Jacques Maritain, les PP. Couturier et Régamey, leur « art sacré » et le rêve de faire coïncider l'abstraction moderniste avec l'ascèse et la mystique chrétiennes.

Sur fond d'échec patent et avoué de la politique à la Malraux de « démocratisation des chefs-d'œuvre de l'humanité », une nouvelle stratégie est proposée au ministère : soutenir les artistes qui se vendent mieux du fait qu'ils réutilisent, au service de leurs concepts, certains poncifs iconographiques rendus universels par l'art ancien du catholicisme (Christ clown, croix, vanités, squelettes, chairs endolories, sacrifice, sacrilège, exorcisme...). Mme Grenier ne suggère nulle part que cette politique nouvelle de « diffusion », appuyant une tendance puissante et s'appuyant sur elle, servira quelque peu l'Église, la rapatriera du moins dans la contemporanéité, même si ce n'est nullement l'intention des plasticiens et de leurs « détournements » sacrilèges d'images dévotes. Mais on pressent partout dans son essai qu'elle entend bien, par ses recom-

1. *Ibid.*, p. 54.

mandations, faire d'une pierre deux coups, rallier une clientèle plus vaste à l'action de l'État en faveur de l'« Art contemporain » *made in* France, et favoriser incidemment le dialogue entre l'Église et les « forces créatrices » de la « société civile » contemporaine : ce genre de débat lui-même ne peut d'ailleurs que servir la publicité de « plasticiens » consacrés « catholiques » sans l'avoir demandé.

Au moins la première partie, explicite, de l'analyse a été entendue en haut lieu. On annonça pour début mai 2008 une grande exposition qui ferait date, au Centre Pompidou, *Traces du sacré*. Nul doute que le livre-rapport de Catherine Grenier n'en ait été le point de départ.

Dans les deux cas de figure mis à la mode par les écrits de Marcel Gauchet, « sortie » ou « retour » du religieux, n'y a-t-il pas, en effet, pour cet art sans art qu'est l'« Art contemporain », une voie d'accès au grand public encore inexplorée, et qui avait manqué jusqu'ici, au moins dans notre République laïque ? Elle relierait les borborygmes qui nous tiennent lieu d'art officiel, et qui intimident le plus grand nombre, à ces nappes profondes d'archétypes que le christianisme a déposées dans le corps social avant d'en « sortir », et qui affleurent, de nouveau, avec les frémissements métaphysiques de son éventuel « retour » ? Un retour à coups de crosse et d'ossements, si l'on en croit Mme Grenier :

> Pénétrer dans les chambres mortuaires de Boltanski, fouler aux pieds les vêtements des victimes, assister à la décomposition d'un animal que nous présente Damian Hirst, se trouver assailli de visions de torture dans une installation de Kendell Geers, assister au sacrifice du cheval suspendu par Maurizio Cattelan, se confronter au cancer d'un jeune enfant mis en scène par Maria Marshall sont autant de chocs ménagés au spectateur qui désignent et exorcisent nos craintes et nos culpabilités, tout en activant un souffle de vie dans l'homme contemporain [1].

27. Divertissements : Damian Hirst au Metropolitan, Jan Fabre au Louvre

Le recours franc et direct à l'art chrétien ancien, qui a bien réussi à l'exposition *Seeing Salvation* de la National Gallery anglaise, est impossible dans un musée national français : ce serait contraire à la laïcité républicaine. Quant à l'« Art contemporain » français, pas plus que ses prestigieux rivaux étrangers, il ne songe à faire « voir le Salut » ! La joie, la beauté, la grâce, l'espérance, ces touches divines qui ont si souvent résonné sur les cordes de l'art chrétien, sont anathèmes pour lui. Ce

1. *Ibid.*, p. 88.

serait collaborer avec l'euphorie matérialiste d'une société dont par ailleurs il ne dédaigne ni la publicité ni les bénéfices. Cet « art » anti-art ne croit en rien, surtout pas en lui-même, et cela se voit. Mais ne peut-on pas faire en sorte que ce nihilisme donne l'illusion, dans son néant même, et dans l'abondance de ce néant, d'être la religion de la « sortie de la religion », la foi de chrétiens qui ont cessé d'avoir la foi, le tenant-lieu d'un catholicisme dont peuvent aussi jouer et se jouer à leur fantaisie les non-catholiques ? Entre chien et loup, les fantômes réveillés d'une religion morte ne peuvent-ils donner un semblant de vie religieuse à des amuseurs en quête d'un public désorienté et mordant à l'appât ? Ne peut-on suggérer même que l'athéisme de l'« Art contemporain » et l'iconoclasme dont il fait profession sont les formes modernes, rigoureuses, intransigeantes de ce que le Moyen Âge chrétien appela « théologie négative », une adoration si parfaite et si humble du Dieu inconnaissable qu'elle se refuse à le nommer et à le prier autrement qu'en invoquant ce qu'il n'est pas et en lui épargnant l'attribut d'être qui manque à notre propre néant ? Le nihilisme dont l'« Art contemporain » est le langage inchoatif et incompris de la foule ne peut-il pas être rendu attachant, intéressant, édifiant même s'il est mis en rapport non pas avec une mémoire, une nostalgie, des émotions religieuses auxquelles il ne peut avoir directement accès, mais de biais, indirectement, en mettant en scène son nihilisme et son impuissance là où est déposée la mémoire visuelle de la foi chrétienne et des mœurs chrétiennes, dans les musées d'art ancien, entamant avec les chefs-d'œuvre du Moyen Âge, de la Renaissance, de l'Âge classique et baroque de l'Europe catholique, et devant *leur* public, un simulacre de dialogue, comme s'il s'agissait d'une rencontre au sommet entre deux vocations et deux puissances à tu et à toi ? Le bluff de l'art sans art pourra se présenter comme l'expression exacte d'une religion sans religion et parler d'égal à égal, démocratiquement, avec le fait de l'art des siècles religieux, transporté entre-temps dans les salles neutres du musée.

Le Metropolitan, qui a l'excuse d'être encyclopédique, et qui dispose explicitement d'un département d'Art contemporain, rival du MoMa, a exposé à l'automne dernier un requin naturalisé auquel l'« artiste contemporain » Damian Hirst a donné un titre métaphysique (celui du film d'épouvante *Jaws* eût suffi). Dans la même salle, le requin dialogue de toutes ses dents avec celui d'un tableau d'histoire de Benjamin West et celui que Francis Bacon a imposé sur une tête qui fut un visage humain. *Conversazione sacra* entre trois dentures ? Les deux dernières, faute d'être des chefs-d'œuvre, ont le mérite d'être des œuvres d'art. La première, et la plus encombrante, n'est qu'un artefact qui s'est trompé de musée. Au moins n'est-elle pas mise en présence de chefs-d'œuvre de Bellini ou de Tiepolo, dont le musée abonde dans les salles qui leur sont consacrées. Cette petite chapelle dévorante fait songer au dialogue entre squelettes claquant des dents et des fémurs qui remplit l'ossuaire souterrain de l'église des Capucins de la place Barberini à Rome, *memento mori* baroque érigé au XVIIe siècle, comme on en voit aussi chez les franciscains de Naples. Ce n'est pas ce que l'imagination catholique a produit de plus mémorable. Ces mises en scène macabres de l'ironie chrétienne néanmoins ne se donnaient pas pour des « installations d'art ».

Au printemps 2008, le Louvre, ne voulant pas demeurer en reste ni sur le Met, son rival américain, ni sur la National Gallery, son rival anglais, a donné « carte blanche » à un « plasticien » contemporain anversois, Jan Fabre. Le Louvre n'a pas de département d'Art contemporain. Aussi, loin de cantonner son hôte dans une salle, comme Damian Hirst au Met, il lui a royalement offert, pour déployer son « installation », toute l'étendue de ses trente-neuf salles de peinture dites des « Écoles du Nord », où la Passion du Christ et sa Déposition de Croix est le sujet récurrent. Le plasticien *performer* d'Anvers n'est pas un inconnu en France. Les hautes autorités qui gouvernent notre Culture le chérissent, et il fut, lui et sa troupe, l'invité d'honneur du festival d'Avignon 2005, où sa performance dans la prestigieuse cour du palais des Papes a reçu du public un accueil vengeur. Ce public comptait Régis Debray, qui écrivit sous le coup de l'émotion un pamphlet où il donne un bref aperçu de ce qu'il a vu :

> Si j'en crois mes yeux, « exprimer l'homme » s'entend à présent au sens presse-citron : en extraire en un minimum de temps le maximum de sang, de sperme, bave, larmes, vomi, règles, sueur, pisse et merde. Là où nous réprimait le sphincter, le pipi nous libère. Là où était le surmoi, le ça advient et prend sa revanche [...]. L'industrielle prostitution publique de 2005 transforme le travail d'une troupe en promotion de son chef [1].

Tout est dit en quelques mots. La généalogie en langage télégraphique de ce genre de performance est rappelée un peu plus loin :

> L'*abject art*, la pointe de la pointe : photos de cadavres d'Andres Serrano, portraits de bébés-vieillards atteints de progeria, visages recouverts d'asticots (Gina Pane) ou d'emplâtres de merde (Dina Pane), lits en vrai d'artistes, maculés et souillés (Tracey Emin), chairs décousues et recousues (Orlan) [2].

La dramaturgie ravalée à l'abjection physique du happening, l'art de l'acteur abaissé au travail servile de corps prostitués, le cynisme publici-

---

1. Régis Debray, *Sur le pont d'Avignon*, Paris, Flammarion, 2005, p. 36.
2. *Ibid.*, p. 62.

taire du plasticien-tycoon qui fait sa pub avec le scandale. Ce que ne dit pas Régis Debray, c'est que cette « expression de l'homme » avili au-dessous de l'insecte a prétendu d'emblée, et prétend toujours, par le détour blasphème, retrouver le « sacré » de la Crucifixion.

Échaudé par la réception qui lui a été faite en Avignon, en juillet 2005, l'« artiste contemporain universel » que le Louvre a jugé bon d'inviter à son tour, non sans l'avoir sans doute discrètement chapitré, n'a pas donné dans les mictions et autres giclées de groupe qui avaient aspergé la cour d'honneur des papes. Mais enfin, il est là, dans le palais de nos rois, tout seul ou presque, ayant toute latitude (sauf sous forme liquide) d'exprimer son « tout à l'Ego » (Debray *dixit*) devant les Memling, les Van der Weyden, les Rubens du Louvre. Ah ! mais il ne faudrait pas croire que nos hiérarques culturels cèdent, comme les politiques de nos gouvernements successifs, à la pression du public et de la rue ! Faute d'autre critère, le dégoût du public populaire est l'une des rares preuves sûres de la « contemporanéité » d'un « plasticien », et du devoir qu'elle dicte à l'État-mécène de n'épargner aucun effort pour l'imposer aux esprits obtus. L'autre critère étant sa cote sur le marché.

Jan Fabre n'a pas encore fait les beaux jours des salles de vente de New York et de Londres, mais sa cote est au plus haut à Anvers et dans la riche Belgique flamingante où il a ses racines et où il passe pour le Rubens de la contemporanéité. Politiquement, dans la partie serrée qui oppose Flamands et Wallons, menaçant de déchirer le royaume de Belgique et plaçant entre deux feux la dynastie et Bruxelles, sa capitale francophone, cet « enfant terrible » chéri par les siens est un atout de poids. Aussi la reine Paola de Belgique, qui a honoré de sa personne le vernissage de l'installation de Jan Fabre, *L'Ange de la métamorphose*, dans les salles du Louvre, a-t-elle commandité en 2002 un décor d'élytres de scarabées, *made in* Fabre, qui orne le plafond de la salle des Glaces du palais royal de Bruxelles. Et l'installation elle-même dont le Louvre est l'hôte, sauf quelques additions annoncées à grande pompe comme « spécialement conçues » pour le musée parisien, a déjà eu les honneurs du Musée royal d'Anvers, sous le titre *Homo Faber*, en 2006. Le Louvre s'offre du réchauffé. Comment l'expliquer ? D'abord, le musée applique les directives de son ministère : de l'« Art contemporain », mal aimé, partout, même et surtout dans les musées d'art ancien. Ensuite, et dans le cas d'espèce, le traitement de faveur officiel et répété qui a été réservé à Jan Fabre, en Avignon et maintenant à Paris, est une fleur diplomatique offerte par l'État français à l'État belge, qui ne sait comment amadouer la volonté de rupture des Flamands. Affaire d'État donc. Le reste est affaire de communication. Ce n'est donc pas le moment de relire, dans le terrible carnet de voyage de Baudelaire dans la Belgique « américaine » de Léopold Ier, cette notation assassine : « À Anvers, quiconque n'est bon à rien fait de la peinture. Toujours de la petite peinture, jamais de la grande. »

Jan Fabre ne relève ni de la grande ni de la petite peinture. Son installation dans les salles des Écoles du Nord du Louvre n'en a pas moins la prétention de dialoguer avec les chefs-d'œuvre d'une des plus fécondes époques de l'art européen et chrétien, celle de la *Devotio moderna*, la première grande école de spiritualité pour laïcs, avant celle d'Érasme et celle d'Ignace de Loyola, et comme ses héritières, faisant un appel sans réserve aux images de l'art. Ni peintre, ni sculpteur, ni acteur, ni chrétien, ni non-chrétien, ni rien, ni en petit ni en grand, que vient faire Jan Fabre avec ses dépôts encombrants, en présence de ces retables qui semblent avoir été peints par les anges pour célébrer l'amour infini du Fils pour les hommes auxquels il a voulu par son sacrifice rendre leur dignité, ou par des artistes qui, tels Jérôme Bosch, ont appris dans le miroir de l'Agneau à voir et à montrer la dérisoire indignité où les hommes se sont enfoncés en dépit de l'acte d'amour du Fils ? Le « plasticien » a beau jouer la fausse modestie en se représentant à l'entrée des salles où il a « carte blanche » en « nain perdant son sang » à la vue d'un portrait flamand du XVe siècle. Humilité de convenance, car il n'a pas hésité à semer tout au long du parcours ses pseudo-sculptures, ses pseudo-bijoux, ses oiseaux et rats empaillés (pissant et chiant, on ne se refait pas !), sa grosse boule d'élytres de scarabées posée sur un matelas malpropre et son étalage funéraire de marbres noirs parcourus d'un énorme ver de terre en plâtre. Toutes ces verrues d'un surréalisme recuit font écran aux tableaux de méditation accrochés aux murs, non sans prétendre par le truchement de la publicité qui sert de feuille de vigne à ce bazar « se relier avec de grandes thématiques présentes dans les collections : la mort et la résurrection, les vanités, le sacrifice, l'argent, la folie, le carnaval, la bataille, l'atelier ». En réalité, sauf pour les illuminés pratiquant le baquet de Mesmer ou la méthode Coué, ces « thèmes » de dissertation, qui peut-être relient entre eux ses idiosyncrasies dans la cervelle de l'écornifleur installé au Louvre, ont aussi peu de rapport avec les mystères douloureux, joyeux et glorieux du christianisme que les peintres du Nord ont su représenter aux yeux et rendre sensibles au cœur, qu'une table en formica peut en avoir avec le baldaquin et l'autel de Saint-Pierre de Rome.

28. **Otium** ***fertile, désœuvrement, déséducation***

Ce mois de mai 2008, en France, est quasi tout entier chômé. Le nombre de fêtes d'origines diverses et de « ponts » qui les élargissent s'ajustent merveilleusement au beau temps. Même le « Dieu français » de Sieburg n'en demandait pas tant. Tous les anciens prétextes plus ou moins oubliés de ces désœuvrements sont effacés au profit d'une seule commémoration, embrassant le mois tout entier. Presse, télévision, cérémonies officielles, expositions des musées nationaux célèbrent le quarantième anniversaire de la fronde de 1968 comme s'il s'agissait d'un événement refondateur de la Ve République gaulliste, et cela sous un président qui a les coudées franches et a été élu, voici un an, après une campagne où il se faisait fort d'extirper l'« esprit de 68 » ! On dirait que la classe médiatique a réglé la mémoire française sur sa propre horloge interne, et nous oblige tous à revivre ensemble avec nostalgie le bref mois de chômage et d'interrègne où elle a exercé sans partage, euphorie et excitation inoubliables, son quatrième pouvoir.

Pendant ces mêmes semaines ensoleillées et oisives, au musée du Louvre, les retables de Van der Weyden, les tableaux de dévotion privée de Van Eyck et les grands décors d'histoire de Rubens, dans leurs propres salles, ne servent plus que de sublimes faire-valoir aux pantalonnades d'un Jan Fabre, et les anges de Memling en sont réduits à déployer leurs ailes sur les yeux du Christ et de Marie pour leur épargner la vue du « portrait inédit d'un des protagonistes majeurs de la création contemporaine », selon la publicité immodeste et barnumienne qui lui est faite par le département d'Art contemporain du musée. Au même moment, la salle de lecture désertée et délocalisée de l'ex-Bibliothèque nationale, rue de Richelieu, est transformée elle aussi en galerie d'« Art contemporain », abritant une installation de courrier du cœur déjà présentée en grande pompe officielle au pavillon français de la Biennale de Venise. L'évidement de l'une des plus fécondes ruches de l'esprit et sa substitution par le rien, le *nihil*, de l'« Art contemporain », le plus nul et le plus adulé, sont le résultat d'une dérive qui voudrait passer pour une adaptation aux temps nouveaux, mais qui est en réalité une démission fataliste de l'État devant la version française, quasi coloniale, de l'imposture globalisée de l'anti-art, de la contre-culture et de l'anti-religion vendues sous le nom d'« Art contemporain », comme si les arts aujourd'hui n'avaient plus d'existence que par *ça*. Étrange impression d'« à-côté ».

Ensemble, le musée-phare et la bibliothèque-phare des Français emploient l'autorité qu'ils tiennent, l'un de ses chefs-d'œuvre de l'art, l'autre de ses collections de livres, de manuscrits et de gravures, à la négation de tout ce qu'ils conservent et ont mission de transmettre, selon une synergie de nihilisme qui leur conjoint depuis longtemps l'école, où l'éducation et l'esthétique des enfants et des jeunes gens sont rongées par le bouillon de culture soixante-huitard de la « créativité » et de la « plasticité ». Le spectacle est saisissant des contradictions de l'État et de la puissance des groupes de pression qui paralysent sa volonté apparemment omnipotente. L'« Art contemporain », dont le ministère de la

Culture a fait sa danseuse préférée, peut compter pour rester en faveur sur une féodalité syndicale toujours prompte à lancer ses troupes dans la rue et d'une seule voix et à faire chanter le ministre, au cas où la moindre atteinte serait infligée à un pré carré que chacun, *in petto*, s'accorde à trouver envahissant. Et, de son côté, le personnel nombreux des « arts plastiques », syndiqué dans l'Éducation nationale, toujours prêt à défendre ses intérêts corporatifs, n'est pas le dernier à pousser au monôme élèves, collégiens et lycéens, lesquels, depuis trente ans, génération après génération, passent régulièrement une partie de leur année scolaire à manifester pour une cause pédagogique qui n'est jamais la leur, c'est le moins que l'on puisse dire. L'effet médiatique aidant, ces monômes sont néanmoins parvenus à faire « tomber » plus d'un ministre décrété, par l'opinion abusée, « incompatible avec la jeunesse » ! Ces rabâchages quasi rituels d'un théâtre de rue pseudo-révolutionnaire, au service d'intérêts catégoriels et d'une cause immuablement néfaste aux intérêts véritables de chaque nouvelle génération, n'en demeurent pas moins les grandes heures et les seuls succès de cette « créativité » que, de toutes parts, on veut opposer farouchement, en France, à l'éducation. Mai 68 est devenu une dimension stable, structurelle et déstructurante du système français. Un *Thanksgiving* local et en expansion, alors que l'effort commercial concerté pour faire entrer *Halloween* dans les mœurs du mois d'octobre, a fait long feu.

On attribue trop à nos rois. Avec ses paysans et ses artisans, ce sont ses éducateurs, moines des écoles-cathédrales, précepteurs humanistes, régents jésuites, instituteurs et professeurs laïcs qui ont fait la France des lettres, des arts, de l'*otium* fécond. Elle ne se reconnaît plus elle-même depuis que ses éducateurs de toujours sont devenus des marginaux, luttant contre une bureaucratie philistine et son idéologie pour sauvegarder leur rôle traditionnel d'éveilleurs. C'est à d'autres pédagogues, pénétrés de « méthodologies », que nous devons les vocations biaisées de « plasticiens » et de praticiens de l'« écriture » qui manifestent sans doute, dans les deux sexes, une sympathique appétence pour la vie d'artiste, mais aussi une singulière confusion entre l'*otium* stérile et l'*otium* fécond. L'enseignement d'une « créativité » flatteuse, corroboré par le mythe d'une modernité sans mémoire et la légende d'un « Art contemporain » qui ne se refuse rien, n'a pas peu contribué au misérabilisme d'une culture inculte, dont on feint, en haut lieu où on la patronne, de s'étonner qu'elle s'exporte si mal et si peu, malgré son label « France ». Je me souviens d'un *intermezzo* nocturne offert à ses hôtes étrangers de marque, réunis en colloque par l'un de nos ministres de la Culture, avant un somptueux dîner servi aux chandelles dans la cour du Palais-Royal, toutes festivités destinées à soutenir la campagne officielle pour le « oui » au référendum sur la Constitution européenne. Le ban et l'arrière-ban de l'intelligentsia européenne avaient été convoqués. Pour cette grande occasion, les performeurs du « théâtre de rue », chargés de l'*intermezzo* par un choix politique habile, mais ne sachant ni marcher, ni danser, ni chanter, ni jouer, quoique jeunes et bien faits de leur personne, ils et elles, s'étaient mis tout nus, peinturlurés de couleurs vives, et l'un poussant une brouette où l'autre s'était assis, tous tournèrent à vive allure, un quart d'heure durant, silencieux, dans le labyrinthe des colonnes de Buren, au son d'une musique rock projetée par haut-parleurs ! C'était *L'Impromptu de Versailles* de la France culturelle du XXIe siècle.

Le théâtre de rue est l'une des indisciplines les plus cultivées dans notre pays. Combien de fois avons-nous assisté, depuis trente ans, dans Paris et nos principales villes, à ses travaux pratiques collectifs ! Le « secteur public » de l'Éducation nationale fournit les figurants, les acteurs, les souffleurs et les metteurs en scène, et le public est composé par les cameramen de la télévision. Au ministre en place, absent, est attribué l'emploi immuable de tête de Turc. Il ne se passe d'année, depuis 1968, sans que ce genre d'*intermezzo* et ses répétitions occupent jours et semaines de l'année scolaire, en dehors des temps de vacances. Écoles, collèges et lycées s'y déversent et s'y activent, quelquefois encadrés par leurs maîtres, cela fait partie de ce que l'on appelle aujourd'hui les fondamentaux. Je ne crois que Mark Twain aurait rangé ces exercices de temps libre dans l'*otium* dont jouissaient de son temps les Européens. À New York ni ailleurs dans la libre Amérique, écoles et collèges n'ont jamais pris l'habitude de se former en monômes et de courir les rues pour faire pression sur le gouvernement de Washington.

Il serait très injuste de comparer l'Amérique d'aujourd'hui à la France d'avant 1939, que nous ne continuons pas et à laquelle nous ne ressemblons plus, alors que nous nous efforçons de ressembler à cette Amérique par des moyens qui ne sont pas du tout les siens. L'éducation en Amérique est au moins autant prise au sérieux qu'elle l'était en France sous la IIIe, elle est l'ascenseur social par excellence, et l'un des moteurs de l'intégration des déshérités et des nouveaux venus. Je me suis souvent demandé si l'importance démesurée que l'on attribue en France à ce que l'on appelle pourtant et sans façons le « culturel » n'était pas un alibi pour reléguer au second plan la question de l'éducation, tellement plus vitale, abandonnée ainsi à une camarilla de hauts fonctionnaires et de syndicalistes, et jamais jusqu'ici envisagée avec la hauteur de vue persévérante et la générosité qui ont présidé à l'éclatante réussite américaine en cet ordre. C'est ainsi que la paralysie éducative de la France dure depuis un demi-siècle, à la stupeur générale.

La sacro-sainte culture d'État, incompatible au départ avec le marché, veut faire maintenant alliance avec lui voire lui servir de moteur. Cette conversion ne va pas sans excès ni malaise. Au moins, à New York, le *greed* s'avance à visage découvert, et lorsqu'il faut le tenir à distance, on le fait de façon nette et tranchée, en parfaite connaissance de cause. Les dérives du musée Guggenheim y passent pour des dérives grossières, un garde-fou que les *trustees* des musées, des bibliothèques, des universités privés ont bien en tête pour les éviter. Il existe aux États-Unis une Association nationale des musées, de statut privé, qui peut décréter contre l'un de ses membres un embargo de ses précieux services d'entraide financière lorsqu'il est avéré que sa conduite a contrevenu à la charte commune. Aucun musée, par exemple, ne peut vendre une pièce de sa collection, sinon en vue d'en acheter une autre de même qualité. Cela me paraît une excessive licence. Du moins est-ce là-bas une limite. Personne ne semble avoir eu vent ici de cette instance régulatrice volontaire, d'ailleurs difficile à transposer. C'était la Direction des musées de France qui veillait jusqu'ici au respect d'un code de conduite légal. Maintenant qu'elle est affaiblie, le service public est tenté d'adopter *in petto*, pour règles de conduite, le management d'entreprise et la sociologie des clientèles, tout en se prévalant de ses devoirs républicains envers le patrimoine et le public. Ce double jeu expose à des faux pas, et il demande de grands talents d'équilibriste et de transformiste.

L'un de ces transformismes, c'est le recours au « sacré ». Après avoir longtemps feint de porter « l'imagination au pouvoir », la culture officielle et affairée semble prendre goût maintenant (j'écris ceci au printemps 2008) au petit collet clérical de Tartuffe. « Laurent, serrez ma haire avec ma discipline. » Au cours du printemps 2008, Paris, la capitale laïque par excellence, offre plus d'une occasion d'observer un rhabillage sacristain de la culture officielle.

29. Traces du sacré à Beaubourg

L'« installation » est une exposition mise en scène, où la mise en scène est elle-même le premier (et parfois le principal) objet d'exposition. La chose – et sans doute le mot – datent de l'« Exposition internationale du surréalisme », à la galerie Wildenstein, en 1938, dont André Breton et Paul Éluard confièrent l'« installation » à Marcel Duchamp, lequel reprendra ce rôle pour l'exposition « Le surréalisme » en 1947 [1]. En fait, ces mises en scène de l'hétéroclite, avec leur côté « farces et attrapes » jurant avec les classements du musée et l'accrochage austère de la galerie d'art, n'en avaient pas moins une généalogie ; leur père est le bric-à-brac sensationnel de l'*American Museum* de Barnum, et leurs aînés, les vitrines publicitaires et accrocheuses de grand magasin haut de gamme, dont New

1. Voir B. Marcadé, *Duchamp*, ouvr. cit., p. 344 et 386.

York, dès avant la Première Guerre mondiale, fit l'un des modernes Beaux-Arts : sur la Cinquième Avenue, pendant le *Gilded Age*, une brillante prestidigitation s'est ingéniée à faire passer des *commodities* de série pour de coûteux chefs-d'œuvre, anticipant l'avenir de l'art américain « contemporain ». Duchamp « installateur » avait fait ses classes, depuis 1917, le long de la Cinquième Avenue. Andy Warhol, Pop artiste, un demi-siècle plus tard, commença sa carrière par des vitrines à succès.

Mais Barnum lui-même avait ancêtres et modèles : son *American Museum* avait rajeuni et vulgarisé, pour le marché et le public populaires de New York, la formule européenne et aristocratique des *Wunderkammern* du XVIe et du XVIIe siècles, dont il reste un bel exemple à Oxford et un autre en Autriche, dans un château resté intact des Habsbourgs, à Ambras. Le peintre américain Charles Anderlyn (le père de John, l'auteur de l'*Ariane nue endormie*, anathème à l'Amérique puritaine) en avait installé un chez lui, à Philadelphie, à la fin du XVIIIe siècle, initiative d'autant plus fameuse qu'elle était unique en son genre aux États-Unis. Ces « cabinets de merveilles », distincts des « galeries d'art » (*Kunstkammer*), exposaient en un désordre voulu, selon des rapprochements destinés à étonner ou à amuser les dilettantes et à instruire les savants, ce que la zoologie, la conchyliologie, la minéralogie, l'ethnologie, l'antiquariat, mais aussi les arts mécaniques et l'archéologie, pouvaient avoir produit de plus déroutant et invraisemblable. Les monstres momifiés à la Damian Hirst y avaient leur place marquée. Le cordon ombilical qui rattachait l'« étonnement » que voulaient créer les *Wunderkammern* (Chambres des merveilles) à l'admiration et à la délectation qu'attendaient les *Kunstkammern* et le *Schatzkammern* (« chambres d'œuvres d'art et de joaillerie », souvent voisines dans la même demeure, n'a été tranché qu'au cours du XVIIIe siècle avec l'institution des Salons et des musées d'art, complètement distincts des musées d'histoire naturelle, des amphithéâtres anatomiques des facultés de médecine et des musées d'anthropologie. L'*American Museum* de Barnum et les installations surréalistes de Duchamp, en abattant les cloisons entre les genres et en mêlant les émotions fortes à la séduction esthétique, réinventèrent la confusion et le mélange, fréquents dans l'Allemagne baroque, entre « merveilles de la nature » plus ou moins truquées et œuvres d'art antiques et modernes.

Les « cabinets de curiosités » des XVIe et XVIIe siècles sont redevenus très à la mode en nos propres temps d'« installations » post-surréalistes et post-modernes. J'ai visité en juillet 2007, à Venise, au palais-musée Fortuny, une sorte de reconstitution historique de *Wunderkammer*, étroitement associée à une installation d'« Art contemporain » inspirée de la collection Pinault, naguère inaugurée au palais Grassi, non loin de là. L'installateur n'était autre que Jean-Hubert Martin, le commissaire des

« Magiciens de la Terre » au Centre Pompidou en 1989, le découvreur, entre autres, de l'art africain contemporain d'Accra, les *fantasy coffins*. Voilà un conservateur omnivore et cosmopolite qui a la carrure, sinon la cote en Bourse, d'un plasticien « mondial » ! Mais qui aurait cru que la ville de Carpaccio, de Canaletto et de Guardi, déjà pourvue d'un Guggenheim moderniste et d'une Biennale de cinéma et d'Art contemporain, se piquerait de surcroît de se transformer tout entière, avec son Grand Canal et sa Douane de mer, en vitrine de luxe du *most contemporary art* ? La délocalisation post-moderne n'est le privilège ni de Paris ni de Versailles…

L'exposition « Traces du sacré » au Centre Pompidou tient de la formule bisexuée du palais Fortuny, mi-« chambre de merveilles », mi-« chambre d'œuvres d'art ». À la différence de l'exposition « *The Spiritual in Art* » (Los Angeles, 1986), à laquelle pourtant le catalogue s'efforce de la rattacher, elle n'explore pas, comme le faisait avec rigueur le musée californien, les « scellements ignorés » qui ont rattaché l'art du modernisme à la théosophie européenne et new-yorkaise « fin de siècle », un trait d'histoire que Jean Clair a été le premier en France à tirer de l'oubli. Réagissant contre le naturalisme, toute une génération de peintres et de sculpteurs des années 1900-1914, puisant à toutes mains dans le néo-platonisme, la gnose et le bouddhisme, se donna cette maxime autant antique que moderniste : « N'exprime que ce que voit l'œil intérieur. Ce qu'aime l'œil des paupières est bavardage. » Maxime difficile à tenir, même pour un Odilon Redon, mais on ne peut plus étrangère à la publicité, au marché de l'art et à ce que Mallarmé avait qualifié d'« universel reportage ».

Ce n'est certes pas pour creuser dans cette direction platonicienne, plotinienne, et même cartésienne de l'art de peindre, où s'orientait encore dans les années 1950 la seconde « École de Paris », que « Traces du sacré » a été conçu. Ses intentions culturelles, politiques et publicitaires, nombreuses et retorses, l'ont obligé à sacrifier l'histoire de l'art et à mêler en labyrinthe chronologique chefs-d'œuvre et productions curieuses, artefacts ethnologiques et objets technologiques, selon un vague fil conducteur qui autorise les zigzags temporels et les tête-à-queue du regard les plus déroutants. « Installateurs » et « concepteurs » ont mis au point un bazar cosmopolite et bigarré de sectes et d'idiosyncrasies bizarres, alternant avec des écoles et des personnalités artistiques d'un relief certain, chacun et chacune n'ayant évidemment droit qu'à une allusion au passage, toutes et tous n'ayant en commun qu'un rapport plus ou moins attesté au « sacré » et de préférence sous l'angle de l'absence, rarement au voir, à ses pièges, à ses degrés, à ses saveurs. Le « sacré », tel qu'il s'est conceptualisé de diverses parts dans les années 1930, n'est pas de l'ordre du voir sensible, imaginatif ou intellectuel, mais de l'expérience pathétique du « tout autre ». Le « sacré », catégorie anthropologique aux contours aussi élastiques que la « culture », au sens, elle aussi, anthropologique, est un estomac d'autruche irrationnel qui avale et digère tout. « Sacré » et « culture » ont pris la route au même moment, dans les années 1930, et ont fait ensemble un long chemin, tenues en laisse par Caillois et Malraux, avant de se multiplier dans la langue de bois administrative et médiatique d'aujourd'hui. C'est notre feuille de vigne et notre manteau de Noé. Ils sont de nul usage pour comprendre les arts lorsqu'il n'ont rien à cacher et sont contemporains pour toujours.

Caspar David Friedrich, à contre-emploi, se trouve érigé en grand ancêtre unique d'un torrent de « sacré » négatif, qui ne se débonderait vraiment qu'à la fin du XIXe siècle, comme si ce grand peintre de l'invisible pouvait résumer à lui seul l'arc-en-ciel religieux de la peinture romantique européenne, de Granet à Delacroix, des nazaréens aux préraphaélites. On saute donc à pieds joints de Friedrich à l'« *Agonie du Romantisme* » chère à Mario Praz, circonscrite au spiritualisme christiano-bouddhique de Mme Blavatsky, contemporain du vieux Tolstoï et du jeune Kandinsky, au dionysisme de Zarathoustra incarné par Nijinski ou interprété par Emil Nolde, au satanisme d'Alaister Crowley ou au néo-chamanisme de Paalen, à l'exclusion résolue de Huysmans et de Gustave Moreau, de Rouault et de Maurice Denis. Pas un mot ni une œuvre de l'« École de Chartres », des Jean Bazaine et des Alfred Manessier, pas une vitrine pour la revue *L'Art sacré* qu'animèrent depuis les années 1930 les deux dominicains controversés Couturier et Régamey. Un bref chapitre est accordé à l'Aby Warburg ethnologue (mais non au re-lecteur de la Renaissance), à Strindberg spirite, et à nombre d'inconnus ayant laissé des *mandalas* coloriés ou pratiqué l'« art brut ». Georges Bataille et André Masson, animateurs d'*Acéphale*, André Breton sont cités, mais non les nombreuses personnalités de divers horizons qui ont contribué à mettre en circulation la notion de « sacré », titre de l'exposition. N'aurait-il pas mieux valu commencer par là ? Il est difficile d'établir une généalogie plus sommaire et plus impressionniste d'un phénomène « sacré » contemporain, de contours encore plus vagues que ses origines mal éclaircies.

Cette foule bigarrée a été sélectionnée avec soin pour la marginalité des uns et pour l'orthodoxie des autres envers un « sacré » résolument anticatholique, ce qui porte bien la marque d'un catholicisme de repentance fort répandu en France. Elle a manifestement été convoquée pour introduire dextrement dans ses rangs cosmopolites toute une kyrielle de « plasticiens » contemporains français, connus ou inconnus : Jean-Michel Alberola, Christian Boltanski, Pierre Buraglio, Marc Couturier, Thierry de Cordier, Gérard Garouste, Pierre Huyghe, Bruno Perramant, dispersés mais sous la même accolade et formant implicitement (la discrétion est de rigueur, le patriotisme n'est plus de saison), une École parisienne d'Art contemporain lancée « sur les traces du sacré ».

Tous ces « plasticiens » de chez nous sont disséminés aux côtés du désormais classique italien Lucio Fontana, le père de l'*Arte povera*, représenté par un ovale noir troué qui s'intitule modestement *La fin de Dieu*, au voisinage de la vedette des British Young Artists, l'inévitable Damian Hirst, représenté par un triptyque stercoraire uniformément recouvert de mouches noires, intitulé avec esprit *Pardonnez-moi, mon père, parce que j'ai péché*, et sur le même plan que la star américaine Bruce Nauman représenté par une réclame en tube de néon rose proclamant à tout hasard : « Le véritable artiste aide le monde en révélant des vérités mystiques. » La tentative déroutante et très lacunaire de généalogie du phénomène, telle qu'elle est esquissée sans conviction dans ce « cabinet de curiosités » XIXe-XXe siècles, n'est là qu'au titre de prémisse et de faire-valoir d'un « Art contemporain » mondial (mais *aussi* français !) qui va jusqu'au bout de la recherche du « sacré » dans le constat répétitif de son absence.

L'exposition-installation de Beaubourg devant voyager, au moins à destination de Munich, des précautions européennes ont été prises pour écarter tout soupçon de chauvinisme même dans le parcours généalogique. Large place est faite à nombre de peintres expressionnistes allemands et aux « plasticiens » du Bauhaus, envisagés sous l'angle de leurs curiosités plus ou moins spiritualistes, ce qui nous vaut beaucoup d'œuvres secondaires ou même médiocres. Le Polonais Grotowski, qui n'aurait guère apprécié de se retrouver en cette compagnie, a droit à deux « stands » où sont projetés des fragments audiovisuels de ses deux plus célèbres spectacles. Le vidéaste Bill Viola, américain, est présent dans un autre stand, où est exposée sa première installation, d'une naïveté navrante, *Hommage à saint Jean de la Croix*. Il a fait mieux depuis, notamment dans sa vidéo *Purification* (2003), et pire, dans ses décors aquatiques pour l'Opéra. Les arabesques mystérieuses d'une Suédoise du siècle dernier, inconnue et qui mérite de le rester, figurent dans une autre niche. Le « sacré » insaisissable n'a pas de nationalité, vérité de La Palice sur laquelle insiste le catalogue, où l'un des auteurs se plaît à citer un poème d'Allen Ginsberg : « Tout est sacré ! Tout le monde est sacré ! Partout est sacré ! » Certes, mais à ce « sacré » qui est partout et nulle part, il nous est suggéré que la contribution des « plasticiens » officiels du ministère français de la Culture est loin d'être nulle.

Labyrinthe égalitariste, l'exposition-installation met dans le même sac chefs-d'œuvre de musée et rogatons de brocanteur, grandeurs du modernisme française et effritements du post-modernisme mondial, expressionnisme allemand et expressionnisme abstrait new-yorkais : on a le tournis. On croise en chemin quelques œuvres majeures et s'imposant d'elles-mêmes sans glose, tels les deux paysages de Friedrich, l'encre de Hugo, les deux monumentaux tableaux métaphysiques de Chirico (1912 et 1917) et la grande *Komposition VI* (1933) de Kandinsky ; trop nombreuses, elles auraient risqué de se liguer en aristocratie. On rencontre aussi des œuvres mineures des plus grands (Picasso, Matisse) et surtout une poussière innombrable de productions curieuses ou pénibles, qui semblent supplier que l'on se reporte au plus vite au catalogue et à sa bibliographie. L'on vérifie sur pièces l'effet de disparition qu'un « sacré » hypothétique, négatif ou mimé (dans le cas des surréalistes) peut infliger à la *réalité* de l'œuvre d'art, à son autonomie, à son autorité propre et, donc, à l'empire à long terme qu'elle peut exercer, hors de tout discours, sur le spectateur. Comme le sacré qu'elle invoque pour attester son absence, l'œuvre tend à s'évaporer, à rester à l'état de « trace » ou d'alibi de sa propre absence. On en vient à se demander comment l'art chrétien d'inspiration la plus orthodoxe – mais aussi le plus exigeant envers lui-même au titre d'art – a pu engendrer tant de chefs-d'œuvre, alors que le « sacré » à l'état de curiosité hâtive et déçue, invoqué ici avec tant d'emphase, nous accable d'autant d'avortons !

Surabondantes et dévotieuses, les gloses du catalogue préviennent l'objection en recourant à plusieurs reprises à l'injonction adressée au lecteur d'aller « au-delà du visible ». Souvent invoquée, la théologie négative, licite chez les maîtres médiévaux d'une expérience mystique et monastique sans image et, par définition, étrangère aux arts, détonne étrangement sous la plume de critiques d'art ou de conservateurs de musée. Il y a cependant un monde entre cette aspiration à n'être rien pour être envahi du tout, et l'ambition paradoxale et modeste de l'art chrétien de célébrer pour l'œil de chair un avers visible qui voile et dévoile, pour l'œil de l'âme, un envers invisible. Tout spectateur laïc, sauf s'il est grec orthodoxe se livrant, chez lui ou à l'église, à un exercice d'hésychasme devant une icône qui ne relève pas de l'art humain, est en droit d'exiger une *œuvre* d'art, et non de se contenter de l'« empreinte », de la « trace », d'une expérience négative et solipsiste du « sacré » qu'il lui est impossible de partager affectivement ni à plus forte raison d'habiter. Les spiritualités pour laïcs, qui se sont répandues depuis le XIIIe siècle en Europe, du franciscanisme à la *Devotio moderna*, de l'*Enchiridion* d'Érasme aux *Exercices* de saint Ignace, firent toutes appel aux artistes et aux images de l'art pour offrir à la prière et à la méditation personnelles un balisage visuel dont la présence et l'autorité soutenaient et amorçaient le passage à la contemplation de l'invisible. Mais les « yeux de paupière » ne se fermaient pas et ne cédaient pas la place à l'« œil intérieur » avant d'avoir été comblés de beauté sensible.

Piss Christ est évidemment à l'honneur dans l'installation du Centre Pompidou, mais aux pionniers français du *Body art*, Michel Journiac et Dina Pane, comme d'ailleurs aux actionnistes viennois, qui ne manquent point à l'appel, n'est consenti qu'une place discrète, sous forme de photographies sur papier glacé et de linges tachés de rouge. Il n'est pas question de mettre en avant l'horreur d'un « sacré » de boucherie, pourtant fort pratiqué par l'« Art contemporain », mais qui pourrait faire reculer le public : les commissaires de l'exposition-installation ont préféré mettre pas à pas ses visiteurs sur des « traces » sinueuses qui le conduisent enfin à se familiariser avec l'« Art contemporain » français (mais n'insistons pas). Ils ont laissé à la Biennale de Lyon, en ce même mois de mai 2008, le soin d'exposer au public français, dans les locaux de l'ancienne usine sucrière de la ville, la version *hard* de l'iconographie « sacrée » de l'« Art contemporain », sous le titre franglais « *Our body*, à corps ouvert ».

Cette autre exposition a tourné dans le monde entier, Japon, États-Unis, Canada, Allemagne, Belgique, Espagne, « drainant des millions de visiteurs », ce qui dans la langue de la critique d'« Art contemporain » est la preuve par neuf de son importance et de sa haute tenue esthétique. La même « critique d'art [1] » ignore l'existence à Florence (*La Specola*), à Bologne, à Paris même, de collections de cires anatomiques modelées par de grands artistes des XVIIIe et XIXe siècles, dont la beauté mélancolique ou funèbre – luxe qui ne nuit en rien à leur caractère primordial de planches d'étude pour élèves chirurgiens, médecins ou peintres – n'a fait une brève apparition sur la scène contemporaine des arts que dans l'exposition, déjà oubliée, « L'Âme au corps », de Jean Clair et Jean-Pierre Changeux, au Grand Palais, en 1993. À Lyon, il s'agit de tout autre chose. Non d'œuvres d'art, mais de vrais cadavres (tous asiatiques), dont l'identité et les conditions dans lesquelles ils sont morts restent floues. Tous ont été soumis à une technique de momification ultra-moderne (la plastination ou imprégnation polymérique), après avoir été tailladés, écorchés, disséqués pour que soient mis en évidence leurs organes internes. Des espèces de photographies en relief travaillées à l'ordinateur. La technique a été inventée par un anatomiste-homme d'affaires allemand, Gunther von Hagens, dont la « matière première », empruntée aux morgues – du moins on ose l'espérer –, a fait l'objet de questions éthiques irrésolues, et posées de nouveau à propos des rivaux qu'il a trouvés sur place, à Hong-Kong. La valeur pédagogique de ces momies plastifiées est nulle, en régression sur les délicats écorchés de cire des siècles passés. L'organisateur français de l'exposition lyonnaise est un

1. Voir l'article « L'écorché et ses organes en vrai », de Sandrine Blanchard, dans *Le Monde* du 29 mai 2008, p. 3.

producteur de concerts rock, qui ne cache pas le caractère commercial de sa tournée mondiale de sinistres momies.

Ce macabre spectacle, conçu pour frapper au plexus solaire, est accessible aux enfants, à prix réduit. Les performances du *Body art*, les « sculptures » de l'hyperréalisme, les animaux dans le formol de Damian Hirst relèvent de la même anti-esthétique de boucherie et de morgue. Comme les musées de l'athéisme dans l'ex-URSS, cette anti-esthétique de la chair sans âme réduite à la matière morte, « scientifiquement » figée dans une horrible permanence, est inspirée par une intention évidente et grossière : elle vise à bloquer obstinément le regard sur l'œuf cervico-intestinal que nous serions en définitive, sans vie, sans liberté, sans *éros*, un objet hideux dont le seul « sacré » se résume à une machinerie repoussante. C'est la version hyperréaliste et chimique du *Christ mort* de Holbein, à Bâle, qui obsède le prince Mychkine et Rogojine dans *L'Idiot*. Ces reliques matérialistes font étalage de leur incapacité à ressusciter et de leur impuissance hideuse à faire les miracles opérés par les restes des saints chrétiens, attestant qu'ils avaient vu le Christ avant de mourir, et qu'ils participaient de sa charité divine. On a affaire à l'iconostase d'un matérialisme maoïste encore plus bestial que le soviétique. « Tu es poussière », disaient la Bible et Épicure, mais justement, c'était pour enseigner à l'âme qu'elle échappe à cette vanité de la matière, soit dans l'éternité, soit dans la plénitude de l'instant. Les Barnum contemporains ne nous laissent aucune chance de nous dédoubler ; nous ne sommes jamais que notre propre tautologie cadavérique, éventuellement pourvus par la chimie d'une éternité de celluloïd, en attendant de pouvoir muter en insectes métalliques. Que les millions se le disent !

L'exposition beaubourgeoise « Traces du sacré » emprunte un chemin de velours, *soft*, indirect et sinueux, évitant tout frisson d'horreur et s'enveloppant dans le drapé des discours. Mais elle vise à inculquer le même « désenchantement » et le même déshabillement de l'individu démocratique, parvenu au stade suprême du capitalisme. Le visiteur est avisé en route que l'art occidental, depuis la Révolution française, relayée par Nietzsche en Allemagne et Mme Blavatsky en Amérique, a serpenté sur le vaste terrain vague du « sacré », au cours d'un pèlerinage de nulle part dont l'« Art contemporain » administre la conclusion enfin acquise : circulez, il n'y a rien à voir, sinon des butoirs pour la vue. Le principal commissaire de l'exposition, Jean de Loisy, n'en conclut pas moins l'essai introductif du catalogue par une belle envolée d'enthousiasme à la manière de Malraux :

> Ainsi l'extraordinaire aventure de l'art, toujours animée par un feu dont le combustible a changé, mais que le temps n'a pas tiédie, remplit encore son

rôle éminent, non plus celui de dire nos dieux, mais d'apporter, en un monde qui chancelle, la trace du sacré ultime sur la terre, la grâce précaire du réel, la grâce fragile de l'homme [1].

Peu exigeante, la foi *light* qui nous est demandée ici est plus facile à énoncer qu'à ressentir et à partager. À la différence de la foi hégélienne, honnie par Kierkegaard, elle n'est même pas gagée sur le bonheur esthétique dispensé par des œuvres d'art qui furent dévotionnelles. Avec des arguments certes plus civils, elle évacue d'emblée toute autre éventualité de foi que celle de M. Homais dans le commerce d'art, ou des alchimistes du Grand Guignol polymérisé de Lyon dans le commerce de momies. Le spectacle lyonnais n'en montre pas moins jusqu'où peut conduire le discours sur le « sacré » où s'enveloppe l'« Art contemporain » : la sidération délibérée par le choc, dont abusent aussi le cinéma et la publicité. Avec un sens exquis de l'intime connexité entre les arts visuels et le silence contemplatif, Valéry a dit tout ce qu'il faut sur cette fureur de paralyser substituée au bonheur d'admirer :

> Un peintre, écrit-il dans *Degas, danse, dessin*, devrait toujours songer à peindre pour quelqu'un auquel manquerait la faculté du langage articulé... N'oublions point qu'une très belle chose nous rend *muets* d'admiration. C'est là ce qu'il faut vouloir produire, et qu'il ne faut pas confondre avec le mutisme de la stupeur. Celui-ci est la grande affaire de bien des modernes. Il ne discerne point les espèces de la surprise. Il en est une qui se renouvelle à chaque regard et se fait d'autant plus indéfinissable et sensible que l'on examine et se familiarise avec l'œuvre plus profondément. C'est la bonne surprise. Quant à l'autre, elle ne résulte que du choc qui rompt une convention ou une habitude, et se réduit à ce choc [2].

30. Hommage à Francis Bacon

Sortant sur le parvis du Centre Pompidou, par une fin de journée de beau temps, je traverse une place Djemaa-el-Fna post-moderne, avec ses cracheurs de feu, ses S.D.F. en goguette, sa foule agitée, bruyante et piétinant sur place, dont les silhouettes aussi sombres que des ombres sont cruellement dessinées par la lumière blanche de Paris. Je suis peu irrité par l'exposition décevante que je viens de visiter. Pour me rasséréner, il me revient le souvenir de ce premier séminaire de rentrée d'Irving Lavin, à l'Institute for Advanced Study de Princeton. Je m'y étais invité, quoique n'étant pas du nombre des *fellows* d'histoire de l'art, juste pour

1. *Traces du sacré*, catalogue, Paris, Centre Pompidou, 2008, p. 29.
2. Paul Valéry, *Œuvres*, Paris, Gallimard, Pléiade, 1960, t. II, p. 1228-1229.

avoir une idée de l'enseignement du successeur (et disciple) d'Erwin Panofsky et pour faire plaisir à l'homme passionné et généreux que je venais de découvrir. Pour lancer la conversation avec les nouveaux venus, tous déjà fort bien formés, Irving commença par projeter l'image d'une grande toile verticale de Mark Rothko : deux nappes de couleur, l'une sombre, l'autre claire, séparées par un mince horizon de filaments tremblés, laissant apparaître le grain de la toile. Comment décririez-vous ce tableau ? demande Irving à la ronde. Silence. Je prends courage, et je m'entends dire avec aplomb : « C'est une traduction picturale du *Fiat lux* de la Genèse, parole biblique qu'un rhéteur grec d'Alexandrie, l'ayant lue en traduction dans sa propre langue, cita, au premier siècle de notre ère, comme un exemple extraordinaire de brièveté sublime : dire le moins pour faire entendre le plus ». J'ignorais tout alors de Greenberg, de Rosenberg et de leurs interprétations rivales de l'expressionnisme abstrait new-yorkais. Je parlais en rhétoricien, je n'avais jamais vu de Rothko, ni encore fait le pèlerinage de la chapelle de Houston, où de hautes toiles de ce peintre disposées en triptyques, répondent à l'ambition d'Art sacré qui animait le père Couturier et ses disciples, commanditaires franco-américains de la chapelle. De quoi étais-je allé me mêler ? À mon vif soulagement, Irving accueillit ma suggestion, et enchaîna avec toute sa propre science d'iconologue et de théologien des arts catholiques, tant médiévaux que baroques, sur la brève résurgence moderne, new-yorkaise et laïque, d'un grand art contemplatif et symbolique. L'absence de figure n'impliquait pas l'absence de forme et de sens.

De fil en aiguille, sur le boulevard de Sébastopol, le plus rebutant des boulevards parisiens, me revient aussitôt le souvenir d'un autre mémorable séminaire, réuni autour d'Octavio Paz pendant l'un de ses derniers séjours en Europe. Jean Clair était de la partie. Il faisait très chaud. Les séances avaient lieu dans la salle de conférences du musée Picasso de Barcelone, un vieux palais bien protégé contre la chaleur. Octavio, qui avait connu la grande époque du modernisme et partageait les déceptions que n'avait pas cachées, dans ses dernières années, son cher André Breton, avait réuni peintres, critiques d'art, écrivains, professeurs, pour dialoguer avec lui sur les notions d'art « moderne » et « contemporain ». Le grand moment du séminaire est resté pour moi l'intervention du peintre Antonio Saura, lorsqu'on en vint à évoquer la substitution récente du peintre, du sculpteur, et du graveur, par le « plasticien » polyvalent, et de l'œuvre par l'installation, la vidéo, la photo, le néon. J'avais d'emblée trouvé magnifiques ce vieil homme vigoureux et silencieux et le beau couple qu'il formait avec une grande, ample et encore jeune métisse brésilienne. N'y tenant plus de nos interrogations, il se leva et proféra : « Pour moi, il n'y a pas d'autre peinture qu'une toile empreinte de sueur et de sang. » Autre brièveté sublime. Ces paroles furent à peu près sa seule contribution au colloque. Elles furent le point de départ de mes visites au musée Reina Sofia de Madrid, où je vis les crânes, les crucifixions, les autoportraits christiques de Saura, puis au couvent de l'Adoration de la sainte Face, au sud de Valence, puis encore à la cathédrale de Jaèn où est conservé la « Véronique » dont Borges parle dans son poème. Saura mourut à quelque temps de là, athée notoire. Ce n'était pas la foi, mais l'art de peindre qui l'avait fixé, de façon aussi obsessive, sur les symboles de Passion et la sainte Face. Sa brève sentence m'avait fait comprendre d'un trait l'autoportrait du jeune Dürer en Christ (1500, Munich), le propre visage et la propre main du peintre servant de toile sur laquelle étaient empreints les traits du Sauveur [1]. Je revis intérieurement, la longue séquence des autoportraits de Rembrandt, véritables chronogrammes du vieillissement de ses traits, de leur empâtement, de la réceptivité croissante de ses chairs à la ténèbre et de son âme à l'étonnement, incessante méditation silencieuse et solitaire du calvaire du Christ en croix, réfléchie et imprimée sur son propre visage de peintre et parachevée toute une longue vie. Quel rapport avec son monumental *Bœuf écorché* (1655), suspendu dans la pénombre d'une arrière-boutique de boucher, toutes entrailles dehors, métaphore magnifique et terrible, empâtée d'un fouillis de couleurs et de nuit aussi sensible au tact et même à l'odorat qu'à la vue ? Sinon la même méditation indirecte de peintre coloriste à la fois sur le mystère douloureux de la mort et sur le mystère glorieux de l'art qui en triomphe. Le *Bœuf écorché* de Rembrandt, comme la *Charogne* de Baudelaire, et mieux que les christs squelettiques des sculpteurs romans, ou ceux, sanglants et exorbités dans leur robe de pourpre et d'or, de l'art colonial mexicain, donne la vie éternelle à la chair et à la couleur, au moment même où elles semblent se décomposer et fondre dans la nuit.

Ce ne sont pas là les « traces de sacré » éparses que je viens d'apercevoir au musée. Je m'aperçois que je suis en train de refaire pour moi-même l'exposition, sous un autre titre, associant le chrétien Rembrandt à l'athée Saura, tous deux ayant en commun d'exalter leur art au point de l'identifier à l'autoportrait du Christ de la Passion, symbole pour l'un de l'iconoclasme du Golgotha et de sa restauration, pour l'autre de ce même iconoclasme, sans restauration possible.

Deux guerres totales en Europe et nombre de massacres partiels depuis ont éloigné les artistes des mystères joyeux et glorieux de l'art catholique, dégradés en euphories éphémères et publicitaires de la consommation et de l'évacuation, mais même les mystères douloureux

1. Voir l'ouvrage classique sur cet extraordinaire autoportrait, par Joseph Leo Koerner, *The Moment of Self-Portraiture in German Renaissance Art*, University of Chicago Press, 1993.

de notre univers globalisé, qui ont toutes les faveurs de nos « plasticiens » contemporains, à la remorque du photojournalisme de faits divers et d'affrontements sanglants, ont fini par perdre eux-mêmes tout sens de la couleur et du dessin et par se banaliser, et s'aplatir dans le torrent de l'information, de la publicité, et du divertissement visuel. Les grands peintres modernistes se sont refusés à ce monnayage pseudo-sacré et marchand de la souffrance que l'homme inflige à l'homme. L'histoire de l'art allemande du second XIXe siècle a découvert Grünewald. Huysmans a consacré deux de ses descriptions les plus saisissantes à la *Crucifixion* de Kassel et au retable d'Issenheim à Colmar, deux des chefs-d'œuvre de ce peintre. Le second, un polyptyque représentant à l'avers le mystère douloureux de la Croix, au revers les mystères joyeux de l'Annonciation et de la Nativité, et le mystère glorieux de la Résurrection, n'est devenu l'un des classiques du modernisme qu'au titre de son avers. Le Christ de Colmar, pourrissant et verdissant sur la Croix, a inspiré jusqu'à plus soif les expressionnistes germaniques, et les surréalistes français ont été encouragés à s'en inspirer par la citation élogieuse qu'André Breton en a faite dans *Le Surréalisme et la peinture.*

Élevé dans le catholicisme et l'académisme catalans, Picasso, peintre et dessinateur précoce, était familier depuis l'enfance du symbolisme du Golgotha. Se rapprochant des surréalistes, il a traité en 1930 et 1932, en deux abondantes séquences de dessins, le sacrifice du Calvaire et ses entours – amour et deuil, férocité et avarice, les associant ou superposant au sacrifice du taureau en l'honneur du dieu militaire Mithra. Ce rite païen des légions romaines de l'Empire tardif est l'origine probable de la corrida espagnole, dont l'un des gestes inauguraux, le linge pourpre agité par le torero sous les yeux du taureau entrant dans l'arène, porte depuis le XVIIIe siècle, le nom chrétien de « véronique». Cet entrelacement de la dramaturgie de la Passion et du rituel mithraïque de la corrida prépara Picasso à concevoir en 1937 le plus fameux « tableau d'histoire » du modernisme, *Guernica,* « ex-voto » dédié au martyre de la ville basque bombardée par l'aviation fasciste. À la veille de sa mort, il peignit encore, mais cette fois dans l'esprit de son enfance et de Zurbaran, une effigie du Christ, une *Vera Icon* [1].

Le *Bœuf écorché* de Rembrandt, les crucifixions tauromachiques de Picasso, me renvoient au grand tableau de 1946 intitulé simplement *Peinture,* de Francis Bacon, que j'ai vu pour la première fois lors de la grande rétrospective du peintre anglais, au Grand Palais, en 1971. C'est l'équivalent moderne et sardonique d'un genre dévotionnel de tableau

1. Voir le catalogue *The Body on the Cross,* éd. par Jean Clair et Anne Baldassari, Musée de Montréal, 1993 et la conférence inédite « La Crucifixion dans l'art moderne » de Jean Clair, que je remercie de me l'avoir confiée en manuscrit.

ou de statue peinte d'église, fréquent du XVe au XVIIe siècle, en dépit de l'interdit de principe frappant toute représentation de la Trinité. Ces œuvres d'église montraient aux illettrés le Père couronné d'une tiare pontificale, trônant en majesté, tenant à bout de bras, devant lui, son Fils crucifié, son Image, l'un et l'autre surmontés par la colombe du Saint-Esprit, et tous trois adorés par la Vierge et un saint. Sur la toile de Bacon, au lieu du Père, de son trône et de son dais pontificaux, on voit, sous un parapluie noir largement déployé, assis derrière une balustrade ovale, un monstre humain en tenue de clergyman, les jambes haut croisées, les traits indiscernables, sauf son énorme bouche de fauve, avide, ouverte et dentée. Enfilés sur la mince rambarde de la balustrade, des quartiers de viande, et derrière le dos du monstre au parapluie, un gigantesque bœuf écorché toutes entrailles dehors, orné de guirlandes de boucher, tenant lieu du Fils. Point de colombe. Le contraste est vif entre cette pyramide vampirique en vitrine et le fond rose et ocre délicats qui se creuse, en coin, derrière elle, et le quasi-trompe-l'œil du luxueux tapis oriental sur lequel elle est posée, derrière sa rambarde.

Bacon, jeune fut un décorateur et un dandy « Art Déco », branché sur Paris où il découvrit le Picasso surréalisant des années 30 dans la galerie Paul Rosenberg. De ce passé d'esthète, il a toujours conservé le sens des intérieurs badigeonnés de couleurs superbes, chambres, cellules, salles d'opérations, cabinets, cages de luxe d'une ironie noire au vu du sort qui est réservé aux figures qui habitent ou traversent ces lieux. Sa carrière de peintre autodidacte commença en 1933 par une *Crucifixion* pourpre et crème sur deux champs colorés, ocre rouge et brun, au pied de laquelle figurait le crâne traditionnel du vieil Adam. Il reprit les pinceaux en 1944, exposant un triptyque intitulé *Figures au pied d'une Crucifixion.* Sur un splendide fond rouge pompéien, trois monstrueux têtards, posés sur d'élégants socles à la Diego Giacometti, se terminent au bout d'un long col, par des bouches dentées ruisselantes ou cherchant quoi dévorer. Célèbres sont devenues depuis ses nombreuses variations sur le portrait d'Innocent X par Vélasquez, chaque fois caricaturé avec d'extrêmes raffinements chromatiques en Dieu le Père hystérique et hurlant. Non moins célèbres, ses arènes de boxe ou ses blocs opératoires exquisement colorés, où gisent, s'agitent, s'emmêlent, à coups d'improvisations d'un pinceau calligraphique, des corps humains torturés et torturants, et aussi ses portraits et autoportraits défigurés comme après un terrible passage à tabac. Les Young British Artists, Hirst and Co, lancés par Charles Saatchi, sont des épigones de ce zoo humain persécuté par un Dieu sadique que ce peintre montre à l'œuvre, infatigable bourreau de sa propre image.

Iconoclaste et sacrilège, certes, athée violent et vaillant sans doute, Bacon l'est en grand peintre coloriste et qui croit dans son art. Malgré tous les efforts de Martin Harrison pour faire de son œuvre un appendice de la photographie et du cinéma [1], Bacon n'est si attentif à la chronophotographie, au photojournalisme et au cinéma que pour mieux ruser avec le moderne Minotaure et le vaincre à son propre jeu. Son dernier atelier – aujourd'hui transporté tel quel dans un musée –, était rempli, comme une étable de fumier, de coupures de presse et de reproductions photographiques arrachées à des livres qui lui servaient de matière première noire et froissée. De cette matière première, il extrayait les superbes symboles de ses tableaux, dans un ordre où ils rivalisaient avec Vélasquez, Rembrandt et Manet. Alchimie moderniste, mais aussi corrida d'enfer, martingale où l'homme risque tout pour donner une dernière chance de signifier à son art et à l'auguste conjuration de l'esprit et de la main.

Ce n'est pas l'horreur qu'il cultive, mais c'est le cri silencieux de la créature dont il se fait l'interprète. Ce n'est pas la violence sensationnelle, d'illustration et de représentation, qu'il recherche, comme les cinéastes de l'*Écran global*, mais la violence intérieure de la sensation qui fait se répondre « les parfums, les couleurs et les sons», en lieu et place des prothèses modernes qui isolent et parcellisent, chacun selon sa « bande », chacun de nos sens, abstraits de toute saisie profonde de nous-mêmes et du tout terrible et splendide de notre condition.

C'est la tradition occidentale de la couleur qui aide à comprendre Bacon, comme elle aide à comprendre Rembrandt et Saura. Gilles Deleuze a dit de lui : « Le peintre est boucher, certes, mais il est dans cette boucherie comme dans une église, avec la viande pour Crucifié [2]. »

---

1. Martin Harrison, *Francis Bacon, la chambre noire : la photographie, le film et le travail du peintre*, Actes-Sud, 2006. Voir aussi les analyses de Gilles Deleuze, *Francis Bacon, logique de la sensation*, Paris, Seuil, 2002, notamment p. 19 : « La peinture moderne est envahie, assiégée, par les photos et les clichés qui s'installent sur la toile avant même que le peintre ait commencé son travail… C'est bien ce que dit Bacon quand il parle de la photo : elle n'est pas une figuration de ce qu'on voit, elle est ce que l'homme moderne voit. Elle n'est pas simplement dangereuse parce que figurative, mais parce qu'elle prétend régner sur la vue, donc sur la peinture. Ainsi, ayant renoncé au sentiment religieux, mais assiégée par la photo, la peinture moderne est dans une situation beaucoup plus difficile, quoi qu'on dise, pour rompre avec la figuration qui semblerait son misérable domaine réservé. Cette difficulté, la peinture abstraite l'atteste, il a fallu son extraordinaire travail pour arracher l'art moderne à la figuration. Mais n'y a-t-il pas une voie, plus directe et plus sensible ? »

2. Deleuze, ouvr. cit., p. 30.

CHAPITRE 2

L'Église-mécène et son système des Beaux-Arts

1. Le système royal des Beaux-Arts : « l'homme, mesure de toutes choses œuvrées de sa main »

Nous en sommes donc au « retour au sacré » dans les arts officiels républicains. Le « système des Beaux-Arts », survivant de la royauté, est aboli depuis 1968. Reviendrions-nous vers celui qu'il a remplacé à la Renaissance, le mécénat d'Église ? Le ministère de la Démocratisation culturelle, qui a pris la place des Beaux-Arts, s'est cependant rêvé, depuis un demi-siècle, l'héritier du mécénat de Louis XIV et de Colbert. Mais il n'en a eu ni le sens des proportions ni le succès éclatant obtenu avec peu de moyens bien ciblés. Son budget est dévoré par de très nombreuses maisons de « théâtre vivant » ou de la « création contemporaine », petites ou grandes, devenues aussi inamovibles que la Comédie-Française ou l'Opéra de Paris, tandis que la conservation ou restauration des Monuments historiques, service public datant de la monarchie de Juillet, souffre d'un déficit de financement public dont le remède n'est pas tout à fait en vue.

L'État français peine d'autant plus à concilier son dessein « culturel » avec son devoir patrimonial qu'il a pris récemment conscience qu'il ne pouvait plus tarder davantage à réformer en profondeur le système d'éducation et de recherche dont il a aussi la charge, système énorme et décevant, sauf brillantes exceptions, tant pour la science et les techniques que pour les humanités. Les nouvelles générations de chercheurs, ou bien sont formées dans des conditions hasardeuses, c'est la majorité, ou bien sont fort bien formées, c'est une minorité, mais cette minorité convoitée se laisse trop souvent tenter de partir pour les États-Unis où les chances d'obtenir le Nobel sont moins rares. Les évaluations venues de l'étranger, il est vrai peu fiables, mais symptomatiques, sont aussi cruelles pour nos universités que pour nos lettres et nos arts. La culture prolifère, mais sa souche-mère, l'éducation, s'étiole. J'imagine quelqu'un, en, haut lieu, rêvant avec nostalgie d'un Ancien Régime où le mécénat royal se bornait à pensionner quelques écrivains, les plus doués, et à passer commande à quelques artistes, les plus doués aussi, laissant à l'Église, à ses vastes revenus propres et à ses nombreux donateurs, la charge de l'abondant immobilier religieux, des bibliothèques d'étude et de tous les étages de l'enseignement. Une utopie ou une nostalgie quasi américaines, l'État fédéral étant, *comme notre ancien État royal*, allégé du plus lourd du gouvernement des âmes, et pouvant se concentrer sur le gouvernement des choses. Notre « secteur privé » et même nos « collectivités locales », sont loin d'avoir les moyens et les talents de leurs équivalents américains et, à plus forte raison, de l'Église avec laquelle notre ancienne monarchie faisait si bon ménage.

De ce rêve politique inavouable, le *leitmotiv* du « sacré », qui filtre de plus en plus souvent dans l'apologétique « culturelle », serait-il un furtif symptôme ? Il n'est pas plus déplacé que le thème louis-quatorzien, que cette même apologétique a longtemps et fièrement pris pour drapeau, non moins à contresens, au temps déjà lointains du Général et de « Dieu ».

L'Église gallicane et ses ordres enseignants, masculins et féminins, avaient le monopole et la responsabilité financière de l'enseignement des enfants et des jeunes gens. Mais l'État royal se réservait jalousement, depuis Louis XIV, de veiller à la formation de ses futurs artistes, une élite triée sur le volet, dans le cadre de son Académie et de l'antenne-romaine sans rivale où elle envoyait ses lauréats. Dans le domaine des arts visuels, qui importait à l'image du prince, il y avait donc séparation de fait entre l'État et l'Église. Sauf que l'Église pouvait s'adresser aussi bien à des artistes formés dans les ateliers de leur corporation traditionnelle (souvent excellents) qu'à ceux qui étaient passés par la filière privilégiée de l'Académie royale, maîtres de la « peinture d'histoire », tant religieuse que profane. Néanmoins, la vocation première des Beaux-Arts de la monarchie classique, peintres, sculpteurs, architectes, ébénistes, tapissiers, faïenciers, porcelainiers, ferronniers, était de formuler *ensemble* le style qui correspondait le mieux à la physionomie du monarque régnant et qui résumait le mieux les traits du personnage public qu'il souhaitait incarner devant son peuple, l'Europe et l'Histoire des hommes. La pierre angulaire du style Louis XIV, c'est le Grand Roi, majestueux, héroïque, vainqueur à la guerre, mais galant et élégant en toutes circonstances, grande âme greffée sur un corps robuste, quoique souvent souffrant. Pour célébrer ce corps à la fois humain et glorieux, incarnation de l'Idée du royaume, l'Académie royale dirigée par Charles Le Brun est devenue, sous son autorité, une Académie du dessin, la discipline fédératrice de tous les arts visuels, dont les exercices-clefs tournent autour du corps humain idéal.

Ce que sera le « nombre d'or » pour le théoricien du cubisme André Lhote, le corps idéal à partir duquel s'élabore le style Louis XV, c'est celui du Bien-Aimé, majestueux certes, galant et élégant aussi, mais plus beau et gracieux qu'héroïque, plus civil que guerrier, plus vulnérable aux influences féminines que ne l'avait été Louis XIV, tout ardent amoureux qu'ait été longtemps le Grand Roi. Le style du règne fut pour ainsi dire déduit du corps idéal et du caractère public du roi régnant, et cette fois les peintres de l'Académie royale se sont convertis à la Couleur, plus charnelle, plus voluptueuse, accordée à un roi jeune qui veut être aimé, et non craint, qui veut les plaisirs de ses sujets plus que la guerre et la grandeur. Ce ne fut qu'une parenthèse. Si l'appétence pour la Couleur était apparue pendant la vieillesse et le déclin de Louis XIV, l'appétence pour un retour au Dessin réapparut vite pendant la vieillesse et le déclin de Louis XV. L'humanisme classique, renoué par la Renaissance florentine, déduisait de la Forme de l'homme et de la femme idéaux – Adam et Ève avant la chute, bâtis selon une divine proportion –, le style de l'architecture et la forme héroïque des figures de la peinture et de la statuaire. L'Académie de Charles Le Brun avait lié cette doctrine à la gloire du Grand Roi. L'orgueil de la nation, et une lente conversion de l'Académie royale, lasses l'une et l'autre d'un Louis XV vieilli et vaincu, libidineux et autoritaire, demandèrent que l'on revînt à la Forme idéale et au Dessin qui avaient si bien réussi au Grand Roi [1]. Mais cette fois, le Héros-citoyen des peintres se dissocie de la personne du roi.

Pour Léonard et pour Dürer, comme pour Vitruve, le monde des formes avait pour référent la forme humaine archétype, coïncidant avec la géométrie éternelle des corps parfaits platoniciens, cubes, sphères et cônes. Pour Charles Le Brun, peintre de Louis XIV, et pour François Lemoyne, peintre de Louis XV, cette forme humaine archétype était infléchie et incarnée, pendant leur règne, par le type physique propre au monarque régnant, en pied ou en portrait, l'Idée du Français. En France, il était présupposé beau, alors que les Habsbourgs d'Autriche et d'Espagne demandaient à leurs peintres (dont Vélasquez) de les représenter laids, prognathes, lippus, chassieux, une race charnelle née pour l'Empire et pouvant s'offrir le luxe de traits distinctifs dépourvus de flatterie vulgaire. L'impitoyable portrait du pape Innocent X par Vélasquez, dont Francis Bacon a multiplié les variations terribles, applique à un souverain pontifie italien la même radiographie « coloriste » dont il honorait les Habsbourgs d'Espagne et que Goya retrouva pour les Bourbons de Madrid.

Néanmoins les saisons de son règne se reflétaient dans les traits du roi de France infléchis par l'âge, de la même manière, si l'on ose dire, que les pontificats successifs, depuis la Renaissance, se reflétaient dans la beauté différente prêtée par les arts au corps du Christ, sans le

1. Voir Colin B. Bailey, *Patriotic Taste, Collecting Modern Art in Pre-revolutionary Paris*, Yale University Press, 2002, un peu trop excessivement attentif à la sociologie de la collection, et indifférent à l'évolution interne de l'Académie royale.

moindre rapport, il va sans dire, avec le physique du pape régnant. Une autre singularité française était le privilège royal d'avoir une maîtresse en titre. Il serait curieux de vérifier si par hasard le canon de la beauté féminine n'a pas été infléchi au cours du règne de Louis XIV par la beauté propre à ses maîtresses successives, Mme de Maintenon, la quasi-reine, restant sans doute hors concours. Sous Louis XV, il est évident que le peintre François Boucher se chargea de formuler le type de beauté féminine qui avait les faveurs du roi, Ève et Vénus toute parisienne et profane, sans précédent antique ni chrétien, menue, vive, voluptueuse, le nez retroussé. Le goût du Bien-Aimé lui survivra, et le type de la « petite femme de Paris » traversera les révolutions et les régimes. Les danseuses de Degas, les demi-mondaines de Van Dongen en sont encore des spécimens amaigris. Ni Louis XVI, ni aucun des monarques et des empereurs français successifs, ni leurs maîtresses quand elles ont été connues du public ne seront plus pris pour emblèmes d'un style, bien que le grand sculpteur Canova ait tenté d'élever le corps héroïque de Bonaparte à l'altitude du canon de Polyclète. La statue se dresse sur trois étages dans la cage d'escalier d'Apsley House, au centre de Londres, une demeure bien en vue et isolée au carrefour de Hyde Park, témoignage immuable du triomphe militaire de l'ancien maître de maison, le duc de Wellington, sur le modèle du sculpteur. Il est difficile de porter plus loin la symbolique silencieuse, politique et historique d'une œuvre d'art.

Sur le terrain laissé vide par la personne royale incarnant un type humain idéal, le style national donne lieu désormais à une âpre concurrence entre artistes et écoles d'artistes, à Paris et en France. L'enseignement académique, jusqu'à la veille de la Seconde Guerre mondiale, a beau maintenir en son centre l'idée de l'« homme mesure de toutes choses œuvrées de sa main » (Protagoras), l'antique principe de l'enseignement du dessin d'après moulage et d'après le modèle vivant : le platonisme (l'art humain subordonné à la contemplation de formes éternelles et divines) et l'aristotélisme (l'art faisant passer la nature qu'il imite de la puissance à l'acte), qui fondaient l'enseignement académique, ont été minés au cours du XVIIIe siècle. Ils font place au regard scientifique que le XIXe siècle porte sur les corps. L'apprentissage du dessin d'après l'antique et le modèle doit passer par la clinique, la morgue, l'hôpital psychiatrique, la criminologie. L'idéalisme tant platonicien qu'aristotélicien ne survit qu'au titre de l'eugénisme, et le corps idéal est remplacé par le corps parfait de race supérieure, canon d'une anthropométrie coloniale et raciale. La méthode cartésienne s'est retournée sur la « chose étendue » du corps humain. Ce nouveau chapitre de l'erreur pédagogique dénoncée à l'aube du XVIIIe siècle par Vico ne pouvait être atténué que par la copie des maîtres italiens, pendant un long séjour à

Rome, réservé aux lauréats des grands prix. La piétaille de l'École des Beaux-Arts devait se contenter de copies envoyées de Rome par les pensionnaires de la Villa Médicis : elles firent quelque peu contrepoids, et des peintres étrangers à l'École en bénéficièrent, tel Georges Seurat méditant, dans la chapelle ouverte au public, sur la copie des fresques de *L'Invention de la Croix* de Piero della Francesca.

Le scientisme optique installé au cœur de l'École des Beaux-Arts accéléra par contrecoup l'ascension du genre du paysage de plein air, loin des amphis et de leur dépeçage de cadavres. La recherche d'un « style national » se déplaça de la figure humaine idéale à la qualité singulière du regard porté sur les choses et les êtres, dans leur site, et dans leur lumière naturelle. Elle abandonna le théâtre public pour explorer la sphère intime. Quoi de plus « français » que néanmoins Théodore Rousseau, Corot ou Granet aquarelliste de Versailles ?

Mais quoi de plus français *aussi* qu'Ingres ? Quoi de plus français que Delacroix ? Portraitistes, peintres d'histoire, peintres d'allégorie, ils fuient tous deux la pente naturaliste qui entraîne un Delaroche, le peintre académique par excellence, qui d'emblée déclarera forfait devant le regard scientifique du daguerréotype. Quoi de moins réductible à un style que ces deux grands peintres pourtant contemporains ? Ils n'ont en commun, mais c'est l'essentiel, que la longue mémoire italienne de l'art français, comme s'ils avaient sauvé, ayant fait leurs études à Rome ou dans les collections d'art italien de Louis XIV exposées au Louvre, chacun à sa manière et selon une élection convenable à leur vocation personnelle entre Dessin et Couleur, la *continuité dynastique*, ininterrompue, de l'éclectisme du grand goût royal. Si Corot est un Claude Lorrain qui aurait retrouvé le secret du *sfumato* de Vinci, Ingres est un David qui s'est mis à l'école du dessin du Florentin Bronzino, Delacroix est un Charles de La Fosse qui a tout retenu du coloris de Titien, de Tintoret et de Rubens. Cette façon indirecte, rusée, sensible, mémorielle, plurielle que l'art de grands peintres inventa au début du XIXe siècle pour tenir lieu du sacerdoce royal disparu, l'éloignait de l'orthodoxie académique, celle de David et de son ami Quatremère de Quincy, et à plus forte raison lui faisait prendre le contre-pied du regard abstrait, clinique et photographique porté sur les corps vivants par les illustres et pédantesques savants tenant le haut du pavé à l'École des Beaux-Arts.

Dans l'après-guerre 1914-1918, la quête d'un style français (Cézanne n'avait-il pas recommandé de faire « du Poussin d'après nature » ?), est encore plus voulue et évidente chez Braque, Matisse, Robert Delaunay, André Lhote, Albert Gleizes et autres « modernistes » que chez les peintres grand prix de Rome. Nier cette évidence, certes difficile à réduire en concept, c'est littéralement castrer l'art de peindre, et ses correspondances avec les autres arts.

L'avènement du daguerréotype, en 1838, à l'Académie des sciences, et l'achat des droits sur l'invention de Niepce et Daguerre par l'État, qui la mit gratuitement à la disposition de tous, inaugura à Paris la crise des plus anciens des arts, la peinture et le dessin. C'est l'enseignement académique et sa discipline centrale, le dessin d'après l'antique et le modèle vivant qui à terme furent le plus profondément atteints. À court terme, parce que la « vérité » photographique s'interpose désormais entre le peintre et ses modèles, accentuant le naturalisme du dessin aux dépens du beau idéal classique, mais aussi, comme l'a vu Baudelaire, de la ligne maniériste d'Ingres et à plus forte raison de la touche coloriste et sensuelle de Delacroix. À long terme, parce que l'image photographique, et à la fin du XIXe siècle les images chronographiques vont s'imposer comme substituts du dessin d'étude et vider d'une partie de leur sens les séances de pose, les collections d'écorchés et celles de moulages d'antiques de l'École des Beaux-Arts.

La photographie puis la chronophotographie, qui arrache l'image à l'immobilité et décompose le mouvement, ne furent pas seules à décréditer le corps idéal et à attaquer comme un acide la clef de l'enseignement académique, chosifiant, classant, détaillant le corps souffrant, le corps malade, le corps hystérique, le corps déchu, le corps monstre, le corps mourant, le corps exotique, le corps criminel. En recourant abondamment à la photographie, la clinique médicale et psychiatrique, la criminologie et l'anthropométrie, érigées en maîtres à penser du dessin, contribuent à dévaluer le canon masculin et féminin idéal, quitte à le retrouver dans le corps racialement parfait de l'Homme et de la Femme nouveaux. Le pompiérisme de toutes sectes tire un grand parti de cette accommodation du regard sur la morphologie « normale et pathologique », tandis que les peintres anti-académiques se sentent libres de s'affranchir de l'observation clinique et de chercher des beautés inédites au large de la photographie.

Ingres est sorti de l'atelier de David, une école dont le maître intransigeant voulut faire la véritable Académie, celle où l'art du dessin est rétabli dans son intégrité antique et classique. Radical, en art comme en politique, David ! D'emblée, Ingres a porté très loin la liberté, la mémoire et l'imagination maniéristes de la ligne, qui se joue de l'exactitude anatomique et fait rêver les corps. Il a pris en quelque sorte plusieurs longueurs d'avance sur la photographie. Tout coloriste qu'il fût, tout adorateur de Delacroix, Baudelaire a senti cela et lui en a été reconnaissant. Son morceau de concours, *Achille recevant les ambassadeurs d'Agamemnon*, en 1801, valut à Ingres le grand prix de Rome, et l'enthousiasme du jury. Il avait retrouvé le naturel et la grâce des nudités de camées grecs. Il alla plus loin encore : sa *Baigneuse Valpinçon*, qui rivalise par le seul pouvoir du trait avec la statuaire grecque, sa *Thétis*, qui rivalise avec le bas-relief égyptien, sa *Grande Odalisque*, démesurément allongée et serpentine, sont des hiéroglyphes sensibles où toute vraisemblance anatomique est sacrifiée pour faire surgir à sa place la forme impossible, divine, que ne portent qu'en puissance les plus beaux corps et à laquelle le désir déçu en réalité s'adresse. C'est tout autre chose que la Vénus de Giorgione ou celles de Titien, allégories de coloristes, à la fois tactiles et imaginatives, de la Volupté au repos, ou que la Vénus de Vélasquez, allégorie elle aussi coloriste de la Volupté, mais jouissant d'elle-même dans le miroir, offerte et interdite au regard dans ce tête-à-tête enchanté avec elle-même. C'est autre chose, car Ingres ne compte que sur le dessin, alors que les Vénitiens Rubens et Vélasquez s'appuient sur lui pour jouer de la couleur, et avec elle, des autres sens que la vue. Ce sont deux options métaphysiques. Deux voies de salut du sensible.

Seule la photographie de nu, ce pléonasme, a rendu possible mais à ses dépens, l'*Olympia* de Manet, *blanche* et froide beauté vulgaire vendue au plus offrant, servie par une chambrière *noire* : il revient aux seules touches ostensibles du pinceau, notamment sur le bouquet à la Vélasquez que brandit la servante, d'établir le triomphe de la fiction picturale sur la plate duplication des choses . Il revient à l'œil sensible du spectateur de goûter le tableau pour l'art du peintre et pour son ironie, non pour l'anecdote représentée par ce qui, dans le tableau, est une quasi-citation photographique. Victoire de la peinture, non sur la nature, mais sur la nature dégradée par sa représentation photographique.

Ici commence l'art de peindre moderniste : une lutte à mort, où tous les coups sont bons, contre la tautologie photographique, qui de son côté ruse de son mieux pour voler à la peinture ses objets de prédilection.

L'Académie et son École au XIXe siècle ont dérivé de l'enseignement de David, tout en restant fidèles au principe de la primauté du dessin et de son objet idéal, le corps humain. La figure masculine idéale, et sa parèdre féminine, clefs cachées de l'architecture vitruvienne et palladienne, ont été assaillies tour à tour par leurs images techniques immobiles, puis en mouvement, relais du regard physiologiste. Les artistes modernistes ont cherché à tenir tête en brisant toujours davantage les canons classiques, en se dispensant de la figure humaine, et enfin en faisant disparaître toute relation du tableau avec les images rétiniennes, dont la formation, la *Dioptrique* de Descartes l'avait démontré, correspond aux lois naturelles de l'optique. En se conformant à ces lois, la technique photographique et cinématographique avait réussi à transporter à plat et à mémoriser matériellement sur verre, sur papier ou sur celluloïd un clone ou un spectre de la vision rétinienne, abstraite de l'interprétation que s'en donne sur-le-champ l'activité de l'esprit, soutenue par les autres sens. Dès lors, la peinture, les arts se virent tenus de se désamarrer et désancrer de la vision rétinienne, pour demander leur vérité à l'imagination ou à l'esprit abstraits de la vision ordinaire et des données des sens qui lui sont corrélés. Au début du XXe siècle, les arts issus de la Renaissance italienne jetèrent tout leur lest pour remporter une dernière victoire sur le clonage technique et appauvri des images rétiniennes, avant d'être doublés eux-mêmes et privés d'« aura » par leur propre reproduction technique appauvrie et multipliée, en noir et blanc, puis en couleur. La colonisation modernisatrice n'a pas été un phénomène réservé aux peuples « en retard », elle s'est exercée sur le fond ancien de l'Europe elle-même, qui a résisté et réagi longtemps de son mieux.

2. La Renaissance des arts et l'Église romaine

Protagoras disant à Socrate : « L'homme est la mesure de toutes choses œuvrées de sa main », Platon lui fait répondre par la bouche de Socrate : « La mesure de toutes choses est Dieu [1] ». La monarchie française s'était faite mécène d'un art selon Protagoras, héritier de l'art italien. L'Église byzantine et l'Église romaine avaient longtemps penché du côté de Platon. Dieu était la mesure de l'art qu'elles autorisaient. Mais pourquoi dans les ateliers italiens, du XIIe au XVIe siècle, l'académie idéale masculine, puis féminine, des Anciens Grecs et Romains avait-elle fait retour, sans que l'Église romaine ait fait la moindre objection ? Et pourquoi le modernisme, plus royaliste que le roi, et dans son sillage Malraux, qui en a rajouté, ont-ils condamné, du même mouvement, ce retour des arts aux dieux et demi-dieux antiques et l'invention de la perspective pour la mettre en scène ? Pourquoi y ont-ils vu une offense capitale au « Spirituel dans l'art », un péché contre l'esprit, une conversion à l'« Irréel », restés inaperçus à l'époque par une censure théologique qui avait toutes les raisons de se montrer plus sourcilleuse que la leur ? Or, loin de censurer, l'Église romaine avait soutenu ce qui apparaissait rétrospectivement à la critique moderniste comme un sacrilège.

L'histoire de l'art du XIXe siècle a qualifié de « retour au paganisme » et, avec Jakob Burckhardt, d'« explosion d'individualisme », tantôt pour admirer (Aby Warburg), tantôt pour déprécier (Élie Faure, puis Malraux) la réappropriation italienne, entre XIIe et XVe siècle, de la statuaire antique et de la représentation héroïque de la forme humaine. Le terme d'« individualisme », comme tous les mots en « isme », est trompeur. Dans l'usage qu'en a fait au XIXe siècle le grand historien bâlois Burckhardt, il désigne une confiance nouvelle de l'homme en son « moi » (ce substantif date de Pascal), en sa raison, en ses passions secouant leurs entraves pour gagner renom et gloire dès cette terre. Le condot-

1. Platon, *Théétète*, 152 a.

tiere et l'artiste sont les héros modernes et à haute tension de la Renaissance, les ancêtres des « bourgeois conquérants ». Chez les sociologues de la démocratie, le même mot désigne au contraire une subjectivité à basse tension, dont la liberté moderne se borne à choisir parmi les styles de vie, les opinions et les objets de consommation tout faits qui se disputent son suffrage. Le second sens est littéralement l'antithèse de l'autre. « Individualisme » est l'un de ces mots-valises qui autorisent toutes les équivoques et qui ne sont pas rétroactifs. L'un de ses équivalents savants, introduit par un spécialiste américain de Shakespeare, Stephen Greenblatt, est *self-fashioning*, l'« autofabrication de soi ». L'ennui, c'est que *fashion* en anglais signifie aussi « mode vestimentaire », et du coup, ce concept universitaire devient synonyme de ces *lifestyles* dont on change par caprice, au gré de la mode.

Quant au « paganisme » de la Renaissance, faut-il entendre un retour à la foi dans les dieux du polythéisme et aux rites de la religion antique ? Aucun auteur ne l'a prétendu. Il s'agirait néanmoins d'un paganisme d'imagination, oblitérant de l'intérieur un christianisme réduit à des gestes sans conséquence. En fait, la mythologie gréco-latine, que Boccace fut le premier moderne à tenter de reconstituer comme un tout, il l'entendait comme un langage symbolique, et non comme un objet d'adhésion religieuse, même imaginaire. La Fable antique offrit aux poètes et aux artistes de la Renaissance un répertoire de métaphores, d'allégories, de symboles, d'images et de récits fictifs, auquel les auteurs monastiques médiévaux avaient déjà abondamment recouru sans y voir la moindre menace de *revival* polythéiste.

La redécouverte de la forme idéale et héroïque de l'homme n'était pas davantage un prurit d'individualisme ou d'orgueil machistes. Les artistes qui la mirent en œuvre la prêtèrent à la figure humaine du Christ. Les Écritures qualifient le Christ tantôt de suprêmement beau, tantôt de très laid et abîmé, ce qui correspondait à sa double nature, à son supplice d'esclave et à sa résurrection de Dieu. Mais la théologie chrétienne a aussi défini le Christ comme le nouvel Adam, incarné dans le temps pour rendre possible la réparation de la forme déchue de l'Adam pécheur. Marie était la nouvelle Ève, l'original d'Ève, incarnée pour restaurer la figure de l'Ève sortie intacte des mains du Créateur, et abîmée par la Faute. Au titre de la théologie de l'Incarnation et de la Rédemption, qui exalte autant qu'elle humilie l'humanité, la beauté naturelle et idéale d'Adam et Ève d'avant la Chute, et celle du Christ et de la Vierge pendant leur séjour terrestre, sont tout naturellement devenues les symboles visuels de la vocation chrétienne de l'homme, tout imparfait et pécheur qu'il se soit rendu, de par la grâce qui lui a été faite de pouvoir retrouver la dignité, la grandeur, la gloire dont son Créateur l'avait pourvu à l'origine, « à son image et ressemblance ». L'homme et la femme archétypes, et le canon parfait du corps et du visage humains, objets d'études numériques et géométriques, mais aussi d'exercices d'atelier, regardent la représentation du Christ et de sa mère, symbolique d'une humanité, qui malgré la Chute contient le souvenir de sa beauté naturelle première et de sa vocation chrétienne à la dignité spirituelle et au bonheur.

La Renaissance chrétienne rétablit l'équilibre entre la douleur du pécheur et la joie de l'amour divin, entre la conscience de son infirmité et l'espérance de la réparer par la grâce qu'introduit la Croix [1]. Pour autant, le souci de ne rien ignorer du corps humain dans lequel un Dieu a consenti à s'incarner, à souffrir et à mourir pousse les artistes à l'étudier de l'intérieur, à briser les interdits et à disséquer les cadavres, à se mettre à l'école des chirurgiens pour comprendre le jeu des muscles et des organes du chef-d'œuvre déchu et racheté de la Création. Le célèbre écorché du sculpteur Houdon, à la fin du XVIIIe siècle, reste fidèle aux superbes figures anatomiques de Vésale, il est fidèle à une tradition du dessin qui n'a pas oublié qu'elle est née, à la Renaissance, du désir de montrer, dans toute sa beauté héroïque, le corps du Christ vainqueur de sa Passion. Repoussé par l'optique scientifique, ce superbe écorché debout, deux fois dénudé, de vêtement et de peau, éloquent comme l'*Arringatore* du Musée étrusque de Florence, sera écarté au XIXe siècle des exercices de dessin de l'École des Beaux-Arts. Il était le symbole du dessin artistique. Les temps étaient venus du dessin naturaliste, serf du dessin scientifique.

L'invention de la perspective à Florence par l'architecte Brunelleschi, et sa théorisation écrite dans le traité *De Pictura* (1435-1444) de Leone Battista Alberti parachèvent la restitution de la forme humaine idéale en lui donnant un lieu symbolique idéal, capturant et captivant la vision naturelle pour la fixer dans un espace de fiction géométrique. Autre triomphe du dessin florentin. Descartes démontrera dans sa *Dioptrique*, deux siècles plus tard, comment les images se forment naturellement sur la rétine. Alberti est sur ce chemin lorsqu'il montre que la peinture doit être « une section de la pyramide visuelle selon une distance donnée, le centre étant placé et les lumières fixées ; cette section est représentée avec art sur une surface donnée au moyen de lignes et de couleurs [2] ». Alberti écrit aussi que la surface à peindre doit être « une fenêtre ouverte par où on puisse regarder l'histoire ». L'« histoire », c'est l'ensemble aussi bien de l'Histoire chrétienne du salut dont le Christ et Marie sont les figures cen-

1. Voir, outre l'ouvrage fondamental de Charles Trinkaus, *In our Image and Likeness*, University of Notre-Dame, 1995, les travaux de Michael Screech sur Érasme et Rabelais, et ceux de John O'Malley sur les théologiens humanistes du XVIe siècle et la tradition jésuite.

2. Cité dans Michel Paoli, *Leon Battista Alberti, 1404-1472*, Paris, éd. de l'Imprimeur, 2004, p. 53.

trales, que de l'Histoire et de la Fable antiques dont les dieux, les demi-dieux et les grands hommes sont les protagonistes, figures eux-mêmes, exemplaires ou contre-exemplaires, de la dignité ou de l'abaissement de l'homme et de la femme. La « fenêtre », c'est le lieu, l'espace, l'éclairage, le point de vue rationnellement construits par l'art humain, en se conformant aux exigences naturelles de la vue, afin de faire contempler à l'esprit le spectacle de l'homme et de la femme aux prises avec les situations-types où les placent l'Histoire chrétienne du salut, l'Histoire antique et les fictions de la Fable. L'« illusionnisme » tant vilipendé de cet art savant ne leurre la vue et ne se conforme aux lois naturelles de l'optique – source de plaisir et de surprise – que pour mieux éveiller la mémoire, l'imagination et le jugement au sens symbolique, d'ordre religieux ou moral, de l'action représentée, concentrée, construite et fixée dans l'espace fictif ouvert par cette « fenêtre ». Cet admirable compromis entre science optique et vision symbolique a été l'objet d'une *damnatio memoriae* stupide, comme si les humanistes avaient été les « précurseurs » inconscients et maladroits de la photographie, à laquelle les mêmes censeurs de l'« illusion picturale » ne trouvent rien à reprendre !

On ne voit pas quelle objection un théologien catholique, ami par principe des arts et des images artistiques, aurait pu objecter à cette nouvelle intelligence de l'art des peintres, sachant imprimer dans la mémoire les vérités de foi ou les vérités morales, les faire vivre selon la nature à l'imagination et aux émotions, et les faire peser sur le jugement et la volonté. Le fait que cette intelligence (témoignage en faveur de la dignité humaine) suscitait admiration et délectation chez le spectateur n'avait rien d'incompatible avec une christologie supposant que la nature humaine, abîmée, n'était pas ruinée et pouvait être sauvée. Les peintres vénitiens dit « coloristes », les maîtres de Rubens, iront encore plus loin sans rencontrer d'objection théologique notable : ce n'est pas seulement l'intelligence, ce sont les sens qui informent l'esprit des qualités des choses et des êtres que le Christ est venu sauver, sa grâce promettant la résurrection des corps autant que le salut des âmes. Voir la couleur en peinture, c'est beaucoup plus que voir : c'est apprendre à goûter un monde sensible et charnel, le monde vu du point de vue féminin, et le voir infus de grâce. Baudelaire, ivre de couleurs, est fidèle à l'esprit de la Renaissance vénitienne lorsqu'il oppose l'« imagination créatrice » de Delacroix, pour laquelle la « ressemblance » n'est qu'un tremplin, à la régression naturaliste des peintres « pompiers », qui font coller leurs tableaux à la vision rétinienne, bloquant la route au symbolisme et à l'allégorie autant qu'à la fête des sens, faisant le lit de la misère photographique.

Le discours actuel – tout sociologique – sur le « retour au religieux » et sur la quête du « sacré » par les plasticiens contemporains est l'état ultime d'une double déconstruction, celle des arts du polythéisme gréco-romain, organisés autour d'un canon du corps humain divinisé, et celle du réemploi de ce canon par les arts du christianisme romain, dans le contexte d'une théologie de l'Incarnation admettant que la peinture et les arts visuels peuvent la symboliser sans la trahir. Le catholicisme pouvait se permettre cette nouvelle exégèse esthétique, étant la seule des religions monothéistes à avoir fait entrer dans le culte et la vie de prière des œuvres d'art attestant que le Dieu unique et invisible avait aimé et voulu rémunérer, par le sacrifice du Fils, le défaut de la vue de l'humanité pécheresse. L'œuvre d'art catholique, italienne, flamande, française, espagnole, se situe à la croisée de deux infinis, l'infini voilé dans la nature créée et l'infini réfléchi par l'esprit et le corps humains. Ce qu'elle montre à l'œil naturel est la métaphore de ce qu'elle révèle à l'œil spirituel.

Ce paradoxe a fait accuser le catholicisme, tant par l'orthodoxie orientale que par les protestantismes, de polythéisme larvé. Le débat entre l'icône orientale, qui relève de la théophanie et non de l'art humain, et les arts dévotionnels du catholicisme romain reste ouvert. Mais, dans une modernité où tous les iconoclastes tiennent pour allant de soi le torrent sans arrière-fond des images technologiques, ce reproche d'idolâtrie, qui persiste indirectement, par exemple chez Malraux, sous la forme d'un rejet de la Renaissance conçue comme chute des arts dans l'« Irréel », sonne particulièrement faux. L'idolâtrie gréco-latine était le culte anthropomorphe des forces réelles et divines de la nature. Les arts de la Renaissance et de la Contre-Réforme catholiques, qu'ils se réclament davantage du dessin masculin ou de la couleur féminine, s'adossent à la nature et à ses réalités optiques et sensibles pour inviter l'âme à s'élever à la surnature et à l'intuition du divin.

C'est dans ce sillage qu'ont pu apparaître, à Venise, à Florence, à Paris, les Beaux-Arts profanes, dont la fin n'est plus l'ascension de l'âme à Dieu, mais son acquiescement à tout ce qui, dans le monde sensible et temporel, rappelle à l'homme l'étincelle divine qu'il porte en lui. Le sourire de la Joconde et la perfection de ses traits, sur fond de paysage cosmique, n'est plus le sourire de la Vierge adressé à l'Enfant qu'elle porte dans ses bras. Mais elle donne à la fois le vertige de la Création et celui de la créature humaine dont l'esprit est capable de la réfléchir et le corps de la résumer. Rien de plus étranger à l'idole qui rétrécit l'infini dans le fini. En fait, c'est l'idolâtrie des images technologiques, substituée à notre imagination naturelle et à sa capacité d'infini, qui nous fait vivre dans l'« Irréel » de ses fantasmes évanescents et manipulateurs. Il est étrange qu'un romancier qui se réclame du cinéma et qui en a fait lui-même ait pu, dans ses écrits sur l'art, déclamer contre l'Irréel qui frapperait d'inanité le dessin des Florentins et la couleur des Vénitiens.

Au point où j'en suis venu, dans mon voyage dans le monde de la vue, sur ces confins contemporains où l'imagination créatrice, de quelque source traditionnelle et personnelle qu'elle jaillisse, est supplantée par l'imaginaire industrialisé, il me faut aller au fond des choses, aux racines de ce qui sépare l'œuvre d'art, ecclésiale ou monarchique, dévotionnelle ou profane, de l'image psychologique et de son parasite, l'image mécanique. Sans précédent, l'actuelle prolifération des images qui ne sont qu'images et qui nous vampirisent jette une lumière rétrospective, et inaperçue à ce degré, sur la solidarité profonde des œuvres d'art des siècles antérieurs, une solidarité essentielle que l'historicisme nous empêche de percevoir, en posant partout des ruptures, des progrès ou des oppositions factices, la plus artificielle et la plus néfaste étant le pont-levis de la Renaissance, tantôt vilipendé et abaissé pour avoir trahi le Sacré dans l'Art, tantôt relevé et vanté pour avoir ouvert les voies du progrès en art, dont nous aurions le dernier état, moderne et contemporain sous les yeux. Ce qui, dans les deux cas, revient à cacher la vraie rupture, qui n'intervient pas à la Renaissance, encore pré-moderne, mais au XIXe siècle, dans la concurrence et la violence qu'a faites au métabolisme symbolique, religieux et politique, de l'Europe le machinisme des images reproductibles. Dès lors, l'ensemble du patrimoine symbolique prémoderne s'est révélé dans sa solidarité essentielle et profonde. Il est devenu la seule ressource par laquelle l'humanité contemporaine, menacée d'atrophie par les prothèses qu'elle a elle-même imposées à ses sens, à son imagination, à sa vie de relation, peut encore (et le plus tôt dans la vie est le meilleur) compter pour éduquer ses sens et son imagination naturels et pour se construire un monde personnel en surplomb du non-monde sociologisé et mécanisé qui régit sa vie quotidienne. En ce sens, pour paraphraser Dostoïevski, la beauté dont nous ne sommes plus capables, mais dont nous avons hérité, est seule à pouvoir « sauver le monde ».

Le bonheur d'être à Paris, en France, en Europe, c'est de pouvoir échapper à la fantasmagorie chaotique contemporaine par une remémoration qui ne s'appuie pas seulement sur les livres ou les musées, mais sur des choses et des êtres qui se souviennent avec vous. Toute l'Europe, à l'insu du plus grand nombre des Européens, a désormais pour devise silencieuse et secrète les sentences concordantes de ses deux plus grands poètes modernes, le *Je vis dans les millénaires* de Goethe et le *J'ai plus de souvenirs que si j'avais mille ans* de Baudelaire. Descendre chez les Mères, voyager dans le temps retrouvé de leur royaume, même loin en amont des *Phares* de Baudelaire, c'est se soustraire à la « Terre gaste » contemporaine (*The Waste Land* de T.S. Eliot) et échapper au gel de la vue, des sens, de l'imagination et du langage qu'elle s'emploie à augmenter avec une célérité et un zèle dignes de meilleures causes. Voyager chez les Mères du voir, c'est expérimenter que le temps peut devenir espace, le mouvement repos, c'est apprendre à lire, dans le miroir de ce lac, l'esprit dont le torrent d'Héraclite contemporain ne nous laisse même plus entrevoir la lettre. L'*otium* est devenu clandestin. Mais il est à portée de mains. Voyageons dans ces eaux profondes de la vue qui nous font entrevoir d'où nous venons, puisque nous ne savons plus, au sol et à la surface, où « On » va.

3. Otium *antique,* otium *chrétien*

L'*otium* antique, avec les arts libéraux qui l'occupaient et l'exerçaient, avec les arts visuels qui le délectaient, cherchait, à l'écart des affaires, le repos, le retour de l'âme à soi et le peu de sagesse et de bonheur dont elle est capable. Ce choix d'une tranquillité contemplative où peut s'étancher la soif naturelle à l'âme humaine de savoir et d'être heureux n'est pas étranger au christianisme, qui a emporté dans ses bagages, dès ses premiers siècles, les philosophies antiques et leurs directives pour le meilleur usage par la raison des sens nobles de la vue et de l'ouïe et de tous les sens par le corps. Toutes, par des voies différentes, enseignaient à porter à fruition, chez le sage, dès cette vie brève, le désir naturel à l'âme de connaître la raison des choses et d'éprouver le repos divin que le vulgaire ignore et confond avec l'inertie. La *scholê* grecque, l'*otium* romain, inaugurés par une conversion philosophique, sont occupés à des exercices qui ensemencent et font mûrir les vraies vocations de l'âme, négligées dans la distraction de la vie calculatrice et affairée. De ces exercices, qui n'excluent ni le travail sur soi ni la détente en bonne compagnie, tire son sens plénier, aujourd'hui oublié, l'expression cicéronienne *cultura animi*, culture de l'âme, atrophiée de nos jours en « culture ».

Le christianisme, s'il a admis au XIIIe siècle, chez saint Thomas, et au XVIIe siècle, chez François de Sales, ses affinités avec la sagesse « à l'antique » d'un Montaigne (étrangère aux images des arts visuels, même lorsque l'auteur des *Essais* pèlerine en Italie), ne s'en est jamais contenté. Ce désir de savoir et d'être heureux, le sage antique et l'« honnête homme » moderne cherchent à le combler et stabiliser ici-bas (l'« assiette » de Montaigne) en ne retenant que la fleur de l'imagination et des passions. Ce même désir, le chrétien le transporte dans une dimension surnaturelle, il le déploie ici et le reporte aussi au-delà du monde qui passe. Le mesurant à Dieu qui transcende sa Création, il lui demande, avec la grâce du Christ, de combler absolument et éternellement auprès de lui la soif de repos qui tenaille son âme aussi longtemps que sa vision, son savoir et son bonheur restent troubles dans l'évanescence générale du temps et de la vie terrestres, sous l'effet de sa propre corruption et dispersion. À la différence des philosophes antiques, le chrétien (en ce sens, Montaigne est chrétien) ne croit pas pouvoir combler ici-bas, par lui-même et sa seule raison, les désirs les plus nobles de son âme et les aspirations les plus voluptueuses de son corps. Il est sceptique sur sa propre capacité à la vérité et au bonheur. Mais sa foi lui fait trouver dans la grâce du Christ le viatique qui, suppléant l'infirmité de sa raison et de son vouloir, l'arrachera au fleuve boueux d'Héraclite et lui donnera dès ici-bas, l'avant-goût de la « maison de l'Être ».

L'ermitage et le monastère chrétiens ne sont donc pas, comme la *domus*, la *villa* et l'*hortus* du poète et du philosophe antiques (ou comme la librairie et le verger de Montaigne, l'« honnête homme » moderne), le port où l'on a trouvé refuge au sortir de la houle du temps historique et de ses tempêtes, mais le véhicule le plus approprié au voyage au long cours de l'âme chrétienne se délivrant de la difformité qui l'a aliénée de son Créateur, se réformant sous l'action de la grâce du Christ et à son exemple, et se préparant au face à face éternel avec son Créateur, dans le royaume de paix promis par le Christ à ses disciples. Les soubresauts qui précèdent la conversion, c'est-à-dire la décision d'entreprendre ce voyage et de parcourir un itinéraire réparateur, outrepassant les limites de la vie humaine et ne pouvant s'achever qu'au-delà de la mort, saint Augustin en a décrit de façon exemplaire les ressorts et les linéaments, avec la profondeur du philosophe et l'éloquence de l'orateur, comme l'éclosion difficile d'un grand amour qui fait pâlir en comparaison tous les autres. Cet extraordinaire poème en prose – dont Baudelaire, latiniste et augustinien dans l'âme, a été peut-être le meilleur traducteur en vers dans une langue moderne (ce qui n'est pas allé sans déroutante anamorphose) – déclenchera d'innombrables vocations, tant féminines que masculines, dans la suite des siècles.

Quand il a écrit les *Confessions*, le futur évêque d'Hippone ne mesurait pas encore la fragilité de l'Empire dont l'Apocalypse de saint Jean avait pourtant prophétisé la chute. Il méditera, après le Sac de Rome de 410, dans *La Cité de Dieu*, sur cet événement fulminant qui attestait que la Cité qui s'était crue éternelle n'était pas épargnée par le flux du temps humain. Mais il avait déjà acquis la certitude, fort peu romaine, que le désir véritable de paix du cœur et de félicité de l'intelligence, révélé aux philosophes et à lui-même à l'écart de la cité, dans l'*otium*, ne se trouve parfaitement comblé pour le chrétien que de l'autre côté de ce monde, hors de l'Histoire humaine, dans la présence, la vision et l'amour inaltérables du *Dominus Deus*, dans sa *Domus* vraiment éternelle, au centre de sa *Civitas* céleste. Le christianisme augustinien conservera à jamais la mémoire du pressentiment, puis du sentiment d'insécurité cosmique qui travailla l'Empire d'Occident avant et après la ruine, la délocalisation et la parcellisation de *Roma aeterna*. Il serait beau que l'Europe d'aujourd'hui, convertie enfin à la paix et à l'amitié entre les nations lentement formées et mûries dans les ruines de l'Empire éclaté, puise dans le scepticisme historique chrétien la volonté et la foi de s'affirmer une et généreuse, dans un monde global à son tour éclaté.

4. *La critique chrétienne des images*

Le dégoût du monde et la volonté de rompre avec tout ce qui enchaîne l'âme à son propre chaos en mouvement perpétuel et à celui des cités humaines, promises à la ruine, ont porté le désir chrétien de *voir en repos*, au lieu de voir trouble, à des extrémités d'ironie inconnues de l'héroïsme civique et même de la philosophie cynique des Anciens : le martyre, l'érémitisme au désert. Le chrétien a trop à faire avec les images naturelles qui occupent son imagination, chargent sa mémoire, troublent son intelligence et dévient sa volonté pour s'attarder aux images artificielles qui, aux yeux des païens, contribuaient, dans leurs miroirs, à rendre habitables et admirables le cosmos et la cité. La sculpture en ronde-bosse disparut pour de longs siècles : elle donnait trop de corps et trop de prise aux dieux trompeurs d'ici-bas.

Arrachée aux catacombes par Constantin, l'Église consentit dans ses basiliques et *martyria* élevés à l'air libre aux « plates peintures » – images peintes, mosaïques, bas-reliefs – dont le silence et l'immobilité d'outre-monde détournaient les regards des nouveaux convertis des idoles de bois et de marbre. Pourtant, il fallut encore des siècles avant que ces saintes images obtiennent en Orient grec leur statut orthodoxe d'icônes, et plus de temps encore pour qu'elles soient reconnues, dans l'Occident latin, comme des arrhes visuelles de la vision éternelle et plénière de Dieu à laquelle aspire la fine pointe de l'âme charnelle chrétienne, enfin libre d'image et de trouble.

Platon avait pu faire dire à Socrate, dans le *Phèdre* : « Les êtres qu'engendre la peinture se tiennent debout comme s'ils étaient vivants, mais quand on les interroge, ils restent drapés dans leur dignité et gardent le silence. » Il lui en fait dire autant, dans le *Protagoras*, du texte écrit, qui reste silencieux quand on hésite sur le sens à lui donner. De leur côté, les prophètes bibliques, à l'écoute de Dieu qui leur *parle* sans équivoque en divers lieux, mais ne se laisse jamais voir, reprochent aux idoles en sens inverse de trop se montrer, tout en restant « immobiles et silencieuses ». Pour autant, les poètes de la Grèce et de Rome, anticipant sur Baudelaire qui les goûtait comme l'avait fait le jeune Augustin, n'avaient jamais cessé d'entendre dans les œuvres d'art le « langage des choses muettes ».

De nombreux siècles passèrent dans l'Occident latin, au cours desquels les images de l'art antique furent tenues pour des idoles et les « images saintes » chrétiennes pour une écriture narrative et pédagogique à l'usage d'illettrés, avant que Dante, dans *Le Purgatoire*, pût célébrer le *visibile parlare*, la visibilité parlante de tableaux sculptés en bas-relief que le poète attribue à un « art divin ». Saint Augustin n'avait parlé de *verba visibilia*, « le visible qui parle », qu'à propos des théophanies divines, non anthropomorphes, de l'Ancien Testament et notamment de la Création elle-même, « racontant la gloire de Dieu ». Jamais à propos d'œuvres d'art. Il n'empêche : dès le IIIe siècle, des images de l'art chrétien figuraient le Christ et les apôtres à la voûte en berceau céleste des absides, les saints dans les *martyria* de pèlerinage et des narrations allégoriques sur les sarcophages chrétiens. Cette réponse d'un art visuel proprement chrétien à l'art païen n'alla jamais de soi et la tolérance de fait dont jouissaient les « saintes images » dans les lieux de culte, loin d'être acquise, devint vite l'objet de violentes controverses en Orient et de récurrentes hostilités en Occident. La mort choisie par les martyrs chrétiens (souvent iconoclastes de statues païennes), comme le désert sans image (mais non sans mirage) où se retiraient les ermites chrétiens, attestent leur volonté commune de s'affranchir du monde des sens, et à plus forte raison de son imitation par l'art, afin de se présenter au regard de Dieu avec une âme nettoyée et digne de son amour. La « conversion », ou plutôt la seconde conversion, radicale, qui fait les clercs, les moines et les moniales, est le premier pas de l'âme vraiment chrétienne : les laïcs christianisés par les seules « images saintes » restent sur le seuil du sanctuaire. C'est une fois franchi ce seuil que commence pour l'âme, laissant derrière elle les images, sensorielles, psychologiques et artistiques, la substitution de la vue extérieure par une vue intérieure, la « vision intellectuelle », la seule fiable, qui la prépare à voir, par-delà les sens et les images qui l'en séparaient, l'invisible objet de son désir. De cette vision intellectuelle pure d'images psychologiques, les images de l'art, miroirs du monde sensible, sont foncièrement incapables. Tel est d'emblée le défi lancé aux artistes de l'Occident latin par saint Augustin [1].

Donnant le ton au Moyen Âge occidental, le néo-platonisme chrétien d'Augustin confirme le deuxième commandement du Décalogue qui interdit la confection d'images : Augustin ne condamne pas, mais il disqualifie les images artificielles, imitations par la main humaine d'originaux naturels auxquels elles ne ressemblent qu'inégalement, n'offrant d'eux qu'un reflet dégradé. Ces « originaux » naturels ne sont eux-

1. Voir Olivier Boulnois, *Au-delà de l'image, une archéologie du visuel au Moyen Âge*, Paris, Seuil, 2008, dont je m'inspire à plusieurs reprises dans ces analyses.

mêmes que les reflets matériels et inégaux d'originaux éternels reposant dans la sagesse du Créateur. Les « saintes images » chrétiennes ne sont pas sans doute des idoles, mais il vaut mieux s'en dispenser ; œuvres humaines, elles sont dissemblables des originaux invisibles, divins ou saints, auxquels elles renvoient, et qui se font connaître directement dans l'Écriture sainte. Objets terrestres ou entités célestes perçus et figurés par l'art humain sont incomparables à ce qu'ils sont en eux-mêmes. La Création est elle-même un chef-d'œuvre de la main de Dieu, un original supérieur à toutes ses copies humaines. Pour peu qu'on la regarde avec les yeux de l'amour pour l'Artiste divin, et non avec les yeux des sens trompés et trompeurs, elle révèle, sous le voile de ses apparences sensibles, la beauté invisible et généreuse dont Dieu déborde. Elle parle de lui, mais au fond de l'âme. C'est en chrétien augustinien, autant qu'en traducteur du *Principe poétique* d'Edgar Poe, que Baudelaire a pu écrire, dans *L'Art romantique* :

> C'est un immortel instinct du beau qui nous fait considérer la terre et ses spectacles comme un aperçu, une correspondance du ciel. La soif insatiable de tout ce qui est au-delà, et que révèle la vie, est la preuve la plus vivante de notre immortalité. C'est à la fois par la poésie et à travers la poésie, par et à travers la musique, que l'âme entrevoit les splendeurs situées derrière le tombeau ; et quand un poème exquis amène les larmes au bord des yeux, ces larmes ne sont pas les preuves d'un excès de jouissance, elles sont bien plutôt le témoignage d'une mélancolie irritée, d'une postulation des nerfs, d'une nature exilée dans l'imparfait et qui voudrait s'emparer immédiatement, sur cette terre même, d'un paradis révélé.

Un abîme d'ironie sépare le monde créé par Dieu et le monde perçu et vécu par l'homme mortel. Cet abîme a été ouvert par la faute originelle. Seul l'amour, celui de Dieu pour l'homme et de l'homme pour Dieu, peut lancer un pont de grâce et franchir cet abîme. La faute, le déni humain d'amour opposé à Dieu, a tendu le voile sous lequel la perception déchue cache la Création divine, lui substituant un monde à vau-l'eau. D'une expression terrible et splendide, Augustin qualifie de « région de dissemblance » le monde temporel où l'âme humaine s'est elle-même exilée et où elle est engluée dans un magma d'images décevantes.

Selon l'expression non moins splendide de saint Paul, en ce monde, nous ne voyons rien qu'« en image et en énigme », selon une dissymétrie généralisée qui miroite à la surface d'une eau courante perpétuellement troublée. Ce n'est certainement pas l'art humain et ses images qui peuvent arrêter cette « branloire pérenne ». Il n'y a de ressemblance, d'égalité et de plénitude parfaites, selon le *De Trinitate* d'Augustin, qu'entre les trois personnes du Dieu unique, seul séjour stable où l'âme créée « à l'image » de Dieu, devenue entre-temps méconnaissable à son Créateur, mais ayant recouvré avec la grâce du Christ sa ressemblance et son amour, pourra jouir « face à face », selon l'expression de saint Paul, de sa présence éternelle et en être comblée. Docteur de la grâce, Augustin tolère les images chrétiennes de l'art, aussi longtemps que le voyage de l'âme chrétienne n'a pas dépassé la vue charnelle et imaginative. Mais dès qu'elle s'est rendue capable de la vision intellectuelle, les images, psychologiques et artistiques, cessent d'être des véhicules et deviennent des obstacles.

Platon avait été à peine moins sévère pour le monde sensible et les imitations qu'en proposait l'art grec. Il distingue l'imitation *icastique*, qui met sous les yeux des images du monde sensible qui se veulent semblables à leurs modèles, et l'imitation *fantastique*, qui rend vraisemblables pour leur spectateur des images déformées et exagérées qui ne se trouvent pas dans le monde sensible. Les unes et les autres contribuent à égarer l'âme, qui n'a que trop tendance à s'attacher aux données immédiates des sens. Le philosophe fait dire à Socrate que toute imitation artistique est inégale, par définition, à son original naturel : le clonage est impossible, et le serait-il que les « originaux » naturels imités par l'art ou réfléchis par l'imagination et répertoriés par la mémoire sont eux-mêmes des idoles dissemblables des Formes parfaites résidant hors du monde sensible, les Idées divines, les seuls Originaux. Idoles et imitations des idoles sont autant de leurres qui détournent l'âme de contempler les Idées. Le maître de l'Académie admet toutefois que cette cascade descendante d'images dégénérées des Formes lumineuses de l'être et de la beauté n'abolit pas le souvenir de ces Formes : l'âme en exil le garde au fond d'elle-même et elle en reconnaît dans leurs images extérieures les reflets appauvris, mais luminescents. La cascade qui peut entraîner l'âme dans l'opacité de la boue peut aussi, pour peu que l'âme le désire et le veuille, être remontée graduellement, à rebours et en amont, vers la source et l'origine spirituelles de la beauté dont elle porte en elle le souvenir et dans les reflets qu'elle découvre hors d'elle-même, lui ont donné soif : ce voyage philosophique du ressouvenir la reconduira de la caverne des illusions terrestres au sein de la patrie céleste des Formes éternelles. Inséparable de la vérité et du bien, la beauté est le fil conducteur dont l'âme, qui se souvient et qui désire, se saisit pour sortir, vers le haut, du labyrinthe où elle est égarée, passant des faibles rayons qu'elle décèle dans la pénombre des sens, à la pleine lumière de la Beauté qu'elle aspire à retrouver.

Augustin verra lui aussi dans la Beauté un souvenir tenace, une idée-aimant, reconduisant l'âme, hors des égarements vulgaires de la vue sensible, au plus haut désir de la vision de Dieu. Chez Platon comme chez

Augustin, cette ascension de l'âme, depuis le souvenir et le désir de Beauté qu'elle trouve en elle, à l'essence de la Beauté qui se trouve en Dieu, suppose l'effacement progressif des images portant le sceau de beautés trompeuses, pour faire place, dans une lumière de plus en plus purifiée, à l'Idée absolue, originale, entièrement dénudée d'image. Dans cette Odyssée de l'âme, les images de l'art humain, imitations imparfaites de la Création divine, ne peuvent être que des Calypsos, des Circés, des Sirènes, des retards séducteurs ou dangereux, sur le chemin qui reconduit Ulysse à l'Ithaque divine, la patrie, le vrai repos. La porte de l'image chrétienne était donc étroite : elle ne laissa passer ni la statuaire, ni l'imitation de la nature, ni le portrait ; elle ne laissait place qu'à la représentation symbolique et non illusionniste des formes divines qui rachètent les choses charnelles.

La critique des arts visuels par la plupart des écoles philosophiques antiques de l'Empire gréco-romain n'avait en rien entamé leur vitalité et leur fécondité. Les encyclopédistes, tel Pline l'Ancien, les poètes, tel Horace, les sophistes, tel Philostrate, les ont célébrés. La religion civique polythéiste, le culte public des héros et des ancêtres, et l'*otium* privé se délectant à contempler la rivalité de l'art et de la nature garantissaient aux artistes et aux artisans une insatiable clientèle officielle et particulière. Rome, comme Athènes avant elle, se peupla de statues. La Constantinople chrétienne fut elle-même d'emblée un musée en plein air de la statuaire classique, condamnée pourtant par le christianisme : Constantin fit importer dans la seconde Rome, pour décorer dignement les places publiques, les plus célèbres statues de l'Empire. Mais la critique chrétienne des arts visuels fut autrement redoutable et efficace que la critique des philosophes. L'épreuve à laquelle, tant en Orient qu'en Occident, elle les a soumis n'a pas peu contribué à les grandir et à leur valoir le prestige qu'ils ont acquis dans le monde non chrétien, qu'il soit aniconique, comme en Islam ou en Israël, ou qu'il ait, comme en Asie, ses propres traditions d'arts visuels. Elle réussit à faire disparaître pour de longs siècles l'art de sculpter en trois dimensions, et pendant plusieurs siècles, l'art de peindre dans l'Empire byzantin. Plus tolérant envers la « plate peinture » et le bas-relief, le christianisme vainqueur n'en a pas moins, au cours de crises souvent violentes, remis en question la légitimité religieuse de ces formes artistiques christianisées. Le spectre de l'idolâtrie, réapparaissant sous de nouveaux masques et dérobant à Dieu invisible l'adoration « en esprit et en vérité » qui lui est due n'a cessé d'éveiller la vigilante ironie chrétienne. Elle a tenu les arts visuels en haleine, dans une constante situation critique. Elle a planté dans leur chair une épine inconnue des arts païens et qui les sommait de s'oublier ou de se dépasser. Les peintres d'icônes devront accepter de s'absenter de leur œuvre et de renier leur art en tant qu'art, se contentant de collaborer dans l'ombre et l'anonymat à l'incarnation, dans le visible, des archétypes invisibles du Christ et des saints. Les imagiers occidentaux se contenteront très longtemps, dans l'anonymat eux aussi, de traduire en figures lisibles pour les ignorants la substance de l'Écriture et de l'Histoire saintes. Lorsqu'ils s'enhardiront, à partir du XIIe siècle, à imiter de nouveau la nature et l'antique, ce sera toujours pour faire entrevoir, par leur art et malgré l'imitation de la nature dont celui-ci était redevenu capable, plus ou autre chose que les ressemblances dont se contentent les sens. On ne s'est pas encore assez étonné de la révolution (ou de l'involution) idolâtrique que représente l'invention de la photographie et du cinéma par et pour l'Occident chrétien. Le contraste est étrange entre la réception de ces deux techniques de l'image, n'éveillant de critique que celle de poètes et d'artistes, et l'ironie incessante à laquelle philosophes et théologiens avaient soumis les images de l'art.

5. Les arts dévotionnels d'Occident ressuscitent les arts antiques

C'est à la fin du Moyen Âge que l'art chrétien d'Occident a entrepris la christianisation en profondeur de l'art antique retrouvé, sculpture comprise, phénomène comparable à la christianisation de la poésie et de la philosophie antiques commencée dès le IIe siècle par les Pères de l'Église.

L'Église latine s'est très longtemps défiée des images de l'art pour ses clercs. Elle ne les a tenues en lisière et ne les a tolérées qu'à usage pastoral et au titre de traduction sommaire de la lettre des Écritures en une langue visuelle non imitative de la nature, les soumettant ainsi à une dure épreuve de longue durée d'où elles sont sorties, le moment venu, transfigurées. C'est un peu ce qui est arrivé aux langues vulgaires, longtemps refoulées dans l'oralité quotidienne par le latin hautain des clercs, avant de surgir, de s'imposer et de mûrir toujours davantage à l'air libre dans la poésie, l'éloquence et l'écrit. Le premier théoricien de la perspective en peinture, Alberti, est aussi le premier auteur d'une grammaire de langue vulgaire, en l'occurrence le toscan. Le grand artiste et premier historien florentin de la peinture européenne, Vasari, a fait une exégèse mémorable du mot de Dante, saluant la gloire de Giotto qui efface celle de Cimabue, lorsqu'il dit de Giotto qu'il a cessé de parler grec (la langue savante des icônes byzantines que Cimabue « parlait ») pour peindre en latin (la langue des bas-reliefs romains ressuscitée par Nicola Pisano). Alberti avait voulu, un siècle après Dante, que la peinture parlât une langue aussi commune que le toscan : celle de la vision naturelle et de ses lois. Entre le XIIIe et le XVe siècle, les images de l'art n'ont pas seulement retrouvé la dignité d'égales de la poésie imitative que le poète

Horace ou le sophiste Philostrate leur avaient reconnue dans l'Antiquité, mais que les modernes ont toujours eu tendance à tenir, avec Platon et Augustin, pour un leurre optique admirable, mais suspect. Elles sont allées jusqu'à conquérir le même statut de texte allégorique à double fond, que les exégètes alexandrins et médiévaux avaient alloué aux mythes des poètes et à l'Écriture sainte : l'esprit sous la lettre, l'invisible sous le visible, la vision intellectuelle sous la vision sensible. L'art des imagiers occidentaux, soumis au soupçon chrétien, a été contraint par lui à se porter à la hauteur du « voir en miroir et en énigme » que saint Paul réserve au chrétien en voyage sur la terre : le naturalisme symbolique de Van Eyck, le *sfumato* de Léonard, le *chiaroscuro* de Caravage comptent parmi les sommets de cette inédite herméneutique moderne et chrétienne du voir.

Rien de semblable au dépassement des images souhaité par Platon et Augustin ne se retrouvait chez Aristote. L'antithèse entre l'imitation artistique qui enchaîne l'âme au monde mensonger des sens et l'imitation des maîtres de vérité dont la parole affranchit l'âme de leurs disciples, évidence pour Platon et pour les Pères de l'Église chrétienne, ne l'est pas du tout pour le Stagirite. Aux yeux du philosophe grec que l'admiration de Dante privilégie, comme elle le fait de Giotto, les images reçues par les sens sont de fidèles témoins des réalités naturelles, témoins que l'esprit reçoit et interprète avec l'aide de l'imagination, de la raison et de la mémoire. Loin d'affaiblir ou d'avilir ses originaux naturels par une imitation inégale, l'imitation par l'artiste les parachève, les fait passer de la puissance à l'acte, attestant et délectant la vocation mimétique, mais aussi cognitive, inhérente à l'âme humaine. Le maître du Lycée ne voit aucune incompatibilité entre la vie philosophique et la pratique des arts d'imitation, poésie dramatique, peinture, sculpture. L'appétence de l'homme à imiter ce qu'il voit et le plaisir qu'il prend à voir et à méditer les choses et les êtres bien imités par les arts, notamment lorsque ces représentations retracent les actions humaines, répondent à ses plus heureuses pentes naturelles : le désir de connaître la vérité et la recherche du bonheur. Les arts imitatifs ne se résument pas du tout à ces illusions mensongères et captieuses que dénonce Platon. Outre leur capacité à représenter scientifiquement les choses et les êtres, ils savent faire croire des fictions vraisemblables qui, se donnant pour telles, ne mentent pas et ne cherchent pas à égarer : bien au contraire, elles conduisent leurs spectateurs et auditeurs à mieux se connaître et à se garder des égarements qui résultent de l'ignorance et de l'inexpérience. Philosophe et non-philosophe peuvent tirer le meilleur parti de ces fictions délectables qui, de surcroît, disent la vérité sur l'humanité, ses forces et ses faiblesses.

Aristote eut beau trouver de savants disciples et commentateurs en terre d'Islam, ni sa poétique ni sa doctrine des arts d'imitation n'y eurent aucun effet, sinon là où l'Islam conquérant dut s'accommoder d'anciennes civilisations aristocratiques, dont les raffinements profanes ne pouvaient se passer de leur représentation par l'art de la miniature et par les fictions délectables de la poésie et du conte : l'Andalousie, la Perse, l'Inde du Nord. Le retour à Aristote dans les facultés de théologie et de philosophie chrétiennes au XIIIe siècle n'a pas ignoré les chapitres de son encyclopédie touchant les arts : son autorité et celle de saint Thomas ont poussé l'art d'Occident à pratiquer un naturalisme d'autant plus serein qu'il se savait et se voulait capable de n'être que le voile sensible et partiel derrière lequel luit et se fait contempler le sens complet, divin et invisible des choses et des êtres.

Conservé à Francfort, un panneau peint sur bois vers 1430 par un imagier anonyme de Strasbourg, miniature agrandie comme tant de tableaux du XVe siècle nordique, présente un spectacle d'*otium* paradisiaque où tout semble respirer le renouveau de la nature et les grâces mondaines de la courtoisie. Dans un verger printanier, clos de murs blancs crénelés dont on ne voit que deux côtés pour permettre une vue plongeante parmi arbustes feuillus, plantes fleuries, oiseaux perchés sur le mur et sur les arbres, tous objets représentés avec la dernière précision scientifique, des jeunes femmes et des jeunes gens élégamment vêtus de blanc, de rouge et de bleu, dans des poses détendues, semblent jouir du repos autour d'un petit Mozart assis sur l'herbe en chemise blanche, jouant à deux mains sur les cordes d'un psaltérion, instrument de musique accompagnant la récitation, dite « grégorienne », des Psaumes. Parmi les jeunes femmes se détache, assise elle aussi à même le sol, lisant un livre ouvert, la tête couronnée, enveloppée dans une vaste cape d'azur, une damoizelle qui ne peut être que Marie, Reine du ciel, Madone d'Humilité. L'enfant assis à ses pieds est donc Jésus. La jeune femme qui tient pour lui l'autre extrémité du psaltérion fait groupe avec deux autres ; l'une est penchée sur un bassin où elle puise de l'eau avec une louche de bois, l'autre cueille des cerises qu'elle dépose dans un panier à anse. Derrière le Christ enfant, un groupe de trois jeunes gens fait pendant au groupe féminin ; l'on y reconnaît saint Georges, au dragon minuscule comme un lézard qui gît renversé à ses pieds, et saint Michel Archange, à ses ailes polychromes et au petit diable vaincu, poilu comme un singe, assis et assagi, qui le regarde en grimaçant ; le troisième personnage masculin, appuyé contre un arbre, les regarde, comme étonné de l'inertie actuelle de ces deux pourfendeurs du Mal.

Le regard naïf et comblé peut s'en tenir là, et s'enchanter de ces gentillesses que le dragon et le démon vaincus et ridiculisés ne risquent pas de troubler. À observer de plus près, on remarque cependant que l'un des oiseaux dévore un poisson, un autre une mouche, prédations inconnues au jardin d'Éden. L'une des trois femmes cueille des cerises, fruits que la symbolique médiévale associe aux gouttes de sang de la Passion.

Le panier d'osier qu'elle remplit a forme de calice. Les trois femmes seraient-elles les trois Marie qui accompagneront le Christ tout au long de sa Passion et qui découvriront le tombeau vide ? Par ailleurs, saint Michel est représenté dans l'attitude des mélancoliques, la tête penchée et appuyée sur la main droite, comme s'il souffrait, lui qui a pu vaincre le démon, de ne pouvoir empêcher le futur supplice du Christ. Saint Georges affalé est tout aussi déconfit. Et la Vierge mère, la tête penchée à droite, semble méditer tristement dans la Bible l'avenir de son Fils. Un sens second se dessine et se profile peu à peu en sous-œuvre de cette scène étrangement grave sous sa grâce apparente : le caractère inéluctable de la Passion de Jésus. Le serpent caché dans le Paradis terrestre reste à vaincre dans le jardin de l'enfance du Sauveur, sourdement assombri et troublé par l'ombre portée de la Croix.

Un certain type d'icônes byzantines du haut Moyen Âge montre en buste la Vierge qui tient l'Enfant et le regarde avec des yeux alarmés, sachant ce qui l'attend. Dans le même esprit, Zurbaran, au XVIIe siècle, a représenté la Vierge en larmes découvrant l'Enfant qui s'est blessé au doigt en jouant avec une couronne d'épines. Dans le panneau de Francfort, ce deuil prémonitoire est étendu à toutes les compagnes et à tous les compagnons de la Vierge. Seul l'Enfant, non moins bien informé, joue néanmoins joyeusement sur le psaltérion. C'est ce sentiment qu'interprète saint Bonaventure lorsqu'il décrit le Crucifié comme un « jardin d'amour », un « paradis de charité », exhortant l'âme à « pénétrer dans ce jardin plein de fleurs par la porte de ses blessures [1] ». L'enchantement candide du tableau et le plaisir qu'il procure aux yeux ne sont pas des leurres. Ils montrent la grâce qui découle de l'Incarnation, mais ils ne cachent pas qu'elle sera achetée, et qu'elle est tous les jours achetée, au prix fort du supplice du Christ.

Dans *La Conversion de saint Paul* du Caravage (1600), à Sainte-Marie-du-Peuple, la croupe et la robe lisse du cheval d'où saint Paul est tombé, superbe trompe-l'œil naturaliste s'il en fut, réfléchit, comme un miroir dans les ténèbres, la surnaturelle lumière émanant du troisième ciel où le futur apôtre des Gentils, renversé à terre, les bras largement ouverts en un grand geste d'adoration, a été soudain transporté, et où, « dans son corps et hors de son corps », comme il l'a écrit lui-même, il jouit de la vision intellectuelle du Christ et de son enseignement. L'œil spirituel du spectateur est conduit, par une série de ricochets de l'œil charnel sur les surfaces naturelles éclairées par l'écho du météore surnaturel surgi dans l'obscurité, à vénérer, sans image, la vision, elle-même sans image,

1. Voir dans le catalogue *Strasbourg 1400, un foyer d'art dans l'Europe gothique*, éd. des Musées de Strasbourg, 2008, l'étude de Philippe Lorenz, « Le Maître du Paradiesgärtlein », p. 54-59.

dont le persécuteur de chrétiens est favorisé. Caravage a été souvent regardé comme un « précurseur » de Courbet. Dans ce tableau, où il porte au suprême degré son art naturaliste, il met celui-ci au service du surnaturel le moins imaginal et imaginable, obéissant en peintre à l'objurgation de saint Paul :

> Le même Dieu qui a commandé que la lumière sortît des ténèbres est celui qui a fait luire la clarté dans nos cœurs, afin que nous puissions éclairer les autres par la connaissance de la gloire de Dieu, selon qu'elle paraît en Jésus-Christ [1].

Suspendue au ciel des Idées, la République de Platon décrète l'ostracisme de la poésie homérique et discrédite les images du théâtre et des arts visuels qui flattent l'erreur et incitent à l'imiter : l'éducation des archontes et des gardiens de l'État platonicien doit les habituer à discerner et imiter la beauté du juste et de l'honnête, tout en repoussant leur contraire. Le programme platonicien d'éducation philosophique et politique, moins iconoclaste que celui de Rousseau, fait place aux arts, mais symboliques, miroirs des Idées, non des choses. En Occident chrétien, les arts ne figureront pas, pendant de longs siècles, au programme de l'élite cléricale chrétienne, les « saintes images » étant destinées, sous le nom de « Bible des illettrés » que leur a donné au VIe siècle le pape Grégoire le Grand, à l'édification des laïcs, ignorants et charnels. La cité aristotélicienne ne prétend pas à l'utopie de la République platonicienne : quelle que soit sa forme politique légitime, monarchie, aristocratie ou démocratie, elle ne demande pas au théâtre, à la poésie, à l'éloquence et aux arts visuels, tous arts d'imitation, de ne proposer à ses citoyens que des exemples exaltants, mais, au contraire une représentation vraisemblable de la condition humaine telle que l'expérience la fait connaître. Ainsi prévenus, ses citoyens seront d'autant mieux préparés moralement à retenir leur constitution politique, quelle qu'elle soit, sur la pente qui les entraîne toutes à leur dégénérescence en tyrannie. Ce gouvernement *politique* par les arts ne sera réintroduit à grande échelle qu'au XVe siècle, dans la Florence des Médicis et la Rome des papes. Mais ce n'était que la version temporelle de la légitimation plus ancienne, par l'Église romaine, des arts visuels non seulement à des fins pastorales, mais dans la vie spirituelle et morale la plus personnelle.

À partir du règne de Constantin, l'Église chrétienne se constitue en *Respublica christiana*, tranchant entre le modèle de la République de Platon, qui a toutes ses faveurs, parce que l'élite de ses propres citoyens, les moines, comme les gardiens de la cité platonicienne, ne se distrait

---

1. II Co IV, 6.

pas un instant du salut de l'âme, et l'autre modèle, celui de la cité aristotélicienne, que l'Église a longtemps combattu, tandis que les monarques temporels, de Théodoric à Charlemagne et Frédéric II Hohenstaufen, ont tenté de le rappeler sur la terre. Cependant, elle n'a pas pu, non plus, récuser tout recours aux arts visuels : dès qu'elle est sortie de l'ombre et de la persécution, elle a eu besoin de contre-idoles pour tenir en respect les images païennes et les démons encore vivaces qui les habitaient et la concurrençaient. C'était l'aristotélisme, au seuil de l'âge hellénistique, qui avait fourni aux arts gréco-romains classiques l'assise philosophique et politique que leur refusaient la plupart des autres écoles antiques. C'est lui aussi qui avait légitimé la *scholê* (ce qui renversera plus tard le sens péjoratif du latin *otium*) comme un principe de sagesse et de bonheur dans la vie noble de l'homme libre et dans celle de la cité.

Les préférences des Pères de l'Église allèrent au platonisme, qui, dès avant l'ère chrétienne, s'était montré, à Alexandrie, conciliable avec la Bible traduite de l'hébreu en grec par les Septante, et qui eut aussi les préférences de l'Empire gréco-romain tardif.

Il faut attendre les « Renaissances » des XIIIe et XVe siècles pour que la tolérance occidentale envers les arts visuels se change en adoption christianisée. La remontée néo-platonicienne des images aux Formes, de bas en haut de l'échelle de l'être, *per visibilia ad invisibilia*, se trouva alors étayée par la confiance aristotélicienne, elle aussi christianisée, dans la connaissance sensible et dans la véracité de l'imitation de la nature par l'art. C'est alors que les images de l'art, jusque-là réservées à l'édification des ignorants, se voient admises dans l'itinéraire spirituel de toute âme chrétienne, grâce à un éclectisme philosophique qui fait contrepoids à la critique platonicienne et augustinienne de l'imagination et des images artificielles. Retrouvée, l'imitation de la nature se justifie comme n'étant pas une fin en soi, mais un leurre gracieux, une captation de bienveillance optique, préparant l'œil de l'âme à entrevoir un objet du sentir, du connaître et du jouir dont le sens de la vue et du tact, même spiritualisés, ne peuvent se saisir directement. C'est bien alors que commence un art dont Augustin ne pouvait avoir l'idée, mais que son lointain disciple Baudelaire peut à bon droit célébrer comme « sa première, son unique, sa primitive passion », en sachant bien sa terrible réversibilité : promesses de saintes extases inouïes de l'âme en Dieu, mais promesses aussi d'extases charnelles inouïes dérobant aux premières la science des saints ! Malraux est bien naïf, ou bien puritain, lorsqu'il reproche à Baudelaire, qui en somme avait un sens plus vif que lui du vrai « progrès », de faire commencer l'histoire des arts, dans *Les Phares*, à Rubens.

Les images des arts visuels ont besoin de confiance pour prospérer et augmenter. Elles retrouvèrent cette confiance dès que dominicains et franciscains, enfreignant la doctrine de la « Bible des illettrés », en firent des auxiliaires de la vie spirituelle chrétienne, tant des laïcs que des moines, tandis que les princes temporels en faisaient les auxiliaires du bon gouvernement. Une lettre apocryphe attribuée à Grégoire le Grand et adressée à un moine, Secundinus, avait été forgée au XIIe siècle pour faire admettre rétrospectivement, par le pape du VIe siècle, la légitimité des « images saintes » dans la piété claustrale. Du XIIIe au XVe siècle, on assiste en Occident à une sorte d'âge d'or des arts chrétiens de l'image. La réaction à cette iconophilie ne se fit pas attendre : la critique augustinienne des images, endossée et durcie par Wyclif et Calvin, et inaugurée par Luther avec plus de modération, rejeta comme impies et idolâtres les arts « à l'antique » renés dans le sein du culte chrétien romain. La chrétienté occidentale est cassée en deux au début du XVIe siècle par une querelle des images encore plus violente que celle qui avait tourmenté l'Empire byzantin entre le VIIe et le IXe siècle [1].

6. L'Église romaine, face à la Réforme, imperturbable mécène des arts

Le concile de Trente, dans sa dernière session, en 1563, se réclamant du deuxième concile de Nicée (787), a réaffirmé la licéité des « saintes images » romaines, s'en remettant au magistère épiscopal pour censurer d'éventuels abus. Dès l'année suivante, l'essayiste italien Andrea Gilio, dans deux dialogues destinés à éclairer l'ignorance des artistes sur les enjeux extra-sensoriels de leur art, prête à ses interlocuteurs un langage mixte, platonico-aristotélicien [2]. Malgré la référence du concile de Trente à Nicée II (le concile grec qui avait légitimé et défini l'icône byzantine contre les thèses iconoclastes), Andrea Gilio n'envisage pas un instant les « saintes images » romaines sous l'angle propre à l'icône. Il s'adresse à des artistes qui ont traditionnellement en Occident latin « licence de tout oser ». Exégète du sommaire décret conciliaire, il veut éclairer la liberté qui leur est laissée et les aider à ne pas commettre d'erreur. Il leur enseigne à distinguer, avec Platon, entre fiction vraisemblable et fiction fabuleuse, mais il s'appuie sur Aristote pour leur faire préférer la première, « masque de la vérité », et sur Platon pour leur faire rejeter la

1. Voir Alain Besançon, *L'Image interdite, une histoire intellectuelle de l'iconoclasme*, Paris, Gallimard, Folio, 2000 (1re éd. Fayard, 1994).

2. *Scritti d'arte del Cinquecento, II, Pittura, Scultura, Poesia, Musica*, a cura di Paola Barocchi, Einaudi, Turin, 1978, p. 302-325.

seconde, qui représente ce qui n'est pas et ce qui ne peut être. Les artistes doivent donc respecter dans leurs images « vraisemblables » la lettre de l'Histoire sainte et dans leurs allégories les convenances morales : ce qui ne nuira pas, au contraire, à la lecture correcte par leur spectateur du sens mystique des « saintes images ». Gilio préserve ainsi les conquêtes des deux siècles précédents, tout en invitant les artistes à s'en rendre dignes et à ne pas prêter le flanc par des excès de fantaisie à la critique protestante : l'image peinte chrétienne est traitée comme un texte susceptible du même type de lecture à double fond que les exégètes de la poésie et de la Bible leur avaient appliquée, et que l'humanisme florentin avait étendue aux arts visuels chrétiens, revenus à l'imitation de la nature.

Un demi-siècle plus tôt, à la veille du concile de Latran réuni par Jules II en 1512, le pape et ses conseillers théologiques avaient dicté à Raphaël le plus complet programme de synthèse chrétienne entre platonisme et aristotélisme, entre République spirituelle chrétienne et République temporelle à l'antique, qui ait jamais été conçu. Le peintre d'Urbino s'est d'autant plus ardemment surpassé dans l'exécution de ce programme allégorique que celui-ci, honneur insigne pour celui à qui il était confié, contenait la plus complète justification que l'Église eût jamais offerte à son art. Dans *L'École d'Athènes*, Platon et Aristote fraternisent, justifiant ensemble l'art chrétien du peintre : l'un montre du doigt le ciel des Idées, l'autre regarde son vieux maître et étend la main, comme pour lui faire voir et agréer la nature, connue par les sens, dont le livre qu'il porte du bras gauche contient la description. À cette double garantie philosophique de l'art de peindre s'ajoute la légitimation théologique énoncée dans la *Dispute du Saint-Sacrement*, où l'ostension mystérieuse de l'hostie consacrée, montrant et cachant aux yeux terrestres la présence divine du Christ incarné sur l'autel, correspond à la vision, déployée dans le ciel, du Christ en gloire dans la Trinité, vision que cache, mais promet et prépare, sur la terre, le mystère du sacrement eucharistique.

Dans un paysage d'*otium*, la fresque du *Parnasse* parachève cette apologie de l'art chrétien des images : la peinture est comme la poésie, ses fictions ne sont pas un obstacle, mais un véhicule pour l'âme remontant des images sensibles aux Formes, de la lettre à l'esprit, du visible à l'invisible ; l'allégorie d'Apollon et des Muses intègre peintres, sculpteurs et architectes (représentés par le portrait de Michel-Ange) dans la conversation et le concert des arts libéraux, sur le même pied que les poètes et les musiciens et en vue de la même harmonie suprasensible. Tel est le point culminant de la Renaissance amorcée au XIIe et au XIIIe siècle, la synthèse en images allégoriques de saint Thomas d'Aquin, de Dante, de Pétrarque, de l'humanisme florentin du XVe, mais aussi le fruit formel d'un art de peindre chrétien « à l'antique », mûri, depuis Giotto, par Masaccio et le Pérugin. Le pape Jules II, son successeur Léon X et de nouveau Urbain VIII au XVIIe siècle ne dédaignèrent pas de se laisser représenter, sur le mode allégorique, en Apollons chrétiens conduisant le chœur des Muses catholiques sur un mont Parnasse qui ne jure ni avec le Sinaï ni avec le mont Thabor, lieu de la Transfiguration.

En 1517, le schisme de Luther, en 1527, le sac de Rome par les lansquenets luthériens iconoclastes du connétable de Bourbon firent payer cher à l'Église romaine le mécénat iconophile qu'elle avait voulu financer par la vente des indulgences. La scission de la chrétienté occidentale avait de plus puissants motifs, théologiques et non économiques, mais le symbole de la division des deux Europe fut d'emblée et d'abord l'iconophilie des nations catholiques et l'iconoclasme des nations protestantes. Reste que le génie de la synthèse, qui avait permis à la Rome pontificale de réconcilier les arts « à l'antique » et la théologie chrétienne, fit de nouveau de la capitale du monde catholique, et cela jusque fort avant dans le XIXe siècle, même pour de nombreux peintres, poètes et humanistes protestants ou agnostiques, de Milton à Goethe, de Hondthorst à Schinckel, de Germaine de Staël à Stendhal, le foyer européen de l'*otium literatum* et des arts visuels. Rome est l'aînée de Paris dans la fonction européenne de foyer des arts.

Jusqu'à saint Bernard de Clairvaux, dans le puissant sillage médiéval de saint Augustin, il n'est guère de théologien occidental qui ait admis un rôle fécond des images de l'art dans la vie spirituelle monastique (une tautologie jusqu'alors), tandis que, pour l'édification des païens et des laïcs, et cela depuis le règne de Constantin, des « images saintes » ne se contentaient plus de figurer dans les catacombes chrétiennes : elles tapissaient les basiliques érigées à ciel ouvert, elles figuraient dans les oratoires domestiques. Quant à la théologie orientale, elle fut si violemment tentée par l'iconoclasme qu'elle dut, pour s'en délivrer, lui faire une concession majeure : exclure l'icône de l'art humain et de l'imitation de la nature et en attribuer le droit d'auteur exclusif à l'*hypostase* des deux natures du Fils, incarnée dans la chair, comme l'icône dans le bois et les pigments de son support physique. L'Occident latin, si fasciné qu'il ait été par les icônes byzantines, où il vit l'équivalent des reliquaires des martyrs, ne demanda jamais un tel sacrifice à ses artistes pour la bonne raison qu'il n'attribuait pas à leurs « saintes images » la moindre sainteté intrinsèque. Œuvres de main d'homme, c'étaient des aide-mémoire fictifs renvoyant aux vérités de foi. Dans la tradition augustinienne, les images artificielles ne font qu'ajouter à la confusion que les images naturelles et les fantasmes de l'imagination, « maîtresse de fausseté », cherchent à introduire dans l'âme adonnée à une vie spirituelle authentique : celle-ci, fruit d'une conversion radicale, a pour fin de délivrer l'âme des images, la rendant à la vision purement intellectuelle pour laquelle elle a été créée et qui la prépare au face à face final avec l'Invisibilité divine, dans une « lumière de gloire » qui se passe de toute image. Le repos dans l'amour, comblé par la vision intellectuelle de Dieu, ne peut être goûté qu'aux antipodes des images psychologiques et, à plus forte raison, des images de l'art. Celles-ci n'ont de raison d'être chrétienne qu'au titre de pédagogie pour débutants, l'« écriture des illettrés » que le pape Grégoire a définie selon l'esprit d'Augustin.

Cependant une tradition théologique rivale de l'augustinisme est apparue en Occident latin. Elle est tout aussi platonicienne, quoique dérivant d'une autre branche du platonisme antique. C'est celle dont relève l'œuvre théologique du Pseudo-Denys l'Aréopagite, un moine grec du Ve siècle traduit en latin au VIIIe siècle par un autre moine, irlando-écossais, Jean Scot Érigène. Niant que Dieu puisse être vu, même par la vision intellectuelle purifiée d'image que professe Augustin, cette famille de théologiens pousse le sentiment de la transcendance divine et de l'abîme qui la sépare, tant de la Création que de l'âme créée, jusqu'à n'envisager de connaître Dieu et de l'adorer, même dans l'autre monde, que sur le mode de la négation. À plus forte raison dans cette vie. Paradoxalement, cette tradition de théologie négative, qui refuse à l'âme créée, et même à sa fine pointe intellectuelle, toute possibilité de jamais voir son Créateur, ne lui refuse pas de recourir aux images ; au contraire, elle l'y encourage, pour peu que les images psychologiques et les images de l'art avouent leur impuissance à représenter un absolu insaisissable, même à la vue intellectuelle et ne le symbolisent qu'en négatif. À cette condition paradoxale, elles reçoivent un statut très supérieur à la simple fonction mnémotechnique où les cantonnent un Augustin et un Grégoire le Grand.

Dans la remontée de l'âme vers un Dieu dont l'essence est à jamais cachée, la contemplation des images naturelles qui le voilent aux yeux, mais le révèlent au cœur, rapproche le Créateur inconnaissable de sa créature. Les images venant des hauts étages de la Création ont une convenance positive, certes très imparfaite, avec le Créateur (on reconnaît l'image *icastique* de Platon), mais d'autres, venues des plus bas étages, signifient tout aussi bien, et même encore mieux, la transcendance du Créateur et l'impuissance du créé à la représenter, selon un principe d'anamorphose (on reconnaît l'image *fantastique* de Platon). Ces images ne se nient elles-mêmes en tant qu'images de Dieu qu'afin de pouvoir mieux signifier, allégoriquement et symboliquement, son essence invisible et inimaginable. Déroutant l'intellect, elles n'en sont que plus loyales envers le secret d'inconnaissance où Dieu éternellement se cache. Cette méthode de lecture de la Création est devenue un patrimoine commun de l'Europe chrétienne jusqu'au romantisme. Deux genres majeurs de la peinture occidentale, communs aux protestants hollandais et allemands et aux catholiques, la nature morte et le paysage, relèvent de cette lecture du monde visible. L'un et l'autre représentent *à l'envers*, dans l'apparente bassesse de leurs sujets, la source invisible de lumière qui les rend visibles, et qui les élèvent au rang de témoins silencieux du mystère de leur Créateur. Tel le simple lapin dessiné par Dürer avec une exactitude et une vie quasi hallucinatoires et conservé à l'Albertina de Vienne : il n'en revêt pas moins la dignité mystérieuse des hiéroglyphes monstrueux peints dans les marges des évangéliaires médiévaux ou sur les chapiteaux des colonnes romanes, et qui signifient l'inexprimable de la Création. Il en va de même des natures mortes, ou plutôt *still life*, « vies silencieuses », celles dont Van Eyck étoile ses retables, ou celles de Zurbaran qui se présentent isolées, à la fois trompe-l'œil et hiéroglyphes. Tel bourg féodal typique des paysages germaniques dessiné par Dürer (sujet « bas » et « vulgaire » en comparaison des nobles paysages vénitiens) signifie infiniment plus que sa représentation exacte et vivante : comme les animaux de l'étable où naquit le roi des rois, il luit d'un sens hiéroglyphique faisant pressentir, aussi bien que les plus beaux retables, le sceau apposé par l'homme, « créé à l'image et ressemblance de Dieu », sur les miracles de la Création.

Ce qui vaut pour les images de la Création vaut aussi pour les paroles de l'Écriture, qui souvent, prises à la lettre, disconviennent étrangement à la majesté divine, alors qu'elles rendent hommage en creux, par cette disconvenance même, à ce que cette majesté a d'indicible et d'invisible. Sous ce voile ou cette écorce d'extrême indignité qui déconcerte l'intelligence, le cœur qui l'interprète et le déchiffre pressent d'autant mieux, reconnaît et adore, à l'autre pôle, l'extrême dignité de l'essence divine qui ne se laisse ni voir ni connaître de face. À la limite, plus le voile ou l'écorce de l'image ou du récit semblent incompatibles avec le divin, plus leur sens du divin est caché par une apparence contraire, plus le dissemblable est dissemblable, plus l'interprétation allégorique ou symbolique de ces paradoxes visuels, respectant le secret de Dieu, rapproche le cœur du spectateur et du lecteur de ce qu'il a d'impénétrable et d'adorable. Les théophanies bibliques, buisson ardent, colonne de feu ou anges, n'ont fait jamais voir aux Hébreux et à Moïse que le « dos » de Dieu, point de vue sur le Père éternel repris par Michel-Ange dans la fresque encadrée de la Sixtine figurant la Création du soleil et de la lune. Le peintre allemand Georg Friedrich Kersting en 1810, a appliqué la parole biblique au portrait qu'il a fait de son ami Caspar David Friedrich : il l'a représenté de dos, son équipement de peintre en bandoulière, sa main droite bien visible. Symbole de l'art « négatif » de Friedrich, tout entier tendu à ne laisser entrevoir l'invisibilité divine que derrière le voile, mystérieusement éclairé, des choses sensibles les plus banales. Les voyageurs contemplatifs de Friedrich lui-même sont toujours représentés de dos, silhouettes infimes découpées sur l'écran infini du paysage.

7. Les arts dévotionnels catholiques, auxiliaires de la pastorale

Aucune de ces familles théologiques médiévales ne s'est souciée le moins du monde de donner des directives formelles aux artistes, ni même de définir un statut des « images saintes » autre que celui d'auxiliaire de la pastorale et de la liturgie. L'art médiéval de l'Europe latine a foisonné et prospéré dans les interstices que lui laissaient des théologiens plus occupés à écarter l'image sensible et psychologique de la vie spirituelle des moines qu'à réglementer ou à définir les images des arts dévotionnels à l'usage des laïcs. Les icônes grecques ont été révérées en Occident romain au même titre que les reliques du Christ et des saints, alors que l'Occident n'agréait pas, pour ses propres images dévotionnelles, le statut théophanique défini par les Grecs pour les leurs. Les images chrétiennes de l'art, en Occident, n'en ont pas moins relevé tantôt du symbolisme et même du symbolisme « négatif », monstres et figures fantastiques des chapiteaux romans et des marges des manuscrits, tantôt de la réminiscence platonicienne des Idées célestes et de la vision intellectuelle augustinienne, dans les Christ du Jugement sculptés au tympan des églises romanes, versions pauvres et provinciales des Christ en gloire de mosaïque qui apparaissent à l'abside des églises byzantines. Quand les œuvres d'art d'église ont commencé, dans la statuaire et la fresque du roman tardif et du gothique, à « imiter » la nature et l'antique, elles n'ont pas pour autant négligé ni leur fonction mnémotechnique ni leur visée surnaturelle. Les théologiens se sont contentés d'établir *a priori*, de façon tout indirecte, les différentes conditions de recevabilité d'images qui, en tant qu'images de l'art, faisaient toujours problème pour les chrétiens. Aucune de ces familles théologiques n'est restée imperméable ou inconciliable avec les autres. À plus forte raison, toutes étaient susceptibles de se conjuguer de façon imprévisible, dans la pratique d'artisans et d'artistes qui n'étaient ni philosophes ni théologiens, et dont le métier était de satisfaire, au mieux de leurs moyens professionnels, des commanditaires doctes plus attentifs au sujet traité, soit narratif, soit symbolique, qu'au traitement qu'en faisait l'artiste. La commande d'Église était plus soucieuse de l'efficacité pastorale de l'œuvre sur le public que de sa conformité à une « esthétique » dont la notion même était inconnue.

8. La critique chrétienne de l'idolâtrie

Reste que la relative autonomie laissée par l'Église latine à l'initiative formelle de l'artisan et de l'artiste, aussi bien que le renvoi de l'artiste, par l'Église grecque, dans les coulisses de l'icône, la première attitude réduisant l'image « faite de main d'homme » à la pédagogie élémentaire, la seconde l'arrachant à la main humaine pour en faire une sorte d'incarnation du divin, attestent l'extrême vigilance critique des deux Églises à l'égard des images. Une vigilance qui, dans son ordre métaphysique, n'est pas moins discriminante que ne le sera celle des grands critiques d'art français du XIXe siècle, dans son ordre cette fois esthétique. Un Baudelaire fulminant le naturalisme et la photographie, un Huysmans foudroyant l'art « gélatineux » des peintres de genre qui encombrent les Salons, attribuent à l'image artistique un enjeu si vital pour l'esprit que l'intolérance est une vertu, dans ce domaine, comme dans celui de la forme littéraire. Ce qu'il y a de commun entre ces écrivains français affolés de peinture et les Pères de l'Église, c'est l'importance qu'ils accordent au monde de la vue, d'où ils font dépendre le salut et la perditition, la vie ou la mort de l'âme. Baudelaire et Huysmans sont allés jusqu'à préférer les œuvres d'art qui font vivre ce danger à celles qui l'occultent et qui l'ignorent. La visibilité que le Christ a conférée au Dieu caché de la Bible n'a fait que déplacer et compliquer l'interdit du second commandement. Elle a fait reposer sur la peinture une responsabilité inouïe et cette responsabilité s'étend au peintre, quand il n'est pas le simple accoucheur de l'Idée, du Dessin, de l'Archétype, comme c'est le cas pour l'icône byzantine.

La reprise par la théologie chrétienne du néoplatonisme et du stoïcisme, deux philosophies critiques des images, n'explique qu'en partie la répugnance ou, à tout le moins, l'extrême méfiance du jeune christianisme envers les images de l'art [1]. Le Nouveau Testament n'annule pas l'Ancien Testament, il l'accomplit, et le Décalogue, pour la nouvelle Loi comme pour l'ancienne, fait toujours foi. Or le second commandement du Décalogue, sans cesse réaffirmé dans la Bible, interdit la fabrication humaine d'images imitant les créatures de Dieu, ces images étant toujours susceptibles d'être adorées comme des dieux et d'être traitées en idoles détournant sur elles l'adoration due au Dieu unique, et à lui seul [2]. L'Histoire sainte justifie les termes absolus de la Loi et en énonce les attendus. Tandis que Dieu se manifeste dans le buisson ardent à Moïse

1. Voir P. C. Finney, *The Invisible God : the Earliest Christians on Art*, New York – Oxford, 1994.

2. Voir T. N. D. Mettinger, *No Graven Image ? Israelite Aniconism in its Ancient Near Eastern Context*, Stockholm, 1995.

sur le Sinaï et lui dicte sa Loi, le peuple impatient fait fondre par Aaron un Veau d'or auquel il offre des holocaustes. Cette trahison déclenche la colère du Seigneur que Moïse calme à grand-peine, mais qu'il éprouve lui-même. Un peu plus tard, « ennuyé du chemin et du travail », le peuple hébreu, toujours en route vers la Terre promise et réduit à ne se nourrir que de la manne, maudit Moïse et blasphème son Dieu. La punition ne tarde pas : elle lui vient sous la forme de serpents qui mordent « comme le feu », répliques au serpent qui avait séduit Ève et introduit dans l'humanité le mal et l'appétit du mal. Une fois de plus, Moïse intercède, et la clémence divine lui ordonne de faire fondre un serpent d'airain et de le hisser sur un mât pour « servir de signe, quiconque étant blessé et le regardant sera guéri » [1]. Certaines traditions juives accueillies dès le IVe siècle dans la littérature chrétienne veulent que ce serpent d'airain ait été transporté par la suite dans le temple de Jérusalem, où, avec le temps, il était devenu l'objet d'un culte idolâtrique. Le roi réformateur Ézéchias, purifiant le culte du temple, l'aurait fait détruire comme Moïse l'avait fait du Veau d'or fondu par son frère Aaron [2].

Dans le texte des Nombres, le serpent d'airain, enroulé et élevé autour d'un mât, est donné pour un simple signe. Par son moyen, Moïse sollicite les yeux et les cœurs des Juifs de se diriger, à travers lui, vers le ciel où se cache Dieu qui les guérira, mais sans s'arrêter sur l'objet lui-même. Au temps d'Ézéchias, il semble que ce mode d'emploi pieux ait été oublié, et que le signe soit devenu idole. Ignorant ce développement, l'évangéliste Jean a interprété le serpent de Moïse, dressé sur son mât, comme la préfiguration et le prototype de la Croix sur laquelle a été élevé Jésus « pour que tout homme qui croit en lui ne périsse point et qu'il ait la vie éternelle » (Jean III, 14-15). Avant lui, Philon d'Alexandrie avait vu dans le serpent d'airain un symbole du Logos divin. Après lui, une secte chrétienne gnostique, les Ophites, est allée jusqu'à voir, dans le Christ lui-même le vrai et parfait Serpent, intermédiaire salvateur entre le Père et la Matière dont le serpent du jardin d'Éden était l'impur et trompeur

1. Voir Louis Ginsberg, *Les Légendes des Juifs*, Paris, Cerf, 2001, t. III, p. 250-252.

2. Voir G. Garbini, « Le Serpent d'airain et Moïse », dans *Zeitschrift für die alttestamentliche Wissenschaft*, 1988, 100(2), p. 264-267 ; J. Assurmendi, « Le Serpent d'airain », dans *Estudios biblicos*, 1988, 46(3), p. 283-294, et Jean-Pierre Mahé, traducteur de la version géorgienne de *La Caverne des trésors*, Louvain, Peeters, 1992, p. 70, et de sa traduction syriaque, *ibid.*, p. 116. Ces auteurs et ces textes tiennent pour une évidence qu'Ézéchias détruisit le serpent d'airain, Garbini allant jusqu'à faire remonter le modèle de cette « sculpture » de Moïse à l'Uraeus égyptien et au culte que lui vouait la religion pharaonique. Le fait est que la Bible canonique chrétienne ne dit mot du serpent d'airain parmi les actes de la réforme du culte du Temple par Ézéchias, relatés dans les Paralipomènes, 2, 30, 14.

travestissement[1]. Quand les chrétiens ont cherché des justifications dans l'Écriture pour leurs « images saintes », le Serpent d'airain a passé (avec les chérubins encadrant, sur l'ordre exprès de Dieu, l'Arche d'alliance) pour une preuve que le Dieu de l'Ancien Testament lui-même ne condamne pas les images de l'art, lorsque celles-ci renvoient à Dieu, au lieu de s'interposer devant lui et d'être prétextes à idolâtrie.

À leur tour, les peintres occidentaux ont souvent représenté cet épisode biblique, à la lumière de Jean, comme une allégorie légitimatrice de leur art. En plein siècle des Lumières, en 1733, Tiepolo en a donné sa version dans une prodigieuse frise narrative, aujourd'hui conservée à l'Accademia de Venise. On y voit, dans le lointain, le vieillard Moïse d'un large geste du bras désignant aux Hébreux le Serpent d'airain qu'il a fait dresser sur un tronc d'arbre : au premier plan, certains Hébreux tournent leur regard du côté du signe divin, et sont sauvés ; d'autres, le dos tourné et exposés à la morsure brûlante des serpents, ou déjà mordus et cadavériques, n'ont pu ou ne peuvent bénéficier de la seconde vue qui gracie. De mâles nudités héroïques, dignes des *ignudi* du plafond de la Sixtine, s'agitent et se tordent pour échapper en vain aux morsures ; de jeunes mères hagardes cherchent en vain à protéger leurs enfants à la mamelle, alors qu'une splendide jeune femme alanguie, la tête tournée vers le Serpent d'airain, les yeux renversés vers le ciel comme en extase, est préservée de l'assaut des serpents. Son repos contemplatif et son regard intérieur bien orienté la délivrent du mal. Un sens tragique du mystère de la grâce préside à ce drame du regard. Le regard charnel qui ne voit que les serpents cherchant qui dévorer voisine avec le regard spirituel qui trouve appui sur le Serpent d'airain pour s'élever à l'invisible clémence divine. Tiepolo ne pouvait ignorer ni la typologie johannique du Serpent d'airain ni l'argument qu'elle avait fourni à l'art chrétien des images. L'importance qu'il donne à la direction des regards et des attitudes dans sa frise dramatique fait bel et bien de la légende biblique une allégorie de l'art de peindre et de son mode d'emploi. Mais cet artiste, qu'on a pris souvent pour une sorte de Watteau démesuré, alors qu'il est un grand interprète de mythes, de symboles et de mystères, comme l'a montré récemment Roberto Calasso[2], est resté fidèle à la lettre biblique des Nombres. Comme Nicolas Poussin dans *La Manne pleuvant dans le désert* (Louvre), il n'a rien caché du caractère impitoyable de la clémence divine accordée par le Dieu caché de l'Ancien Testament à son peuple infidèle. Comme lui, il inscrit dans son œuvre une sorte de mode d'emploi du regard. Il y a deux degrés du voir, l'un à courte vue, qui s'attache aux accidents, l'autre qui se porte à l'essence, l'un qui perd et

1. Voir H. Odeberg, *The Fourth Gospel*, Upsal, 1929, p. 106-109.
2. Roberto Calasso, *Il rosa Tiepolo*, Milan, Adelphi, 2007.

l'autre qui sauve ; le peintre, comme Moïse et comme Dieu, rend justice aux deux vocations sans attenter à la liberté humaine. Déployée au XVIIIe siècle dans le chœur d'une église de Venise, cette frise à été enroulée après la désaffection de celle-ci en 1810, et elle l'est restée jusqu'en 1893, date de son exposition au musée de l'Accademia, dans un état de ruine superbe qu'heureusement l'on n'a jamais cherché à restaurer. Ses blessures la rendent d'autant plus saisissante.

La version du récit biblique voulant que le Serpent d'airain [1], devenu objet d'idolâtrie, ait été détruit par Ézéchias atteste que même les signes choisis par Dieu pour rappeler à lui la foi de son peuple peuvent changer du tout au tout de sens selon le regard que le spectateur porte sur eux et devenir prétextes à idolâtrie. Dans la Bible en effet, l'art d'imiter, par la sculpture ou par le dessin, des êtres ou des choses visibles est inséparable de la pente irrésistible du peuple de Dieu à trahir l'Alliance et à entrer dans les ornières de ses voisins idolâtres et polythéistes, pour peu que s'interpose entre lui et Dieu l'image ressemblante d'une quelconque de ses créatures. D'où la rigueur de l'interdit divin : il prévient toute tentation d'idolâtrie chez un peuple porté à s'y adonner comme tous ses voisins. Cet interdit n'est pas sans rappeler celui qui frappe, dans la *République* de Platon, outre la lecture d'Homère, la jouissance trompeuse des arts visuels d'imitation.

La critique biblique de l'idolâtrie polythéiste, blasphème suprême envers le vrai Dieu, a été intégralement reprise par le christianisme. Même le christianisme le plus iconophile n'a jamais douté de l'invisibilité de l'essence divine par la créature humaine, et la théologie négative chrétienne a toujours fait contrepoids aux tendances de la théologie positive à affaiblir la transcendance divine. Un ferment d'iconoclasme, tant à l'Est byzantin qu'à l'Ouest latin, sous des formes plus ou moins radicales, a plusieurs fois combattu un culte des images faites de main d'homme menacé de rechute dans l'idolâtrie [2].

---

1. Le thème de Moïse et du Serpent d'airain, non traité par Nicolas Poussin, l'a été par l'un de ses imitateurs le Français Nicolas Chaperon (1612-1655), dans un tableau conservé sous ce titre au musée des Beaux-Arts de Nîmes, et peint en 1652. Ce musée conserve un tableau d'histoire de Pierre Subleyras traitant le même sujet, mais datant de 1727. L'Académie royale de peinture et sculpture avait pris cette année-là ce thème biblique pour sujet de son concours de Rome, et Subleyras avait remporté l'épreuve.

2. Voir H. Feld, *Der Ikonoclasmus des Westens*, Leyde, 1990 ; D. Freedberg, « The structure of Byzantine and European Iconoclasm », in A. Bayer and J. Herrin (éd.), *Iconoclasm*, Birmingham, 1977, p. 156-1770 ; C. M. N. Eire, *War against the Idols : the Reformation of Worship from Erasmus to Calvin*, Cambridge, 1986 ; L. P. Wandel, *Voracious Idols and Violent hands : Iconoclasm in Reformation Zurich, Strasbourg and Basel*, Cambridge, 1999.

Pour autant, dès ses premiers siècles, le christianisme n'a pas non plus entériné avec la même rigueur que le judaïsme (et plus tard l'islam) l'interdit sur la fabrication d'images que l'Ancien Testament tient pour l'occasion inévitable d'idolâtrie. La Bible mentionne surtout les images sculptées, les *simulacra.* La statuaire en ronde-bosse et trois dimensions, l'art préféré du polythéisme gréco-romain, sera donc sacrifiée par les chrétiens dès leurs premiers siècles au second commandement. Elle a, de nouveau, presque disparu parmi nous. Mais la peinture, la mosaïque et les bas-reliefs, moins explicitement visés par l'Écriture sainte, et mieux aptes à représenter symboliquement les mystères chrétiens et narrativement l'Histoire sainte, seront épargnés, non sans violents retours de flamme iconoclastes dirigés contre ces arts christianisés. Aujourd'hui, la peinture, le dessin, le bas-relief sont confinés dans les catacombes, après avoir vaillamment combattu pendant un siècle et demi pour sauver leur prééminence spirituelle d'art sur la fascination collective et sensorielle exercée par les images techniques, nouvelles idoles « non faites de main d'homme »

La virulence du traité *De Idolatria* du chrétien Tertullien de Carthage, au IIe siècle, n'a rien à envier à celle de la colère de Dieu ou à celle de Moïse contre le peuple hébreu retournant à l'infâme adoration des idoles. Elle anticipe sur l'emportement de Calvin contre les « images saintes » catholiques, de Kierkegaard contre l'académisme religieux du XIXe siècle, de Baudelaire contre la photographie et le naturalisme, voire sur la gêne qu'inspire à Susan Sontag, dans *Regarding the pain of others*, la perverse attraction moderne pour les images photographiques de guerre, de massacre, de tortures et de souffrance physique prétendant « dénoncer » ce qu'elles montrent pour en tirer fortune et gloire :

> L'idolâtrie, écrit Tertullien, est le crime principal du genre humain, la culpabilité principale du siècle, la cause entière soumise à procès et jugement. Car même si chaque péché comporte sa propre identité, et même si chacun est destiné au jugement sous son propre nom, chacun n'en est pas moins commis à l'intérieur du chef d'accusation d'idolâtrie. N'observons pas les rubriques, examinons les faits. L'idolâtre est un assassin. Qui a-t-il tué, demandez-vous ? Si cela peut ajouter quoi que ce soit à la gravité de l'imputation, non un étranger, ni un ennemi, mais lui-même. Comment s'y est-il pris ? En commettant son erreur. Avec quelle arme ? L'offense à Dieu. Avec combien de coups ? Autant que ses idolâtries.

Pour le Caton du christianisme latin, l'idolâtrie est un autre nom de la démonolâtrie. L'idolâtre est assassin de sa propre âme puisqu'il se fait lui-même le complice des démons, assassins de ce que l'homme tient de Dieu, une âme créée « à son image ». Or, c'est ce que l'homme tient de

Dieu, son âme, qui est seule à pouvoir le rendre lui-même témoin de ce qui, en lui, a trahi Dieu. Les démons fournissent l'alibi qui fait oublier à l'âme humaine son origine divine et donc la conscience de ce qui l'en sépare, la privant du désir salutaire de réparer et de combler cette chute. Complicité avec les démons, l'idolâtrie engendre un suicide spirituel. Le langage judiciaire qu'affectionne, en bon Romain, Tertullien donne à sa description du crime sacrilège, des complices du crime, du criminel qui est lui-même sa principale victime l'intensité noire d'un dénouement de Dostoïevski. L'image artistique, que l'*otium* antique associait à une délectable contemplation, y figure le masque revêtu par un meurtrier furtif, dans une intrigue de vie ou de mort.

Et pourtant l'idole selon Tertullien n'est que l'*occasion* du crime. Elle n'en est pas la cause. Le crime est dans l'orientation du regard qui transforme abusivement un objet d'art en idole, obéissant à l'injonction d'un démon. On est donc loin de la nécessité biblique qui liait, jusqu'à les identifier, idole, idolâtrie et polythéisme, supposant que seule la destruction ou l'absence des idoles pouvait supprimer l'idolâtrie et le polythéisme en éliminant leur cause. Pour Tertullien, l'idolâtrie se passe au besoin du support matériel de l'idole pour rendre ses victimes, volontaires esclaves, des ennemis de Dieu et pour ôter au Créateur ce que lui doivent les créatures formées « à son image ». Les idoles de pierre ou de bois ne sont que l'un des canaux empruntés par le culte des démons, anges déchus qui cherchent à s'insinuer dans l'imagination et le courant de conscience de l'homme charnel, où ils trouvent des idoles psychologiques toutes prêtes à les accueillir. C'est cette sujétion méchante au vouloir des démons, non l'idole par elle-même, matière inerte et neutre, qui rend criminelle leur adoration par les païens et coupable leur fabrication par des artisans chrétiens. *En elles-mêmes les idoles ne sont rien* [1].

Cette sentence est capitale. Elle subjectivise la notion d'idole. Celle-ci n'a rien perdu de son exactitude pour qualifier la nullité de la plupart des productions de l'art dit « contemporain », privées même du commerce avec le surréel qu'André Breton et ses amis, peintres et poètes, voulurent substituer au surnaturel chrétien. À plus forte raison s'applique-t-elle aux tentatives d'associer frauduleusement ces productions à un « sacré » d'ascendance chrétienne. Pour Tertullien, c'est l'appétence humaine pour le mal, non les idoles, qui démonise les images de l'art. C'est l'intention du spectateur, non l'acte de l'artiste, qui fait l'idole. Les idoles sont et font ce que nous sommes et ce que nous en faisons.

Cependant, pour le théologien chrétien du IIe siècle, l'adoration des démons sous une forme matérielle abusivement divinisée ajoute à

1. I Co VIII, 4.

l'offense à Dieu, supplanté dans sa créature, le blasphème envers l'incarnation du Fils dans un corps d'homme et envers l'Eucharistie, corps et sang du Christ cachés sous les espèces du pain et du vin. Habitées par les démons que leurs adorateurs font entrer dans leur âme par la vue, les idoles constituent autant d'inversions monstrueuses de la double nature du Sauveur et des espèces sacramentelles sous lesquelles il se cache et continue à s'offrir pour nous. Les statues anthropomorphes des dieux-démons sont une anti-Eucharistie de la vue et de l'imagination. On pressent, à lire Tertullien, que la statuaire gréco-romaine aura ses jours comptés si le christianisme s'impose dans l'Empire romain. Le Christ-image du Père invisible des grandes mosaïques basilicales va résorber et dépasser tous les dieux-idoles statufiés.

Toute neutre qu'elle soit, la notion d'idole chez Tertullien, parce qu'elle est subjective, n'en prépare pas moins le moment où, l'origine, l'intention et le sens des images artistiques étant retournés et devenus véhicules de signifiés divins, et non démoniaques, de « saintes images » pourront entrer dans le culte chrétien pratiqué au grand jour et participer à l'éviction des idoles-démons païennes occupant jusqu'alors sans partage l'espace public. Purifier, sanctifier, délivrer des démons et des idoles les lieux publics, où ils ont si longtemps sévi sans rivaux, telle est l'une des tâches de l'Église du Christ dès qu'elle est sortie de la clandestinité et des catacombes. Certes, les reliques du Christ et de ses martyrs, chargés de leur présence réelle comme l'Eucharistie, sont les exorcismes les plus efficaces. Mais l'irradiation de leur sainteté a besoin de relais. Tandis que la démonologie chrétienne se donnait, pour contrepartie, une angélologie, renouvelée elle aussi de l'Ancien Testament, la critique de l'idolâtrie païenne se chercha un contrepoids dans une iconologie chrétienne.

Comment la concilier avec le deuxième commandement ? Qui habite invisiblement les images de l'art ? Qui voit-on, pour le vénérer ou l'adorer, derrière les apparences des images faites de main d'homme ? D'où provient le champ magnétique dont l'image de l'art est le foyer, occasion de mort pour les uns, comme les serpents dont la morsure brûle, et de salut pour les autres, comme le Serpent d'airain dont la vue prévient et guérit ? L'image artistique serait-elle le privilège exclusif des démons, ces anges déchus cherchant à entraîner les âmes dans leur chute, comme le veut l'Ancien Testament, ou bien peut-elle, comme les anges fidèles, devenir l'un des canaux de la grâce que le Christ a fait descendre en ce monde pour soustraire les âmes aux démons ? Toutes ces questions étaient implicites dans la diatribe de Tertullien contre l'idolâtrie. Elles étaient inconcevables sous le règne du second commandement entendu au sens littéral. Elles ouvraient à long terme un débat théologique et philosophique âpre et récurrent, mais à court terme elles étaient sacrifiées à des urgences pastorales et pratiques. Aux images hébergeant les puissances trompeuses et facilitant leur emprise mortelle sur les sens, les passions et l'imagination de l'homme pécheur, suffisait-il d'opposer le vandalisme, recommandé par l'Ancien Testament, de Moïse détruisant le Veau d'or et d'Ézéchias abolissant le Serpent d'airain ? N'était-on pas en droit d'opposer des images chrétiennes plus efficaces, puisque tenant leur efficace non des hommes ni des démons, mais du Christ, de Marie, des martyrs et de la foi en leur présence libératrice et salvatrice qui avait ouvert l'ère de grâce ? La relique, partie pour le tout du Christ, de sa mère et de ses martyrs, et les images qui prêtent visage et narration muets à la relique, auront été les premiers antidotes chrétiens à l'idole des démonolâtres païens.

Pauvres débuts, semences aussi disproportionnées aux chefs-d'œuvre de l'art classique gréco-romain que la croix de l'Esclave Sauveur l'avait été aux luxueux séjours d'*otium*, peuplés d'images, qu'affectionnait l'aristocratie grecque et romaine. Mais semences qui, en levant, et en absorbant dans, leur lente germination accidentée les dépouilles de l'Égypte païenne, feront fleurir des images jamais vues, vivantes de deux sortes de vie, la vie des corps et celle des esprits : le retable de *L'Agneau mystique* des frères Van Eyck, qui renvoie le regard à l'unisson choral qui succède à la terrible tragédie cosmique de l'Apocalypse de saint Jean, ou les *Sacre Conversazioni* de Giovanni Bellini et de Fra Bartolomeo, qui renvoient l'esprit à la parole de saint Paul : *Nostra conversatio est in coelis.* « Notre bonheur d'être ensemble est au ciel. »

Si le christianisme, religion d'emblée philosophique et savante, n'a pas repoussé l'image artistique aussi radicalement que l'avait fait la Loi mosaïque, il a hérité de celle-ci un soupçon vigilant envers la pente des arts visuels à l'idolâtrie. Mais il a nourri ou modulé ce soupçon par la réflexion sur les images, psychologiques ou artistiques, qu'avaient poursuivie les différentes écoles antiques de philosophie, de rhétorique et de pédagogie. Surtout, non content d'amplifier l'allusive formule de la Genèse qui fait de l'homme une créature « à l'image » de son Créateur, il a introduit le concept d'image au sein même de Dieu, alors que l'Ancien Testament ne l'appliquait qu'à l'homme et aux arts idolâtriques. Le Dieu de la Bible n'est connu que par l'ouïe. Le Dieu chrétien se connaît lui-même dans son Image, et cette Image, en s'incarnant, s'est fait voir aux yeux des hommes pour leur rappeler que, « créés à son image et ressemblance », ils ont vandalisé cette filiation, et pour leur annoncer qu'ils peuvent la restaurer, encore plus parfaite qu'elle n'était pour le premier couple. Le Christ a pénétré de grâce le monde de la vue où il s'est incarné, où il a été vandalisé sur la croix et où il a ressuscité, rachetant aussi bien les corps que les âmes et faisant éclore de nouveau la vue à l'accueil de l'invisible. S'il est vrai que la vie du Christ et sa préfiguration vétéro-testamentaire ont donné lieu, très tôt, à une topique et à une typologie narratives propres à l'art chrétien, vaste objet d'étude pour l'iconologie moderne, les peintres ont découvert peu à peu, dans le fait même de la vue idolâtrique rachetée et réorientée par le regard évangélique, un principe inépuisable et inédit de recherches optiques et d'invention formelle.

9. Le Christ-Image de Dieu, s'incarnant, rédime le monde de la vue

Les racines du « culte des images » de Baudelaire sont anciennes et chrétiennes. Ce « culte » est un surgeon tardif de la licéité ininterrompue reconnue aux arts dévotionnels dans l'Église romaine. La violence prophétique qu'a prise, dans le *Salon de 1859*, l'excommunication par le poète de la photographie, technique hérétique lorsqu'elle prétend usurper l'autel des arts du dessin et de la couleur, ne s'explique pas autrement. Contre la mort programmée des « images », c'est-à-dire pour lui des images au sens de médiatrices du divin, contre cet iconoclasme impie, le poète est à lui seul un concile de Trente.

La théologie des Pères de l'Église latine comme celle des Pères de l'Église grecque, les décisions dogmatiques des conciles œcuméniques successifs tournent autour du concept d'image : le Christ comme image du Père et personne du Dieu un et trine. Les progrès dans la définition de l'Image parfaite au cœur du mystère de la Trinité n'ont pas été sans conséquence sur le problème de l'image psychologique et sur celui de l'image artistique dans l'ère de grâce inaugurée, pour l'humanité déchue de sa ressemblance imparfaite avec Dieu, par l'incarnation du Fils – image parfaite du Père et seconde Personne de la Trinité.

Deux siècles après Tertullien, dans un Ve siècle où l'Empire romain encore debout s'est déjà profondément christianisé, saint Augustin ne remet pas en question l'existence de l'artisanat traditionnel, pas plus qu'il ne condamne les images, peintures, mosaïques et bas-reliefs, que les artisans fabriquent désormais pour la clientèle chrétienne. Mais il ne cesse d'attirer l'attention, en théologien et en philosophe, sur les risques d'idolâtrie qui rôdent autour de ces images. Comme Tertullien, il tient que l'idole « n'est rien » : la prétention des païens à faire adorer des puissances de la nature sous des traits anthropomorphes moulés dans l'or ou l'argent n'est qu'un alibi pour se livrer au culte des mauvais anges. Une image faite de main d'homme ne peut être un objet d'adoration, et si elle est adorée, c'est qu'elle est le prétexte à un culte pervers. La seule image qui soit adorable est l'Image parfaite, égale à son Original, le Fils Image du Père, et elle ne doit pas être adorée à la place du Père, mais avec lui, en lui, au même titre que lui. Néanmoins, à la différence de

Tertullien, saint Augustin admet des médiations artistiques chrétiennes n'ayant rien de commun avec les idoles païennes qui font adorer les créatures à la place du Créateur. Ce n'est pas sans réserve ni précaution. Les médiations artistiques les mieux intentionnées – les portraits du Christ, de Marie, dont nous n'avons aucun moyen de connaître les traits humains – ne sont que des fictions subjectives acceptables comme aide-mémoire pour les débutants dans la foi, mais dont les convertis peuvent se passer. Encore ces « saintes images » ne sont-elles vénérables que dans la mesure où la vénération ne s'adresse pas à leur matérialité, mais à la sainteté du référent invisible et adorable auquel elles renvoient. L'adoration ne peut s'adresser qu'à Dieu seul, et Dieu n'est vraiment connu que par et dans son Verbe. La vue des « saintes images » n'est pas, tant s'en faut, du même ordre spirituel que la lecture et la méditation des Écritures saintes, le vrai portrait du Verbe. Mais enfin *elle n'est pas nécessairement* une forme d'idolâtrie. Cette nuance capitale préfigure la doctrine de la « Bible des illettrés » de Grégoire le Grand au VIe siècle, et entrebâille la porte à l'immense histoire de l'art de l'Occident. L'icône byzantine, dont le triomphe a été freiné ou combattu pendant près de trois siècles par son assimilation à l'idole, l'emportera avec beaucoup plus de difficulté, mais aussi beaucoup plus d'éclat, à partir du concile de Nicée II en 787. Il lui avait été reconnu rien de moins que la même double nature que le Fils lui-même.

La seule image qui ait droit à l'adoration est l'image parfaite du Père, le Fils incarné. Elle n'est plus visible, elle est remontée aux cieux. Saint Augustin prend grand soin de dissocier la brève visibilité terrestre du Sauveur des portraits imaginaires que la piété chrétienne a, depuis deux siècles, sollicités des artistes et qu'elle fait figurer dans ses lieux de culte. La théologie chrétienne et les conciles des premiers siècles, interprètes d'un sens commun aux deux Testaments, ont fait du concept métaphysique d'Image (icône et non idole) la clef de compréhension des relations internes d'égalité, de ressemblance et d'amour entre les trois Personnes du Dieu un et trine, et l'interface de la relation dramatique entre l'homme et Dieu qui l'a créé « à son image et ressemblance ». Probablement a-t-elle emprunté ce concept métaphysique à Platon. Dans le même dialogue, la *République*, où Socrate exile de sa cité idéale, avec Homère et les leurres de ses images poétiques, les arts d'imitation, le même Socrate (VI, 506 e) déclare Hélios « image visible » de l'Idée du Bien, anticipant sur la définition du Christ par saint Paul, « Image du Père invisible », mais aussi sur l'éphémère réforme antichrétienne du paganisme par l'empereur Julien qui fit d'Hélios, image visible de l'Idée invisible du Bien, le Dieu unique de la religion ancestrale purifiée de son polythéisme. Augustin lui-même a qualifié Dieu de « Soleil des esprits ». Il a consacré tout un traité à la doctrine de l'Image, clef de sa théologie de la Trinité, clef aussi à un tout autre étage de son anthropologie, la mémoire, l'intelligence et la volonté étant l'image et ressemblance inégales et imparfaites que la Création divine a imprimées de la Trinité, comme son sceau, sur l'âme humaine créée.

La doctrine métaphysique de l'Image, bien distincte de l'image sensorielle, de l'image fantastique et de l'image artistique, a permis de concilier l'Un platonicien et le Dieu unique de la Bible avec la Trinité chrétienne. Elle a permis de définir la relative ressemblance initiale entre le Créateur et l'homme « à son image », vandalisée par la faute originelle et promise à la restauration par la grâce du Christ, elle-même séquence symétrique de la disgrâce d'Adam – Image, Iconoclasme, Restauration – selon laquelle l'histoire du salut s'articule en profondeur à une histoire de l'Image, ce qui singularise le christianisme parmi les trois religions monothéistes, qualifiées un peu vite et uniformément de « religions du Livre ». Le concept d'Image a aussi obligé le christianisme à envisager autrement que la philosophie platonicienne et la loi mosaïque la question posée à l'une par l'image psychologique et l'image artistique, et à l'autre par l'image idolâtrique. Le Dieu vivant de la Bible n'est plus l'Un abstrait de Platon. Le Dieu trinitaire du christianisme n'est plus le Dieu absolument invisible de la Bible : il s'est montré aux yeux de chair sous les traits humains du Fils, image du Père invisible. Cette Image n'est pas une Idée. Son incarnation est aussi une éducation du désir de voir, sous les traits sensibles de son humanité, le Dieu invisible. Tardivement, au cours du XVe siècle, sans que la théologie s'en soit mêlée, les artistes occidentaux vont osciller entre deux méthodes pour honorer l'affiliation de leur art envers la Révélation chrétienne et la double nature du Christ-Image : l'une met l'accent sur le dessin, qui sauve l'Idée divine de l'idole, l'autre met l'accent sur la couleur, prenant le risque des sens pour affirmer l'Incarnation.

La Bible est travaillée par le désir de Moïse et de son peuple de voir le Dieu vivant, désir ardent auquel il est répondu une fois pour toutes : « Nul ne peut voir Dieu sans mourir » (Ex XXXIII, 20). Moïse ne verra jamais Dieu que « de dos », alors qu'il brûle de voir sa Face. D'où la tentation fréquente du peuple de Dieu, qui n'est pas favorisé directement, comme Moïse, de la Parole divine, de se rejeter sur la vue et l'adoration des idoles. Dans l'Évangile de Jean, Jésus réaffirme l'invisibilité divine : « Dieu, personne ne l'a jamais vu. » Il ajoute aussitôt : « Le Fils unique, qui est dans le sein du Père, est celui qui en a donné connaissance. » À la supplique, biblique par excellence, posée par Philippe : « Montrez-nous notre Père », Jésus répond dans le même Évangile : « Qui me voit, voit mon Père. » Et saint Paul dit tout aussi explicitement du Fils qu'il est l'« Image visible du Père invisible ». Saint Augustin a beau faire valoir que la vue du Christ dans sa vie et son corps terrestres n'a duré qu'un temps et qu'il ne faut pas s'attarder à ce souvenir charnel vite effacé, les « images saintes » qui représentent le Christ n'étant que des conjectures subjectives à l'usage des commençants, et non des objets d'adoration ; il ne condamne pas qu'on les vénère, au titre d'hommages imparfaits à l'incarnation de la seconde Personne de la Trinité, et donc à Dieu dont le Fils incarné est l'Image parfaite. Son rigorisme envers les images psychologiques et les images artistiques est nettement moins absolu que celui de Platon et celui de l'Ancien Testament.

C'est que l'incarnation du Fils, Dieu fait homme, introduit une déchirure de taille dans la rigueur logique du platonisme augustinien aussi bien que dans la rigueur légale de la théologie biblique. Elle inaugure une révolution prodigieuse dans le monde de la vue. Il est impossible désormais de passer outre le fait que l'Image parfaite du Père invisible s'est rendue visible, sensible, souffrante sur la terre des hommes, le Christ Dieu se voulant homme et mortel parmi les hommes mortels. Cet extraordinaire sacrifice consenti par Dieu s'incarnant dans un corps d'homme visible et sensible avant de souffrir l'iconoclasme de cette image sur la Croix est la preuve d'amour inédite qui a fait entrer l'humanité endurcie dans l'ère de grâce. Cette régression de l'« Image parfaite du Père invisible » dans l'ordre inférieur de la vue et sensible est impensable de la part de l'Un platonicien et affreusement blasphématoire pour le Dieu biblique, si attentif à se vouloir invisible et à ne manifester sa présence que par la voix et par des théophanies non anthropomorphes. Par cet acte inouï d'incarnation physique et d'inhabitation terrestre, l'Incarnation puis la Résurrection ont non seulement gracié les corps humains, appelés à ressusciter glorieux au dernier jour, elle a étendu sa grâce à l'œil de l'âme, le relevant de son incapacité définitive à *voir* Dieu. « Nous le verrons tel qu'il est » (Jean III, 2). « Bienheureux les cœurs purs, car ils verront Dieu » (Matthieu V, 8). « Nous le verrons face à face » (I Co XIII, 12). Au passage, elle a même étendu la grâce divine au monde inférieur de l'œil charnel et des quatre autres sens, dans l'orbite desquels le Christ, Dieu et homme, mis au monde par une simple mortelle, Marie, n'avait pas dédaigné de séjourner et de répandre sa grâce, comme il l'a fait en descendant au fond des Limbes. L'extension de la grâce, passant du monde de la transcendance divine, de la vue intellectuelle, de l'Idée au monde de la vue sensible et de la couleur, résumé des autres sens et de la vie émotionnelle, est explicite dans la théologie de l'Incarnation. Elle aura été beaucoup plus difficile à faire entrer dans les arts. La grandeur unique de Venise, le mystère de la fascination qu'elle continue d'exercer depuis qu'elle n'est apparemment plus rien qu'un séjour touristique, c'est que là des peintres chrétiens ont osé aller pour la première fois jusqu'au bout du théologème de l'Incarnation, et ils ont peint un monde où la chair, les sens, la vue, la lumière même de ce monde sont sauvés, divinisés, parce que le Christ les a habités.

La venue salvatrice du Fils de Dieu sous des espèces charnelles n'est-elle pas en soi une rédemption du visible et du sensible, jusque-là interdits de Dieu par la faute du premier couple ? L'incarnation du Fils de Dieu, image parfaite du Père dans la Trinité, mais aussi second Adam indemne, au cours de son existence terrestre, du péché qui priva le premier Adam de sa ressemblance à Dieu, a aboli le culte du Temple et de son Arche, remplacés par l'Eucharistie qui maintient vivants et intacts sur la terre des hommes la chair et le sang de Jésus, Dieu et homme. Le culte des reliques atteste que, très tôt, les chrétiens ont admis que ces fragments contigus à l'existence charnelle du Christ, des apôtres qui l'ont vu et reconnu vivant sur la terre, des martyrs qui l'ont imité et en ont eu la vision avant de mourir, étaient des témoignages faisant foi de son passage terrestre, de sa vie, de sa mort et de sa résurrection. Les païens enterraient les restes impurs de leurs ancêtres et de leurs héros hors des limites de leurs cités. Les chrétiens font des reliques du Christ, des martyrs et des saints les pierres d'angle vivantes du nouveau Temple où l'Eucharistie prépare les âmes à la vision éternelle, face à face, du Dieu trinitaire. De la relique au portrait et au tableau, icône théophanique ou synecdoque artistique, il n'y a qu'un pas.

À moins de soutenir avec les hérésies monophysites que l'humanité du Christ n'avait été qu'une simple apparence, sa double nature, divine et humaine, invisible et visible, était susceptible aussi de représentations où quelque chose de la grâce irradiée par leur divin modèle pouvait se répandre ici-bas, comme elle l'avait fait si abondamment pendant sa vie terrestre. L'image non idolâtrique était impensable dans le cas du Dieu vétéro-testamentaire qui se voulait invisible sous peine de mort, même dans ses rares théophanies météorologiques ou angélologiques. Elle le restait dans le cas de Dieu le Père et celui de la Trinité. Elle cessait de l'être dans celui du Fils, dont la visibilité terrestre et tout ce qui s'y rattachait, Jean le Baptiste, sa mère, les saintes femmes, les apôtres, les vives émotions, les brusques conversions, les miracles, les amours et les haines que sa présence avait suscités, tout avait attesté la volonté divine de franchir le seuil des sens humains et d'y faire voir, sentir, éprouver visuellement et charnellement à quel degré d'amour violent et doux elle s'était portée en leur faveur.

Il est infiniment probable que la sensibilité commune des chrétiens et surtout des chrétiennes ait beaucoup mieux perçu ce sillage, – voire ce radical changement d'éclairage du quotidien, laissé sur la terre par le passage du Christ –, que l'intelligence conceptuelle des théologiens, tout occupée à traduire dans le langage philosophique des doctes grecs et romains l'étrangeté évangélique. En regard de l'absolue invisibilité du

Dieu biblique, de la visibilité de marbre des idoles païennes et de la dévaluation du monde des sens par le platonisme, cette vie de grâce répandue sur les chemins, dans les rues, dans les banquets, au bord des puits et des piscines, s'insinuant dans le cœur et le corps de gens ordinaires, dut être ressentie par ceux et celles qui en furent touchés ne serait-ce que par ouï-dire, comme un extraordinaire soulagement. Les récits évangéliques, qui rapportent la guérison par Jésus des aveugles et les effets de grâce produits par sa simple vue et son simple contact sur beaucoup de ceux qui l'approchaient, traduisent, avec l'immédiateté et la sobriété irréfutables de la grande poésie, l'effet produit sur les premiers témoins, Juifs et Gentils, scandalisés ou confondus à l'idée que le Dieu vivant de la Bible, le Logos vivant de Platon, se soit laissé voir et toucher, aimer et haïr sous des traits humains. Il faudra treize siècles pour que cet oxymore vivant raconté par les évangélistes, ravivé par le culte paradoxal des reliques et des icônes, remémoré au présent par les visions, les extases et les révélations des saintes mystiques, revécu par le « cinquième Évangile » de François d'Assise, commence à trouver, en dépit des résistances savantes, sa traduction visuelle dans les images de l'art occidental. La révolution galiléenne de l'amour, plus décisive que la révolution de Galilée ou celle de Marx, commença à se faire jour dans les images de l'art d'Occident. Elle s'achèvera à la fin du XVe siècle à Venise, chez ces grands évangélistes laïcs que furent Giovanni Bellini, Andrea Mantegna, Giorgione, Titien, Véronèse.

10. Les racines chrétiennes de la querelle entre le Dessin et la Couleur

Un contraste vivace, et promis à un grand avenir, oppose au Ve siècle les *Confessions* de saint Augustin et son grand traité de théologie, le *De Trinitate*. Dans les *Confessions*, la profession de foi chrétienne par le jeune rhéteur païen issu de Thagaste prend la forme d'un récit à la première personne, où, malgré de longues séparations entre le fils et sa mère, joue un rôle indirect et capital la foi ardente et simple, qui n'a jamais varié, de Monique l'illettrée. Dans la « vision d'Ostie », commune au fils et à la mère, et où culmine leur long dialogue traversé de séparations, la « vision intellectuelle » de l'essence de Dieu par le fils se superpose à celle, beaucoup moins intellectuelle, de sa mère. La vision abstraite du rhéteur imprégné de néo-platonisme s'est-elle teintée de la sensibilité de la simple croyante, pénétrée de la narration évangélique et probablement d'images saintes, ou inversement ? Les représentations artistiques du Christ, dédaignées par Augustin, mais qui ont nourri l'intense piété de sa mère, ont-elles perdu de leur caractère charnel au contact de la capacité d'abstraction du fils, ou bien ont-elles incarné quelque peu la vision intellectuelle de celui-ci ? L'*eros*, les cinq sens, les passions, les déceptions jouent un rôle immense dans les premiers livres, autobiographiques, des *Confessions*, déterminant pour une bonne part l'itinéraire sinueux du rhéteur-philosophe, un grand vivant malgré son intellectualité, du côté de la foi chrétienne. Sur ce chemin, il n'a jamais vraiment perdu de vue Monique aimante, habitée elle-même par le Christ crucifié et ressuscité que représentaient dans les basiliques et les oratoires d'Afrique du Nord et d'Italie peintres et mosaïstes chrétiens. On est tenté de dire, par anticipation, que la mère était du côté de la couleur, du côté de l'humanité du Christ, tandis que le fils était du côté du dessin, de l'Idée, de la divinité de Jésus. Dans le grand art byzantin de la mosaïque, antérieur à la crise iconoclastique, on dirait que les artistes s'inspiraient par avance de la sentence d'Ingres : « Le dessin est la probité de la couleur », tant la ligne pure qui circonscrit les formes contient sans leur permettre de déborder sur les autres sens, sur un fond d'or vivant, l'éclat visuel des couleurs pures.

La narration très imagée et émotionnelle du cheminement vers le Christ du fils de Monique est d'un tout autre ordre que la grandiose architecture logique construite par le Docteur de la grâce dans le traité *De Trinitate*, où le Christ, concept de l'Image parfaite du Père, figure, à sa place et en majesté, dans l'édifice métaphysique de la Trinité, elle-même original parfait de l'âme humaine, créée à son image imparfaite et à sa ressemblance dissemblable, défigurée par le péché. Cette dissymétrie entre la narration autobiographique et la dialectique théologique est à très long terme la grande chance de l'Occident latin, dont l'autorité suprême a toujours été Augustin, avec ses heureuses contradictions. La première forme, récit conforme aux Évangiles et première personne conforme aux Épîtres de saint Paul converti, ouvre la voie de la Bible des illettrés, essentiellement narrative et affective, à l'usage des laïcs et des femmes ; la seconde, indispensable au statut intellectuel du christianisme parmi les philosophies païennes et au combat contre les hérésies, mais privilège du sacerdoce masculin, ouvre la voie à la spiritualité sans image de saint Bernard de Clairvaux.

Une dissymétrie analogue s'observe entre l'œuvre théologique d'Augustin s'adressant à ses pairs et son œuvre de sermonnaire, où il prend le plus grand soin d'accorder sa catéchèse et sa pastorale au public mêlé – et notamment aux artisans d'images – auquel il s'adresse. Tolérant ou condescendant envers les « images saintes » entrées dans les mœurs et dans le culte chrétien des simples, saint Augustin est le plus souvent d'une exigence rigoureuse lorsqu'il s'adresse à ses pairs, les invitant à dépasser la vision corporelle et la vision imaginative, troubles et trompeuses, pour élever la vision intellectuelle au-delà des sensations, des émotions et des images charnelles. Et cependant, lorsque sa logique ne l'emporte pas, Augustin frémit et fait frémir à l'idée d'un acte d'amour plus étonnant et plus émouvant que la création d'Adam et Ève et que la donation de l'Arche d'Alliance, infiniment plus troublant et consolant que les théophanies des dieux antiques, et moins impersonnel que l'attraction exercées sur l'âme par l'Un platonicien ; l'Incarnation du Fils de Dieu ne relève pas exclusivement de la pensée conceptuelle des théologiens, rivaux des docteurs de la loi et des philosophes païens ; elle touche le public auquel Jésus s'était adressé de préférence, femmes, esclaves, pêcheurs, gens ordinaires, tous ayant vu et reconnu la divinité de Jésus sur la terre à travers l'expérience directe de leurs sens et de leurs émotions, le même public qui, venu après que le Christ fut devenu invisible, aspire à connaître la même conversion du cœur en s'appuyant sur des représentations artistiques, tenant lieu du Dieu-homme soustrait à la vue.

C'est dans ce timide et ardent désir, éveillé par l'Incarnation, de voir, de sentir, d'entendre, de toucher, de goûter le divin salvateur (*gustus*, dont nous avons fait le « goût », est un mot latin tardif du *vocabulaire chrétien*), que s'est enracinée, sous les yeux vigilants et souvent hostiles des théologiens chrétiens, la germination longue et difficile d'un art visuel proprement chrétien, conjuguant à la vision intellectuelle des mystères la vision imaginative, sensible et émotionnelle de leurs effets prochains dans la vie commune. Ce n'est qu'au XIIe siècle que l'art chrétien d'Occident, se séparant de ses modèles byzantins, commencera à représenter, sur les traces de saint François, le « second Christ », et ses *Fioretti*, la vie quotidienne habitée et pénétrée de grâce sur les pas ou par la présence visible du Christ, inséparable de la présence médiatrice de sa Mère. Un art *pour Monique*, plutôt que pour Augustin, un art de l'incarnation du divin plus audacieux, prenant plus de risques, que ne l'avait souffert la tradition théologique conceptuelle inaugurée par le fils de Monique. Un art qui ne va plus cesser d'hésiter entre le primat de la couleur et celui du dessin, entre la transcendance de l'Idée et son incarnation dans le monde des sens, de la vue, de la passion.

C'est à cet étage en effet qu'il faut, je crois, descendre, ou monter, peu importe, pour trouver les racines chrétiennes de la querelle du Dessin et de la Couleur, qui a joué un rôle si déterminant dans l'histoire moderne des arts et des lettres, en Italie, puis en France. Elle commence en Italie au milieu du XVIe siècle, dans les deux villes qui avaient été les principaux refuges des Byzantins au siècle précédent, lorsque la capitale de l'Empire grec était déjà aux abois, avant sa chute en 1453. À Torcello et à Saint-Marc, Venise avait d'admirables absides de mosaïque byzantine. Elle avait aussi des ateliers d'icônes. Les Byzantins qui débarquaient dans la ville-archipel se sentaient chez eux.

Mais Florence fut la première ville d'Occident où des Byzantins trouvèrent un milieu assez lettré pour souhaiter recevoir un enseignement de grec classique et lire Platon dans sa langue. Cette hospitalité savante culmina lors du concile dit de réconciliation de 1438, qui réunit à Florence les humanistes florentins et romains à la fine fleur du haut clergé byzantin conduit par son patriarche et par l'empereur Jean VIII Paléologue. L'objet du concile était la réunion des deux Églises, préalable à celle de toutes les forces chrétiennes pour repousser le Turc. Après un an de controverses théologiques et philosophiques, un accord fut solennellement signé par le patriarche, l'empereur, et le cardinal Cesarini, dans la nef de la cathédrale de Sainte-Marie-Nouvelle, sous la coupole de Brunelleschi récemment achevée. Ce succès n'eut aucune suite, ni religieuse ni militaire : la délégation byzantine fut accueillie à son retour à Constantinople aux cris de : « Plutôt le turban que la tiare [1] ! » Ce souhait fut comblé en 1453. Piero della Francesca a remémoré les fastes visuels de ce concile de l'espérance entre Orient et Occident, dans son cycle monumental d'Arezzo, *L'Invention de la Croix*, « source » de la *Grande Jatte* de Seurat [2]. Il l'a peinte entre 1452 et 1459, dans le temps de la chute de Constantinople, comme pour répondre à ce fiasco historique par l'affirmation inébranlable d'une Histoire sainte qui traverse le temps sans désemparer, en contrepoint de l'histoire des hommes [3]. C'est du Bossuet dans la langue du dessin et de la couleur. Néanmoins, à la suite de cette rencontre gréco-latine, Florence est devenue la capitale occidentale du néo-platonisme chrétien et celle de l'art du Dessin, de l'Idée en peinture et en sculpture, l'école où se formèrent l'esprit et la main de Michel-Ange.

Venise n'a jamais été une capitale intellectuelle laissant ce privilège à Padoue. Au début du XVIe siècle, elle abrite la fabuleuse bibliothèque grecque laissée par le cardinal Bessarion, un Byzantin converti, et elle est l'hôte d'Alde Manuce, le savant éditeur et imprimeur d'éditions de classiques de la philosophie grecque. Mais ses peintres, de Vittore Carpaccio à Giovanni Bellini, ont déjà fait d'elle la capitale de l'art moderne de la couleur.

La mosaïque byzantine réunissait et hiérarchisait dessin et couleur. Le dessin au trait de ses figures signifiait l'Idée théologique, les grandes plages de tesselles d'or qui servaient de fond aux figures et les tesselles de pierres précieuses ou de verre coloré qui en remplissaient les formes

1. Voir John Gill, *The Council of Florence*, Oxford, 1959.

2. Cette « source » qui détruit bien des préjugés, n'a été signalée par Albert Boime qu'en 1965, dans « Seurat et Piero della Francesca », *Art Bulletin*, 47, p. 265-271. C'est Charles Blanc qui avait commandé la copie de l'École des Beaux-Arts.

3. Voir Maurizio Calvesi, « La leggenda della vera Croce : I due Giovanni all'ultima Crociata », *Art et Dossier* 75, 1993, p. 40-41, et Marlyn Aronberg Lavin, *Piero della Francesca, San Francesco, Arezzo*, New York, 1994.

donnaient un corps visible et sensible à l'Idée théologique. Dans les icônes, l'invariant, c'était l'archétype qui vivait de lui-même et projetait quasiment lui-même son dessin sur le bois. Le rôle de l'artisan anonyme consistait à appliquer les couleurs et à travailler le cadre [1]. Tout s'est passé, mythiquement, entre Florence et Venise, comme si chacune des deux villes avait hérité d'une moitié de l'art byzantin, l'une mettant en avant sa partie noble, divine, intellectuelle, virile, le Dessin et l'Idée impalpable qu'il invite à contempler, l'autre recueillant pour elle la partie inférieure, plébéïenne, féminine, émouvante, corporelle, sensuelle, la couleur, qu'elle sauve et qu'elle invite à goûter comme le pain et le vin de l'Eucharistie.

Cette antithèse, une célèbre polémique entre le Florentin Vasari et le Vénitien Dolce (deux écrivains d'art, sans la moindre référence théologique) la fait affleurer à la pleine conscience de soi au milieu du XVIe siècle, sur fond de la querelle des images entre catholiques et protestants, comme une sorte de schisme esthétique et amical entre catholiques. Elle ne nous apprend rien sur la réalité pratique des ateliers florentins et vénitiens, où dessin et couleur étaient étudiés et pratiqués de concert. Le mythe avait néanmoins sa part considérable de vérité. Dans l'architecture et la sculpture, les deux arts du dessin, Florence a été plus précoce et féconde que Venise, et, en peinture, l'École florentine a brillé par la ligne et le trait. Alors que les peintres vénitiens, grands coloristes, ont été jusqu'à inventer un art de peindre par touches colorées qui, à la fin du XVIe siècle, malgré ce qu'il suppose de manuel (par opposition au dessin, « chose mentale »), s'est imposé comme la grande nouveauté moderne, adoptée par Rubens, et rivalisant à jeu égal avec la tradition florentine du primat de la ligne.

Un Baudelaire, un Huysmans, un Proust, ont adhéré sans réserve à la tradition coloriste et à ce qu'elle symbolisait : la rédemption du sensible. Venise et Rubens ne s'étaient imposés à l'Académie royale française qu'à la fin du XVIIe siècle, et ils avaient dû reculer et céder de nouveau la place, à la fin du règne de Louis XV, au primat du dessin, ralliant une peinture mâle à la sculpture et à l'architecture. La passion de la couleur reprit avec Delacroix réhabilitant une seconde fois Rubens, et avec Manet découvrant Vélasquez. Admirable fugue, inaugurée par l'Italie, et longuement prolongée par Paris, avec le relais d'Anvers.

1. Voir Gilbert Dagron, *Décrire et peindre, essai sur le portrait iconique*, Paris, Gallimard, Bibliothèque des Histoires, 2007. L'auteur met en évidence l'élision de l'artiste et de l'art humain dans la définition de l'icône, inversement proportionnelle à l'intensité émotionnelle de sa réception par le spectateur dévot, priant devant l'image sainte ou la décrivant avec enthousiasme.

11. Rome et Byzance : les deux grandes familles d'images chrétiennes

La désagrégation de l'Empire d'Occident et la longue survie de l'Empire chrétien d'Orient, même après la chute de Constantinople en 1453, dans l'Europe orthodoxe des Slaves, sont pour les historiens un objet permanent de fascination rétrospective, mais difficile à embrasser d'une seule vue.

Signe des temps, typique du moment et du climat qui prévaut en Europe aujourd'hui, l'exposition vénitienne récente consacrée aux barbares. Le palais Grassi, après avoir exposé la collection Pinault d'« Art contemporain », a choisi pour sa première exposition d'histoire de l'art le thème des invasions barbares à l'Ouest, entre le Ve et le VIIIe siècle. L'intention généalogique est évidente : l'art des hordes barbares, exclusivement réduit à l'ornement abstrait d'armes et d'ustensiles, a pourtant son propre « intérêt » (le mot « beauté » est rayé du vocabulaire du catalogue), qui vaut bien celui des arts de la Grèce, de Rome, de Byzance, de la Renaissance italienne. Cet « intérêt », longtemps dénié, mais où il faut voir une « avant-garde », justifie rétrospectivement celui que l'on attribue aujourd'hui à l'« Art contemporain » : comme son ancêtre, cet « art » est pleinement accordé à l'Europe actuelle de la globalisation, de la délocalisation et des flux migratoires, alors que les chefs-d'œuvre de l'« art ancien » ensevelis dans leurs musées ne disent plus rien aux masses en mouvement d'aujourd'hui. Peu importe que le décor des ustensiles barbares retrouvés par l'archéologie n'ait rien de commun avec les artefacts des vidéastes et autres plasticiens à la mode du jour : l'idée qu'il faut inculquer est celle d'une Renaissance à l'envers, la barbarie formelle des galeries d'aujourd'hui renouvelant à sa façon celle des tombes de chefs goths, wisigoths et lombards, et s'accordant comme elle à l'esprit de leur temps, brutal et destructeur de vieilles lunes.

C'est une autre argumentation apologétique que celle qui s'appuie sur le « retour au sacré », chrétien ou non, attribué à l'art dit « contemporain ». L'une et l'autre veulent ignorer que les envahisseurs barbares du Ve au VIIIe siècle se sont tous convertis au christianisme, qu'ils se sont coulés dans ce qui restait de formes romaines, et que les arts romains eux-mêmes, dès le IIe siècle, bien avant les grandes invasions barbares, avaient rompu avec leur propre tradition classique et grecque pour se vouloir vraiment romains et modernes. La philosophie païenne dominante tenait les arts d'imitation pour de trompeuses copies d'originaux visibles, eux-mêmes copies d'originaux invisibles auxquels seule l'ascèse de l'âme donnait accès. Par ailleurs, un goût et un dégoût nouveaux, communs aux artistes et à leur public, remettaient en cause le principe classique de la représentation vraisemblable et délectable de la nature.

Les artistes n'hésitaient plus à recourir à une stylisation brutale ou caricaturale des formes pour briser des conventions fatiguées. La brutalité qui plaisait à la foule des spectateurs de jeux de gladiateurs et des martyres de chrétiens était devenue au IIIe siècle une saveur dont se prévalait volontiers la démagogie de l'art impérial, et qui, sans avoir à demander de leçons aux barbares encore lointains, proposait d'elle-même un ragoût immédiat et inédit aux amateurs nouveaux riches. Dès la fin de la République, les Romains s'étaient montrés sensibles à l'art grec archaïque, dont ils collectionnèrent originaux, copies et imitations. Vers la fin de l'Empire, tandis que les uns affichaient par réaction leur fidélité aux normes classiques, d'autres, beaucoup plus nombreux, suivirent la mode qui les reniait et qui, jusque dans le portrait, allait dans le sens de la lourdeur, de la rigidité et de la schématisation [1].

L'Église constantinienne du IVe siècle entra dans le champ de forces conflictuelles où se débattaient les arts visuels païens afin d'étayer, contre eux, la visibilité nouvelle et publique de la foi chrétienne. C'était une nécessité urgente, à bien des égards politique, pas encore théorisée par la théologie latine ou par l'économie grecque du salut : dans une civilisation où l'ordre impérial et l'ordre cosmique avaient depuis toujours demandé une confirmation aux images de l'art, l'Église surgie à ciel ouvert devait affirmer sa propre légitimité par les images d'un art bien à elle, visibles aux foules des villes, dans ses basiliques et sur les lieux saints de pèlerinages.

Mais à ce remploi improvisé des ateliers et des techniques de l'art païen, mis au service d'une iconographie chrétienne et souhaité par les nouveaux convertis, s'opposaient de l'intérieur d'essentielles et puissantes postulations de la foi nouvelle : sa fidélité au deuxième commandement du Décalogue biblique interdisant le culte et la confection d'idoles, et sa compétition avec le platonisme qui avait la faveur de l'élite cultivée païenne et qui professait des vues très critiques envers les leurres optiques piégeant le regard de l'âme et l'empêchant de se tourner vers l'Un. L'*otium* antique, se jouant de la critique platonicienne de l'imitation, avait abondamment fait appel aux arts, dans les miroirs desquels la Nature et ses dieux se laissaient contempler sans péril, dans un harmonieux équilibre fictif de mouvement et de repos, comme en jouissent les dieux eux-mêmes. L'*otium* était la marge de l'art politique et militaire où les arts d'initiation savaient créer distance et répit entre les lois implacables de la Nature et les devoirs envers la Cité. Les failles de l'Empire, bien avant sa faillite, entraînèrent la crise de l'*otium* et des arts dont il se repaissait. Le platonisme, qui voit dans le monde sensible

1. Voir la subtile et convaincante synthèse de Paul Veyne, dans *L'Empire gréco-romain*, Paris, Seuil, 2005, ch. 13, « Pourquoi l'art gréco-romain a-t-il pris fin ? ».

un exil de l'âme appelée à regagner sa patrie invisible, l'emporta dans l'élite lettrée, et le christianisme, apte à s'accorder à lui, mais plus apte que lui à se faire comprendre du grand nombre, l'emporta encore davantage. Constantin fut le premier empereur à s'en persuader, Julien le dernier à vouloir le nier. Religion de l'Empire déclinant, l'Église fit appel aux images pour conforter ses convertis et aux ateliers d'artisans d'images, partagés entre la fidélité aux canons classiques, appréciés par l'élite païenne conservatrice, et l'adhésion aux recherches nouvelles de mosaïstes, marbriers et sculpteurs dont les audaces, brisant avec la vraisemblance, frappèrent Picasso dans les années 1920, lorsqu'il découvrit l'art antique tardif dans les musées de Rome. Elle fit préférer peu à peu à ses fidèles les arts « plats » de la mosaïque, de la marqueterie de marbre, de la peinture sans volume, du bas-relief arabesque, toutes techniques très goûtées par les derniers païens, au grand art classique du paganisme hellène et romain, la statuaire en ronde-bosse, elle-même en déclin parmi les païens. C'était cet art que semblait surtout viser l'interdit jeté sur le Sinaï contre les « images taillées », et ce fut le sacrifice demandé à la profession d'imagier pour survivre dans l'ère de grâce.

L'*otium* antique était un privilège que s'attribuait une élite lettrée ; il avait sa fin en lui-même. L'*otium* dans l'Empire chrétien reste plus que jamais un privilège et une vocation, la plus haute après celle de martyr. C'est le choix de rompre avec le monde, intervenu après une seconde conversion qui, ne se contentant plus de croire, exige d'imiter Jean-Baptiste et le Christ lui-même retirés au désert. Cet *otium* n'a pas sa fin en lui-même : le désert est la meilleure arène où une âme puisse s'entraîner à mériter le vrai repos, au bout d'un voyage et de combats qui montrent le chemin à d'autres, et dont la fin ultime est, par-delà la mort, la vision de Dieu face à face promise par saint Paul. Face à face sans image, entre le Créateur et la créature qui lui fait retour, après s'être affranchie en cette vie des images mentales qui l'attachent au monde, et à plus forte raison des images extérieures dont l'art est susceptible. Les anachorètes du désert d'Égypte, les ermites retirés sur les montagnes, prédécesseurs des moines bénédictins retirés en communauté, soumis à la règle et au père abbé, viennent aussitôt après les martyrs dans les annales (et dans l'iconographie) du christianisme. Ils avaient fui les villes que les philosophes païens tenaient aussi pour corrompues et corruptrices et où, de surcroît, l'Église chrétienne devait passer quelque compromis avec la civilisation païenne. Ils voulaient, pour montrer le chemin du royaume du Christ, vivre à l'écart des cités et des plaines cultivées, dans la solitude d'un *otium* inédit où ils se dépouilleraient de toute image issue de ce monde agité et trompeur.

12. Pèlerinage au monastère Sainte-Catherine du Sinaï

La légende d'origine (mais tardive) de la peinture grecque, le geste de la fiancée de Corinthe, n'a pas laissé de reliques. L'origine des images de l'art chrétien, tant orientales qu'occidentales, est un geste du Christ, inverse de celui de la légende païenne : ce n'est pas la fiancée qui se donne à elle-même le portrait de son bien-aimé sur le départ, c'est le Fiancé qui, avant de partir, laisse un portrait de lui-même à son Église. Ne se contentant pas de s'incarner, ni de laisser la sainte Cène, le Christ aurait laissé son autoportrait, son regard, sa sainte Face, « non faits de main d'homme », pour qu'ils demeurent à sa place, sous ses traits humains et en son absence, vivants et visibles dans le temps et sur la terre.

Une trace de cette légende est conservée dans le monastère de Sainte-Catherine du Sinaï, que sa situation dans le désert a préservé des remous de l'Histoire et des destructions iconoclastes. On y conserve les deux volets latéraux d'un triptyque du Xe siècle, dont le panneau central, copie de l'autoportrait du Christ, se trouve depuis le XIVe siècle dans une église de pèlerinage de Gênes, San Bartolomeo degli Armeni, encadré en argent martelé [1]. Il a fallu l'autorité d'un empereur, Jean V Paléologue, pour arracher au couvent une telle relique, afin d'en faire cadeau au puissant doge de Gênes, Leonardo de Montaldo. Pour authentifier la copie, sur les panneaux peints des volets, et sur les bas-reliefs du cadre d'argent, se trouve narrée la légende de la sainte Face adressée par Jésus au roi d'Édesse, qu'elle guérit, et qui fit d'autres miracles [2].

Sainte-Catherine est l'un des sites les plus dénudés, sublimes et solitaires du monde. Ce couvent du désert, debout au pied de la montagne en surplomb où Moïse reçut les Tables de la Loi, est une arche de Noé échouée et intacte, comme déposée là après le déluge. Cette arche fortifiée détient le dépôt des origines de l'art chrétien. D'abord, au IVe siècle, communauté d'ermites réunie au pied du mont biblique, elle a été transformée au VIe siècle par l'empereur Justinien en couvent-forteresse et pourvue en son centre d'une basilique. Elle abrite la plus ancienne et l'une des plus nombreuses collection d'icônes du monde, dont la découverte, la publication et l'étude n'ont commencé que dans les années 1930, au moment où l'art de peindre en Occident se débattait encore brillamment, faisant feu de tout bois, pour survivre à la concurrence des images technologiques. Quelques-unes de ces icônes, dont un splendide portrait en buste

1. Cette reconstitution a été proposée par Hans Belting, dans *Image et Culte*, ouvr. cit., p. 284.

2. Voir le passionnant catalogue *Mandylion, intorno al Sacro Volto, da Bizanzio a Genova*, éd. par Gerhard Wolff, Colette Dufour Bozo et Anna Rosa Caldroni Mazetti, Milan, Skira, 2004.

du Christ tenant dans la main gauche l'Évangile et enseignant de la main droite, remontent au VIe siècle, antérieures donc à la crise iconoclaste qui a fait disparaître, ailleurs, la quasi-totalité des icônes de cette période. Sainte-Catherine, en terre musulmane pendant la querelle des Images, n'a pas eu à obéir aux ordres des empereurs byzantins iconoclastes !

La technique de ce portrait, son cadrage de face, l'intensité de son regard rendu insaisissable par une légère dissymétrie, ne sont pas sans parenté avec ceux de l'école de peintres grecs et égyptiens du Fayoum, qui prospéra du Ier jusqu'au IIe siècle après J.-C., pourvoyant les momies d'effigies vivantes, en buste, des corps embaumés. Les plus extraordinaires de ces portraits, dont les savants et vifs empâtements semblent anticiper les Fauves, irradient une telle puissance de vie qu'ils semblent bien avoir été conçus pour aider magiquement le mort à parvenir, tel qu'il (ou elle) est représenté, dans la fleur de l'âge, là où l'on ne viellit et ne meurt plus. Ils n'étaient pas faits, ces portraits, pour être vus des hommes, mais pour influer sur les dieux que le *kâ* ou l'*âtman* ou l'*anima* du mort allait rencontrer, sur la route semée d'embûches le conduisant dans la patrie et le repos éternels.

Le Christ du Sinaï, ressuscité d'entre les morts et enseignant du fond du ciel la science du salut, semble regarder, serein et pénétrant, au fond de l'âme du spectateur pour y découvrir la ressemblance qui l'attirera jusqu'à lui et pour la munir du viatique qui lui assurera, lorsqu'il sera parvenu en sa présence, la vie éternelle.

Dans la basilique du VIe siècle, au fond de la nef, au-dessus de l'iconostase, la demi-coupole qui clôt l'abside est tapissée d'une mosaïque dont le dessin est d'une exceptionnelle qualité. Elle représente la Transfiguration, le Christ debout sur le mont Thabor, flanqué de Moïse et d'Élie [1]. À ses pieds les apôtres Jean, Pierre et Jacques, agenouillés ou renversés à terre, sont bouleversés par l'apparition, sans oser la fixer du regard. Jésus se fait voir à eux, dans toute sa splendeur divine, Dieu et homme. De chaque côté de cette puissante représentation, deux mosaïques étroites représentent l'une, Moïse se déchaussant devant le buisson ardent, l'autre, Moïse recevant de la main de Dieu les Tables de la Loi. Dans les deux cas, Moïse détourne ostensiblement les yeux de la théophanie voilée. Le Sinaï se dresse derrière la basilique, et les deux mosaïques latérales rappellent que c'est sur ce sommet aride et rocheux que tout a commencé. Mais le rapprochement et la superposition optique des deux révélations successives, celle des deux monts, le Sinaï et le Thabor, rendent évidente leur différence essentielle : sur le Sinaï, Dieu parle et ordonne, mais il reste

1. Je remercie Gerhard Wolf de m'avoir éclairé sur cette iconographie, au cours de ses conférences au Collège de France en novembre-décembre 2008, lesquelles feront l'objet d'une publication en français.

absolument caché, préservé du contact visuel de son prophète ; sur le mont Thabor, le Fils-Image de Dieu se montre dans sa double nature, tel qu'il s'est risqué dans le monde humain de la vue, qu'il rachète et bénit. Les apôtres, accoutumés à sa seule nature humaine, sont effrayés de le voir Dieu, mais ils l'ont vu. La coordination des images des deux Révélations atteste que le Dieu caché du Sinaï a fait un geste d'amour inouï envers l'humanité : il a montré sur le Thabor la Face de son Fils, qui est aussi la sienne. La mosaïque de l'abside est une exégèse visuelle de la sublime icône du Christ en buste et de son archétype, l'autoportrait que le Christ a laissé de sa Face humaine et divine.

Ce n'est plus le seul désir humain et païen de la fiancée de Corinthe, ni la magie des idoles, qui se promettent de guérir par l'art du peintre ou celui du sculpteur le deuil, l'absence, l'exil, la séparation, la souffrance, la mort inhérents à la condition humaine. C'est l'Éternel lui-même qui, par deux fois, la première par la sévérité de la Loi, la seconde par l'identification de l'amour, promet de guérir ceux qui croient en lui. L'Arche du Temple détruit n'a plus besoin d'attester la première promesse, les traces authentiques de la visibilité terrestre du Christ sont désormais témoins que la Loi est à la fois abolie et accomplie, qu'un règne de grâce a commencé. La vie humaine a pris le sens d'un voyage ou d'un pèlerinage, au cours duquel la vue de ces traces et images, comme ici au pied du Sinaï, sur l'écran nu de la sainte falaise, fonde, préfigure et prépare la vision plénière et céleste, face à face, du Dieu Créateur et Sauveur.

Dans leurs grottes ou leurs cellules nues, les premiers ermites de Sainte-Catherine étaient aussi dénués d'icônes que leurs contemporains de la vallée du Nil, dont les « Vies des Pères du désert », héros d'une *Iliade* chrétienne, racontent les combats spirituels qu'ils ont livrés pour vaincre la chair et le monde. L'un d'entre eux, Évagre le Pontique, a décrit les chutes de ces athlètes du Christ, comparables à celles du Bellérophon et de l'Ajax homériques abandonnés des dieux, dans l'agitation, le doute, la tristesse, les fantasmes tentateurs, dérive à laquelle il donne le nom d'« acédie ». Les seules images qui avaient suivi au large des villes et des terres cultivées, entre le IVe et le VIe siècle, ces déserteurs du monde, étaient les tentations mentales dont les assiégeait le « démon de midi » et qu'ils devaient repousser, désarmés et mordant la poussière, comme il arriva au plus célèbre d'entre eux, saint Antoine.

L'empereur Justinien, en même temps qu'il envoyait architectes et maçons pour construire le couvent et mosaïstes pour décorer l'église, patronna la formation de la communauté monastique de Sainte-Catherine, qui devint dès lors la dépositaire d'icônes envoyées de Constantinople. Les arts visuels avaient fait leur entrée dans l'*otium* terrestre chrétien, contribuant avec la règle, la liturgie, le rythme communautaire, à rendre moins inévitables les crises d'acédie. L'icône rapproche ce qui est lointain et fixe sur un objet l'imagination qui, sans elle, vagabonde. Elle rend patient le désir, elle rend possibles repos, contemplation et prière. Et, comme la musique, elle adoucit les mœurs.

Mille ans plus tard, dans le monastère florentin de Saint-Marc comme dans ceux de leurs contemporains flamands, les Frères de la Vie commune, les exercices spirituels personnels et la vie liturgique collective seront soutenus, sur les murs des cellules, de la chapelle et du réfectoire des moines, par un luxe d'images peintes comparable à celui que s'étaient offertes, dans leur *otium* païen, les propriétaires de villas romaines des beaux temps de l'Empire. Fra Angelico, Roger Van der Weyden, Hans Memling, Fra Bartolomeo, dans leurs fresques et leurs retables, donnaient à la vue un *memorandum* de la présence visible du Christ sur la terre, et un avant-goût de sa présence glorieuse dans l'empyrée céleste. Par d'innombrables détours et de non moins innombrables transferts, l'art chrétien de l'Occident latin avait pris le relais de l'art chrétien de l'Orient grec. Mais, dans le monde latin, libéré de l'ascendant de l'icône, l'art chrétien a débordé de la sphère dévotionnelle où l'icône est enclose, il a débordé dans la sphère laïque et profane, il a étendu ses bienfaits à la vie dans le monde, encore plus exposée que le cloître à la violence des désirs, des deuils, de l'inquiétude, des passions, de la mélancolie.

13. La doctrine romaine de la Bible des illettrés

Entre la foi du grand nombre qui a besoin d'images, la foi des athlètes de Dieu qui veut s'en affranchir et celle des théologiens qui sacrifient à la vision intellectuelle la vision imaginative et la vision sensorielle, la première étant la seule qu'il fallait éveiller dans l'âme pour se rapprocher de Dieu, l'Église latine a choisi un moyen terme, par la voix du pape Grégoire le Grand, à la fin du Ve siècle. L'évêque de Marseille, Serenus, saisi d'un zèle apostolique, faisait détruire toutes les images dans les églises de son diocèse, objets d'une piété qui sentait l'idolâtrie. Le pape lui adressa une bulle, dont le contenu allait régler la conduite de l'épiscopat en la matière pendant tout le Moyen Âge. Il ne taxe pas d'hérésie l'évêque iconoclaste, il lui reproche d'avoir failli à ses devoirs de pasteur. En détruisant les « saintes images », il a laissé les laïcs, qui ne savent pas lire, chrétiens récents ou païens encore à convertir, privés du seul accès dont ils disposent à la foi. Il a condamné ces pauvres en esprit à déserter les églises où ils ne trouvent plus de repères qui les acheminent à la foi ou qui les y confirment. Seuls les clercs, qui savent lire, peuvent se passer d'images et trouver ou nourrir leur foi dans la lecture à haute voix et la méditation des Saintes Écritures. Incapables de ces exercices d'intériorisation du Verbe, les non-lecteurs restent à l'extérieur. Faute de mieux, il importe qu'ils y voient des « images saintes », qu'ils s'attachent à leur lettre, dont la prédication s'efforce de leur faire entendre l'esprit. Dans des termes repris du philosophe néoplatonicien Porphyre, trois siècles plus tôt, le pape définit le statut des « saintes images » : « Ce que l'écrit procure aux gens qui lisent, les peintures le procurent aux illettrés qui les regardent. »

Mais le saint pontife ne pose pas, comme Horace l'avait fait entre poésie et peinture païennes, une équivalence entre peinture chrétienne et Écriture sainte. La vérité du Verbe divin est sans commune mesure avec les images de l'art humain, même rapportées aux vérités de foi qu'elles aident l'imagination à fixer dans la mémoire. Grégoire partage la conviction d'Augustin selon laquelle le Christ n'est apparu qu'une fois à la vue de chair. Toutes les tentatives de le remettre, lui ou sa mère, sous les yeux des paupières restent subjectives et arbitraires. Seul l'œil intérieur instruit par la lecture et la méditation de sa Parole le fait habiter dans l'âme et celle-ci n'a pas besoin d'images pour se repaître de sa présence et se conformer à sa volonté. Les « saintes images », toutes vénérables qu'elles soient par ce qu'elles représentent, toutes indemnes qu'elles doivent être de l'idolâtrie qui réifierait Dieu, sont un pis-aller qui fait entrer dans l'Église, mais qui ne donne pas accès au sanctuaire. La doctrine grégorienne de la « Bible des illettrés » fonde la tolérance habituelle de l'Église latine envers les « saintes images » : elle n'atténua pas la crainte des clercs de voir les ignorants prendre les images pour la résidence réelle des figures divines qu'elles représentaient et pour les adorer comme les païens le faisaient des idoles.

Lorsque les théologiens de la cour de Charlemagne prirent connaissance en traduction des actes du second concile de Nicée, en 787, où était énoncée, contre les iconoclastes, la définition orthodoxe de l'icône, ils y virent une hérésie et ils la réfutèrent longuement dans les *Livres carolins* adressés au pape Adrien Ier. Comme l'archétype dont elle a reçu l'empreinte exacte et visible, du Christ, de sa Mère, des saints, l'icône grecque orthodoxe mérite l'adoration ou la simple vénération. Les théologiens francs ne veulent voir dans les « images saintes », inadéquates à ce quelles représentent, que des aide-mémoire pour esprits grossiers. C'est idolâtrie que de les vénérer ou adorer, attitudes réservées à l'Eucharistie, au signe de la Croix et aux reliques, consubstantielles au Christ et aux saints. Les controversistes protestants redécouvrirent ces textes au XVIe siècle, et les invoquèrent en faveur du procès d'idolâtrie qu'ils instruisaient contre Rome. Ils y virent un précédent de leur conception d'une piété « en esprit et en vérité », appuyée sur la lecture de la Bible, sans recours ni aux images, ni aux reliques, ni à la présence réelle dans le saint Sacrement.

La papauté, qui n'avait jamais condamné les « saintes images » et qui s'était d'emblée félicitée de la doctrine de Nicée II, la jugeant compatible avec celle de Grégoire le Grand, ne tint aucun compte de la critique qu'en fit l'Église franque. Les *Livres carolins* furent oubliés. C'est probablement à Rome que fut forgée au XIIe siècle la lettre apocryphe de Grégoire au moine Secundinus, où le pape du Ve siècle était censé accéder au désir d'un religieux de prier devant une image du Christ crucifié, légitimant par la *cumpunctio cordis*, le « bouleversement du cœur », l'usage dévotionnel des « saintes images » et cela, même dans les cloîtres de l'élite spirituelle chrétienne. Devant la représentation de la folie de Dieu s'incarnant dans ce monde pour aller à sa rencontre, l'âme mesure l'étendue du sacrifice consenti pour elle et se retourne sur sa propre folie. Loin d'être cantonnées dans la pastorale des illettrés, les « saintes images », sorties des ateliers d'artistes se voyaient reconnaître la vertu de convertir en profondeur même les lettrés, ouvrant leur œil intérieur à un sens caché sous ce qu'elles montrent à l'œil des paupières.

La « Bible des illettrés », les images faites de main d'homme, étaient en voie de conquérir le statut qu'Augustin et la tradition monastique réservaient au Verbe divin déposé sous la lettre des Écritures et à la méditation de l'autre Livre divin, la Création. Cela revenait à reconnaître à l'artiste chrétien lui-même une extraordinaire vocation et responsabilité, celles de passeur du monde de la vue sensible à celui de la vue intérieure et intellectuelle, vocation et responsabilité dont avait été déchargé l'artiste antique, rival de la Nature qu'il imite, et pour cela dédaigné par Platon. C'est en ce point que commence à se révéler en Occident latin un art chrétien ouvert à l'invention de formes appropriées à une double lecture, et à une imitation de la Nature créée qui les renouvelle et diversifie sans cesse, selon les temps, les lieux et les dispositions du public. C'est en ce point aussi que commence la divergence avec Byzance, dont l'autorité sur l'art de l'Occident médiéval, avant et surtout après la querelle byzantine des images, avait été immense.

14. La doctrine grecque des icônes

La doctrine grecque de l'icône avait pris le plus grand soin, dès son premier théoricien, Jean de Damas (lequel écrivait en terre islamique, hors d'atteinte, comme le monastère de Sainte-Catherine, des foudres des empereurs iconoclastes), d'écarter d'elle le soupçon biblique d'idolâtrie et celui, platonicien, d'imitation inégale des Idées divines, arguments repris par les iconoclastes. Jean de Damas avait donc soustrait l'« image sainte », l'icône par opposition à l'idole, à la main et à l'art humains. Le peintre d'icônes n'est que l'auxiliaire anonyme d'un accouchement virginal. Son effacement peut faire de lui un saint : il n'est pas l'auteur de l'icône, il n'est pas un artiste. L'icône grecque n'est pas une œuvre d'art, elle est à elle-même son propre auteur. Elle n'est pas une représentation, mais une théophanie. Dans son essence et son statut métaphysique, elle est homologue à la relique et à l'Eucharistie, l'hypostase d'un archétype divin invisible qui se rend présent et visible dans une matière et des pigments. Par la fenêtre de l'icône, le Christ maître de vie, le Christ enfant et sa mère, l'Homme de douleurs, le Ressuscité, ses apôtres, ses martyrs, ses saints, se montrent eux-mêmes et s'incarnent. Réunies dans l'iconostase, les icônes résument dans l'espace ecclésial l'économie du salut que la liturgie déploie dans le temps de l'année chrétienne. Isolée pour la piété personnelle, on s'agenouille devant l'icône (c'est la *proskynèse*), on la médite et on la prie, selon la méthode de régulation du souffle que les maîtres spirituels byzantins appellent *hésychasme* et qui aide à faire entrer et loger dans le cœur, « sans intermission », comme le demande saint Paul, le don d'amour divin reçu par les yeux.

La Vierge recevant l'ange de l'Annonciation, la Mère regardant le Christ dans ses bras, offrent le modèle de la réception de l'icône par le fidèle. Et en ce sens, même lorsque les « images saintes » occidentales auront divergé de l'icône grecque, retrouvé l'imitation de la nature et adopté l'illusion de la perspective, leurs représentations resteront longtemps, notamment dans la Florence de l'Angelico et la Venise de Giovanni Bellini, redevables à la *philocalie* du cœur – la joie d'amour qu'y fait naître et perdurer la beauté du don divin, au sens où Dostoïevski a pu dire de la beauté qu'« elle sauvera le monde » – dont l'icône byzantine était l'ambassadrice, en Occident latin aussi. La sensibilité personnelle des peintres italiens du XVe siècle, l'humilité et l'humanité de leur regard semblent souvent alors traduire et amplifier visuellement, pour les faire partager par leur public, le velouté, le tact, la pudeur, la tendresse de leur propre réception de l'icône byzantine.

15. De la Bible des illettrés à la « liberté de tout oser » du peintre latin

Entre le XIIe et le XIVe siècle, la « Bible des illettrés » est devenue la « Bible des laïcs lettrés », du moins dans leurs oratoires privés : les pages enluminées soutiennent la méditation de leurs livres d'heures et, dans leurs moments de détente, accompagnent leurs lectures profanes. Les deux ordres mendiants, dominicains et franciscains, s'employant à étendre la vie spirituelle hors des cloîtres, ont fait entrer les images dans les exercices communs aux moines et aux laïcs. Leurs théologiens confrontent à la tradition néo-platonicienne une science aristotélicienne qui reconnaît à l'image mentale fondée sur le témoignage des sens une autorité cognitive et à l'image artistique une autorité morale et thérapeutique.

Au XIIIe siècle, vers 1290, le grand liturgiste Guillaume Durand, évêque de Mende après avoir été longtemps haut fonctionnaire de Curie à Rome, atteste, dans un traité sans cesse réédité jusqu'au XVIIe siècle, la place et la fonction considérables et légitimes qu'occupent les « saintes images » dans la disposition interne des édifices du culte public. Traditionaliste, comme il se doit à un liturgiste romain, il s'appuie sur Grégoire le Grand pour définir les arts visuels chrétiens, « lecture et écriture des laïcs », et pour montrer dans les églises autant de bibliothèques d'images où lisent et s'instruisent les *idiotae*, les illettrés. Mais Guillaume Durand est aussi éloigné du dédain professé par Raban Maur, cinq siècles plus tôt, envers les laïcs ignorants, que de l'élitisme monastique de saint Bernard. Deux de ses citations de Grégoire, empruntées à ses œuvres spirituelles, nuancent la doctrine un peu courte de sa *Lettre à Serenus*, et inclinent à penser que sa *Lettre* apocryphe au moine Secundinus est moins un faux qu'un correctif apporté à une lecture trop exclusive de l'admonition sommaire adressée à l'évêque de Marseille. Dans l'une de ces citations, Grégoire admet que l'impression intérieure faite sur le cœur par des images extérieures qui parlent de saints objets à leur spectateur n'est ni moins vive ni moins vraie que celles des images fictives qui se peignent dans l'esprit du lecteur, attentif dans son cœur aux mêmes objets. La représentation par l'art d'une sainte narration peut avoir le même effet affectif sur le récepteur que le récit écrit et lu de la même narration. Dans l'autre citation, Grégoire va jusqu'à soutenir que la peinture émeut plus l'âme que la lecture, la première mettant le fait sous les yeux, la seconde le rapportant par ouï-dire : ce qui explique, ajoute-t-il, pourquoi « à l'église on ne témoigne pas un aussi grand respect pour les livres que pour les images et les peintures ». Constat qui explique rétrospectivement la vigilance de saint Bernard à préserver ses moines de l'art d'église, mais aussi, et plus généralement, ce qui conduit à relativiser l'influence de la tradition augustinienne sur la place réelle des arts visuels dans la vie religieuse médiévale.

En pasteur ayant charge d'âmes, Guillaume Durand insiste sur le même souci qu'avait éprouvé le pape du VIe siècle, celui de ne pas décevoir l'affectivité des fidèles et de ne pas trahir l'humanité évangélique au nom d'une vie spirituelle accessible seulement à un petit nombre. En le lisant, on songe au délicieux sourire, inouï et inédit, qui unit face à face, dans la statuaire gothique parisienne, d'ivoire ou de pierre, de l'époque de Guillaume Durand, la Mère debout et l'Enfant dans ses bras, allégorie de l'Église-mère et de l'Âme-fille, mais aussi image de la réciprocité amoureuse cachée au cœur de la Trinité et réversible, par la grâce de l'Incarnation, dans les cœurs humains : chefs-d'œuvre de chaste tendresse partagée, conçus par des artisans anonymes.

Guillaume Durand n'ignore pas ce que la liturgie doit à l'art des imagiers. Il énumère les lieux communs théologiques de la « Bible des illettrés » : le Christ trônant en majesté, le Christ en croix, le Christ enfant dans les bras de la Vierge, les quatre évangélistes avec leurs symboles. Il distingue avec soin la *laetitia*, le bonheur que doit inspirer la représentation des mystères joyeux, et la *maestitia*, le chagrin que doivent faire naître les mystères douloureux. Loin d'attribuer le choix dans ce répertoire iconographique et dans ces saveurs affectives à l'initiative exclusive du clerc commanditaire, il laisse à l'artisan et à son atelier la liberté de trouver le sujet et la forme la plus appropriée à la fin qu'on se propose. Il n'hésite pas à citer, comme allant de soi, le « dict d'Horace » dans l'*Art poétique*, aussi vrai dans la romanité chrétienne contemporaine que dans la Rome antique : « Au peintre, comme au poète, il a toujours été accordé de tout oser[1]. »

Guillaume Durand est d'une génération plus jeune que Thomas d'Aquin. C'est de l'auteur de la *Somme théologique* qu'il tient cette idée de l'art, *faire* de l'intelligence autant qu'intuition immédiate du beau. L'artiste (à l'image et ressemblance imparfaite de Dieu) n'est pas un simple ymagier : maître des règles qu'il se donne et qui gouvernent la forme de son œuvre, il a une part décisive dans sa conception. Cette extraordinaire citation d'Horace chez une autorité cléricale de cette carrure est une pierre milliaire : elle donne pour ainsi dire le « feu vert » au passage de l'artisan d'images à l'artiste et elle approfondit la divergence, qui va devenir de plus en plus éclatante, entre l'art de l'Occident latin et l'Orient des icônes grecques : d'un côté, on a un art autonome, fait de main d'homme (saint Thomas s'est livré à un éloge de la main, « organe des organes »), et des œuvres d'art qui se donnent pour telles, avec leurs fins préconçues par l'intellect intuitif de l'artiste, formées par l'intelligence de sa main, et laissées par les clercs à l'initiative et à la compétence du professionnel ; de l'autre, on a des théophanies où la main

---

1. Voir André Chastel, « Le *Dictum Horatii Quidlibet Audendi Postestas* et les artistes (XIIIe-XVe siècle) », dans *Formes, Fables, Figures*, I, Flammarion, 1978, p. 366. Comme le montre Michel Alfaric (« Les éditions imprimées du "Rationale diversorum officiorum" de Guillaume Durand de Mende », dans *Guillaume Durand, évêque de Mende (1230-1296)*, éd. par P. M. Gy, Paris, C.N.R.S., 1992, p. 183-205), ce magnifique traité de symbolique liturgique, imprimé à Mayence en 1459, a été sans cesse réédité jusque dans la seconde moitié du XVIIe siècle, lorsque l'interprétation historiciste et littérale de la liturgie romaine a prévalu pour convaincre les protestants, et a connu un *revival* dans la seconde moitié du XIXe siècle. J'ai lu le chapitre du L. I, 3, p. 21-27 du « Rationale » (*Picturarum et imaginum in Ecclesia varia est sedes*) dans une édition napolitaine de 1859, et en traduction française dans Charles Barthélemy, Paris, 1854, t. I, p. 41 et suiv.

humaine ne joue qu'un rôle d'auxiliaire anonyme, et qui agissent d'elles-mêmes, font des miracles, guérissent ou aspirent jusqu'à elles le fidèle en prière. Mais il faut constater aussi, dans la tradition du christianisme occidental, une divergence beaucoup moins tranchée, et néanmoins opérante, entre une théologie mystique monastique demandant à l'âme de s'affranchir de toute image pour se rendre digne de l'amour de Dieu, et une anthropologie pastorale qui reconnaît dans l'image un attribut naturel de la créature humaine et, dans son bon usage, notamment par les laïcs, un adjuvant irremplaçable de leur zèle et de leur piété.

Bologne est, dans le dernier tiers du XVIe siècle, l'une des plus fécondes capitales avec Rome, Florence et Venise, de la peinture catholique. Elle l'est avec la bénédiction de son cardinal-archevêque Gabriele Paleotti, qui a écrit l'une des plus sensibles exégèses des décrets de Trente, son *Discours sur les images sacrées et profanes* (1582). Dans la ligne directe de Grégoire le Grand et de Guillaume Durand, on peut y lire :

> Les images précédèrent les écrits, parce que, pour former les caractères des lettres et composer avec elles des livres, une exquise industrie et compétence ont été requises, tandis que, pour dessiner une image, une diligence bien moindre suffisait, la nature montrant la voie, comme on l'observe dans les miroirs et corps lucides. On est donc fondé à croire que dès les premiers temps, où les esprits incultes étaient peu exercés à la discipline des choses, ils s'appliquèrent et se consacrèrent à ces arts qui présentaient moins de difficulté et qui représentaient les choses qu'ils avaient sous les yeux, plutôt qu'à inventer des signes et caractères artificiels qui n'ont aucune conformité avec les choses créées. Ils commencèrent par dessiner de simples traits, puis se servirent du coloris, selon le même progrès que connut la statuaire appelée par les Grecs *plastikè* [1].

Outre le privilège de l'antériorité, les images ont la prérogative de figurer telles quelles les choses et les êtres qu'elles représentent, avec un effet puissant et immédiat d'identification et de reconnaissance que n'ont pas les livres, lus seulement par une petite minorité éclairée, alors que les images « embrassent universellement tout le monde ». Les lettres ne signifient que le son de la voix, dont Aristote dit, dans *De l'interprétation* : « Les sons de la voix sont les signes de nos pensées, et les lettres écrites sont les signes des signes de ce qui est dans la voix ». Il est donc probable que les images, qui signifient immédiatement, précédèrent les lettres, qui ne signifient que médiatement, même si les images actuelles

1. Cité en italien dans *Scritti d'arte del Cinquecento*, a cura di Paola Barocchi, Turin, Einaudi, 1978, p. 328.

représentent pour la plupart ce que les livres nous apprennent, bien qu'elles n'aient pas la même prégnance sémantique qu'eux.

Ce qui leur manque en compréhension, les images le regagnent en extension, étant un langage universel, accessible immédiatement à tous, comme l'est la Création dont Dieu s'est servi pour éduquer silencieusement les hommes avant de s'adresser à eux par la parole et par l'écrit. En ce sens, l'art des images imite la nature divine et excellente : il est doué du grand pouvoir de mettre sous tous les yeux et en tout lieu toutes sortes de sujets et de matières, ce qui charge les peintres chrétiens de la responsabilité de forger des images qui répondent à cette fin si haute et si glorieuse. L'archevêque de Bologne accorde donc à l'artiste et à son art une réelle autonomie : il revient à l'intelligence de son métier de déterminer les meilleurs moyens pour parvenir à sa fin. Mais il ne cache pas que, pour lui et pour l'Église, cette fin est celle de « saintes images », la même que celle de l'éloquence du prédicateur, qui est de plaire, émouvoir et persuader. Il ne chicane ni le plaisir ni la délectation, mais il ne conçoit pas qu'ils se limitent à l'émerveillement devant les pouvoirs de l'art de rendre présents les absents, ni devant sa capacité à rendre vraisemblables les simulacres du vif et du vrai, ils doivent conduire à la connaissance spirituelle, dont la délectation excède celle des sens et réjouit l'intelligence. Une citation de Pétrarque, à la gloire des tableaux qui renvoient l'esprit de la « rivière » de l'art humain à sa « source » divine permet au théologien de placer sa doctrine sous le signe de l'humanisme.

16. La primauté du Verbe, de saint Augustin à saint Bernard

Les images paléo-chrétiennes du Christ-Bon Pasteur, de ses apôtres, de ses martyrs, de ses précurseurs bibliques, de sa mère, de ses miracles, sont l'œuvre d'artisans aussi modestes et marginaux que la jeune foi persécutée. À partir du règne de Constantin, des architectes, des mosaïstes, des peintres du premier rang de l'art impérial sont mis au service de l'Église. Ils accordent l'art romain de bâtir aux besoins de la liturgie chrétienne et, sous la dictée des théologiens, traduisent une iconologie chrétienne déjà abondante dans la langue visuelle inventée pour raconter aux yeux les mythes antiques. Mais quelle que soit la volonté de l'Église d'occuper le terrain des images, et le désir des chrétiens convertis de voir et de montrer le Sauveur, c'est par sa parole que la foi nouvelle s'est répandue et c'est sur sa parole qu'elle compte d'abord pour se perpétuer. Elle ne freine pas l'accroissement des nefs basilicales tapissées d'« images saintes » et où retentit l'éloquence des prédicateurs, mais elle fait fond d'abord sur le rituel eucharistique séparé de la foule et sur les saint ascètes, successeurs des martyrs, en qui le Verbe salvateur, par la lecture, la méditation et la prière à haute voix, ne cesse de se réincarner et de ressusciter vivant, chaîne ininterrompue d'une élite d'athlètes vouée à l'*otium* contemplatif et se passant d'image, comme Moïse au Sinaï et saint Paul au troisième ciel.

Pour Platon, la vie de l'âme se résume dans la parole, le *Logos*. Aussi considère-t-il comme un même désastre l'invention du dessin et celle de l'écriture, toutes deux privées de la voix et donc de la vie spirituelle. L'une et l'autre famille de signes morts, séparés du souffle qui les a émis, atrophient la mémoire vive, diffèrent la présence, interdisent le dialogue, rompent le lien social, interrompent et figent la tradition que seule la voix peut augmenter, lier et relier. Seule la voix est religieuse et digne de foi ; elle atteste la coïncidence de la parole et de la chose que l'écrit dissocie. Aussi Platon s'en remet-il à la lecture orale du texte écrit et à sa mémorisation par la voix, à la dictée improvisée notée par un scribe, à la conversation, comme à autant de remèdes réparant ou limitant les dégâts inhérents au « progrès » que représente l'invention des lettres écrites et des dessins représentatifs. La vive voix reprend au *Logos* son bien que la main qui écrit et dessine pour l'œil lui a ôté. Les dialogues de Platon commencent dans le sensible et montent dans l'intelligible. Ils enseignent par leur mouvement même à réinvestir, par la voix, la vie de l'esprit enfouie dans le texte écrit, restituant ses droits à la pensée *logique* et lui permettant, en brisant le tombeau où l'écrit l'a ensevelie, de s'élever à la lumière pure et vive des idées. Lecture, méditation et invention orales sont des résurrections. Les images-écrans muettes du peintre ou du sculpteur ne se prêtent pas à cette opération salutaire. Elles sont la lettre que l'esprit ne peut vivifier. Saint Jean identifie dès le Ier siècle le Christ au *Logos*, et nul mieux que le quatrième évangéliste n'a montré dans la mort et la résurrection du Christ la vie du *Logos* divin triomphant de la lettre morte où la Loi a cherché à l'enfouir et à la réduire au silence.

Augustin, et avec lui la tradition monastique médiévale de l'Occident latin, jusqu'à saint Bernard de Clairvaux, continue Platon, posant la priorité absolue pour l'âme chrétienne du Verbe divin, dont il lui faut retrouver intérieurement la vie salvatrice dans la lecture, la manducation, la mémorisation et la méditation à haute voix de l'Écriture sainte, que Dieu a dictée et fait écrire, faute de pouvoir parler directement au cœur de l'homme tombé, comme il le fit avec Adam et Ève avant la Chute. « L'échelle des moines, qui les élève de la terre au ciel » est du même mouvement l'enchaînement qui maintient vives de génération en génération les « voix de la page écrite », et la parole du prêtre qui consacre l'Eucharistie et fait constamment revivre ici-bas la présence actuelle et rédemptrice du Christ. La vue ni l'imagination n'ont aucun rôle dans la vie spirituelle du moine : celle-ci se déploie entre l'oreille et la bouche, remémoration vive du Verbe noté dans l'Écriture sainte, comme les neumes qu'il fait entendre dans la psalmodie grégorienne du chant communautaire.

Les *Sermons sur le Cantique des cantiques* de saint Bernard élèvent l'ascèse monastique d'inhabitation du Verbe divin jusqu'au seuil d'une fruition et d'une jubilation nuptiales. La vie et les vœux monastiques sont un marché de dupes, déclare l'abbé qui n'y va pas par quatre chemins : ils sont tôt ou tard exposés à regretter les plaisirs mélangés du corps et du monde, s'ils ne découvrent pas la source abondante de joies sans mélange dont la chair et le monde n'offrent qu'une caricature. Les joies spirituelles, quoiqu'elles ne surgissent ici-bas que par intermittences, bien qu'elles ne soient elles-mêmes que de simples arrhes de la joie plénière réservée par Dieu à ses fidèles à la fin des temps, n'en sont pas moins plus ravissantes que les plaisirs décevants du monde, dont Bernard parle comme s'il avait expérimenté d'avance la coquetterie d'Odette et le double ou triple jeu d'Albertine. Le Christ s'est incarné et il a été crucifié pour nous rendre capables de cette qualité de joie ignorée des hommes charnels ; sa grâce nous a rendus aptes non pas à nous rassasier de Dieu (en ce sens Bernard n'est pas un mystique, ni à plus forte raison un quiétiste), mais à désirer, à espérer et à connaître par une prégustation imparfaite, en cette vie, la béatitude éternelle et parfaite du face-à-face final avec la Trinité. L'ascèse monastique n'a de sens que vécue comme une passion ardente pour le seul objet qui en vaille la peine et qui ne trompe pas, même et surtout lorsqu'il se dérobe. Comme le Cantique des cantiques biblique, cette passion spirituelle tient à la fois de l'élégie amoureuse, ravagée par l'absence fréquente de l'être aimé, et de l'épithalame, le chant de noces, célébrant sa prochaine présence.

Le vaste cycle d'exhortations adressées par l'abbé de Clairvaux à ses moines commence, en falaise, par cette citation brûlante de la Sulamite : « Qu'il me baise d'un baiser de sa bouche ! » Bernard fait remarquer qu'elle ne dit pas : « Qu'il me baise de sa bouche », parole vraiment mystique et attribuable seulement à l'amour trinitaire du Père, du Fils et de l'Esprit saint, mais : « Qu'il me baise d'un baiser de sa bouche », parole qui suppose la médiation de l'humanité du Christ et exclut une adhésion immédiate et constante, dès cette terre, de l'âme humaine à la béatitude de la Trinité. Expert en intermittences du cœur, l'abbé ne cesse de rappeler à ses moines combien les joies de la vie contemplative, non épargnées d'intervalles de sécheresses et de langueurs, méritées néanmoins par l'ascèse et obtenues par la grâce de l'humanité du Christ et de son sacrifice, n'ont rien de commun avec la vision béatifique dont elles ne sont qu'un avant-goût à l'échelle et dans le temps des hommes. En renonçant aux voluptés et aux tourments du désir charnel, les moines les ont transportés et transfigurés dans l'ordre du désir de Dieu, où ils les retrouvent, mais raffinés, purifiés, allégés, ailés par le long vol nuptial de l'âme et de l'Amant divin.

Sans craindre le langage de gynécée oriental propre au Cantique, courant le risque de Baudelaire chantant *La Chevelure*, « Ô boucles ! Ô parfum chargé de nonchaloir », l'abbé de Clairvaux n'hésite pas à se comparer lui-même à la femme de l'Évangile oignant les pieds de Jésus de luxueuses huiles parfumées, ni à décrire les riantes et tremblantes émotions de fiançailles et de mariage de l'âme avec le Christ en termes d'ardeurs, d'embaumements, d'onguents qui ruissellent, de vin qui enivre, de peaux huilées qui se frottent voluptueusement l'une sur l'autre, de regards échangés savourant réciproquement leurs affinités, de voix qui s'émerveillent de leur sonorité alternée, bref le monde de goûts spiritualisés, le *gustus* chrétien, qui non seulement n'a rien à envier aux sens charnels, mais les rendrait affreusement jaloux si leur épaisseur pouvait s'en faire la moindre idée. Toutefois, les étreintes spirituelles de l'âme habitant encore son corps mortel avec l'humanité du Christ ont beau contenir en puissance celles que l'âme connaîtra, de tout son corps glorieux, dans le face à face avec la Trinité, elles n'en restent pas moins ancrées dans le monde des sens, dont l'âme n'est pas sortie, mais que la grâce de l'Incarnation lui a permis de transporter, au prix d'un sacrifice imitant le sien, dans l'ordre de l'amour inauguré par le Christ. Étreintes rares et brèves de surcroît, car un « mur », une « barrière », sépare le désir de l'âme en ce monde de l'objet de son amour ; elle le sait, elle le sent « proche », elle l'entend, elle le pressent, mais il reste retenu ou éloigné de ce qui reste en elle de pesanteur et de chair. « J'ai ouvert à mon bien-aimé, dit la Sulamite, mais mon bien-aimé avait disparu, il était passé. » La vie spirituelle du moine, pour Bernard, est une grande passion inachevable qui remplit, avec ses hauts et ses bas, tous les instants de l'*otium* claustral, mais qui est assez ardente pour anticiper sur l'*otium* céleste, rassasié et éternel. S'il est vrai que le christianisme romain a poussé le peintre et son art à un degré de réflexivité inconnu des artistes antiques, il n'en a pas moins poussé l'analyse du désir humain de bonheur à un degré de pénétration inconnue des philosophes antiques, ouvrant la voie à son explication mélancolique par les écrivains modernes.

Bernard ne cache pas sa propre indignité à « être admis », ni les défaillances de son goût spirituel, souvent incapable de reconnaître ce dont il faut se contenter d'« user » *(uti)* comme étant « du monde », et ce dont il faut « jouir » *(frui)*, comme étant de Dieu. Mais il témoigne aussi d'avoir connu les délices du « goût spirituel » et parle d'expérience en affirmant qu'ils ne s'enferment pas « dans le secret de la chambre nuptiale ». Quand ils surgissent au terme de dures privations de présence, les parfums, la beauté, les harmonies de l'entente spirituelle entre l'âme et le Christ se répandent dans toute la « maison » conventuelle, imprégnant de leurs douces intimations de charité la société monastique, et faisant d'elle, dans le temps et l'espace claustral, une préfiguration de la « rose des bienheureux » où Dante verra, une dernière fois, Béatrice glorifiée. Les joies spirituelles et leur sillage sont expansifs, ils font du moine une « vasque de bienveillance » qui déborde sur ses frères et non un « canal » égoïste réservé à son seul usage.

De tous les sens spiritualisés, l'odorat, l'ouïe, le tact, le goût (*gustus* les résume tous quatre), c'est certainement la vue, même spirituelle, qui est la moins invoquée dans l'élégie-épithalame de Bernard. L'Époux est toujours sur le point d'être vu, mais il disparaît dès qu'il a fait mine de se montrer. L'âme épouse le « goût » du fond des ténèbres de sa chambre où elle est disposée à toutes les voluptés ; l'Amant lui aussi la guette, il attend d'elle les mêmes voluptés auxquelles elle aspire. Mais le face-à-face est toujours différé. Cette absence du voir, renvoyé à l'au-delà de la vie terrestre, est conforme à la méthode qui guide l'âme du moine dans la vie spirituelle, telle qu'elle est annoncée par la citation du Cantique servant d'exorde au cycle de sermons : « Qu'il me baise du baiser de sa bouche. » La bouche (et donc l'ouïe et la voix), le baiser (et donc le tact, l'odorat, le goût spiritualisés), y symbolisent d'emblée quelle sorte d'amour est préfiguré en cette vie, par la grâce du Christ, entre l'Époux et l'Épouse : l'œil et la vue spirituels en sont exclus, ils ne s'ouvriront à la lumière de gloire de la Trinité qu'au jour du Jugement.

On ne peut s'empêcher de songer au mythe de Psyché, tel que l'avait conté au IIIe siècle le néo-platonicien Apulée dans *L'Âne d'or* : le dieu Amour brise avec la mortelle Psyché et interrompt leurs étreintes nocturnes dès qu'elle a rompu l'interdiction de le voir. Elle ne sera de nouveau admise à sa couche, et cette fois à sa vue, au prix de longues et cruelles épreuves, qu'après avoir été elle-même divinisée dans l'Olympe. Les peintres de la Renaissance ont souvent représenté ce mythe, voyant et faisant voir en lui une allégorie de l'exigence spirituelle à laquelle leur art visuel était tenu. Pour Bernard, comme pour Apulée, seuls les sens inférieurs qui prévalent dans l'union amoureuse des corps peuvent ici-bas, spiritualisés, transposés, vaporisés, offrir le *medium* approprié à la redoutable danse nuptiale entre l'âme encore charnelle et Dieu. L'interdiction de voir le suprême objet d'amour ne peut être levée qu'avec la divinisation de l'âme et de son regard. Ce qui suppose que la vue, le plus déchu et pervers des sens, soit aussi le plus noble. Fait pour voir Dieu face à face, il ne peut y être autorisé qu'une fois racheté de sa déchéance :

> Quand nous voyons le monde, avait dit Augustin, et que nous aimons Dieu, l'objet de notre amour est meilleur que l'objet de notre vue. Préférons donc

l'esprit aux yeux, car celui que nous aimons à couvert est meilleur que son œuvre, que nous voyons à découvert [1].

Bernard vitupère la faiblesse des moines pour les images de l'art roman contemporain, qui ont eu depuis toutes les faveurs d'Élie Faure, de Malraux, des Dominicains de *L'Art sacré*, tous regardant de haut les arts impurs de la Renaissance et de la Contre-Réforme. Il n'empêche qu'à la veille d'une ère nouvelle des arts visuels chrétiens, la réaffirmation par Bernard du caractère purement intellectuel de la vision de Dieu porte très haut la barre que les artistes chrétiens des siècles suivants auront à franchir pour offrir à la vue des images de la Création « à découvert » qui ne fassent pas écran à l'esprit et à l'amour tournés vers le Créateur « à couvert ».

Quant à la prose éloquente, splendidement rythmée, ornementée et imagée de Bernard, elle s'adresse à des hommes entraînés, par la lecture à haute voix et la manducation du Verbe divin, à une vie spirituelle où la gustation de la parole vive a appris à se dissocier de l'imagination et des images psychologiques. Pour l'aristocratie monastique de l'esprit dont Bernard se veut l'entraîneur, la parole vive se suffit, elle n'a pas besoin de représentations visuelles, qui ne sont pas seulement trompeuses, mais voyantes et vulgaires.

Aussi n'est-il pas surprenant que le même Bernard, fort tolérant pour les images exposées dans les basiliques et les églises de paroisse, se soit souvent déchaîné contre les images sculptées ou peintes, les reliquaires et les vases précieux sollicitant et distrayant le regard des moines dans leurs propres chapelles, sacristies et bâtiments conventuels, à Cluny ou à Saint-Denis. Avec une vigilance infatigable, il a monté la garde autour du primat platonicien et augustinien du Verbe, en même temps qu'il exigeait des maîtres d'œuvre des couvents cisterciens la monumentalité d'une architecture nue et une beauté abstraite de tout ornement iconique. Adolf Loos, l'architecte viennois moderniste qui le premier, au seuil du XXe siècle, a condamné l'ornementation en architecture, était un réactionnaire, un nostalgique de Cîteaux.

17. Prière et visualisation intérieure

À juste titre, saint Bernard était considéré à Port-Royal, au XVIIe siècle, comme « le dernier des Pères » de l'Église latine. De son vivant, au XIIe siècle, commençait en effet une révolution optique dans la pratique monastique de la lecture : le passage de la lecture à haute voix commu-

1. *Sermon Denis II*, cité dans O. Boulnois, ouvr. cit., p. 134.

nautaire à la lecture silencieuse personnelle, qui libère le regard de la lettre du texte et fait passer la mémoire de l'intériorisation par l'ouïe à celle par la vue. Elle commande une disposition aérée et ponctuée de la page et de la phrase manuscrites, parcourues plus vite et confrontées plus aisément à d'autres, plus faciles, aussi, à mémoriser visuellement. Ce mode de lecture rend possibles la localisation et la coordination spatiales de lieux mnémotechniques où le contenu visuel des pages est classé, rangé et engrangé pour permettre à l'œil intérieur de retrouver, de parcourir, de réunir, de coordonner ce qu'il a lu et mémorisé. L'esprit peut ainsi méditer en silence ces lieux mémorisés et logiquement organisés, passant mentalement de leur sens littéral à leur sens moral et allégorique et en tirant intérieurement des conclusions appliquées à soi-même. L'architecture mentale, l'« arche », la « cathédrale » du Verbe, de sa Création et de son Histoire qui s'est ainsi intériorisée pour être augmentée, parcourue, méditée, requiert, pour être décrite, des métaphores « picturales ». Ces métaphores du XIIe siècle peuvent égarer le lecteur d'aujourd'hui. Il ne s'agit pas (pas encore) d'images au sens de représentations, comme le recommandait la mnémotechnique antique, et comme y revient peu à peu la mnémotechnique monastique contemporaine. En fait, tant la structure de l'édifice que les pierres dont il est construit, plutôt que des images, sont des pages-images et des mots-images, des diagrammes donc, et non des enluminures. Ces « arches » ou ces « cathédrales » personnelles et spirituelles sont des encyclopédies *écrites* déployées dans l'espace intérieur et articulées, comme les manuscrits d'où elles émanent, par des couleurs d'encre et des symboles fantastiques ou abstraits qui ponctuent leur relecture littérale et facilitent la méditation de leurs sens figurés, la contemplation et la prière. Cette spatialisation visuelle de l'Écriture sainte et du Livre de la Création est une autre méthode de l'inhabitation du Verbe que celle qui passe par la voix et l'ouïe. Elle enclôt et déploie la parole salvatrice dans un schème abstrait (on a pu le comparer au *mandala* bouddhique) qui sauve la primauté absolue de la parole écrite sur l'image, chère à saint Bernard [1].

1. Voir Mary Carruthers, *Le Livre de Mémoire. La mémoire dans la culture médiévale*, Paris, Macula, 2002, et *Machina Memorialis, méditation, rhétorique et fabrication des images au Moyen Âge*, Paris, Gallimard, 2002, d'une érudition et d'une précision impeccables, mais qui ont le défaut de prendre le Moyen Âge comme un tout, et qu'il faut donc corriger par O. Boulnois, ouvr. cit., p. 124-129, où est admirablement articulée la césure du XIIe siècle entre saint Bernard et l'école de spiritualité de l'abbaye parisienne de Saint-Victor. Même les disciples cisterciens de Bernard, Guillaume de Saint-Thierry et Aelred de Rievaulx, se dissocient de leur maître. Aucun des manuscrits, nombreux, de l'*Arca mystica Noe* d'Hughes de Saint Victor n'est illustré, alors que les directions de lecture des Évangiles par Aelred préfigurent celles de Ludolphe le Chartreux dans sa célébrissime *Vita Christi* et celles de saint Ignace dans ses *Exercices spirituels*. La césure du XIIe siècle n'a rien eu cependant d'une « rupture épistémique » coupante et immédiate.

Cette entrée plus que modeste de la vue dans la vie spirituelle monastique du XIIe siècle est presque aussitôt suivie de son extension à l'image proprement dite, d'abord psychologique, sous le nom de « représentation » *(repraesentatio)* : la mise au présent du lecteur et par le lecteur, sous ses yeux intérieurs, de la scène de l'Évangile qu'il est en train de lire et à laquelle il assiste et participe comme si elle était là. Cette manière nouvelle de lire, de méditer et de prier en se transportant soi-même, par la vue spirituelle, dans la narration de la vie du Christ et en rapportant cette narration au présent, substitue à la recherche de son sens allégorique la découverte du sens qu'elle prend pour l'âme spectatrice et actrice, remuée et émue. Bernard n'appliquait le terme *repraesentatio* qu'à la ré-actualisation du Christ par la liturgie eucharistique. Son disciple Aelred de Rievaulx l'étend à la traduction du « lisible » des Évangiles dans le « visible » de l'intériorité de chaque moine, où renaît le Christ vivant. Concentration sur l'Image parfaite de Dieu, le Christ, et sur sa vie terrestre qui la révèle sur le mode du récit, confrontation de l'Image parfaite à l'image imparfaite qui voit son modèle se déployer en elle et devant elle, cette méthode imaginative et affective d'intérioriser le Christ et d'évacuer le monde inaugure une forme intensément personnelle de dévotion. Elle conjugue la représentation mentale et la représentation liturgique, elle admet la représentation auxiliaire et externe d'images aide-mémoire, dans un *continuum* visuel substitué ou superposé au *continuum* auditif, traditionnel et communautaire, de l'adhésion à Dieu par la linéarité de la voix. La fécondité de cette méthode, et la multiplication de ses variantes dans toutes les familles religieuses, vont ensemencer les siècles suivants, sortant des cloîtres pour être étendues aux laïcs, invités à partager avec les moines une « Bible spirituelle des images » qui n'a plus rien de commun avec la littérale « Bible des illettrés » du pape Grégoire.

C'est dans cette révolution silencieuse cachée dans les cloîtres qu'il faut chercher l'une des origines et l'un des principes d'augmentation de l'âge d'or des arts chrétiens d'Occident, auquel concourent l'essor des villes, la création des universités et l'expansion des ordres mendiants. Cet âge d'or court du XIIe au XVIIIe siècle, corne d'abondance de formes dont la « Renaissance », où l'on veut voir depuis Burckhardt la césure qui sépare l'« art de l'Art », le Moyen Âge de la modernité, n'est en fait qu'un des moments. Les arts de la Contre-Réforme catholique du XVIe siècle [1], ceux du Romantisme inauguré par le *Génie du christianisme* de Chateaubriand, en seront d'autres, inséparables eux aussi

1. Voir, dans mon *École du silence. Le sentiment des images au XVIIe siècle*, ouvr. cit., le chapitre « Vision et prière ».

d'exercices spirituels, monastiques ou laïcs, associant les représentations de l'art à celles de l'âme et à celles de la liturgie.

18. Dans le sillage de François d'Assise

Guillaume Durand de Mende distinguait les mystères joyeux, les mystères douloureux et les mystères glorieux, représentés ensemble sur les murs de l'église, et célébrés tour à tour à l'autel pendant l'année liturgique. Œuvres d'art et actes liturgiques font participer tous les fidèles, par l'affectivité et par les images à l'avers et au revers de la double nature du Christ et aux deux retentissements dans l'âme humaine, absence et présence, deuil et jubilation, de sa venue sur la terre et de son éternité. Cette expérience partagée par tous correspond, dans son ordre, à l'expérience des noces mystiques, sans image, où culmine la vie spirituelle des imitateurs du Christ, les saints, les martyrs et aussi les moines contemplatifs pour lesquels Bernard avait écrit ses *Sermons sur le Cantique.* Les deux faces du Christ se rapprochent et se confondent dans les liturgies de la Semaine de Pâques et dans les représentations artistiques de la Passion. C'est alors que la mortalité soufferte par le Christ jusqu'à la lie de la Croix, terrible leçon d'humilité et d'amour donnée à l'homme charnel, précède immédiatement la résurrection du nouvel Adam et sa victoire sur la mort ; l'une accable et l'autre exalte les descendants du vieil Adam.

Saint François semble avoir voulu combler la distance médiévale entre l'église pour tous et le cloître pour quelques-uns. Sa vie spirituelle, à plusieurs reprises orientée par l'intervention décisive d'icônes du Christ en croix, s'est voulue visible hors des cloîtres, répandue dans la vie quotidienne des laïcs de tous rangs, dépouillement public du vieil Adam, participation publique à la grâce du Christ vivant, agissant, contemporain. Sa pauvreté absolue, son illettrisme avoué, son amour de la Création, ses extases et sa charité, son invention de la Crèche, veulent mettre à portée des plus humbles et des plus simples un degré d'adhésion au Christ qui abolisse la différence entre la religion des laïcs et celle des clercs. Il est devenu un autoportrait en acte du Christ, si complet que peu de temps avant sa mort, le Christ lui apparaît et le pourvoit des stigmates de sa Crucifixion, inversant à l'adresse du fidèle des fidèles le geste par lequel le Ressuscité s'était fait reconnaître du sceptique Thomas, avant son Ascension. *Poverello*, « second Christ », à la fois par amour du Christ et par amour des chrétiens « illettrés », il a poussé son identification visible, physique et affective à l'humanité évangélique du Christ à un tel degré qu'elle rende au visible et au sensible la personne désincarnée pour la théologie savante, dogmatique et mystique.

Socrate avait ramené la philosophie sur la terre. François y a ramené le Christ, maître de vie. Par l'image humaine du Christ, l'Image de Dieu narrée par le Fils sur la terre, qu'il a prise sur lui, imitée et narrée, il a fait non seulement revivre l'Évangile, il l'a prolongé, augmenté. Il ne l'a pas fait comme s'il s'agissait d'un passé clos que seule la méditation sans image de l'Écriture peut remémorer, mais comme un enchaînement d'actes contemporains et visibles, re-vécus, re-présentés, continués, accrus avec tout leur cortège d'affects, enluminures vivantes qui donnent chair quotidienne aux symboles de la liturgie et au mystère de l'Eucharistie célébrés dans les églises. Il a fait de son propre corps et de sa propre vie d'imitateur littéral du Christ évangélique une « Bible des illettrés » n'ayant rien à envier à la Bible des lettrés. Aussi cette vie a-t-elle été le point de départ d'une saison de la peinture chrétienne dont la fertilité ne s'est plus démentie pendant plusieurs siècles.

En quoi la vie d'un saint peut-elle déterminer le destin d'un art ? S'il est vrai que l'art chrétien, comme la christologie et la mariologie dans l'ordre du concept, est une exploration dans l'ordre du visible et du sensible des aspects innombrables et différents du mystère du Fils de Dieu et de sa mère, nouvel Adam et nouvelle Ève, la vie de François, accompagnée par celle de Claire d'Assise, s'est voulue une seconde *Vita Christi* imitée et réfléchie dans un miroir vivant. Elle résume et entraîne une quête restauratrice dans les âmes de l'image de Dieu abîmée par la chute d'Adam et Ève. La vie terrestre du Christ a justifié les icônes grecques, dont l'archétype légendaire fut l'image de sa Face empreinte par Jésus lui-même sur le linge qu'il adressa au premier roi chrétien, Abgar. La vie de Marie, image-mère de son Fils-Image de Dieu, a elle aussi justifié les icônes, dont un autre archétype légendaire est le portrait de la Vierge par saint Luc, celui des évangélistes qui a le plus largement fait place à Marie dans son récit. La vie de François, « second Christ » né en terre latine, ne pouvait se contenter des « Vies » et des *Fioretti* rédigés en latin et en langue vulgaire par ses évangélistes franciscains. Elle devint aussitôt l'objet d'icônes, mais sa singularité exigeait davantage, et elle trouva bientôt son évangéliste par l'image, Giotto.

Cette vie qui commence au pied d'un crucifix et qui s'achève sur la Croix rédemptrice est en elle-même une œuvre totale d'art visuel chrétien, du même mouvement qu'elle est la vie d'un saint. Les stigmates et les clous imprimés dans la chair de François, en extase sur le mont Alverne, par le Christ apparu glorieux, enveloppé de Séraphins couleur de feu, ont été la signature apposée par le Crucifié sur le chef-d'œuvre de toute une vie contemplative et active d'identification du serviteur au Sauveur. Le miracle de la stigmatisation a attesté qu'un homme, un contemporain, a su se rendre digne de recevoir et de répéter, dans son cœur et son corps d'homme, l'amour et le sacrifice d'amour du Dieu-homme. Comme la Croix est inséparable de la gloire, les plaies du Poverello sont les signes de la noblesse humaine restaurée en François par sa confiance dans la grâce du Christ. Au XVIIIe siècle, le franciscanisme apparaîtra aux hommes des Lumières sous un jour funèbre et macabre. Du XIIIe au XVe siècle, son fondateur est apparu sous un jour printanier et joyeux.

La transfiguration de l'imitateur du Christ en icône vivante du Crucifié conclut un cycle aussi complet que l'année liturgique qui a fait prendre sur lui par le Pauvre d'Assise, les uns après les autres, l'humanité des mystères joyeux et des mystères douloureux de l'image de Dieu incarnée sur la terre. Il s'est imposé la pauvreté absolue du Fils de Dieu, et ce dénuement intérieur et extérieur du regard lui a fait voir et montrer non seulement la crèche, les noces de Cana, les miracles de Jésus guérisseur, la Croix, comme les avaient vus et montrés le Christ et sa mère, mais la Création, les végétaux, les animaux, les oiseaux, les astres, comme ils les avaient vus et fait voir, comme l'avaient fait Adam et Ève avant la Chute. Cette optique lavée, nettoyée, remémoration du jardin d'Éden et prescience du royaume céleste, aux confins de la poésie et de la vision mystique, inaugure pour les peintres un regard neuf sur les choses, les êtres, la nature, le paysage.

Jan Van Eyck a peint à l'huile, sur bois, vers 1430, un *Saint François recevant les stigmates* (Turin), qu'il a répété en réduction, presque à l'identique, sur un panneau de parchemin collé sur bois (Philadelphie). Deux œuvres destinées à la dévotion privée. Saint François est représenté à genoux, très jeune, très grand, très beau (très probablement un portrait d'après modèle vivant), les cheveux sombres taillés court, les deux mains tendues en un geste liturgique d'adoration, drapé dans une très ample soutane de bure brune et unie, mais à laquelle ses plis et replis gothiques confèrent la majesté de vêtements sacerdotaux. Seuls ses pieds nus, avec le visage et les mains, dépassent de cette extraordinaire draperie, à la fois pauvre et somptueuse. À ses pieds, le *socius*, le compagnon inséparable de François, frère Léon, accroupi et la tête reposant sur la main droite, lui tourne le dos et dort aussi profondément que les apôtres pendant la nuit de Gethsémani. Il fait plein jour, les ombres indiquent que la lumière tombe en diagonale de l'extérieur gauche du tableau. Sous les yeux de François agenouillé comme l'officiant adorant un saint Sacrement invisible, un rocher stratifié et nu de l'Alverne tient lieu d'autel naturel sur lequel est posé, incliné vers François, un petit crucifix greffé d'ailes de séraphins. C'est un objet de même nature que les autres. Le peintre n'a pas cherché à en faire une apparition miraculeuse, mais un simple renvoi visuel à la vision, invisible pour le spectateur, de François en extase, tourné vers l'intérieur, recevant passivement du Christ les premières atteintes des stigmates sur les mains et les pieds nus. La naissance d'une blessure au côté reste invisible pour le spectateur sous l'ample soutane. La scène du premier plan, sur le sol de laquelle fleurissent par plaques de minuscules graminées, se dessine sur un immense paysage, le sommet rocheux du mont Alverne, au fond duquel on aperçoit la cabane qui sert d'ermitage à François et Léon, et un arbre autour duquel volètent des oiseaux ; par une fente de la montagne, la perspective aérienne fait voir en contrebas un lac, une ville hérissée de tours, et une chaîne montagneuse partiellement bleutée, partiellement blanche de neige. Hommage indirect au *Cantique au soleil* de François, ce paysage naturel splendidement éclairé tient lieu, comme il sied à la pauvreté de François, d'église magnifiquement décorée pour une célébration eucharistique. C'est une sorte de chant de la Création auquel le spectateur est convié à se joindre, autour du miracle, voilé aux yeux de chair, en train de s'accomplir dans le corps et dans l'âme de François. La stigmatisation fait de toute la personne de François, par la grâce du Christ, une hostie, et François est à la fois l'objet et le sujet de cette transsubstantiation.

Il est évident que le spectateur idéal auquel s'adresse Van Eyck a lu et médité les « Vies » de François et connaît bien ses Cantiques. Mais, avec sa « liberté de tout oser », le grand peintre miniaturiste a inventé dans son propre style un leurre splendide, laissant au spectateur le soin de ne pas s'en contenter et d'aller jusqu'au mystère eucharistique que ce leurre visuel ne montre pas, se bornant à le suggérer, par signes perceptibles seulement pour qui a développé en lui-même un œil spirituel attentif. Ce tableau de dévotion est en fait conçu, comme les récits de l'Écriture sainte, pour une double lecture, littérale et allégorique, et comme la liturgie, pour une lecture symbolique. Dans le sillage de saint François, autoportrait du Christ, image visible de l'image invisible de Dieu, le chrétien Van Eyck hausse son propre art d'imagier au rang de texte sacré et d'acte rituel.

Cinquante ans plus tard, Giovanni Bellini, s'inspirant d'un dessin de son père Jacopo et peut-être de l'une des versions du *Saint François* de Van Eyck parvenue en Vénétie, ne se montre pas moins libre et inventif dans le tableau de dévotion intitulé traditionnellement *Saint François au désert*, aujourd'hui l'une des gloires de la Frick Collection, à New York. Au premier plan, le saint, vu de trois quarts, revêtu de la soutane de bure brune qu'il avait lui-même dessinée en forme de croix, serrée à la taille par la fameuse corde aux trois nœuds (charité, pauvreté, abstinence), est représenté debout, les pieds nus, le tronc légèrement renversé, les deux bras ouverts dans le geste antique d'accueillir et de s'offrir, la tête légèrement levée, la bouche à demi ouverte et chantant un cantique. Aucun stigmate n'apparaît ni sur ses extrémités ni à plus forte raison sur sa poitrine couverte. Aucun nimbe n'apparaît autour de sa tête, comme c'était d'ailleurs le cas dans le tableau de Van Eyck. Aucune trace dans le ciel du Christ en croix enveloppé par une gloire de séraphins. (On a parfois supposé, sans preuve, que le tableau avait été coupé et privé de la tranche où surgissait l'apparition.) Aucune trace non plus de frère Léon, le compagnon obligé, sinon le témoin, de la stigmatisation. C'est l'homme François, et non le stigmatisé, qui est représenté, retiré en ermite dans le « désert » de l'Alverne, en adoration de la Création divine représentée devant lui et autour de lui par un immense paysage qu'éclaire un soleil matinal de printemps. L'heure de la stigmatisation est peut-être proche, mais l'homme qui a mérité de réincarner l'image de Dieu est déjà là tout entier, comme rajeuni et régénéré par l'abondance de grâce que son imitation de l'humanité du Christ lui a value et qu'il a bue dans la solitude ; loin du monde clos représenté par la ville fortifiée que l'on aperçoit au loin, par l'ascèse, la méditation, la contemplation, il s'est ouvert l'amour du monde créé par Dieu. La splendeur ensoleillée du paysage montagneux, de ses arrière-plans, en contrebas, de plaine cultivée et de ville, et dans le lointain, de ses collines couronnées de châteaux et surmontées de ciel bleu et de nuages, sont l'image en énigme et dans le miroir du nouvel Adam.

Ce serait déjà beaucoup, ce face-à-face de l'homme racheté et de la Création rendue à sa beauté originelle qu'il glorifie par sa bouche et contemple avec la joie de ses yeux et de son corps. Ce face-à-face est propre à illuminer toute une vie, et il ne fait aucun doute que le peintre s'est projeté, lui et son art, dans ce regard qui embrasse et révèle dans sa lumière la vérité et la beauté de la Création, comme le philosophe platonicien au sortir de sa caverne, comme Cézanne devant la Sainte-Victoire. Giovanni Bellini, qui a signé son tableau, ne s'en est pas tenu là. Maître de la vue sensible, il s'est voulu aussi maître de la vue intellectuelle, invitant l'œil intérieur à découvrir, sous le voile qu'il a déployé, la présence et le regard invisibles du Christ, qui imprègnent la Création et font *aussi* du tableau un face-à-face de François et du Sauveur.

Le saint est debout sur une scène rocheuse gris-vert, en aplomb au-dessus de la plaine. Elle évoque le Golgotha et le Tombeau, et porte d'étranges empreintes de pieds. Derrière François, on voit, construite de ses mains, la pergola sommaire de minces troncs d'arbres et de feuillage de vigne qui se dresse à l'entrée de la grotte lui servant de cellule. Il a dressé là une planche en guise de siège et une table où repose un livre d'heures fermé. On a le droit d'y voir un analogue de l'atelier du peintre, quand il l'a quitté pour aller puiser aux sources saintes de son art comme saint François a laissé derrière lui le livre écrit pour contempler le Christ dans le livre vivant de la Création. Au-dessus du livre est posé un crâne, celui du vieil Adam représenté d'ordinaire au pied de la Croix, une croix que dessinent ici les troncs d'arbres de la pergola. François a quitté le pied de la Croix où il a longuement médité pour se retourner du côté de la Résurrection et de la gloire du Christ céleste, nouvel Adam gracié. La canne et les socques de bois dont François, vieil homme perclus d'infirmités, s'aide d'ordinaire, il les a laissées dans ce studio du pauvre. Le François que nous voyons n'est plus le grand malade, proche de la mort. Il est lui-même sorti du tombeau, il anticipe sur sa propre résurrection, il participe de tout son être, corps et âme, de celle du Christ.

Au pied de la falaise, contiguë à la pergola, une murette de pierres sèches étaye un jardinet où le saint fait pousser les simples avec lesquels il se soigne, écologiste avant l'heure. La science botanique de Bellini et son exactitude de miniaturiste ont permis d'identifier exactement chacune de ces plantes médicinales. En face de lui jaillit du bord de la falaise un mince tronc d'arbre terminé par une épaisse touffe de lauriers qui se penche de son côté. Feuillage médicinal sans doute, mais aussi symbolique de la gloire. À partir de là s'impose la relecture de chaque détail du tableau avec d'autres yeux, attentifs au symbolisme. Un godet attaché à la roche rappelle le jaillissement d'eau obtenu par Moïse pour les Hébreux assoiffés dans le désert. Un lapin pointant sa tête hors de sa tanière rappelle l'image dont s'est servi saint Jérôme pour qualifier l'humilité de Moïse, se déchaussant et se faisant petit devant le Buisson ardent. Une vieille souche sur laquelle a été greffée une jeune branche d'olivier symbolise la succession de l'Ancien et du Nouveau Testament. Les animaux, âne ou héron, que la science de Bellini naturaliste a disposés en retrait, sur la scène rocheuse où François est debout, comme ressuscité (on comprend de mieux en mieux qu'elle représente le théâtre de la Passion et de la Résurrection) : autant de symboles typologiques inscrivant le saint dans la lignée des prophètes qui ont cru au Christ et l'ont préfiguré.

En fait, comme l'a démontré John V. Fleming [1], ce tableau est une forêt symbolique, laquelle, dévoilée, déchiffrée, équivaut à un panégyrique de saint François, second Christ au désert, héritant des prophètes et les dépassant avec le Christ, et comme le Christ, restaurant dans l'amour, l'humilité, la pauvreté, la souffrance, la mort, la grandeur divine que Dieu a imprimée dans l'homme à l'origine de la Création, et restaurée par le sacrifice de son Fils. Bellini a représenté François mûr, pour ainsi dire, pour la stigmatisation. L'artiste a certainement conçu cette image en collaboration et conversation avec les franciscains « Observants » qui lui en avaient passé commande, mais l'originalité et la singularité de la

1. Voir, outre John V. Fleming, « From Bonaventura to Bellini : an Essay on Franciscan Exegesis », dans *Speculum*, 59, 4, oct. 1984, l'étude de Marilyn Lavin, « The joy of St. Francis : Bellini's Panel in the Frick Collection », dans *Artibus and Historiae*, 56, 2007, p. 231-256.

poétique de ce tableau supposent la liberté d'un cheminement spirituel intensément personnel, un cheminement de peintre.

19. Les artistes occidentaux exposés à l'acédie

Sauf la notable et durable exception d'icônes miraculeuses [1], le caractère rhétorique attribué dans l'Europe latine à l'image chrétienne eut pour conséquence à long terme la « liberté d'oser » reconnue à l'homme de métier, au XIIIe siècle, par Guillaume Durand, dans la conception comme dans l'exécution des retables d'église et des tableaux de dévotion privée. Cette « liberté d'oser » fit peser sur l'artiste laïc, signant son œuvre, une responsabilité quasi sacerdotale, ennoblissante mais lourde à porter. Les ateliers byzantins d'où parvenaient en Occident les icônes miraculeuses ignoraient ce poids sur la conscience ; leurs artistes n'étaient que des sages-femmes anonymes de l'incarnation, dans la matière, d'Idées divines et éternelles. Ministres d'iconismes préétablis, ils gardaient l'anonymat et le silence. Quant aux artistes du polythéisme antique, rivalisant avec la nature, ou traduisant visuellement des mythes avec la même marge de variations que les poètes (beaucoup signaient leurs œuvres), ils connurent une célébrité comparable à celle des poètes et, à lire Pline l'Ancien, ils n'ont pas laissé la réputation de consciences le moins du monde troublées ni même inquiètes.

Il n'en est pas allé de même sitôt que, émergeant de l'anonymat des corporations artisanales, des artistes se sont fait un nom dans l'exécution de commandes ecclésiastiques et de tableaux de dévotion privés dont ils s'affirmaient les auteurs. Ce n'était pas gloriole. Au contraire. Ils signaient et ils datèrent pour bien marquer le caractère subjectif, et non théophanique, de leurs « saintes images ». « Autant que j'ai pu », ajoute Jan Van Eyck sous son portrait hypothétique de Jésus. Les icônes miraculeuses, chargées de présence divine vivante, n'étaient jamais signées. Peut-on parler à leur propos d'« art sacré » ? L'expression est bancale : il ne s'agit pas du tout d'art, sauf d'un art de l'encadrement et de l'accent coloré. Il ne s'agit pas non plus de « sacré ». Loin de poser une barrière infranchissable et terrible, l'icône dialogue d'amour avec ses fidèles, elle parle, elle pleure, elle guérit, elle se laisse baiser, toucher, bonheurs dont en Occident latin le spectateur de l'œuvre d'art dévotionnelle ne bénéficie que métaphoriquement, à distance, par les pouvoirs de la vue imaginative que l'art du peintre sollicite. Sauf bien sûr s'il s'agit de copies,

1. Voir *The Miraculous Image in the Late Middle Ages and Renaissance*, éd. par E. Thuno et G. Wolf, Rome, L'Erma di Bretschneider, 2004.

fidèles ou infidèles, d'icônes grecques, passant pour grecques, et ayant reçu statut théophanique.

Laïcs pour la plupart, les artistes d'« images saintes » occidentales se mirent de plus en plus souvent, depuis le XIIe siècle, à signer leurs œuvres, mais non, comme l'avaient fait les peintres, les sculpteurs et les auteurs d'intailles grecs. Longtemps, ce ne fut pas un geste d'orgueil ou d'appropriation. Ce fut même une façon de s'excuser de ne pouvoir produire des icônes miraculeuses, des théophanies, mais de simples d'œuvres d'art faites de main d'homme, avec toutes les limites de ce qui est humain. Lorsqu'il s'agissait de portraits, la signature du peintre s'accompagna souvent d'une humble et brève inscription latine rappelant au spectateur qu'il ne voit que l'apparence physique, non la vérité intime du modèle. N'étant ni théologiens ni consacrés par des vœux à la vie spirituelle, les artistes-artisans occidentaux n'en devaient pas moins concevoir et exécuter des images dont leurs commanditaires et leur public attendaient un effet bénéfique sur la vie spirituelle, d'un ordre sans doute plus modeste que la vie divine qu'attend de l'icône la spiritualité byzantine ou que la vision intellectuelle sans image à laquelle vise la spiritualité monastique, mais un entre-deux prenant appui sur le sensible pour faire entrevoir l'intelligible, sur la nature et sur l'humain pour faire entrevoir le divin. Si modestes qu'ils fussent, cet art et cette œuvre de médiation destinée à l'autel de l'église ou de la chapelle privée, à proximité de la vie sacramentelle, les plaçaient eux-mêmes aux confins de la vie sacerdotale. Le naturalisme aristotélicien retrouvé, l'imitation de la nature et de l'antique entrée dans le métier, la science de la perspective inventée, ne pouvaient être que des leurres sensibles au-delà desquels ils se savaient tenus d'ouvrir le regard intérieur à la contemplation de l'invisible et de l'infini, et de le disposer à la prière. Sainte tâche de transformation de la matière en esprit, auxiliaire de celle du prêtre célébrant la messe. Des moines tels que Fra Angelico ou Fra Bartolomeo pouvaient la pratiquer comme un prolongement de leurs exercices spirituels, mais les artistes laïcs et lettrés, réfléchissant sur leur métier et sachant qu'ils n'étaient ni des saints ni des prêtres, avaient de quoi se tourmenter. L'équilibre que beaucoup d'entre eux, parmi les plus grands, ont trouvé, souvent forts d'une tradition familiale, les Van Eyck, les Verrochio, les Masaccio, les Piero della Francesca, les Giovanni Bellini, était fait d'un solide étayage moral d'humilité et d'audace, de foi et de science. Les biographies d'artistes, italiens ou nordiques, les journaux et mémoires que certains ont laissés au XVIe siècle attestent cependant que beaucoup d'entre eux, « nageurs entre deux rives », ont payé leur sacerdoce laïc trop pesant et leur travail solitaire d'une mélancolie violente, travaillée de révolte et de désespoir. Pontormo, qui peignait alors à fresque, en solitaire, un *Jugement dernier* dans la chapelle funéraire des Médicis à Sainte-Marie-Nouvelle, a laissé un journal d'une noire désespérance. Il y a eu des Van Gogh avant Van Gogh. Cette mélancolie d'artiste était assez analogue aux troubles moraux et aux errances spirituelles auxquels étaient exposés les ermites et les moines et que la théologie morale qualifiait de *tristitia* ou d'*acedia*.

Nombre de tableaux de dévotion du XVe siècle représentent sainte Véronique exposant à bout de bras l'autoportrait du Christ empreint sur une toile, saint Luc peignant au chevalet, dans son atelier, le portrait de la Vierge et l'Enfant qui posent pour lui, ou bien saint Jérôme priant ou se livrant à des macérations devant la grotte où il traduit (en d'autres termes, portraiture) la Bible en latin, ou encore saint Augustin méditant et écrivant son autoportrait des *Confessions* dans son *studium*, voire de simples moines attelés à copier dans leurs *scriptoria* : autant d'allégories cachées de l'atelier, où le peintre se voit lui-même en interprète du Verbe divin, qu'il traduit expertement en images à l'usage de chrétiens, lesquels, comme lui, n'ont accès au Verbe qu'« en miroir et en énigme ». Faire voir l'invisible sous le visible, l'infini dans le fini, l'être dans le paraître équivaut pour le peintre à la science du lecteur qui sait lire et faire lire le sens caché, l'esprit, sous la lettre de l'Écriture. La science optique de peintres tels que Piero della Francesca est parallèle à la science herméneutique des théologiens interprétant les Écritures, préoccupés, comme les peintres de la Renaissance, par les problèmes que pose la vue sensible dans ses rapports avec la vue intellectuelle. Certes, l'art de toucher et d'émouvoir par les « affections » fait aussi des peintres les auxiliaires, sinon les substituts des prédicateurs. Mais les plus grands, de Masaccio à Michel-Ange, de Domenico Veneziano à Véronèse, élèvent leur art à la réflexion de ce qui rend l'esprit de l'homme capable de divin et son corps capable de contenir et de résumer toute la nature créée.

L'atelier du peintre occidental n'est le plus souvent une cellule monastique que par métaphore, justifiée par la destination dévotionnelle de la plupart des œuvres qui en sortent. La principale clientèle des artistes étant le clergé séculier et régulier, ou les confraternités dévotes leur demandant des tableaux d'autel pour leur chapelle, ils doivent prendre sur eux, laïcs exerçant leur profession manuelle dans le siècle, pour représenter les lieux théologiques qu'on leur demande de figurer à la vue et aux sens. À la différence des peintres d'icônes, dont en principe la marge d'initiative était faible ou nulle, le peintre chrétien occidental doit investir non seulement son art, mais sa conscience religieuse, sa mémoire, ses affections et son imagination dans l'interprétation du sujet qu'il doit représenter. Il est « libre d'oser », dirait Guillaume Durand. Cette liberté, à ce que rapportent les témoignages antiques sur les artistes païens figurant dieux et mythes, influait quelquefois, rarement, sur leur caractère et leur santé morale. À plus forte raison sur les artistes chrétiens occidentaux, que leur liberté d'invention plaçait dans une situation spirituelle ambiguë et équivoque : d'un côté ils appartiennent au monde des clercs et des théologiens dont ils sont les interprètes et traducteurs visuels, de l'autre ils sont plongés tout les premiers dans le monde laïc et profane qu'il leur revient d'édifier. Il arrive que ce grand écart et la responsabilité qu'il impose pèsent sur l'équilibre moral et humoral de ces imaginatifs, augmentant leur pente à la mélancolie et les rangeant parmi les malheureux, dépressifs, misanthropes et instables que médecins et astrologues depuis l'Antiquité déclaraient « nés sous le signe de Saturne [1] ».

Au début du XVIe siècle, à Rome, le contraste entre la personnalité, la vie et l'art du Florentin Michel-Ange et ceux de Raphaël d'Urbin, l'un et l'autre employés par des papes mécènes au sommet de leur autorité, prend figure exemplaire. À la fécondité du génie mélancolique et tourmenté du premier, à la fois architecte, sculpteur, peintre, poète, philosophe platonicien et hanté par le souci intime et chrétien de la grâce, s'oppose la non moindre fécondité du génie solaire du second, peintre avant tout, mais peintre lettré travaillant en parfaite entente avec humanistes et théologiens, et dont l'art suppose une parfaite maîtrise de l'architecture et de la statuaire antiques. Ce sont deux maîtres de l'art du Dessin florentin, mais l'un l'a entendu dans toute sa sévère rigueur, l'autre l'a tempéré, en homme des Marches, par la lumière, la couleur et la douceur. Le caractère difficile, les mœurs singulières et la « terribilité » de la manière de Michel-Ange contrastent avec l'urbanité et la galanterie des mœurs de Raphaël, dont les œuvres savent allier la douceur à la grandeur, l'élégance à l'autorité. Travaillé par le schisme religieux, le XVIe siècle maniériste sera longtemps obsédé et dominé par la gigantesque personnalité saturnienne de Michel-Ange, républicain farouche, chrétien anxieux, ennemi des mœurs de cour, dont l'influence ne commencera à reculer que dans le dernier tiers du siècle. Les peintres des Marches, Corrège, le Baroche et surtout les Vénitiens Giorgione, Titien et Véronèse, maîtres de la Couleur, ne seront pas de trop pour contenir l'ascendant de Michel-Ange et le génie tourmenté du Dessin qui inspira longtemps le maniérisme florentin au XVIe siècle. L'éclectisme triomphant de Rubens et le classicisme généreux des Carrache et de leurs élèves, l'un et l'autre éclatants de santé jusque dans l'angoisse, n'ignorent pas la tristesse chrétienne, mais se refusent à la confondre avec la passion de la Forme pure et la nostalgie de la statuaire qui travaillent Michel-Ange peintre et les maniéristes qu'il a fascinés.

---

1. Voir Rudolf et Margot Wittkower, *Born under Saturn : the Character and Conduct of Artists : A Documented History from Antiquity to the French Revolution*, New York, Random House, 1963, p. 42-148.

À la fin du XVIe siècle, à Rome, au moment où le jeune Rubens y séjourne et y est déjà traité en maître, il avait sous les yeux les œuvres de Michel-Ange et de Raphaël, mais il pouvait aussi voir à l'œuvre Michel-Ange de Caravage, qui n'a pas laissé un seul dessin, mais dont le colorisme à l'épreuve des ténèbres n'attend de grâce que d'un rare rayon de lumière, et Annibal Carrache, qui au plafond de la galerie Farnèse se joue gaillardement de la sculpture et du bas-relief en les traitant en trompe-l'œil : tout en adoptant le mode héroï-comique pour montrer les amours des dieux antiques, il les prend pour prétexte de célébrer la splendeur des corps, la joie des banquets et des amours, dans une extraordinaire exaltation du monde visible, sensible et lumineux. On ne peut imaginer mieux figurées les deux polarités de l'art chrétien parvenu à la pleine conscience de soi, l'une faisant confiance à l'art pour irradier la joie, supérieure à la beauté des statues antiques, que l'ère de grâce a rendue à la terre des hommes, l'autre le chargeant de l'angoisse de ne pas être digne d'un pareil don. Rubens a retenu et conjugué les deux extrêmes, comme il a retenu de Raphaël (dont Annibal Carrache est un admirateur) le sens de la douceur et de l'harmonie, et de Michel-Ange le sens tragique. De la *Pietà* de Saint-Pierre de Rome à la *Pietà Rondanini*, aujourd'hui à l'Opera del Duomo de Florence, Michel-Ange aura scruté et célébré du regard, comme personne, dans un effort constant de dépasser les statues de dieux antiques, l'image de Dieu imprimée dans celle du corps d'Adam, au plafond de la Sixtine, la prophétie voilée de sa restauration dans le Moïse de Saint-Pierre *in Montorio*, et cette promesse tenue dans le corps du Christ ressuscité de Sainte-Marie *sopra Minerva*, sans que jamais son attention se détourne du corps du Crucifié et de la disproportion entre ce don d'amour infini, l'art humain impuissant à le circonscrire, et la faiblesse humaine incapable de réciprocité [1]. Nul sculpteur n'a souffert plus sombrement, comme un drame personnel, la réappropriation chrétienne de l'art de la statuaire et de l'architecture antiques, cherchant vainement une issue dans l'art du peintre et celui du poète.

Rubens à Rome, dans la capitale où la peinture semble jouer son va-tout catholique pour triompher de l'iconoclasme protestant, fait le tour de ces options spirituelles opposées et les concilie toutes. Mais c'est à Venise, capitale de la couleur, qu'il a trouvé le liant qui permet à son art d'assumer tous les aspects de la condition humaine à l'épreuve de la grâce, sans les opposer les uns aux autres. À Venise, il retrouve en Titien un Raphaël, un Corrège et un Carrache exclusivement coloristes, et en Tintoret un Michel-Ange exclusivement peintre et un Caravage moins

1. Voir dans *L'Immagine di Cristo, dall'acheropita alla mano d'artista, dal tardo medioevo all'età barocca*, a cura di C. Frommel et G. Wolf, Città del Vaticano, 2006, l'étude de K. Weil-Garris Brandt, « The body as "vera effigies" in Michel-Angelo's art », p. 269-321.

exclusivement fasciné par les ténèbres charnelles. Le Christ de Rubens, à lui seul, toujours le même, dans les différents moments de sa Passion, décline toute la lyre de la corporéité humaine, depuis les états blêmes de sa chair héroïque clouée sur la croix, déclouée par la déposition et apaisée par l'ensevelissement, jusqu'aux états éclatants de vie et de lumière de la même chair immortelle aux heures glorieuses de la transfiguration, de la résurrection et de l'ascension. La capacité du peintre à participer et à faire participer de l'agonie du Fils de l'homme, à éprouver et à faire éprouver son deuil, est égale à la jubilation inouïe qu'il fait partager devant la beauté et la vitalité renaissantes du Fils de Dieu. Rubens n'est pas tout le temps à l'église, il va à la cour, il va à la fête, il est un époux et un père heureux. Quelque chose de la jubilation de Pâques imprègne ses tableaux de fête profane et de bonheur domestique. Au cœur de son œuvre, sa *Semaine sainte* est aussi poignante dans l'ordre de la vue que, dans l'ordre de l'ouïe, la *Passion selon saint Matthieu* de Jean-Sébastien Bach. On a dit du maître de chapelle de Leipzig que Dieu lui devait tout. On peut dire, avec Baudelaire, qu'il doit aussi beaucoup à Rubens.

20. La sainte Face

> *Le Christ a vécu sérieusement, en artiste plus grand que tous les artistes, dédaignant le marbre et l'argile et la couleur, et travaillant en chair vivante.*
>
> Vincent VAN GOGH, *Lettre XI à Émile Bernard.*

Guillaume Durand faisait la distinction, en excellent liturgiste, entre les mystères douloureux, les mystères joyeux et les mystères glorieux de l'année chrétienne, alternance que connaît bien la passion des grands mystiques, mais que partagent, à leur rang modeste, tous les fidèles qui assistent aux changements de décor et d'atmosphère de l'église d'une fête à l'autre, leur attention se portant chaque fois vers les saintes images appropriées. L'Annonciation, la Visitation, la Nativité, l'Adoration des bergers et des rois, la Fuite en Égypte, la Présentation au Temple, la Dispute parmi les Docteurs, les Noces de Cana, le Baptême, les divers épisodes de la Prédication comptent parmi les mystères joyeux, la Résurrection, l'Ascension et la Pentecôte parmi les mystères glorieux ; la Passion, la Crucifixion, la Déposition, la Mise au tombeau parmi les mystères douloureux. S'il est vrai que l'Incarnation rend évidente une connaturalité d'amour entre l'infinité divine et la finitude humaine, elle décline aussi toutes les facettes du *pathos* de ce paradoxe et de ce contrepoint existentiel. La palpitation liturgique annuelle, au rythme régulier des saisons, des heures et des jours surnaturels de la vie du Christ, telle la métrique immuable du vers poétique s'entrecroisant à la syntaxe changeante de la phrase et de sa ponctuation, recoupe, scande et ennoblit les joies, les chagrins, les surprises, les deuils, les hauts et les bas qui se succèdent dans la vie commune et profane.

La succession des mystères est toute temporelle, comme les syllabes et les accents du vers poétique. Envisagées spirituellement, comme la mémoire le fait du poème, les trois séries de mystères se préfigurent et se superposent les unes les autres, selon l'inépuisable coïncidence des contraires qu'est la personne du Christ, sa nature humaine étant contemporaine de sa nature divine, l'obscurité de sa vie terrestre étant contemporaine de la gloire de sa vie céleste. Selon saint Augustin, psychologue de Jésus, l'attention humaine du Christ durant son passage sur la terre pouvait bien se concentrer sur l'immédiat et sur autrui, dans son arrière-conscience divine, il ne cessait d'appartenir à la Trinité et de voir toutes choses en Dieu. Le Christ enfant de la Nativité est déjà le Christ adulte cloué sur la croix. L'humble Christ crucifié est déjà le Christ glorieux. Il est descendu dans le temps, sans cesser de transcender tous les temps, communiquant à sa mère quelque chose de sa propre intersection entre l'infini et le fini. D'où la difficulté de représenter une personne et un visage qui réunissent à la fois des modes d'être (humanité circonscrite et divinité impossible à circonscrire, dont le centre est partout et la circonférence nulle part, dira Pascal) et des modes temporels (prévu, actuel, remémoré, éternel) aussi contradictoires et incompatibles, et pourtant surnaturellement conjoints, par des arts dont le principe, pour les païens qui les pratiquaient et pour les Juifs qui s'y refusaient, était la rivalité avec la nature. Rivalité démoniaque avec le Créateur, selon le second commandement mosaïque. Magnifique rivalité, selon les poètes et les historiens grecs et latins, attestant la capacité de l'esprit humain d'achever la nature et de faire voir la forme des dieux infuse dans ses éléments.

Peut-elle être transposée dans le contexte d'une religion qui demanderait à l'art de représenter la surnature dans la nature et une divinité créatrice du monde descendue dans sa Création pour la rédimer ? Kierkegaard tient pour impossible et sacrilège cette hypothèse. Dostoïevski y dénonce l'une des erreurs sataniques de l'Occident et veut voir dans la photographie le fond de l'erreur funeste que cachent, sous leurs fards, les arts occidentaux de la représentation. Baudelaire a compris au contraire la grandeur du risque couru par les arts visuels catholiques et par « la liberté de tout oser » qui leur a été octroyée de faire voir et sentir la condition humaine aux prises avec la grâce. Les arts catholiques, comme sa propre poésie, savent attacher Satan au service d'une beauté qui, en tant que beauté, « reflète le ciel », même alors qu'elle s'en sait et s'en veut incapable.

Ces risques terribles avaient été redoutés dès les premiers siècles. Le long rejet iconoclaste des empereurs byzantins de la dynastie isaurienne repoussait la prétention idolâtre de l'art humain hérité de l'antique à figurer le Christ autrement que par le symbole nu de la Croix. D'où, en réponse, la légende de l'autoportrait miraculeux du Christ, *non fait de main d'homme*, relique de sa Face imprimée par lui-même sur un linge et qu'il aurait envoyé de son vivant au roi d'Édesse malade. Cet autoportrait, la « Vraie Icône », la mère de toutes les autres, dont l'origine miraculeuse et l'existence théophanique n'ont jamais été mises en doute jusqu'au XVIe siècle, n'a pas été un faible argument en faveur de la cause iconophile au cours de la querelle byzantine des Images. Empreinte de sueur, puis, dans une autre version de la légende, du sang de la Passion, cette icône originale, la sainte Face, était, comme l'Eucharistie, à la fois rien et tout, pauvre tache matérielle et sublime présence, résumant tous les états de l'homme-Dieu et adorable comme lui. Ce n'est que récemment que les historiens de l'art tant byzantin qu'occidental ont commencé à admettre que cette postulation de la foi des premiers siècles chrétiens ne relève pas de la superstition ou du folklore, mais pose la pierre angulaire d'un art moderne à double fond, l'art que Baudelaire a défendu avec violence contre le sacrilège de la photographie.

L'icône byzantine, qui sortit victorieuse de la querelle, est en quelque sorte le fruit de la culture de cette souche-mère, la monnaie gagée sur l'or de la « Vraie Icône », un système iconologique construit à partir de ce mètre-étalon symbolique, comme l'architecture vitruvienne avait été construite à partir des mesures du corps humain parfait. Le propre de la Vraie Icône, qu'on appela au IXe siècle le *Mandylion* (de l'arabe *mandill*, « linge », « serviette » puisque la relique, en 944, avait été rapportée à Byzance d'Édesse devenue musulmane), est de se reproduire intacte et d'elle-même par simple contact. Dans la chapelle impériale du Pharos, à Byzance, le *Mandylion* et son jumeau, le *Keramion*, imprimé sur une brique, suspendus parmi les plus précieuses reliques de la Passion, concentrèrent assez de présence du Christ pour en prêter à toutes les icônes de l'empire, variations déduites de ces originaux, et devenues originaux à leur tour, avant d'être copiées fidèlement. Loin d'entraîner une déperdition de présence théophanique, la fidélité de ces copies attestait au contraire leur authenticité et leur aura. L'un des types d'icônes de la Vierge à l'Enfant, celui qui montre la mère de Dieu, instruite de l'avenir, regardant son Fils avec angoisse, est un des nombreux cas de *mise en scène* savante de la Vraie Icône : le visage de Jésus enfant cache celui de l'Homme de douleurs, qui néanmoins se montre dans le regard anticipateur et anxieux de Marie. L'Occident latin n'a pas manqué, bien au-delà de la rupture de ses arts avec le style grec, d'entourer les copies du *Mandylion* byzantin, et les icônes grecques en général, de la même vénération qu'il accordait aux reliques du Christ et des saints.

Bien avant Giotto, le statut que l'Église romaine attribuait aux images « faites de main d'homme » rangeait celles-ci dans un tout autre ordre que les icônes, les reliques et l'Eucharistie, laissant leurs auteurs se faire connaître et avoir leur propre style d'atelier. Même lorsque les ateliers italiens et flamands sont revenus à l'imitation de la nature et de l'antique, certains traits proprement chrétiens de l'icône se sont maintenus dans les œuvres d'art dévotionnelles occidentales.

Les artistes occidentaux ont abandonné l'hiératisme formel de l'icône, mais en ont gardé le sens de l'espace résorbant les temps. Dans le même lieu symbolique, comme l'icône superposait plusieurs moments et plusieurs aspects de la personne et de la vie du Christ et de sa mère, ils ont ajouté à la profondeur spatiale la profondeur temporelle. L'Ancien Testament n'avait-il pas narré d'avance le Messie et sa mission terrestre ? Le Nouveau Testament ne montrait-il pas le Christ lui-même, dès avant sa naissance, lors de la visitation de Marie à Élisabeth, prescient de son propre avenir ? L'œuvre d'art chrétienne est pour ainsi dire un anti-cinéma : elle guérit de la gloutonnerie latérale de l'instant qui mange triomphalement l'avenir pour le déglutir et l'évacuer en passé ; elle donne à contempler de face, superposés, le présent, le passé et l'avenir et laisse le regard aller et venir de l'un à l'autre, extrait du fleuve d'Héraclite, anticipant sa rencontre au dessus des temps avec le regard divin.

Le *Jardin de Paradis* strasbourgeois de 1430 montre à la fois l'enfance du Christ et le Christ en croix. Si souvent représenté dans son sarcophage, entre le XIVe et le XVIe siècle, par la peinture et la gravure, l'Homme de douleurs est à la fois le Christ en croix de la veille, le Christ mort d'aujourd'hui, et le ressuscité de demain, déjà debout et prêt à se montrer à Marie-Madeleine. Le célébrissime portrait ovale du Christ mourant du Guide (1619, Rome), devenu pendant trois siècles l'effigie universellement reproduite et admise du Messie, s'inspire sans doute, et ouvertement, de deux célèbres statues antiques, le Laocoon et l'Alexandre mourant. Mais le peintre en a fait une image de synthèse inconcevable par un artiste antique : la face du Christ garde les beaux traits tirés de la Cène et de la nuit de Gethsémani, elle porte les blessures et les traces de souffrance de la Passion, mais ses yeux renversés vers le ciel la montrent déjà sur le seuil de l'Ascension, libre la terre [1]. Passons, avec la liberté du voyageur, du XVe siècle nordique au

1. Voir Jacques Thuillier, « Temps et tableau », cité dans Marc Fumaroli, « Vision et prière », dans *L'École du silence*, ouvr. cit. et dans *L'Immagine del Cristo*, ouvr. cit., S. Ebert-Schifferer, « Guido e l'Icona sintetica », p. 375-395.

XVIIe siècle français et italien : ni les tableaux d'histoire ni les paysages héroïques de Poussin ne sont des « arrêts sur image », ils représentent une action complète, ses diverses phases ressaisies dans un éternel présent sur lequel le regard s'absorbe et se repose. La *Rencontre de Jésus et du Baptiste au désert*, du Guide (Naples), résume et contient tous les mystères de la vie du Christ, dans une synthèse qui se découvre peu à peu et comble littéralement le regard.

Incrustées en nombre dans l'iconostase qui se dresse en avant de l'autel, ou isolées sur un autel privé, les icônes grecques renvoient au ciel d'absides mosaïquées, où se dresse en majesté l'apparition du Rédempteur et de sa mère : autant d'étoiles théophaniques appelant l'orant à s'alléger de corps et d'âme pour s'élever à elles et reposer en elles. L'art chrétien d'Occident, « fait de main d'homme », n'est pas investi de cette puissance d'attraction verticale d'Idée platonicienne. Apprivoisement ingénieux ou génial du regard d'Adam, toujours à recommencer de génération en génération, selon les circonstances, les personnes et les lieux, il cherche à « convertir le vieil homme » en allant à lui par l'image, auxiliaire de la prédication et des sacrements et substitut de la *lectio divina* des clercs. Tantôt il lui représente et lui fait connaître, dans le Sauveur et sa mère, ses semblables venant à sa rencontre pour l'adopter dès cette terre dans la famille du Ciel ; tantôt il prend le chemin des écoliers des représentations du monde créé, de ses lumières et de ses ténèbres traversées par le Christ durant sa vie terrestre pour rappeler au pécheur sa propre condition crépusculaire de voyageur et de pèlerin, entre déchéance et rachat.

21. L'art et les mystères douloureux

Au cœur et au centre de ces deux familles d'images, l'art chrétien a souvent privilégié les représentations de la Passion et de la Croix où le Christ a consenti à s'évider de sa vie humaine et à souffrir l'iconoclasme de son image humaine pour racheter l'homme créé « à son image et ressemblance ». C'est le mystère douloureux par excellence, dont la réception a donné lieu à une invention iconographique propre, la Vierge des Sept Épées dont il est souvent question dans *Le Soulier de satin* de Paul Claudel. Mais ce sacrifice sanglant est aussi un don somptueux, la preuve suprême de l'amour infini du Créateur pour ses créatures, l'heure et l'acte par où le Christ achève de dévoiler la générosité des intentions divines et l'immense crédit de grâce qu'il est venu offrir à l'humanité. Pour le récepteur, un flot de gratitude adorante se mêle au sentiment d'indignité et à la compassion, préfigurant la joie plénière de la Résurrection. Pour les artistes, la tentation existe de faire trop pencher l'image du côté de l'horreur humaine ou du côté de la splendeur divine. Au XIe siècle, le légat du pape à Constantinople s'indignait contre les icônes représentant l'« Homme de douleurs », qui par la suite deviendront un prototype canonique de l'art dévotionnel occidental. Ce prélat ne savait pas lire les icônes : debout, la tête penchée, montrant ses plaies, dans son sarcophage, l'Homme de douleurs est à la fois le Christ enfant, le Christ prêchant, l'Ecce Homo, le Christ en croix, mais sa station debout préfigure déjà le Christ ressuscité.

D'autres formules iconographiques, par l'éloignement au second plan de la Croix, par l'interposition des deux Marie et de saint Jean entre la Croix et l'œil du spectateur, ont cherché l'optique juste sur le mystère du Christ supplicié. Dans le sillage de l'iconologie byzantine, la peinture vénitienne a toujours préféré, dans plusieurs variantes, l'Homme de douleurs aux représentations directes du Christ en croix : tantôt seul debout dans son sarcophage, tantôt soulevé et pleuré par sa mère et saint Jean, tantôt soulevé par les anges, comme endormi. Ce dernier thème, cher à Mantegna et à Bellini, a été magnifiquement repris au XIXe siècle par Manet. Les Vénitiens se sont plu encore davantage à montrer le Ressuscité, bénissant le monde dans un paysage paradisiaque de leur *terra ferma* [1]. Dans une œuvre peinte innombrable, Titien n'a représenté que trois fois le Christ en croix, alors qu'il a peint de nombreux *Homme de douleurs*, dans les phases différentes de son chemin de croix, de son ensevelissement et de ses apparitions ultérieures aux saintes femmes. Il est revenu à Tintoret, dans sa dramaturgie impétueuse de la Passion, à la Scuola di San Rocco, de déployer autour de la croix, en une séquence répondant pleinement à la pastorale pathétique souhaitée par la Réforme catholique, toutes les facettes du sacrifice du Fils, ses joies et son triomphe équilibrant largement sa tragédie.

On a souvent voulu réduire, sur les pas de Nietzsche et de Freud, au masochisme et au dolorisme le style sanglant qui a souvent été donné, en Italie, en Espagne, en Amérique latine, en Bretagne, aux fins de pèlerinage, de mission ou de dévotion particulière à une confraternité, aux effigies de la Passion. Au Mexique, terre de mission au XVIe siècle, ces effigies en rajoutent sur leurs modèles castillans et andalous, eux-mêmes conçus en terre de mission et de conquête depuis l'époque romane. *El Cristo rey de burlas*, *El Senor de la columna*, *El Senor de la Paciencia*, *Jesus Nazareno*, *La Crucifixion*, *JesuCristo muerto en la Cruz*, *El Desciendimiento*, *La Pietad y El Santo Entierro*, autant de facettes figurées du mystère douloureux de la Passion où il se réfléchit visuellement tout entier, dont aucune ne craint ni l'horrible, ni le grotesque, ni le pathétique le plus outré, ni les contrastes les plus brutalement naïfs (vête-

1. Voir Francesco Saracino, *Cristo a Venezia. Pittura e christologia nel Rinascimento*, Genève-Milan, Marietti, 2007.

ments luxueux et plaies atroces, visages exsangues, yeux suppliants et couronnes gigantesques d'or, d'argent, de pierreries). Ces statues en pâte de maïs peintes, habillées de velours et de broderies d'or, souvent pourvues de vrais cheveux et exhibant leurs plaies, semblent démentir le symbolisme de l'Eucharistie, qui abolit tout l'appareil sanglant des sacrifices humains ou animaux[1]. Il est difficile de croire que les sculpteurs indigènes aient subrepticement introduit le souvenir des sacrifices humains de leur religion ancestrale dans les images de la religion de leurs conquérants. Il est plus probable que, copiant des modèles espagnols, ils aient exagéré, avec les encouragements du clergé, les caractéristiques poignantes du Christ souffrant, enfonçant ses sept épées dans le cœur et la mémoire du croyant, comme dans la poitrine de Marie. Ces figures, qui étaient l'objet de la même dévotion ardente de la part de toutes les classes de la société coloniale, aristocrates créoles comme plèbe indigène, à l'église, en procession, en pèlerinage, étaient en fait des exégèses visuelles, en prose vernaculaire, compréhensibles à tous, illettrés et lettrés, du même paradoxe que résume mystérieusement l'Eucharistie : la splendeur divine du Fils s'exposant à la plus sordide déréliction humaine pour en affranchir les hommes. La violence terrible qui avait forgé la société politique coloniale et qui continuait à en travailler les assises, une fois transposée et métaphorisée dans le mythe de la Passion, se renversait en lieu et lien commun à tous ses membres, à tous ses rangs. Aujourd'hui encore, dans les rues de Séville, en Espagne, comme à Oaxaca, au Mexique, l'angoisse et le supplice du Dieu homme, représenté par les statues processionnaires que transportent les confréries de la Passion, restent, pendant la Semaine sainte, le foyer visuel ambulant de l'unanimité et de l'identité d'une ville entière, partageant la douleur et le deuil de *La Soledad*, Marie, reine du Ciel, couronnée de perles, en robe à traîne de gala, mais ruisselante de larmes et les mains tremblantes, debout sur un char porté à dos d'homme, comme errante à la recherche de son fils perdu.

À un autre étage, cette visibilité et cette théâtralité, publiques et populaires, des entrailles pantelantes du mystère de la Rédemption s'accordaient à la dramaturgie latine et savante du théâtre dévotionnel des collèges jésuites, dont l'esthétique, dans l'aire hispanique, s'inspirait du « théâtre de la cruauté » de Sénèque, le grand Espagnol de l'Antiquité romaine[2]. Baudelaire exagérait à peine lorsqu'il montrait, après

1. Voir l'admirable recueil *Mexico, Angustia de sus Cristos*, de Sonia de La Rozière et Xavier Moyssen, Mexico, Istituto Nacional de Antropologia, 1967.

2. Sur le sénéquisme de l'Espagne catholique du XVIe et XVIIe siècle, voir mon *Âge de l'éloquence : rhétorique et « res literaria » de la Renaissance au seuil de l'époque classique*, Genève, Droz, 1980.

Chateaubriand, dans le christianisme, le génie poétique (et politique) ayant engendré « la plus haute fiction de l'esprit humain ».

22. **Otium** *et eutrapélie chrétiens : tableaux de dévotion et tableaux de délectation*

À la thèse selon laquelle l'art catholique est un hôpital sinistre, qui de surcroît rend malades ceux qui se portent bien répond celle qui veut y voir un bordel baroque, d'autant plus corrupteur qu'il cache jésuitiquement son jeu. L'idée que les plus grands artistes de l'aire catholique de l'Europe aient, à l'instar de la Bible, de Dante et de Balzac, parcouru toute la lyre des tourments, des joies et des exultations dont l'humanité charnelle et intellectuelle est capable, n'a pas encore renversé ces deux préjugés hostiles, fort répandus, et qui s'accommodent fort bien du masochisme et de la débauche ordinaires d'un « Art contemporain » se donnant pour témoin de l'époque. Par ailleurs, je veux bien partager la préférence, encore fréquente aujourd'hui, pour l'art roman, sévère, imposant, visionnaire. Je ne peux malgré tout consentir à lui sacrifier d'autres styles moins restreints de l'art catholique. Je ne peux même m'empêcher de croire, avec le cardinal Newman, à un « développement du dogme » qui a rendu plus catholique l'art gothique, et encore plus catholique l'art de la Renaissance et celui de la Contre-Réforme. Comme Baudelaire, je ne mets rien au-dessus de Rubens et de Vélasquez et je m'émerveille qu'après ces génies aient pu encore survenir Watteau, Chardin et Tiepolo, et encore Delacroix et Manet. Il y a quelque chose comme du progrès en art, comme en religion et en éducation, même si ce progrès n'est ni cumulatif, comme dans les sciences et les techniques, ni évolutif et ininterrompu, comme dans le darwinisme et le marxisme. Des éclaircies qui s'accroissent, des moments de grâce qui se poursuivent, des dons qui se multiplient. Leur source invisible, elle, ne tarit jamais. Elle donne à croire à l'éternel retour de la beauté.

Entre le XIIe et le XIIIe siècle, l'Église prend la mesure du tort que porte à la foi la tour d'ivoire monastique et cléricale où les laïcs sont qualifiés en bloc, sexes et rangs confondus, d'ignorants, d'illettrés et d'idiots (*idiota*, en latin comme en grec, signifie « particulier », « marginal »). Dans les villes qui renaissent et prospèrent par leur diligence, les laïcs désertent le culte et se rallient à l'hérésie, albigeoise et autres. Les ordres mendiants surgissent pour faire face au péril. Les frères prêcheurs de saint Dominique sont chargés de convertir les hérétiques de langue d'oc. François d'Assise se proclame lui-même « pauvre, illettré et idiot » au seuil de la mission qu'il se donne et qu'il reçoit de ramener dans le sein de l'Église les laïcs tentés de lui tourner le dos. Le rêve célèbre du pape

Innocent III lui montrant François retenant la chute du palais du Latran symbolise l'urgence du recours à un nouvel apostolat des laïcs. L'œuvre de Dante proclame au XIIIe siècle le droit des laïcs à partager dans leur langue vulgaire la science divine et la vie spirituelle des clercs.

L'image, la « Bible des illettrés », que la tradition augustinienne reléguait aux modes inférieurs du connaître, avait été introduite, au cours du XIe siècle, par une femme, Hildegarde de Bingen, dans les hautes régions de l'âme. Elle a vu et entendu le Christ, comme saint Paul, non en songe, mais à l'état d'éveil, par ses seuls sens spirituels, en présence de témoins qui n'ont rien vu de l'extérieur. Elle a bénéficié de ces « divines promesses » dont Montaigne dit que, « pour les dignement imaginer, il faut les imaginer inimaginables ». Comme plus tard Dante fera de la langue vulgaire le véhicule des plus hautes spéculations théologiques, Hildegarde est la première d'une longue série de femmes, de Brigitte de Suède à Maddalena dei Pazzi, à faire de l'imagination le lieu potentiel de réception de vérités religieuses qu'elles ne doivent ni à l'Écriture ni à l'Histoire sainte, ce qui révoltera Luther et Calvin [1]. Les peintres, leur imagination et les « saintes images » qu'ils ont « liberté d'oser » vont bénéficier dès lors de la même légitimité que l'Église a reconnue, non sans les entourer comme eux, d'autorités vigilantes, aux révélations de ces héritières lointaines de sainte Monique. Autre puissant motif pour les réformateurs du XVIe siècle de condamner les « saintes images ».

La considération croissante obtenue par les laïcs et par les femmes (qui ont cessé d'être des illettrées, mais n'ont pas toutes, pour autant, prononcé de vœux monastiques) oblige la théologie morale à se préoccuper de genres de vie qui, sans cesser d'être honorables chrétiennement, ne sauraient, comme celui des clercs, se résumer aux exercices de dévotion ni, à plus forte raison, être consacrés à plein temps à obtenir la « vision intellectuelle » sans image. À cet égard, le grand tournant du XIIIe siècle est opéré par saint Thomas qui christianise une vertu inconnue de la tradition néo-platonicienne et augustinienne et l'emprunte à l'*Éthique à Nicomaque* d'Aristote : l'eutrapélie. La notion, qui a connu sous ce nom grec une grande fortune jusqu'au XVIIe siècle dans le monde catholique, a été oubliée depuis, bien que la pratique de cette vertu, sous d'autres noms moins savants, soit restée encore longtemps une preuve de haute civilisation. Son adoption par saint Thomas est à l'origine de sa première fortune, et son oubli, au moins nominal, est dû au procès constant de « paganisme », d'hédonisme et d'esthétisme intenté contre la société catholique, au sens large, de la part des procureurs protestants et rigoristes de tous bords. C'était pourtant par là que Montaigne, le

1. Voir O. Boulnois, ouvr. cit., p. 181-185, et le recueil *Phantasia-Imaginatio*, a cura di M. Fattori e M. Bianchi, Rome, ed. dell'Ateneo, 1988.

président de Brosses, Stendhal et même Mark Twain se sentirent catholiques en Italie. La vertu grecque d'eutrapélie intéresse l'histoire des arts et elle rejoint la question de l'*otium* qui est l'un de mes fils conducteurs dans ce journal de voyage.

Aristote, « le maître de ceux qui savent » (Dante *dixit*), se demande si l'homme cultivé et appartenant à une civilisation raffinée peut chercher son délassement même dans le plaisant badinage et le jeu. Il répond par l'affirmative : on ne doit cependant pas abandonner le juste milieu ni commettre de bévue par défaut ni par excès. « Puisqu'il doit y avoir dans la vie aussi du délassement, et dans ce délassement aussi une conversation liée à la plaisanterie, l'homme doit y trouver la moyenne entre le trop et le trop peu. » Seul l'homme *eutrapèlos* (notre XVIIe siècle le nommera « honnête homme » ou « galant homme ») sait trouver cette moyenne, évitant de tomber dans la bouffonnerie, mais tout autant dans la rustauderie ou le pédantisme. L'eutrapélie est donc la vertu des êtres civilisés, qui les maintient à l'écart de l'euphorie vulgaire comme de la gravité balourde, en équilibre gracieux dans l'usage du jeu, du badinage et de la conversation gaie. Elle s'écarte aussi bien de la licence grossière que de la pesante morosité : « Ceux qui savent plaisanter avec mesure sont appelés eutrapèles. » Aristote explique ce mot par l'adjectif « eutrope », qui décrit les hommes sachant « bien se tourner », en d'autres termes se comporter avec grâce en société. Thomas d'Aquin avait sous les yeux une traduction latine décrivant les eutrapèles comme autant d'hommes « spirituels et urbains, doués d'un esprit flexible et versatile ».

En attribuant une place importante à cette manière d'être parmi les vertus pratiquées par l'homme cultivé, Aristote rejoint Xénophon louant l'homme qui sait être à la fois gai et sérieux, et même son maître, le Platon des *Lois* (I, 647b). Aux yeux de tous ces Grecs, l'eutrapélie, beau naturel cultivé avec art, pratique d'autant plus volontiers la plaisanterie qu'elle rend ses artistes plus aptes au sérieux de la vie et les empêche d'oublier que, dans la lourde charge des affaires et du travail, le délassement pris à temps rend leur maîtrise plus sûre. Elle est surtout importante, soutient Aristote, pour la jeunesse, à qui convient une attitude fière et généreuse, une *hybris*, mais contrôlée et relativisée par le sourire. Elle préside aussi aux rapports d'amitié. Autour de cette vertu se dessine le haut idéal social et moral d'humanité grecque, souriant, bienveillant et magnanime. Il est surprenant que la philosophie et la philologie professorales allemandes, si éperdues d'hellénisme, n'aient pas fait un sort à ces traits de l'homme civilisé. Elles les ont même vivement taxés de frivolité, lorsqu'elles les retrouvaient dans la conduite et les écrits des Italiens de la Renaissance et les Français du XVIIe et du XVIIIe siècle.

Saint Thomas est d'autant plus admirable d'avoir baptisé l'eutrapélie, introduite par lui parmi les vertus chrétiennes et couverte de son autorité pendant plusieurs siècles en Europe, qu'une puissante tradition chrétienne ininterrompue, particulièrement âpre dans l'Orient byzantin, condamnait le mot et la chose. Les autorités théologiques et les constitutions monastiques, ne retenant de l'adjectif grec *eutrapelos* que son sens négatif (bouffonnerie), ont condamné le rire et le sourire d'un même souffle. Comme le sourire des Vierges gothiques d'Île-de-France et celui du Beau Dieu d'Amiens, le *Commentaire à l'Éthique à Nicomaque*, le *Commentaire des Sentences* et la *Somme théologique* de saint Thomas inaugurent, dans une convergence parfaite, une ère nouvelle de la théologie morale. Le Docteur de la foi justifie le rire et la délectation que donnent les jeux, pour peu qu'ils sachent se modérer, et il élève au rang de vertu l'art de bien s'amuser et de savoir se distraire. Il justifie les plaisirs du théâtre et les talents du comédien, dont la profession à ses yeux n'a rien d'illicite. Il va même, décision admirable et trop occultée, jusqu'à ranger la rusticité parmi les péchés ! Il faut avouer qu'il a été rarement suivi par les théologiens, sauf les affreux jésuites et notre François de Sales qui, pour le bonheur de la France, des Françaises et des Français, a repris et même élargi le « laxisme » de Thomas en matière de rire et de comédie à l'intention des « honnêtes gens » du XVIIe siècle et en particulier des femmes. Le jansénisme a réussi à intimider la théologie morale depuis le XVIIIe siècle.

En baptisant l'idéal d'humanité grecque du Ve siècle, comme les sculpteurs ses contemporains baptisaient la statuaire antique, Thomas le remploie pour ainsi dire, dans le cadre chrétien le plus orthodoxe. Mieux que l'Athénien païen, le chrétien est à même de réaliser cet idéal d'humanité, car, éclairé par l'Incarnation et par ses mystères joyeux autant que douloureux, il a une conscience exacte et constante de sa situation ironique en ce monde entre les deux infinis de la pesanteur et de la grâce, de la chair et de l'esprit. Danseur de corde, le chrétien est un *Homo ludens* qui sait tout l'enjeu de son équilibre et de sa danse. Pour lui, le monde est une comédie divine, au sens où l'entend Dante. Et Thomas de citer cette sentence de Cicéron qui donne la mesure de l'adoption par la Rome antique de l'idéal grec de l'*otium cum dignitate*, le loisir dans la dignité : « Il est certes licite de savoir s'amuser et jouer, comme il l'est de dormir et de prendre du repos, mais afin de pouvoir satisfaire aux choses graves et sérieuses. »

La vertu d'eutrapélie, chez Aristote comme chez saint Thomas, est aussi une théorie de l'*otium*, mais d'un *otium* qui, dans la perspective chrétienne, s'ajuste aussi bien, et encore mieux, aux laïcs qu'aux clercs. Les laïcs chrétiens ne sont pas supposés se consacrer à plein temps aux exercices de dévotion, ni même à leurs devoirs d'état. Ils ont d'autant plus droit au repos, à la distraction, au jeu, au rire, aux fêtes, aux spectacles qu'ils prennent au sérieux leur foi et leur profession. La sentence de Cicéron s'applique admirablement à eux. Elle pourrait servir d'exergue aux *Essais* de Montaigne. L'opinion d'un auteur du poids de saint Thomas a été déterminante en pays catholique dans l'histoire du théâtre, mais aussi dans l'histoire des arts, où les genres profanes de la peinture et de la sculpture, aux fins de délectation profane, ont trouvé une légitimité, au côté des œuvres d'art d'église, destinées à la dévotion publique ou privée. Il ne faut donc pas se hâter de tenir toute peinture profane des XVe et XVIe siècles comme une résurgence *païenne*, une pointe libertine et libératrice dirigée sourdement ou ouvertement contre l'ascétisme monastique chrétien. Cette pointe existe, et nombre de peintres et de graveurs du XVIe siècle, de Raphaël à Jules Romain, de Marc-Antoine Raimondi à Barthélemy Spranger, ont passé allègrement la mesure et poussé la plaisanterie jusqu'à l'érotisme le plus gaillard, voire le plus raide. *Le Bain d'hommes*, gravure de Dürer où figure son autoportrait, va, dans l'explicite autant que dans le symbolisme, bien au-delà de ce que les photographes et cinéastes contemporains se sont plu à montrer de l'animal humain en rut. La modération de l'eutrapélie est une vertu peu pratiquée par le mélancolique Dürer, qui s'est aussi représenté en Christ, ni par son émule, le graveur non moins mélancolique Hans Baldung Grien, adoré des surréalistes, qui s'est plu à assimiler les mœurs des chevaux et celles des reîtres.

S'il y a frontière entre la sphère dévotionnelle et la sphère profane du voir, elle ne se dresse pas entre ce libertinage privé et l'Église. Elle passe, en public, et à l'intérieur même de la religion romaine, entre sa puissante tradition rigoriste et un « humanisme chrétien » admettant volontiers qu'on ne peut exiger des laïcs, voire des cardinaux et des évêques, investis de lourdes charges temporelles, le même degré et le même type de perfection morale que pour les contemplatifs cloîtrés.

La tradition rigoriste avait pour elle des auteurs redoutables. Saint Paul tient l'*eutrapélie* parmi les vices dont le chrétien doit se garder (Eph V, 4). La Vulgate latine, ignorant le sens aristotélicien et riant du mot grec, traduit le mot de saint Paul par *scurrilitas*, grivoiserie, ou par *stultiloquium*, « bavardage ». Le même apôtre oppose deux tristesses, la sainte et saine « tristesse selon Dieu », cette conscience de l'abîme nous séparant de l'humilité du Christ et qui nous porte à la pénitence et au zèle, et la « tristesse du siècle », où nous plongent l'orgueil et les vices, tous appétits malades de ne pouvoir jamais être assouvis. Chez Évagre le Pontique, chez Cassien, la spiritualité des Pères du désert avait diagnostiqué et combattu, sous le nom d'*acedia*, synonyme de la « tristesse du siècle » selon saint Paul, l'abîme où tombe le contemplatif chrétien, envahi soudain d'une nostalgie violente des plaisirs et des honneurs du monde qu'il a quitté, ne tenant pas en place, ne croyant plus dans son ascèse, abandonnant sa volonté aux démons. Cette tristesse de ressentiment est l'antithèse de la douleur et du deuil purificateur que le chrétien éprouve au pied de la croix et que le Moyen Âge appelle *cumpunctio*. L'*otium* des athlètes spirituels du désert, où ils sont venus chercher une rampe pour leur désir de l'infini divin, a découvert, d'emblée et sur place, son négatif, son envers, le gouffre triste du mauvais infini démoniaque. C'est la version chrétienne du sort des héros de l'*Iliade*, oscillant entre une divine fureur victorieuse et une mélancolie hantée et suicidaire. De même que le Grec civilisé du Ve siècle se tient à distance des deux extrêmes homériques et héroïques, Achille le coléreux et Bellérophon le suicidaire, le gentilhomme des XVIe et XVIIe siècles évolue, au large de l'euphorie et de la misanthropie, avec la boussole et le viatique que lui donnent sa culture, son expérience et sa religion.

L'*otium*, le temps de la réflexion, a lui-même ses abîmes, qu'il faut apprendre à côtoyer sans jamais s'y précipiter. Dans ses années d'*otium*, l'enfant, et l'adolescent, a été initié précocement, par l'éducation humaniste, renaissance de la *païdeïa* grecque sous le nom latin d'« humanités », aux pièges comme aux promesses de l'humaine nature, en même temps qu'il s'est rompu à la maîtrise du langage et aux exercices de style, en compagnie des meilleurs auteurs. Cette éducation, sous peine d'encourager la pente à la tristesse et à l'ennui des enfants, doit prendre la forme d'un jeu vif et ménager des pauses de repos et de jeux. Ce fut le secret des meilleurs collèges jésuites, héritiers des pédagogues humanistes et d'Érasme, que d'éduquer l'enfant et l'adolescent par la joie et non par la crainte. Dans leurs collèges, toutes sortes de passerelles relient les études profanes aux exercices religieux, l'éveil de l'imagination et de l'affectivité à l'étude des sciences abstraites. Leurs élèves font du théâtre. Ils savent déchiffrer et goûter les planches gravées, un art né en même temps que la planche imprimée. Emblèmes et devises gravés, dont le volet imagé, symbolique et énigmatique, sollicite l'imagination, sont associés à des épigrammes dont la forme brève se fixe aisément dans la mémoire. Le plaisir est de la partie. Tout en concourant à l'éducation littéraire, morale et religieuse, ces alliances de figures et de mots préparent les jeunes esprits à « lire » les tableaux, les tapisseries, les statues, les monuments, les décors de fête, autant qu'à en goûter les surprises et les saveurs. Les jésuites enseignaient à lire les images des arts et l'Église aussi bien que les princes laïcs s'employaient à en orner les lieux publics.

La ville et les demeures catholiques se sont mises au XVIe siècle à parler en figures chargées de sens, comme les églises continuent à le faire depuis les basiliques constantiniennes. La merveille d'une ville comme Paris (ou Rome, ou Venise) encore aujourd'hui, c'est qu'elle parle un langage visuel qui, à l'inverse des images publicitaires ou de l'« Art contemporain », font toujours l'éducation esthétique du passant attentif, ne se contentant pas de titiller une curiosité aussi éparpillée qu'avide et vide.

*23. La christianisation de l'*humanitas

Dans la théologie morale romaine, l'acédie a été tantôt incluse dans la liste des sept péchés capitaux, tantôt, et plus souvent, placée en facteur commun et tenue pour la souche-mère de tous les autres. Le fréquent « saturnisme » d'artistes du XVe au XVIIe siècle, puis au XIXe siècle romantique, sur fond de *revival* chrétien, le « mal du siècle » de René et le *spleen* de Baudelaire, furent autant de variantes laïques de l'*otium* monastique déréglé et de sa pente au nervosisme dépressif. Entre-temps, le monachisme occidental, dès le VIe siècle, avait renoncé aux trop grands risques de la solitude érémitique : saint Benoît le transforma en vocation communautaire, soumise à la règle et pratiquant l'obéissance au père abbé. Obéir, *ob-audire*, c'est prêter l'oreille aux conseils de l'autorité supérieure reconnue et trouver dans cette orientation objective le garde-fou externe contre la pression éventuelle de l'acédie et de ses démons sur la volonté. Le monachisme, qui réhabilite le travail manuel, asseoit la liberté sur l'obéissance. La régularité de l'emploi du temps communautaire, rythmé entre sommeil, silence, offices chantés, lectures à haute voix, travaux du *scriptorium* et travaux manuels, vise à écarter la « tristesse du siècle » et à libérer l'âme pour la vie de prière et la joie, encouragée par saint Bernard, de la proximité divine.

Ne resterait-il au laïc « illettré » que la « tristesse du siècle » et une participation tout extérieure à la vie sacramentelle et à l'édification par les images ? Grand lettré sans être passé par les écoles, laïc mais assez clerc pour percevoir des bénéfices ecclésiastiques, Pétrarque a célébré l'*otium* claustral de son frère Gérard, un chartreux, mais il a aussi dessiné son propre programme de vie, à distance du « siècle », libre de vœux et de règle monastique, une sorte d'érémitisme littéraire. Ami du peintre siennois Simone Martini, il a obtenu de lui un portrait, genre profane oublié en Occident depuis la fin de l'Empire. C'est l'image de Laure, la bien-aimée inaccessible et tôt disparue, à laquelle il a consacré en langue toscane un cycle de sonnets lyriques, le *Canzoniere*. Dans son dialogue latin avec saint Augustin, le *Secretum*, il revendique son droit de poète à sa part de « tristesse du siècle », compatible toutefois avec une authentique « tristesse chrétienne » et n'entraînant de sa part aucune indolence coupable. Poète de langue vulgaire, restaurateur du latin classique, vivant dans le monde sans être du monde, moine laïc, pécheur qui se sait tel mais aspire à sa délivrance : l'autoportrait que trace la correspondance latine et toscane de Pétrarque a imposé un modèle d'humanité ambigu et inédit, qui exerça d'emblée, au XIVe siècle, une profonde fascination. Il traçait les contours pour le laïc lettré et libre d'un *otium* chrétien bien tempéré.

Son disciple Boccace, beaucoup moins clérical et moins poète, remanie ce socle d'*otium* pour y accueillir les laïcs plus engagés que Pétrarque dans les affaires du monde. Il étend le crime de *pigritia*, la paresse qu'engendre l'acédie noire, à la négligence envers les biens terrestres, envers les devoirs d'état du laïc et son économie domestique, son commerce, son métier. Dans son *Commentaire* du chant VIII de *L'Enfer* de Dante, il voit dans l'*accidiosus*, l'adonné à la mélancolie, un lâche, incapable de tenir tête au méchant aussi bien que d'administrer avec compétence ses affaires et celles de la cité. Les vertus civiles et actives dont Max Weber fera le privilège de l'« éthique protestante » sont à l'honneur dans la Florence marchande et lettrée du XIVe siècle. Pour autant, Boccace fait un sort à l'« eutrapélie » et à la légitime détente de l'homme d'affaires et d'action. Son *Décaméron*, joyau de la langue toscane, montre un groupe de jeunes gens et de jeunes filles dont le fier amour de la vie aurait plu à Aristote et à saint Thomas : chassés de Florence par la peste et retirés prudemment sur les collines de Fiesole, dans une riante villa, ils ne se laissent pas décourager ; ils s'adonnent à la musique, à la danse et à un échange quotidien de récits plaisants et parfois gaillards qui les maintiennent en joie, loin de la « tristesse du siècle », sans préjuger de la « tristesse chrétienne ». Il y a temps pour tout. Le dernier ouvrage de Boccace, un traité en latin, *De la généalogie des dieux*, reconstitue le tissu de la mythologie païenne, offrant aux peintres florentins le premier répertoire dans lequel ils vont puiser pour leurs *cassoni* de mariage, leurs tableaux ou leurs fresques de délectation, destinés à réjouir l'*otium* lettré et laïc. Descellée de la religion païenne, délivrée de l'allégorisme monastique qui voulait voir dans l'Hermaphrodite d'Ovide une image de la double nature du Christ, la « Fable » antique, avec ses dieux et ses héros, revient au titre de langue symbolique appropriée à la vie chrétienne laïque, à son ornement, à son sourire, mais aussi à son éducation morale et esthétique.

La christianisation catholique de l'idéal grec d'humanité a eu lieu en Italie, où le Christ, dont les Évangiles avaient été écrits en grec, a retrouvé des mains de Michel-Ange et de Giacomo della Porta la beauté de Phidias que lui promettaient les Psaumes : « le plus beau des enfants des hommes ». En dépit de la virulente vindicte de la philosophie allemande, et en dernier lieu Heidegger, contre la romanité, la médiation de Cicéron, des deux Pline, des poètes et des moralistes latins, a joué dans cette greffe, patronnée par saint Thomas, un rôle décisif. Au XVe siècle, l'afflux de Byzantins, à Venise et à Florence, a hellénisé l'humanisme italien et Marsile Ficin s'est employé à traduire et à commenter en latin, d'après l'original grec, Platon et les néo-platoniciens antiques. Mais ce théologien, mi-laïc, mi-clerc, comme Pétrarque, était aussi médecin et familier dans le texte de la médecine grecque. Dans son traité *De triplici vita*, adressé à tous les studieux, laïcs ou clercs, il recommande une hygiène de vie qui prévienne la maladie de l'âme, acédie ou mélancolie, qui guette les sédentaires trop enfouis dans le travail et la réflexion de leur *studio*, où ils sont tentés d'abuser de leur *otium*. Ce philosophe de l'ascension platonicienne de l'âme vers l'Un se montre, comme eux, mais autrement que les Pères du désert ou saint Thomas, soucieux que le corps ne fasse pas défaut à l'âme. Pour maintenir en équilibre la santé du corps, il n'hésite pas à recommander, outre des exercices physiques, des auxiliaires magiques et astrologiques : fréquentes promenades en plein air et pleine nature, contemplation, *intra muros*, de tableaux de paysages riants et verdoyants, écoute de musique attirant l'harmonie des sphères, maniement d'objets fixant l'influence d'astres bénéfiques, tous contrepoids à l'influence funeste de Saturne. Toute une gamme de genres et d'objets d'art profanes, depuis la peinture ou la tapisserie de paysage agreste, jusqu'aux objets dits « de vertu », à la fois beaux et chargés de pouvoir bienfaisant, sont ainsi invités à meubler la demeure ou à figurer dans les collections de laïcs prévenus contre la mélancolie.

La concorde discordante qui maintient en équilibre le cosmos créé est appelée à rétablir celle du microcosme humain, toujours menacé de déséquilibre et de déchéance plombée. L'astrologie tenait alors, parmi les sciences de la nature héritées de l'Antiquité, une place aussi centrale qu'aujourd'hui la biologie. Aussi la magie blanche des « sympathies » entre le ciel astral et la terre entre-t-elle en force dans le large éventail thérapeutique proposé par Ficin pour introduire dans l'*otium* des studieux d'efficaces contrepoids au *stress* où une contention excessive les expose. Les œuvres d'art (tableaux, joyaux, mais aussi partitions et exécutions musicales) sont et se doivent d'être des médiateurs de ces « sympathies » bénéfiques entre terre et ciel. Elles exorcisent les démons de la mélancolie qui assaillent le corps las et corrompent la santé de l'esprit. Elles irradient une délectation qui tient en échec la tristesse. L'*otium* laïc, sans empiéter sur l'*otium* religieux, et même en pouvant prétendre l'étayer, s'est taillé une sphère bien à lui, où le rire, le sourire, les jeux, le théâtre, la conversation piquante et tous les arts à fin de délectation profane, se trouvent légitimés. Médecin, Ficin n'est pas bégueule. Il n'hésite pas à accorder aux studieux, si la mélancolie et ses fantasmes les mordent trop, de demander remède, avec modération, aux plaisirs de Vénus et à leur représentation artistique. La volupté n'est plus nécessairement le péché de luxure, elle peut devenir vénielle et même hautement morale quand elle contribue à faire reculer l'acédie, mère et sorcière des pires égarements de l'esprit et du cœur. À l'heure de la Contre-Réforme, il reviendra à d'ingénieux casuistes, grands connaisseurs du nuancier moral, de concilier avec la théologie morale cet apparent laxisme de l'intention accordé aux modernes laïcs. *Les Provinciales* de Pascal, dans une prose française éblouissante, ont étrillé le latin des casuistes jésuites, ce qui a eu pour effet en France de faire passer le catholicisme à la fois pour la religion courtisane du « chemin de velours » et celle, liguée contre le bonheur, de « la hère et de la discipline ».

Ce qui était bon pour les studieux le devint aussi pour les hommes surchargés de lourdes responsabilités, rois, empereurs, princes, voire princes de l'Église. La collection de tableaux et d'objets de vertu des Habsbourgs d'Autriche, conservée quasi intacte dans le cadre palatial voulu par l'empereur François-Joseph au Kunsthistorisches Museum de Vienne, l'un des plus beaux musées du monde, ou celle des Habsbourgs d'Espagne conservée au Prado de Madrid, dans un cadre beaucoup moins patiné par une grande tradition dynastique, témoignent à grande échelle du souci de ces princes dévots, et souvent tristes, d'accumuler auprès d'eux des images et des objets d'art qui, chargés de magie contagieuse, les aidaient à restaurer leur santé physique et morale pour pouvoir exercer le bon gouvernement. Rodolphe II, à Prague, ne se contentait pas de sacrifier à Vénus, il commandait à son peintre Barthélemy Spranger des tableaux mythologiques d'un érotisme plus explicite que ceux de l'École franco-italienne de Fontainebleau, qui réjouirent pendant les guerres de Religion tant le repos des derniers Valois que les travaux du futur Henri IV.

Une salle du « Kunst » de Vienne est entièrement consacrée à la plus nombreuse collection de tableaux de Peter Breughel l'Ancien jamais réunie, représentant les danses, les banquets, le Carnaval, les travaux et les jours de paysans flamands, ainsi que leurs joies et leurs peines. Jamais l'humilité du quotidien plébéien n'a été traitée en peinture, avant Millet et Van Gogh, à cette altitude à la fois comique et glorifiante. Ce sont des morceaux de roi. Plus d'un regard d'empereur romain germanique s'est posé sur cette séquence, dont le naturalisme et les sujets populaires tranchent avec la sublimité gothique des tableaux et retables de dévotion qui abondent dans d'autres salles, et avec la splendeur aristocratique et sensuelle des innombrables chefs-d'œuvre de Titien, de Véronèse, de Rubens convoqués non loin de là. C'est que, du fond de la Hofburg, les plus puissants souverains d'Europe prenaient plaisir à voir, savoureusement représentés, leurs lointains sujets, rustres et illettrés sans doute, mais sages et avisés, à leur manière et dans leur ordre, comme les paysans de Gascogne admirés par Montaigne pour leur stoïcisme naturel : ils obéissent, autant que leurs princes, à la loi de nature qui légitime les délectations et les jubilations du repos, dans les intervalles de travaux bien faits mais pénibles et dans les temps rares épargnés sur les malheurs de la guerre, de la peste et de la mort. À leurs yeux, cette loi naturelle des saisons de la vie ne contredisait en rien la Providence divine, qui a entrecroisé les mystères joyeux et les mystères douloureux qui ont scandé la Rédemption et que fait revivre l'année liturgique.

La mise en scène de *La Conversion de saint Paul* par Breughel la transporte dans le même monde des travaux et des jours du XVIe siècle. La chute de cheval du futur apôtre des Gentils n'est qu'un imperceptible accident de la route qui fait faire halte, un instant, à l'impressionnant détachement répressif de lansquenets à cheval dont Paul était un officier, tous vus de dos, en contre-plongée, dans une étroite gorge de haute montagne et par temps sombre. Seul un éclat de blancheur, au tout premier plan, sur la croupe du cheval d'un officier qui regarde ailleurs, fait allusion à la lumière surnaturelle dans laquelle l'âme du futur apôtre a été soudain transportée au troisième ciel. S'il est vrai que l'art sublime des grands maîtres flamands du XVe siècle, tant goûté aussi des Habsbourgs, représente un monde qui, jusqu'au moindre être naturel et au moindre objet d'art, est imprégné par la grâce répandue par les mystères rédempteurs du Christ et de Marie, Breughel l'Ancien donne à voir son monde rural, qui certes a reçu l'Évangile, mais dont les travaux et les jours, rythmés par les saisons ou abîmés par les intempéries naturelles et par l'Histoire, n'ont guère changé depuis Hésiode, Virgile et les premiers temps du christianisme. Il célèbre à sa vraie hauteur la beauté muette de leur humaine persévérance.

Si, par ailleurs, le goût pictural des Habsbourgs de Madrid et de Vienne s'est si volontiers et continûment porté du côté des Vénitiens, c'est que, dès la fin du XVe siècle, Venise est devenue la capitale européenne de la couleur, ou pour dire autrement la même chose, la capitale de la célébration du monde sensible et de l'Incarnation qui l'a gracié. Les mosaïques, les placages de marbre veiné, les pierres dures et l'or des iconostases qui faisaient de Saint-Marc une Sainte-Sophie en réduction sortent pour ainsi dire à l'air libre, et le regard des peintres vénitiens les traduit du langage de la Cité céleste à celui d'une Jérusalem terrestre où les *Saint Georges* et la *Sainte Ursule* de Carpaccio, les *Vierges à l'Enfant* en conversation sacrée de Giovanni Bellini baignent dans la même lumière marine que les doges et les pages, celle de la lagune. Au début du XVIe siècle, les presses vénitiennes d'Alde Manuce, ami de Ficin, publient ses œuvres, et notamment le *De Triplici vita*. Une nouvelle génération de peintres apparaît avec Giorgione : ils ne se contentent plus de peindre des paysages riants à l'arrière-plan de tableaux de dévotion, ils sont les maîtres du tableau de délectation profane, et ils invitent leurs spectateurs à se décharger de la « tristesse du siècle » en contemplant la représentation de la nudité voluptueuse de beaux corps féminins au repos. Démons pour saint Antoine ermite fuyant au désert, et sans doute fort déplacées dans une église, une chapelle, un oratoire privé, de telles représentations, longuement apprivoisées pour des imaginations nourries de plaisantes fictions mythologiques ou allégoriques et destinées à une galerie dédiée à l'*otium* et à la restauration de la bonne humeur, n'avaient rien ni de provocant, ni d'obscène, ni d'idolâtrique. Fictions elles-mêmes, admirables par l'art du peintre, elles surgissaient comme de doux songes écartant les idées sombres et les cauchemars, rendant l'esprit du maître de maison et de ses visiteurs disponible pour l'eutrapélie de la conversation et du jeu.

Le Concert champêtre du Louvre, attribué autrefois à Giorgione, maintenant plutôt à Titien après l'avoir été aux deux peintres, réunit dans un paysage agreste et ensoleillé, à des instruments de musique concertants, à de beaux habits de velours et de soie modernes portés par deux beaux jeunes gens au repos, le corps nu (*nude*, et non *naked*, selon la fine distinction de Kenneth Clark) de deux Vénus terrestres. L'une au repos, vue de dos, se penche à l'écoute des deux musiciens, telle la Marie évangélique aux pieds du Sauveur ; l'autre debout, en mouvement gracieux, vue de profil, s'occupe, telle la Marthe de l'Évangile à jouer les échansons et puise au puits, dans un bocal de verre, l'eau limpide qui rafraîchira ses trois compagnons installés à l'ombre, par une chaude journée d'été. Ces deux figures nues sont inspirées par la statuaire antique, ou plus probablement par la sculpture vénitienne inspirée de l'antique, dont les maîtres alors étaient Tiziano Lombardo et Jacopo Sansovino : leur transposition dans la peinture les délivre de la matérialité marmoréenne d'idoles féminines, elle les incarne dans une chair de rêve, à la fois succulente et promise à la fugacité de toute chair, inspirant une joie de vivre traversée par une fugace *intimation of mortality*, contrepoint élégiaque que semblent faire entendre les airs de luth plaintifs, interprétés par les deux graves jeunes gens penchés l'un vers l'autre et qui improvisent sur leurs instruments à corde. Au fond de cette scène d'*otium*, on voit au loin passer des paysans et leur monture, pris dans leur cheminement et indifférents à cette académie en miniature que le spectateur voit au premier plan.

Image du loisir « eutropique », « bien tourné », en équilibre délicat entre mouvement et repos, intériorisé par les arts, l'amitié, la galanterie, *Le Concert champêtre* est aussi et surtout, pour le spectateur contemplatif, une concentration d'influences bienfaisantes appelées par le peintre en une forme qui les conjoint et les harmonise : Vénus pudique (les nudités chastes), Cérès (la végétation d'été, les paysans au travail), Bacchus (buveur d'eau, ici, et non de vin), Apollon solaire (la lumière du jour), Apollon citharède (les guitares) et ses Muses (identifiées aux deux

Vénus). Autant de dictames pour les cinq sens terrestres, attirés allégoriquement dans le visible non comme des déités païennes, mais comme des aspects favorables du cosmos, contrebalançant l'action maléfique de Saturne, dont l'ombre plane sur les deux jeunes musiciens mis en scène à contre-jour. Le peintre s'est ingénié à associer sur sa toile, pour exercer un effet régénérateur pénétrant et doux sur la mélancolie qui pourrait guetter le spectateur lui-même, à peu près toutes les sympathies astrales dont Ficin demande aux studieux de s'entourer, pour prévenir la dépression. Sa fiction vraisemblable ne demande pas au spectateur qu'il voie en elle une représentation du vrai ou du réel, il lui suffit qu'une suspension provisoire de *disbelief* laisse agir sur l'imagination et sur l'intelligence l'agencement thérapeutique savamment composé pour les laver de leur éventuelle suie humorale. La représentation du nu féminin, dans cette image conçue pour purifier les passions et non pour les exciter, n'est pas plus un appel à « mordre » la pulpe et la chair que ne le sont les pommes ou les baigneuses de Cézanne : elle est là comme un charme ou un parfum visuels qui transposent et spiritualisent, à force d'art, la saveur ou la volupté charnelles. Les deux jeunes musiciens jouant de concert et absorbés par les harmonies de leurs instruments ne voient pas ces Muses qui les visitent à leur insu, ou s'ils les voient, c'est intérieurement, dans l'écoute même du mouvement et du repos, des sons et des silences alternés de la musique : le spectateur est seul à les voir, métaphores gracieuses et quasi chorégraphiques d'une partition qu'il ne peut entendre. Elles figurent ici comme les anges musiciens du retable de *L'Agneau mystique* des frères Van Eyck, eux aussi métaphores visuelles, mais de l'harmonie céleste consécutive au Jugement dernier. Tournées *allo profano*, les Muses du *Concert champêtre* symbolisent les fins très indirectement dévotionnelles de ce tableau de délectation : la santé et la juste mesure dans l'*otium* laïc. Les Vénus couchées de Giorgione et, de Titien au XVIe siècle et, au siècle suivant, la *Vénus au miroir* de Vélasquez, héritières des Muses du *Concert champêtre*, font comme elles le don d'une beauté sensible que nul ne peut s'approprier, telle l'image dans le miroir, mais que tous reconnaissent, irradiant le monde brutal de la sensualité et l'initiant aux grâces de la séduction et de la volupté.

Luther, auquel se rallièrent Dürer et Baldung Grien, disait : « *Pecca fortiter* », « Pèche énergiquement », l'âpreté du péché et du remords créant le terrain pour la grâce de Dieu. L'art catholique profane se propose au contraire de faire concourir l'éros et les cinq sens, réfléchis et affinés par la science des artistes, à l'humanité et à l'urbanité d'une civilisation des mœurs, comme l'art religieux catholique se propose de faire concourir l'imagination, l'émotion et la méditation suscitées par les retables ou les tableaux de dévotion privée, à une intériorisation affective et habituelle des mystères de la foi et de la grâce. Dans les deux registres, les arts sont appelés à ne rien laisser exposé et en friche aux manœuvres de Saturne et du démon. Ce n'est pas par hasard si le surréalisme tel que l'entend Breton, quête incessante de l'objet infini d'un désir qu'attisent et orientent des images prémonitoires, a trouvé un humus réceptif dans une Amérique latine encore imbue d'un catholicisme iconophile de Contre-Réforme. Nul ne l'a mieux compris qu'Octavio Paz, dans le livre subtil qu'il a consacré à la vie et à l'œuvre poétique d'une nonne lettrée du XVIIe siècle mexicain, Sor Juana de La Cruz.

L'art catholique, cessant d'être uniquement la Bible des illettrés, s'est élargi au cours du XVe siècle de la sphère de la dévotion, dont l'horizon est la sainteté, à celle de la délectation profane, dont l'horizon est celle d'une humanité imparfaite, mais du moins civilisée. Pour un Malraux, c'est par là que commence la chute de l'Art dans l'« Irréel », rachetée au XXe siècle par le modernisme. Pour un Édouard Pommier, plus récemment, c'est par là que commence la grande aventure de l'art moderne et contemporain, affranchi de sa fonction dévotionnelle [1].

Il est incontestable que cet élargissement, qui a semblé tout naturel en Italie, et qui a été pour ainsi dire canonisé au Vatican dans la fresque du *Parnasse* de Raphaël, a contribué par réaction au schisme luthérien, puis calviniste. Religion qui avait admis, avec l'humanisme de la Renaissance, que la quête du Dieu d'amour n'était pas incompatible avec les arts, les mœurs et la mesure dont la nature antique avait fait les éducateurs de l'*humanitas*, le catholicisme romain fut accusé de régression dans le paganisme. Un grand théologien moderne, Urs von Balthazar, s'est inscrit en faux contre ce procès : « Que le Christ soit le vrai Jason et le vrai Hercule, le véritable Amour en face de Psyché, que l'âme humaine soit le véritable Thésée devant le Minotaure, le véritable Orphée avec son Eurydice, qui est l'humanité, et non pas seulement le véritable Isaac et le véritable Booz, Calderon nous l'a rendu croyable [2]. » Il aurait pu ajouter : « le véritable Dionysos ». Mais bien avant le Siècle d'or espagnol, dans la Rome du début du XVIe siècle, un théologien très écouté de Jules II et de Léon X, un prédécesseur d'Urs von Baltazar, Gilles de Viterbe, l'inspirateur des *Stanze* de Raphaël, et plusieurs poètes très goûtés en cour de Rome, tels Sannazaro et Navagero, partageaient cette conviction, effaçant comme Raphaël lui-même toute incompatibilité entre art dévotionnel et art profane : si la représentation sensible et artiste des mystères de la grâce pouvait soutenir la vie de foi et jalonner

1. Voir Édouard Pommier, *Comment l'art devient l'Art dans l'Italie de la Renaissance*, Paris, Gallimard, Bibliothèque des Histoires, 2007, qui adopte, en la renversant, la thèse d'Elie Faure et de Malraux d'une « rupture » dans l'histoire des arts, précipitée par l'humanisme du XVe siècle, rupture malheureuse pour ces auteurs, heureuse à ses yeux.

2. Hans Urs von Balthasar, *La Gloire et la Croix*, Paris, Le Cerf, 1993, vol. I, p. 239-240.

l'itinéraire de l'âme vers son Dieu, la représentation de la mythologie gréco-latine comme répertoire de fictions allégoriques pouvait, dans son ordre, éduquer les passions, adoucir les mœurs, raffiner le goût, apprendre à sourire et combattre l'ennemi le plus dangereux de la santé et du salut : la « tristesse du siècle ».

Ressentie comme un blasphème de la lettre biblique, cette greffe des « humanités », littéraires et artistiques sur la théologie et la spiritualité chrétiennes – malgré ses précédents patristiques et médiévaux – compta parmi les causes de la rupture entre le christianisme du Nord et le catholicisme de la « Rome-Babylone », accusée de tous les vices et de toutes les apostasies. Nous vivons les dernières suites de ce schisme.

Une vague d'iconoclasme se déchaîna de l'Angleterre à l'Allemagne du Nord, en passant par les Pays-Bas espagnols. Rome, la capitale de l'iconophilie catholique, ne fut pas épargnée elle-même. Le sac de Rome, en 1527, sous les yeux de Clément VII, assiégé dans le château Saint-Ange, donna au pape le spectacle de destructions d'œuvres d'art perpétrées par les mercenaires luthériens à la solde de l'empereur Charles Quint. Le bruit courut qu'ils avaient jeté à la voirie la sainte Face « non faite de main d'homme » conservée et vénérée au Vatican, et que Dante et Pétrarque avaient célébrée comme la mère de toutes les « saintes images ». En réaction violente contre l'idolâtrie attribuée à l'art profane de l'humanisme, l'art dévotionnel tout entier était rejeté du culte chrétien. Les peintres et sculpteurs présents en 1527 à Rome s'égaillèrent autant qu'ils le purent loin de ce spectacle inconcevable pour des Italiens. Cette alerte laissa des traces, même si la papauté et ses artistes revenus à Rome renouèrent, en son foyer central, les fils brièvement interrompus de l'art et de l'humanisme catholiques.

Cela n'allait pas de soi. Rome aurait fort bien pu, pour jeter du lest et tenter de se concilier les hérétiques, décider que les arts visuels n'étaient ni indispensables au salut des hommes, ni intrinsèques au contenu dogmatique de la foi chrétienne. L'histoire des arts européens se serait brusquement interrompue ou à tout le moins, prodigieusement rétrécie. Montesquieu, visitant les temples abstraits de Hollande, n'aurait pas pu noter dans son *Journal de voyage* :

> Je sens que je suis plus attaché à ma religion depuis que j'ai vu Rome et les chefs-d'œuvre de l'art que j'ai vus dans les églises. Je suis comme ces chefs de Lacédémone qui ne voulurent pas qu'Athènes pérît parce qu'elle avait produit Sophocle et Euripide, parce qu'elle était mère de tant de beaux esprits.

Rome ne songea pas un seul instant à se vandaliser elle-même. Non par paresse d'esprit ni faute d'arguments pour étayer cet éventuel revirement, mais parce que les arts visuels étaient désormais si intimement imbriqués dans son anthropologie du salut qu'ils avaient cessé d'être, comme cela avait été le cas pendant le haut Moyen Âge, une pièce rapportée, une concession accordée aux laïcs ignorants, mais une pièce maîtresse de la pastorale s'adressant à tous les catholiques, à tous les états de vie, et aussi inséparable de la piété communautaire ou personnelle que la liturgie, les sacrements, la prière, les exercices spirituels. C'était un sang circulant dans toutes les veines de son corps mystique et de son corps physique. Comme les arts visuels « libres d'oser », et notamment la peinture, s'étaient développés, au confluent de toutes les sciences et de tous savoir-faire, dans les ateliers des villes italiennes et flamandes, depuis Giotto jusqu'à la génération de Léonard, ils étaient devenus capables de donner à voir les mystères de la religion – autrement dit les symboles des bornes constantes de la condition humaine et du don divin qu'elle avait reçu pour s'en affranchir –, aussi bien à l'intelligence des lettrés et des savants de toutes professions, laïcs ou non, qu'à la conscience altière des princes ou à l'imagination et à l'affectivité des femmes peu instruites, des simples et des obscurs. Chacun pouvait les intérioriser à sa mesure, dans le langage le plus universel et idiomatique qui fût, celui de *la vue naturelle*, dont l'art du peintre savait faire la métaphore de quatre autres sens et l'allégorie d'un plus haut sens, qui transporte et éveille leur témoignage fuyant et trompeur à l'énigme de ce qui le dépasse, le purifie, l'éclaire et l'ancre. Comme s'il disposait des flammes de la Pentecôte, Léonard a pu écrire du peintre qu'« il est maître de toute sorte de gens et de toute chose ». C'était devenu au XVIe siècle une évidence inébranlable, du côté catholique, qu'un art parvenu à une telle maturité et si profondément impliqué dans l'édifice symbolique de l'Église, ne pouvait être sacrifié sans ruiner celui-ci à sa suite.

De la papauté, pouvoir spirituel et temporel absolu, cet attachement aux arts visuels passa aux princes catholiques laïcs, demandant aux arts d'étayer, voire de susciter, outre le prestige dont ils avaient besoin pour joindre à la crainte qu'imposait leur force, l'admiration, sinon l'amour, qu'inspirait la gloire dont les artistes les auréolaient, une civilisation aulique et urbaine qui, n'ayant rien de monastique et ne prétendant pas à former une société de saints, donnait du moins forme et norme *civiles* aux constantes de la condition humaine, à la diversité de ses caractères et à l'inconstance de ses volitions. Les cours italiennes du XVe siècle furent le laboratoire de cet « entre-deux » humaniste, dont l'ambition n'était pas la sainteté, mais l'*humanitas* se connaissant elle-même et se donnant les mœurs d'une société civile. C'est dans la France des Bourbons, au lendemain du chaos des guerres civiles du XVIe siècle, et parallèlement à un extraordinaire *revival* catholique, que cette « civilisation des mœurs » a pris à grande échelle son autonomie et sa conscience de soi la plus achevée. Pascal lui-même a été contraint d'admettre, dans la forme

« libertine » et laïque de la civilité mondaine parisienne du milieu du XVIIe siècle, l'« honnêteté », une réalisation réflexive et supérieure de l'*humanitas*. C'est à l'honnête homme « libertin » qu'il s'adresse dans ses *Pensées*, pour tenter de le convaincre que sa philosophie pessimiste de l'homme et sa conception esthétique de la vie en société trouveraient leur sens ultime dans la conversion au christianisme. Pascal est le plus dramatique d'entre eux, mais il n'est pas isolé : de Michel de Montaigne à Baltasar Gracián, de François de Sales à La Bruyère, la *compatibilité* entre cette « honnêteté » civile dans les mœurs et la foi catholique est l'un des enjeux sous-jacents à la littérature des « moralistes ».

La « galanterie » et l'« honnêteté », la grâce envers les femmes et l'esprit bien fait, à l'aise avec tout le monde, sont les deux versants de l'*humanitas* mondaine. La double fin donnée par le poète latin Horace aux arts antiques, « délecter et instruire », *delectare* et *prodesse*, reprise par tous les théoriciens depuis la Renaissance, a fait des arts les auxiliaires naturels de l'éducation de l'honnête homme et de l'homme galant, aussi bien que de leurs interlocutrices. De même que François de Sales consent à la « vie dévote » le droit, dans la vie sociale et ses divertissements, de ne s'y manifester que sous les formes communes de la galanterie et de l'honnêteté, de même l'art des peintres, réservant ses tableaux dévotionnels à l'*otium* religieux de l'église et de l'oratoire privé, veut aussi exceller dans les genres de délectation, propres néanmoins à instruire l'*otium* mondain et profane. Le peintre Simon Vouet, de retour de Rome à Paris en 1627, y met au point un grand style décoratif qui passe avec aisance du tableau d'autel aux compositions allégoriques profanes égayant et ennoblissant les palais royaux et les salles de réception des hôtels privés.

La singularité de Nicolas Poussin, dont Richelieu aurait voulu faire le peintre officiel de la monarchie pendant le bref séjour qu'il fit à Paris en 1640-1642, mais qui demeura à Rome le meilleur de son existence, de 1624 à sa mort en 1665, fut de refuser cet éclectisme décoratif. Dispensé à Rome de grandes commandes religieuses par la concurrence de ses confrères italiens, disposant en France d'une clientèle d'amis et d'admirateurs fidèles, il a profité de son indépendance pour s'attacher de plus en plus à la composition de tableaux d'histoire et de mythologie antiques, puis de « paysages héroïques », tous destinés à être « lus » et médités avec la même attention que l'on peut lire les *Vies parallèles* et les *Morales* de Plutarque, ou les *Essais* de Montaigne. Il s'est voulu un éducateur de la vue et par la vue, ne négligeant rien de ce qui pouvait prendre au piège la vue pour la guérir de sa volubilité : concentration, réflexion, stabilité et sagesse. Il a porté la peinture de délectation, de moyen format et à l'usage d'amateurs laïcs, à la hauteur et aux ambitions de la grande poésie et de la grande peinture religieuse. Aussi Fénelon a-t-il fait figurer la « lecture » attentive des tableaux de Poussin, présents dans la collection du roi, au même titre que la lecture et l'imitation d'Homère et de La Fontaine, parmi les exercices de son pupille le duc de Bourgogne, enfant très difficile qu'il parvint à rendre maître de ses passions, modéré et aimable, sans prétendre à en faire un pur contemplatif, car il devait régner [1].

Au siècle suivant, dans la même perspective d'éducation des mœurs civiles, Lord Chesterfield, précepteur par correspondance de son fils, parisien de cœur et grand admirateur de l'« honnêteté » et de « la galanterie » à la française, lui recommande, pour mettre la touche finale à son Grand Tour européen, d'apprendre chez les peintres italiens et français, aussi bien qu'auprès des Parisiennes, ce qu'il appelle les « grâces », c'est-à-dire la manière civile, spirituelle et aimable de traiter victorieusement avec autrui et de gagner le cœur des femmes [2]. Ce n'est certainement pas au grave Poussin que pense le lord anglais, mais à Titien, à Véronèse, à Watteau, aux coloristes vénitiens et parisiens sur lesquels cet épicurien compte pour l'aider à dégeler un fils qu'il trouve, malgré son jeune âge, privé de feu et donc d'esprit.

L'art du dessin et de la couleur, comme l'art musical, l'art du théâtre, l'art de la correspondance, l'art de conter et l'art des mémoires, comme aussi la botanique et autres sciences de la nature, est devenu en France et, à l'exemple français, en Europe, l'un des nombreux exercices de l'*otium* éducatif des jeunes gens et l'un des remèdes contre l'ennui qui guette l'*otium* des adultes. Ces arts et ces sciences sont pratiqués, souvent avec une compétence de professionnels, au titre d'« amusements », par des « amateurs » et des « dilettantes » qui n'attendent ni le salaire ni la gloriole d'« auteurs ». « Amateurs » et « dilettantes » : les deux termes impliquent non seulement une manière désintéressée d'œuvrer, mais une sorte de légère allégresse érotique et communicative qui en écarte toute pesanteur pédante et toute prétention d'amour-propre. Arts et sciences sont souvent exercés en compagnie, à plusieurs mains, sans autre bénéfice que le plaisir de participer ensemble à l'œuvre des Lumières.

Passant de la sphère de la vie dévote des laïcs, où les saintes images soutiennent la prière, et de la sphère de la vie publique où les artistes concourent à la gloire royale, les arts ont été introduits dans la sphère de la vie civile et mondaine et installés au cœur de l'éducation et de l'emploi du temps des « honnêtes gens ». Cela n'implique aucune incompatibilité de principe entre vie dévote, vie publique et vie sociale privée, embellie et vivifiée par les arts. Mais, au XVIIIe siècle, à Paris et ailleurs, de plus en plus nombreux et nombreuses sont ceux ou celles qui, dans

1. Voir Anne-Marie Lecoq, *La Leçon de peinture du duc de Bourgogne. Fénelon, Poussin et l'enfance perdue*, Paris, Le Passage, 2003.

2. Voir mes *Exercices de lecture, de Rabelais à Valéry*, Paris, Gallimard, 2006.

le sillage des « libertins » chers à Pascal, se contentent de la troisième, se rient des conventions de la deuxième, et tiennent la première pour leurre, superstition ou hypocrisie. Rigorisme et jansénisme ont beaucoup contribué à éloigner les « honnêtes gens » d'un catholicisme d'assiégés.

Il ne faut pas oublier cependant que les plus beaux esprits du siècle, à commencer par Voltaire et Diderot, anciens élèves des jésuites, et la plupart de ses femmes les plus brillantes, formées dans des couvents féminins, ont appris à se connaître et à développer leurs talents dans un *otium* imprégné d'un christianisme ami des lettres et des arts.

Peut-on parler de « métastase » d'un *otium* à l'autre, et voir dans l'expansion de cette *cultura animi* mondaine, qui a pris son essor dans l'Italie des cours catholiques du XVe siècle et qui a trouvé un relais à grande échelle dans la France à majorité catholique du XVIIe, un phénomène spécifique des sociétés catholiques, qui se serait étendu par contagion aux sociétés protestantes ? C'est évident pour tout ce qui relève des arts visuels et du théâtre, à l'égard desquels la religion romaine s'est toujours montrée beaucoup mieux disposée que les Églises protestantes. Dans l'ordre des sciences, comme dans celui des arts, des lettres, de l'érudition et de la musique, pour ne rien dire des techniques et de l'économie, l'Europe protestante a encore eu beaucoup à apprendre des nations catholiques au XVIIe siècle, où ont été formés un Galilée et un Descartes. Mais dès la fin du XVIIIe siècle et plus résolument au XIXe siècle, Angleterre en tête, c'est l'Europe protestante qui prend les devants, faisant passer les sciences, les techniques, l'économie et l'éthique du travail au service de la puissance industrielle et militaire, aux dépens des arts de l'*otium* dont les nations catholiques maintiennent la primauté à leurs dépens. Est-ce un jugement de Dieu, confirmé par l'ultérieure et actuelle hégémonie américaine ? Le fait est que le XVIIIe siècle, très brillant dans les lettres et les arts, excellant dans les sciences, modéré dans son inventivité technique, a répondu aux vœux de Vico en 1707, rejoint par Montesquieu et plus tard par Stendhal. Le siècle de Voltaire et de Jean-Sébastien Bach a fait grand cas des lettres et des arts pour civiliser ses passions, orner son imagination, modérer et éclairer son amour-propre, sans pour autant atrophier leur feu inventif de formes gracieuses, grandes et belles, ce qui n'a pas peu contribué à contenir dans une juste mesure son zèle pour les sciences et les techniques. Les instruments de la nouvelle science, télescope et microscope, sont encore traités au XVIIIe siècle en objets d'art raffinés et ornés, objets de jouissance et de délices pour la vue et les sens naturels, ou métaphores pour le Micromégas de Voltaire, avant que de servir au XIXe siècle de vecteurs utiles à l'exploration et à l'exploitation d'un univers matériel qui dépasse et renie le témoignage des sens.

Le XIXe, malgré la stature et le nombre de ses génies littéraires et artistiques, malgré l'ampleur de ses *revivals* religieux, est le grand siècle des sciences, des techniques, de l'industrie. Fertile en révolutions politiques, il n'a fait que modérément la guerre. Les énormes tensions qu'il avait contenues entre les traditions agraires et la modernité industrielle des nations du Continent, et entre ses nations rivales que leurs industries rendent âprement concurrentes, n'exploseront vraiment qu'au siècle suivant.

Au XVIIe siècle, la querelle des arts visuels était passée de la sphère de la foi (iconoclasme contre idolâtrie) à celle de la science optique : l'optique naturelle, qui convoque l'esprit, avec l'appui des autres sens, à la connaissance de la nature et du monde humain, commence à entrer en conflit avec l'optique artificielle, qui assoit une connaissance et une maîtrise de la matière inaccessible à la vue et aux sens naturels, mais gouvernée par l'abstraction de lois mathématiques. Elle est aussi passée du domaine de la théologie à celui de la politique, sans pour autant perdre ses attaches à ses origines religieuses. En Europe protestante, tout roi ou aspirant à l'être, qui s'entoure d'artistes et commandite des œuvres d'art à sa gloire, est soupçonné de catholicisme et d'absolutisme. Tout anglican qu'il fût, mais d'un anglicanisme High Church asymptotique du catholicisme, Charles Ier Stuart fut le mécène de Rubens, de Van Dyck et des « masques » de cour d'Inigo Jones et de Ben Jonson. Époux d'une princesse française catholique, il s'appuyait pour gouverner sur un Lord Marshall catholique, Arundel, antiquaire et collectionneur à l'italienne. Il offrit à son peuple tous les traits du prince catholique, cherchant à fonder sur le prestige des arts une autorité indiscutée, incompatible avec celle du Parlement. Autre exemple : fondatrice de la nation hollandaise, la famille d'Orange, pourtant calviniste, éveilla le soupçon de vouloir s'ériger son stathoudérat en royauté et dynastie « à la catholique », lorsqu'elle s'avisa d'employer le peintre Jordaens, élève de Rubens, à la célébrer. Sur la frontière entre Pays-Bas espagnols et Pays-Bas à majorité calviniste, où se déroula jusqu'en 1648 une guerre de positions où l'on venait faire ses armes de tous les coins d'Europe, se jouait aussi le conflit entre le « culte des arts » propre aux princes catholiques et le refus protestant de toute image dévotionnelle et de tout art de célébration princier.

À Anvers, devenu l'avant-poste des Pays-Bas espagnols, l'atelier de Rubens et l'imprimerie-atelier de gravure des Plantin furent la corne d'abondance du grand art de cour catholique, où nombre de peintres et graveurs calvinistes apprirent leur métier, quand ils ne firent pas eux-mêmes, comme Rubens ou Hondthorst, le voyage de Rome. Dans les cités calvinistes des Pays-Bas du Nord, les peintres rivalisaient de talent dans les genres profanes – portraits, paysages, scènes d'intérieur bourgeois, vanités, intérieurs de temples vides d'images –, mais la polémique contre le Sud catholique passait par le livre imprimé et la gravure.

En France, la dynastie des Bourbons, depuis la régence de la Florentine Marie de Médicis, sous Louis XIII, n'a cessé de perfectionner un mécénat politique de grande envergure, qui devint sous Louis XIV le plus magnifique d'Europe, rival de celui des papes, enveloppant de majesté, de révérence et de silence le mystère de la « monarchie des lys », avant de l'envelopper de grâces sous Louis XV.

Les arts n'expliquent pas, ne prouvent pas, ils montrent ce que l'œil distrait sans eux ne verrait pas, ou ne verrait plus, et qui pourtant grâce à eux s'impose à l'esprit et aux sens intérieurs comme un fait ou une évidence tenant par eux-mêmes. Aussi ont-ils un rapport quasi structurel, à Rome comme à Paris, avec la monarchie de droit divin, qui veut paradoxalement s'imposer comme un fait immuable, indiscutable et commun, à vue humaine, là où les passions, la mobilité, le trouble de la nature humaine sont les plus agités, redoutables et imprévisibles, la société politique. Ils ont surtout des affinités profondes avec une religion qui repose sur le paradoxe et le mystère d'une créature déchue et méchante, assez aimée cependant de son Créateur pour qu'il la prenne sur lui, en subisse toute la férocité, et ne s'en éloigne qu'après s'être assez montré pour lui faire désirer de recouvrer son initiale ressemblance avec lui. Avant les monarchies absolutistes du XVIIe siècle, l'Église romaine avait su reconnaître que l'art des peintres, l'art de rémunérer ce qui manque au désir dans ce que les yeux de chair voient, était aussi capable et peut-être mieux capable que la théologie, de faire reconnaître aux hommes l'invraisemblable geste d'amour que Dieu a consenti en leur faveur. Les monarchies absolutistes ont fait leur temps, mais les arts dont elles ont été les mécènes demeurent d'admirables éducateurs de la vue et des sens à l'attention pour ce qui peut faire de leur chaos un monde habitable. Et la peinture dévotionnelle catholique, qui faisait horreur à Kierkegaard, et qui transportait Baudelaire, a élevé le christianisme à la dimension d'un grand mythe universel, familier sur toute la terre, bien au-delà des rangs et des murs de l'Église catholique.

Noël 2008 approche, grande fête mondiale de la consommation, quasi amnésique de son origine dans l'année chrétienne. La chaîne privée française TF1 a fait savoir qu'elle ne retransmettrait plus, à partir de cette année, la messe de minuit à Notre-Dame. Ses annonceurs ont obtenu cette victoire. Il est d'autant plus saisissant de lire, ces jours-ci, dans *The Human Condition* de Hannah Arendt, parmi tant d'analyses anxieuses des illusions et des faux-fuyants dont se repaît l'humanité moderne, que la seule foi et la seule espérance qui ne trompent pas « ont trouvé leur expression la plus glorieuse et succincte dans la petite phrase des évangiles » : « Un enfant nous est né. » On est tenté d'ajouter : et dans le tableau du *Nouveau-Né* de Georges de La Tour, à Rennes.

L'Histoire sainte et son calendrier, nourris par les apocryphes et la Légende dorée, ont fait corps avec les représentations symboliques qu'en donnèrent les artistes médiévaux. Même lorsque leur art devint savant, conjuguant optique, géométrie, anatomie, physiognomonie, expression des passions, histoire naturelle, architecture, antiquariat, mythologie, toute cette science pré-moderne des peintres chrétiens ne fit elle-même qu'enraciner davantage le mystère de la Rédemption dans l'évidence de la nature telle que nous la voyons, dans la vie quotidienne telle que nous la vivons, dans l'expérience des sens telle que nous la faisons. Comme si l'invisible Sauveur du monde visible, avec l'aide de la peinture, avait achevé de s'incarner et était devenu la doublure inséparable du visible, le préservant de sa propre fugacité et de la vanité méprisable à quoi le condamne l'emprise supérieure de l'optique scientifique et technique sur la matière.

Les ruines antiques, avec leurs éboulis de pierres, si fréquentes dans les représentations italiennes de la Crèche au XVe siècle, font mesurer, mieux que tout discours, qu'un monde insensible au temps est promis désormais à l'humanité dans le temps : sa pierre d'angle vivante, fragile, paradoxale et glorieuse, est un Enfant. Il en reste encore aujourd'hui l'empreinte d'espérance que ce symbole a laissée chez un grand esprit étranger au christianisme et un faible repère de vraie vacance et de vraie joie sur toute la surface de la terre.

La peinture au XVe et au début du XVIe, comme l'atteste le « traité » de Léonard, était à la fois le cinquième Évangile de l'Histoire sainte et le miroir-sorcière où se réfléchissait toute l'encyclopédie de l'histoire naturelle telle que la science antique l'avait extraite de l'expérience des sens. Aussi est-ce comme pour mémoire, au cours de sa toute dernière session, en 1563, que le concile de Trente vota en hâte un décret sommaire, s'appuyant sur le canon du concile byzantin de Nicée II qui avait légitimé les icônes en 787, huit siècles plus tôt, et réaffirmant, face à l'hérésie, la licéité des « images saintes » dans le culte et les exercices de piété. Le décret laissait aux autorités ecclésiastiques diocésaines le soin de veiller à la décence et à la convenance de ces œuvres d'art dévotionnelles.

24. La querelle du **Jugement dernier** *de Michel-Ange*

La décence et la convenance appropriées aux « images saintes », dont une large initiative était laissée aux artistes, rarement des âmes de cristal comme Fra Angelico, Fra Bartolomeo ou Giovanni Bellini, n'étaient pas faciles à obtenir. Le « feu » auquel s'alimente l'imagination des formes artistiques, et qui succombe souvent à l'excès de mélancolie, peut aussi chercher ses aliments dans l'enfer des passions. La sainteté et la divinité prenaient le risque d'être imaginées par ce qui est le moins saint et divin dans l'humanité, mais ce qui est aussi le plus ardemment désirant, l'éros charnel. C'était un péril qu'évitait l'icône, dont la forme préétablie ne laissant à l'artiste que sa circonscription, sa coloration et son encadrement, isolant l'image sainte de toute source impure. C'était pourtant le risque qu'avait choisi de courir l'Église romaine en accordant aux artistes la « liberté d'oser ». Leur œuvre n'était tenue ni pour théophanique, ni pour sacrale ; elle s'avouait « faite de main humaine », elle s'adressait à l'œil et à l'esprit humains pour les attacher aux mystères de la foi par les moyens d'un art lui aussi humain, jouant sur les ressources propres à la vue naturelle. Dans cet ouvrage, on ne pouvait exiger des peintres ce que l'on attendait de moines ou de frères lais. Tout au plus pouvait-on espérer d'eux qu'ils s'en tiennent avec exactitude aux règles objectives de leur art, parmi lesquelles la décence et la convenance figuraient en première place. Toutes choses égales, de même que l'efficace théophanique des paroles sacramentelles de la messe ne dépend pas de la pureté personnelle du prêtre qui les prononce, l'efficace d'une image sainte et sa convenance ne dépendaient pas des sources humaines, pures ou impures, auxquelles l'artiste avait puisé pour observer toutes les règles de son art et traiter saintement son saint sujet. Baudelaire sent les choses ainsi quand il célèbre l'authenticité religieuse de la *Mise au tombeau* de Delacroix : l'imagination créatrice de l'artiste a suppléé au peu de foi de l'homme.

Un bref scandale fit surgir, dans Rome, antérieurement au concile de Trente, la question, laissée à résoudre au secret de la confession, posée par les auteurs d'images saintes, qui par ailleurs, en privé, dessinaient et gravaient des images érotiques. Raphaël, son graveur de prédilection Marc-Antoine Raimondi et son élève Jules Romain étaient de ce nombre. Les corps idéaux du dessin d'après l'antique pouvaient alternativement inspirer la représentation d'une édifiante Pietà et des scènes d'alcôve. Luther en avait pris prétexte pour qualifier Rome de Sodome, mais cette contradiction n'indignait nullement les humanistes italiens, pour qui la notion d'*humanitas* couvrait le grand écart entre le *Satyricon* de Pétrone et les *Confessions* de saint Augustin. Quant aux papes du XVIe siècle (à l'exception d'un Flamand rigoriste, Adrien VI, dont le règne fut bref), quant aux cardinaux romains, ils connaissaient trop bien eux-mêmes la nature humaine pour aller chercher des puces dans la crinière d'artistes de génie, qui de surcroît n'avaient pas fait vœu de chasteté. Le scandale ne vint donc pas de Rome, mais de Venise, la cité italienne et catholique rivale, dans l'art de peindre, de Rome et de Florence. La capitale de la couleur.

Le publiciste vénitien Pietro Aretino, célèbre pour les libertés insolentes qu'il prenait dans les lettres ouvertes qu'il adressait aux princes ayant mal récompensé ses louanges, aggrava son cas en publiant des dialogues et une comédie ne cachant rien ni des ardeurs gaillardes de ses contemporains ni des méthodes par lesquelles les courtisanes les apaisaient. Cette liberté de langage « à l'antique » ne l'empêchait pas, au contraire, de s'estimer excellent catholique. Il se mit en tête de devenir cardinal, comme avant lui l'était devenu, pour de tout autres mérites littéraires, son compatriote Pietro Bembo. Il composa une tragédie sur un sévère sujet romain, *Horace*, que traitera à son tour Corneille au siècle suivant.

L'Arétin était aussi l'ami des plus grands peintres vénitiens du moment, Titien, Sebastiano del Piombo, Véronèse, Tintoret. Il crut pouvoir poser en patron de la peinture (et donc en candidat possible à la pourpre) en publiant, entre 1534 et 1545, en compensation de ses pièces de satire érotique, une série d'ouvrages offrant aux peintres une iconologie des différents épisodes de la vie du Christ, de celle de la Vierge et de celle de Marie-Madeleine susceptibles de leur fournir des sujets de tableaux de dévotion.

Il modernisa ainsi l'un des *best-sellers* européens de la fin du Moyen Âge, la *Vie du Christ* narrée en extrême détail, souvent apocryphe, par Ludolphe le Chartreux, la transformant en une série de descriptions de tableaux possibles. Son autre modèle était en effet la collection de *Tableaux* mythologiques composée au IIIe siècle par le sophiste grec Philostrate. Cette galerie imaginaire avait fait sensation à Florence et à Rome lors de sa redécouverte au siècle précédent. Comme le récit de Ludolphe, les descriptions de l'Arétin s'inspiraient des Évangiles et des accrétions postérieures, anciennes ou médiévales, que les peintres depuis le XIIIe siècle avaient accréditées et rendues familières à tous ; elles jouaient aussi sur de doctes allusions mythologiques ou archéologiques qui ne pouvaient déplaire aux lettrés. Les *Trois Livres de l'Humanité de Jésus-Christ* formaient en langue vulgaire un collier de poèmes en prose, abondants en images qui parlaient aux sens, pourvus aussi de la saveur imaginative et affective du conte de fées ou du roman. Cet éclectisme allait de soi en Italie, et les *Trois Livres* de l'Arétin connurent un grand succès éditorial. La pieuse sœur de François Ier, Marguerite de Navarre, en commandita aussitôt une traduction française [1].

L'Arétin vécut assez pour savoir que sa candidature au cardinalat resterait sans suite, mais il mourut à temps pour s'épargner l'humiliation de la mise à l'Index et au pilon, l'année suivante, en 1557, de son « Cinquième Évangile » poétique et pictural. Entre-temps, l'érudition protestante, intransigeante sur la lettre de l'Écriture sainte et exercée à la critique historique, avait tourné en dérision et traité de blasphème la brillante paraphrase de l'Arétin, pénétrée d'une culture visuelle rare à

1. Voir sous le titre cité, la réédition, annotée et commentée par Elsa Kammerer aux Presses de l'É. N. S., 2004, de cette traduction française par Jean de Vauzelles (1539).

l'époque, mais emmêlant légende et histoire, mythologie et théologie. L'Église fut contrainte, à regret, de censurer *post mortem* le fougueux rhéteur ; les peintres catholiques se virent tenus, eux aussi désormais, d'être non seulement savants dans leur art, mais attentifs, au moins par clerc interposé, à un minimum de critique historique. L'œil analytique de l'Europe du Nord était fixé sur l'Italie et sur son catholicisme humaniste et artiste : il ne fallait pas moins que papes et rois pour servir de bouclier à ses foudres. La critique historique protestante, avec sa précision méticuleuse s'exerçant sur l'esprit catholique de synthèse, précédait d'un siècle l'œil de Cyclope du télescope et du microscope, qui, appuyé sur le calcul mathématique, mit au défi les vraisemblances d'une religion, d'une science, d'une poésie et d'arts fondés sur le témoignage des sens naturels et sur ce qu'en concluaient le jugement, l'imagination et la mémoire.

L'Arétin avait voulu non seulement trouver des lecteurs, mais surtout inspirer les peintres par ses descriptions narratives de tableaux d'histoire chrétiens. Apprenant avec retard que Michel-Ange avait reçu commande d'un *Jugement dernier* monumental pour le mur d'abside de la Sixtine, il lui envoya en 1537, assortie de louanges hyperboliques, une description inédite de l'Apocalypse devant servir de programme au célèbre artiste florentin. Celui-ci lui répondit poliment qu'il était trop tard, l'œuvre était pratiquement terminée. Le redoutable Vénitien se rendit à Rome pour contempler la fresque achevée dont toute l'Italie et l'Europe bruissaient. À son retour à Venise, il adressa à Michel-Ange une lettre ouverte trempée dans le même venin qui avait irrité plus d'un prince. Feignant de s'étonner, tant il avait d'admiration pour la sagesse et pour l'art du grand artiste, il dénonçait avec une violence inouïe l'impie et obscène blasphème qu'il avait dû contempler au fond de la Sixtine, aussi impudique et lascif, disait-il, que ses propres descriptions des mœurs des prostituées. L'art païen des idoles était timide en comparaison. « Mais ici, écrivait-il, pour un chrétien qui attache plus de prix à l'art qu'à la foi, c'est un vrai spectacle que l'indécence avec laquelle vous figurez les martyrs et les vierges et le geste de saisir un damné par les organes génitaux, qui ferait baisser les yeux de honte dans un bordel. Votre ouvrage avait place dans une agréable étuve, non dans un chœur grandiose et dans un lieu sacré. »

L'allusion à la passion bien connue du « divin » Michel-Ange pour les beaux jeunes gens était féroce. *Le Jugement dernier* de la chapelle pontificale était implicitement assimilé à la gravure *Le Bain d'hommes* de Dürer, où le grand peintre de Nuremberg, qui avait fait son autoportrait en Christ, s'était représenté lui-même en jouvenceau dans une étuve, assailli de désirs masculins on ne peut plus explicites. Le terrible imprécateur terminait par le souhait que le pape Paul III Farnèse imitât son prédécesseur Grégoire le Grand, qui avait fait abattre les dernières idoles debout dans la Rome du Ve siècle, et fît effacer cette nouvelle idole.

Le pape Farnèse, grand connaisseur d'art, se garda bien de suivre le conseil du Vénitien, dont il connaissait l'humeur et la partialité en faveur des peintres de sa patrie. Grand pécheur lui-même, il voyait fort bien avec quelle science Michel-Ange, travaillé par l'angoisse de son propre salut, avait transposé et amplifié, dans sa fresque, le groupe de Laocoon que l'artiste avait été l'un des premiers à admirer lors de sa découverte, en 1506, à Rome. Déployant toute sa *terribilità,* sans cacher ni le sexe ni l'angoisse vertigineuse des damnés, il avait fait surgir un Christ herculéen, sans précédent, partageant à jamais, d'un signal impérial, sous les yeux d'une Marie renonçant à intercéder, les innocents des coupables. C'était la traduction de la prophétie de saint Jean dans le langage du mythe et de la sculpture antiques. Détruire un tel chef-d'œuvre eût été aussi grave que de détruire les fresques de la Chambre de la Signature : il attestait l'alliance de l'art catholique et de l'humanisme, au sens de lucidité sur la condition humaine, au même titre que l'œuvre de Raphaël scellait l'alliance entre l'art catholique et la culture antique, l'autre sens de l'humanisme. Le successeur du pape Farnèse, Paul IV Médicis, se contenta de faire couvrir les sexes litigieux par un élève de Michel-Ange, et après la mort de celui-ci. Le peuple de Rome, dévot et ironique, appela Daniele da Volterra *Il Braghettone.*

La dénonciation de l'Arétin, moralement atroce, n'en mettait pas moins en évidence une vérité qui aurait dû rester un secret bien gardé, un secret que le peuple de Rome et les papes eux-mêmes, sans attendre le Satan de Baudelaire ou le Dionysos de Nietzsche, n'ignoraient pas, et que la vie peu édifiante ou très tourmentée de leurs grands artistes, un Michel-Ange, un Sodoma, un Cellini, un Pontormo, laissait clairement entendre au su, sinon au vu de tous : le génie artistique n'a rien de commun avec la sainteté, surtout lorsqu'il s'exerce dans le sillage de puissants politiques qui, eux-mêmes, ne peuvent être des saints sans mettre en péril leur capacité à gouverner. Pour pouvoir tout oser, l'imagination créatrice des grands artistes doit descendre dans les limbes de l'humanité tombée et aller jusqu'au feu de l'enfer, même et surtout lorsqu'elle s'élance et s'élève à donner corps et gloire aux mystères de la rédemption et du salut chrétiens. Andrea Mantegna, qui avait bien connu Dürer à Venise, fit du Christ vu de dos, se penchant pour franchir la porte ténébreuse des Limbes, une allégorie de l'artiste descendant dans ses propres ténèbres. Dès le XIIIe siècle, l'Église romaine avait implicitement admis, sous la plume de Durand de Mende, le paradoxe de l'art, dire le divin dans le langage des sens et des désirs humains. Elle retrouvait l'attitude grecque envers les arts (persistante dans la Byzance iconophile) telle que la décrit Hannah Arendt : contempler, goûter, célébrer la beauté objective des œuvres, mais indépendamment de l'artiste ou de l'artisan qui l'a fabriquée, de sa moralité et de sa subjectivité. Une attitude qui ne sera inconnue, ni de Huysmans, pour lequel le nervosisme malade de la rétine de l'artiste et le spectacle de la chair vouée à la corruption exigent des prodiges d'art pour être transfigurés, eucharistie du regard, en suprême et durable beauté [1], ni de Cézanne, qui estimait les peintres à la mesure de la violence intime transformée par leur art en tempête immobile de beauté : il allait jusqu'à souhaiter que ses tableaux sauvent toutes les données des sens, y compris l'odorat.

Mais la dénonciation, restée sans suite, de l'Arétin avait un sens encore plus précis. En accusant Michel-Ange d'obscénité dans une œuvre dévotionnelle destinée à la chapelle privée des papes, il s'en prenait à l'art du dessin florentin, dont Michel-Ange, d'abord sculpteur et architecte avant d'être peintre, était le prince, voire le dieu, incontesté. Il accusait cet art néo-platonicien, qui prétendait à la vision intellectuelle et supra-sensible et regardait de haut la sensualité optique de la couleur vénitienne, de faire la bête en prétendant faire l'ange. Le coup bas porté au suprême chef-d'œuvre de l'art du dessin florentin était indirectement une apologie de la santé de l'art vénitien de la couleur, qui du moins ne péchait pas par orgueil et hypocrisie, et acceptait la condition charnelle et sensuelle de l'humanité. En réalité, la féroce lettre publique de l'Arétin à Michel-Ange inaugurait en fanfare la querelle du dessin et de la couleur. Et d'avance, elle renvoyait à égalité les deux options rivales de l'art moderne de peindre à leur plus petit commun dénominateur, ce que Freud appellera la *libido* et son inconscient. En avance de quatre siècles, l'Arétin avait donné en plein XVIe siècle, du *Jugement dernier* de Michel-Ange, une lecture fort analogue à celle que Freud proposera de *La Vierge aux rochers*, dans son article intitulé « Un souvenir d'enfance de Léonard de Vinci » : l'aigle œdipien au pied de la Vierge, que croit voir Freud, vaut bien les sexes des damnés qui, selon l'Arétin, sont la vérité inavouée de la fresque de Michel-Ange.

*
* *

La Renaissance italienne des lettres et des arts n'est pas un bloc. Elle n'a pas été non plus un coin de paganisme enfoncé par l'Italie dans l'Europe chrétienne. Dès le XVe siècle, elle est l'interprétation chrétienne des deux voies philosophiques qui avaient divisé le monde gréco-romain, entre stoïciens-platoniciens, et épicuriens. Au XVIe siècle, ces deux voies se

1. Voir le beau livre de Jacqueline Lichtenstein, *La Tache aveugle. Essai sur les relations de la peinture et de la sculpture à l'Âge moderne*, Gallimard, Essais, 2003, p. 203-212.

réfractent dans les arts, entre le primat florentin du Dessin et de l'Idée et le primat vénitien de la Couleur et du Sensible, l'une mettant l'accent sur la divinité du Christ, l'autre sur son humanité, mais toutes deux se donnant pour véhicules du salut du visible déchu, l'une par la victoire de l'esprit sur la chair, l'autre associant la chair à la victoire de l'esprit. L'histoire des arts, et au premier chef celui de la peinture, est déterminée désormais par l'une ou l'autre préférence, affaire non d'antithèse tranchée, mais de tempérament, de choix existentiel et de tradition de métier, les dessinateurs ne reniant pas la couleur, mais la mettant en œuvre de façon très différente de celle des coloristes, et les coloristes ne reniant pas le dessin, mais le cultivant de façon très différente de celle des dessinateurs. Ces deux voies qualitatives de la rédemption du visible restent vivantes dans la peinture moderniste, où l'on peut discerner en ces termes ce qui sépare le grand dessinateur que fut Picasso du grand coloriste que fut Matisse, et ce qui caractérise, le plus tardif d'entre eux Francis Bacon, grand maître de la couleur et de sa souffrance, bien que sa vocation ait été éveillée par Picasso, et qui est toujours soucieux cependant de la disposer sur une scène et dans un lieu fortement dessiné.

Pas de schisme donc entre les deux véhicules, qui supposent tous deux un mode commun du connaître s'appuyant sur l'exercice des sens naturels, de leur fiabilité et de leurs illusions, tel que le supposait la philosophie antique. Les peintres modernistes ont dû œuvrer dans un contexte cognitif sans précédent, où le divorce est consommé entre l'expérience commune des sens naturels, interprétée par le jugement, l'imagination et la mémoire (l'image trinitaire de Dieu imprimée dans l'âme humaine, selon Augustin), et l'intelligibilité scientifique et mathématique de l'univers matériel, vérifiée par des prothèses optiques et acoustiques, du télescope, du microscope, et des versions toujours plus performantes de la caméra photographique : de tous ces instruments de laboratoire dérivent, retournés sur le monde humain et sur sa vie quotidienne, les technologies de l'industrie de consommation et de divertissement par le son et l'image. Tout l'édifice ancien, religieux, politique, artistique, moral, éducatif, est remis radicalement en question, sous toutes ses formes, par ce *sensorium* scientifique et technologique substitué à celui, en deshérence, de nos mains, de nos sens, de notre imagination naturels.

Le premier à constater cette schizophrénie moderne et à tenter de la surmonter, ce fut Goethe, au retour de son voyage en Italie (1786-1788). Le grand poète avait, comme la plupart des gens cultivés du XVIIIe siècle, appris à dessiner et à peindre, mais ce sont l'Italie, ses paysages et ses peintres qui l'éveillèrent au problème de la couleur dans l'ère de la science et des techniques. Il n'hésita pas à s'inscrire en faux contre l'autorité écrasante de Newton, le physicien pour lequel un son n'est qu'un phénomène vibratoire d'une certaine fréquence, et la lumière une simple synthèse de couleurs révélée par le prisme. À cette conception quantitative du monde de la vue, Goethe ose opposer une conception qualitative, phénoménique et symbolique de la lumière et des couleurs, dont il publie en 1810 la théorie dans son *Traité des couleurs*, avec l'intention expresse de restaurer l'unité de l'expérience humaine des sens et du monde, obérée par la dictature abstraite de la physique newtonienne et le soupçon réducteur de vain subjectivisme qu'elle jette sur le rapport vivant et vécu de l'homme et de son monde. Aux yeux de Goethe poète, peintre et savant, c'est ce rapport naturel qui est au contraire le plus susceptible de profondeur et d'accès à la vérité symbolique de notre être au monde. La couleur est la souffrance de la lumière, elle se révèle et se modifie dans le combat de la lumière contre l'obscurité active de la matière [1]. La science optique et poétique de Goethe a fait son chemin chez les peintres et les poètes des XIXe et XXe siècles. Mais l'histoire est encore à écrire de cette querelle entre la lumière et les couleurs existentielles, selon les peintres et les artistes, et leur analyse par les physiciens, les physiologistes, et les neurologistes [2]. Querelle parallèle à celles qui ont opposé le dessin imaginatif et le dessin scientifique, les arts traditionnels et le « dessin de lumière » dont s'est réclamée la photographie. La modernité est loin d'être un bloc. Le modernisme dans les arts a été souvent une anti-modernité.

La grande question qui se pose toujours à nous est la possibilité même de réconcilier l'univers impersonnel et quantitatif construit par les sciences de la nature et les techniques, un univers kafkaïen où l'individualisme est l'alibi d'une rétraction inouïe de la personne, avec un monde ancien qui nous a laissé pour tâche, inachevée et inachevable, mais plus que jamais vitale, de nous connaître nous-mêmes dans nos limites, incapables de bonheur mais capables de le désirer et de le chercher comme notre souverain bien.

---

1. Voir Goethe, *Traité des couleurs*, trad. Henriette Bideau, présentation Paul-Henri Bideau, Paris, Triades, 1973.

2. L'excellent ouvrage de Gérard Simon, *Archéologie de la vision, l'optique, le corps, la peinture* (Paris, Seuil, 2003) ne va pas au-delà de Descartes.

CHAPITRE 3

Brève péroraison

La France, l'Europe et l'écologie symbolique de la planète

> *Toute conquête objective suppose un recul intérieur. Quand l'homme aura atteint le but qu'il s'est assigné, asservir la Création, il sera complètement vide, dieu et fantôme.*
>
> E. M. CIORAN, *Exercices d'admiration.*

Mon voyage et son journal touchent à leur fin. Je ne me suis éloigné, dans le temps et dans l'espace, que pour me rapprocher de ce qui me troublait et que je souhaitais quelque peu fixer et coordonner, avec les faibles moyens dont je dispose, et pour ma propre gouverne, les différents régimes d'images dans lesquels nous marchons tous aujourd'hui à l'aveuglette. J'ai voyagé des deux côtés de l'Atlantique dans le monde de la vue, parmi les images, les arts et les livres, et je me retrouve devant cette mosaïque de notes dont il me faut maintenant m'éloigner pour en découvrir, s'il se peut, la figure d'ensemble.

Avant de prendre du champ, j'extrais de mon courrier accumulé, un livre envoyé gentiment par le duo de *L'Écran global*, Gilles Lipovetsky et Jean Serroy. Eux aussi, à leur façon, ont tenté d'unifier le champ de la vue contemporaine. Leur dernier essai, *La culture-monde*, est écrit sur le même ton et dans le même langage d'époque que le précédent : adoration de faits accomplis, terreur feinte devant leurs « dommages collatéraux », mais optimisme de commande sur les quelques correctifs qu'il convient de leur appliquer. Leur livre m'est arrivé à pic, comme tant de livres et de conversations qui ont nourri ce journal au moment où j'en avais justement besoin, pendant quinze mois.

J'avais reçu l'ouvrage fin octobre 2008. Je l'ouvre avec deux mois de retard. Ses auteurs ont dû ajouter sur épreuves quelques allusions à la crise économique et financière qui s'est déclarée ouvertement à ce moment-là et introduire quelques bémols à leur rhapsodie en bleu. C'est Trotski qui a inventé la notion d'« adorateurs du fait accompli », pour qualifier les voyageurs occidentaux en U.R.S.S. qui publiaient, à leur retour, un bilan « globalement positif » des hauteurs béantes qu'ils étaient résolus de célébrer dès avant leur départ. Le fait accompli, cette fois, et sur lequel il n'est pas plus question de revenir que sur « l'Écran global », auto-correcteur de son « hyperviolence », c'est l'irrésistible entrée en scène, dans les mots de ces auteurs, de « la puissance démultipliée d'une hyperculture mondiale », d'« un capitalisme culturel à croissance exponentielle, celui des médias, de l'audio-visuel, du « webmonde », révolution sans précédent qui « marchandise intégralement la culture, et culturalise intégralement la marchandise ». Finie la « culture cultivée chère à l'humanisme classique », finie « la culture savante et noble », finies même les oppositions modernistes entre marché et création, argent et art. L'« hétérogénéité traditionnelle de la sphère culturelle » est définitivement abolie et remplacée par « l'universalisation de la culture marchande s'emparant de la vie sociale, des modes d'existence, de la quasi-totalité des activités humaines ». Grisant !

Mais ce n'est que le début du torrent de substantifs abstraits et « hyperlatifs » qui m'attend. Les « progrès » qui résultent de cette complète et universelle prise de pouvoir par le « On » impersonnel de l'« hypercapitalisme » financier, des « hypertechnosciences » et de l'« hypermaginaire » qu'ils sécrètent de concert, sont immenses et évidents : la modernité a gagné sur toute la ligne, ses freins et ses adversaires, traditions, Église, libéralisme, etc., sont tous K-O. Elle est devenue « hypermodernité » homogène, dans un « cyberespace » répandu comme le déluge sur toute la surface du globe. À une « déterritorialisation » générale correspondent « de nouvelles formes de vie transnationales » et « de nouvelles perceptions du monde marquées par les interdépendances et les interconnexions croissantes », offrant en surabondance à l'« hyperindividualisation » de chacun un marché « hyperdiversifié » d'images, de modèles, d'« éléments d'identification » pour « construire son existence » et la « brancher sur le grand monde » dans une simultanéité absolue qui supprime le temps et l'espace, le passé et l'avenir. Tout à l'instant, comme on dit tout à l'égout. En deux pages d'anthologie, l'utopie excitante vécue par les beaubourgeois à hauts revenus du Marais parisien, du SoHo new-yorkais et des Parioli romains est formulée sans fard comme elle ne l'avait jamais été, même dans *Les Inrockuptibles* ou dans *Architectural Design*, revues branchées s'il en fut.

Le prix à payer pour ces fabuleux progrès est terrifiant, mais il en vaut la peine. Après les grands mythes, les grandes religions, les grandes idéologies toutes usées et abusées, les repères ont tous disparu, « la désorientation est générale, inédite, exceptionnelle, planétaire », associée à la grande peur de la détérioration de l'écologie terrestre. À l'« hyperindividualisme » festif et festoyant du « bobo » de tous les beaux quartiers du monde correspond l'« explosion des fanatismes identitaires » des banlieues, des régions, des tribus moins favorisées, les « fondamentalismes religieux » embrasant de terrorisme des masses immenses, les réseaux de criminalité et de trafic de drogue embrassant des régions entières, chacun de ces fléaux utilisant à fond le « cyberespace » à ses fins propres, avec le risque que tel d'entre eux ne s'empare un jour ou l'autre de l'arme nucléaire. Ce chaos « hypermoderne », maintenant que l'« hyperpuissance » américaine a touché les limites de son empire sur un monde à la fois nivelé et décomposé, est secoué de crises à répétition fréquente. Accablant !

Les deux auteurs ne sont pas accablés pour autant. Pour prévenir les critiques et le pessimisme de l'école de Hannah Arendt, ils résument en une prosopopée prêtée à ces naïfs mécontents la décomposition à l'œuvre au centre même du système « hypermoderne » :

> L'argent-roi, le consumérisme déchaîné, l'univers superficiel du divertissement *apparaissent comme* des forces ruinant les plus hautes valeurs morales. Un individualisme qui se mue en égoïsme cupide, un repliement sur soi qui fait pièce à la solidarité et à la fraternité, une violence qui se manifeste tout autant dans les explosions du terrorisme que dans la banalisation de la délinquance et de la criminalité, une démocratie sans rigueur citoyenne, un marché qui gouverne tout, des droits de l'homme bafoués, le malaise culturel éthique s'enfle lui aussi à la mesure d'un monde hyper, dans lequel l'homme, à mesure qu'il a plus et même trop, en vient à se demander s'il a mieux.

Une fois que les pleureuses ont vidé leur sac, le corps du livre peut être consacré à nier toutes ces naïves et grossières imputations, à montrer le bon côté des choses et à prodiguer quelques suggestions destinées à faire tourner un peu mieux l'« hypersystème » encore cahotant. Plus de valeurs supérieures ? Tant mieux ! Maintenant la culture est partout et pour tous dans le « complexe médiatico-marchand ». Elle est même devenue un « objet polémique central », nourricier d'incessants « débats » sur la laïcité, le port du foulard, la « guerre des mémoires », les langues régionales, etc., bref un cybercafé du commerce haletant, polémique à souhait, « nouveau viatique de la dynamique d'individualisation et de particularisation gagnant le monde ». Plus de mythes donnant sens au monde ? À la bonne heure ! Un mythe chasse l'autre. « La spirale du *high tech* ne cesse de sécréter une foule de mythes et de nouvelles utopies », tel le *cyborg* promis à remplacer l'*Homo sapiens* en retard sur l'évolution de sa propre espèce.

En attendant cette mutation, les derniers chapitres du livre se bornent à énoncer quelques propositions de réforme de l'enseignement, dans le sens d'une adaptation plus poussée de l'enfance à l'« hypermondialisation », d'une initiation à la « culture d'histoire transversale » que doit dispenser l'université et d'une « culture de la créativité » partout. Il faut réformer la politique culturelle française (je suis cité !) en répartissant clairement les rôles entre le marché de la « culture-monde » et l'État patrimonial et éducateur.

C'est à peu près la seule section du livre (avec la mention fugitive des grands débats « culturels » français sur le foulard ou de la prétendue clandestinité où serait réduit en France l'« Art contemporain ») où l'analyse, changeant de focale, condescend à toucher terre, à entrer dans quelque particularité, en disproportion flagrante avec les généralités exaltantes et terrifiantes qui ont précédé. Car jusque-là, depuis Sirius, un regard souverain balayait le non-lieu mondial où se cherchent et s'inventent désormais les millions d'« hyperindividualistes » gâtés par le nouvel état de choses. On ne pouvait être plus désincarné que ces deux sociologues du vide, des écrans et du webmonde. Ils se sont montrés à ce point indifférents à la « guenille » chère au Chrysale de Molière qu'ils ont envisagé avec faveur de l'échanger contre un robot transhumain, réplique « hyperintelligente » du pauvre *Homo sapiens*, égaré dans la seconde nature *high tech* que ses machines n'ont pas créée pour lui. On ne pouvait être plus délocalisé aussi, car, du haut de leur observatoire galactique, ils ne semblaient repérer à la surface uniforme de la terre que les États-Unis et, en fin de parcours, l'Hexagone et ses débats locaux. L'Europe ? Pas question une seule fois. Ni le corps, notion vampirisée par son branchement sur le webmonde, ni le lieu, notion dépassée, effacée et surclassée par l'ubiquité de la culture-monde, ni le temps, notion déléguée à la mémoire étale de Google, ni l'éducation, réduite à l'enseignement de généralités « transversales », ni la nature, notion réservée aux « débats » sur l'avenir écologique, ni la société, notion remplacée par les « réseaux », non, aucun de ces archaïsmes ne pèse plus sur la liberté inouïe dont disposent les « hyperindividus » de l'économie capitalisée, culturalisée et globalisée, peuplant la « mondialisation heureuse » chère à Alain Minc, où la vocation marchande de la France trouverait enfin à s'épanouir, et ressemblant comme des frères à ces « nomades », bardés d'appareils et d'antennes, dont Jacques Attali, autre Nostradamus de « notre modernité », fit naguère la jouissive théorie. De tels « nomades » attaliens, déjà à demi-cyborgs, n'auront pas eu la moindre chance de naître quelque part, de croître en force et éventuellement en sagesse, de lire, de converser entre amis, de se promener, de regarder un tableau, de se mettre au piano, à plus forte raison d'aimer, de souffrir, de mourir. Serait-ce une autre exception française ? Ces astrologues de la modernité, qui n'ont guère leur équivalent au monde, savent décrire avec enthousiasme le degré zéro de l'existence humaine, tout en nous expliquant sans ambages que c'est à prendre ou à laisser. J'appelle cette sorte de prédication par son nom : c'est un *fondamentalisme*. Une telle « vision du monde », pauvre, optimiste et impérieuse, met à l'Index *The Waste Land* d'Eliot et le *Brave New World* de Huxley, et avec eux toute poésie, parole déviante et décourageante dont il faut préserver les supermarchés du livre. Je ne crois pas que leur « vision du monde » soit vraie, ni à plus forte raison souhaitable, mais je crains qu'elle ne soit subie et partagée comme un *fatum*. Les humains ressemblent à ce qu'ils s'imaginent. C'est pourquoi, en corps, et même en coterie, quand leur imagination est restreinte, ils font peur.

Le beau livre de Rachel Carson, *Silent Spring*, faisait craindre en 1962 l'horreur possible d'un paysage de printemps terrestre, pollué à tel point que la renaissance, devenue difficile, de la nature, n'y aurait plus lieu qu'en l'absence du chant des oiseaux. Baudelaire avait déjà fait le cauchemar d'un printemps ayant « perdu son odeur ». Le livre de Lipovetsky et Serroy, tous deux experts en « hypermodernité », penche plutôt vers la science-fiction que vers l'élégie verte. Du haut de leur île flottante de Laputa, ils décrivent quelque chose de bien pire qu'un printemps silencieux, une surface terrestre où les humains seraient dispensés enfin de leurs cinq sens et pourvus de prothèses à travers lesquels ils communiqueraient entre eux, plus sobrement, à distance, à tout instant, dans une abstraction absolue, sans se voir qu'en image, sans s'écouter qu'avec micro, sans se toucher, sans se humer, sans rien goûter, sans mémoire personnelle, sans imagination puisque sans expérience directe des sens, sans autre passion que de vendre ou de consommer sur catalogue digital, ou de comploter un attentat qui donnera corps à leur abstraite identité de groupe, d'ethnie déchue ou de réseau maffieux.

L'écologie symbolique est aussi vitale à l'humanité que l'atmosphère qu'elle respire. Valéry parle d'« économie de l'esprit », Heidegger de « séjour », Hannah Arendt de « monde habitable ». Baudelaire, qui aime la mer, disait « phares », signes *durables et sensibles*, donnés et éprouvés par le temps – langage, mythes, croyances, symboles, lieux et œuvres, mœurs et manières, gravés dans la mémoire d'une communauté, et rendant possible le dialogue de chacun de ses membres avec soi-même et avec les siens. Il faut avoir grandi dans un tel monde symbolique, l'avoir intériorisé, savoir l'habiter et l'emporter avec soi, pour devenir quelqu'un, enté dans des faits de nature, des lieux, et dans des faits de l'art, œuvres, monuments, institutions, figures. Celui ou celle que nous qualifions de « quelqu'un », les Américains qui savent depuis plus longtemps que nous ce que c'est que vivre parmi les charlatans et les dupes des *lifestyles*, l'appellent *a real person*. C'est mieux qu'un jugement moral, ou esthétique, c'est un jugement de référence et d'existence. Il faut avoir un monde, lui appartenir, s'y tenir, *avant* de pouvoir reconnaître l'appartenance d'autrui à un monde différent, voire très différent, mais qui, en tant que monde symbolique humain, répond à sa façon aux mêmes postulations de la condition humaine que le nôtre, et se prête à de fécondes comparaisons. Cela fait une sympathie, une amitié, un amour, pourquoi pas, mais non de la mixité ni du pluriculturalisme.

Ni l'abstraction scientifique, ni les mécanismes techniques, ni la circulation de l'information en boucle, ni la consommation d'images et de marchandises évacuables, ne peuvent tenir lieu de monde symbolique durable et habitable, dont ne peut se passer la libre respiration naturelle de l'intelligence, de l'imagination, du cœur, des sens, pour ne rien dire de l'âme. Il ne s'agit pas d'un « luxe noble », mais des conditions élémentaires de survie de l'*humanitas* personnelle.

La description que ces deux sociologues font de l'« hyperrévolution » en cours réfléchit, dans sa forme même, dans son abstraction, son schématisme et son fatalisme, la pente évidente au non-monde, et au non-lieu qu'encourage l'univers communicationnel global. Cette désertification symbolique, cette absence d'*otium* personnel, rendent stériles, ou même néfastes, les prodigieux avantages que la mémoire emmagasinée dans nos machines promet, mais qu'elle ne tient vraiment qu'aux esprits entraînés et mûris hors du cercle vicieux de l'information en boucle. Ce désert rempli de mirages est un péril plus grave encore, si possible, et plus irréparable peut-être que les trous dans la couche d'ozone et l'excès de CO_2 polluant l'atmosphère terrestre. Il est aussi infiniment plus difficile à mesurer et à faire percevoir.

Al Gore, prix Nobel, et son *think tank*, ont eu beau jeu, dans le sillage d'un demi-siècle de militance écologique, de réduire au silence les scientifiques qui niaient tout endommagement significatif de la planète par l'industrie humaine. Auteurs d'un film à succès mondial, ils sont en mesure de quantifier et de qualifier les dégâts, alignant statistiques et images pathétiques qui mettent tous les publics en émoi. Le nouveau président Obama veut faire de l'écologie la Nouvelle Frontière de son mandat. Par une reconversion industrielle « propre », il entend faire repartir la machine économique de son pays, et cela n'a rien d'invraisemblable. De grandes affaires – l'automobile électrique, les éoliennes, l'énergie solaire et autres technologies « vertes » – pointent à l'horizon, annonçant la fin de l'ère de l'or noir. La cause en tout cas semble gagnée dans l'opinion.

Mais si elle n'est gagnée qu'*à l'intérieur* de la « culture-monde » ? Si c'était le cas, nous nous serions sauvés du désert ou de la noyade physiques pour vivre dans un désert moral et spirituel. Quels instruments mesurent, quelles images montrent, l'usure symbolique impalpable et rapide dont sont atteints la culture de l'âme, dont l'esprit et le cœur ont un besoin intime, et le loisir contemplatif qui est sa condition d'exercice ? Quelles affaires se proposent d'enrayer l'entropie de l'esprit et du cœur avec autant de résolution que la dégradation de l'écosystème planétaire ?

Comment montrer, cette fois à l'échelle au moins française, européenne et américaine, et non plus personnelle, que le « heurt des civilisations » prophétisé par Samuel Huntington a pour cause profonde *notre propre fondamentalisme*, rétréci, durci en « culture-monde », « mondialisation heureuse » et tribalisme « nomade », incapable de véritable universalité, celle qui recherche la coïncidence des contraires dans l'intériorité et par le haut, au lieu de s'imaginer qu'elle est déjà là, toute faite, dans les prothèses externes des technologies de la communication supposées sécréter d'elles-mêmes paisible « multiculturalisme » et irénique « métissage » ? Faut-il s'étonner que des fondamentalismes identitaires, en réaction contre l'évidente sécheresse de notre propre fondamentalisme, poussent un peu partout, se servant en passant de ces mêmes prothèses pour se venger des balivernes dont nous les payons ? À force d'usure symbolique, nous sommes entrés dans l'ère d'un technoscientisme et d'un économisme incultes qui suscitent contre eux des fanatismes religieux ou ethniques non moins incultes. Le désert symbolique de la « culture-monde » est incapable d'imaginer qu'il puisse se trouver des sources dans d'autres temps, et ailleurs que dans d'autres déserts symboliques contemporains du sien et ressemblant au sien comme une goutte d'eau. Il n'y trouve pas des sources, mais des miroirs, et souvent haineux, en dépit du sourire obligé toutes dents dehors, qui est la marque physiognomonique des nomades du désert climatisé.

Les États-Unis sont à l'aise dans une « culture-monde » dont ils se gardent bien de faire la théorie, et ils le sont même dans ses dommages collatéraux. Ancrés dans un système politique légitimé par plus de deux siècles de résilience, dans une économie qui elle aussi a fait ses preuves d'adaptation aux crises les plus dramatiques, ils ne manquent pas non plus d'écologie symbolique. Leur foi unanime dans un destin providentiel se trouve étayée par un réseau de brillantes universités, où les Prix Nobel scientifiques se forment et abondent, mais où les études archéologiques, littéraires et artistiques sur l'Antiquité classique et orientale comptent, elles aussi, parmi les plus brillantes et solides du monde. Dans son apparent gigantisme, l'Amérique s'est donné, avec d'excellents gyroscopes, une marge d'erreur, même en matière de finances, qui n'a été accordée jusqu'ici à aucune nation. L'Angleterre, son alliée dans la victoire sur le nazisme, s'est aisément accommodée du rôle de grand'mère-patrie, dévergondée sans doute par ses petits-enfants d'outre-Atlantique, mais respectée par eux et recevant d'eux l'éclat de prestige qu'elle trouvait autrefois dans son propre empire.

C'est la France, c'est l'Europe continentale qui sont, du fait des traumatismes sans précédent consécutifs à la Seconde Guerre mondiale et à l'occupation soviétique coupant le continent, pendant plus de quarante ans, de la moitié de lui-même, les plus vulnérables, moralement, aux dommages de la « culture-monde » et à l'entropie symbolique qui l'accompagne. Le succès économique du plan Marshall, celui de l'Union européenne, étroite, puis élargie, n'ont pas suffi, et je suis tenté de dire, au contraire, à la guérir de la schizophrénie morale qui lui a fait prendre en grippe, à des degrés divers, son histoire, ses traditions, son prodigieux patrimoine symbolique, pour ne rien dire, à s'en tenir à la France, de la joie de vivre qui fit se demander en 1930, à un Allemand fort sympathique, Sieburg, si par hasard Dieu ne serait pas français, et à un cycliste polonais, non moins bon observateur, Boblowski, si le beau XVIe siècle de Rabelais ne continuait pas encore au fond des provinces du Sud de la France, pendant l'été 1940, où l'humiliation et l'amertume de la défaite n'avaient pas encore sécrété tous leurs poisons.

Le fond malgré tout reste bon, et voyager en France comme dans le reste de l'Europe, malgré les destructions de la guerre et les accrétions de la prospérité, est une expérience jamais décevante, tant la bonhomie générale s'accorde à l'extrême beauté des lieux, villes ou paysages, et à l'abondance des chefs-d'œuvre des arts. Là, point de « culture-monde », même si l'agriculture n'est plus ce qu'elle était.

C'est à la surface que les choses se gâtent, dans une étroite France d'en haut qui se prend pour une « élite », et qui fait erreur, sur toute la ligne, dans sa vision de la nation, de l'Europe et de leur vocation commune entre Extrême-Occident américain et Extrême-Orient chinois et japonais. Une élite prétentieuse qui se voudrait américaine, sans se donner la peine de l'être, tout en nourrissant une jalousie tenace envers l'imperturbable assurance yankee. Au lieu de voir dans le patrimoine, tant artistique que littéraire, de la nation la ressource vive qu'il faut mettre en lumière pour compenser l'anémie symbolique ambiante, elle donne à l'Europe l'exemple de le traiter en capital touristique et en « faire-valoir », au bénéfice d'une « créativité contemporaine » bas de plafond et bas de gamme, qui ne passe pas ou qui passe mal. Au lieu de voir dans sa tradition poétique, littéraire et artistique, et dans ses attaches à l'Antiquité gréco-latine et au Moyen Âge, un programme d'éducation tout trouvé pour éveiller l'imagination, la sensibilité, le goût, le sens des formes du langage d'un grand nombre de ses enfants et de ses adolescents, notamment ceux de l'immigration récente, avant qu'ils ne soient happés par le prêt-à-porter médiatique et les spécialisations techniques, elle a donné l'exemple à l'Europe d'un sabordage des humanités et d'une idéologie pédagogiste qui a eu l'effet, sur plusieurs générations, d'une révolution culturelle à la Mao. On en est toujours aujourd'hui, au collège et au lycée public français, à chipoter une matière à option de latin ou de grec, ou à lui disputer une heure ou deux.

Au lieu de voir dans le christianisme, outre une grande religion, le principe originaire, pendant la longue durée de la nation, de ses arts, de ses lettres et de sa science et de ses mœurs, principe dont l'État laïc a pris le relais au cours du XIXe siècle, cette même élite paroissiale et souvent très ignorante a donné l'exemple à l'Europe d'un reniement qui abaisse l'État lui-même, en le privant de ses anciennes et profondes assises historiques. La « culture-monde » telle que la décrivent Lipovetsky et Serroy est par essence frivole, elle s'épuise dans l'instant de sa consommation. Elle ne nous apprend rien du monde, rien des hommes, mais tout sur leur manière de les voir, et cette manière de voir est l'un des miroirs les plus réducteurs qui aient jamais été proposés à la nature et à la condition humaines.

Les décisions irréfléchies, mais persévérantes et réductrices, de notre pseudo-élite en matière éducative, mémorielle et historique ont eu pour effet d'affaiblir toute résistance sérieuse à une frivolité publicitaire et médiatique qui donne sa vraisemblance à la « culture-monde » chère à nos auteurs français. Il est impossible, à long comme à court terme, que la « Vieille Europe », en corps, dans son ensemble, et d'abord peut-être en Allemagne, qui renoue lentement, mais sûrement, avec le testament de la grande tradition religieuse et humaniste que son nationalisme lui avait fait trahir, ne s'emploie à recouvrer et à réincarner dans le XXIe siècle le meilleur de son héritage historique et spirituel, dont la France, pour une fois, n'aura pas su montrer la voie la première. Il faut que l'Europe réapprenne au monde à faire démentir le mot terrible de Tocqueville qu'elle s'est si bien appliquée à vérifier au XXe siècle : « Le passé n'éclairant plus l'avenir, l'esprit marche dans les ténèbres. » Le Japon, depuis sa défaite de 1945, a demandé à sa tradition bouddhique les ressources spirituelles cachées qui lui ont permis de rester lui-même tout en payant stoïquement un lourd tribut à la victorieuse version américaine de la modernité. La Chine, après avoir subi une véritable lobotomisation pendant sa « révolution culturelle », renoue, avec un zèle méconnu, les fils de sa très longue mémoire, tout en gardant intacte sa carapace communiste et en jouant avec virtuosité le jeu de l'économie dite libérale. Pour la plupart des grandes nations du monde, l'Inde n'étant pas la dernière, le rapport à leur long passé, le rejet de l'idée de passé-poids dont il faut se délester en bloc, et le recours à un passé-phare, qui donne du champ, oriente et balise la route dans le voyage historique, sont appelés désormais à redevenir des ressorts moraux et politiques majeurs. Le seul recours en profondeur contre les fondamentalismes incultes, à commencer par le nôtre, c'est le rejet résolu, et d'abord par nous Européens, du fondamentalisme et de l'inculture « hypermodernes ».

C'est beaucoup moins le cas aux États-Unis, et même, à certains égards, ce n'est pas le cas du tout, car depuis toujours les Américains ont un point fixe dans le testament de leurs Fondateurs, et depuis la victoire du Sud dans leur guerre civile, ils ont acquis la certitude inébranlable, au moins pour les plus généreux d'entre eux, que le rêve de l'égalité des races s'accomplirait un jour, selon la volonté de la Providence et l'autorité du *Bill of Rights*. L'Europe a un rôle à jouer, non pas, comme le croyait Jacques Chirac en faisant semblant de prendre la tête d'un tiers-monde anti-américain, lui donnant au contraire l'exemple d'un renouement avec le passé qui ne soit pas de consommation touristique, mais une éducation à voir plus clair dans la nature humaine et à y trouver un principe de recul, de prudence et d'amour de la beauté. À qui fera-t-on croire qu'une brillante culture générale a nui à un prix Nobel de physique ou de biologie ? À qui fera-t-on croire que la rencontre d'un beau texte insolite ou l'explication d'une véritable œuvre d'art à l'école rendra malheureux ou inaptes de futurs techniciens ou techniciennes « accros » ? S'ils n'ont pas eu cette chance, les spécialistes, même surdoués, deviendront des téléspectateurs nourrissant les statistiques de l'audimat. Yankee ? Pourquoi pas, pour peu que ce soit avec et comme Baudelaire. Si la France ne rallume pas ses phares, d'autres en Europe le feront pour elle et au besoin sans elle.

Remerciements

Je ne peux remercier nommément toutes celles et tous ceux qui ont contribué par leur conversation, leur amitié, leur relecture, à la gestation de ce livre, ils sont trop nombreux et ils savent toutes et tous mon amitié reconnaissante pour eux, mais je veux marquer publiquement ma reconnaissance à l'université de Columbia, à David Freedberg, à Pierre Force et à Antoine Compagnon qui m'ont invité pour un semestre à l'Italian Academy et au département de français de cette grande institution du savoir, me permettant de commencer la composition de ce livre.

Index des noms de personnes

Index réalisé par Hervé Pyvert.

Table des matières

PREMIÈRE PARTIE
Une saison à New York

DEUXIÈME PARTIE
Un semestre parisien

Composé par Nord Compo Multimédia
7, rue de Fives, 59650 Villeneuve-d'Ascq

Impression réalisée par
CPI BRODARD ET TAUPIN
La Flèche

pour le compte des Éditions Fayard
en mai 2009

Imprimé en France
Dépôt légal : mars 2009
N° d'impression : 52927
35-14-2683-7/03